2025

써니 행정법총론 기출문제집

박준철 편저

필수편

도서출판 지금

Preface | 이 책의 머리말

최신 출제경향을 반영하고 논점이 빠짐없는 기출문제들을 엄선하면서 정확하고 이해하기 쉬운 해설을 짜임새 있게 구성하는 것이 기출문제집의 역할이라 할 수 있습니다.

지금까지 <써니 행정법총론> 기본서에는 기출지문 O×를 통해 이론과 기출문제를 함께 정리할 수 있도록 했고, 2013년판부터는 기출문제집을 출간하여 뜨거운 호응을 받아 왔습니다.

2025년 시험대비 기출문제집을 내면서 가장 큰 변화는 가독성을 키워주는 판형의 확대와 빠른 회독을 도와주는 혁신적인 분권입니다. 또한 최신 출제경향을 반영하여 다양한 시행처의 기출문제들을 대거 수록하고, 수험에 최적화된 학습 장치들을 통해 책의 완성도를 높여 교재 활용의 효과를 극대화시켰습니다. 특히 중요 기출문제는 앞으로 다시 출제될 가능성이 높을 뿐만 아니라 향후 출제경향이나 난이도를 파악하는 데에도 바로미터가 되기 때문에 필수 기출문제 선별에 보다 신중을 기하였습니다. 이에 '필수편'의 기출문제를 1회독 한 다음 2회독으로 '완성편'의 기출문제를 푼다면 회독 시간을 단축하면서 보다 이해하기 쉽게 다회독을 할 수 있습니다. 이때 중복 문제나 선택지는 삭제하거나 재배치하고 주요 쟁점들은 빠짐없이 학습할 수 있도록 구성하였습니다. 그리고 기출문제도 최신 출제경향과 난이도를 고려하여 '대표문제, 빈출문제, 일반문제'로 분류하고, 문항별 난이도, 선택지별 회독 체크란과 O×를 표기하였으며, 주요 기출문제는 관련판례나 관련기출지문을 묶어 유사 내용을 함께 학습할 수 있도록 하였습니다. 또한 반복되는 기출 선지 외에 꼭 숙지해야 할 지문들을 '플러스 기출 모의고사'로 배치 · 보강하였고, 중복되는 해설은 기억의 사이클을 고려하여 최소 배치하되 자주 출제되는 지문들은 빈출 표기를 함으로써 학습의 효율성을 제고하였습니다. 그리고 2024년판 출간 이후 시행된 2023년 국회직 9급, 국가직 7급, 해경간부, 서울시 지적 7급, 지방직 · 서울시 7급, 서울시 연구사, 소방승진 문제와, 2024년 해경승진, 변호사, 소방간부, 국가직 9급, 소방직 9급, 국회직 8급, 지방직 · 서울시 9급, 군무원 9급 · 7급 · 5급 문제 등 총 17개 시행처의 최신 기출문제를 선별 수록함으로써 최근 출제경향에 철저히 대비하였습니다. 이와 함께 2025년 국가직 9급 시험을 기준으로 한 직전 시행일 개정법령과 최신 판례들도 꼼꼼히 반영하였습니다. 이에 행정기본법, 행정소송규칙, 「공공기관의 운영에 관한 법률」 등의 주요 개정법령들을 검토, 반영하였습니다.

2025년 시험대비 〈써니 행정법총론 기출문제집〉의 특징들을 구체적으로 살펴보면 다음과 같습니다.

1 이 책의 기본 편제는 <써니 행정법총론> 기본서를 따르되, 효율적인 회독을 위해 '필수편'과 '완성편'으로 분류하여 기출문제를 배치하였습니다. 그리고 시험 문제가 공개된 2007년부터 2024년까지 18개년의 주요 기출문제들을 수록하였고, 특히 최신 기출문제는 최대한 반영하였습니다. 이때 논점이 반복 출제되거나 지금은 거의 출제되지 않는 오래된 문제는 삭제하거나 선택지를 '관련기출' 또는 '플러스 기출 모의고사'로 이동함으로써 꼭 필요한 문제 위주로 본문을 구성하였고, 모든 선택지별로 보다 이해하기 쉽게 풍부한 설명을 추가하였습니다.

2 공단기/소방단기 합격예측 채점 풀서비스 데이터를 반영하여, 주요 시험의 문항별 정답률을 제시하였습니다. 가장 많은 공무원 수험생들이 이용하는 공단기/소방단기 합격예측 시스템을 통해 실제 이 기출문제를 얼마나 많이 정답 처리했는가를 수치화함으로써 단순히 출제 횟수나 감(感)으로 난이도를 파악하기보다 객관적 · 체계적으로 분석할 수 있습니다. 2015~2024년 국가직 · 지방직 · 서울시 9급, 2015~2023년 국가직 · 지방직 · 서울시 7급, 2018~2024년 소방직 9급, 2021~2024년 군무원 9급 등 총 57회차 데이터 값을 반영하였습니다. 그중 2025년판에 추가된 최신 기출문제는 선택지에도 정답률을 표기함으로써 기출지문을 체계적으로 분석하는 데 유용성을 제고하였습니다.

3 문제 해결의 어려움을 상 · 중 · 하로 구분하여 난도를 표시하였습니다. 어려운 문제를 틀렸다면 자기에게만 어렵다고 생각하여 자신감을 잃지 말고, 쉬운 문제를 틀린 경우에는 성급하게 문제를 풀어서 실수한 것이 아닌지 꼭 확인해 보시기 바랍니다. 또한, 세 번 이상 출제된 선택지들에 대해서도 **빈출** 표기(최신 연도 문제에 표기)를 함으로써 자주 출제되는 기출지문과 관련법령, 판례를 주의 깊게 학습할 수 있도록 내용 및 시각적 측면에서 세심히 배려하였습니다.

4 관련판례 및 중요조문에 관련된 기출지문들을 적절히 배치했습니다. 자주 출제되는 판례와 조문을 집중분석하여, OX 문제로 풀 수 있도록 관련기출을 정리하여 각 논점별 관련기출에 배치하였습니다. 이러한 관련기출 학습을 통해 하나의 판례나 조문이 실제 시험에서 어떤 식으로 다양하게 변형되는지를 파악함으로써 문제 적응력을 키울 수 있을 것입니다.

5 문제 유형과 출제경향, 난이도 등을 분석하여 기본적으로 알아야 할 문제는 **대표문제**로 선정하고, 시험 전 꼭 확인해야 할 필수 기출문제는 붉은색 바탕에 배치함으로써 단원별 핵심 논점을 파악하고, 더욱더 효율적인 학습의 방향을 잡아가도록 했습니다. 또한 시행일 기준 **최신 문제를 먼저 배치함**으로써 최근 출제경향을 보다 빠르게 파악할 수 있도록 하였습니다. 최신 문제를 통해 최근의 중요 논점을 우선적으로 학습함으로써 보다 효율적인 시간 배분도 가능할 것입니다.

6 기존과 표현을 달리하거나 주의를 요하는 지문들을 객관식 문제 형태인 '플러스 기출 모의고사'로 구성함으로써 출제된 논점들을 충분히 정리할 수 있도록 하였습니다.

7 시험 전 시행처별 기출문제를 풀어봄으로써 자신의 실력을 최종 점검할 수 있도록 목차에 삽입된 QR코드를 통해 '시행처 기출문제 e-book'을 받아보실 수 있습니다. 이때 교재 활용을 위해 선지별 해설은 본서의 해당 페이지를 표시하고, 교재 미수록 문제는 '써니로TV'를 통해 저자 직강의 해설 강의가 제공됩니다.

8 2025년판에는 자기 주도적 학습을 위한 학습 도구로서 모의고사가 제공됩니다. 편별로 삽입된 QR코드를 통해 복습테스트 개념의 '기출 온라인 모의고사'를 풀고 자신의 위치와 취약 단원을 확인해 보시기 바랍니다. 또한 써니행정법 APP(기출지문 암기 앱)의 활용은 효율성과 편의성을 제고시켜 줄 것입니다.

이와 같이 본문의 기출문제를 통해 최신 출제경향과 학습의 줄기(필수 기출문제)를 학습하고, 관련기출을 통해 연계된 내용을 유기적으로 학습하며, 플러스 기출 모의고사를 통해 세부 논점까지 빠짐없이 학습하시기 바랍니다.

잘 만들어진 문제를 풀어보는 것은 실력 향상에 많은 도움이 됩니다.

기출문제는 수험생의 실력을 평가하기 위해 행정법의 전문가들이 모여서 만든 문제이며 모든 문제의 시작이자 종착점입니다. 어설프게 만든 문제는 아무리 많이 풀더라도 출제 의도나 경향을 파악하는 데 도움이 되지 않습니다. 이 책으로 공부하는 수험생 여러분들은 기출문제를 풀어보면서 출제 의도와 경향을 다시 한 번 확인하고 기본서의 내용을 자연스럽게 떠올리는 계기로 삼기를 바랍니다. 끝으로, 도서출판 지금의 김지연 · 박완철 대표님, 심광명 부장님, 이희중 차장님, 차운학 과장님을 비롯한 출판관계자 분들과 합격생 예인, 희정, 준태에게도 감사의 마음을 표합니다.

이 책으로 공부하는 수험생 여러분들에게 합격이라는 축복이 함께하기를 진심으로 기원하면서 이만 글을 마칩니다.

2024년 9월
편저자 **박준철** 씀

Contents | 이 책의 목차

필수편

제 1 편 | 행정법통론

제 2 편 | 행정작용법

제 3 편 | 행정절차, 행정공개

제 4 편 | 행정의 실효성 확보수단

제 5 편 | 행정구제 1(행정상 손해전보)

* 제27강은 문제 없음

Contents | 이 책의 목차

제 6 편 | 행정구제 2(행정쟁송)

2025
써니 행정법총론
기출문제집

Sunny

2025 써니로(SunnyLaw) 합격하는 온라인 모의고사
- QR코드로 기출문제 온라인 모의고사 풀기
- 〈써니로TV〉에서 라이브 테스트 실시 & 해설 강의 제공
- 정답과 취약 단원 파악하기

• 시험 일정은 "[네이버] 써니 행정법 카페"를 확인해 주세요.

제 1 편

행정법통론

제 01 강 행 정

1회독	2회독	3회독
/	/	/

⊘정답률 공단기/소방단기 합격예측 풀서비스 통계 데이터 기준 기 기본서 핵 핵심집약

01 권력분립과 행정

기 16~17쪽 핵 T 01

01

정답률 74% 중 2015 지방직 7급

실질적 의미의 행정에 해당하는 것으로만 묶인 것은?

□□□ ㉠ 비상계엄의 선포
□□□ ㉡ 집회의 금지통고
□□□ ㉢ 행정심판의 재결
□□□ ㉣ 일반법관의 임명
□□□ ㉤ 대통령령의 제정
□□□ ㉥ 통고처분

① ㉠, ㉢ ② ㉡, ㉢
③ ㉡, ㉣ ④ ㉤, ㉥

③ 형식적 의미의 행정, 입법, 사법 개념은 어느 '기관'에서 행한 작용인가라는 '기관'을 중심으로 그 개념을 파악하는 것인 반면에, 실질적 의미의 행정, 입법, 사법 개념은 '성질'과 '기능'을 중심으로 그 개념을 파악하는 입장이다. ㉡㉣은 실질적 의미의 행정에 해당하며(㉡ 집회의 금지통고는 경찰서장이 행하므로 형식적 · 실질적 의미 모두 행정에 해당하고, ㉣ 일반법관의 임명은 대법원장이 행하므로 형식적 의미로는 사법이지만, 실질적 의미의 행정에 해당한다), ㉢(행정심판의 재결 – 행정재판과 유사한 작용)과 ㉥(통고처분 – 형사재판에 갈음하는 작용)은 실질적 의미의 사법에 해당하며, ㉤(대통령령의 제정 – 행정기관에서 추상적인 규범을 정립하는 작용)은 실질적 의미의 입법에 해당한다. 한편 ㉠은 통치행위에 해당한다고 보는 것이 일반적 견해이다.

정답 01 ③

02 통치행위

기 18~24쪽 핵 T 02

02 빈출 중

2018 경행경채 3차

통치행위에 대한 설명으로 가장 적절하지 않은 것은? (다툼이 있는 경우 판례에 의함)

□□□ ① 비상계엄의 선포나 확대가 국헌문란의 목적으로 행하여진 경우에 법원은 그 자체가 범죄행위에 해당하는지의 여부에 관하여 심사할 수 있다.

□□□ ② 외국에의 국군의 파견결정은 현행 헌법이 채택하고 있는 대의민주제 통치구조하에서 대의기관인 대통령과 국회의 고도의 정치적 결단이므로 가급적 존중되어야 한다.

□□□ ③ 남북정상회담의 개최과정에서 재정경제부장관에게 신고하지 아니하거나 통일부장관의 협력사업승인을 얻지 아니한 채 북한 측에 사업권의 대가 명목으로 송금한 행위는 사법심사의 대상이 된다.

□□□ ④ 사면은 형의 선고의 효력 또는 공소권을 상실시키거나 형의 집행을 면제시키는 것으로 사법부의 판단을 변경하는 제도이므로 권력분립의 원리에 반한다.

관련기출

①

1. 비상계엄의 선포와 그 확대행위가 국헌문란의 목적을 달성하기 위하여 행하여진 경우에는 법원은 그 자체가 범죄행위에 해당하는지의 여부에 관하여 심사할 수 있다. (○, ×) 2015 국가직 9급

1. ○

②

1. 외국에의 국군의 파견결정과 같이 성격상 외교 및 국방에 관련된 고도의 정치적 결단이 요구되는 사안에 대한 국민의 대의기관의 결정이 사법심사의 대상이 되지 아니한다. (○, ×) 2022 군무원 9급
2. 사병의 이라크 파견결정은 성격상 국방 및 외교에 관련된 고도의 정치적 결단을 요하는 문제이다. (○, ×) 2018 소방직 9급

1. ○ 2. ○

③

1. 남북정상회담의 개최과정에서 재정경제부장관에게 신고하지 아니하거나 통일부장관의 협력사업승인을 얻지 아니한 채 북한 측에 사업권의 대가 명목으로 송금한 행위 자체는 헌법상 법치국가의 원리와 법 앞에 평등원칙 등에 비추어 볼 때 사법심사의 대상이 된다. (○, ×) 2020 · 2017 경행경채
2. 남북정상회담의 개최는 통치행위에 해당한다. (○, ×) 2016 교육행정직 9급

1. ○ 2. ○

④

1. 대통령의 특별사면은 통치행위에 해당한다. (○, ×) 2016 교육행정직 9급
2. 사면은 형의 선고의 효력 또는 공소권을 상실시키거나 형의 집행을 면제시키는 국가원수의 고유한 권한을 의미하며, 사법부의 판단을 변경하는 제도로서 권력분립의 원리에 대한 예외가 된다. (○, ×) 2014 경행특채 2차

1. ○ 2. ○

① 빈출 ○

비상계엄의 선포나 확대가 국헌문란의 목적을 달성하기 위해 행해진 경우에는 법원은 그 자체가 범죄행위에 해당하는지 여부에 대해 심사할 수 있다.

대통령의 비상계엄의 선포나 확대행위는 고도의 정치적 · 군사적 성격을 지니고 있는 행위라 할 것이므로, 그것이 누구에게도 일견하여 헌법이나 법률에 위반되는 것으로서 명백하게 인정될 수 있는 등 특별한 사정이 있는 경우라면 몰라도, 그러하지 아니한 이상 그 계엄선포의 요건 구비 여부나 선포의 당 · 부당을 판단할 권한이 사법부에는 없다고 할 것이나, 비상계엄의 선포나 확대가 국헌문란의 목적을 달성하기 위하여 행하여진 경우에는 법원은 그 자체가 범죄행위에 해당하는지의 여부에 관하여 심사할 수 있다(대판 1997. 4. 17, 96도3376).

② 빈출 ○

자이툰부대(일반사병) 이라크 파병결정은 고도의 정치적 결단을 요하는 문제로서 헌법재판소가 사법적 기준만으로 이를 심판하는 것은 자제되어야 한다(사법자제설을 따르고 있는 판례).

외국에의 국군의 파견결정은 …… 국내 및 국제정치관계 등 제반 상황을 고려하여 미래를 예측하고 목표를 설정하는 등 고도의 정치적 결단이 요구되는 사안이다. 우리 헌법도 그 권한을 국민으로부터 직접 선출되고 국민에게 직접 책임을 지는 대통령에게 부여하고 그 권한행사에 신중을 기하도록 하기 위해 국회로 하여금 파병에 대한 동의 여부를 결정할 수 있도록 하고 있는바, 현행 헌법이 채택하고 있는 대의민주제 통치구조하에서 대의기관인 대통령과 국회의 그와 같은 고도의 정치적 결단은 가급적 존중되어야 한다(헌재 2004. 4. 29, 2003헌마814).

③ 빈출 ○

1. 남북정상회담 개최는 고도의 정치적 성격을 지니고 있는 행위로서 그 당부를 심판하는 것은 사법권의 내재적 · 본질적 한계를 넘어서는 것이 된다.
2. 남북정상회담의 개최과정에서 북한 측에 사업권의 대가 명목으로 송금(대북송금)한 행위는 사법심사의 대상이 된다.

   남북정상회담의 개최과정에서 재정경제부(현 기획재정부)장관에게 신고하지 아니하거나 통일부장관의 협력사업승인을 얻지 아니한 채 북한 측에 사업권의 대가 명목으로 송금한 행위 자체는 헌법상 법치국가의 원리와 법 앞에 평등원칙 등에 비추어 볼 때 사법심사의 대상이 된다(대판 2004. 3. 26, 2003도7878).

④ 빈출 ×

사면은 국가원수의 고유권한으로서 권력분립의 원리에 대한 예외가 된다.

사면은 형의 선고의 효력 또는 공소권을 상실시키거나, 형의 집행을 면제시키는 국가원수의 고유한 권한을 의미하며, 사법부의 판단을 변경하는 제도로서 권력분립의 원리에 대한 예외가 된다(헌재 2000. 6. 1, 97헌바74).

정답 02 ④

대표

03 빈출 ⓢ 2022 군무원 7급

다음 중 통치행위에 대한 설명으로 가장 옳지 않은 것은? (단, 다툼이 있는 경우 판례에 의함)

□□□ ① 국군을 외국에 파견하는 결정은 통치행위로서 고도의 정치적 결단이 요구되는 사안에 대한 대통령과 국회의 판단은 존중되어야 하고 헌법재판소가 사법적 기준만으로 이를 심판하는 것은 자제되어야 한다.

□□□ ② 남북정상회담의 개최과정에서 재정경제부장관에게 신고하지 아니하고 북한 측에 사업권의 대가 명목으로 송금한 행위는 남북정상회담에 도움을 주기 위한 통치행위로서 사법심사의 대상이 되지 아니한다.

□□□ ③ 대통령의 사면권행사는 형의 선고의 효력 또는 공소권을 상실시키거나 형의 집행을 면제시키는 국가원수의 고유한 권한을 의미하며, 사법부의 판단을 변경하는 제도로서 권력분립의 원리에 대한 예외이다.

□□□ ④ 대통령의 긴급재정 · 경제명령은 국가긴급권의 일종으로서 고도의 정치적 결단이나, 그것이 국민의 기본권침해와 직접 관련되는 경우에는 당연히 헌법재판소의 심판대상이 된다.

관련기출

④

1. 대통령의 긴급재정 · 경제명령은 국가긴급권의 일종으로서 고도의 정치적 결단에 의하여 발동되는 행위이다. (○, ×) 2020 군무원 9급
2. 통치행위를 포함하여 모든 국가작용은 국민의 기본권적 가치를 실현하기 위한 수단이라는 한계를 반드시 지켜야 한다. (○, ×) 2020 군무원 9급
3. 대통령의 긴급재정 · 경제명령은 고도의 정치적 결단에 의하여 발동되는 이른바 통치행위에 속하지만 그것이 국민의 기본권침해와 직접 관련되는 경우에는 헌법재판소의 심판대상이 된다. (○, ×) 2015 국가직 9급

1. ○ 2. ○ 3. ○

① ○

외국에의 국군의 파견결정은 고도의 정치적 결단이 요구되는 사안이다. 현행 헌법이 채택하고 있는 대의민주제 통치구조하에서 대의기관인 대통령과 국회의 그와 같은 고도의 정치적 결단은 가급적 존중되어야 한다(헌재 2004. 4. 29, 2003헌마814).

② ×

남북정상회담의 개최과정에서 재정경제부(현 기획재정부)장관에게 신고하지 아니하거나 통일부장관의 협력사업승인을 얻지 아니한 채 북한 측에 사업권의 대가 명목으로 송금한 행위 자체는 사법심사의 대상이 된다는 것이 판례의 입장이다(대판 2004. 3. 26, 2003도7878).

③ ○

사면은 형의 선고의 효력 또는 공소권을 상실시키거나, 형의 집행을 면제시키는 국가원수의 고유한 권한을 의미하며, 사법부의 판단을 변경하는 제도로서 권력분립의 원리에 대한 예외가 된다는 것이 판례의 입장이다(헌재 2000. 6. 1, 97헌바74).

④ **빈출** ○

대통령의 금융실명제에 관한 긴급재정 · 경제명령은 통치행위에 속하나 비록 통치행위라 하더라도 국민의 기본권침해와 직접 관련되는 경우에는 헌법재판소의 심판대상이 될 수 있다.

대통령의 긴급재정 · 경제명령은 국가긴급권의 일종으로서 고도의 정치적 결단에 의하여 발동되는 행위이고 그 결단을 존중하여야 할 필요성이 있는 행위라는 의미에서 이른바 통치행위에 속한다고 할 수 있으나, 통치행위를 포함하여 모든 국가작용은 국민의 기본권적 가치를 실현하기 위한 수단이라는 한계를 반드시 지켜야 하는 것이고, 헌법재판소는 헌법의 수호와 국민의 기본권 보장을 사명으로 하는 국가기관이므로 비록 고도의 정치적 결단에 의하여 행해지는 국가작용이라고 할지라도 그것이 국민의 기본권침해와 직접 관련되는 경우에는 당연히 헌법재판소의 심판대상이 된다(헌재 1996. 2. 29, 93헌마186).

정답 03 ②

제 02 강 행정법의 의의

1회독	2회독	3회독
/	/	/

정답률 공단기/소방단기 합격예측 풀서비스 통계 데이터 기준 기 기본서 핵 핵심집약

02 법치행정의 원리(행정의 법률적합성원칙)

기 30~37쪽 핵 T 03

01 중

2024 해경승진

법치행정의 원칙에 대한 설명으로 가장 옳지 않은 것은? (다툼이 있는 경우 판례에 의함)

□□□ ① 법률의 시행령은 법률에 의한 위임 없이도 법률이 규정한 개인의 권리·의무에 관한 내용을 변경·보충하거나 법률에 규정되지 아니한 새로운 내용을 규정할 수 있다.

□□□ ② 규율대상이 국민의 기본권 및 기본적 의무와 관련한 중요성을 가질수록 그리고 그에 관한 공개적 토론의 필요성 또는 상충하는 이익 사이의 조정 필요성이 클수록, 그것이 국회의 법률에 의해 직접 규율될 필요성은 더 증대된다고 보아야 한다.

□□□ ③ 법률유보의 원칙은 '법률에 의한 규율'만을 요청하는 것이 아니라 '법률에 근거한 규율'을 요청하는 것이기 때문에 기본권의 제한에는 법률의 근거가 필요할 뿐이고 기본권제한의 형식이 반드시 법률의 형식일 필요는 없다.

□□□ ④ 행정작용은 법률에 위반되어서는 아니 되며, 국민의 권리를 제한하거나 의무를 부과하는 경우와 그 밖에 국민생활에 중요한 영향을 미치는 경우에는 법률에 근거해야 한다.

관련기출

①

1. 법률의 시행령은 모법인 법률에 의하여 위임받은 사항이나 법률이 규정한 범위 내에서 법률을 현실적으로 집행하는 데 필요한 세부적인 사항만을 규정할 수 있을 뿐, 법률에 의한 위임이 없는 한 법률이 규정한 개인의 권리·의무에 관한 내용을 변경·보충하거나 법률에 규정되지 아니한 새로운 내용을 규정할 수는 없다. (○, ×) 2024 국가직 9급
2. 법률의 시행령은 법률에 의한 위임이 없는 한 법률이 규정한 개인의 권리·의무에 관한 내용을 변경·보충하거나 법률에 규정되지 아니한 새로운 내용을 규정할 수는 없다. (○, ×) 2022 경찰간부

1. ○ 2. ○

④

1. 법치행정은 행정기본법에 명문 규정을 두고 있다. (○, ×) 2023 소방간부

1. ○

① ×

법률의 시행령은 모법인 법률에 의하여 위임받은 사항이나 법률이 규정한 범위 내에서 법률을 현실적으로 집행하는 데 필요한 세부적인 사항만을 규정할 수 있을 뿐, 법률에 의한 위임이 없는 한 법률이 규정한 개인의 권리·의무에 관한 내용을 변경·보충하거나 법률에 규정되지 아니한 새로운 내용을 규정할 수는 없다(대판 2020. 9. 3, 2016두32992 전합).

② ○

어떠한 사안이 국회가 형식적 법률로 스스로 규정하여야 하는 본질적 사항에 해당되는지는, 구체적 사례에서 관련된 이익 내지 가치의 중요성, 규제 또는 침해의 정도와 방법 등을 고려하여 개별적으로 결정하여야 하지만, 규율대상이 국민의 기본권 및 기본적 의무와 관련한 중요성을 가질수록 그리고 그에 관한 공개적 토론의 필요성 또는 상충하는 이익 사이의 조정 필요성이 클수록, 그것이 국회의 법률에 의해 직접 규율될 필요성은 더 증대된다(대판 2020. 9. 3, 2016두32992 전합 ; 대판 2015. 8. 20, 2012두23808 전합).

③ ○

법률유보의 원칙은 '법률에 근거한' 규율을 요청하는 것이다.
법률유보의 원칙은 '법률에 의한' 규율만을 뜻하는 것이 아니라 '법률에 근거한' 규율을 요청하는 것이므로 기본권제한의 형식이 반드시 법률의 형식일 필요는 없고 법률에 근거를 두면서 헌법 제75조가 요구하는 위임의 구체성과 명확성을 구비하기만 하면 위임입법에 의하여도 기본권제한을 할 수 있다 할 것이다(헌재 2005. 2. 24, 2003헌마289).

④ **빈출** ○

행정기본법 제8조【법치행정의 원칙】 행정작용은 법률에 위반되어서는 아니 되며, 국민의 권리를 제한하거나 의무를 부과하는 경우와 그 밖에 국민생활에 중요한 영향을 미치는 경우에는 법률에 근거하여야 한다.

정답 01 ①

02 빈출 정답률 72% 중 2022 소방직 9급

법치행정의 원리에 대한 설명으로 옳지 않은 것은? (다툼이 있는 경우 판례에 의함)

□□□ ① 국회가 형식적 법률로 직접 규율해야 할 필요성은 규율대상이 기본권 및 기본적 의무와 관련된 중요성을 가질수록, 그에 관한 공개적 토론의 필요성 또는 상충하는 이익 사이의 조정 필요성이 클수록 더 증대된다.

□□□ ② 국가계약의 본질적인 내용은 사인 간의 계약과 다를 바가 없어 법령에 특별한 규정이 있는 경우를 제외하고는 사법의 규정 내지 법원리가 그대로 적용되므로, 국가와 사인 간의 계약은 국가계약법령에 따른 요건과 절차를 거치지 않더라도 유효하다.

□□□ ③ 지방의회의원에 대하여 유급보좌인력을 두기 위해서는 법률의 근거가 필요하다.

□□□ ④ 납세의무자에게 조세의 납부의무뿐만 아니라 스스로 과세표준과 세액을 계산하여 신고하여야 하는 의무까지 부과하는 경우에는 신고의무불이행에 따른 불이익의 내용을 법률로 정하여야 한다.

관련기출

②

1. 국가와 사인 사이에 계약이 체결되었다면 법령에 따라 작성해야 하는 계약서가 따로 작성되지 않았다고 하더라도 효력이 있다. (○, ×) 2023 소방직 9급
2. 국가계약의 본질적인 내용은 사인 간의 계약과 다르므로 법령에 특정한 규정이 있는 경우에 한하여 사법의 규정 내지 법원리가 적용된다. (○, ×) 2019 사회복지직 9급
3. 국가가 사인과 계약을 체결할 때에는 「국가를 당사자로 하는 계약에 관한 법률」에 따른 계약서를 따로 작성하는 등 그 요건과 절차를 이행하여야 한다. (○, ×) 2019 사회복지직 9급
4. 「국가를 당사자로 하는 계약에 관한 법률」에 따른 계약서를 따로 작성하는 등 그 요건과 절차를 거치지 않고 체결된 계약이라고 해서 무효가 되는 것은 아니다. (○, ×) 2019 사회복지직 9급

1. × 2. × 3. ○ 4. ×

③

1. 지방의회의원에 대하여 유급보좌인력을 두는 것은 개별 지방의회의 조례로써 규정할 사항이 아니라 국회의 법률로써 규정하여야 할 입법사항이다. (○, ×) 2018 서울시 9급
2. 지방의회의원에 대하여 유급보좌인력을 두는 것은 지방의회의 조례로 규정할 사항이다. (○, ×) 2018 교육행정직 9급

1. ○ 2. ×

④

1. 납세의무자에게 조세의 납부의무뿐만 아니라 스스로 과세표준과 세액을 계산하여 신고하여야 하는 의무까지 부과하는 경우에 신고의무불이행에 따른 납세의무자가 입게 될 불이익은 법률로 정하여야 한다. (○, ×) 2017 국가직 7급

1. ○

① ○

규율대상이 국민의 기본권 및 기본적 의무와 관련한 중요성을 가질수록 그리고 그에 관한 공개적 토론의 필요성 또는 상충하는 이익 사이의 조정 필요성이 클수록, 그것이 국회의 법률에 의해 직접 규율될 필요성은 더 증대된다는 것이 판례의 입장이다(대판 2020. 9. 3, 2016두32992 전합 ; 대판 2015. 8. 20, 2012두23808 전합).

② 빈출 ×

1. 국가계약의 본질적인 내용은 사인 간의 계약과 다를 바가 없어 법령에 특별한 규정이 있는 경우를 제외하고는 사법의 규정 내지 법원리가 그대로 적용된다(대판 2016. 6. 10, 2014다200763 · 200770).
2. 구 「국가를 당사자로 하는 계약에 관한 법률」상의 요건과 절차를 거치지 않고 체결한 국가와 사인 간의 사법상 계약은 무효이다.
   구 「국가를 당사자로 하는 계약에 관한 법률」 제11조 규정 내용과 국가가 일방당사자가 되어 체결하는 계약의 내용을 명확히 하고 국가가 사인과 계약을 체결할 때 적법한 절차에 따를 것을 담보하려는 규정의 취지 등에 비추어 보면, 국가가 사인과 계약을 체결할 때에는 국가계약법령에 따른 계약서를 따로 작성하는 등 요건과 절차를 이행하여야 할 것이고, 설령 국가와 사인 사이에 계약이 체결되었더라도 이러한 법령상 요건과 절차를 거치지 아니한 계약은 효력이 없다(대판 2015. 1. 15, 2013다215133).

③ 빈출 ○

지방의회의원에 대하여 유급보좌인력을 두는 것은 지방의회의원의 신분 · 지위 및 그 처우에 관한 현행 법령상의 제도에 중대한 변경을 초래하는 것으로서, 이는 개별 지방의회의 조례로써 규정할 사항이 아니라 국회의 법률로써 규정하여야 할 입법사항이다(대판 2013. 1. 16, 2012추84).

④ ○

헌법 제37조 제2항, 제38조, 제59조, 제75조에 비추어 보면, 국민에게 납세의 의무를 부과하기 위해서는 조세의 종목과 세율 등 납세의무에 관한 기본적 · 본질적 사항은 국민의 대표기관인 국회가 제정한 법률로 규정하여야 하고, 법률의 위임 없이 명령 또는 규칙 등의 행정입법으로 과세요건 등 납세의무에 관한 기본적 · 본질적 사항을 규정하는 것은 헌법이 정한 조세법률주의 원칙에 위배된다. 특히 법인세, 종합소득세와 같이 납세의무자에게 조세의 납부의무뿐만 아니라 스스로 과세표준과 세액을 계산하여 신고하여야 하는 의무까지 부과하는 경우에는 신고의무이행에 필요한 기본적인 사항과 신고의무불이행시 납세의무자가 입게 될 불이익 등은 납세의무를 구성하는 기본적 · 본질적 내용으로서 법률로 정하여야 한다(대판 2015. 8. 20, 2012두23808 전합).

정답 02 ②

03 정답률 79% 중 2019 서울시 9급

법률유보원칙에 관한 설명으로 가장 옳은 것은? (다툼이 있는 경우 판례에 따름)

□□□ ① 헌법재판소 결정에 따를 때 기본권제한에 관한 법률유보원칙은 법률에 근거한 규율을 요청하는 것이므로 그 형식이 반드시 법률일 필요는 없더라도 법률상의 근거는 있어야 한다.

□□□ ② 행정상 즉시강제는 개인에게 미리 의무를 명할 시간적 여유가 없는 경우를 전제로 하므로 그 긴급성을 고려할 때 원칙적으로 법률적 근거를 요하지 아니한다.

□□□ ③ 헌법재판소는 법률이 공법적 단체 등의 정관에 자치법적 사항을 위임하는 경우에는 의회유보원칙이 적용될 여지가 없다고 한다.

□□□ ④ 헌법재판소는 국회의 의결을 거쳐 확정되는 예산도 일종의 법규범이므로 법률과 마찬가지로 국가기관뿐만 아니라 국민도 구속한다고 본다.

관련기출

①

1. 헌법재판소는 법률유보의 형식에 대하여 반드시 법률에 의한 규율만이 아니라 법률에 근거한 규율이면 되기 때문에 기본권제한의 형식이 반드시 법률의 형식일 필요는 없다고 하였다. (○, ×) 2017 지방직(하) 9급
2. 기본권제한의 형식이 반드시 법률의 형식일 필요는 없다. (○, ×) 2017 교육행정직 9급

1. ○ 2. ○

③

1. 법률이 공법적 단체 등의 정관에 자치법적 사항을 위임한 경우 헌법 제75조가 정하는 포괄적인 위임입법의 금지가 원칙적으로 적용되며, 위임을 하더라도 그 사항이 국민의 권리 · 의무에 관련되는 것일 경우 적어도 국민의 권리 · 의무에 관한 기본적이고 본질적인 사항은 국회가 정하여야 한다. (○, ×) 2024 변호사
2. 법률이 공법적 단체 등의 정관에 자치법적 사항을 위임한 경우에도 원칙적으로 헌법 제75조가 정하는 포괄적인 위임입법금지원칙이 적용되므로 이와 별도로 법률유보 내지 의회유보의 원칙을 적용할 필요는 없다. (○, ×) 2022 지방직 7급
3. 헌법재판소에 따르면 법률이 자치적인 사항을 공법적 단체의 정관으로 정하도록 위임한 경우에는 포괄위임입법금지원칙이 적용되지 않는다. (○, ×) 2022 국회직 8급
4. 법률이 공법적 단체 등의 정관에 자치법적 사항을 위임한 경우에도 헌법 제75조가 정하는 포괄적인 위임입법의 금지는 원칙적으로 적용된다. (○, ×) 2020 군무원 7급

1. × 2. × 3. ○ 4. ×

④

1. 헌법재판소는 예산도 일종의 법규범이고, 법률과 마찬가지로 국회의 의결을 거쳐 제정되며, 국가기관뿐만 아니라 일반국민도 구속한다고 본다. 따라서 법률유보원칙에서 말하는 법률에는 예산도 포함된다. (○, ×) 2013 지방직 9급

1. ×

① **빈출** ○

> 기본권제한에 관한 법률유보원칙은 '법률에 근거한 규율'을 요청하는 것이므로, 그 형식이 반드시 법률일 필요는 없다 하더라도 법률상의 근거는 있어야 한다(헌재 2006. 5. 25, 2003헌마715, 2006헌마368 병합).

② 제25강 참조 ×

행정상 즉시강제는 권력적 사실행위로서 법률의 근거가 필요하다는 것이 통설 및 판례의 입장이다.

③ ×

포괄위임입법금지원칙은 적용되지 않지만 의회유보원칙은 적용된다.

> 1. 법률이 공법적 단체 등의 정관에 자치법적 사항을 위임한 경우 헌법 제75조가 정하는 포괄위임입법금지원칙은 적용되지 않는다.
> 2. 법률이 공법적 단체 등의 정관에 자치법적 사항을 위임한 경우 국민의 권리 · 의무에 관한 기본적이고 본질적인 사항까지 정관에 위임할 수는 없으며, 국회가 정해야 한다(편저자 주 : 의회유보)(대판 2007. 10. 12, 2006두14476).

④ ×

> 예산도 일종의 법규범이고 법률과 마찬가지로 국회의 의결을 거쳐 제정되지만 예산은 법률과 달리 국가기관만을 구속할 뿐 일반국민을 구속하지 않는다(헌재 2006. 4. 25, 2006헌마409).

정답 03 ①

04 중 2019 서울시 1회 7급

법치행정의 원리에 대한 설명으로 가장 옳은 것은?

□□□ ① 법우위의 원칙에서 법은 형식적 법률뿐 아니라 법규명령과 관습법 등을 포함하는 넓은 의미의 법이다.

□□□ ② 법치행정원리의 현대적 의미는 실질적 법치주의에서 형식적 법치주의로의 전환이다.

□□□ ③ 법률유보원칙에서 '법률의 유보'라고 하는 경우의 '법률'에는 국회에서 법률제정의 절차에 따라 만들어진 형식적 의미의 법률뿐만 아니라 국회의 의결을 거치지 않은 명령이나 불문법원으로서의 관습법이나 판례법도 포함된다.

□□□ ④ 법률유보의 원칙은 행정권의 발동에 있어서 조직규범의 근거가 필요하다는 것을 말한다.

관련기출

②

1. 실질적 법치국가에서는 국회에서 제정된 형식적 법률을 중시하며, 법의 내용적 측면이나 인권은 중요시하지 아니한다. (O, ×) 2008 관세사

1. ×

③

1. 관습법은 성문법령의 흠결을 보충하기 때문에 법률유보원칙에서 말하는 법률에 해당한다. (O, ×) 2016 서울시 9급
2. 법률유보의 원칙에 있어서 법률은 형식적 의미의 법률을 의미하므로 관습법은 포함되지 않는다. (O, ×) 2013 국회속기직 9급

1. × 2. O

④

1. 법률유보원칙에서 요구되는 법적 근거는 작용법적 근거를 의미하며, 조직법적 근거는 모든 행정권 행사에 있어서 당연히 요구된다. (O, ×) 2018 서울시 9급
2. 법률유보의 원칙은 행정권의 발동에 있어서 조직규범 외에 작용규범이 요구된다는 것을 의미한다. (O, ×) 2018 교육행정직 9급

1. O 2. O

① O

법률의 우위라고 하는 경우에 있어서 법률은 헌법, 형식적 의미의 법률, 법규명령과 행정법의 일반원칙, 관습법 등 불문법을 포함한 모든 법규범을 의미한다(이런 의미에서 법률우위 대신에 문제의 지문과 같이 법우위의 원칙이라고 표현하기도 한다). ③과 비교해 둘 것.

② ×

설명이 반대로 되어 있다. 형식적 법치주의는 '법'에 의한 행정이라는 형식적 의미만 강조할 뿐 법의 내용과 가치는 고려하지 않았다. 이러한 형식적 법치주의는 나치(NAZIS) 시절에 법에 의하기만 하면 어떠한 행정작용도 가능하다는 의미로 변질되었다(법에 근거한 인권침해 등이 광범위하게 행해지게 됨). 제2차 세계대전 후 이에 대한 반성으로 실질적 법치주의 개념이 등장하게 되었는데, 실질적 법치주의 개념에 따르면 법이라는 형식뿐만 아니라 법의 내용까지도 강조하는바, 법의 내용이 인권의 보장 등 헌법의 기본가치들을 포함하고 있어야만 법치주의에 타당하게 된다. 현대국가에서 법치주의라 함은 이러한 실질적 법치주의를 의미한다.

③ ×

법률의 유보에 있어서 법률은 원칙적으로 국회에서 법률제정의 절차에 따라 만들어진 형식적 의미의 법률을 의미한다. 따라서 국회의 의결을 거치지 않은 명령이나 불문법원으로서의 관습법 등은 법률유보에서 말하는 법률에 포함되지 않는다.

④ ×

법률유보의 원칙이란 일정한 행정권의 발동에는 법률의 근거가 있어야 한다는 원칙을 의미한다. 한편, 행정권의 발동에는 조직법적 근거가 반드시 필요하므로 법률유보원칙에서 말하는 법적 근거는 조직규범이 아니라 작용규범(권한규범, 근거규범)을 의미한다.

정답 04 ①

05 정답률 70% 중 2017 국가직 9급

법률유보의 원칙에 대한 설명으로 옳지 않은 것은?

□□□ ① 다수설에 따르면 행정지도에 관해서 개별법에 근거 규정이 없는 경우 행정지도의 상대방인 국민에게 미치는 효력을 고려하여 행정지도를 할 수 없다고 본다.

□□□ ② 대법원은 지방의회의원에 대하여 유급보좌인력을 두는 것은 지방의회의원의 신분 · 지위 및 그 처우에 관한 현행 법령상의 제도에 중대한 변경을 초래하는 것으로서, 이는 개별 지방의회의 조례로써 규정할 사항이 아니라 국회의 법률로써 규정하여야 할 입법사항이라고 한다.

□□□ ③ 헌법재판소는 토지 등 소유자가 도시환경정비사업을 시행하는 경우, 사업시행인가 신청시 필요한 토지 등 소유자의 동의정족수를 정하는 것은 국민의 권리와 의무의 형성에 관한 기본적이고 본질적인 사항으로 법률유보 내지 의회유보의 원칙이 지켜져야 할 영역이라고 한다.

□□□ ④ 헌법재판소는 법률에 근거를 두면서 헌법 제75조가 요구하는 위임의 구체성과 명확성을 구비하는 경우에는 위임입법에 의하여도 기본권을 제한할 수 있다고 한다.

관련기출

①

1. 행정지도는 작용법적 근거가 필요하지 않으므로, 비례원칙과 평등원칙에 구속되지 않는다. (○, ×) 2019 국가직 9급

1. ×

③

1. 토지 등 소유자가 도시환경정비사업을 시행하는 경우, 도시환경정비사업시행인가 신청시 요구되는 토지 등 소유자의 동의정족수를 정하는 것은 법률유보 내지 의회유보의 원칙이 지켜져야 할 영역이다. (○, ×) 2022 국회직 8급
2. 토지 등 소유자가 도시환경정비사업을 시행하는 경우 사업시행인가 신청에 필요한 토지 등 소유자의 동의정족수를 토지 등 소유자가 자치적으로 정하여 운영하는 규약에 정하도록 한 것은 법률유보원칙에 위반된다. (○, ×) 2018 서울시 9급

1. ○ 2. ○

④

1. 기본권제한에 관한 법률유보의 원칙은 '법률에 근거한 규율'뿐만 아니라 '법률에 의한 규율'을 요청하는 것이므로, 기본권의 제한에는 법률의 근거가 필요할 뿐만 아니라 기본권제한의 형식도 법률의 형식일 것을 요한다. (○, ×) 2021 변호사
2. 헌법재판소 결정에 따를 때 기본권제한에 관한 법률유보원칙은 법률에 근거한 규율을 요청하는 것이므로 그 형식이 반드시 법률일 필요는 없더라도 법률상의 근거는 있어야 한다. (○, ×) 2019 서울시 9급
3. 기본권제한에 관한 법률유보원칙은 '법률에 근거한 규율'을 요청하는 것이 아니라 '법률에 의한 규율'을 요청하는 것이다. (○, ×) 2018 경행경채

1. × 2. ○ 3. ×

① 제19강 참조 ×

행정지도는 행정지도에 따를 것인지가 상대방의 임의적 결정에 달려 있는 비권력적 사실행위이므로, 개별법적 근거는 필요 없다는 것이 통설의 입장이다. 다만, 행정지도도 행정작용인 이상 법률우위의 원칙을 지켜야 하므로 비례의 원칙을 포함한 행정법의 일반원칙을 위반하지 않아야 한다.

② ○

지방의회의원에 대하여 유급보좌인력을 두는 것은 지방의회의원의 신분 · 지위 및 그 처우에 관한 현행 법령상의 제도에 중대한 변경을 초래하는 것으로서, 이는 개별 지방의회의 조례로써 규정할 사항이 아니라 국회의 법률로써 규정하여야 할 입법사항이라는 것이 판례의 입장이다(대판 2013. 1. 16, 2012추84).

③ ○

토지 등 소유자들이 그 사업을 위한 조합을 따로 설립하지 않고 직접 시행하는 도시환경정비사업에서 사업시행인가처분은 「도시 및 주거환경정비법」상 정비사업을 시행할 수 있는 권한을 가지는 행정주체로서의 지위를 부여하는 일종의 설권적 처분의 성격, 즉 학문상 특허라는 것이 판례의 입장이다(완성편 17 D. 해설 참조). 이런 전제에서 토지 등 소유자가 도시환경정비사업을 시행하는 경우 사업시행인가 신청시 필요한 토지 등 소유자의 동의요건은 행정주체의 지위를 결정하는 문제로서 국민의 권리와 의무의 형성에 관한 기본적이고 본질적인 사항이므로 국회가 스스로 행하여야 하는 사항이라는 것이 판례의 입장이다. 「도시 및 주거환경정비법」상 조합의 사업시행인가 신청시의 동의요건을 조합의 정관에 위임할 수 있는 것과 구별하기 바란다(제10강 13 ① 해설 참조).

> 토지 등 소유자가 도시환경정비사업을 시행하는 경우 …… 사업시행인가 신청시 요구되는 토지 등 소유자의 동의정족수를 정하는 것은 국민의 권리와 의무의 형성에 관한 기본적이고 본질적인 사항으로 법률유보 내지 의회유보의 원칙이 지켜져야 할 영역이다(헌재 2011. 8. 30, 2009헌바128).

④ ○

> 법률유보의 원칙은 '법률에 의한' 규율만을 뜻하는 것이 아니라 '법률에 근거한' 규율을 요청하는 것이므로 기본권제한의 형식이 반드시 법률의 형식일 필요는 없고 법률에 근거를 두면서 헌법 제75조가 요구하는 위임의 구체성과 명확성을 구비하기만 하면 위임입법에 의하여도 기본권제한을 할 수 있다 할 것이다(헌재 2005. 2. 24, 2003헌마289).

정답 05 ①

제 03 강 행정법의 법원과 효력

1회독	2회독	3회독
/	/	/

⊘정답률 공단기/소방단기 합격예측 풀서비스 통계 데이터 기준 기 기본서 핵 핵심집약

01 행정법의 법원

기 40~46쪽 핵 T 04

01 빈출 ⓢ

2011 지방직(상) 9급

행정법의 법원에 대한 설명으로 옳지 않은 것은? (다툼이 있는 경우 판례에 의함)

□□□ ① 헌법에 의하여 체결 · 공포된 조약과 일반적으로 승인된 국제법규는 국내법과 동일한 효력을 갖는다.

□□□ ② 학교급식을 위해 국내 우수농산물을 사용하는 자에게 식재료나 구입비의 일부를 지원하는 것 등을 내용으로 하는 지방자치단체의 조례안은 「1994년 관세 및 무역에 관한 일반협정」에 위반되어 그 효력이 없다.

□□□ ③ 사인(私人)은 반덤핑부과처분이 세계무역기구(WTO) 협정위반이라는 이유로 직접 국내법원에 회원국 정부를 상대로 그 처분의 취소를 구하는 소를 제기할 수 있다.

□□□ ④ 헌법에 의하여 체결 · 공포된 조약과 일반적으로 승인된 국제법규가 동일한 효력을 가진 국내의 법률, 명령과 충돌하는 경우에는 신법우위의 원칙 및 특별법 우위의 원칙이 적용된다.

관련기출

②

1. 지방자치단체가 제정한 조례가 「1994년 관세 및 무역에 관한 일반협정(General Agreement on Tariffs and Trade 1994)」이나 「정부조달에 관한 협정(Agreement on Government Procurement)」에 위반되는 경우, 그 조례는 무효이다. (○, ×) 2017 국가직 9급
2. 대법원은 초 · 중 · 고등학교의 학교급식을 위해 지방자치단체에서 생산되는 우수농산물을 사용하여 식재료를 만드는 자에게 식재료 구입비의 일부를 지원하는 지방자치단체의 조례안이 「1994년 관세 및 무역에 관한 일반협정(GATT)」에 위반되어 무효라고 판시한 바 있다. (○, ×) 2012 지방직(상) 9급

🔒 1. ○ 2. ○

③

1. 국제법규도 행정법의 법원이므로, 사인이 제기한 취소소송에서 WTO 협정과 같은 국제협정 위반을 독립된 취소사유로 주장할 수 있다. (○, ×) 2019 서울시 9급
2. 회원국 정부의 반덤핑부과처분이 WTO 협정위반이라는 이유만으로 사인이 직접 국내 법원에 회원국 정부를 상대로 그 처분의 취소를 구하는 소를 제기할 수 있다. (○, ×) 2017 국가직(하) 9급

🔒 1. × 2. ×

① ○

> 헌법 제6조 ① 헌법에 의하여 체결 · 공포된 조약과 일반적으로 승인된 국제법규는 국내법과 같은 효력을 가진다.

② ○

> 1. 지방자치단체가 제정한 조례가 「1994년 관세 및 무역에 관한 일반협정(General Agreement on Tariffs and Trade 1994)」이나 「정부조달에 관한 협정(Agreement on Government Procurement)」에 위반되는 경우, 그 조례는 무효이다.
> 2. <u>학교급식을 위해 국내 우수농산물을 사용하는 자에게 식재료나 구입비의 일부를 지원하는 것 등을 내용으로 하는 지방자치단체의 조례안은 「1994년 관세 및 무역에 관한 일반협정(General Agreement on Tariffs and Trade 1994)」에 위반되어 그 효력이 없다</u>(대판 2005. 9. 9, 2004추10).

③ ×

> 회원국 정부의 반덤핑부과처분이 WTO 협정위반이라는 이유만으로 사인(私人)이 직접 국내법원에 그 처분의 취소를 구하는 소를 제기할 수 없으며, 협정위반을 처분의 독립된 취소사유로 주장할 수는 없다(대판 2009. 1. 30, 2008두17936).

학교급식판례(대판 2005. 9. 9, 2004추10)는 교육감이 지방의회를 상대로 제기한 기관소송이며, 반덤핑부과처분과 관련한 판례의 경우는 취소소송이 제기된 경우로서 대법원은 양자를 다르게 보고 있다. 즉, 우리 대법원은 기관소송에서는 WTO 협정의 직접적 효력을 예외적으로 인정한 바 있으며 일반적인 취소소송에서는 직접 효력을 부인하고 있는 것으로 보인다. 따라서 수험생으로서는 학교급식조례에 관한 판결과 반덤핑부과처분 판결을 각각 따로 정리하기를 바란다.

④ ○

조약과 일반적으로 승인된 국제법규는 국내법과 동일한 효력을 가지는바, 이러한 국제법령과 국내법령이 내용상 충돌하는 경우 어떻게 해결할 것인지가 문제된다. 이에 대해 일반적 견해는 일반적인 법 충돌시 해결방법인 신법우선의 법칙, 특별법우선의 법칙, 상위법우선의 법칙을 통하여 해결할 수 있다고 본다.

정답 01 ③

02 행정법의 효력

기 47~53쪽 핵 T 05

02 정답률 43% 중 2015 지방직 9급

행정법령의 공포에 대한 설명으로 옳지 않은 것은?

① 국민의 권리제한 또는 의무부과와 직접 관련되는 법령은 긴급히 시행하여야 할 특별한 사유가 있는 경우를 제외하고는 공포일부터 적어도 30일이 경과한 날부터 시행되도록 하여야 한다.

② 대통령의 법률안거부권의 행사로 인하여 재의결된 법률을 국회의장이 공포하는 경우에는 서울특별시에서 발행되는 둘 이상의 일간신문에 게재함으로써 한다.

③ 지방자치단체의 장에 의한 조례와 규칙의 공포는 해당 지방자치단체의 공보에 게재하는 방법으로 한다.

④ 지방자치단체의 조례와 규칙을 지방의회의 의장이 공포하는 경우에는 일간신문에 게재함과 동시에 해당 지방자치단체의 인터넷 홈페이지에 게시하여야 한다.

관련기출

①

1. 국민의 권리제한 또는 의무부과와 직접 관련되는 대통령령, 총리령 및 부령은 긴급히 시행하여야 할 특별한 사유가 있는 경우를 제외하고는 공포일부터 적어도 30일이 경과한 날부터 시행되도록 하여야 한다. (○, ×) 2024 소방간부, 2020 국가직 9급
2. 국민의 권리제한 또는 의무부과와 직접 관련되는 법률, 대통령령, 총리령 및 부령은 긴급히 시행하여야 할 특별한 사유가 있는 경우를 제외하고는 공포일부터 적어도 90일이 경과한 날부터 시행되도록 하여야 한다. (○, ×) 2018 경행경채

1. ○ 2. ×

②

1. 국회법에 따라 하는 국회의장의 법률 공포는 서울특별시에서 발행되는 둘 이상의 일간신문에 게재함으로써 한다. (○, ×) 2021 지방직 · 서울시 9급
2. 헌법개정 · 법률 · 조약 · 대통령령 · 총리령 및 부령의 공포는 관보에 게재함으로써 한다. (○, ×) 2021 지방직 · 서울시 9급
3. 국회법 제98조 제3항 전단에 따라 하는 국회의장의 법률 공포는 수도권에서 발행되는 둘 이상의 일간신문에 게재함으로써 한다. (○, ×) 2020 경행경채
4. 헌법개정 · 법률 · 조약 · 대통령령 · 총리령 및 부령의 공포와 헌법개정안 · 예산 및 예산 외 국고부담계약의 공고는 관보(官報)에 게재함으로써 한다. (○, ×) 2020 경행경채

1. ○ 2. ○ 3. × 4. ○

③④

1. 조례와 규칙의 공포는 해당 지방자치단체의 공보에 게재하는 방법으로 한다. 다만, 지방자치법 제32조 제6항 후단에 따라 지방의회의 의장이 조례를 공포하는 경우에는 공보나 일간신문에 게재하거나 게시판에 게시한다. (○, ×) 2022 서울시 7급

1. ○

① ○

「법령 등 공포에 관한 법률」 제13조의2【법령의 시행유예기간】 국민의 권리제한 또는 의무부과와 직접 관련되는 법률, 대통령령, 총리령 및 부령은 긴급히 시행하여야 할 특별한 사유가 있는 경우를 제외하고는 공포일부터 적어도 30일이 경과한 날부터 시행되도록 하여야 한다.

참고 법령의 효력발생시기

- 법률, 대통령령, 총리령, 부령은 공포한 날로부터 20일을 경과함으로써 효력을 발생한다.
- 국민의 권리제한, 의무부과와 직접 관련되는 법률, 대통령령, 총리령 및 부령은 적어도 공포한 날로부터 30일을 경과한 날로부터 시행되도록 하여야 한다.
- 조례와 규칙은 원칙적으로 공포한 날로부터 20일을 경과함으로써 효력을 발생한다.
- 대통령이 법률을 공포하는 경우 관보에 게재하나 국회의장이 법률을 공포하는 경우 서울특별시에서 발행되는 일간신문 2 이상에 게재함으로써 한다.
- 지방자치단체장에 의한 자치법규의 공포는 그 지방자치단체의 공보에 게재함으로써 하나, 지방의회의장이 공포하는 경우 공보나 일간신문의 게재 또는 게시판의 게시로써 한다.
- 공포한 날은 관보 또는 신문이 발행된 날이다.
- 헌법개정 · 법률 · 조약 · 대통령령 · 총리령 · 부령의 공포와 헌법개정안 · 예산 · 예산 외 국고부담계약의 공고는 관보에 게재한다.

② ○

「법령 등 공포에 관한 법률」 제11조【공포 및 공고의 절차】 ① 헌법개정 · 법률 · 조약 · 대통령령 · 총리령 및 부령의 공포와 헌법개정안 · 예산 및 예산 외 국고부담계약의 공고는 관보(官報)에 게재함으로써 한다.
② 국회법 제98조 제3항 전단에 따라 하는 국회의장의 법률 공포는 서울특별시에서 발행되는 둘 이상의 일간신문에 게재함으로써 한다.

③ ○

④ ×

지방자치법 제33조【조례와 규칙의 공포방법 등】 ① 조례와 규칙의 공포는 해당 지방자치단체의 공보에 게재하는 방법으로 한다(③). 다만, 제32조 제6항 후단에 따라 지방의회의 의장이 조례를 공포하는 경우에는 공보나 일간신문에 게재하거나 게시판에 게시한다(④).

정답 02 ④

03 빈출 ㊤ 2015 사회복지직 9급

행정법의 시간적 효력에 대한 판례의 입장으로 옳지 않은 것은?

□□□ ① 법령을 소급적용하더라도 일반국민의 이해에 직접 관계가 없는 경우나 오히려 그 이익을 증진하는 경우, 불이익이나 고통을 제거하는 경우에는 예외적으로 법령의 소급적용이 허용된다.

□□□ ② 일반적으로 국민이 소급입법을 예상할 수 있었거나 법적 상태가 불확실하고 혼란스러워 보호할 만한 신뢰이익이 적은 경우에도 진정소급입법이 허용되지 않는다.

□□□ ③ 법률조항에 대하여 헌법재판소가 헌법불합치결정을 하여 그 법률조항을 합헌적으로 개정 또는 폐지하는 임무를 입법자의 형성재량에 맡긴 이상, 그 개선입법의 소급적용 여부와 소급적용의 범위는 원칙적으로 입법자의 재량에 달려 있다.

□□□ ④ 법령의 효력이 시행일 이전에 소급하지 않는다는 것은 시행일 이전에 이미 종결된 사실에 대하여 법령이 적용되지 않는다는 것을 의미하는 것이지, 시행일 이전부터 계속되는 사실에 대하여도 법령이 적용되지 않는다는 의미가 아니다.

관련기출

③

1. 어떠한 법률조항에 대하여 헌법재판소가 헌법불합치결정을 하여 그 법률조항을 합헌적으로 개정 또는 폐지하는 임무를 입법자의 형성재량에 맡긴 이상, 그 개선입법의 소급적용 여부와 소급적용의 범위는 원칙적으로 입법자의 재량이다. (○, ×) 2012 국회(속기 · 경위직) 9급

1. ○

④

1. 소득세법이 개정되어 세율이 인상된 경우, 법 개정 전부터 개정법이 발효된 후에까지 걸쳐 있는 과세기간(1년)의 전체 소득에 대하여 인상된 세율을 적용하는 것은 재산권에 대한 소급적 박탈이 되므로 위법하다. (○, ×) 2015 서울시 9급

1. ×

① ○

> 법령의 소급적용, 특히 행정법규의 소급적용은 일반적으로는 법치주의의 원리에 반하고, 개인의 권리·자유에 부당한 침해를 가하며, 법률생활의 안정을 위협하는 것이어서, 이를 인정하지 않는 것이 원칙이고(법률불소급의 원칙 또는 행정법규불소급의 원칙), 다만 법령을 소급적용하더라도 일반 국민의 이해에 직접 관계가 없는 경우, 오히려 그 이익을 증진하는 경우, 불이익이나 고통을 제거하는 경우 등의 특별한 사정이 있는 경우에 한하여 예외적으로 법령의 소급적용이 허용된다(대판 2005. 5. 13, 2004다8630).

② ×

> 기존의 법에 의하여 형성되어 이미 굳어진 개인의 법적 지위를 사후입법을 통하여 박탈하는 것 등을 내용으로 하는 진정소급입법은 개인의 신뢰보호와 법적 안정성을 내용으로 하는 법치국가원리에 의하여 특단의 사정이 없는 한 헌법적으로 허용되지 아니하는 것이 원칙이고, 다만 일반적으로 ㉠ 국민이 소급입법을 예상할 수 있었거나 ㉡ 법적 상태가 불확실하고 혼란스러워 보호할 만한 신뢰이익이 적은 경우와 ㉢ 소급입법에 의한 당사자의 손실이 없거나 아주 경미한 경우 그리고 ㉣ 신뢰보호의 요청에 우선하는 심히 중대한 공익상의 사유가 소급입법을 정당화하는 경우 등에는 예외적으로 진정소급입법이 허용된다(헌재 1999. 7. 22, 97헌바76).

③ ○

> 헌법재판소의 헌법불합치결정에 따른 개선입법의 소급적용 여부는 입법자의 재량이다.
> 어떠한 법률조항에 대하여 헌법재판소가 헌법불합치결정을 하여 그 법률조항을 합헌적으로 개정 또는 폐지하는 임무를 입법자의 형성재량에 맡긴 이상, 그 개선입법의 소급적용 여부와 소급적용의 범위는 원칙적으로 입법자의 재량에 달린 것이다(대판 2008. 1. 17, 2007두21563).

④ ○

소급금지원칙은 법령의 시행일 이전에 '이미 종결된 사실'에 대하여 그 법령이 적용되지 않는다는 것을 의미하는 것을 말한다. 따라서 시행일 이전부터 '계속되는 사실'에 대하여는 원칙적으로 그 법령이 적용되며 이는 소급금지원칙에 위반되는 것이 아니다.

> 과세연도 진행 중에 세율 등을 인상하는 세법을 제정하여 당해 연도에 적용하는 경우 부진정소급으로서 원칙적으로 허용된다(대판 1983. 4. 26, 81누423).

정답 03 ②

제 04 강 행정법의 일반원칙

1회독	2회독	3회독
/	/	/

⊘정답률 공단기/소방단기 합격예측 풀서비스 통계 데이터 기준 기 기본서 핵 핵심집약

01 비례의 원칙(과잉금지의 원칙) 기 56~59쪽 핵 T 06

01

정답률 84% 중 2022 지방직 · 서울시 9급

행정법의 일반원칙에 대한 설명으로 옳은 것만을 모두 고르면? (다툼이 있는 경우 판례에 의함)

□□□ ㉠ 비례의 원칙은 법치국가원리에서 당연히 파생되는 헌법상의 기본원리이다.

□□□ ㉡ 평등의 원칙은 본질적으로 같은 것을 자의적으로 다르게 취급함을 금지하는 것이므로, 위법한 행정처분이 수차례에 걸쳐 반복적으로 행하여졌다면 행정청에 대하여 자기구속력을 갖게 된다.

□□□ ㉢ 국가가 임용결격사유가 있는 자에 대하여 결격사유가 있는 것을 알지 못하고 공무원으로 임용하였다가 나중에 결격사유가 있음을 발견하고 그 임용행위를 취소하는 경우 신의칙이 적용된다.

□□□ ㉣ 지방자치단체장이 사업자에게 주택사업계획승인을 하면서 그 주택사업과는 아무런 관련이 없는 토지를 기부채납하도록 하는 부관을 주택사업계획승인에 붙인 경우, 그 부관은 부당결부금지의 원칙에 위반되어 위법하다.

① ㉠, ㉡ ② ㉠, ㉣ ③ ㉡, ㉢ ④ ㉢, ㉣

관련기출

㉠

1. 비례의 원칙은 행정에만 적용되는 원칙이므로 입법에서는 적용될 여지가 없다. (○, ×) 2020 지방직 · 서울시 9급

1. ×

㉢

1. 국가가 임용결격자에 대하여 결격사유가 있는 것을 알지 못하고 공무원으로 임용하였다가 사후에 결격사유가 있음을 발견하고 당초의 임용처분을 취소하는 것은 신의칙 내지 신뢰의 원칙에 위반된다. (○, ×) 2023 변호사
2. 국가가 공무원임용결격사유가 있는 자에 대하여 결격사유가 있는 것을 알지 못하고 공무원으로 임용하였다가 사후에 결격사유가 있는 자임을 발견하고 공무원임용행위를 취소함은 당사자에게 원래의 임용행위가 당초부터 당연무효이었음을 통지하여 확인시켜 주는 행위에 지나지 아니하는 것이므로, 그러한 의미에서 당초의 임용처분을 취소함에 있어서는 신의칙 내지 신뢰의 원칙을 적용할 수 없다. (○, ×) 2016 경행경채

1. × 2. ○

㉠ ○

비례의 원칙은 법치국가원리에서 당연히 파생되는 헌법상의 기본원리로서, 모든 국가작용에 적용된다. 행정목적을 달성하기 위한 수단은 목적달성에 유효 · 적절하고, 가능한 한 최소침해를 가져오는 것이어야 하며, 아울러 그 수단의 도입에 따른 침해가 의도하는 공익을 능가하여서는 안 된다(대판 2019. 7. 11., 2017두38874).

㉡ 빈출 ×

평등의 원칙은 본질적으로 같은 것을 자의적으로 다르게 취급함을 금지하는 것이고, 위법한 행정처분이 수차례에 걸쳐 반복적으로 행하여졌다 하더라도 그러한 처분이 위법한 것인 때에는 행정청에 대하여 자기구속력을 갖게 된다고 할 수 없다(대판 2009. 6. 25, 2008두13132).

㉢ ×

공무원임용결격자에 대한 공무원임용행위는 무효이며 이 경우 임용결격자는 신뢰보호원칙을 주장할 수 없다.

국가가 공무원임용결격사유가 있는 자에 대하여 결격사유가 있는 것을 알지 못하고 공무원으로 임용하였다가 사후에 결격사유가 있는 자임을 발견하고 공무원임용행위를 취소하는 것은 당사자에게 원래의 임용행위가 당초부터 당연무효이었음을 통지하여 확인시켜 주는 행위에 지나지 아니하는 것이므로, 그러한 의미에서 당초의 임용처분을 취소함에 있어서는 신의칙 내지 신뢰의 원칙을 적용할 수 없고 또 그러한 의미의 취소권은 시효로 소멸하는 것도 아니다(대판 1987. 4. 14, 86누459).

㉣ 빈출 ○

주택사업계획승인을 하면서 주택사업과는 아무런 관련이 없는 토지를 기부채납하도록 하는 부관을 붙인 경우 그 부관은 부당결부금지원칙에 위반되어 위법하나 그러한 부관이라도 당연무효사유라고는 볼 수 없다(대판 1997. 3. 11, 96다49650).

정답 01 ②

02 신뢰보호의 원칙

기 60~74쪽 핵 T 07

02 빈출 중

2024 군무원 5급

다음 중 행정법의 일반원칙에 관한 설명으로 가장 적절하지 않은 것은? (다툼이 있는 경우 판례에 의함)

□□□ ① 당초 정구장시설을 설치한다는 도시계획결정을 하였다가 정구장 대신 청소년수련시설을 설치한다는 도시계획변경결정 및 지적승인을 한 경우, 당초의 도시계획결정만으로는 도시계획사업의 시행자지정을 받게 된다는 공적인 견해를 표명하였다고 할 수 없다.

□□□ ② 신뢰보호원칙의 요건 중 하나인 행정청의 공적 견해표명이 있었는지의 여부를 판단하는 데 있어 반드시 행정조직상의 형식적인 권한분장에 구애될 것은 아니고 담당자의 조직상의 지위와 임무, 당해 언동을 하게 된 구체적인 경위 및 그에 대한 상대방의 신뢰가능성에 비추어 실질에 의하여 판단하여야 한다.

□□□ ③ 병무청 담당부서의 담당공무원에게 공적 견해의 표명을 구하는 정식의 서면질의 등을 하지 아니한 채 총무과 민원팀장에 불과한 공무원이 민원봉사 차원에서 상담에 응하여 안내한 경우라도 입영대상자가 이를 신뢰한 경우, 신뢰보호원칙이 적용된다.

□□□ ④ 행정처분이 재량준칙이 정한 바에 따라 되풀이 시행되어 행정관행이 이루어지게 되면 평등의 원칙이나 신뢰보호의 원칙에 따라 행정기관은 상대방에 대한 관계에서 그 규칙에 따라야 할 자기구속을 받게 되므로, 이러한 경우에는 특별한 사정이 없는 한 그에 반하는 처분은 평등의 원칙이나 신뢰보호의 원칙에 어긋나 재량권을 일탈 · 남용한 위법한 처분이 된다.

관련기출

①

1. 정구장시설 설치의 도시계획결정을 청소년수련시설 설치의 도시계획으로 변경한 경우, 사업시행자로 지정받을 것을 예상하고 정구장 설계비용 등을 지출한 자의 신뢰이익을 침해한 것으로 볼 수 없다. (○, ×) 2012 지방직 7급

1. ○

④

1. 재량권 행사의 준칙인 행정규칙이 그 정한 바에 따라 되풀이 시행되어 행정관행이 이루어지게 되면 평등의 원칙이나 신뢰보호의 원칙에 따라 행정기관은 그 상대방에 대한 관계에서 그 규칙에 따라야 할 자기구속을 받게 된다. (○, ×) 2023 서울시 지적 7급, 2020 지방직 · 서울시 9급, 2016 국가직 7급
2. 재량준칙은 일반적으로 행정조직 내부에서만 효력을 가질 뿐 대외적인 구속력을 갖는 것은 아니므로 행정처분이 이를 위반하였다고 하여 그러한 사정만으로 곧바로 위법하게 되는 것은 아니다. 다만, 그 재량준칙이 정한 바에 따라 되풀이 시행되어 행정관행이 이루어지게 되면 평등의 원칙이나 신뢰보호의 원칙에 따라 행정기관은 상대방에 대한 관계에서 그 규칙에 따라야 할 자기구속을 받는다. (○, ×) 2021 경행경채

1. ○ 2. ○

① 빈출 ○

정구장시설을 설치한다는 도시계획결정을 하였다가 정구장 대신 청소년수련시설을 설치한다는 도시계획변경결정 및 지적승인을 한 경우, 정구장시설의 도시계획사업 시행자로 지정받을 것을 예상하고 정구장 설계비용 등을 지출한 자의 신뢰이익을 침해한 것으로 볼 수 없다.

당초 정구장시설을 설치한다는 도시계획결정을 하였다가 정구장 대신 청소년수련시설을 설치한다는 도시계획변경결정 및 지적승인을 한 경우, 당초의 도시계획결정만으로는 도시계획사업의 시행자 지정을 받게 된다는 공적인 견해를 표명하였다고 할 수 없다는 이유로 그 후의 도시계획변경결정 및 지적승인이 도시계획사업의 시행자로 지정받을 것을 예상하고 정구장 설계비용 등을 지출한 자의 신뢰이익을 침해한 것으로 볼 수 없다(대판 2000. 11. 10, 2000두727).

② 빈출 ○

〔지방세에 대한 권한이 없는 보건사회부(현 보건복지부)장관이 병원운영자 신청공고를 하면서 국세 및 지방세에 대해 비과세하겠다고 발표한 경우에도 과세관청의 견해표명과 동일하게 신뢰보호원칙은 적용된다고 판시하면서〕 과세관청의 공적 견해표명이 있었는지의 여부를 판단하는 데 있어 반드시 행정조직상의 형식적인 권한분장에 구애될 것은 아니고 담당자의 조직상의 지위와 임무, 당해 언동을 하게 된 구체적인 경위 및 그에 대한 납세자의 신뢰가능성에 비추어 실질에 의하여 판단하여야 한다(대판 1996. 1. 23, 95누13746).

③ 빈출 ×

병무청 담당부서의 담당공무원에게 공적 견해의 표명을 구하는 정식의 서면질의 등을 하지 아니한 채 총무과 민원팀장에 불과한 공무원이 민원봉사 차원에서 상담에 응하여 안내한 것을 신뢰한 경우, 신뢰보호원칙이 적용되지 아니한다(대판 2003. 12. 26, 2003두1875).

④ 빈출 ○

재량권행사의 준칙인 행정규칙이 그 정한 바에 따라 되풀이 시행되어 행정관행이 이루어지게 되면 평등의 원칙이나 신뢰보호의 원칙에 따라 행정기관은 그 상대방에 대한 관계에서 그 규칙에 따라야 할 자기구속을 받게 되므로, 이러한 경우에는 특별한 사정이 없는 한 그를 위반하는 처분은 평등의 원칙이나 신뢰보호의 원칙에 위배되어 재량권을 일탈 · 남용한 위법한 처분이 된다(대판 2009. 12. 24, 2009두7967).

정답 02 ③

03 빈출 정답률 81% 중 2024 지방직 · 서울시 9급

신뢰보호의 원칙에 대한 설명으로 옳지 않은 것은? (다툼이 있는 경우 판례에 의함)

① 행정청의 공적 견해의 표명 후 그 견해표명 당시의 사정이 변경된 경우에도 행정청이 공적 견해표명에 반하는 처분을 하는 경우에는 특별한 사정이 없는 한 신뢰보호의 원칙에 위반된다.

② 신뢰보호의 원칙에서 개인의 귀책사유라 함은 행정청의 견해표명의 하자가 상대방 등 관계자의 사실은폐나 기타 사위의 방법에 의한 신청행위 등 부정행위에 기인한 것이거나 그러한 부정행위가 없더라도 하자가 있음을 알았거나 중대한 과실로 알지 못한 경우 등을 의미한다.

③ 행정청의 공적 견해표명이 있었는지 여부를 판단함에 있어서는, 반드시 행정조직상의 형식적인 권한분장에 구애될 것은 아니고, 담당자의 조직상의 지위와 임무, 당해 언동을 하게 된 구체적인 경위 및 그에 대한 상대방의 신뢰가능성에 비추어 실질에 의하여 판단하여야 한다.

④ 행정청은 권한행사의 기회가 있음에도 불구하고 장기간 권한을 행사하지 아니하여 국민이 그 권한이 행사되지 아니할 것으로 믿을 만한 정당한 사유가 있는 경우에는 그 권한을 행사해서는 아니 되지만, 공익 또는 제3자의 이익을 현저히 해칠 우려가 있는 경우는 예외이다.

관련기출

②

1. 신뢰보호원칙의 요건 중 귀책사유라 함은 행정청의 견해표명의 하자가 상대방 등 관계자의 사실은폐 등 부정행위에 기인한 것이거나 그러한 부정행위가 없다고 하더라도 하자가 있음을 알았거나 중대한 과실로 알지 못한 경우 등을 의미한다. (○, ×) 2014 국가직 9급 변형
2. 사후에 선행조치가 변경될 것을 사인이 예상하였거나 중대한 과실로 알지 못한 경우에는 보호가치 있는 신뢰라고 할 수 없다. (○, ×) 2012 사회복지직 9급
3. 공적 견해표명을 신뢰한 자가 사실은폐 등 적극적 부정행위를 하지 않는 한 귀책사유가 인정되지 않는다. (○, ×) 2009 국회직 8급
4. 행정청의 견해표명을 신뢰함에 있어서 개인에게 귀책사유가 존재하지 아니하여야 한다는 것도 신뢰보호원칙의 적용요건 중 하나이다. (○, ×) 2004 행정고시

1. ○ 2. ○ 3. × 4. ○

① **빈출** 정답률 81% ×

신뢰보호의 원칙은 행정청이 공적인 견해를 표명할 당시의 사정이 그대로 유지됨을 전제로 적용되는 것이 원칙이므로, 사후에 그와 같은 사정이 변경된 경우에는 그 공적 견해가 더 이상 개인에게 신뢰의 대상이 된다고 보기 어려운 만큼, 특별한 사정이 없는 한 행정청이 그 견해표명에 반하는 처분을 하더라도 신뢰보호의 원칙에 위반된다고 할 수 없다(대판 2020. 6. 25, 2018두34732).

② **빈출** 정답률 6% ○

귀책사유란 사기 등 부정행위에 의한 것뿐만 아니라 행정청의 견해표명에 하자가 있음을 알았거나 중대한 과실로 알지 못한 경우까지 포함한다.

귀책사유라 함은 행정청의 견해표명의 하자가 상대방 등 관계자의 사실은폐나 기타 사위의 방법에 의한 신청행위 등 부정행위에 기인한 것이거나 그러한 부정행위가 없다고 하더라도 하자가 있음을 알았거나 중대한 과실로 알지 못한 경우 등을 의미한다고 해석함이 상당하고 …… (대판 2002. 11. 8, 2001두1512)

③ 정답률 6% ○

(지방세에 대한 권한이 없는 보건사회부(현 보건복지부)장관이 병원운영자 신청공고를 하면서 국세 및 지방세에 대해 비과세하겠다고 발표한 경우에도 과세관청의 견해표명과 동일하게 신뢰보호원칙은 적용된다고 판시하면서) 과세관청의 공적 견해표명이 있었는지의 여부를 판단하는 데 있어 반드시 행정조직상의 형식적인 권한분장에 구애될 것은 아니고 담당자의 조직상의 지위와 임무, 당해 언동을 하게 된 구체적인 경위 및 그에 대한 납세자의 신뢰가능성에 비추어 실질에 의하여 판단하여야 한다(대판 1996. 1. 23, 95누13746).

④ 정답률 5% ○

행정기본법 제12조【신뢰보호의 원칙】 ② 행정청은 권한행사의 기회가 있음에도 불구하고 장기간 권한을 행사하지 아니하여 국민이 그 권한이 행사되지 아니할 것으로 믿을 만한 정당한 사유가 있는 경우에는 그 권한을 행사해서는 아니 된다. 다만, 공익 또는 제3자의 이익을 현저히 해칠 우려가 있는 경우는 예외로 한다.

정답 03 ①

04 정답률 77% 중 2024 소방직 9급

신뢰보호원칙에 관한 설명으로 옳지 않은 것은? (다툼이 있는 경우 판례에 의함)

□□□ ① 행정청의 공적 견해표명이 있다고 인정하기 위해서는 적어도 담당자의 조직상 지위와 임무, 당해 언동을 하게 된 구체적인 경위 등에 비추어 그 언동의 내용을 신뢰할 수 있는 경우이어야 한다.

□□□ ② 특정 사항에 관하여 신뢰보호원칙상 행정청이 그와 배치되는 조치를 할 수 없다고 할 수 있을 정도의 행정관행이 성립되었다고 하려면 상당한 기간에 걸쳐 그 사항에 관하여 동일한 처분을 하였다는 객관적 사실이 존재하는 것으로 족하다.

□□□ ③ 행정청은 공익 또는 제3자의 이익을 현저히 해칠 우려가 있는 경우를 제외하고는 행정에 대한 국민의 정당하고 합리적인 신뢰를 보호하여야 한다.

□□□ ④ 행정청이 공적인 견해를 표명할 당시의 사정이 사후에 변경된 경우에는 그 공적 견해가 더 이상 개인에게 신뢰의 대상이 된다고 보기 어려운 만큼, 특별한 사정이 없는 한 행정청이 그 견해표명에 반하는 처분을 하더라도 신뢰보호원칙에 위반된다고 할 수 없다.

관련기출

②

1. 국세기본법 제18조 제3항에서 말하는 비과세관행이 성립하려면 상당한 기간에 걸쳐 과세를 하지 않은 객관적 사실이 존재하면 충분하고, 나아가 과세관청 자신이 그 사항에 관하여 과세할 수 있음을 알면서도 어떤 특별한 사정 때문에 과세하지 않는다는 주관적인 의사까지 요구되는 것은 아니다. (O, ×) 2022 소방간부

1. ×

③

1. 신뢰보호의 원칙은 공익 또는 제3자의 정당한 이익을 현저히 해칠 우려가 있는 경우에도 부정되어야 하는 것은 아니다. (O, ×) 2024 해경승진
2. 행정청은 공익을 현저히 해칠 우려가 있는 경우라도 행정에 대한 국민의 정당하고 합리적인 신뢰를 보호하여야 한다. (O, ×) 2023 군무원 9급

1. × 2. ×

④

1. 신뢰보호의 원칙은 행정청이 공적인 견해를 표명할 당시의 사정이 그대로 유지됨을 전제로 적용되는 것이 원칙이므로, 사후에 그와 같은 사정이 변경된 경우에는 그 공적인 견해가 더 이상 개인에게 신뢰의 대상이 된다고 보기 어려운 만큼, 특별한 사정이 없는 한 행정청이 그 견해표명에 반하는 처분을 하더라도 신뢰보호의 원칙에 위반된다고 할 수 없다. (O, ×) 2021 변호사, 2021 국회직 8급

1. O

① 정답률 7% O

〔지방세에 대한 권한이 없는 보건사회부(현 보건복지부)장관이 병원운영자 신청공고를 하면서 국세 및 지방세에 대해 비과세하겠다고 발표한 경우에도 과세관청의 견해표명과 동일하게 신뢰보호원칙은 적용된다고 판시하면서〕 과세관청의 공적 견해표명이 있었는지의 여부를 판단하는 데 있어 반드시 행정조직상의 형식적인 권한분장에 구애될 것은 아니고 담당자의 조직상의 지위와 임무, 당해 언동을 하게 된 구체적인 경위 및 그에 대한 납세자의 신뢰가능성에 비추어 실질에 의하여 판단하여야 한다.

과세관청의 공적인 견해표명은 원칙적으로 일정한 책임 있는 지위에 있는 세무공무원에 의하여 이루어짐을 요한다. 신의성실의 원칙 내지 금반언의 원칙은 …… 특별한 사정이 있는 경우에 적용되는 것으로서 납세자의 신뢰보호라는 점에 그 법리의 핵심적 요소가 있는 것이므로, 위 요건의 하나인 과세관청의 공적 견해표명이 있었는지의 여부를 판단하는 데 있어 반드시 행정조직상의 형식적인 권한분장에 구애될 것은 아니고 담당자의 조직상의 지위와 임무, 당해 언동을 하게 된 구체적인 경위 및 그에 대한 납세자의 신뢰가능성에 비추어 실질에 의하여 판단하여야 한다(대판 1996. 1. 23, 95누13746).

② 정답률 77% ×

주관적 의사가 있어야 한다.

국세기본법 제18조 제3항에서 말하는 비과세관행이 성립하려면 상당한 기간에 걸쳐 과세를 하지 아니한 객관적 사실이 존재할 뿐만 아니라 과세관청 자신이 그 사항에 관하여 과세할 수 있음을 알면서도 어떤 특별한 사정 때문에 과세하지 않는다는 의사가 있어야 한다(대판 2001. 4. 24, 2000두5203).

③ **빈출** 정답률 2% O

행정기본법 제12조【신뢰보호의 원칙】 ① 행정청은 공익 또는 제3자의 이익을 현저히 해칠 우려가 있는 경우를 제외하고는 행정에 대한 국민의 정당하고 합리적인 신뢰를 보호하여야 한다.

④ 정답률 11% O

신뢰보호의 원칙은 행정청이 공적인 견해를 표명할 당시의 사정이 그대로 유지됨을 전제로 적용되는 것이 원칙이므로, 사후에 그와 같은 사정이 변경된 경우에는 그 공적 견해가 더 이상 개인에게 신뢰의 대상이 된다고 보기 어려운 만큼, 특별한 사정이 없는 한 행정청이 그 견해표명에 반하는 처분을 하더라도 신뢰보호의 원칙에 위반된다고 할 수 없다(대판 2020. 6. 25, 2018두34732).

정답 04 ②

05 빈출 정답률 82% 중 2024 국가직 9급

신뢰보호의 원칙에 대한 설명으로 옳지 않은 것은? (다툼이 있는 경우 판례에 의함)

□□□ ① 개발사업을 시행하기 전에 사건 토지 지상에 예식장 등을 건축하는 것이 관계법령상 가능한지 여부를 질의하여 민원 부서로부터 '저촉사항 없음'이라고 기재된 민원예비심사 결과를 통보받았다면, 이는 이후의 개발부담금부과 처분에 관하여 신뢰보호의 원칙을 적용하기 위한 공적인 견해표명을 한 것에 해당한다.

□□□ ② 시의 도시계획과장과 도시계획국장이 도시계획사업의 준공과 동시에 사업부지에 편입한 토지에 대한 완충녹지지정을 해제함과 아울러 당초의 토지소유자들에게 환매하겠다는 약속을 했음에도 이를 믿고 토지를 협의매매한 토지소유자의 완충녹지지정해제신청을 거부한 것은 신뢰보호의 원칙을 위반하거나 재량권을 일탈 · 남용한 위법한 처분이다.

□□□ ③ 국회에서 일정한 법률안을 심의하거나 의결한 적이 있다고 하더라도 그것이 법률로 확정되지 아니한 이상 국가가 이해관계자들에게 위 법률안에 관련된 사항을 약속하였다고 볼 수 없으며, 이러한 사정만으로 어떠한 신뢰를 부여하였다고 볼 수도 없다.

□□□ ④ 헌법재판소의 위헌결정은 행정청이 개인에 대하여 신뢰의 대상이 되는 공적인 견해를 표명한 것이라고 할 수 없으므로 그 결정에 관련한 개인의 행위에 대하여는 신뢰보호의 원칙이 적용되지 아니한다.

관련기출

①

1. 「개발이익환수에 관한 법률」에 정한 개발사업을 시행하기 전에, 행정청이 민원예비심사에 대하여 관련부서 의견으로 '저촉사항 없음'이라고 기재하였다는 사정만으로 신뢰의 대상이 되는 공적인 견해표명을 한 것이라고는 보기 어렵다. (O, X) 2021 국가직 7급, 2010 국가직 9급

1. O

②

1. 시의 도시계획과장과 도시계획국장이 도시계획사업의 준공과 동시에 사업부지에 편입한 토지에 대한 완충녹지지정을 해제함과 아울러 당초의 토지소유자들에게 환매하겠다는 약속을 했음에도, 이를 믿고 토지를 협의매매한 토지소유자의 완충녹지지정해제신청을 거부한 것은 신뢰보호의 원칙에 위반된다. (O, X) 2011 국회직 8급

1. O

③

1. 국회에서 일정한 법률안을 심의하거나 의결한 적이 있다고 하더라도, 법률로 확정되지 아니한 이상 국가가 이해관계자들에게 위 법률안에 관련된 사항을 약속하였다고 볼 수 없으며, 이러한 사정만으로 어떠한 신뢰를 부여하였다고 볼 수도 없다. (O, X) 2010 경행특

1. O

① 빈출 정답률 82% X

(원고가 행정청에 개발부담금부과 여부에 대해 특정하여 질의한 것이 아니고 예식장 · 대형 할인매장 등을 건축하는 것이 관계법령상 가능한지 여부를 질의한 사건에서) 「개발이익환수에 관한 법률」에 정한 개발사업을 시행하기 전에, 행정청이 민원예비심사에 대하여 관련 부서 의견으로 '저촉사항 없음'이라고 기재하였다고 하더라도, 이후의 개발부담금 부과처분에 관하여 신뢰보호의 원칙을 적용하기 위한 요건인, 신뢰의 대상이 되는 공적인 견해표명을 한 것이라고는 보기 어렵다(대판 2006. 6. 9, 2004두46).

② 정답률 5% O

시의 도시계획과장과 도시계획국장이 도시계획사업의 준공과 동시에 사업부지에 편입한 토지에 대한 완충녹지지정을 해제함과 아울러 당초의 토지소유자들에게 환매하겠다는 약속을 했음에도, 이를 믿고 토지를 협의매매한 토지소유자의 완충녹지지정해제신청을 거부한 것은, 행정상 신뢰보호의 원칙을 위반하거나 재량권을 일탈 · 남용한 위법한 처분이다(대판 2008. 10. 9. 2008두6127).

③ 정답률 3% O

다원적 의견이나 각가지 이익을 반영시킨 토론과정을 거쳐 다수결의 원리에 따라 통일적인 국가의사를 형성하는 국회에서 일정한 법률안을 심의하거나 의결한 적이 있다고 하더라도, 그것이 법률로 확정되지 아니한 이상 국가가 이해관계자들에게 위 법률안에 관련된 사항을 약속하였다고 볼 수 없으며, 이러한 사정만으로 어떠한 신뢰를 부여하였다고 볼 수도 없다(대판 2008. 5. 29. 2004다33469).

④ 빈출 정답률 7% O

헌법재판소의 위헌결정은 기속력을 가진다는 것과 구별하기 바란다.

헌법재판소의 위헌결정은 개인에 대해 공적인 견해를 표명한 것이라고 볼 수 없다.

헌법재판소의 위헌결정은 행정청이 개인에 대하여 신뢰의 대상이 되는 공적인 견해를 표명한 것이라고 할 수 없으므로 그 결정에 관련한 개인의 행위에 대하여는 신뢰보호의 원칙이 적용되지 아니한다(대판 2003. 6. 27, 2002두6965).

정답 05 ①

06 정답률 86% 중 2023 국가직 7급

신뢰보호의 원칙에 대한 설명으로 옳지 않은 것은? (다툼이 있는 경우 판례에 의함)

□□□ ① 행정기본법에 의하면 행정청은 공익 또는 제3자의 이익을 현저히 해칠 우려가 있는 경우를 제외하고는 행정에 대한 국민의 정당하고 합리적인 신뢰를 보호하여야 한다.

□□□ ② 행정기본법에 의하면 행정청은 권한 행사의 기회가 있음에도 불구하고 장기간 권한을 행사하지 아니하여 국민이 그 권한이 행사되지 아니할 것으로 믿을 만한 정당한 사유가 있는 경우에는, 공익 또는 제3자의 이익을 현저히 해칠 우려가 있는 경우를 제외하고는 그 권한을 행사해서는 아니 된다.

□□□ ③ 신법의 효력발생일까지 진행 중인 사건에 대하여 신법을 적용하는 것은 법률의 소급적용에 해당하므로 원칙적으로 허용될 수 없다.

□□□ ④ 헌법재판소의 위헌결정은 행정청이 개인에 대하여 신뢰의 대상이 되는 공적인 견해를 표명한 것이라고 할 수 없으므로 그 결정에 관련한 개인의 행위에 대하여는 신뢰보호의 원칙이 적용되지 아니한다.

관련기출

③

1. 법률불소급의 원칙은 그 법률의 효력발생 전에 완성된 요건사실뿐만 아니라 계속 중인 사실이나 그 후에 발생한 요건사실에 대해서도 그 법률을 소급적용할 수 없다. (○, ×) 2021 군무원 9급
2. 법령불소급의 원칙은 법령의 효력발생 전에 완성된 요건사실에 대하여 당해 법령을 적용할 수 없다는 의미일 뿐, 계속 중인 사실이나 그 이후에 발생한 요건사실에 대한 법령적용까지를 제한하는 것은 아니다.(○, ×) 2020 군무원 9급

1. × 2. ○

④

1. 헌법재판소의 위헌결정이 있다면 행정청이 개인에 대하여 공적인 견해를 표명한 것으로 볼 수 있으므로 위헌 결정과 다른 행정청의 결정은 신뢰보호 원칙에 반한다. (○, ×) 2022 군무원 9급
2. 헌법재판소의 위헌결정은 행정청이 개인에 대하여 신뢰의 대상이 되는 공적인 견해를 표명한 것이라고 할 수 있으므로 그 결정에 관련한 개인의 행위에 대하여는 신뢰보호의 원칙이 적용된다. (○, ×) 2019 지방직 · 교육행정직 9급
3. 헌법재판소의 위헌결정은 신뢰보호의 원칙의 적용요건 중의 하나인 '공적인 견해표명'에 해당한다. (○, ×) 2012 국회직 8급

1. × 2. × 3. ×

① 정답률 3% ○

> **행정기본법 제12조【신뢰보호의 원칙】** ① 행정청은 공익 또는 제3자의 이익을 현저히 해칠 우려가 있는 경우를 제외하고는 행정에 대한 국민의 정당하고 합리적인 신뢰를 보호하여야 한다.

② 정답률 3% ○

> **행정기본법 제12조【신뢰보호의 원칙】** ② 행정청은 권한행사의 기회가 있음에도 불구하고 장기간 권한을 행사하지 아니하여 국민이 그 권한이 행사되지 아니할 것으로 믿을 만한 정당한 사유가 있는 경우에는 그 권한을 행사해서는 아니 된다. 다만, 공익 또는 제3자의 이익을 현저히 해칠 우려가 있는 경우는 예외로 한다.

③ 정답률 86% ×

소급적용금지의 원칙은 진정소급적용에만 적용될 뿐 부진정소급적용에는 적용되지 않는다. 따라서 신법의 효력발생일에 진행 중인 사건에는 신법을 적용함이 원칙이다.

> 법령불소급의 원칙은 법령의 효력발생 전에 완성된 요건사실에 대하여 당해 법령을 적용할 수 없다는 의미일 뿐, 계속 중인 사실이나 그 이후에 발생한 요건사실에 대한 법령적용까지를 제한하는 것은 아니다(대판 2014. 4. 24, 2013두26552).

④ 정답률 5% ○

> 헌법재판소의 위헌결정은 개인에 대해 공적인 견해를 표명한 것이라고 볼 수 없다.
> 헌법재판소의 위헌결정은 행정청이 개인에 대하여 신뢰의 대상이 되는 공적인 견해를 표명한 것이라고 할 수 없으므로 그 결정에 관련한 개인의 행위에 대하여는 신뢰보호의 원칙이 적용되지 아니한다(대판 2003. 6. 27, 2002두6965).

정답 06 ③

07 정답률 89% 중 2023 소방직 9급

신뢰보호의 원칙에 관한 설명으로 옳은 것은? (다툼이 있는 경우 판례에 의함)

□□□ ① 행정절차법은 처분의 방식으로 문서주의를 표방하고 있으므로, 행정청의 공적 견해표명은 묵시적으로 표시되어서는 안 된다.

□□□ ② 신뢰보호의 원칙은 공익 또는 제3자의 정당한 이익을 현저히 해칠 우려가 있는 경우에도 부정되어야 하는 것은 아니다.

□□□ ③ 실권의 법리는 법의 일반원리인 신의성실의 원칙에 바탕을 둔 파생원칙이므로 권력관계에는 적용되지 않는다.

□□□ ④ 병무청 담당부서의 담당공무원에게 공적 견해의 표명을 구하는 정식의 서면질의 등을 하지 아니한 채 총무과 민원팀장에 불과한 공무원이 민원봉사 차원에서 상담에 응하여 안내한 것을 신뢰한 경우, 신뢰보호의 원칙이 적용되지 아니한다.

관련기출

③

1. 대법원은 실권의 법리를 신뢰보호원칙의 파생원칙으로 본다. (○, ×) 2020 군무원 9급
2. 실권의 법리는 일반적으로 신뢰보호원칙의 적용영역의 하나로 설명되고 있으나, 판례는 신의성실원칙의 파생원칙으로 보고 있다. (○, ×) 2015 사회복지직 9급
3. 대법원은 실권의 법리를 신의성실의 원칙에 바탕을 둔 파생원칙으로 보았다. (○, ×) 2010 지방직 9급

1. × 2. ○ 3. ○

④

1. 병무청 담당부서의 담당공무원에게 공적 견해의 표명을 구하지 아니한 채 민원봉사 담당공무원이 상담에 응하여 안내한 것을 신뢰한 경우에도 신뢰보호의 원칙이 적용된다. (○, ×) 2022 국가직 9급
2. 병무청 담당부서의 담당공무원에게 공적 견해의 표명을 구하는 정식의 서면질의 등을 하지 아니한 채 총무과 민원팀장인 공무원이 민원봉사 차원에서 상담에 응하여 안내한 것을 신뢰한 경우, 신뢰보호원칙이 적용되지 아니한다. (○, ×) 2018 서울시 2회 7급, 2016 국가직 7급, 2013 국가직 9급
3. 병무청 총무과 민원팀장에 불과한 공무원이 민원봉사 차원에서 상담에 응하여 안내한 것을 신뢰한 경우, 신뢰보호원칙이 적용되지 아니한다. (○, ×) 2015 경행특채 2차
4. 담당공무원에게 공적 견해의 표명을 구하는 정식의 서면질의 등을 하지 아니한 채 총무과 민원팀장이 민원봉사 차원에서 상담에 응하여 안내한 것을 신뢰한 경우, 신뢰보호원칙이 적용된다. (○, ×) 2012 국회(속기·경위직) 9급

1. × 2. ○ 3. ○ 4. ×

① ×

공적 견해표명(선행조치)에는 법령·행정행위·확약·행정지도 등 사실행위, 기타 국민이 신뢰를 가지게 될 일체의 조치가 포함되며 명시적·묵시적 표시, 적극적·소극적 조치를 불문한다는 것이 다수의 견해이다.

② ×

> 행정기본법 제12조【신뢰보호의 원칙】① 행정청은 공익 또는 제3자의 이익을 현저히 해칠 우려가 있는 경우를 제외하고는 행정에 대한 국민의 정당하고 합리적인 신뢰를 보호하여야 한다.

③ **빈출** ×

실권의 법리는 법의 일반원리인 신의성실의 원칙에 바탕을 둔 파생원칙으로 공법관계 가운데 관리관계뿐만 아니라 권력관계에도 적용되어야 한다는 것이 판례의 입장이다(다만, 행정기본법은 신뢰보호의 원칙에서 실권의 법리에 관한 규정을 두고 있다).

> 실권의 법리는 법의 일반원리인 신의성실의 원칙에 바탕을 둔 파생원칙으로 공법관계 가운데 관리관계는 물론이고 권력관계에도 적용되어야 한다.
> 실권 또는 실효의 법리는 법의 일반원리인 신의성실의 원칙에 바탕을 둔 파생원칙인 것이므로 공법관계 가운데 관리관계는 물론이고 권력관계에도 적용되어야 함을 배제할 수는 없다 하겠으나 그것은 본래 권리행사의 기회가 있음에도 불구하고 권리자가 장기간에 걸쳐 그의 권리를 행사하지 아니하였기 때문에 의무자인 상대방은 이미 그의 권리를 행사하지 아니할 것으로 믿을 만한 정당한 사유가 있게 되거나 행사하지 아니할 것으로 추인케 할 경우에 새삼스럽게 그 권리를 행사하는 것이 신의성실의 원칙에 반하는 결과가 될 때 그 권리행사를 허용하지 않는 것을 의미하는 것이므로 …… (대판 1988. 4. 27, 87누915)

> 행정기본법 제12조【신뢰보호의 원칙】② 행정청은 권한행사의 기회가 있음에도 불구하고 장기간 권한을 행사하지 아니하여 국민이 그 권한이 행사되지 아니할 것으로 믿을 만한 정당한 사유가 있는 경우에는 그 권한을 행사해서는 아니 된다. 다만, 공익 또는 제3자의 이익을 현저히 해칠 우려가 있는 경우는 예외로 한다.

④ **빈출** ○

> 병무청 담당부서의 담당공무원에게 공적 견해의 표명을 구하는 정식의 서면질의 등을 하지 아니한 채 총무과 민원팀장에 불과한 공무원이 민원봉사 차원에서 상담에 응하여 안내한 것을 신뢰한 경우, 신뢰보호원칙이 적용되지 아니한다(대판 2003. 12. 26, 2003두1875).

정답 07 ④

08 빈출 정답률 68% 중 2021 지방직 · 서울시 9급

신뢰보호의 원칙에 대한 설명으로 옳은 것(○)과 옳지 않은 것(×)을 바르게 연결한 것은? (다툼이 있는 경우 판례에 의함)

> □□□ ㉠ 행정청이 공적인 의사표명을 하였다면 이후 사실적 · 법률적 상태의 변경이 있더라도 행정청이 이를 취소하지 않는 한 여전히 공적인 의사표명은 유효하다.
>
> □□□ ㉡ 재량권행사의 준칙인 행정규칙의 공표만으로 상대방은 보호가치 있는 신뢰를 갖게 되었다고 볼 수 있다.
>
> □□□ ㉢ 행정청이 공적 견해를 표명하였는지를 판단할 때는 반드시 행정조직상의 형식적인 권한분장에 구애될 것은 아니다.
>
> □□□ ㉣ 신뢰보호원칙의 위반은 국가배상법상의 위법 개념을 충족시킨다.

	㉠	㉡	㉢	㉣		㉠	㉡	㉢	㉣
①	×	×	○	○	②	○	○	×	○
③	○	×	○	×	④	×	○	○	×

관련기출

㉢

1. 행정청의 공적 견해표명이 있었는지 여부를 판단함에 있어서는, 반드시 행정조직상의 형식적인 권한분장에 구애될 것은 아니고, 담당자의 조직상의 지위와 임무, 당해 언동을 하게 된 구체적인 경위 및 그에 대한 상대방의 신뢰가능성에 비추어 실질에 의하여 판단하여야 한다. (○, ×) 2024 지방직 · 서울시 9급
2. 행정청의 공적 견해 표명이 있다고 인정하기 위해서는 적어도 담당자의 조직상 지위와 임무, 당해 언동을 하게 된 구체적인 경위 등에 비추어 그 언동의 내용을 신뢰할 수 있는 경우이어야 한다. (○, ×) 2024 소방직 9급
3. 행정청의 공적 견해표명이 있었는지를 판단할 때 행정조직상의 형식적인 권한분장에 구애될 것은 아니다. (○, ×) 2023 국회직 8급
4. 신뢰보호의 원칙이 적용되기 위한 요건의 하나인 행정청의 공적 견해표명이 있었는지의 여부를 판단함에 있어서는 반드시 행정조직상의 형식적인 권한분장에 따라야 한다. (○, ×) 2017 국가직(하) 9급

1. ○ 2. ○ 3. ○ 4. ×

㉠ ×

> 행정청의 확약 또는 공적인 의사표명이 있은 후 사실적 · 법률적 상태가 변경되었다면 확약은 행정청의 별다른 의사표시를 기다리지 않고 실효된다.
>
> 행정청이 상대방에게 장차 어떤 처분을 하겠다고 확약 또는 공적인 의사표명을 하였다고 하더라도, 그 자체에서 상대방으로 하여금 언제까지 처분의 발령을 신청하도록 유효기간을 두었는데도 그 기간 내에 상대방의 신청이 없었다거나 확약 또는 공적인 의사표명이 있은 후에 사실적 · 법률적 상태가 변경되었다면, 그와 같은 확약 또는 공적인 의사표명은 행정청의 별다른 의사표시를 기다리지 않고 실효된다(대판 1996. 8. 20, 95누10877).

㉡ ×

판례는 재량준칙이 공표된 것만으로는 신청인이 보호가치 있는 신뢰를 갖게 된 것이라고 볼 수 없다는 입장이다.

> 행정규칙인 재량준칙의 공표만으로는 신청인이 보호가치 있는 신뢰를 갖게 되었다고 볼 수 없다.
>
> 시장이 농림수산식품부(현 농림축산식품부)에 의하여 공표된 '2008년도 농림사업시행지침서'에 명시되지 않은 '시 · 군별 건조저장시설 개소당 논 면적' 기준을 충족하지 못하였다는 이유로 신규 건조저장시설 사업자 인정신청을 반려한 사안에서, 위 지침이 되풀이 시행되어 행정관행이 이루어졌다거나 그 공표만으로 신청인이 보호가치 있는 신뢰를 갖게 되었다고 볼 수 없고, …… (대판 2009. 12. 24, 2009두7967)

㉢ ○

> (지방세에 대한 권한이 없는 보건사회부(현 보건복지부)장관이 병원운영자 신청공고를 하면서 국세 및 지방세에 대해 비과세하겠다고 발표한 경우에도 과세관청의 견해표명과 동일하게 신뢰보호원칙은 적용된다고 판시하면서) 과세관청의 공적 견해표명이 있었는지의 여부를 판단하는 데 있어 반드시 행정조직상의 형식적인 권한분장에 구애될 것은 아니고 담당자의 조직상의 지위와 임무, 당해 언동을 하게 된 구체적인 경위 및 그에 대한 납세자의 신뢰가능성에 비추어 실질에 의하여 판단하여야 한다(대판 1996. 1. 23, 95누13746).

㉣ ○

국가배상법상의 '위법'에는 신뢰보호원칙과 같은 행정법의 일반원칙 위반도 포함된다. 따라서 신뢰보호원칙에 반하는 행정작용에 대해서는 국가배상법이 정하는 바에 따라 손해배상을 청구할 수도 있다. 한편 행정기본법의 제정으로 신뢰보호원칙은 성문법적 근거를 가지게 되었다.

정답 08 ①

09 빈출 정답률 84% 중 2020 지방직 · 서울시 7급

신뢰보호원칙에 대한 설명으로 옳지 않은 것은? (다툼이 있는 경우 판례에 의함)

□□□ ① 신뢰보호의 원칙과 행정의 법률적합성의 원칙이 충돌하는 경우 국민보호를 위해 원칙적으로 신뢰보호의 원칙이 우선한다.

□□□ ② 수익적 행정처분의 하자가 당사자의 사실은폐에 의한 신청행위에 기인한 것이라면 당사자는 그 처분에 관한 신뢰이익을 원용할 수 없다.

□□□ ③ 면허세의 근거법령이 제정되어 폐지될 때까지의 4년 동안 과세관청이 면허세를 부과할 수 있음을 알면서도 수출확대라는 공익상 필요에서 한 건도 부과한 일이 없었다면 비과세의 관행이 이루어졌다고 보아도 무방하다.

□□□ ④ 행정청이 상대방에게 장차 어떤 처분을 하겠다고 공적인 의사표명을 하면서 상대방에게 언제까지 처분의 발령을 신청하도록 유효기간을 둔 경우, 그 기간 내에 상대방의 신청이 없었다면 그 공적인 의사표명은 행정청의 별다른 의사표시를 기다리지 않고 실효된다.

관련기출

②

1. 수익적 행정처분에 하자가 있음을 이유로 처분청이 이를 취소하는 경우, 그 처분의 하자가 당사자의 사실은폐나 기타 사위의 방법에 의한 신청행위에 기인한 것이라면, 처분의 상대방은 그 처분에 의한 이익이 위법하게 취득되었음을 알아 그 취소가능성도 예상하고 있었다고 할 것이므로 행정청이 당사자의 신뢰이익을 고려하지 아니하였다고 하여도 재량권의 남용이 되지 아니한다. (○, ×) 2021 경행경채
2. 수익적 행정행위가 수익자의 귀책사유가 있는 신청에 의해 행하여졌다면 그 신뢰의 보호가치성은 인정되지 않는다. (○, ×) 2019 소방직 9급
3. 수익적 행정처분의 하자가 당사자의 사실은폐나 기타 사위의 방법에 의한 신청행위에 기인한 것이라면, 당사자는 처분에 의한 이익을 위법하게 취득하였음을 알아 취소가능성도 예상하고 있었을 것이므로, 그 자신이 처분에 관한 신뢰이익을 원용할 수 없다. (○, ×) 2015 국회직 8급

1. ○ 2. ○ 3. ○

③

1. • 사안 : X도지사는 부가가치세의 부과처분은 원가상승을 가져오고 원가상승은 수출경쟁력의 악화를 가져온다고 판단하여 4년 6개월 동안 부가가치세를 부과하지 않았다. 이에 따라 甲은 물품의 가격정책에 부가가치세를 고려하지 않았다. 그런데 최근에 도세가 잘 거두어지지 않자 X도지사는 세법에 따라 甲에게 4년분의 부가가치세를 부과하였다.
   • 검토의견 : X도지사의 부가가치세 부과처분은 신뢰보호원칙에 위반되어 위법하다. (○, ×) 2010 국회직 8급
2. 보세운송면허세의 부과근거이던 지방세법 시행령이 1973. 10. 1. 제정되어 1977. 9. 20.에 폐지될 때까지 4년 동안 그 면허세를 부과할 수 있는 정을 알면서도 과세관청이 수출확대라는 공익상 필요에서 한 건도 이를 부과한 일이 없었다면 납세자는 그것을 믿을 수밖에 없고 그로써 비과세의 관행이 이루어졌다고 보아도 무방하다. (○, ×) 2007 국가직 7급

1. ○ 2. ○

① ×

신뢰보호의 원칙과 행정의 법률적합성의 원칙이 충돌하는 경우 두 원칙 모두 법치주의의 구성요소로서 대등한 효력을 가지므로 구체적인 사안마다 이익을 비교 · 형량하여 두 원칙의 우열을 결정해야 한다는 것이 통설 및 판례의 입장이다.

② 빈출 ○

행정청의 선행조치에 대한 사인의 신뢰는 보호할 만한 것이어야 하는데 사후에 선행조치가 변경될 것을 사인(私人)이 예상하였거나 예상할 수 있었음에도 중대한 과실로 알지 못한 경우 또는 사인의 사위(詐僞)나 사실은폐 등이 있는 경우에는 보호가치 있는 신뢰라고 보기 어렵다.

> 수익적 행정처분의 하자가 당사자의 사실은폐나 기타 사위의 방법에 의한 신청행위에 기인한 것이라면 당사자는 처분에 의한 이익이 위법하게 취득되었음을 알아 취소가능성도 예상하고 있었다 할 것이므로, 그 자신이 처분에 관한 신뢰이익을 원용할 수 없음은 물론 행정청이 이를 고려하지 아니하였더라도 재량권의 남용이 되지 아니한다(대판 2014. 11. 27, 2013두16111).

③ 빈출 ○

> 4년 동안 면허세를 부과할 수 있다는 사정을 알면서도 수출확대라는 공익상 필요에서 한 건도 부과한 일이 없었다면 과세관청이 비과세라는 선행조치를 한 것으로 볼 수 있다(대판 1980. 6. 10, 80누6 전합).

④ 제18강 참조 ○

> 행정청이 상대방에게 장차 어떤 처분을 하겠다고 확약 또는 공적인 의사표명을 하였다고 하더라도, 그 자체에서 상대방으로 하여금 언제까지 처분의 발령을 신청하도록 유효기간을 두었는데도 그 기간 내에 상대방의 신청이 없었다거나 확약 또는 공적인 의사표명이 있은 후에 사실적 · 법률적 상태가 변경되었다면, 그와 같은 확약 또는 공적인 의사표명은 행정청의 별다른 의사표시를 기다리지 않고 실효된다(대판 1996. 8. 20, 95누10877).

정답 09 ①

10 ⓢ 2011 국가직 9급

신뢰보호원칙과 관련된 사안에 대한 검토의견으로 옳지 않은 것은? (다툼이 있는 경우 판례에 의함)

□□□ ① 사안 : 보건복지부장관은 중앙일간지에 "의료취약지 병원설립 운용자에게 5년간 지방세 중 재산세를 면제한다."는 취지의 공고를 하였다. 이에 甲은 의료취약지인 B군(郡)에서 병원을 설립 · 운용하였으나, B군수는 지방세법 규정에 근거하여 甲에 대해 군세(郡稅)인 재산세를 부과하였다.
검토의견 : 보건복지부장관은 권한분장관계상 재산세를 부과할 권한이 없으므로 보건복지부장관의 공고는 신뢰보호원칙의 요건인 행정청의 공적 견해표명에 해당하지 않는다. 따라서 甲은 신뢰보호원칙의 적용을 주장할 수는 없다.

□□□ ② 사안 : 甲은 폐기물처리업 사업계획에 대하여 적정통보를 받은 상태에서 사업부지 토지에 대한 국토이용계획변경신청을 승인하여 주겠다는 취지의 공적인 견해표명이 없었음에도 불구하고 승인받을 것을 신뢰하고 그에 기해 일정한 처리를 하였다. 그러나 그 후 甲은 국토이용계획변경 승인을 거부당하였다.
검토의견 : 폐기물관리법령에 의한 폐기물처리업 사업계획에 대한 적정통보와 국토이용관리법령에 의한 국토이용계획변경은 각기 그 제도적 취지와 결정단계에서 고려해야 할 사항들이 다르다. 따라서 甲은 신뢰보호원칙에 의해 보호받을 수 없다.

□□□ ③ 사안 : 건축주 甲은 건축사 乙에게 건축설계와 신청행위를 의뢰하였는데 乙의 귀책사유로 건축한계선을 위반하였고 이로써 철거명령을 받게 되었다.
검토의견 : 甲과 그로부터 신청행위를 위임받은 수임인 乙 등 관계자 모두를 기준으로 판단할 때 甲에게 귀책사유가 있다고 볼 수 있으므로 甲은 신뢰보호원칙에 의해 보호받을 수 없다.

□□□ ④ 사안 : 甲은 폐기물처리업에 대하여 사전에 관할관청으로부터 적정통보를 받고 막대한 비용을 들여 허가요건을 갖춘 다음, 허가신청을 하였으나 다수 청소업자의 난립으로 안정적이고 효율적인 청소업무의 수행에 지장이 있다는 이유로 불허가처분을 받았다.
검토의견 : 甲은 위 불허가처분이 신뢰보호의 원칙에 위반되므로 위법한 처분이라고 주장할 수 있다.

① ×

1. 과세관청의 공적 견해표명이 있었는지의 여부를 판단하는 데 있어 반드시 행정조직상의 형식적인 권한분장에 구애될 것은 아니고 담당자의 조직상의 지위와 임무, 당해 언동을 하게 된 구체적인 경위 및 그에 대한 납세자의 신뢰가능성에 비추어 실질에 의하여 판단하여야 한다.
2. 지방세에 대한 권한이 없는 보건사회부장관(현 보건복지부장관)이 병원운영자 신청공고를 하면서 국세 및 지방세에 대해 비과세하겠다고 발표한 경우에도 신뢰보호원칙은 적용된다(대판 1996. 1. 23, 95누13746).

② ○

(원고가 용도지역이 농림지역 또는 준농림지역인 일정토지 위에 폐기물처리업을 영위할 목적으로 피고에게 폐기물처리업 사업계획서를 제출하였고, 이에 대해 피고가 일정한 조건을 부가하여 사업계획에 대한 적정통보를 한 후 원고가 농림지역을 준도시지역으로 변경하여 달라는 국토이용계획변경신청을 하였으나 피고가 이를 거부한 사건에서) <u>폐기물관리법령에 의한 폐기물처리업 사업계획에 대한 적정통보와 국토이용관리법령에 의한 국토이용계획변경은 각기 그 제도적 취지와 결정단계에서 고려해야 할 사항들이 다르므로, 피고가 위와 같이 폐기물처리업 사업계획에 대하여 적정통보를 한 것만으로 그 사업부지 토지에 대한 국토이용계획변경신청을 승인하여 주겠다는 취지의 공적인 견해표명을 한 것으로 볼 수 없고, 그럼에도 불구하고 원고가 그 승인을 받을 것으로 신뢰하였다면 원고에게 귀책사유가 있다 할 것이므로, 이 사건 처분이 신뢰보호의 원칙에 위배된다고 할 수 없다</u>(대판 2005. 4. 28, 2004두8828).

③ ○

행정행위의 상대방인 건축주뿐만 아니라 그로부터 위임을 받은 건축설계사 등 관계자에게 귀책사유가 있는 경우에도 신뢰보호원칙이 적용되지 아니한다.
<u>귀책사유의 유무는 상대방과 그로부터 신청행위를 위임받은 수임인 등 관계자 모두를 기준으로 판단하여야 한다.</u> 건축주와 그로부터 건축설계를 위임받은 건축사가 상세계획지침에 의한 건축한계선의 제한이 있다는 사실을 간과한 채 건축설계를 하고 이를 토대로 건축물의 신축 및 증축허가를 받은 경우, 그 신축 및 증축허가가 정당하다고 신뢰한 데에 귀책사유가 있다(대판 2002. 11. 8, 2001두1512).

④ ○

<u>폐기물처리업에 대하여 관할관청의 사전 적정통보</u>를 받고 막대한 비용을 들여 허가요건을 갖춘 다음 허가신청을 하였음에도 <u>청소업자의 난립</u>으로 효율적인 청소업무의 수행에 지장이 있다는 이유로 한 <u>불허가처분은 신뢰보호의 원칙을 위반한 위법한 처분</u>이다(대판 1998. 5. 8, 98두4061).

정답 10 ①

03 그 밖의 일반원칙 기 75~85쪽 핵 T 08

11 정답률 85% 중 2023 지방직 · 서울시 7급

행정기본법상 법원칙에 대한 설명으로 옳지 않은 것은? (다툼이 있는 경우 판례에 의함)

□□□ ① 의료법 등 관련법령이 정신병원 등의 개설에 관하여는 허가제로, 정신과의원 개설에 관하여는 신고제로 각 규정하고 있는 것은 합리적 차별로서 평등의 원칙에 반하지 않는다.

□□□ ② 재량준칙이 공표된 것만으로는 행정의 자기구속의 원칙이 적용될 수 없고, 재량준칙이 되풀이 시행되어 행정관행이 성립한 경우에 행정의 자기구속의 원칙이 적용될 수 있다.

□□□ ③ 상대방에게 귀책사유가 있어 그 신뢰의 보호가치가 인정되지 않는다면 신뢰보호의 원칙이 적용되지 않는데, 이때 귀책사유의 유무는 상대방을 기준으로 판단하여야 하고, 상대방으로부터 신청행위를 위임받은 수임인 등의 귀책사유 유무는 고려하지 않는다.

□□□ ④ 음주운전으로 인한 운전면허취소처분의 재량권 일탈 · 남용 여부를 판단할 때, 운전면허의 취소로 입게 될 당사자의 불이익보다 음주운전으로 인한 교통사고를 방지하여야 하는 일반예방적 측면이 더 강조되어야 한다.

관련기출

②

1. 재량권 행사의 준칙인 행정규칙의 공표만으로 상대방은 보호가치 있는 신뢰를 갖게 되었다고 볼 수 있다. (○, ×) 2021 지방직 · 서울시 9급
2. 재량권행사의 준칙인 행정규칙이 있으면 그에 따른 관행이 없더라도 평등의 원칙에 따라 행정기관은 상대방에 대한 관계에서 그 규칙에 따라야 할 자기구속을 받게 된다. (○, ×) 2019 서울시 1회 7급
3. 재량준칙이 공표된 것만으로도 자기구속의 원칙이 적용될 수 있으며, 재량준칙이 되풀이 시행되어 행정관행이 성립될 필요는 없다. (○, ×) 2017 국가직(하) 9급

1. × 2. × 3. ×

④

1. 음주운전으로 인해 운전면허를 취소하는 경우의 이익형량에서 음주운전으로 인한 교통사고를 방지할 공익상의 필요가 취소의 상대방이 입게 될 불이익보다 강조되어야 하는 것은 아니다. (○, ×) 2020 국가직 7급

1. ×

① 정답률 5% ○

관련 법령이 정신병원 등의 개설에 관하여는 허가제로, 정신과의원 개설에 관하여는 신고제로 각 규정하고 있는 것은 각 의료기관의 개설 목적 및 규모 등 차이를 반영한 합리적 차별로서 평등의 원칙에 반한다고 볼 수 없다(대판 2018. 10. 25, 2018두44302).

② **빈출** 정답률 3% ○

판례는 재량준칙이 공표된 것만으로 자기구속의 원칙이 적용될 수 없고 재량준칙이 되풀이 시행되어 행정관행이 성립한 경우에 자기구속의 원칙이 적용될 수 있다는 입장이다.

재량준칙이 되풀이 시행되어 행정관행이 이루어졌다고 볼 수 없다면 자기구속원칙을 위반한 것이 아니다.

시장이 농림수산식품부(현 농림축산식품부)에 의하여 공표된 '2008년도 농림사업시행지침서'에 명시되지 않은 '시 · 군별 건조저장시설 개소당 논면적' 기준을 충족하지 못하였다는 이유로 신규 건조저장시설 사업자 인정신청을 반려한 사안에서, 위 지침이 되풀이 시행되어 행정관행이 이루어졌다거나 그 공표만으로 신청인이 보호가치 있는 신뢰를 갖게 되었다고 볼 수 없고, 쌀 시장 개방화에 대비한 경쟁력 강화 등 우월한 공익상 요청에 따라 위 지침상의 요건 외에 '시 · 군별 건조저장시설 개소당 논 면적 1,000ha 이상' 요건을 추가할 만한 특별한 사정을 인정할 수 있어, 그 처분이 행정의 자기구속의 원칙 및 행정규칙에 관련된 신뢰보호의 원칙에 위배되거나 재량권을 일탈 · 남용한 위법이 없다(대판 2009. 12. 24, 2009두7967).

③ 정답률 85% ×

귀책사유의 유무는 상대방뿐만 아니라 상대방과 그로부터 신청행위를 위임받은 수임인 등 관계자 모두를 기준으로 판단하여야 한다는 것이 판례의 입장이다.

행정행위의 상대방인 건축주뿐만 아니라 그로부터 위임을 받은 건축설계사 등 관계자에게 귀책사유가 있는 경우에도 신뢰보호원칙이 적용되지 아니한다.

귀책사유의 유무는 상대방과 그로부터 신청행위를 위임받은 수임인 등 관계자 모두를 기준으로 판단하여야 한다. 건축주와 그로부터 건축설계를 위임받은 건축사가 상세계획지침에 의한 건축한계선의 제한이 있다는 사실을 간과한 채 건축설계를 하고 이를 토대로 건축물의 신축 및 증축허가를 받은 경우, 그 신축 및 증축허가가 정당하다고 신뢰한 데에 귀책사유가 있다(대판 2002. 11. 8, 2001두1512).

④ 정답률 5% ○

음주운전으로 인한 운전면허취소처분의 재량권 일탈 · 남용 여부를 판단할 때, 운전면허의 취소로 입게 될 당사자의 불이익보다 음주운전으로 인한 교통사고를 방지하여야 하는 일반예방적 측면이 더 강조되어야 한다.

자동차가 대중적인 교통수단이고 그에 따라 자동차운전면허가 대량으로 발급되어 교통상황이 날로 혼잡해짐에 따라 교통법규를 엄격히 지켜야 할 필요성은 더욱 커지는 점, 음주운전으로 인한 교통사고 역시 빈번하고 그 결과가 참혹한 경우가 많아 대다수의 선량한 운전자 및 보행자를 보호하기 위하여 음주운전을 엄격하게 단속하여야 할 필요가 절실한 점 등에 비추어 보면, 음주운전으로 인한 교통사고를 방지할 공익상의 필요는 더욱 중시되어야 하고 운전면허의 취소는 일반의 수익적 행정행위의 취소와는 달리 그 취소로 인하여 입게 될 당사자의 불이익보다는 이를 방지하여야 하는 일반예방적 측면이 더욱 강조되어야 한다(대판 2019. 1. 17, 2017두59949).

정답 11 ③

12 중

2021 경행경채

행정의 법원칙에 관한 설명 중 가장 적절하지 않은 것은? (다툼이 있는 경우 판례에 의함)

□□□ ① 행정작용은 법률에 위반되어서는 아니 되며, 국민의 권리를 제한하거나 의무를 부과하는 경우와 그 밖에 국민생활에 중요한 영향을 미치는 경우에는 법률에 근거하여야 한다.

□□□ ② 재량준칙은 일반적으로 행정조직 내부에서만 효력을 가질 뿐 대외적인 구속력을 갖는 것은 아니므로 행정처분이 이를 위반하였다고 하여 그러한 사정만으로 곧바로 위법하게 되는 것은 아니다. 다만, 그 재량준칙이 정한 바에 따라 되풀이 시행되어 행정관행이 이루어지게 되면 평등의 원칙이나 신뢰보호의 원칙에 따라 행정기관은 상대방에 대한 관계에서 그 규칙에 따라야 할 자기구속을 받는다.

□□□ ③ 행정청은 공익 또는 제3자의 이익을 현저히 해칠 우려가 있는 경우를 제외하고는 행정에 대한 국민의 정당하고 합리적인 신뢰를 보호하여야 한다.

□□□ ④ 고속국도의 관리청이 고속도로 부지와 접도구역에 송유관 매설을 허가하면서 상대방과 체결한 협약에 따라 송유관 시설을 이전하게 될 경우 상대방에게 그 비용을 부담하도록 한 부관은 행정작용과 실질적 관련성이 없는 의무를 부과하는 것으로서 부당결부금지원칙에 위반된다.

관련기출

②

1. 행정의 자기구속의 원칙이 인정되는 경우에는 행정관행과 다른 처분은 특별한 사정이 없는 한 위법하다. (○, ×) 2021 군무원 9급, 2020 소방직 9급
2. 재량준칙이 정한 바에 따라 되풀이 시행되어 행정관행이 이루어지게 되면 평등의 원칙이나 신뢰보호의 원칙에 따라 행정청은 상대방에 대한 관계에서 그 규칙에 따라야 할 자기구속을 받게 되므로, 이러한 경우에는 특별한 사정이 없는 한 그에 반하는 처분은 평등의 원칙이나 신뢰보호의 원칙에 어긋나 재량권을 일탈·남용한 위법한 처분이 된다. (○, ×) 2018 서울시 2회 7급
3. 재량권행사의 기준인 행정규칙이 반복적으로 시행되어 행정관행이 성립된 경우라도 그 행정규칙은 내부적 기준에 불과하므로, 이를 위반시 재량권의 일탈·남용에 해당되지 않는다. (○, ×) 2015 경행특채 1차, 2014 사회복지직 9급

1. ○ 2. ○ 3. ×

④

1. 고속국도 관리청이 고속도로 부지와 접도구역에 송유관 매설을 허가하면서 상대방과 체결한 협약에 따라 송유관 시설을 이전하게 될 경우 그 비용을 상대방에게 부담하도록 한 부관은 부당결부금지의 원칙에 반하지 않는다. (○, ×) 2019 국회직 8급

1. ○

① ○

행정기본법 제8조【법치행정의 원칙】 행정작용은 법률에 위반되어서는 아니 되며, 국민의 권리를 제한하거나 의무를 부과하는 경우와 그 밖에 국민생활에 중요한 영향을 미치는 경우에는 법률에 근거하여야 한다.

② **빈출** ○

1. 상급행정기관이 하급행정기관에 대하여 업무처리지침이나 법령의 해석·적용에 관한 기준을 정하여 발하는 이른바 '행정규칙이나 내부지침'은 일반적으로 행정조직 내부에서만 효력을 가질 뿐 대외적인 구속력을 갖는 것은 아니므로 행정처분이 그에 위반하였다고 하여 그러한 사정만으로 곧바로 위법하게 되는 것은 아니다.
2. 재량권행사의 준칙인 행정규칙이 그 정한 바에 따라 되풀이 시행되어 행정관행이 이루어지게 되면 평등의 원칙이나 신뢰보호의 원칙에 따라 행정기관은 그 상대방에 대한 관계에서 그 규칙에 따라야 할 자기구속을 받게 되므로, 이러한 경우에는 특별한 사정이 없는 한 그를 위반하는 처분은 평등의 원칙이나 신뢰보호의 원칙에 위배되어 재량권을 일탈·남용한 위법한 처분이 된다(대판 2009. 12. 24, 2009두7967).

③ ○

행정기본법 제12조【신뢰보호의 원칙】 ① 행정청은 공익 또는 제3자의 이익을 현저히 해칠 우려가 있는 경우를 제외하고는 행정에 대한 국민의 정당하고 합리적인 신뢰를 보호하여야 한다.

④ **빈출** ×

고속국도 관리청이 고속도로 부지와 접도구역에 송유관 매설을 허가하면서 상대방과 체결한 협약에 따라 송유관 시설을 이전하게 될 경우 그 비용을 상대방에게 부담하도록 한 경우 위 협약에 포함된 부관이 부당결부금지의 원칙에 반하지 않는다(대판 2009. 2. 12, 2005다65500).

정답 12 ④

13 중 2021 국회직 8급

행정법의 일반원칙에 대한 설명으로 옳지 않은 것은? (다툼이 있는 경우 판례에 의함)

□□□ ① 계속 중인 사실이나 그 이후에 발생한 요건사실에 대한 법률적용을 인정하는 부진정소급입법의 경우 개인의 신뢰보호와 법적 안정성을 내용으로 하는 법치국가원리에 의하여 허용되지 않는 것이 원칙이다.

□□□ ② 재건축조합에서 일단 내부규범이 정립되면 조합원들은 특별한 사정이 없는 한 그것이 존속하리라는 신뢰를 가지게 되므로, 내부규범을 변경할 경우 내부규범 변경을 통해 달성하려는 이익이 종전 내부규범의 존속을 신뢰한 조합원들의 이익보다 우월해야 한다.

□□□ ③ 신뢰보호의 원칙은 행정청이 공적인 견해를 표명할 당시의 사정이 그대로 유지됨을 전제로 적용되는 것이 원칙이므로, 사후에 그와 같은 사정이 변경된 경우에는 특별한 사정이 없는 한 행정청이 그 견해표명에 반하는 처분을 하더라도 신뢰보호의 원칙에 위반된다고 할 수 없다.

□□□ ④ 근로복지공단의 요양불승인처분의 적법 여부는 사실상 근로자의 휴업급여청구권 발생의 전제가 된다고 볼 수 있는 점 등에 비추어, 근로자가 요양불승인에 대한 취소소송의 판결확정시까지 근로복지공단에 휴업급여를 청구하지 않았던 것에 대한 근로복지공단의 소멸시효 항변은 신의성실의 원칙에 반하여 허용될 수 없다.

□□□ ⑤ 관할관청이 위법한 직업능력개발훈련과정 인정제한처분을 하여 사업주로 하여금 제때 훈련과정 인정신청을 할 수 없도록 하였음에도, 인정제한처분에 대한 취소판결확정 후 사업주가 인정제한기간 내에 실제로 실시하였던 훈련에 관하여 비용지원신청을 한 경우에, 사전에 훈련과정인정을 받지 않았다는 이유만을 들어 훈련비용지원을 거부하는 것은 신의성실의 원칙에 반하여 허용될 수 없다.

① 제3강 참조 ×

> 소급입법은 새로운 입법으로 이미 종료된 사실관계 또는 법률관계에 작용하게 하는 진정소급입법과 현재 진행 중인 사실관계 또는 법률관계에 작용케 하는 부진정소급입법으로 나눌 수 있는바, 부진정소급입법은 원칙적으로 허용되지만 소급효를 요구하는 공익상의 사유와 신뢰보호의 요청 사이의 교량과정에서 신뢰보호의 관점이 입법자의 형성권에 제한을 가하게 된다(헌재 1999. 7. 22, 97헌바76).

② ○

> 재건축조합에서 일단 내부규범이 정립되면 조합원들은 특별한 사정이 없는 한 그것이 존속하리라는 신뢰를 가지게 되므로, 내부규범 변경을 통해 달성하려는 이익이 종전 내부규범의 존속을 신뢰한 조합원들의 이익보다 우월해야 한다(대판 2020. 6. 25, 2018두34732).

③ ○

신뢰보호의 원칙은 행정청이 공적인 견해를 표명할 당시의 사정이 그대로 유지됨을 전제로 적용되는 것이 원칙이므로, 사후에 그와 같은 사정이 변경된 경우에는 그 공적 견해가 더 이상 개인에게 신뢰의 대상이 된다고 보기 어려운 만큼, 특별한 사정이 없는 한 행정청이 그 견해표명에 반하는 처분을 하더라도 신뢰보호의 원칙에 위반된다고 할 수 없다는 것이 판례의 입장이다(대판 2020. 6. 25, 2018두34732).

④ ○

> 근로복지공단의 요양불승인처분에 대한 취소소송을 제기하여 승소확정판결을 받은 근로자가 요양으로 인하여 취업하지 못한 기간의 휴업급여를 청구한 경우, 그 휴업급여청구권이 시효완성으로 소멸하였다는 근로복지공단의 항변은 신의성실의 원칙에 반하여 허용될 수 없다.
> 근로자가 입은 부상이나 질병이 업무상 재해에 해당하는지 여부에 따라 요양급여 신청의 승인, 휴업급여청구권의 발생 여부가 차례로 결정되고, 따라서 근로복지공단의 요양불승인처분의 적법 여부는 사실상 근로자의 휴업급여청구권 발생의 전제가 된다고 볼 수 있는 점 등에 비추어, 근로자가 요양불승인에 대한 취소소송의 판결확정시까지 근로복지공단에 휴업급여를 청구하지 않았던 것은 이를 행사할 수 없는 사실상의 장애사유가 있었기 때문이라고 보아야 하므로, 근로복지공단의 소멸시효 항변은 신의성실의 원칙에 반하여 허용될 수 없다(대판 2008. 9. 18, 2007두2173 전합).

⑤ ○

행정법상 신청을 할 수 없게 한 장애사유를 행정청이 만든 경우에 행정청이 원인이 된 장애사유를 근거로 그러한 신청을 인정하지 않는 것은 신의성실의 원칙에 반하여 허용될 수 없다는 것이 판례의 입장이다.

> 1. 직업능력개발훈련과정 인정제한처분에 대한 쟁송절차에서 해당 제한처분이 위법한 것으로 판단되어 취소되거나 당연무효로 확인된 경우, 사업주가 해당 제한처분 때문에 관계법령이 정한 기한 내에 하지 못했던 훈련과정 인정신청과 훈련비용 지원신청을 사후적으로 할 수 있는 기회를 주어야 한다.
> 2. 사업주에 대한 직업능력개발훈련과정 인정제한처분과 훈련비용 지원제한처분이 쟁송절차에서 위법한 것으로 판단되어 취소되거나 당연무효로 확인된 후에 사업주가 그 인정제한기간에 실제로 실시한 직업능력개발 훈련과정의 비용에 대하여 사후적으로 지원신청을 하는 경우, 관할관청이 사업주가 해당 훈련과정에 대하여 미리 훈련과정인정을 받아 두지 않았다는 형식적인 이유만으로 훈련비용지원을 거부할 수 없다(대판 2019. 1. 31, 2016두52019).

정답 13 ①

14 **빈출** 정답률 77% 중 2021 국가직 9급

행정법의 일반원칙에 관련된 다음의 설명 중 옳은 것은? (다툼이 있는 경우 판례에 의함)

□□□ ① 국가가 국민의 생명 · 신체의 안전에 대한 보호의무를 다하지 않았는지 여부를 헌법재판소가 심사할 때에는 국가가 이를 보호하기 위하여 적어도 적절하고 효율적인 최소한의 보호조치를 취하였는가 하는 '과소보호금지원칙'의 위반 여부를 기준으로 삼는다.

□□□ ② 행정청이 조합설립추진위원회의 설립승인심사에서 위법한 행정처분을 한 선례가 있는 경우에는, 행정청에 대해 자기구속력을 갖게 되어 이후에도 그러한 기준에 따라야 한다.

□□□ ③ 공무원임용신청 당시 잘못 기재된 호적상 출생연월일을 생년월일로 기재하고, 임용 후 36년 동안 이의를 제기하지 않다가, 정년을 1년 3개월 앞두고 정정된 출생연월일을 기준으로 정년연장을 요구하는 것은 신의성실의 원칙에 반한다.

□□□ ④ 일반적으로 행정청이 폐기물처리업 사업계획에 대한 적정통보를 한 경우 이는 토지에 대한 형질변경신청을 허가하는 취지의 공적 견해표명까지도 포함한다.

관련기출

①

1. 국가가 국민의 생명 · 신체의 안전에 대한 보호의무를 다하지 않았는지 여부에 대한 심사는 '과소보호금지원칙'의 위반 여부를 기준으로 삼는다. (○, ×) 2017 국가직 7급

1. ○

②

1. 행정처분이 수차례에 걸쳐 반복적으로 행하여졌다면 그 처분이 위법한 것인 때에도 행정청에 대하여 자기구속력을 갖게 된다. (○, ×) 2022 국가직 7급, 2016 교육행정직 9급
2. 위법한 행정처분이 수차례에 걸쳐 반복적으로 행하여졌다고 하더라도 그러한 처분이 위법한 것인 때에는 행정청에 대하여 자기구속력을 갖게 된다고 할 수 없다. (○, ×) 2016 사회복지직 9급

1. × 2. ○

③

1. 지방공무원 임용신청 당시 잘못 기재된 생년월일에 근거하여 36년 동안 공무원으로 근무하다 정년을 1년 3개월 앞두고 생년월일을 정정한 후 그에 기초하여 정년연장을 요구하는 것은 신의성실의 원칙에 반한다. (○, ×) 2015 서울시 7급

1. ×

④

1. 폐기물처리업 사업계획에 대한 적정통보에는 당해 토지에 대한 형질변경신청을 허가하는 취지의 공적 견해표명이 있다고 볼 수 있다. (○, ×) 2012 지방직(하) 7급

1. ×

① 제2강 참조 ○

> 국가가 국민의 생명 · 신체의 안전에 대한 보호의무를 다하지 않았는지 여부를 헌법재판소가 심사할 때에는 국가가 이를 보호하기 위하여 적어도 적절하고 효율적인 최소한의 보호조치를 취하였는가 하는 이른바 '과소보호금지원칙'의 위반 여부를 기준으로 삼아, 국민의 생명 · 신체의 안전을 보호하기 위한 조치가 필요한 상황인데도 국가가 아무런 보호조치를 취하지 않았든지 아니면 취한 조치가 법익을 보호하기에 전적으로 부적합하거나 매우 불충분한 것임이 명백한 경우에 한하여 국가의 보호의무의 위반을 확인하여야 하는 것이다(헌재 2009. 2. 26, 2005헌마764).

② ×

선행행정작용이 위법한 경우에는 자기구속원칙이 인정되지 않는다.

> 평등의 원칙은 본질적으로 같은 것을 자의적으로 다르게 취급함을 금지하는 것이고, 위법한 행정처분이 수차례에 걸쳐 반복적으로 행하여졌다 하더라도 그러한 처분이 위법한 것인 때에는 행정청에 대하여 자기구속력을 갖게 된다고 할 수 없다(대판 2009. 6. 25, 2008두13132).

③ ×

> 지방공무원 임용신청 당시 잘못 기재된 호적상 출생연월일을 생년월일로 기재하고, 이에 근거한 공무원인사기록카드의 생년월일 기재에 대하여 처음 임용된 때부터 약 36년 동안 전혀 이의를 제기하지 않다가, 정년을 1년 3개월 앞두고 호적상 출생연월일을 정정한 후 그 출생연월일을 기준으로 정년의 연장을 요구하는 것은 신의성실의 원칙에 반하지 않는다(대판 2009. 3. 26, 2008두21300).

④ ×

> 폐기물처리업 사업계획에 대한 적정통보 중에 토지에 대한 형질변경신청을 허가하는 취지의 공적 견해표명이 있다고 볼 수 없다(대판 1998. 9. 25, 98두6494).

정답 14 ①

15 **빈출** 정답률 78% 중 2021 국가직 9급

행정법의 법원(法源)에 대한 설명으로 옳지 않은 것은? (다툼이 있는 경우 판례에 의함)

□□□ ① 지방자치단체가 제정한 조례가 헌법에 의하여 체결·공포된 조약에 위반되는 경우 그 조례는 효력이 없다.

□□□ ② 행정소송에 관하여 행정소송법에 특별한 규정이 없는 사항에 대하여는 법원조직법과 민사소송법 및 민사집행법의 규정을 준용한다.

□□□ ③ 평등원칙은 일체의 차별적 대우를 부정하는 절대적 평등을 의미하는 것이 아니라 입법과 법의 적용에 있어서 합리적인 근거가 없는 차별을 배제하는 상대적 평등을 뜻한다.

□□□ ④ 개정법령이 기존의 사실 또는 법률관계를 적용대상으로 하면서 국민의 재산권과 관련하여 종전보다 불리한 법률효과를 규정하고 있는 경우, 그러한 사실 또는 법률관계가 개정법률이 시행되기 이전에 이미 완성 또는 종결된 것이 아니라면 소급입법금지원칙에 위반된다.

관련기출

①

1. 지방자치단체가 제정한 조례가 「1994년 관세 및 무역에 관한 일반협정(General Agreement on Tariffs and Trade 1994)」이나 「정부조달에 관한 협정(Agreement on Government Procurement)」에 위반되는 경우, 그 조례는 무효이다. (○, ×) 2017 국가직 9급
2. 학교급식을 위해 국내 우수농산물을 사용하는 자에게 식재료나 구입비의 일부를 지원하는 것 등을 내용으로 하는 지방자치단체의 조례안은 「1994년 관세 및 무역에 관한 일반협정」에 위반되어 그 효력이 없다. (○, ×) 2014 경행특채 1차, 2011 지방직(상) 9급

1. ○ 2. ○

②

1. 행정소송에 관하여 행정소송법에 특별한 규정이 없는 사항에 대하여는 법원조직법과 민사소송법 및 (가)의 규정을 준용한다. 2019 소방직 9급, 2010 세무사

1. (가) 민사집행법

④

1. 행정처분의 근거법률이 개정된 경우, 국민의 재산권과 관련하여 종전보다 불리한 법률효과를 규정하고 있더라도, 당해 사실 또는 법률관계가 이미 완성 또는 종결된 것이 아니라면, 헌법상 금지되는 소급입법에 의한 재산권침해라고 할 수는 없다. (○, ×) 2019 경행경채 2차

1. ○

① **빈출** ○

1. 지방자치단체가 제정한 조례가 「1994년 관세 및 무역에 관한 일반협정(General Agreement on Tariffs and Trade 1994)」이나 「정부조달에 관한 협정(Agreement on Government Procurement)」에 위반되는 경우, 그 조례는 무효이다.
2. 학교급식을 위해 국내 우수농산물을 사용하는 자에게 식재료나 구입비의 일부를 지원하는 것 등을 내용으로 하는 지방자치단체의 조례안은 「1994년 관세 및 무역에 관한 일반협정(General Agreement on Tariffs and Trade 1994)」에 위반되어 그 효력이 없다(대판 2005. 9. 9, 2004추10).

② ○

행정소송법 제8조【법적용례】 ② 행정소송에 관하여 이 법에 특별한 규정이 없는 사항에 대하여는 법원조직법과 민사소송법 및 민사집행법의 규정을 준용한다.

③ 제4강 참조 ○

오늘날 '평등'의 의미는 모든 인간을 평등하게 처우하되 합리적 근거가 있는 차별 내지 불평등은 허용된다는 상대적(실질적) 평등이라는 것이 통설과 헌법재판소의 입장이다.

헌법 제11조 제1항의 평등의 원칙은 일체의 차별적 대우를 부정하는 절대적 평등을 의미하는 것이 아니라 입법과 법의 적용에 있어서 합리적 근거 없는 차별을 하여서는 아니 된다는 상대적 평등을 뜻하고 따라서 합리적 근거 있는 차별 내지 불평등은 평등의 원칙에 반하는 것이 아니다. 그리고 합리적 근거 있는 차별인가의 여부는 그 차별이 인간의 존엄성 존중이라는 헌법원리에 반하지 아니하면서 정당한 입법목적을 달성하기 위하여 필요하고도 적정한 것인가를 기준으로 판단되어야 한다(헌재 1994. 2. 24, 92헌바43).

행정기본법 제9조【평등의 원칙】 행정청은 합리적 이유 없이 국민을 차별하여서는 아니 된다.

④ ×

행정처분은 그 근거 법령이 개정된 경우에도 경과규정에서 달리 정함이 없는 한 처분 당시 시행되는 개정 법령과 그에 정한 기준에 의하는 것이 원칙이고, 그 개정 법령이 기존의 사실 또는 법률관계를 적용대상으로 하면서 국민의 재산권과 관련하여 종전보다 불리한 법률효과를 규정하고 있는 경우에도 그러한 사실 또는 법률관계가 개정법령이 시행되기 이전에 이미 완성 또는 종결된 것이 아니라면 이를 헌법상 금지되는 소급입법에 의한 재산권 침해라고 할 수는 없다(대판 2009. 9. 10, 2008두9324).

정답 15 ④

16 정답률 52% 상 2016 국가직 7급

행정법의 일반원칙에 대한 설명으로 옳지 않은 것은? (다툼이 있는 경우 판례에 의함)

□□□ ① 재량권행사의 준칙인 행정규칙이 그 정한 바에 따라 되풀이 시행되어 행정관행이 이루어지게 되면 평등의 원칙이나 신뢰보호의 원칙에 따라 행정기관은 그 상대방에 대한 관계에서 그 규칙에 따라야 할 자기구속을 받게 된다.

□□□ ② 지방자치단체장이 사업자에게 주택사업계획승인을 하면서 그 주택사업과는 아무런 관련이 없는 토지를 기부채납하도록 하는 부관은 부당결부금지의 원칙에 위반되어 위법하지만 당연무효라고 볼 수 없다.

□□□ ③ 조례안이 지방의회의 조사를 위하여 출석요구를 받은 증인이 5급 이상 공무원인지 여부, 기관(법인)의 대표나 임원인지 여부 등 증인의 사회적 신분에 따라 미리부터 과태료의 액수에 차등을 두고 있는 것은 평등의 원칙에 위반되지 않는다.

□□□ ④ 병무청 담당부서의 담당공무원에게 공적 견해의 표명을 구하는 정식의 서면질의 등을 하지 아니한 채 총무과 민원팀장에 불과한 공무원이 민원봉사 차원에서 상담에 응하여 안내한 것을 신뢰한 경우, 신뢰보호원칙이 적용되지 아니한다.

관련기출

②

1. 주택사업계획승인을 하면서 그 주택사업과 아무 관련이 없는 토지를 기부채납하도록 하는 부관을 붙인 경우, 그 부관은 부당결부금지원칙에 위반되어 위법하다. (○, ×) 2022 국가직 7급
2. 지방자치단체장이 사업자에게 주택사업계획승인을 하면서 그 주택사업과는 아무런 관련이 없는 토지를 기부채납하도록 하는 부관을 붙인 경우, 그 부관은 부당결부금지의 원칙에 위반되어 위법하다. (○, ×) 2019 지방직·교육행정직 9급
3. 사업자에게 주택사업계획승인을 하면서 그 주택사업과 아무런 관련이 없는 토지를 기부채납하도록 하는 부관을 주택사업계획승인에 붙인 경우 부당결부금지원칙 위배로 위법하다. (○, ×) 2018 서울시 1회 7급

1. ○ 2. ○ 3. ○

① ○

재량권행사의 준칙인 규칙이 그 정한 바에 따라 되풀이 시행되어 행정관행이 이룩되게 되면, 평등의 원칙이나 신뢰보호의 원칙에 따라 행정기관은 그 상대방에 대한 관계에서 그 규칙에 따라야 할 자기구속을 당하게 되고, 그러한 경우에는 대외적인 구속력을 가지게 된다는 것이 판례의 입장이다(헌재 1990. 9. 3, 90헌마13).

② ○

주택사업계획승인을 하면서 주택사업과는 아무런 관련이 없는 토지를 기부채납하도록 하는 부관을 붙인 경우 그 부관은 부당결부금지원칙에 위반되어 위법하지만, 부당결부금지의 원칙에 위반한 위법한 부관이라도 그 하자가 중대하고 명백하지 않은 경우라면 당연무효사유라고는 볼 수 없다는 것이 판례의 입장이다(대판 1997. 3. 11, 96다49650).

③ ×

지방의회의 조사·감사를 위해 채택된 증인의 불출석 등에 대한 과태료를 그 사회적 신분에 따라 차등 부과할 것을 규정한 조례는 헌법상 평등원칙에 위배되어 무효이다.

조례안이 지방의회의 감사 또는 조사를 위하여 출석요구를 받은 증인이 5급 이상 공무원인지 여부, 기관(법인)의 대표나 임원인지 여부 등 증인의 사회적 신분에 따라 미리부터 과태료의 액수에 차등을 두고 있는 경우, 그와 같은 차별은 증인의 불출석이나 증언거부에 대하여 과태료를 부과하는 목적에 비추어 볼 때 그 합리성을 인정할 수 없고 지위의 높고 낮음만을 기준으로 한 부당한 차별대우라고 할 것이어서 헌법에 규정된 평등의 원칙에 위배되어 무효이다(대판 1997. 2. 25, 96추213).

④ ○

병무청 담당부서의 담당공무원에게 공적 견해의 표명을 구하는 정식의 서면질의 등을 하지 아니한 채 총무과 민원팀장에 불과한 공무원이 민원봉사 차원에서 상담에 응하여 안내한 것을 신뢰한 경우, 신뢰보호원칙이 적용되지 아니한다는 것이 판례의 입장이다(대판 2003. 12. 26, 2003두1875).

정답 16 ③

제 05 강 행정법관계

1회독	2회독	3회독
/	/	/

⊘정답률 공단기/소방단기 합격예측 풀서비스 통계 데이터 기준 기 기본서 핵 핵심집약

01 공법관계와 사법관계 기 88~94쪽 핵 T 09

01 빈출 정답률 70% 중 2024 군무원 9급

다음 중 행정상 법률관계에 대한 설명으로 가장 적절하지 않은 것은? (다툼이 있는 경우 판례에 의함)

□□□ ① 국 · 공유재산의 매각 또는 대부행위는 사법상 계약이지만, 미납된 대부료의 징수행위는 행정처분에 해당한다.

□□□ ② 시립합창단원의 위촉계약은 공법상 계약이지만, 재위촉신청을 거부하는 것은 항고소송의 대상이 되는 행정처분이다.

□□□ ③ 한국산업단지공단의 산업단지 입주자에 대한 입주계약해지는 항고소송의 대상인 행정처분이다.

□□□ ④ 행정주체와 사인 간의 입찰계약은 사법상 계약이지만, 행정기관의 입찰참가자격제한은 항고소송의 대상이 되는 행정처분이다.

관련기출

②

1. 광주광역시립합창단원으로서 위촉기간이 만료되는 자들의 재위촉신청에 대하여 광주광역시문화예술회관장이 실기와 근무성적에 대한 평정을 실시하여 재위촉을 하지 아니한 것을 항고소송의 대상이 되는 불합격처분이라고 할 수는 있다. (○, ×) 2024 군무원 9급
2. 광주광역시문화예술회관장의 단원위촉은 광주광역시와 단원이 되고자 하는 자 사이에 대등한 지위에서 의사가 합치되어 성립하는 공법상 근로계약에 해당한다. (○, ×) 2023 경찰간부
3. 시립합창단원의 위촉은 공법관계에 해당한다. (○, ×) 2019 소방직 9급

1. × 2. ○ 3. ○

④

1. 지방자치단체가 일반재산을 입찰이나 수의계약을 통해 매각하는 것은 기본적으로 사경제주체의 지위에서 하는 행위이므로 원칙적으로 계약자유의 원칙이 적용된다. (○, ×) 2022 서울시 7급
2. 조달청장이 법령에 근거하여 입찰참가자격을 제한하는 것은 사법관계에 해당한다. (○, ×) 2023 국가직 9급
3. 국가가 당사자가 되는 공사도급계약에서 부정당업자에 대한 입찰참가자격 제한조치는 항고소송의 대상이 되는 처분에 해당한다. (○, ×) 2021 군무원 7급

1. ○ 2. × 3. ○

① 정답률 11% ○

국 · 공유재산(일반재산을 의미)의 매각 또는 대부행위는 사법상 계약에 해당한다. 다만, 미납된 대부료의 징수행위, 즉 체납처분(현 강제징수)은 공법행위로서 항고소송의 대상이 되는 행정처분에 해당한다.

1. 국유재산[잡종재산(현 일반재산)]의 매각은 사법상의 행위에 불과하다(대판 1986. 6. 24, 86누171).
2. 잡종재산(현 일반재산)인 국유림 대부행위는 사법관계이다(대판 1993. 12. 7, 91누11612).
3. 국유재산법 제42조 제1항, 제73조 제2항 제 2호에 따르면, 국유 일반재산의 관리 · 처분에 관한 사무를 위탁받은 자는 국유 일반재산의 대부료 등이 납부기한까지 납부되지 아니한 경우에는 국세징수법 제23조(현 제10조)와 같은 법의 체납처분에 관한 규정을 준용하여 대부료 등을 징수할 수 있다. 이와 같이 국유 일반재산의 대부료 등의 징수에 관하여는 국세징수법 규정을 준용한 간이하고 경제적인 특별구제절차가 마련되어 있으므로, 특별한 사정이 없는 한 민사소송의 방법으로 대부료 등의 지급을 구하는 것은 허용되지 아니한다(대판 2014. 9. 4, 2014다203588).

② 빈출 정답률 70% 제19강 참조 ×

시립합창단원에 대한 재위촉 거부는 항고소송의 대상인 처분에 해당하지 않는다.
광주광역시문화예술회관장의 단원위촉은 광주광역시문화예술회관장이 행정청으로서 공권력을 행사하여 행하는 행정처분이 아니라 …… 공법상 근로계약에 해당한다고 보아야 할 것이므로, 광주광역시립합창단원으로서 위촉기간이 만료되는 자들의 재위촉 신청에 대하여 광주광역시문화예술회관장이 실기와 근무성적에 대한 평정을 실시하여 재위촉을 하지 아니한 것을 항고소송의 대상이 되는 불합격처분이라고 할 수는 없다(대판 2001. 12. 11, 2001두7794).

③ 빈출 정답률 12% 제37강 참조 ○

산업단지관리공단이 구 「산업집적활성화 및 공장설립에 관한 법률」 제38조 제2항에 따른 입주변경계약의 취소는 항고소송의 대상이 되는 행정처분에 해당한다(대판 2017. 6. 15, 2014두46843).

④ 빈출 정답률 5% ○

행정주체와 사인 간의 입찰계약은 사법상 계약에 해당한다(대판 2017. 11. 14, 2016다201395 등 참조). 그러나 국가나 지방자치단체 등의 행정청이 행하는 입찰참가자격제한조치는 처분성이 인정된다(대판 1983. 7. 12, 83누127).

1. 지방자치단체가 일반재산을 입찰이나 수의계약을 통해 매각하는 것은 기본적으로 사경제주체의 지위에서 하는 행위이므로 원칙적으로 사적자치와 계약자유의 원칙이 적용된다(대판 2017. 11. 14, 2016다201395).
2. 원고 회사가 피고(부산직할시장) 산하 구청장으로부터 수급한 공사의 일부를 건설업면허가 없는 소외인에게 하도급하여 시공케 한 것은 예산회계법 시행령 제89조 제1항 제8호에 해당하므로 원고의 일반경쟁입찰참가자격을 6개월간 제한한 피고의 처분은 정당하다(대판 1983. 7. 12, 83누127).

정답 01 ②

02 중 2024 소방간부

행정법관계에 관한 설명으로 옳지 않은 것은? (다툼이 있는 경우 판례에 의함)

□□□ ① 국유재산의 무단점유자에 대한 변상금 부과는 공권력을 가진 우월적 지위에서 행하는 행정처분이고, 그 부과처분에 의한 변상금 징수권은 공법상의 권리이다.

□□□ ② 납세의무자에 대한 국가의 부가가치세 환급세액 지급의무는 부가가치세법령에 의하여 그 존부나 범위가 구체적으로 확정되고 조세 정책적 관점에서 특별히 인정되는 공법상 의무라고 봄이 타당하다.

□□□ ③ 개발부담금 부과처분이 취소된 이상 그 후의 부당이득으로서의 과오납금 반환에 관한 법률관계는 단순한 민사관계이다.

□□□ ④ 주택재건축정비사업조합을 상대로 관리처분계획안에 대한 조합 총회결의의 효력을 다투는 소송은 사법상 법률관계에 관한 소송이다.

□□□ ⑤ 중학교 의무교육의 위탁관계는 공법적 관계이다.

관련기출

②

1. 납세의무자에 대한 국가의 부가가치세 환급세액 지급의무는 그 납세의무자로부터 어느 과세기간에 과다하게 거래징수된 세액 상당을 국가가 실제로 납부받았는지와 관계없이 부가가치세 법령의 규정에 의하여 직접 발생하는 것으로서, 그 법적 성질은 부당이득 반환의무가 아니다. (○, ×) 2022 국가직 7급
2. 부가가치세법령상 납세의무자에 대한 국가의 부가가치세 환급세액 지급의무는 부당이득반환의무이므로 그 지급청구는 당사자소송이 아니라 민사소송의 절차에 따라야 한다. (○, ×) 2019 서울시 2회 7급

1. ○ 2. ×

③

1. 개발부담금 부과처분이 취소된 이상 그 후의 부당이득으로서의 과오납금 반환에 관한 법률관계는 단순한 민사관계라 볼 수 없고, 행정소송 절차에 따라야 하는 행정법관계로 보아야 한다. (○, ×) 2023 군무원 9급
2. 개발부담금 부과처분이 취소된 후의 부당이득으로서의 과오납금 반환에 관한 법률관계는 공법상 법률관계이다. (○, ×) 2020 국가직 7급

1. × 2. ×

⑤

1. 초·중등교육법상 사립중학교에 대한 중학교 의무교육의 위탁관계는 사법관계에 속한다. (○, ×) 2020 국회직 8급, 2018 교육행정직 9급

1. ×

① ○

> 국유재산의 무단점유자에 대한 변상금 부과는 공권력을 가진 우월적 지위에서 행하는 행정처분이고, 그 부과처분에 의한 변상금 징수권은 공법상의 권리인 반면, 민사상 부당이득반환청구권은 국유재산의 소유자로서 가지는 사법상의 채권이다(대판 2014. 9. 4, 2013다3576).

② **빈출** 제35강 참조 ○

> 납세의무자의 부가가치세 환급세액 지급청구는 당사자소송의 절차에 따라야 한다.
>
> 부가가치세법령의 내용, 형식 및 입법취지 등에 비추어 보면, 납세의무자에 대한 국가의 부가가치세 환급세액 지급의무는 그 납세의무자로부터 어느 과세기간에 과다하게 거래징수된 세액 상당을 국가가 실제로 납부받았는지와 관계없이 부가가치세법령의 규정에 의하여 직접 발생하는 것으로서, 그 법적 성질은 정의와 공평의 관념에서 수익자와 손실자 사이의 재산상태 조정을 위해 인정되는 부당이득 반환의무가 아니라 부가가치세법령에 의하여 그 존부나 범위가 구체적으로 확정되고 조세 정책적 관점에서 특별히 인정되는 공법상 의무라고 봄이 타당하다. 그렇다면 납세의무자에 대한 국가의 부가가치세 환급세액 지급의무에 대응하는 국가에 대한 납세의무자의 부가가치세 환급세액 지급청구는 민사소송이 아니라 행정소송법 제3조 제2호에 규정된 당사자소송의 절차에 따라야 한다(대판 2013. 3. 21, 2011다95564 전합).

③ **빈출** ○

> 개발부담금 부과처분이 취소된 경우, 그 과오납금에 대한 부당이득반환청구의 법률관계는 사법관계이다(사법행위).
>
> 개발부담금 부과처분이 취소된 이상 그 후의 부당이득으로서의 과오납금 반환에 관한 법률관계는 단순한 민사관계에 불과한 것이고, 행정소송절차에 따라야 하는 관계로 볼 수 없다(대판 1995. 12. 22, 94다51253).

④ **빈출** 제35강 참조 ×

> 「도시 및 주거환경정비법」상의 주택재건축정비사업조합을 상대로 관리처분계획안에 대한 조합총회결의의 효력을 다투는 소송의 법적 성질은 행정소송법상 당사자소송이다.
>
> 「도시 및 주거환경정비법상」 행정주체인 주택재건축정비사업조합을 상대로 관리처분계획안에 대한 조합총회결의의 효력 등을 다투는 소송은 행정처분에 이르는 절차적 요건의 존부나 효력 유무에 관한 소송으로서 그 소송결과에 따라 행정처분의 위법 여부에 직접 영향을 미치는 공법상 법률관계에 관한 것이므로, 이는 행정소송법상의 당사자소송에 해당한다(대판 2009. 9. 17, 2007다2428).

⑤ ○

> 사립중학교에 대한 중학교 의무교육의 위탁관계는 초·중등교육법 제12조 제3항, 제4항 등 관련법령에 의하여 정해지는 공법적 관계이다(대판 2015. 1. 29, 2012두7387).

정답 02 ④

03 정답률 66% 상 2023 지방직 · 서울시 9급

다음 각 사례에 대한 설명으로 옳은 것만을 모두 고르면?

- 행정청 甲은 국유 일반재산인 건물 1층을 5년간 대부하는 계약을 乙과 체결하면서 대부료는 1년에 1억으로 정하였고 6회에 걸쳐 분납하기로 하였다. 甲은 乙이 1년간 대부료를 납부하지 않자, 체납한 대부료를 납부할 것을 통지하였다. 국유재산법에 따르면 국유재산의 대부료 등이 납부기한까지 납부되지 아니한 경우에는 국세징수법상의 강제징수에 관한 규정을 준용하고 있다.
- 행정청 甲은 국가 소유의 땅을 무단점유하여 사용하고 있는 丙에게 변상금 100만원 부과처분을 하였다.

□□□ ㉠ 甲이 乙에게 대부하는 행위는 공권력의 주체로서 상대방의 의사 여하에 불구하고 일방적으로 행하는 행정처분이 아니다.

□□□ ㉡ 甲은 대부료를 납부하지 않은 乙을 상대로 민사소송을 제기하여 대부료 지급을 구해야 한다.

□□□ ㉢ 변상금 부과처분은 순전히 사경제주체로서 행하는 사법상의 법률행위이므로, 丙은 그 처분에 대해 민사소송을 제기하여 다툴 수 있다.

① ㉠ ② ㉡
③ ㉠, ㉢ ④ ㉠, ㉡, ㉢

관련기출

㉠

1. 국유일반재산의 대부행위는 공법상 계약에 해당한다. (○, ×) 2022 국회직 8급
2. 산림청장이 산림법령이 정하는 바에 따라 국유임야를 대부하는 행위는 사경제주체로서 하는 사법상의 행위이다. (○, ×) 2021 군무원 7급

1. × 2. ○

㉡

1. 국유 일반재산의 대부료 징수에 관하여 국세 체납처분의 예에 따른 간이하고 경제적인 특별한 구제절차가 마련되어 있으므로, 특별한 사정이 없는 한 민사소송으로 일반재산의 대부료 지급을 구하는 것은 허용되지 않는다. (○, ×) 2018 국가직 7급

1. ○

㉢

1. 국유재산 무단점유자에 대한 변상금 부과는 관리청이 공권력을 가진 우월적 지위에서 행한 것으로서 행정소송의 대상이 되는 행정처분이다. (○, ×) 2023 국회직 8급
2. 국유재산의 무단점유자에 대한 변상금 부과는 관리청이 공권력을 가진 우월한 지위에서 행한 것으로 항고소송의 대상이 되는 행정처분의 성격을 갖는다. (○, ×) 2021 군무원 7급
3. 국유재산의 관리청이 그 무단점유자에 대하여 하는 변상금 부과처분은 순전히 사경제주체로서 행하는 사법상의 법률행위라 할 수 없고 이는 공권력을 가진 우월적 지위에서 행한 행정처분이다. (○, ×) 2020 경행경채, 2016 지방직 7급

1. ○ 2. ○ 3. ○

㉠ ○

일반재산의 대부행위는 사법행위이다. 따라서 甲이 乙에게 대부하는 행위는 행정처분이 아니다.

> '잡종재산'(현 '일반재산')인 국유림 대부행위는 사법관계이다.
>
> 산림청장이나 그로부터 권한을 위임받은 행정청이 산림법 등이 정하는 바에 따라 국유임야를 대부하거나 매각하는 행위는 사경제적 주체로서 상대방과 대등한 입장에서 하는 사법상 계약이지 행정청이 공권력의 주체로서 상대방의 의사 여하에 불구하고 일방적으로 행하는 행정처분이라고 볼 수 없다(대판 1993. 12. 7, 91누11612).

㉡ ×

강제징수할 수 있으면 강제징수를 하여야 하며 민사소송을 제기할 수는 없다.

> 국유 일반재산의 대부료 등의 지급을 원칙적으로 민사소송의 방법으로 구할 수는 없다.
>
> 국유재산법 제42조 제1항, 제73조 제2항 제2호에 따르면, 국유 일반재산의 관리 · 처분에 관한 사무를 위탁받은 자는 국유 일반재산의 대부료 등이 납부기한까지 납부되지 아니한 경우에는 국세징수법 제23조(현 제10조)와 같은 법의 체납처분에 관한 규정을 준용하여 대부료 등을 징수할 수 있다. 이와 같이 국유 일반재산의 대부료 등의 징수에 관하여는 국세징수법 규정을 준용한 간이하고 경제적인 특별구제절차가 마련되어 있으므로, 특별한 사정이 없는 한 민사소송의 방법으로 대부료 등의 지급을 구하는 것은 허용되지 아니한다(대판 2014. 9. 4, 2014다203588).

㉢ ×

> 국유재산 '무단점유자에 대한 변상금 부과처분'은 관리청이 우월적 지위에서 행한 것으로서 행정처분이다.
>
> 국유재산법 제51조 제1항은 국유재산의 무단점유자에 대하여는 대부 또는 사용 · 수익허가 등을 받은 경우에 납부하여야 할 대부료 또는 사용료 상당액 외에도 그 징벌적 의미에서 국가 측이 일방적으로 그 2할 상당액을 추가하여 변상금을 징수토록 하고 있으며 동조 제2항은 변상금의 체납시 국세징수법에 의하여 강제징수토록 하고 있는 점 등에 비추어 보면 국유재산의 관리청이 그 무단점유자에 대하여 하는 변상금 부과처분은 순전히 사경제주체로서 행하는 사법상의 법률행위라 할 수 없고 이는 관리청이 공권력을 가진 우월적 지위에서 행한 것으로서 행정소송의 대상이 되는 행정처분이라고 보아야 한다(대판 1988. 2. 23, 87누1046 · 1047).

정답 03 ①

04 상 2023 국회직 8급

공법과 사법의 관계에 대한 설명으로 옳은 것만을 <보기>에서 모두 고르면? (다툼이 있는 경우 판례에 의함)

보기
- ㉠ 구 한국공항공단법에 의하여 한국공항공단이 정부로부터 무상사용허가를 받은 행정재산을 전대(轉貸)하는 행위는 행정소송의 대상이 되는 행정처분이다.
- ㉡ 서울특별시립무용단 단원의 위촉은 공법상 계약에 해당하므로 그 단원의 해촉에 대하여는 공법상 당사자소송으로 그 무효확인을 청구할 수 있다.
- ㉢ 지방자치단체가 사인과 체결한 자원회수시설에 대한 위탁운영협약은 사법상 계약에 해당하므로 그에 관한 다툼은 민사소송의 대상이 된다.
- ㉣ 「국가를 당사자로 하는 계약에 관한 법률」에 의한 입찰보증금의 국고귀속조치는 국가가 공권력을 행사하거나 공권력작용과 일체성을 가진 것으로서 이에 대한 분쟁은 행정소송의 대상이 된다.
- ㉤ 국유재산 무단점유자에 대한 변상금 부과는 관리청이 공권력을 가진 우월적 지위에서 행한 것으로서 행정소송의 대상이 되는 행정처분이다.

① ㉠, ㉡, ㉢ ② ㉠, ㉡, ㉣
③ ㉡, ㉢, ㉣ ④ ㉡, ㉢, ㉤
⑤ ㉢, ㉣, ㉤

관련기출

㉠
1. 구 한국공항공단법에 의하여 한국공항공단이 정부로부터 무상사용허가를 받은 행정재산을 전대(轉貸)하는 행위는 행정소송의 대상이 되는 행정처분이다. (○, ×) 2023 국회직 8급

1. ×

㉡
1. 서울특별시립무용단 단원의 위촉은 공법상 계약에 해당하며, 따라서 그 단원의 해촉에 대하여는 공법상 당사자소송으로 그 무효확인을 청구할 수 있다. (○, ×) 2022 소방간부, 2015 지방직 7급
2. 시립무용단원의 해촉에 대해서는 항고소송으로 다투어야 하고 당사자소송으로 다툴 수는 없다. (○, ×) 2016 교육행정직 9급

1. ○ 2. ×

㉢
1. 지방자치단체가 A주식회사를 자원회수시설과 부대시설의 운영 · 유지관리 등을 위탁할 민간사업자로 선정하고 A주식회사와 체결한 위 시설에 관한 위 · 수탁운영협약은 사법상 계약에 해당한다. (○, ×) 2022 지방직 · 서울시 9급
2. 지방자치단체가 자원회수시설과 부대시설의 운영 · 관리 등을 위탁하고 그 위탁운영비용을 지급하는 것을 내용으로 하는 용역계약을 사인과 체결한 경우, 이러한 위탁운영에 관한 협약의 법적 성질은 공법상 계약에 해당한다. (○, ×) 2021 경행경채
3. 지방자치단체가 사인과 체결한 자원회수시설 위탁운영협약은 공법상 계약에 해당한다. (○, ×) 2021 군무원 7급

1. ○ 2. × 3. ×

㉠ ×

전대행위는 사법(私法)상 임대차계약에 해당하므로 행정소송의 대상이 되는 행정처분이 아니다.

한국공항공단이 정부로부터 무상사용허가를 받은 행정재산을 구 한국공항공단법 제17조에서 정한 바에 따라 전대하는 경우에 미리 그 계획을 작성하여 건설교통부장관에게 제출하고 승인을 얻어야 하는 등 일부 공법적 규율을 받고 있다고 하더라도, 한국공항공단이 그 행정재산의 관리청으로부터 국유재산관리사무의 위임을 받거나 국유재산관리의 위탁을 받지 않은 이상, 한국공항공단이 무상사용허가를 받은 행정재산에 대하여 하는 전대행위는 통상의 사인 간의 임대차와 다를 바가 없다(대판 2004. 1. 15, 2001다12638).

㉡ **빈출** ○

서울특별시립무용단원의 해촉은 공법상 계약의 해지이므로 공법상 당사자소송으로 무효확인을 청구할 수 있다.

지방자치법 제9조 제2항 제5호 (라)목 및 (마)목 등의 규정에 의하면, 서울특별시립무용단원의 공연 등 활동은 지방문화 및 예술을 진흥시키고자 하는 서울특별시의 공공적 업무수행의 일환으로 이루어진다고 해석될 뿐 아니라, …… 서울특별시립무용단원이 가지는 지위가 공무원과 유사한 것이라면, 서울특별시립무용단 단원의 위촉은 공법상의 계약이라고 할 것이고, 따라서 그 단원의 해촉에 대하여는 공법상의 당사자소송으로 그 무효확인을 청구할 수 있다(대판 1995. 12. 22, 95누4636).

㉢ **빈출** 제19강 참조 ○

지방자치단체가 사인과 체결한 시설(자원회수시설) 위탁운영협약은 사법상 계약에 해당한다.

(甲지방자치단체가 乙주식회사 등 4개 회사로 구성된 공동수급체를 자원회수시설과 부대시설의 운영 · 유지관리 등을 위탁할 민간사업자로 선정하고 乙회사 등의 공동수급체와 위 시설에 관한 위 · 수탁운영협약을 체결하였는데, 민간위탁 사무감사를 실시한 결과 乙회사 등이 위 협약에 근거하여 노무비와 복지후생비 등 비정산비용 명목으로 지급받은 금액 중 집행되지 않은 금액에 대하여 회수하기로 하고 乙회사에 이를 납부하라고 통보하자, 乙회사 등이 이를 납부한 후 회수통보의 무효확인 등을 구하는 소송을 제기한 사안에서) 위 협약은 甲 지방자치단체가 사인인 乙회사 등에 위 시설의 운영을 위탁하고 그 위탁운영비용을 지급하는 것을 내용으로 하는 용역계약으로서 상호 대등한 입장에서 당사자의 합의에 따라 체결한 사법상 계약에 해당한다(대판 2019. 10. 17, 2018두60588).

㉣ **빈출** ×

구 예산회계법(현 「국가를 당사자로 하는 계약에 관한 법률」)상 입찰보증금의 국고귀속조치는 민사소송의 대상이 된다(사법행위).

예산회계법에 따라 체결되는 계약은 사법상의 계약이라고 할 것이고 동법 제70조의5의 입찰보증금은 낙찰자의 계약체결의무이행의 확보를 목적으로 하여 그 불이행시에 이를 국고에 귀속시켜 국가의 손해를 전보하는 사법상 손해배상예정의 성질을 갖는 것이므로 입찰보증금의 국고귀속조치는 국가가 사법상 재산권의 주체로서 행위하는 것이지 공권력을 행사하는 것이거나 공권력작용과 일체성을 가진 것이 아니므로 이에 관한 분쟁은 행정소송이 아닌 민사소송의 대상이 될 수밖에 없다고 할 것이다(대판 1983. 12. 27, 81누366).

㉤ ○

국유재산 '무단점유자에 대한 변상금 부과처분'은 관리청이 우월적 지위에서 행한 것으로서 행정처분이라는 것이 판례의 입장이다(대판 1988. 2. 23, 87누1046 · 1047).

정답 04 ④

05 정답률 80% 중 2023 국가직 9급

공법관계와 사법관계의 구별에 대한 설명으로 옳지 않은 것은? (다툼이 있는 경우 판례에 의함)

① 국유재산 중 행정재산의 사용허가는 공법관계이나, 한국공항공단이 무상사용허가를 받은 행정재산에 대하여 하는 전대행위는 사법관계이다.

② 조달청장이 예산회계법에 따라 계약을 체결하거나 입찰보증금 국고귀속조치를 취하는 것은 사법관계에 해당한다.

③ 국유재산의 무단점유에 대한 변상금 부과는 공법관계에 해당하나, 국유 일반재산의 대부행위는 사법관계에 해당한다.

④ 조달청장이 법령에 근거하여 입찰참가자격을 제한하는 것은 사법관계에 해당한다.

① ○

1. 공유재산의 관리청이 행하는 행정재산의 사용 · 수익에 대한 허가는 순전히 사경제주체로서 행하는 사법상의 행위가 아니라 관리청이 공권력을 가진 우월적 지위에서 행하는 행정처분으로서 특정인에게 행정재산을 사용할 수 있는 권리를 설정하여 주는 강학상 특허에 해당한다(대판 1998. 2. 27, 97누1105).
2. 한국공항공단이 정부로부터 무상사용허가를 받은 행정재산을 구 한국공항공단법 제17조에서 정한 바에 따라 전대하는 경우에 미리 그 계획을 작성하여 건설교통부장관에게 제출하고 승인을 얻어야 하는 등 일부 공법적 규율을 받고 있다고 하더라도, 한국공항공단이 그 행정재산의 관리청으로부터 국유재산관리사무의 위임을 받거나 국유재산관리의 위탁을 받지 않은 이상, 한국공항공단이 무상사용허가를 받은 행정재산에 대하여 하는 전대행위는 통상의 사인 간의 임대차와 다를 바가 없다(대판 2004. 1. 15, 2001다12638).

② ○

구 예산회계법(현 「국가를 당사자로 하는 계약에 관한 법률」)상 입찰보증금의 국고귀속조치는 민사소송의 대상이 된다.

예산회계법에 따라 체결되는 계약은 사법상의 계약이라고 할 것이고 동법 제70조의5의 입찰보증금은 낙찰자의 계약체결의무이행의 확보를 목적으로 하여 그 불이행시에 이를 국고에 귀속시켜 국가의 손해를 전보하는 사법상 손해배상예정의 성질을 갖는 것이므로 입찰보증금의 국고귀속조치는 국가가 사법상 재산권의 주체로서 행위하는 것이지 공권력을 행사하는 것이거나 공권력작용과 일체성을 가진 것이 아니므로 이에 관한 분쟁은 행정소송이 아닌 민사소송의 대상이 될 수밖에 없다고 할 것이다(대판 1983. 12. 27, 81누366).

③ ○

1. 국유재산 '무단점유자에 대한 변상금 부과처분'은 관리청이 우월적 지위에서 행한 것으로서 행정처분이다(대판 1988. 2. 23, 87누1046 · 1047).
2. **국유잡종재산(현 일반재산) 대부행위의 법적 성질은 사법상 계약이고 그 대부료 납부고지의 법적 성질은 사법상의 이행청구에 불과하다**(대판 2000. 2. 11, 99다61675).

④ ×

「국가를 당사자로 하는 계약에 관한 법률」에 따라 각 중앙관서의 장이 행하는 입찰참가자격 제한조치는 처분성이 인정된다. 대법원도 국가나 지방자치단체 등의 행정청이 행하는 입찰참가자격 제한조치에는 처분성을 긍정하고 있다(대판 1983. 7. 12, 83누127).

원고 회사가 피고(부산직할시장) 산하 구청장으로부터 수급한 공사의 일부를 건설업면허가 없는 소외인에게 하도급하여 시공케 한 것은 예산회계법 시행령 제89조 제1항 제8호에 해당하므로 원고의 일반경쟁입찰참가자격을 6개월간 제한한 피고의 처분은 정당하다(대판 1983. 7. 12, 83누127).

정답 05 ④

대표

06

정답률 78% 중 2020 국가직 7급

공법관계와 사법관계에 대한 설명으로 옳은 것은? (다툼이 있는 경우 판례에 의함)

□□□ ① 구 예산회계법에 따른 입찰보증금의 국고귀속조치는 국가가 공법상의 재산권의 주체로서 행위하는 것으로 그 행위는 공법행위에 속한다.

□□□ ② 공유재산의 관리청이 행하는 행정재산의 사용 · 수익에 대한 허가는 순전히 사경제주체로서 행하는 사법상의 법률행위이다.

□□□ ③ 개발부담금 부과처분이 취소된 후의 부당이득으로서의 과오납금 반환에 관한 법률관계는 공법상 법률관계이다.

□□□ ④ 공익사업을 위한 토지 등의 취득 및 보상에 관한 법령에 의한 협의취득은 사법상의 법률행위이다.

관련기출

①

1. 조달청장이 예산회계법에 따라 계약을 체결하거나 입찰보증금 국고귀속조치를 취하는 것은 사법관계에 해당한다. (○, ×) 2023 국가직 9급
2. 구 예산회계법상 입찰보증금의 국고귀속조치는 국가가 사법상의 재산권의 주체로서 행위하는 것이다. (○, ×) 2020 군무원 7급
3. 지방재정법에 따라 지방자치단체가 당사자가 되어 체결하는 계약에 있어 계약보증금의 귀속조치는 행정소송의 대상이 된다. (○, ×) 2019 서울시 9급
4. 구 예산회계법상 입찰보증금의 국고귀속조치는 국가가 공권력을 행사하는 것이라는 점에서, 이를 다투는 소송은 행정소송에 해당한다. (○, ×) 2019 국가직 9급

1. ○ 2. ○ 3. × 4. ×

④

1. 「공익사업을 위한 토지 등의 취득 및 보상에 관한 법률」상 사업시행자와 토지소유자 사이의 협의취득에 대한 분쟁은 민사소송으로 다투어야 한다. (○, ×) 2023 국가직 9급
2. 공공사업의 시행자가 그 사업에 필요한 토지를 협의취득하는 행위는 공행정주체로서 행하는 공법상 계약에 해당한다. (○, ×) 2023 소방간부
3. 공익사업을 위한 토지 등의 취득 및 보상에 관한 법령에 의한 협의취득은 사법상의 법률행위이므로, 이에 관한 분쟁은 민사소송의 대상이다. (○, ×) 2019 국가직 9급
4. 「공익사업을 위한 토지 등의 취득 및 보상에 관한 법률」상 협의취득계약은 공법상 계약이 아니라 사법상 매매계약에 해당한다. (○, ×) 2017 지방직 7급

1. ○ 2. × 3. ○ 4. ○

① ×

구 예산회계법(현 「국가를 당사자로 하는 계약에 관한 법률」)상 입찰보증금의 국고귀속조치는 국가가 사법상 재산권의 주체로서 행위하는 것이지 공권력을 행사하는 것이거나 공권력 작용과 일체성을 가진 것이 아니므로 이에 관한 분쟁은 행정소송이 아닌 민사소송의 대상이 된다는 것이 판례의 입장이다(대판 1983. 12. 27, 81누366).

② ×

공유재산의 관리청이 행하는 행정재산의 사용 · 수익에 대한 허가는 순전히 사경제주체로서 행하는 사법상의 행위가 아니라 관리청이 공권력을 가진 우월적 지위에서 행하는 행정처분으로서 특정인에게 행정재산을 사용할 수 있는 권리를 설정하여 주는 강학상 특허에 해당한다는 것이 판례의 입장이다(대판 1998. 2. 27, 97누1105).

③ ×

개발부담금 부과처분이 취소된 경우, 그 과오납금에 대한 부당이득반환청구의 법률관계는 사법관계라는 것이 판례의 입장이다(사법행위)(대판 1995. 12. 22, 94다51253).

④ **빈출** ○

「공익사업을 위한 토지 등의 취득 및 보상에 관한 법률」에 의한 협의취득은 사법(私法)상의 법률행위이다(사법행위).

공익사업을 위한 토지 등의 취득 및 보상에 관한 법령에 의한 협의취득은 사법상의 법률행위이므로 당사자 사이의 자유로운 의사에 따라 채무불이행 책임이나 매매대금 과부족금에 대한 지급의무를 약정할 수 있다(대판 2012. 2. 23, 2010다91206).

정답 06 ④

07 정답률 71% 중 2019 국가직 9급

행정소송의 대상에 대한 판례의 입장으로 옳지 않은 것은?

□□□ ① 수도법에 의하여 지방자치단체인 수도사업자가 그 수돗물의 공급을 받는 자에게 하는 수도료 부과 · 징수와 이에 따른 수도료 납부관계는 공법상의 권리 · 의무관계이므로, 이에 관한 분쟁은 행정소송의 대상이다.

□□□ ② 구 예산회계법상 입찰보증금의 국고귀속조치는 국가가 공권력을 행사하는 것이라는 점에서, 이를 다투는 소송은 행정소송에 해당한다.

□□□ ③ 「도시 및 주거환경정비법」상 주택재건축정비사업조합을 상대로 관리처분계획안에 대한 조합총회결의의 효력 등을 다투는 소송은 행정소송법상 당사자소송에 해당한다.

□□□ ④ 공익사업을 위한 토지 등의 취득 및 보상에 관한 법령에 의한 협의취득은 사법상의 법률행위이므로, 이에 관한 분쟁은 민사소송의 대상이다.

관련기출

③

1. 「도시 및 주거환경정비법」상의 주택재건축정비사업조합을 상대로 관리처분계획안에 대한 조합총회결의의 무효확인을 구하는 소는 공법관계이므로 당사자소송을 제기하여야 한다. (○, ×) 2021 소방직 9급
2. 주택재개발정비사업을 위한 관리처분계획이 조합원 총회에서 승인되었으나 아직 관할행정청의 인가 전이라면 조합원은 해당 총회결의에 대해서 당사자소송으로 다툴 수 있다. (○, ×) 2020 국회직 8급
3. 「도시 및 주거환경정비법」상 관리처분계획안에 대한 조합총회결의의 효력을 다투는 소송은 공법관계이다. (○, ×) 2016 경행경채
4. 「도시 및 주거환경정비법」상 관리처분계획안에 대한 조합총회결의의 효력을 다투는 소송의 성질은 판례에 의할 때 사법관계에 해당한다. (○, ×) 2013 서울시 9급

1. ○ 2. ○ 3. ○ 4. ×

① ○

수도법에 의하여 지방자치단체인 수도사업자가 그 수돗물의 공급을 받는 자에게 하는 수도료의 부과 · 징수와 이에 따른 수도료의 납부관계는 공법상의 권리 · 의무관계이다(대판 1977. 2. 22, 76다2517).

② ×

구 예산회계법(현 「국가를 당사자로 하는 계약에 관한 법률」)상 입찰보증금의 국고귀속조치는 민사소송의 대상이 된다는 것이 판례의 입장이다(대판 1983. 12. 27, 81누366).

③ ○

「도시 및 주거환경정비법」상의 주택재건축정비사업조합을 상대로 관리처분계획안에 대한 조합총회결의의 효력을 다투는 소송의 법적 성질은 행정소송법상 당사자소송이다(대판 2009. 9. 17, 2007다2428 전합).

④ ○

「공익사업을 위한 토지 등의 취득 및 보상에 관한 법률」에 의한 협의취득은 사법(私法)상의 법률행위이므로 이에 관한 분쟁은 민사소송의 대상이 된다는 것이 판례의 입장이다(대판 2012. 2. 23, 2010다91206).

정답 07 ②

03 행정법관계의 당사자 기 97~101쪽 핵 T 10

08 정답률 55% 상 2017 국가직 7급

다음 설명의 ㉠~㉣에 해당하는 행정기관을 바르게 연결한 것은?

□□□ ㉠ 행정주체의 의사를 결정하는 권한만을 가지고 이를 외부에 표시할 권한은 가지지 못하는 기관

□□□ ㉡ 행정청의 명을 받아 행정청이 발한 의사를 집행하여 행정상 필요한 상태를 실현하는 기관

□□□ ㉢ 행정주체의 의사를 자기의 이름으로 외부에 표시하는 권한을 가진 기관

□□□ ㉣ 행정청에 소속되어 행정청의 의사결정을 보조하거나 그 명을 받아 사무에 종사하는 기관

① ㉠ 국가공무원법상 징계위원회 ㉡ 국가기록원
㉢ 대전지방경찰청(현 대전경찰청) ㉣ 행정각부의 차관보

② ㉠ 서울특별시장 ㉡ 감사원
㉢ 중앙행정심판위원회 ㉣ 행정각부의 차관보

③ ㉠ 국가공무원법상 징계위원회 ㉡ 소방공무원
㉢ 중앙행정심판위원회 ㉣ 행정각부의 실장

④ ㉠ 과천시장 ㉡ 국립병원
㉢ 경찰공무원 ㉣ 행정각부의 과장

각론에 해당하는 문제이기는 하나 총론 차원에서도 행정청과 의결기관의 내용은 이해하기 바란다.

㉠ 의결기관에 관한 설명으로, 징계위원회가 대표적 예이다.

㉡ 집행기관에 관한 설명으로, 소방공무원, 경찰공무원 등이 있다.

㉢ 행정청에 관한 설명으로, 행정청에는 합의제 행정청과 독임제 행정청이 있는데 중앙행정심판위원회, 감사원은 합의제 행정청이다.

㉣ 보조기관에 관한 설명으로, 행정각부의 차관, 차장, 실장, 국장, 부장, 과장, 부사장 등이 이에 해당한다. 한편 보좌기관이란 정책의 기획 · 연구 · 조사 등을 통하여 행정청이나 보조기관을 보좌하는 기관을 말하는바 장관이 특히 지시하는 사항에 관하여 장관과 차관을 직접 보좌하는 차관보 등이 있다.

정답 08 ③

09 중

2017 사회복지직 9급

다음 중 행정주체에 대한 설명으로 옳지 않은 것은? (단, 다툼이 있는 경우 판례에 의함)

□□□ ① 「도시 및 주거환경정비법」상 주택재건축정비사업조합은 공법인으로서 목적범위 내에서 법령이 정하는 바에 따라 일정한 행정작용을 행하는 행정주체의 지위를 갖는다.

□□□ ② 공무수탁사인은 수탁받은 공무를 수행하는 범위 내에서 행정주체이고, 행정절차법이나 행정소송법에서는 행정청이다.

□□□ ③ 경찰과의 사법상 용역계약에 의해 주차위반차량을 견인하는 민간사업자는 공무수탁사인이 아니다.

□□□ ④ 지방자치단체는 행정주체이지 행정권 발동의 상대방인 행정객체는 될 수 없다.

① ○

「도시 및 주거환경정비법」상 주택재건축정비사업조합은 공법인으로서 그 목적범위 내에서 행정주체의 지위를 갖는다는 것이 판례의 입장이다(대판 2009. 10. 15, 2008다93001).

② ○

공무수탁사인은 자신에게 위탁된 공행정사무를 수행하므로 그러한 범위 내에서는 행정주체라는 것이 다수설의 입장이다. 또한 공무수탁사인은 위탁된 사무를 자신의 명의로 결정하여 표시하므로 행정소송법, 행정절차법상으로는 행정청이 된다.

> **행정소송법 제2조【정의】** ② 이 법을 적용함에 있어서 행정청에는 법령에 의하여 행정권한의 위임 또는 위탁을 받은 행정기관, 공공단체 및 그 기관 또는 사인이 포함된다.
>
> **행정절차법 제2조【정의】** 이 법에서 사용하는 용어의 뜻은 다음과 같다.
> 1. '행정청'이란 다음 각 목의 자를 말한다.
>   가. 행정에 관한 의사를 결정하여 표시하는 국가 또는 지방자치단체의 기관
>   나. 그 밖에 법령 또는 자치법규(이하 '법령 등'이라 한다)에 따라 행정권한을 가지고 있거나 위임 또는 위탁받은 공공단체 또는 그 기관이나 사인(私人)

③ ○

공무수탁사인은 위탁받은 한도 내에서 스스로가 행정주체로서 사인과 공법상 법률관계를 형성할 수 있다. 공무수탁사인은 사법(私法)상 계약에 의해 일정한 행위의 위탁을 받은 자와는 구별된다(완성편 13 ① 해설 참조).

④ ×

행정주체에 의한 공권력행사의 상대방을 행정객체라고 하는데, 일반적으로 사인이 행정객체가 되나 지방자치단체를 포함한 다른 공공단체도 국가나 다른 공공단체에 대해서는 행정객체의 지위에 서는 경우가 있다(예컨대, 국가에 의한 지방자치단체에 대한 형벌권행사를 생각해 보라).

정답 09 ④

제 06 강 공권과 공의무관계

1회독	2회독	3회독
/	/	/

⊘정답률 공단기/소방단기 합격예측 풀서비스 통계 데이터 기준 기 기본서 핵 핵심집약

01 공권과 공의무(공법관계 - 행정법관계의 내용)

기 104~115쪽 핵 T 11

01 빈출 정답률 77% 중 2024 지방직 · 서울시 9급

개인적 공권에 대한 설명으로 옳지 않은 것은? (다툼이 있는 경우 판례에 의함)

□□□ ① 환경영향평가 대상지역 밖의 주민이라 할지라도 공유수면매립면허처분 등으로 인하여 그 처분 전과 비교하여 수인한도를 넘는 환경피해를 받거나 받을 우려가 있는 경우에는, 공유수면매립면허처분 등으로 인하여 환경상 이익에 대한 침해 또는 침해우려가 있다는 것을 입증함으로써 그 처분 등의 무효확인을 구할 원고적격을 인정받을 수 있다.

□□□ ② 공무원연금수급권과 같은 사회보장수급권은 헌법규정만으로는 이를 실현할 수 없어 법률에 의한 형성이 필요하고, 그 구체적인 내용, 즉 수급요건 등은 법률에 의하여 비로소 확정된다.

□□□ ③ 행정처분에 있어서 수익처분의 상대방은 그의 권리나 법률상 보호되는 이익이 침해되었다고 볼 수 없으므로 달리 특별한 사정이 없는 한 그 수익처분의 취소를 구할 이익이 없다.

□□□ ④ 행정계획은 행정기관 내부의 행동 지침에 불과하므로, 도시계획구역 내 토지 등을 소유하고 있는 주민은 입안권자에게 도시계획입안을 요구할 수 있는 법규상 또는 조리상의 신청권이 없다.

관련기출

②

1. 사회적 기본권의 성격을 가지는 연금수급권은 국가에 대하여 적극적으로 급부를 요하는 것이므로 헌법규정만으로는 이를 실현할 수 없고, 법률에 의한 형성을 필요로 한다. (○, ×) 2023 군무원 9급
2. 공무원연금수급권은 법률에 의하여 비로소 확정된다. (○, ×) 2021 군무원 7급
3. 사회권적 기본권의 성격을 가지는 연금수급권은 헌법에 근거한 개인적 공권이므로 헌법 규정만으로도 실현할 수 있다. (○, ×) 2017 지방직 9급

1. ○ 2. ○ 3. ×

① 정답률 5% 제36강 참조 ○

> 환경영향평가대상지역 밖의 주민이라 할지라도 공유수면매립면허처분 등으로 인하여 그 처분 전과 비교하여 수인한도를 넘는 환경피해를 받거나 받을 우려가 있는 경우에는, 공유수면매립면허처분 등으로 인하여 환경상 이익에 대한 침해 또는 침해우려가 있다는 것을 입증함으로써 그 처분 등의 무효확인을 구할 원고적격을 인정받을 수 있다(대판 2006. 3. 16, 2006두330 전합).

② 빈출 정답률 6% ○

> **사회권적 기본권의 성격을 갖는 공무원연금수급권은 헌법규정만으로는 이를 실현할 수 없고 그 구체적인 내용, 즉 수급요건, 수급권자의 범위 및 급여금액 등은 법률에 의하여 비로소 확정된다.**
>
> 공무원연금수급권과 같은 사회보장수급권은 "모든 국민은 인간다운 생활을 할 권리를 가지고, 국가는 사회보장 · 사회복지의 증진에 노력할 의무를 진다."고 규정한 헌법 제34조 제1항 및 제2항으로부터 도출되는 사회적 기본권 중의 하나로서, 이는 국가에 대하여 적극적으로 급부를 요구하는 것이므로 헌법규정만으로는 이를 실현할 수 없어 법률에 의한 형성이 필요하고, 그 구체적인 내용, 즉 수급요건, 수급권자의 범위 및 급여금액 등은 법률에 의하여 비로소 확정된다(헌재 2013. 9. 26, 2011헌바272).

③ 빈출 정답률 10% 제36강 참조 ○

> **수익적 처분 또는 신청대로 이루어진 처분의 경우 처분 상대방은 취소를 제기할 이익이 없다.**
>
> 행정처분이 수익적인 처분이거나 신청에 의하여 신청내용대로 이루어진 처분인 경우에는 처분 상대방의 권리나 법률상 보호되는 이익이 침해되었다고 볼 수 없으므로 달리 특별한 사정이 없는 한 처분의 상대방은 그 취소를 구할 이익이 없다고 할 것이다(대판 1995. 5. 26, 94누7324).

④ 빈출 정답률 77% 제18강 참조 ×

> 「국토의 계획 및 이용에 관한 법률」 규정에 헌법상 개인의 재산권 보장의 취지를 더하여 보면, 도시계획구역 내 토지 등을 소유하고 있는 사람과 같이 당해 도시계획시설결정에 이해관계가 있는 주민으로서는 도시시설계획의 입안권자 내지 결정권자에게 도시시설계획의 입안 내지 변경을 요구할 수 있는 법규상 또는 조리상의 신청권이 있고, 이러한 신청에 대한 거부행위는 항고소송의 대상이 되는 행정처분에 해당한다(대판 2015. 3. 26, 2014두42742).

정답 01 ④

02 정답률 69% 중 2017 지방직 9급

법률상 이익에 대한 판례의 입장으로 옳은 것은?

□□□ ① 사회권적 기본권의 성격을 가지는 연금수급권은 헌법에 근거한 개인적 공권이므로 헌법 규정만으로도 실현할 수 있다.

□□□ ② 소극적 방어권인 헌법상의 자유권적 기본권은 법률의 규정이 없다고 하더라도 직접 공권이 성립될 수도 있다.

□□□ ③ 인·허가 등 수익적 처분을 신청한 여러 사람이 상호 경쟁관계에 있다면, 그 처분이 타방에 대한 불허가 등으로 될 수밖에 없는 때에도 수익적 처분을 받지 못한 사람은 처분의 직접 상대방이 아니므로 원칙적으로 당해 수익적 처분의 취소를 구할 수 없다.

□□□ ④ 환경정책기본법 제6조의 규정 내용 등에 비추어 국민에게 구체적인 권리를 부여한 것으로 볼 수 없더라도 환경영향평가대상지역 밖에 거주하는 주민에게 헌법상의 환경권 또는 환경정책기본법에 근거하여 공유수면매립면허처분과 농지개량사업 시행인가처분의 무효확인을 구할 원고적격이 있다.

관련기출

④

1. 환경영향평가대상지역 밖에 거주하는 주민은 관계법령의 내용과는 상관없이 헌법상의 환경권에 근거하여 제3자에 대한 공유수면매립면허처분을 취소할 것을 청구할 수 있는 공권을 가진다. (○, ×) 2017 국회직 8급
2. 환경영향평가대상지역 밖에 거주하는 주민에게 헌법상의 환경권 또는 환경정책기본법에 근거하여 공유수면매립면허처분과 농지개량사업 시행인가처분의 무효확인을 구할 원고적격은 인정되지 아니한다. (○, ×) 2010 지방직 7급

1. × 2. ○

① ×

사회적 기본권은 법률에 의해 구체화되기 전까지는 행정법상 개인적 공권이 될 수 없다(완성편 05 ④ 해설 참조).

> 공무원연금수급권과 같은 사회보장수급권은 '모든 국민은 인간다운 생활을 할 권리를 가지고, 국가는 사회보장·사회복지의 증진에 노력할 의무를 진다.'고 규정한 헌법 제34조 제1·2항으로부터 도출되는 사회적 기본권 중의 하나로서, 이는 국가에 대하여 적극적으로 급부를 요구하는 것이므로 헌법규정만으로는 이를 실현할 수 없어 법률에 의한 형성이 필요하고, 그 구체적인 내용 즉 수급요건, 수급권자의 범위 및 급여금액 등은 법률에 의하여 비로소 확정된다(헌재 2013. 9. 26, 2011헌바272).

② ○

헌법상의 기본권 중 그 자체로 구체적인 내용을 갖고 있어 법률에 의해 구체화되지 않아도 법률관계에 직접 적용될 수 있는 경우에는 행정법상 개인적 공권이 된다. 그 예로는 자유권적 기본권을 들 수 있다.

③ ×

이른바 경원관계에 관한 것으로 원고적격이 인정된다.

> **경원관계에서 경원자에 대하여 이루어진 허가 등 처분의 상대방이 아닌 자도 원칙적으로 그 처분의 취소를 구할 원고적격이 있다.**
>
> 행정소송법 제12조는 취소소송은 처분 등의 취소를 구할 법률상 이익이 있는 자가 제기할 수 있다고 규정하고 있는바, 인·허가 등의 수익적 행정처분을 신청한 수인이 서로 경쟁관계에 있어서 일방에 대한 허가 등의 처분이 타방에 대한 불허가 등으로 귀결될 수밖에 없는 때(이른바 경원관계에 있는 경우로서 동일대상지역에 대한 공유수면매립면허나 도로점용허가 혹은 일정지역의 영업허가 등에 관하여 거리제한규정이나 업소개수제한규정 등이 있는 경우를 그 예로 들 수 있다), 허가 등의 처분을 받지 못한 자는 비록 경원자에 대하여 이루어진 허가 등 처분의 상대방이 아니라 하더라도 당해 처분의 취소를 구할 당사자적격이 있다 할 것이고, 다만 구체적인 경우에서 그 처분이 취소된다 하더라도 허가 등의 처분을 받지 못한 불이익이 회복된다고 볼 수 없을 때에는 당해 처분의 취소를 구할 정당한 이익이 없다고 할 것이다(대판 2009. 12. 10, 2009두8359).

④ **빈출** ×

> 헌법 제35조 제1항에서 정하고 있는 환경권에 관한 규정만으로는 그 권리의 주체·대상·내용·행사방법 등이 구체적으로 정립되어 있다고 볼 수 없고, 환경정책기본법 제6조도 그 규정내용 등에 비추어 국민에게 구체적인 권리를 부여한 것으로 볼 수 없다는 이유로, 환경영향평가대상지역 밖에 거주하는 주민에게 헌법상의 환경권 또는 환경정책기본법에 근거하여 공유수면매립면허처분과 농지개량사업 시행인가처분의 무효확인을 구할 원고적격이 없다(대판 2006. 3. 16, 2006두330 전합).

> **헌법 제35조** ① 모든 국민은 건강하고 쾌적한 환경에서 생활할 권리를 가지며, 국가와 국민은 환경보전을 위하여 노력하여야 한다.
> ② 환경권의 내용과 행사에 관하여는 법률로 정한다.

정답 02 ②

03 정답률 76% 중 2017 국가직 9급

개인적 공권에 대한 설명으로 옳지 않은 것은? (다툼이 있는 경우 판례에 의함)

① 환경영향평가에 관한 자연공원법령 및 환경영향평가법령들의 취지는 환경공익을 보호하려는 데 있으므로 환경영향평가대상지역 안의 주민들이 수인한도를 넘는 환경침해를 받지 아니하고 쾌적한 환경에서 생활할 수 있는 개별적 이익까지 보호하는 데 있다고 볼 수는 없다.

② 행정처분에 있어서 불이익처분의 상대방은 직접 개인적 이익의 침해를 받은 자로서 취소소송의 원고적격이 인정되지만 수익처분의 상대방은 그의 권리나 법률상 보호되는 이익이 침해되었다고 볼 수 없으므로 달리 특별한 사정이 없는 한 취소를 구할 이익이 없다.

③ 상수원보호구역 설정의 근거가 되는 규정은 상수원의 확보와 수질보전일 뿐이고, 그 상수원에서 급수를 받고 있는 지역주민들이 가지는 이익은 상수원의 확보와 수질보호라는 공공의 이익이 달성됨에 따라 반사적으로 얻게 되는 이익에 불과하다.

④ 개인적 공권이 성립하려면 공법상 강행법규가 국가 기타 행정주체에게 행위의무를 부과해야 한다. 과거에는 그 의무가 기속행위의 경우에만 인정되었으나, 오늘날에는 재량행위에도 인정된다고 보는 것이 일반적이다.

관련기출

②

1. 수익처분의 상대방은 그의 권리나 법률상 보호되는 이익이 침해되었다고 볼 수 없으므로 달리 특별한 사정이 없는 한 그 처분의 취소를 구할 이익이 없다. (○, ×) 2023 경찰간부
2. 수익처분의 상대방에게도 원칙적으로 당해 처분의 취소를 구할 이익이 인정될 수 있다. (○, ×) 2018 국회직 8급 변형
3. 행정처분의 취소를 구할 이익은 불이익처분의 상대방뿐만 아니라 수익처분의 상대방에게도 인정되는 것이 원칙이다. (○, ×) 2011 국가직 9급

1. ○ 2. × 3. ×

① ×

국립공원 용화집단시설지구개발사업으로 인하여 직접적이고 중대한 환경피해를 입으리라고 예상되는 환경영향평가대상지역 안의 주민에게 환경영향평가대상사업에 관한 변경승인 및 허가처분의 취소를 구할 원고적격이 있다.

환경영향평가에 관한 자연공원법령 및 환경영향평가법령의 규정들의 취지는 집단시설지구개발사업이 환경을 해치지 아니하는 방법으로 시행되도록 함으로써 집단시설지구개발사업과 관련된 환경공익을 보호하려는 데에 그치는 것이 아니라 그 사업으로 인하여 직접적이고 중대한 환경피해를 입으리라고 예상되는 환경영향평가대상지역 안의 주민들이 개발 전과 비교하여 수인한도를 넘는 환경침해를 받지 아니하고 쾌적한 환경에서 생활할 수 있는 개별적 이익까지도 이를 보호하려는 데에 있다 할 것이므로, 위 주민들이 당해 변경승인 및 허가처분과 관련하여 갖고 있는 위와 같은 환경상의 이익은 단순히 환경공익 보호의 결과로 국민일반이 공통적으로 가지게 되는 추상적 · 평균적 · 일반적인 이익에 그치지 아니하고 주민 개개인에 대하여 개별적으로 보호되는 직접적 · 구체적인 이익이라고 보아야 한다(대판 1998. 4. 24, 97누3286).

② ○

불이익처분의 상대방은 그 처분의 취소를 구할 법률상 이익이 있지만 수익적 처분의 상대방은 원칙적으로 그 처분의 취소를 구할 원고적격이 인정되지 않는다.

수익적 처분 또는 신청대로 이루어진 처분의 경우 처분상대방은 취소를 제기할 이익이 없다.

행정처분이 수익적인 처분이거나 신청에 의하여 신청내용대로 이루어진 처분인 경우에는 처분상대방의 권리나 법률상 보호되는 이익이 침해되었다고 볼 수 없으므로 달리 특별한 사정이 없는 한 처분의 상대방은 그 취소를 구할 이익이 없다고 할 것이다(대판 1995. 5. 26, 94누7324).

③ ○

상수원보호구역의 인근주민은 상수원보호구역지정해제를 다툴 원고적격이 없다.

상수원보호구역 설정의 근거가 되는 수도법 제5조 제1항 및 동 시행령 제7조 제1항이 보호하고자 하는 것은 상수원의 확보와 수질보전일 뿐이고, 그 상수원에서 급수를 받고 있는 지역주민들이 가지는 상수원의 오염을 막아 양질의 급수를 받을 이익은 직접적이고 구체적으로는 보호하고 있지 않음이 명백하여 위 지역주민들이 가지는 이익은 상수원의 확보와 수질보호라는 공공의 이익이 달성됨에 따라 반사적으로 얻게 되는 이익에 불과하므로 지역주민들에 불과한 원고들에게는 위 상수원보호구역변경처분의 취소를 구할 법률상의 이익이 없다(대판 1995. 9. 26, 94누14544).

④ ○

전통적 공권이론에 따르면 개인적 공권은 행정청에 법적 의무를 부과하는 강행규정이 존재할 때에만 인정될 수 있고 행정청에 재량이 부여되어 있을 때에는 법적 의무가 없으므로 개인적 공권은 인정되지 않는다고 보았다. 그러나 실질적 법치주의가 확립된 오늘날에는 개인적 공권의 확대화 경향에 따라 재량행위의 경우에도 일정한 경우 개인적 공권이 성립될 수 있다고 본다. 즉, 재량행위의 경우에도 국민에게는 특정한 처분을 할 것을 요구할 권리는 없지만 적어도 하자 없는 재량행사를 요구할 수 있는 권리인 이른바 무하자재량행사청구권이 성립될 수 있다고 보며 특히 재량이 영(0)으로 수축하는 경우에는 행정개입청구권도 성립될 수 있다고 본다.

정답 03 ①

대표

04 빈출 중

2012 국가직 9급

개인적 공권에 대한 설명으로 옳은 것은? (다툼이 있는 경우 판례에 의함)

□□□ ① 근로자가 퇴직급여를 청구할 수 있는 권리와 같은 이른바 사회적 기본권은 헌법규정에 의하여 바로 도출되는 개인적 공권이라 할 수 없다.

□□□ ② 개인적 공권은 명확한 법규의 존재를 전제로 하는 것이므로 성문법에 근거하지 않으면 성립할 수 없다.

□□□ ③ 개인적 공권은 공법상 계약을 통해서는 성립할 수 없다.

□□□ ④ 개인적 공권은 강행적인 행정법규에 의하여 행정청을 기속함으로써 비로소 성립하는 것일 뿐 개인의 사익보호성은 성립요건이 아니라는 것이 일반적인 견해이다.

관련기출

①

1. 헌법 제32조 제1항이 규정하는 근로의 권리는 사회적 기본권으로서 국가에 대하여 직접 일자리를 청구하거나 일자리에 갈음하는 생계비의 지급청구권을 의미하는 것이 아니라 고용증진을 위한 사회적 · 경제적 정책을 요구할 수 있는 권리에 그치며, 근로의 권리로부터 국가에 대한 직접적인 직장존속청구권이 도출되는 것도 아니다. (○, ×) 2017 경행경채

1. ○

① ○

헌법상의 기본권 중 사회적 기본권은 법률에 의해 구체화되기 전까지는 그 내용이 추상적 권리성을 가지는 것이므로 행정법상 개인적 공권이 되기는 어렵다.

1. 근로의 권리는 사회적 기본권으로서 국가에 대하여 직접 일자리를 청구하거나 일자리에 갈음하는 생계비의 지급청구권을 의미하는 것이 아니다.
2. 근로자가 퇴직급여를 청구할 수 있는 권리도 헌법상 바로 도출되는 것이 아니라 법률이 구체적으로 정하는 바에 따라 비로소 인정될 수 있는 것이다(헌재 2011. 7. 28, 2009헌마408).

② ×

개인적 공권은 관행어업권과 같이 불문법인 관습법에 의해 성립되는 경우도 있고, 검사임용신청권과 같이 조리상 인정되는 경우도 있다.

검사임용신청의 경우 법령상 명문의 규정이 없다고 하여도 조리상 응답을 받을 권리가 있다(긍정).

법령상 검사임용신청 및 그 처리의 제도에 관한 명문규정이 없다고 하여도 조리상 임용권자는 임용신청자들에게 전형의 결과에 대한 응답, 즉 임용 여부의 응답을 해 줄 의무가 있다고 보아야 하고 원고로서는 그 임용신청에 대하여 임용 여부의 응답을 받을 권리가 있다(대판 1991. 2. 12, 90누5825).

③ ×

개인적 공권은 공법상 계약을 통해서도 성립할 수 있다.

④ ×

개인적 공권이 성립하기 위해서는 관련법규가 사익보호를 목적으로 하는 것이어야 한다.

정답 04 ①

제 07 강 특별권력관계 등

1회독	2회독	3회독
/	/	/

정답률 공단기/소방단기 합격예측 풀서비스 통계 데이터 기준 기 기본서 핵 핵심집약

01 특별권력관계 기 124~129쪽 핵 T 13

대표

01 빈출 하 2013 지방직(하) 7급

특별행정법관계(특별권력관계)에 대한 내용으로 옳지 않은 것은?

□□□ ① 판례에 의하면 서울특별시지하철공사의 임원과 직원의 근무관계의 성질은 공법상 특별권력관계에 해당한다.

□□□ ② 특별행정법관계에서의 행위도 행정소송법상 처분개념에 해당하면 사법심사의 대상이 된다.

□□□ ③ 판례에 의하면 국립교육대학 학생에 대한 퇴학처분은 사법심사의 대상이 되는 행정처분이다.

□□□ ④ 판례에 의하면 농지개량조합과 그 직원의 관계는 공법상 특별권력관계이다.

① ×

서울특별시지하철공사의 임원과 직원의 근무관계의 성질은 지방공기업법의 모든 규정을 살펴보아도 공법상의 특별권력관계라고는 볼 수 없고 사법관계에 속할 뿐만 아니라, 위 지하철공사의 사장이 그 이사회의 결의를 거쳐 제정된 인사규정에 의거하여 소속 직원에 대한 징계처분을 한 경우 위 사장은 행정소송법 제13조 제1항 본문과 제2조 제2항 소정의 행정청에 해당되지 않으므로 공권력발동주체로서 위 징계처분을 행한 것으로 볼 수 없고, 따라서 이에 대한 불복절차는 민사소송에 의할 것이지 행정소송에 의할 수는 없다(대판 1989. 9. 12, 89누2103).

②③ ○

특별행정법관계(특별권력관계)의 행위도 처분성이 긍정되는 한, 사법심사의 대상이 되므로 국립교육대학 학생에 대한 퇴학처분은 행정처분으로서 행정소송의 대상이 된다는 것이 판례의 입장이다.

학생에 대한 징계처분이 교육적 재량행위라는 이유로 사법심사의 대상에서 제외되는 것은 아니다.

학생에 대한 징계권의 발동이나 징계의 양정이 징계권자의 교육적 재량에 맡겨져 있다 할지라도 법원이 심리한 결과 그 징계처분에 위법사유가 있다고 판단되는 경우에는 이를 취소할 수 있는 것이고, 징계처분이 교육적 재량행위라는 이유만으로 사법심사의 대상에서 당연히 제외되는 것은 아니다(대판 1991. 11. 22, 91누2144).

④ ○

농지개량조합과 그 직원(조합원을 의미함)의 관계는 공법상의 특별권력관계로서 농지개량조합이 조합직원에 대하여 행한 징계처분은 행정소송의 대상이다(대판 1995. 6. 9, 94누10870).

정답 01 ①

제08강 행정법상의 법률요건과 법률사실

1회독	2회독	3회독
/	/	/

정답률 공단기/소방단기 합격예측 풀서비스 통계 데이터 기준 기 기본서 핵 핵심집약

01 행정법상의 사건

기 136~142쪽 핵 T 15

01 상

2024 군무원 7급

자가용으로 출퇴근하던 갑(甲)은 도로교통법을 위반하였다는 이유로 20일의 면허정지처분과 아울러 10만원의 과태료처분을 받았으나, 별도의 이의제기 없이 각각의 처분에 따르고자 한다. 위 처분에 의한 면허정지기간의 만료일과 과태료납부의 만료일은 모두 해당 연도의 △△월 15일(토요일)로 되어 있다. 참고로, 16일(일요일)이 법정공휴일에 속하는 관계로 그 다음 날인 17일(월요일)은 대체공휴일로 되었다. 사정이 이와 같은 때 행정기본법과의 관계에서 가장 적절한 것은?

① 갑(甲)의 운전정지기간의 만료일과 과태료납부의 만료일은 모두 해당 연도의 △△월 15일(토요일)로 된다.

② 갑(甲)의 운전정지기간의 만료일과 과태료납부의 만료일은 모두 해당 연도의 △△월 18일(화요일)로 된다.

③ 갑(甲)의 운전정지기간의 만료일은 해당 연도의 △△월 15일(토요일)로 되고, 과태료납부의 만료일은 해당 연도의 △△월 18일(화요일)로 된다.

④ 갑(甲)의 운전정지기간의 만료일은 해당 연도의 △△월 18일(화요일)로 되고, 과태료납부의 만료일은 해당 연도의 △△월 15일(토요일)로 된다.

관련기출

③

1. 100일간 운전면허정지처분을 받은 사람의 경우, 100일째 되는 날이 공휴일인 경우에도 면허정지기간은 그 날(공휴일 당일)로 만료한다. (○, ×)

2021 경행경채

1. ○

③ ○

면허정지처분은 국민의 권익을 제한하는 처분이다. 행정기본법 제6조 제2항 본문에 따르면, 이 경우 기간의 말일이 토요일인 경우에도 기간은 그 날로 만료한다고 규정하고 있다. 따라서 운전정지기간의 만료일은 △△월 15일(토요일)이 된다.

한편 과태료부과처분은 국민에게 의무를 부과하는 처분이다. 그런데 과태료납부기간의 만료일을 면허정지처분과 동일하게 △△월 15일로 보게 되면 납부기간이 짧아지므로 국민에게 불리하게 된다. 따라서 과태료납부기간의 만료일은 행정기본법 제6조 제2항 단서에 따라 제6조 제1항이 적용되어 민법에 따라 판단한다. 따라서 민법 제161조에 따라 △△월 18일(화요일)이 된다.

> **행정기본법 제6조【행정에 관한 기간의 계산】** ① 행정에 관한 기간의 계산에 관하여는 이 법 또는 다른 법령 등에 특별한 규정이 있는 경우를 제외하고는 민법을 준용한다.
> ② 법령 등 또는 처분에서 국민의 권익을 제한하거나 의무를 부과하는 경우 권익이 제한되거나 의무가 지속되는 기간의 계산은 다음 각 호의 기준에 따른다. 다만, 다음 각 호의 기준에 따르는 것이 국민에게 불리한 경우에는 그러하지 아니하다.
> 1. 기간을 일, 주, 월 또는 연으로 정한 경우에는 기간의 첫날을 산입한다.
> 2. 기간의 말일이 토요일 또는 공휴일인 경우에도 기간은 **그 날로** 만료한다.
>
> **민법 제161조【공휴일 등과 기간의 만료점】** 기간의 말일이 토요일 또는 공휴일에 해당한 때에는 기간은 그 익일로 만료한다.

정답 01 ③

02 정답률 78% 중 2024 국가직 9급

행정기본법상 기간의 계산에 대한 설명으로 옳지 않은 것은? (다툼이 있는 경우 판례에 의함)

□□□ ① 행정에 관한 기간의 계산에 관하여는 행정기본법 또는 다른 법령 등에 특별한 규정이 있는 경우를 제외하고는 민법을 준용한다.

□□□ ② 법령 등을 공포한 날부터 일정 기간이 경과한 날부터 시행하는 경우 그 기간의 말일이 토요일 또는 공휴일인 때에는 그 말일로 기간이 만료한다.

□□□ ③ 법령 등을 공포한 날부터 일정 기간이 경과한 날부터 시행하는 경우 법령 등을 공포한 날을 첫날에 산입한다.

□□□ ④ 법령 등 또는 처분에서 국민의 권익을 제한하거나 의무를 부과하는 경우 권익이 제한되거나 의무가 지속되는 기간을 계산할 때에 기간을 일, 주, 월 또는 연으로 정한 경우에는 기간의 첫날을 산입한다. 다만, 그러한 기준을 따르는 것이 국민에게 불리한 경우에는 그러하지 아니하다.

① 정답률 4% ○

행정기본법 제6조【행정에 관한 기간의 계산】 ① 행정에 관한 기간의 계산에 관하여는 이 법 또는 다른 법령 등에 특별한 규정이 있는 경우를 제외하고는 민법을 준용한다.

② 정답률 11% ○

③ 정답률 78% ×

행정기본법 제7조【법령 등 시행일의 기간 계산】 법령 등(훈령 · 예규 · 고시 · 지침 등을 포함한다. 이하 이 조에서 같다)의 시행일을 정하거나 계산할 때에는 다음 각 호의 기준에 따른다.
1. 법령 등을 공포한 날부터 시행하는 경우에는 공포한 날을 시행일로 한다
2. 법령 등을 공포한 날부터 일정 기간이 경과한 날부터 시행하는 경우 법령 등을 공포한 날을 첫날에 산입하지 아니한다(③).
3. 법령 등을 공포한 날부터 일정 기간이 경과한 날부터 시행하는 경우 그 기간의 말일이 토요일 또는 공휴일인 때에는 그 말일로 기간이 만료한다(②).

④ **빈출** 정답률 5% ○

행정기본법 제6조【행정에 관한 기간의 계산】 ② 법령 등 또는 처분에서 국민의 권익을 제한하거나 의무를 부과하는 경우 권익이 제한되거나 의무가 지속되는 기간의 계산은 다음 각 호의 기준에 따른다. 다만, 다음 각 호의 기준에 따르는 것이 국민에게 불리한 경우에는 그러하지 아니하다.
1. 기간을 일, 주, 월 또는 연으로 정한 경우에는 기간의 첫날을 산입한다.
2. 기간의 말일이 토요일 또는 공휴일인 경우에도 기간은 그 날로 만료한다.

정답 02 ③

대표

03 중 2023 소방간부

행정기본법상 기간의 계산에 관한 설명으로 옳지 않은 것은?

① 행정에 관한 기간의 계산에 관하여는 행정기본법 또는 다른 법령 등에 특별한 규정이 있는 경우를 제외하고는 민법을 준용한다.

② 법령 등 또는 처분에서 국민의 권익을 제한하거나 의무를 부과하는 경우 권익이 제한되거나 의무가 지속되는 기간을 일, 주, 월 또는 연으로 정한 경우에는 국민에게 불리한 경우가 아니라면 기간의 첫날을 산입한다.

③ 법령 등 또는 처분에서 국민의 권익을 제한하거나 의무를 부과하는 경우 권익이 제한되거나 의무가 지속되는 기간의 말일이 토요일 또는 공휴일인 경우에는 국민에게 불리한 경우가 아니라면 기간은 그 익일로 만료한다.

④ 법령 등의 시행일을 정하거나 계산할 때에는 법령 등을 공포한 날부터 시행하는 경우 공포한 날을 시행일로 한다.

⑤ 법령 등의 시행일을 정하거나 계산할 때에는 법령 등을 공포한 날부터 일정 기간이 경과한 날부터 시행하는 경우 법령 등을 공포한 날을 첫날에 산입하지 아니한다.

행정기본법의 내용을 묻는 문제이다. 잘 정리하기 바란다.

① ○

> **행정기본법 제6조【행정에 관한 기간의 계산】** ① 행정에 관한 기간의 계산에 관하여는 이 법 또는 다른 법령 등에 특별한 규정이 있는 경우를 제외하고는 민법을 준용한다.

② ○

③ ×

익일이 아니라 그 날로 만료한다.

> **행정기본법 제6조【행정에 관한 기간의 계산】** ② 법령 등 또는 처분에서 국민의 권익을 제한하거나 의무를 부과하는 경우 권익이 제한되거나 의무가 지속되는 기간의 계산은 다음 각 호의 기준에 따른다. 다만, 다음 각 호의 기준에 따르는 것이 국민에게 불리한 경우에는 그러하지 아니하다.
> 1. 기간을 일, 주, 월 또는 연으로 정한 경우에는 기간의 첫날을 산입한다(②).
> 2. 기간의 말일이 토요일 또는 공휴일인 경우에도 기간은 그 날로 만료한다(③).

④⑤ ○

> **행정기본법 제7조【법령 등 시행일의 기간 계산】** 법령 등(훈령 · 예규 · 고시 · 지침 등을 포함한다. 이하 이 조에서 같다)의 시행일을 정하거나 계산할 때에는 다음 각 호의 기준에 따른다.
> 1. 법령 등을 공포한 날부터 시행하는 경우에는 공포한 날을 시행일로 한다(④).
> 2. 법령 등을 공포한 날부터 일정 기간이 경과한 날부터 시행하는 경우 법령 등을 공포한 날을 첫날에 산입하지 아니한다(⑤).
> 3. 법령 등을 공포한 날부터 일정 기간이 경과한 날부터 시행하는 경우 그 기간의 말일이 토요일 또는 공휴일인 때에는 그 말일로 기간이 만료한다.

정답 03 ③

04 중 2022 소방간부 변형

행정법상 법률요건과 법률사실에 관한 설명으로 옳지 않은 것은? (다툼이 있는 경우 판례에 의함)

□□□ ① 국유재산법상 변상금 부과처분에 대한 취소소송이 진행되는 동안에는 그 부과권의 소멸시효는 진행하지 아니한다.

□□□ ② 금전의 급부를 목적으로 하는 국가의 권리의 경우 소멸시효의 중단 · 정지 그 밖의 사항에 관하여 다른 법률의 규정이 없는 때에는 민법의 규정을 적용한다.

□□□ ③ 조세채권의 소멸시효기간이 완성된 후에 부과된 과세처분은 당연무효이다.

□□□ ④ 제3자가 체납자가 납부해야 할 체납액을 체납자 명의로 완납한 경우, 제3자는 국가에 대하여 부당이득반환을 청구할 수 없다.

관련기출

①

1. 국유재산법상 변상금 부과처분에 대한 취소소송이 진행되는 동안에도 그 부과권의 소멸시효가 진행된다. (○, ×) 2011 국가직 7급

1. ○

②

1. 공법의 특수성으로 인해 소멸시효의 중단 · 정지에 관한 민법 규정은 적용되지 않는다. (○, ×) 2020 소방직 9급

1. ×

① ×

변상금 부과처분에 대한 취소소송이 진행되는 동안에도 그 부과권의 소멸시효가 진행된다.

소멸시효는 객관적으로 권리가 발생하여 그 권리를 행사할 수 있는 때로부터 진행하고 그 권리를 행사할 수 없는 동안만은 진행하지 아니하는데, 여기서 권리를 행사할 수 없는 경우라 함은 그 권리행사에 법률상의 장애사유가 있는 경우를 말한다. 변상금 부과처분에 대한 취소소송이 진행 중이라도 그 부과권자로서는 위법한 처분을 스스로 취소하고 그 하자를 보완하여 다시 적법한 부과처분을 할 수도 있는 것이어서 그 권리행사에 법률상의 장애사유가 있는 경우에 해당한다고 할 수 없으므로, 그 처분에 대한 취소소송이 진행되는 동안에도 그 부과권의 소멸시효가 진행된다(대판 2006. 2. 10, 2003두5686).

② ○

국가재정법 제96조【금전채권 · 채무의 소멸시효】 ③ 금전의 급부를 목적으로 하는 국가의 권리의 경우 소멸시효의 중단 · 정지, 그 밖의 사항에 관하여 다른 법률의 규정이 없는 때에는 민법의 규정을 적용한다. 국가에 대한 권리로서 금전의 급부를 목적으로 하는 것도 또한 같다.

③ 제16강 참조 ○

조세채권의 소멸시효기간이 완성된 후에 부과한 과세처분은 무효이다.

조세채권의 소멸시효가 완성되어 부과권이 소멸된 후에 부과한 과세처분은 위법한 처분으로 그 하자가 중대하고도 명백하여 무효라 할 것이다(대판 1988. 3. 22, 87누1018).

④ ○

체납자 명의로 완납한 경우 국가의 조세채권은 소멸하며 제3자는 국가에 대하여 부당이득반환을 청구할 수 없다.

국세징수법 시행령 제74조 제1항은 제3자가 국세징수법 제71조 제1항에 따라 체납자의 체납액을 납부할 때에는 체납자의 명의로만 하도록 규정하고 있고, 국세징수법 시행령 제74조 제2항은 제3자가 체납자의 명의로 납부를 한 경우에 국가에 대하여 그 반환을 청구할 수 없도록 규정하고 있다. 이와 같이 제3자가 체납자가 납부하여야 할 체납액을 체납자의 명의로 납부한 경우에는 원칙적으로 체납자의 조세채무에 대한 유효한 이행이 되고, 이로 인하여 국가의 조세채권은 만족을 얻어 소멸하므로, 국가가 체납액을 납부받은 것에 법률상 원인이 없다고 할 수 없고, 제3자는 국가에 대하여 부당이득반환을 청구할 수 없다. 이는 세무서장 등이 체납액을 징수하기 위하여 실시한 체납처분압류가 무효인 경우에도 다르지 아니하다(대판 2015. 11. 12, 2013다215263).

정답 04 ①

05 중 2016 경행경채

공법상의 시효제도를 설명한 것이다. 다음 중 적절하지 않은 것은? (다툼이 있으면 판례에 의함)

□□□ ① 세무공무원이 국세징수법 제26조(현 제35조)에 의하여 체납자의 가옥 · 선박 · 창고 기타의 장소를 수색하였으나 압류할 목적물을 찾아내지 못하여 압류를 실행하지 못하고 수색조서를 작성하는 데 그친 경우에도 소멸시효중단의 효력이 있다.

□□□ ② 소멸시효 완성 후에 부과된 조세부과처분은 납세의무 없는 자에 대하여 부과처분을 한 것으로서 그와 같은 하자는 중대하고 명백하여 그 처분의 효력은 당연무효이다.

□□□ ③ 금전의 급부를 목적으로 하는 국가의 권리에 있어서는 소멸시효의 중단 · 정지 그 밖의 사항에 관하여 민법의 규정이 적용될 수 없다.

□□□ ④ 행정재산은 민법 제245조에도 불구하고 시효취득의 대상이 되지 아니한다.

관련기출

①

1. 국세징수법상 세무공무원이 체납자의 재산을 압류하기 위해 수색을 하였으나 압류할 목적물이 없어 압류를 실행하지 못한 경우에도 시효중단의 효력은 발생한다. (○, ×) 2008 지방직 7급

1. ○

②

1. 조세에 관한 소멸시효가 완성된 후에 부과된 조세부과처분은 위법한 처분이지만 당연무효라고 볼 수는 없다. (○, ×) 2016 지방직 9급
2. 조세채권의 소멸시효기간이 완성된 후에 부과된 과세처분은 무효이다. (○, ×) 2011 국가직 7급

1. × 2. ○

④

1. 국유재산 또는 공유재산 중 일반재산을 제외한 공물은 공용폐지가 없는 한 시효취득의 대상이 되지 않는다. (○, ×) 2017 서울시 7급
2. 판례에 의할 때 공공용 또는 공용의 행정재산은 공용폐지를 하지 않는 한 잡종재산과 달리 시효취득의 대상이 되지 아니한다. (○, ×) 2009 지방직 9급
3. 현행법상 행정목적을 위하여 제공된 행정재산에 대해서는 공용폐지가 되지 않는 한 민법상 취득시효규정이 적용되지 않는다. (○, ×) 2016 국가직 9급

1. ○ 2. ○ 3. ○

① ○

세무공무원이 체납자의 재산을 압류하기 위해 수색을 하였으나 압류할 목적물이 없어 압류를 실행하지 못한 경우에도 시효중단의 효력이 발생한다.

구 국세기본법 제28조 제1항은 국세징수권의 소멸시효의 중단사유로서 납세고지, 독촉 또는 납부최고, 교부청구 외에 '압류'를 규정하고 있는바, 여기서의 '압류'란 세무공무원이 국세징수법 제24조(현 제31조) 이하의 규정에 따라 납세자의 재산에 대한 압류절차에 착수하는 것을 가리키는 것이므로, 세무공무원이 국세징수법 제26조(현 제35조)에 의하여 체납자의 가옥 · 선박 · 창고 및 기타의 장소를 수색하였으나 압류할 목적물을 찾아내지 못하여 압류를 실행하지 못하고 수색조서를 작성하는 데 그친 경우에도 소멸시효중단의 효력이 있다(대판 2001. 8. 21, 2000다12419).

② **빈출** ○

조세에 관한 소멸시효가 완성되면 국가의 조세부과권과 납세의무자의 납세의무는 당연히 소멸한다 할 것이므로 소멸시효 완성 후에 부과된 부과처분은 납세의무 없는 자에 대하여 부과처분을 한 것으로서 그와 같은 하자는 중대하고 명백하여 그 처분의 효력은 당연무효이다(대판 2001. 4. 24, 2000다57856).

③ ×

국가재정법 제96조【금전채권 · 채무의 소멸시효】③ 금전의 급부를 목적으로 하는 국가의 권리의 경우 소멸시효의 중단 · 정지, 그 밖의 사항에 관하여 다른 법률의 규정이 없는 때에는 민법의 규정을 적용한다. 국가에 대한 권리로서 금전의 급부를 목적으로 하는 것도 또한 같다.

④ ○

1-1. 행정재산은 공용이 폐지되지 않는 한 사법상 거래의 대상이 될 수 없으므로 취득시효의 대상이 되지 않는다.

1-2. 공용폐지의 의사표시는 묵시적 공용폐지의 의사표시도 가능하나 사실상 본래의 용도에 사용되지 않고 있다는 사실만으로는 공용폐지의 의사표시가 있었다고 볼 수 없다.

행정재산은 공용이 폐지되지 않는 한 사법상 거래의 대상이 될 수 없으므로 취득시효의 대상이 되지 않으며, 공용폐지의 의사표시는 명시적이든 묵시적이든 상관이 없으나 적법한 의사표시가 있어야 하고, 행정재산이 사실상 본래의 용도에 사용되지 않고 있다는 사실만으로 용도폐지의 의사표시가 있었다고 볼 수는 없으며 …… (대판 1994. 3. 22, 93다56220)

2. 잡종재산(현 일반재산)을 시효취득에서 제한하고 있는 구 국유재산법의 규정은 헌법상 평등의 원칙에 위반된다(헌재 1991. 5. 13, 89헌가97).

참조

국유재산법 제7조【국유재산의 보호】② 행정재산은 민법 제245조에도 불구하고 시효취득(時效取得)의 대상이 되지 아니한다.

정답 05 ③

06 빈출 정답률 68% 중 2016 지방직 9급

행정법상 시효제도에 대한 설명으로 옳은 것은? (다툼이 있는 경우 판례에 의함)

□□□ ① 국유재산법상 일반재산은 취득시효의 대상이 될 수 없다.

□□□ ② 국가재정법상 5년의 소멸시효가 적용되는 '금전의 급부를 목적으로 하는 국가의 권리'에는 국가의 사법(私法)상 행위에서 발생한 국가에 대한 금전채무도 포함된다.

□□□ ③ 조세에 관한 소멸시효가 완성된 후에 부과된 조세부과처분은 위법한 처분이지만 당연무효라고 볼 수는 없다.

□□□ ④ 납입고지에 의한 소멸시효의 중단은 그 납입고지에 의한 부과처분이 추후 취소되면 효력이 상실된다.

관련기출

①

1. 판례에 따르면 국유재산 중 일반재산은 시효취득의 대상이 되지 아니한다. (○, ×) 2016 교육행정직 9급
2. 구 국유재산법 제5조 제2항이 잡종재산에 대하여까지 시효취득을 배제하고 있는 것은 국가만을 우대하여 합리적 사유 없이 국가와 사인을 차별하는 것이므로 평등원칙에 위반된다. (○, ×) 2011 국회직 8급

1. × 2. ○

④

1. 법령의 규정에 의한 납입고지(현 납부고지)에 의한 시효중단의 효력은 그 납입고지에 의한 부과처분이 취소되면 상실된다. (○, ×) 2011 국가직 7급
2. (구)예산회계법에 따른 소정의 납입고지(현 납부고지)에 의한 부과처분이 추후 취소되면 그 납입고지의 시효중단의 효력은 상실된다. (○, ×) 2008 지방직 7급

1. × 2. ×

① **빈출** ×

일반재산은 행정재산과 달리 취득시효의 대상이 될 수 있다.

> 국유재산법 제6조【국유재산의 구분과 종류】① 국유재산은 그 용도에 따라 행정재산과 일반재산으로 구분한다.
> ③ '일반재산'이란 행정재산 외의 모든 국유재산을 말한다.
> 제7조【국유재산의 보호】② 행정재산은 민법 제245조에도 불구하고 시효취득의 대상이 되지 아니한다.

> 잡종재산(현 일반재산)을 시효취득에서 제한하고 있는 구 국유재산법의 규정은 헌법상 평등의 원칙에 위반된다.
> 국유잡종재산에 대한 시효취득을 부인하는 동 규정은 합리적 근거 없이 국가만을 우대하는 불평등한 규정으로서 헌법상의 평등의 원칙과 사유재산권 보장의 이념 및 과잉금지의 원칙에 반한다(헌재 1991. 5. 13, 89헌가97).

② ○

> 금전의 급부를 목적으로 하는 국가의 권리인 이상 국가의 사법상 행위에서 발생한 권리도 포함한다.
> 예산회계법(현 국가재정법) 제71조는 금전의 급부를 목적으로 하는 국가의 권리로서 시효에 관하여 다른 법률에 규정이 없는 것은 5년간 행하지 아니할 때에는 시효로 인하여 소멸한다고 규정하고 있는바, 금전의 급부를 목적으로 하는 국가의 권리라 함은 금전의 급부를 목적으로 하는 국가의 권리인 이상, 금전급부의 발생원인에 관하여는 아무런 제한이 없으므로 국가의 공권력 발동으로 하는 행위는 물론 국가의 사법상 행위에서 발생한 국가에 대한 금전채무도 포함한다고 해석함이 타당하다 할 것이며 …… (대판 1967. 7. 4, 67다751)

③ ×

소멸시효 완성 후에 부과된 부과처분은 납세의무 없는 자에 대하여 부과처분을 한 것으로서 그와 같은 하자는 중대하고 명백하여 그 처분의 효력은 당연무효라는 것이 판례의 입장이다(대판 2001. 4. 24, 2000다57856).

④ **빈출** ×

납입고지(현 납부고지)에 의한 부과처분이 절차상의 하자 등으로 취소된 경우, 취소에는 소급효가 있으므로 시효중단의 효력도 없어지는 것이 아닌지 의문이 들 수 있다. 그러나 부과처분이 취소되더라도 적어도 국가 등이 권리를 행사하였다는 사실 자체는 인정되므로 권리 위에 잠자는 자로 볼 수 없어 시효중단 효과는 사라지지 않는다는 것이 판례의 취지이다. 따라서 국가 등은 하자를 보완하여 다시 부과처분을 할 수 있게 된다(만일 시효중단 효력도 없어진다고 볼 경우 소송과정에서 5년의 소멸시효기간이 지나게 되면 국가 등이 다시 부과처분을 할 수 없게 되는데 이는 국가재정에 심각한 부담으로 작용할 수 있다는 정책적인 고려도 숨어 있다고 이해할 수 있다).

> 납입고지(현 납부고지)에 의한 부과처분이 취소되더라도 납입고지에 의한 시효중단의 효력이 상실되지 않는다.
> 구 예산회계법(현 국가재정법) 제98조에서 법령의 규정에 의한 납입고지를 시효중단사유로 규정하고 있는바, 이러한 납입고지에 의한 시효중단의 효력은 그 납입고지에 의한 부과처분이 취소되더라도 상실되지 않는다(대판 2000. 9. 8, 98두19933).

정답 06 ②

제 09 강 사인의 공법행위

1회독	2회독	3회독
/	/	/

⊙정답률 공단기/소방단기 합격예측 풀서비스 통계 데이터 기준 기 기본서 핵 핵심집약

02 신고와 신청

기 152~165쪽 핵 T 18

01

정답률 85% 중 2024 소방직 9급

자기완결적(자체완성적) 신고에 관한 설명으로 옳지 않은 것은? (다툼이 있는 경우 판례에 의함)

□□□ ① 자기완결적 신고란 행정청에 일정한 사항을 통지함으로써 의무가 끝나는 신고로서 수리를 요하지 않으며, 신고 그 자체로서 법적 효과를 발생시킨다.

□□□ ② 자기완결적 신고는 수리를 요하지 않기 때문에 행정청이 신고를 수리하거나 신고필증을 교부하였다고 하더라도 이는 신고사실을 확인하는 의미의 사실행위에 불과하다.

□□□ ③ 사인이 적법한 요건을 갖춘 신고를 하였다면 행정청의 수리처분 등 별단의 조처를 기다릴 필요 없이 그 접수시에 신고로서의 효력이 발생하는 것이므로, 그 수리가 거부되었다고 하여 무신고영업이 되는 것은 아니다.

□□□ ④ 자기완결적 신고에 대해서는 행정기본법에서 규정하고 있다.

관련기출

②

1. 구 의료법 시행규칙 제22조 제3항에 의하면 의원개설신고서를 수리한 행정관청이 소정의 신고필증을 교부하도록 되어 있기 때문에 이와 같은 신고필증의 교부가 없으면 개설신고의 효력이 없다. (○, ×) 2019 지방직·교육행정직 9급
2. 의료법상 의원·치과의원 개설신고의 경우 그 신고필증의 교부행위는 신고사실의 확인행위에 해당한다. (○, ×) 2012 국가직 9급

1. × 2. ○

③

1. 수리를 요하지 아니한 신고에 있어서 적법한 요건을 갖춘 신고의 경우에는 행정청의 수리처분 등 별단의 조처를 기다릴 필요 없이 그 접수시에 신고로서의 효력이 발생하는 것이므로 그 수리가 거부되었다고 하여 무신고영업이 되는 것은 아니다. (○, ×) 2022 국회직 8급
2. 적법한 요건을 갖추어 당구장업 영업신고를 한 경우 행정청이 그 신고에 대한 수리를 거부하였음에도 영업을 하면 무신고영업이 된다.(○, ×) 2016 행정사

1. ○ 2. ×

① 정답률 2% ○

자기완결적 신고는 행정청의 수리를 요하지 않으며, 신고서가 도달되면 신고 그 자체로서 법적 효과가 발생한다.

> **행정절차법 제40조【신고】** ① 법령 등에서 행정청에 일정한 사항을 통지함으로써 의무가 끝나는 신고를 규정하고 있는 경우 신고를 관장하는 행정청은 신고에 필요한 구비서류, 접수기관, 그 밖에 법령 등에 따른 신고에 필요한 사항을 게시(인터넷 등을 통한 게시를 포함한다)하거나 이에 대한 편람을 갖추어 두고 누구나 열람할 수 있도록 하여야 한다.
> ② 제1항에 따른 신고가 다음 각 호의 요건을 갖춘 경우에는 신고서가 접수기관에 도달된 때에 신고의무가 이행된 것으로 본다. (각 호 생략)

② **빈출** 정답률 3% ○

> 의료법 시행규칙 제22조 제3항 소정의 신고필증 교부는 신고사실의 확인행위로서 신고필증의 교부가 없다 하여 개설신고의 효력을 부정할 수 없다.
> 의료법에 의하면 의원, 치과의원, 한의원 또는 조산소의 개설은 단순한 신고사항으로만 규정하고 있고 또 그 신고의 수리 여부를 심사·결정할 수 있게 하는 별다른 규정도 두고 있지 아니하므로 의원의 개설신고를 받은 행정관청으로서는 별다른 심사·결정 없이 그 신고를 당연히 수리하여야 한다. 의료법 시행규칙에 의하면 의원개설신고서를 수리한 행정관청이 소정의 신고필증을 교부하도록 되어 있다 하여도 이는 신고사실의 확인행위로서 신고필증을 교부하도록 규정한 것에 불과하고 그와 같은 신고필증의 교부가 없다 하여 개설신고의 효력을 부정할 수 없다 할 것이다(대판 1985. 4. 23, 84도2953).

③ **빈출** 정답률 7% ○

> 자기완결적 신고의 경우 요건미비의 신고를 한 후 영업행위를 하는 것은 무신고영업에 해당할 것이지만 적법한 요건을 갖춘 신고를 한 후에는 행정청의 수리 등 별도의 조치를 기다릴 것 없이 신고의 효과가 발생하므로 행정청의 수리가 거부되었다고 하여 무신고영업이 되는 것은 아니다(대판 1998. 4. 24, 97도3121).

④ 정답률 85% ×

행정절차법에서 규정하고 있다(위 해설 ① 조문 참조). 행정기본법에서 규정하고 있는 신고는 수리를 요하는 신고이다.

> **행정기본법 제34조【수리 여부에 따른 신고의 효력】** 법령 등으로 정하는 바에 따라 행정청에 일정한 사항을 통지하여야 하는 신고로서 법률에 신고의 수리가 필요하다고 명시되어 있는 경우(행정기관의 내부업무 처리 절차로서 수리를 규정한 경우는 제외한다)에는 행정청이 수리하여야 효력이 발생한다.

정답 01 ④

02 빈출 중 2024 소방간부

사인의 공법행위에 관한 설명으로 옳지 않은 것은? (다툼이 있는 경우 판례에 의함)

□□□ ① 인 · 허가의제 효과를 수반하는 건축신고는 특별한 사정이 없는 한 수리를 요하는 신고로 보아야 한다.

□□□ ② 식품위생법상 식품접객업의 영업신고 요건을 갖추었다면, 그 영업신고를 한 당해 건축물이 무허가건축물이라 할지라도 영업신고는 적법하게 이루어진 것으로 본다.

□□□ ③ 주민들의 거주지 이동에 따른 주민등록전입신고에 대하여 행정청은 주민등록법의 입법 목적 범위 내에서 이를 심사하여 수리를 거부할 수 있다.

□□□ ④ 법령 등으로 정하는 바에 따라 행정청에 일정한 사항을 통지하여야 하는 신고로서 법률에 신고의 수리가 필요하다고 명시되어 있는 경우에는 행정기관의 내부 업무 처리 절차로서 수리를 규정한 경우가 아닌 한, 행정청이 수리하여야 효력이 발생한다.

□□□ ⑤ 건축허가권자는 건축신고가 건축법, 「국토의 계획 및 이용에 관한 법률」 등 관계 법령에서 정하는 명시적인 제한에 배치되지 않는 경우에도 건축을 허용하지 않아야 할 중대한 공익상 필요가 있는 경우에는 건축신고의 수리를 거부할 수 있다.

관련기출

②

1. 식품위생법에 따른 식품접객업(일반음식점영업)의 영업신고의 요건을 갖춘 자라고 하더라도, 그 영업신고를 한 당해 건축물이 건축법 소정의 허가를 받지 아니한 무허가건물이라면 적법한 신고를 할 수 없다.(○, ×) 2020 지방직 · 서울시 9급
2. 식품접객업 영업신고에 대해서는 식품위생법이 건축법에 우선 적용되므로, 영업신고가 식품위생법상의 신고요건을 갖춘 경우라면 그 영업신고를 한 해당 건축물이 건축법상 무허가건축물이라도 적법한 신고에 해당된다. (○, ×) 2016 국가직 9급
3. 자기완결적 신고를 규정한 법률상의 요건 외에 타법상의 요건도 충족하여야 하는 경우, 타법상의 요건을 충족시키지 못하는 한 적법한 신고를 할 수 없다. (○, ×) 2015 지방직 9급

1. ○ 2. × 3. ○

③

1. 주민등록신고는 행정청이 수리한 경우에 비로소 신고의 효력이 발생한다. (○, ×) 2022 소방직 9급
2. 주민등록의 신고는 행정청에 도달하기만 하면 신고로서의 효력이 발생하는 것이 아니라 행정청이 수리한 경우에 비로소 신고의 효력이 발생한다. (○, ×) 2020 국가직 9급

1. ○ 2. ○

① 빈출 ○

1. 건축법 제14조 제2항에 의한 인 · 허가 의제 효과를 수반하는 건축신고는 일반적인 건축신고와는 달리 행정청이 그 실체적 요건에 관한 심사를 한 후 수리하여야 하는 이른바 '수리를 요하는 신고'에 해당한다.
2. 「국토의 계획 및 이용에 관한 법률」상의 개발행위허가로 의제되는 건축신고가 개발행위허가의 기준을 갖추지 못한 경우, 행정청이 수리를 거부할 수 있다(대판 2011. 1. 20, 2010두14954 전합).

② 빈출 ×

신고를 규정한 법률상의 요건 외에 타법상의 요건도 충족되어야 하는 경우, 타법상의 요건을 갖추지 못하는 한 적법한 신고를 할 수 없다는 것이 판례의 입장이다.

식품위생법에 따른 식품접객업의 영업신고 요건을 갖추었으나, 그 영업신고를 한 당해 건축물이 무허가 건물일 경우 영업신고는 부적법하다.

식품위생법과 건축법은 그 입법목적, 규정사항, 적용범위 등을 서로 달리하고 있어 식품접객업에 관하여 식품위생법이 건축법에 우선하여 배타적으로 적용되는 관계에 있다고는 해석되지 않는다. 그러므로 식품위생법에 따른 식품접객업(일반음식점영업)의 영업신고의 요건을 갖춘 자라고 하더라도, 그 영업신고를 한 당해 건축물이 건축법 소정의 허가를 받지 아니한 무허가 건물이라면 적법한 신고를 할 수 없다(대판 2009. 4. 23, 2008도6829).

③ 빈출 ○

1. 주민등록전입신고에 대하여 시장은 그 수리 여부를 심사할 수 있다.
2. 시장 등의 주민등록전입신고 수리 여부에 대한 심사는 주민등록법의 입법목적의 범위 내에서 제한적으로 이루어져야 할 것이다.
3. (무허가건축물을 실제 생활의 근거지로 삼아 10년 이상 거주해 온 사람의 주민등록전입신고를 거부한 사안에서) 투기나 이주대책 요구 등을 방지할 목적으로 주민등록전입신고를 거부하는 것은 주민등록법의 입법목적과 취지 등에 비추어 허용될 수 없다.

   전입신고를 받은 시장 · 군수 또는 구청장의 심사대상은 전입신고자가 30일 이상 생활의 근거로 거주할 목적으로 거주지를 옮기는지 여부만으로 제한된다고 보아야 한다. 따라서 전입신고자가 거주의 목적 이외에 다른 이해관계에 관한 의도를 가지고 있는지 여부, 무허가건축물의 관리, 전입신고를 수리함으로써 당해 지방자치단체에 미치는 영향 등과 같은 사유는 주민등록법이 아닌 다른 법률에 의하여 규율되어야 하고, 주민등록전입신고의 수리 여부를 심사하는 단계에서는 고려대상이 될 수 없다(대판 2009. 6. 18, 2008두10997 전합).

④ ○

행정기본법 제34조【수리 여부에 따른 신고의 효력】 법령 등으로 정하는 바에 따라 행정청에 일정한 사항을 통지하여야 하는 신고로서 법률에 신고의 수리가 필요하다고 명시되어 있는 경우(행정기관의 내부업무 처리 절차로서 수리를 규정한 경우는 제외한다)에는 행정청이 수리하여야 효력이 발생한다.

⑤ ○

건축허가권자는 건축신고가 건축법, 「국토의 계획 및 이용에 관한 법률」 등 관계법령에서 정하는 명시적인 제한에 배치되지 않는 경우에도 건축을 허용하지 않아야 할 중대한 공익상 필요가 있는 경우에는 건축신고의 수리를 거부할 수 있다(대판 2019. 10. 31, 2017두74320).

정답 02 ②

03 ㊥

2023 서울시 지적 7급

<보기>의 사례에 대한 설명으로 가장 옳지 않은 것은? (다툼이 있는 경우 판례에 따름)

보기

A구청장으로부터 허가를 받아 유흥주점영업을 해오던 갑(甲)은 해당 영업을 을(乙)에게 양도하기로 하였다. 갑(甲)과 을(乙)은 사업을 양도하기로 하는 계약을 체결하였고, 법령에 따라 을(乙)은 A구청장에게 영업자지위승계신고를 하였다.

□□□ ① A구청장이 영업자지위승계신고를 수리할 경우 그 법적 성격은 처분이므로 행정절차법이 적용된다.

□□□ ② A구청장이 영업자지위승계신고를 수리하기 전이라면 허가취소처분의 상대방은 갑(甲)이다.

□□□ ③ A구청장이 영업자지위승계신고를 수리하기 전에 갑(甲)의 영업허가를 취소하였다면 을(乙)은 이를 다툴 원고적격이 없다.

□□□ ④ 갑(甲)과 을(乙)의 사업양도계약이 무효라면 A구청장이 영업자지위승계신고를 수리하였더라도 그 수리는 당연무효이다.

관련기출

①

1. 허가영업의 양도에 따른 영업자지위승계신고를 수리하는 처분을 할 경우에는 행정청은 종전의 영업자에 대하여 의견청취절차를 거친 후 처분을 하여야 한다. (○, ×) 2022 국회직 8급

1. ○

②

1. 사실상 영업이 양도·양수되었지만 승계신고 및 수리처분이 있기 전에 양도인이 허락한 양수인의 영업 중 발생한 위반행위에 대한 행정적 책임은 양수인에게 귀속된다. (○, ×) 2022 지방직·서울시 9급
2. 양도인이 자신의 의사에 따라 양수인에게 영업을 양도하면서 양수인으로 하여금 영업을 하도록 허락하였다면 영업승계신고 및 수리처분이 있기 전에 발생한 양수인의 위반행위에 대한 행정적 책임은 양도인에게 귀속된다. (○, ×) 2014 국가직 9급

1. × 2. ○

④

1. 사업양도·양수에 따른 허가관청의 지위승계신고의 수리에 있어, 그 수리대상인 사업양도·양수가 무효인 때에는 수리를 하였다 하더라도 그 수리는 유효한 대상이 없는 것으로서 당연히 무효이다. (○, ×) 2013 경행특채
2. 판례는 수리행위의 대상인 기본행위가 존재하지 않거나 무효인 때에는 그 수리행위는 당연무효가 된다고 한다. (○, ×) 2011 국회직 8급

1. ○ 2. ○

① **빈출** 제21강 참조 ○

> 영업자지위승계신고를 수리하는 처분은 종전 영업자의 권익을 제한하는 처분으로서 종전 영업자에 대해 행정절차법 제21·22조 규정의 행정절차를 실시하고 처분을 하여야 한다.
>
> 그 영업자의 지위를 승계한 자가 관계 행정청에 이를 신고하여 행정청이 이를 수리하는 경우에는 종전의 영업자에 대한 영업허가 등은 그 효력을 잃는다 할 것인데, 위 규정들을 종합하면 위 행정청이 구 식품위생법 규정에 의하여 영업자지위승계신고를 수리하는 처분은 종전의 영업자의 권익을 제한하는 처분이라 할 것이고 따라서 종전의 영업자는 그 처분에 직접 그 상대가 되는 자에 해당한다고 봄이 상당하므로, 행정청으로서는 위 신고를 수리하는 처분을 함에 있어서 행정절차법 규정 소정의 당사자에 해당하는 종전의 영업자에 대하여 위 규정 소정의 행정절차를 실시하고 처분을 하여야 한다(대판 2003. 2. 14, 2001두7015).

② ○

지위승계신고가 있기 전에 행정청이 영업허가를 취소하려는 경우 허가취소의 상대방은 종전의 영업자인 갑(甲)이 된다.

> 사실상 영업이 양도·양수되었지만 아직 승계신고 및 수리처분이 있기 이전인 경우, 양수인의 영업 중 발생한 위반행위에 대한 행정적인 책임은 영업허가자인 양도인에게 귀속된다.
>
> 사실상 영업이 양도·양수되었지만 아직 승계신고 및 그 수리처분이 있기 이전에는 여전히 종전의 영업자인 양도인이 영업허가자이고, 양수인은 영업허가자가 되지 못한다 할 것이어서 행정제재처분의 사유가 있는지 여부 및 그 사유가 있다고 하여 행하는 행정제재처분은 영업허가자인 양도인을 기준으로 판단하여 그 양도인에 대하여 행하여야 할 것이다(대판 1995. 2. 24, 94누9146).

③ ×

양수인 을(乙)은 양도인 갑(甲)에 대한 영업허가취소처분을 다툴 원고적격이 있다.

> 수허가자의 지위를 양수받아 명의변경신고를 할 수 있는 양수인의 지위는 단순한 반사적 이익이나 사실상의 이익이 아니라 산림법령에 의하여 보호되는 직접적이고 구체적인 이익으로서 법률상 이익이라고 할 것이고, 채석허가가 유효하게 존속하고 있다는 것이 양수인의 명의변경신고의 전제가 된다는 의미에서 관할행정청이 양도인에 대하여 채석허가를 취소하는 처분을 하였다면 이는 양수인의 지위에 대한 직접적 침해가 된다고 할 것이므로 양수인은 채석허가를 취소하는 처분의 취소를 구할 법률상 이익을 가진다(대판 2003. 7. 11, 2001두6289).

④ **빈출** ○

사업의 양도·양수에 따른 지위승계신고와 같은 행위요건적 신고는 유효한 기본행위의 존재를 전제로 하는 수동적인 행위로서 수리대상인 기본행위가 존재하지 않거나 무효인 때에는 수리를 하였더라도 수리도 당연무효가 된다는 것이 통설 및 판례의 입장이다.

> 지위승계신고의 수리대상인 사업양도·양수가 존재하지 아니하거나 무효인 때에는 수리를 하였다 하더라도 그 수리는 당연히 무효이다.
>
> 사업양도·양수에 따른 허가관청의 지위승계신고의 수리는 적법한 사업의 양도·양수가 있었음을 전제로 하는 것이므로 그 수리대상인 사업양도·양수가 존재하지 아니하거나 무효인 때에는 수리를 하였다 하더라도 그 수리는 유효한 대상이 없는 것으로서 당연히 무효라 할 것이고 …… (대판 2005. 12. 23, 2005두3554)

정답 03 ③

04 정답률 94% 하 2023 국가직 7급

사인의 공법행위에 대한 설명으로 옳지 않은 것은? (다툼이 있는 경우 판례에 의함)

□□□ ① 공무원이 한 사직 의사표시는 그에 터잡은 의원면직 처분이 있고 난 이후라도 철회나 취소할 수 있다.

□□□ ② 자기완결적 신고의 경우 적법한 요건을 갖춘 신고를 하면 신고의 대상이 되는 행위를 적법하게 할 수 있고, 별도로 행정청의 수리를 기다릴 필요가 없다.

□□□ ③ 건축법에 의한 인 · 허가 의제 효과를 수반하는 건축 신고는 특별한 사정이 없는 한 행정청이 그 실체적 요건에 관한 심사를 한 후 수리하여야 하는, 수리를 요하는 신고에 해당한다.

□□□ ④ 구 유통산업발전법에 따른 대규모점포의 개설등록 및 구 「재래시장 및 상점가 육성을 위한 특별법」에 따른 시장관리자 지정은 행정청이 실체적 요건에 관한 심사를 한 후 수리하여야 하는, 수리를 요하는 신고로서 행정처분에 해당한다.

관련기출

①

1. 공무원이 한 사직 의사표시의 철회나 취소는 그에 터잡은 의원면직처분이 있을 때까지 할 수 있는 것이고, 일단 면직처분이 있고 난 이후에는 철회나 취소할 여지가 없다. (○, ×) 2022 소방간부, 2019 경행경채 2차
2. 사인의 공법상 행위는 명문으로 금지되거나 성질상 불가능한 경우가 아닌 한 그에 따른 행정행위가 행하여질 때까지 자유로이 철회할 수 있다. (○, ×) 2021 지방직 · 서울시 7급
3. 공무원의 사직의 의사표시는 상대방에게 도달한 후에는 철회할 수 없다. (○, ×) 2014 국가직 7급

1. ○ 2. ○ 3. ×

③

1. 건축법상의 건축신고가 다른 법률에서 정한 인가 · 허가 등의 의제효과를 수반하는 경우, 행정행위의 효율적 측면을 고려하여 수리를 요하지 않는 신고로 볼 수 있다. (○, ×) 2023 군무원 7급
2. 인 · 허가의제의 효과를 수반하는 건축신고는 일반적인 건축신고와는 달리 특별한 사정이 없는 한 행정청이 그 실체적 요건에 관한 심사를 한 후 수리하여야 하는 신고이다. (○, ×) 2023 소방간부, 2022 지방직 7급
3. 건축법에 의한 인 · 허가 의제 효과를 수반하는 건축신고는 건축을 하고자 하는 자가 적법한 요건을 갖춘 신고만 하면 건축을 할 수 있고, 행정청의 수리 등 별단의 조처를 기다릴 필요가 없다. (○, ×) 2021 지방직 · 서울시 9급
4. 「국토의 계획 및 이용에 관한 법률」상의 개발행위허가로 의제되는 건축신고가 개발행위허가의 기준을 갖추지 못하더라도, 건축법상 적법한 요건을 갖춘 신고만 하면 건축을 할 수 있고 행정청의 수리 등 별단의 조처를 기다릴 필요는 없다. (○, ×) 2019 경행경채 2차

1. × 2. ○ 3. × 4. ×

① **빈출** 정답률 94% ×

> 공무원의 사직 의사표시의 철회나 취소는 의원면직처분(사표수리)이 있기 전에는 허용된다.
>
> 공무원이 한 사직 의사표시의 철회나 취소는 그에 터잡은 의원면직처분이 있을 때까지 할 수 있는 것이고, 일단 면직처분이 있고 난 이후에는 철회나 취소할 여지가 없다(대판 2001. 8. 24, 99두9971).

② 정답률 2% ○

자기완결적 신고의 경우 요건을 갖춘 신고가 있으면 행정청의 수리여부와 무관하게 신고서가 접수기관에 도달한 때 신고의무가 이행된 것으로 보므로, 신고의 대상이 되는 행위를 적법하게 할 수 있고, 별도로 행정청의 수리를 기다릴 필요가 없다.

> 자기완결적 신고의 경우 요건미비의 신고를 한 후 영업행위를 하는 것은 무신고영업에 해당할 것이지만 적법한 요건을 갖춘 신고를 한 후에는 행정청의 수리 등 별도의 조치를 기다릴 것 없이 신고의 효과가 발생하므로 행정청의 수리가 거부되었다고 하여 무신고영업이 되는 것은 아니다(대판 1998. 4. 24, 97도3121).

③ 정답률 2% ○

> 1. 건축법 제14조 제2항에 의한 인 · 허가 의제 효과를 수반하는 건축신고는 일반적인 건축신고와는 달리 행정청이 그 실체적 요건에 관한 심사를 한 후 수리하여야 하는 이른바 '수리를 요하는 신고'에 해당한다.
> 2. 「국토의 계획 및 이용에 관한 법률」상의 개발행위허가로 의제되는 건축신고가 개발행위허가의 기준을 갖추지 못한 경우, 행정청이 수리를 거부할 수 있다(대판 2011. 1. 20, 2010두14954 전합).

④ 정답률 1% ○

> 구 유통산업발전법에 따른 대규모점포의 개설등록 및 구 재래시장법에 따른 시장관리자 지정은 행정청이 그 실체적 요건에 관한 심사를 한 후 수리하여야 하는 이른바 '수리를 요하는 신고'로서 그 수리는 행정처분에 해당한다. 그러므로 이러한 행정처분에 당연무효에 이를 정도의 중대하고도 명백한 하자가 존재하거나 그 처분이 적법한 절차에 의하여 취소되지 않는 한 구 유통산업발전법에 따른 대규모점포개설자의 지위 및 구 재래시장법에 따른 시장관리자의 지위는 공정력을 가진 행정처분에 의하여 유효하게 유지된다고 봄이 타당하다(대판 2019. 9. 10, 2019다208953).

정답 04 ①

05 중 2023 군무원 7급

사인의 공법행위에 대한 설명으로 옳지 않은 것은? (다툼이 있는 경우 판례에 의함)

□□□ ① 국민의 적극적 행위신청에 대한 행정청의 거부행위가 항고소송의 대상이 되는 행정처분에 해당하기 위하여는 국민이 행정청에 대하여 그 행위발동을 요구할 법규상 또는 조리상의 신청권이 있어야 한다.

□□□ ② 건축법상의 건축신고가 다른 법률에서 정한 인가·허가 등의 의제 효과를 수반하는 경우, 행정행위의 효율적 측면을 고려하여 수리를 요하지 않는 신고로 볼 수 있다.

□□□ ③ 건축주 등은 건축신고가 반려될 경우 건축물의 건축을 개시하면 시정명령, 이행강제금, 벌금의 대상이 되거나 당해 건축물을 사용하여 행할 행위의 허가가 거부될 우려가 있어 불안정한 지위에 놓이게 되므로, 건축신고에 대한 반려처분은 항고소송의 대상이 된다.

□□□ ④ 건축주명의변경신고는 형식적 요건을 갖추어 시장, 군수에게 적법하게 건축주의 명의변경을 신고한 때에는 시장, 군수는 그 신고를 수리하여야지 실체적인 이유를 내세워 그 신고의 수리를 거부할 수는 없다.

관련기출

③

1. 건축법상 신고는 자기완결적 신고로 적법한 신고행위가 있는 경우 그 효력이 발생하게 되므로, 비록 해당 신고에 대해 반려행위가 있더라도 침해되는 법률상 이익이 없어 항고소송의 대상이 되지 않는다. (O, ×) 2022 서울시 지적 7급
2. 다른 법령에 의한 인·허가가 의제되지 않는 일반적인 건축신고는 자기완결적 신고이므로 이에 대한 수리거부행위는 항고소송의 대상이 되는 처분이 아니다. (O, ×) 2020 지방직·서울시 9급
3. 건축법에 따른 건축신고를 반려하는 행위는 장차 있을지도 모르는 위험에서 미리 벗어날 수 있도록 길을 열어주고 위법한 건축물의 양산과 그 철거를 둘러싼 분쟁을 조기에 근본적으로 해결할 수 있게 하여야 한다는 점에서 항고소송의 대상이 된다. (O, ×) 2017 서울시 9급

1. × 2. × 3. O

④

1. 허가대상 건축물의 양수인이 형식적 요건을 갖추어 시장, 군수에게 적법하게 건축주의 명의변경을 신고한 때에는 시장, 군수는 그 신고를 수리하여야지 실체적인 이유를 내세워 그 신고의 수리를 거부할 수는 없다. (O, ×) 2022 국회직 8급
2. 허가대상 건축물의 양수인이 건축법령에 규정되어 있는 형식적 요건을 갖추어 행정청에 적법하게 건축주명의변경신고를 한 경우, 행정청은 실체적인 이유를 들어 신고의 수리를 거부할 수 없다. (O, ×) 2020 국가직 7급

1. O 2. O

① 제37강 참조 O

> 국민의 적극적 행위신청에 대한 행정청의 거부행위가 항고소송의 대상이 되는 행정처분이 되기 위해서는 국민에게 법규상 또는 조리상의 신청권이 있어야 한다(대판 2005. 2. 25, 2004두4031).

② ×

인·허가 의제 효과를 수반하는 건축신고는 수리를 요하는 신고에 해당한다는 것이 판례의 입장이다(대판 2011. 1. 20, 2010두14954).

③ **빈출** O

> 건축신고 반려행위는 항고소송의 대상이 된다.
>
> 건축주 등으로서는 신고제하에서도 건축신고가 반려될 경우 당해 건축물의 건축을 개시하면 시정명령, 이행강제금, 벌금의 대상이 되거나 당해 건축물을 사용하여 행할 행위의 허가가 거부될 우려가 있어 불안정한 지위에 놓이게 된다. 따라서 건축신고 반려행위가 이루어진 단계에서 당사자로 하여금 반려행위의 적법성을 다투어 그 법적 불안을 해소한 다음 건축행위에 나아가도록 함으로써 장차 있을지도 모르는 위험에서 미리 벗어날 수 있도록 길을 열어 주고, 위법한 건축물의 양산과 그 철거를 둘러싼 분쟁을 조기에 근본적으로 해결할 수 있게 하는 것이 법치행정의 원리에 부합한다. 그러므로 이 사건 건축신고 반려행위는 항고소송의 대상이 된다고 보는 것이 옳다(대판 2010. 11. 18, 2008두167 전합).

④ **빈출** 제13강 참조 O

> 1. 허가대상 건축물의 양수인이 구 건축법 시행규칙에 규정되어 있는 형식적 요건을 갖추어 시장·군수에게 적법하게 건축주의 명의변경을 신고한 때에는 시장·군수는 그 신고를 수리하여야지 실체적인 이유를 내세워 신고의 수리를 거부할 수 없다.
> 2. 다만, 건축물의 소유권을 둘러싸고 소송이 계속 중이어서 판결로 소유권의 귀속이 확정될 때까지 건축주명의변경신고의 수리를 거부함은 상당하다(대판 1993. 10. 12, 93누883).

정답 05 ②

06 정답률 65% 중 2023 지방직 · 서울시 9급

사인의 공법행위에 대한 설명으로 옳은 것은?

① 공무원에 의해 제출된 사직원은 그에 터잡은 의원면직처분이 있을 때까지 철회될 수 있고, 일단 면직처분이 있고 난 이후에도 자유로이 취소 및 철회될 수 있다.

② 시장 등의 주민등록전입신고 수리 여부에 대한 심사는 주민등록법의 입법목적의 범위 내에서 제한적으로 이루어져야 하는바, 전입신고자가 30일 이상 생활의 근거로서 거주할 목적으로 거주지를 옮기는지 여부가 심사대상으로 되어야 한다.

③ 행정청은 신청에 구비서류의 미비 등 흠이 있는 경우 원칙상 형식적 · 절차적인 요건만을 보완요구하여야 하므로 실질적인 요건에 관한 흠이 민원인의 단순한 착오나 일시적인 사정 등에 기인한 경우에도 보완을 요구할 수 없다.

④ 사인의 공법행위는 원칙적으로 발신주의에 따라 그 효력이 발생한다.

관련기출

②

1. 주민등록전입신고자가 30일 이상 생활의 근거로 거주할 목적 이외에 다른 이해관계에 관한 의도를 가지고 있는지 여부, 무허가건축물의 관리, 전입신고를 수리함으로써 당해 지방자치단체에 미치는 영향 등과 같은 사유는 주민등록법이 아닌 다른 법률에 의하여 규율되어야 하고, 주민등록전입신고의 수리 여부를 심사하는 단계에서는 고려 대상이 될 수 없다. (○, ×) 2022 국회직 8급
2. 행정청은 전입신고자가 거주의 목적 이외에 다른 이해관계를 가지고 있는지 여부를 심사하여 주민등록법상 주민등록전입신고의 수리를 거부할 수 있다. (○, ×) 2017 사회복지직 9급
3. 주민등록전입신고의 수리 여부와 관련하여서는, 전입신고자가 거주의 목적 외에 다른 이해관계에 관한 의도를 가지고 있었는지 여부, 무허가건축물의 관리, 전입신고를 수리함으로써 당해 지방자치단체에 미치는 영향 등도 고려하여야 한다. (○, ×) 2017 지방직 7급

1. ○ 2. × 3. ×

③

1. 행정청은 사인의 신청에 구비서류의 미비와 같은 흠이 있는 경우 신청인에게 보완을 요구하여야 하는바, 이때 보완의 대상이 되는 흠은 원칙상 형식적 · 절차적 요건뿐만 아니라 실체적 발급요건상의 흠을 포함한다. (○, ×) 2022 지방직 7급

1. ×

① ×

공무원이 한 사직 의사표시의 철회나 취소는 그에 터잡은 의원면직처분이 있을 때까지 할 수 있는 것이고, 일단 면직처분이 있고 난 이후에는 철회나 취소할 여지가 없다는 것이 판례의 입장이다(대판 2001. 8. 24, 99두9971).

② ○

> 전입신고를 받은 시장 · 군수 또는 구청장의 심사대상은 전입신고자가 30일 이상 생활의 근거로 거주할 목적으로 거주지를 옮기는지 여부만으로 제한된다고 보아야 한다. 따라서 전입신고자가 거주의 목적 이외에 다른 이해관계에 관한 의도를 가지고 있는지 여부, 무허가건축물의 관리, 전입신고를 수리함으로써 당해 지방자치단체에 미치는 영향 등과 같은 사유는 주민등록법이 아닌 다른 법률에 의하여 규율되어야 하고, 주민등록전입신고의 수리 여부를 심사하는 단계에서는 고려대상이 될 수 없다(대판 2009. 6. 18, 2008두10997 전합).

③ **빈출** ×

보완의 대상이 되는 흠은 보완이 가능한 경우이어야 하고 그 내용도 형식적 · 절차적 요건이어야 하며, 실질적인 요건에 대하여는 원칙적으로 보완 요구를 하여야 하는 것은 아니다. 다만, 실질적인 요건에 흠이 있는 경우라도 그것이 민원인의 단순한 착오나 일시적인 사정에 의한 것이라면 보완의 대상이 되므로 보완을 요구하여야 한다는 것이 판례의 입장이다.

> **행정절차법 제17조【처분의 신청】** ⑤ 행정청은 신청에 구비서류의 미비 등 흠이 있는 경우에는 보완에 필요한 상당한 기간을 정하여 지체 없이 신청인에게 보완을 요구하여야 한다.

> 위 규정 소정의 보완의 대상이 되는 흠은 보완이 가능한 경우이어야 함은 물론이고, 그 내용 또한 형식적 · 절차적인 요건이거나, 실질적인 요건에 관한 흠이 있는 경우라도 그것이 민원인의 단순한 착오나 일시적인 사정 등에 기한 경우 등이라야 한다. 건축불허가처분을 하면서 그 사유의 하나로 소방시설과 관련된 소방서장의 건축부동의 의견을 들고 있으나 그 보완이 가능한 경우, 보완을 요구하지 아니한 채 곧바로 건축허가신청을 거부한 것은 재량권의 범위를 벗어난 것이다(대판 2004. 10. 15, 2003두6573).

④ ×

사인의 공법행위는 법률에 특별한 규정이 없는 한 민법과 마찬가지로 발신주의가 아니라 도달주의에 의함이 원칙이다.

정답 06 ②

07 정답률 88% 중 2023 소방직 9급

신고에 관한 설명으로 옳지 않은 것은? (다툼이 있는 경우 판례에 의함)

□□□ ① 법령 등에서 행정청에 일정한 사항을 통지함으로써 의무가 끝나는 신고를 규정하고 있는 경우, 신고가 법령 등에 규정된 형식상의 요건에 적합하면 신고서가 접수기관에 도달된 때에 신고의무가 이행된 것으로 본다.

□□□ ② 행정절차법에서는 수리를 요하는 신고를 규정하고 있고, 행정기본법에서는 수리를 요하지 않는 신고를 규정하고 있다.

□□□ ③ 법령 등으로 정하는 바에 따라 행정청에 일정한 사항을 통지하여야 하는 신고로서 법률에 신고의 수리가 필요하다고 명시되어 있는 경우에는 행정청이 수리하여야 효력이 발생한다.

□□□ ④ 유통산업발전법상 대규모점포의 개설 등록은 수리를 요하는 신고로서 행정처분에 해당한다.

① ○

자기완결적 신고의 경우 적법한 신고가 있으면 행정청의 수리 여부와 무관하게 신고서가 접수기관에 도달한 때 신고의무가 이행된 것으로 본다.

> **행정절차법 제40조【신고】** ① 법령 등에서 행정청에 일정한 사항을 통지함으로써 의무가 끝나는 신고를 규정하고 있는 경우 신고를 관장하는 행정청은 신고에 필요한 구비서류, 접수기관, 그 밖에 법령 등에 따른 신고에 필요한 사항을 게시(인터넷 등을 통한 게시를 포함한다)하거나 이에 대한 편람을 갖추어 두고 누구나 열람할 수 있도록 하여야 한다.
> ② 제1항에 따른 신고가 다음 각 호의 요건을 갖춘 경우에는 신고서가 접수기관에 도달된 때에 신고의무가 이행된 것으로 본다.
> 1. 신고서의 기재사항에 흠이 없을 것
> 2. 필요한 구비서류가 첨부되어 있을 것
> 3. 그 밖에 법령 등에 규정된 형식상의 요건에 적합할 것

② ×

서술이 바뀌어 있다. 행정절차법 제40조는 수리를 요하는 신고가 아니라 수리를 요하지 않는 신고를 규정하고 있다. 한편, 행정기본법 제34조는 수리를 요하는 신고에 대해 규정하고 있다.

③ ○

> **행정기본법 제34조【수리 여부에 따른 신고의 효력】** 법령 등으로 정하는 바에 따라 행정청에 일정한 사항을 통지하여야 하는 신고로서 법률에 신고의 수리가 필요하다고 명시되어 있는 경우(행정기관의 내부업무 처리절차로서 수리를 규정한 경우는 제외한다)에는 행정청이 수리하여야 효력이 발생한다.

④ ○

> 구 유통산업발전법 제12조의2 제1항, 제2항, 제3항은 기존의 대규모점포의 등록된 유형 구분을 전제로 '대형마트로 등록된 대규모점포'를 일체로서 규제 대상으로 삼고자 하는 데 취지가 있는 점, …… 등을 고려할 때 대규모점포의 개설 등록은 이른바 '수리를 요하는 신고'로서 행정처분에 해당한다(대판 2015. 11. 19, 2015두295 전합).

정답 07 ②

08 빈출 ⓢ

2022 국회직 8급

사인의 공법행위로서 신고에 대한 설명으로 옳지 않은 것은? (다툼이 있는 경우 판례에 의함)

□□□ ① 수리를 요하지 아니한 신고에 있어서 적법한 요건을 갖춘 신고의 경우에는 행정청의 수리처분 등 별단의 조치를 기다릴 필요 없이 그 접수시에 신고로서의 효력이 발생하는 것이므로 그 수리가 거부되었다고 하여 무신고영업이 되는 것은 아니다.

□□□ ② 기본행위인 사업의 양도·양수계약이 무효인 경우, 기본행위의 무효를 구함이 없이 곧바로 영업자지위승계신고수리처분에 대한 무효확인소송을 제기할 법률상 이익이 없다.

□□□ ③ 주민등록전입신고자가 30일 이상 생활의 근거로 거주할 목적 이외에 다른 이해관계에 관한 의도를 가지고 있는지 여부, 무허가건축물의 관리, 전입신고를 수리함으로써 당해 지방자치단체에 미치는 영향 등과 같은 사유는 주민등록법이 아닌 다른 법률에 의하여 규율되어야 하고, 주민등록전입신고의 수리 여부를 심사하는 단계에서는 고려대상이 될 수 없다.

□□□ ④ 허가대상건축물의 양수인이 형식적 요건을 갖추어 시장, 군수에게 적법하게 건축주의 명의변경을 신고한 때에는 시장, 군수는 그 신고를 수리하여야지 실체적인 이유를 내세워 그 신고의 수리를 거부할 수는 없다.

□□□ ⑤ 인·허가 의제 효과를 수반하는 건축신고는 일반적인 건축신고와는 달리, 특별한 사정이 없는 한 행정청이 그 실체적 요건에 관한 심사를 한 후 수리하여야 하는 이른바 '수리를 요하는 신고'로 보는 것이 옳다.

관련기출

②

1. 사업의 양도행위가 무효라고 주장하는 자가 민사쟁송으로 양도·양수행위의 무효를 구함이 없이 사업양도·양수에 따른 허가관청의 지위승계신고수리처분의 무효확인을 구할 경우, 그 법률상 이익이 있다. (○, ×)
2017 국가직(하) 7급

2. (甲은 「여객자동차 운수사업법」상 일반택시운송사업면허를 받아 사업을 운영하던 중, 자신의 사업을 乙에게 양도하고자 乙과 양도·양수계약을 체결하고 관련법령에 따라 乙이 사업의 양도·양수신고를 하였다) 사업의 양도·양수신고가 수리된 경우, 甲은 민사쟁송으로 양도·양수행위의 무효를 구함이 없이 곧바로 항고소송으로 신고수리의 무효확인을 구할 법률상 이익이 있다. (○, ×)
2017 지방직 7급

3. 사업양도·양수에 따른 지위승계신고가 수리된 경우 사업의 양도·양수가 무효라도 허가관청을 상대로 신고수리처분의 무효확인을 구할 수는 없다. (○, ×)
2017 사회복지직 9급

1. ○ 2. ○ 3. ×

① ○

자기완결적 신고의 경우 요건미비의 신고를 한 후 영업행위를 하는 것은 무신고영업에 해당할 것이지만 적법한 요건을 갖춘 신고를 한 후에는 행정청의 수리 등 별도의 조치를 기다릴 것 없이 신고의 효과가 발생하므로 행정청의 수리가 거부되었다고 하여 무신고영업이 되는 것은 아니라는 것이 판례의 입장이다(대판 1998. 4. 24, 97도3121).

② **빈출** 제40강 참조 ×

> **사업의 양도행위가 무효라고 주장하는 양도자가 양도·양수행위의 무효를 구함이 없이 사업양도·양수에 따른 허가관청의 지위승계신고수리처분의 무효확인을 구할 법률상 이익이 있다.**
>
> 사업양도·양수에 따른 허가관청의 지위승계신고의 수리는 적법한 사업의 양도·양수가 있었음을 전제로 하는 것이므로 그 수리대상인 사업양도·양수가 존재하지 아니하거나 무효인 때에는 수리를 하였다 하더라도 그 수리는 유효한 대상이 없는 것으로서 당연히 무효라 할 것이고, 사업의 양도행위가 무효라고 주장하는 양도자는 민사쟁송으로 양도·양수행위의 무효를 구함이 없이 막바로 허가관청을 상대로 하여 행정소송으로 위 신고수리처분의 무효확인을 구할 법률상 이익이 있다(대판 2005. 12. 23, 2005두3554).

③ ○

> 전입신고를 받은 시장·군수 또는 구청장의 심사대상은 전입신고자가 30일 이상 생활의 근거로 거주할 목적으로 거주지를 옮기는지 여부만으로 제한된다고 보아야 한다. 따라서 전입신고자가 거주의 목적 이외에 다른 이해관계에 관한 의도를 가지고 있는지 여부, 무허가건축물의 관리, 전입신고를 수리함으로써 당해 지방자치단체에 미치는 영향 등과 같은 사유는 주민등록법이 아닌 다른 법률에 의하여 규율되어야 하고, 주민등록전입신고의 수리 여부를 심사하는 단계에서는 고려대상이 될 수 없다(대판 2009. 6. 18, 2008두10997 전합).

④ 제13강 참조 ○

허가대상 건축물의 양수인이 구 건축법 시행규칙에 규정되어 있는 형식적 요건을 갖추어 시장·군수에게 적법하게 건축주의 명의변경을 신고한 때에는 시장·군수는 그 신고를 수리하여야지 실체적인 이유를 내세워 신고의 수리를 거부할 수 없다는 것이 판례의 입장이다(대판 1993. 10. 12, 93누883).

⑤ ○

건축법 제14조 제2항에 의한 인·허가 의제 효과를 수반하는 건축신고는 일반적인 건축신고와는 달리 행정청이 그 실체적 요건에 관한 심사를 한 후 수리하여야 하는 이른바 '수리를 요하는 신고'에 해당한다는 것이 판례의 입장이다(대판 2011. 1. 20, 2010두14954 전합).

정답 08 ②

09 중 2023 소방간부

신고에 관한 설명으로 옳은 것은? (다툼이 있는 경우 판례에 의함)

□□□ ① 「체육시설의 설치 · 이용에 관한 법률」상 당구장업은 적법한 요건을 갖춘 신고를 접수한 행정청의 수리행위가 있어야 신고로서의 효력이 발생한다.

□□□ ② 인 · 허가 의제의 효과를 수반하는 건축신고는 일반적인 건축신고와는 달리 특별한 사정이 없는 한 행정청이 그 실체적 요건에 관한 심사를 한 후 수리하여야 하는 신고이다.

□□□ ③ 봉안시설 설치신고가 「장사 등에 관한 법률」 관련규정의 모든 요건에 맞는 신고라 하더라도 신고인은 봉안시설을 곧바로 설치할 수는 없고 행정청의 수리행위가 있어야 하며 신고필증 교부행위가 필요하다.

□□□ ④ 사업양도 · 양수에 따른 허가관청의 지위승계신고의 수리에서 수리대상인 사업양도 · 양수가 존재하지 않거나 무효라 하더라도 수리행위가 당연무효는 아니라 할 것이므로 양도자는 허가관청을 상대로 위 신고수리처분의 무효확인소송을 제기할 수 없다.

□□□ ⑤ 수산업법 소정의 어업의 신고는 이른바 자기완결적 신고라 할 것이므로 관할관청의 적법한 수리가 없었다 하더라도 적법한 어업신고가 있는 것으로 볼 수 있다.

관련기출

⑤

1. 수산업법상 신고어업을 하려면 법령이 정한 바에 따라 관할행정청에 신고하여야 하고, 행정청의 수리가 있을 때에 비로소 법적 효과가 발생하게 된다. (○, ×) 2022 지방직 7급
2. 수산업법 제44조 소정의 어업신고는 수리를 요하는 신고이다. (○, ×) 2020 경행경채
3. 수산업법상의 어업의 신고는 행정청의 수리에 의하여 비로소 그 효과가 발생하는 이른바 '수리를 요하는 신고'에 해당한다. (○, ×) 2019 사회복지직 9급, 2017 서울시 9급
4. 수산업법상 어업신고를 적법하게 하였으나, 관할행정청이 수리를 거부한 경우에 신고의 효과가 발생한다. (○, ×) 2017 국가직(하) 7급

1. ○ 2. ○ 3. ○ 4. ×

① ×

「체육시설의 설치 · 이용에 관한 법률」 제10조, 제11조, 제22조, 같은 법 시행규칙 제8조 및 제25조의 각 규정에 의하면, 체육시설업은 등록체육시설업과 신고체육시설업으로 나누어지고, 당구장업과 같은 신고체육시설업을 하고자 하는 자는 체육시설업의 종류별로 같은 법 시행규칙이 정하는 해당 시설을 갖추어 소정의 양식에 따라 신고서를 제출하는 방식으로 시 · 도지사에 신고하도록 규정하고 있으므로, 소정의 시설을 갖추지 못한 체육시설업의 신고는 부적법한 것으로 그 수리가 거부될 수밖에 없고 그러한 상태에서 신고체육시설업의 영업행위를 계속하는 것은 무신고 영업행위에 해당할 것이지만, 이에 반하여 적법한 요건을 갖춘 신고의 경우에는 행정청의 수리처분 등 별단의 조처를 기다릴 필요 없이 그 접수시에 신고로서의 효력이 발생하는 것이므로 그 수리가 거부되었다고 하여 무신고 영업이 되는 것은 아니다(대판 1998. 4. 24, 97도3121).

② ○

건축법 제14조 제2항에 의한 인 · 허가 의제 효과를 수반하는 건축신고는 일반적인 건축신고와는 달리 행정청이 그 실체적 요건에 관한 심사를 한 후 수리하여야 하는 이른바 '수리를 요하는 신고'에 해당한다는 것이 판례의 입장이다(대판 2011. 1. 20, 2010두14954 전합).

③ ×

1. 납골당설치신고는 이른바 '수리를 요하는 신고'라 할 것이므로 이에 대한 행정청의 수리처분이 있어야만 신고한 대로 납골당을 설치할 수 있다.
2. 수리를 요하는 신고에서 수리란 신고를 유효한 것으로 판단하고 법령에 의하여 처리할 의사로 이를 수령하는 수동적 행위이므로 수리행위에 신고필증 교부 등 행위가 꼭 필요한 것은 아니다(대판 2011. 9. 8, 2009두6766).

④ 제40강 참조 ×

사업양도 · 양수에 따른 허가관청의 지위승계신고의 수리는 적법한 사업의 양도 · 양수가 있었음을 전제로 하는 것이므로 그 수리대상인 사업양도 · 양수가 존재하지 아니하거나 무효인 때에는 수리를 하였다 하더라도 그 수리는 유효한 대상이 없는 것으로서 당연히 무효라 할 것이고, 사업의 양도행위가 무효라고 주장하는 양도자는 민사쟁송으로 양도 · 양수행위의 무효를 구함이 없이 막바로 허가관청을 상대로 하여 행정소송으로 위 신고수리처분의 무효확인을 구할 법률상 이익이 있다는 것이 판례의 입장이다(대판 2005. 12. 23, 2005두3554).

⑤ **빈출** ×

수산업법 제44조(현 제48조)에 따른 어업신고는 행위요건적 신고(수리를 요하는 신고)이다.

어업의 신고에 관하여 유효기간을 설정하면서 그 기산점을 '수리한 날'로 규정하고, …… 어업의 신고를 한 자가 공익상 필요에 의하여 한 행정청의 조치에 위반한 경우에 어업의 신고를 수리한 때에 교부한 어업신고필증을 회수하도록 하고 있는 규정취지에 비추어 보면, 개정 수산업법 제44조 소정의 어업의 신고는 행정청의 수리에 의하여 비로소 그 효과가 발생하는 이른바 '수리를 요하는 신고'라고 할 것이다(대판 2000. 5. 26, 99다37382).

정답 09 ②

10 정답률 86% 중 2021 국가직 7급

행정법관계에 대한 설명으로 옳지 않은 것은? (다툼이 있는 경우 판례에 의함)

□□□ ① 행정에 관한 기간의 계산에 관하여는 행정기본법 또는 다른 법령 등에 특별한 규정이 있는 경우를 제외하고는 민법을 준용한다.

□□□ ② 구 산림법에 의해 형질변경허가를 받지 아니하고 산림을 형질변경한 자가 사망한 경우, 해당 토지의 소유권을 승계한 상속인은 그 복구의무를 부담하지 않으므로, 행정청은 그 상속인에 대하여 복구명령을 할 수 없다.

□□□ ③ 구 지방재정법에 의한 변상금 부과처분이 당연무효인 경우, 이 변상금 부과처분에 의하여 납부자가 납부한 오납금은 지방자치단체가 법률상 원인 없이 취득한 부당이득에 해당한다.

□□□ ④ 주민등록의 신고는 행정청에 도달하기만 하면 신고로서의 효력이 발생하는 것이 아니라 행정청이 수리한 경우에 비로소 신고의 효력이 발생한다.

관련기출

②

1. 구 산림법상 산림을 무단형질변경한 자가 사망한 경우 당해 토지의 소유권 또는 점유권을 승계한 상속인은 그 복구의무를 부담한다고 봄이 상당하다. (○, ×) 2018 국회직 8급, 2011 국회(속기·경위직) 9급

1. ○

① 제8강 참조 ○

> **행정기본법 제6조【행정에 관한 기간의 계산】** ① 행정에 관한 기간의 계산에 관하여는 이 법 또는 다른 법령 등에 특별한 규정이 있는 경우를 제외하고는 민법을 준용한다.

② **빈출** ×

> 1. 구 산림법령상 채석허가를 받은 자가 사망한 경우, 상속인이 그 지위를 승계한다.
> 2. 산림을 무단형질변경한 자가 사망한 경우, 원상회복명령에 따른 복구의무는 타인이 대신하여 행할 수 있는 의무로서 일신전속적 성질을 갖는 것이 아니므로 당해 토지의 소유권 또는 점유권을 승계한 상속인이 그 복구의무를 부담한다(대판 2005. 8. 19, 2003두9817 · 9824).

③ 제8강 참조 ○

> 지방재정법 제87조 제1항에 의한 변상금 부과처분이 당연무효인 경우에 이 변상금 부과처분에 의하여 납부자가 납부하거나 징수당한 오납금은 지방자치단체가 법률상 원인 없이 취득한 부당이득에 해당하고, 이러한 오납금에 대한 납부자의 부당이득반환청구권은 처음부터 법률상 원인이 없이 납부 또는 징수된 것이므로 '납부 또는 징수시'에 발생하여 확정되며, 그때부터 소멸시효가 진행한다(대판 2005. 1. 27, 2004다50143).

④ 제9강 참조 ○

> 주민등록신고는 수리를 요하는 신고로서 주민등록의 신고는 행정청에 도달하기만 하면 신고로서의 효력이 발생하는 것이 아니라 행정청이 수리한 경우에 비로소 신고의 효력이 발생한다(대판 2009. 1. 30, 2006다17850).

정답 10 ②

11 정답률 80% 중 2021 지방직 · 서울시 9급

신고에 대한 설명으로 옳은 것은? (다툼이 있는 경우 판례에 의함)

□□□ ① 구 관광진흥법에 의한 지위승계신고를 수리하는 허가관청의 행위는 사실적인 행위에 불과하여 항고소송의 대상이 되지 않는다.

□□□ ② 정보통신매체를 이용하여 학습비를 받고 불특정 다수인에게 원격평생교육을 실시하기 위해 구 평생교육법에서 정한 형식적 요건을 모두 갖추어 신고한 경우, 행정청은 신고대상이 된 교육이나 학습이 공익적 기준에 적합하지 않는다는 등의 실체적 사유를 들어 신고수리를 거부할 수 없다.

□□□ ③ 건축법에 의한 인 · 허가 의제 효과를 수반하는 건축신고는 건축을 하고자 하는 자가 적법한 요건을 갖춘 신고만 하면 건축을 할 수 있고, 행정청의 수리 등 별단의 조처를 기다릴 필요가 없다.

□□□ ④ 주민등록의 신고는 행정청에 도달하기만 하면 신고로서의 효력이 발생한다.

관련기출

①

1. 영업양도에 따른 지위승계신고를 수리하는 허가관청의 행위는 영업허가자의 변경이라는 법률효과를 발생시키는 행위로서 항고소송의 대상이 될 수 있다. (○, ×) 2013 국가직 7급

1. ○

②

1. 불특정 다수인을 대상으로 학습비를 받고 정보통신매체를 이용하여 원격평생교육을 실시하고자 하는 경우에는 누구든지 관계법령에 따라 이를 신고하여야 하나 신고서의 기재사항에 흠결이 없고 소정의 서류가 구비된 때에는 이를 수리하여야 한다. (○, ×) 2019 국회직 8급
2. 정보통신매체를 이용하여 원격평생교육을 불특정 다수인에게 학습비를 받고 실시하기 위해 인터넷 침 · 뜸 학습센터를 평생교육시설로 신고한 경우, 관할행정청은 신고서 기재사항에 흠결이 없고 형식적 요건을 모두 갖추었더라도 신고대상이 된 교육이나 학습이 공익적 기준에 적합하지 않는다는 등의 실체적 사유를 들어 신고수리를 거부할 수 있다. (○, ×) 2016 지방직 9급

1. ○ 2. ×

① ×

1. 구 관광진흥법 제8조 제4항에 의한 지위승계신고를 수리하는 허가관청의 행위는 단순히 양도 · 양수인 사이에 이미 발생한 사법상 사업양도의 법률효과에 의하여 양수인이 그 영업을 승계하였다는 사실의 신고를 접수하는 행위에 그치는 것이 아니라, 영업허가자의 변경이라는 법률효과를 발생시키는 행위이다.
2. 구 「체육시설의 설치 · 이용에 관한 법률」 제20조, 제27조에 의한 영업양수신고나 문화체육관광부령으로 정하는 체육시설업의 시설기준에 따른 필수시설인수신고를 수리하는 관계행정청의 행위는 항고소송의 대상이 되는 행정처분이다(대판 2012. 12. 13, 2011두29144).

② ○

1. 원격평생교육신고의 반려행위는 항고소송의 대상이 되는 행정처분이다.
2. 통신매체를 이용하여 학습비를 받고 불특정 다수인에게 원격평생교육을 실시하기 위해 구 평생교육법 제22조 등에서 정한 형식적 요건을 모두 갖추어 신고한 경우, 행정청이 실체적 사유를 들어 신고수리를 거부할 수 없다.

   구 평생교육법 제22조 제1 · 2 · 3항, 구 평생교육법 시행령 제27조 제1 · 2 · 3항에 의하면, 정보통신매체를 이용하여 학습비를 받지 아니하고 원격평생교육을 실시하고자 하는 경우에는 누구든지 아무런 신고 없이 자유롭게 이를 할 수 있고, 다만 위와 같은 교육을 불특정 다수인에게 학습비를 받고 실시하는 경우에는 이를 신고하여야 하나, 법 제22조가 신고를 요하는 제2항과 신고를 요하지 않는 제1항에서 '학습비' 수수 외에 교육 대상이나 방법 등 다른 요건을 달리 규정하고 있지 않을 뿐 아니라 제2항에서도 학습비 금액이나 수령 등에 관하여 아무런 제한을 하고 있지 않은 점에 비추어 볼 때, 행정청으로서는 신고서 기재사항에 흠결이 없고 정해진 서류가 구비된 때에는 이를 수리하여야 하고, 이러한 형식적 요건을 모두 갖추었음에도 신고대상이 된 교육이나 학습이 공익적 기준에 적합하지 않는다는 등 실체적 사유를 들어 신고수리를 거부할 수는 없다(대판 2011. 7. 28, 2005두11784).

③ ×

건축법 제14조 제2항에 의한 인 · 허가 의제 효과를 수반하는 건축신고는 일반적인 건축신고와는 달리 행정청이 그 실체적 요건에 관한 심사를 한 후 수리하여야 하는 이른바 '수리를 요하는 신고'에 해당한다는 것이 판례의 입장이다(대판 2011. 1. 20, 2010두14954 전합).

④ ×

주민등록신고는 수리를 요하는 신고로서 주민등록의 신고는 행정청에 도달하기만 하면 신고로서의 효력이 발생하는 것이 아니라 행정청이 수리한 경우에 비로소 신고의 효력이 발생한다는 것이 판례의 입장이다(대판 2009. 1. 30, 2006다17850).

정답 11 ②

12 정답률 85% 중 2019 지방직 · 교육행정직 9급

사인의 공법행위에 대한 설명으로 옳지 않은 것은? (다툼이 있는 경우 판례에 의함)

□□□ ① 부동산 투기나 이주대책 요구 등을 방지할 목적으로 주민등록전입신고를 거부하는 것은 주민등록법의 입법목적과 취지 등에 비추어 허용될 수 없다.

□□□ ② 구 의료법 시행규칙 제22조 제3항에 의하면 의원개설 신고서를 수리한 행정관청이 소정의 신고필증을 교부하도록 되어 있기 때문에 이와 같은 신고필증의 교부가 없으면 개설신고의 효력이 없다.

□□□ ③ 건축법상 건축신고 반려행위는 항고소송의 대상이 되는 행정처분에 해당한다.

□□□ ④ 식품위생법에 의한 영업양도에 따른 지위승계신고를 수리하는 허가관청의 행위는 단순히 양도 · 양수인 사이에 이미 발생한 사법상의 사업양도의 법률효과에 의하여 양수인이 그 영업을 승계하였다는 사실의 신고를 접수하는 행위에 그치는 것이 아니라, 영업허가자의 변경이라는 법률효과를 발생시키는 행위이다.

① ○

투기나 이주대책 요구 등을 방지할 목적으로 주민등록전입신고를 거부하는 것은 주민등록법의 입법목적과 취지 등에 비추어 허용될 수 없다는 것이 판례의 입장이다(대판 2009. 6. 18, 2008두10997 전합).

② ×

의료법 시행규칙 제22조 제3항 소정의 신고필증 교부는 신고사실의 확인행위로서 신고필증의 교부가 없다 하여 개설신고의 효력을 부정할 수 없다는 것이 판례의 입장이다(대판 1985. 4. 23, 84도2953).

③ ○

건축신고 반려행위는 항고소송의 대상이 된다는 것이 판례의 입장이다(대판 2010. 11. 18, 2008두167).

④ ○

> 식품위생법 제25조 제3항에 의한 영업양도에 따른 지위승계신고는 수리를 요하는 신고로서 이를 수리하는 행정청의 행위는 영업자의 변경이라는 법률효과를 발생시키는 행위이다.
>
> 식품위생법 제25조 제3항에 의한 영업양도에 따른 지위승계신고를 수리하는 허가관청의 행위는 단순히 양도 · 양수인 사이에 이미 발생한 사법상의 사업양도의 법률효과에 의하여 양수인이 그 영업을 승계하였다는 사실의 신고를 접수하는 행위에 그치는 것이 아니라, 영업허가자의 변경이라는 법률효과를 발생시키는 행위라고 할 것이다(대판 1995. 2. 24, 94누9146).

정답 12 ②

2025
써니 행정법총론
기출문제집

Sunny

제 2 편

행정작용법

제 10 강 법규명령

1회독	2회독	3회독
/	/	/

정답률 공단기/소방단기 합격예측 풀서비스 통계 데이터 기준 기 기본서 핵 핵심집약

01 법규명령 기 172~191쪽 핵 T 19~20

01 빈출 중 2023 소방승진

법규명령에 관한 설명으로 옳지 않은 것은? (다툼이 있는 경우 판례에 의함)

□□□ ① 법령의 위임이 없음에도 법령에 규정된 처분요건에 해당하는 사항을 부령에서 변경하여 규정한 경우, 그 부령은 행정조직 내부에서 적용되는 행정명령의 성격을 지닐 뿐이다.

□□□ ② 집행명령은 근거법령인 상위법령이 폐지 또는 개정될 경우, 특별한 규정이 없는 이상 실효된다.

□□□ ③ 상위법령에서 세부사항 등을 시행규칙으로 정하도록 위임하였음에도 이를 고시 등 행정규칙으로 정하였다면, 그 역시 대외적 구속력을 가지는 법규명령으로서 효력이 인정될 수 없다.

□□□ ④ 다른 집행행위의 매개 없이 그 자체로서 직접 국민의 구체적인 권리 · 의무나 법률관계를 규율하는 성격을 가질 때에는 행정처분에 해당한다.

관련기출

②

1. 상위법령의 시행을 위하여 제정한 집행명령은 그 상위법령이 개정되더라도 개정법령과 성질상 모순 · 저촉되지 않는 이상 여전히 그 효력을 가진다. (O, X) 2017 국회직 8급
2. 집행명령은 상위법령이 개정되더라도 개정법령과 성질상 모순 · 저촉되지 아니하고 개정된 상위법령의 시행에 필요한 사항을 규정하고 있는 이상, 개정법령의 시행을 위한 집행명령이 제정 · 발효될 때까지는 여전히 그 효력을 유지한다. (O, X) 2019 지방직 · 교육행정직 9급
3. 상위법령의 시행에 필요한 세부적 사항을 정하기 위하여 행정관청이 일반적 직권에 의하여 제정하는 이른바 집행명령은 근거법령인 상위법령이 폐지되면 특별한 규정이 없는 이상 실효된다. (O, X) 2011 국회직 8급

1. O 2. O 3. O

④

1. 조례가 집행행위의 개입 없이도 그 자체로서 직접 국민의 권리 · 의무나 법적 이익에 영향을 미치는 등의 법률상 효과를 발생하는 경우 그 조례는 항고소송의 대상이 되는 행정처분에 해당한다. (O, X) 2022 · 2021 소방직 9급, 2017 국회직 8급
2. 조례가 집행행위의 개입 없이 직접 국민의 구체적 권리 · 의무에 영향을 미치는 등의 효과를 발생하면 그 조례는 항고소송의 대상이 된다. (O, X) 2018 서울시 2회 7급

1. O 2. O

① 빈출 O

법령의 위임이 없음에도 법령에 규정된 처분요건에 해당하는 사항을 부령에서 변경하여 규정한 경우에는 그 부령의 규정은 행정청 내부의 사무처리 기준 등을 정한 것으로서 행정조직 내에서 적용되는 행정명령의 성격을 지닐 뿐 국민에 대한 대외적 구속력은 없다(대판 2013. 9. 12, 2011두10584).

② 빈출 X

집행명령은 상위법령이 폐지되면 실효되나, 개정됨에 그친 경우에는 상위법과 모순되지 않는 한 여전히 그 효력을 유지한다. 폐지와 개정을 구별하기 바란다.

1. 상위법령의 시행에 필요한 세부적 사항을 정한, 이른바 집행명령은 근거법령인 상위법령이 폐지되면 특별한 규정이 없는 한 실효된다.
2. 그러나 상위법령이 개정됨에 그친 경우에는 성질상 이와 모순 · 저촉되지 아니하는 한 개정된 상위법령의 시행을 위한 집행명령이 새로 제정 · 발효될 때까지는 여전히 그 효력을 유지한다(대판 1989. 9. 12, 88누6962).

③ 빈출 O

판례는 상위법령에서 시행규칙으로 정하도록 형식을 정해서 위임하였음에도 수임기관이 고시 등 행정규칙으로 정한 경우에는 대외적 구속력을 인정하지 않는다.

상위법령에서 세부사항 등을 시행규칙으로 정하도록 위임하였음에도 이를 고시 등 행정규칙으로 정한 경우, 대외적 구속력을 가지는 법규명령으로서 효력을 인정할 수는 없다.
법령의 규정이 특정 행정기관에게 법령내용의 구체적 사항을 정할 수 있는 권한을 부여하면서 권한행사의 절차나 방법을 특정하지 아니한 경우에는 수임 행정기관은 행정규칙이나 규정형식으로 법령내용이 될 사항을 구체적으로 정할 수 있다. 이 경우 행정규칙 등은 당해 법령의 위임한계를 벗어나지 않는 한 대외적 구속력이 있는 법규명령으로서 효력을 가지게 되지만, 이는 행정규칙이 갖는 일반적 효력이 아니라 행정기관에 법령의 구체적 내용을 보충할 권한을 부여한 법령규정의 효력에 근거하여 예외적으로 인정되는 것이다. 따라서 그 행정규칙이나 규정이 상위법령의 위임범위를 벗어난 경우에는 법규명령으로서 대외적 구속력을 인정할 여지는 없다. 이는 행정규칙이나 규정 '내용'이 위임범위를 벗어난 경우뿐 아니라 상위법령의 위임규정에서 특정하여 정한 권한행사의 '절차'나 '방식'에 위배되는 경우도 마찬가지이므로, 상위법령에서 세부사항 등을 시행규칙으로 정하도록 위임하였음에도 이를 고시 등 행정규칙으로 정하였다면 그 역시 대외적 구속력을 가지는 법규명령으로서 효력이 인정될 수 없다(대판 2012. 7. 5, 2010다72076).

④ 빈출 O

이른바 처분적 법규명령은 항고소송의 대상이 된다.

1. 법규명령이 처분성을 가지는 경우 그러한 명령의 취소를 법원에 청구할 수 있다(대판 1953. 8. 19, 53누37).
2. (두밀분교폐지조례 사건에서) 조례가 집행행위의 개입 없이도 그 자체로서 직접 국민의 구체적인 권리 · 의무나 법적 이익에 영향을 미치는 등의 법률상 효과를 발생하는 경우 그 조례는 항고소송의 대상이 되는 행정처분에 해당한다(대판 1996. 9. 20, 95누8003).

정답 01 ②

02 정답률 75% 중 2023 지방직 · 서울시 9급

행정입법의 사법적 통제에 대한 설명으로 옳지 않은 것은?

□□□ ① 중앙선거관리위원회규칙은 법규명령이므로 구체적 규범통제의 대상이 될 수 있다.

□□□ ② 처분적 법규명령은 무효등확인소송 또는 취소소송의 대상이 된다.

□□□ ③ 대법원 이외의 각급 법원도 구체적 규범통제의 방법으로 법규명령 조항에 대한 위헌 · 위법 판단을 할 수 있다.

□□□ ④ 행정입법부작위는 부작위위법확인소송의 대상이 된다.

관련기출

④

1. 특정다목적댐법에서 댐 건설로 손실을 입으면 국가가 보상해야 하고 그 절차와 방법은 대통령령으로 제정토록 명시되어 있음에도 미제정된 경우, 법령제정의 여부는 행정소송법상 부작위위법확인소송의 대상이 될 수 없다. (○, ×) 2023 국가직 9급
2. 부작위위법확인소송의 대상이 될 수 있는 것은 구체적 권리 · 의무에 관한 분쟁이어야 하고 추상적인 법령에 관하여 제정의 여부 등은 그 자체로서 국민의 구체적인 권리 · 의무에 직접적 변동을 초래하는 것이 아니어서 그 소송의 대상이 될 수 없다. (○, ×) 2022 지방직 7급, 2022 군무원 9급
3. 행정청이 행정입법 등 추상적인 법령을 제정하지 아니하는 행위는 법률이 시행되지 못하게 함으로써 행정입법을 통해 구체화되는 개인의 권리를 침해하는 것으로, 항고소송의 대상이 된다. (○, ×) 2022 소방직 9급
4. 추상적인 법령에 관한 제정의 여부 등은 그 자체로서 국민의 구체적인 권리 · 의무에 직접적 변동을 초래하는 것이 아니어서 부작위위법확인소송의 대상이 될 수 없다. (○, ×) 2022 소방간부
5. 행정입법의 부작위는 그 자체로서 국민의 구체적인 권리 · 의무에 직접적인 변동을 초래하는 것이어서 행정소송의 대상이 된다. (○, ×) 2020 경행경채

1. ○ 2. ○ 3. × 4. ○ 5. ×

① ○

구체적 규범통제 대상이 되는 헌법 제107조 제2항의 명령 · 규칙은 법규성을 가지는 명령 등을 의미한다. 헌법 제114조 제6항에 의하면 중앙선거관리위원회는 법령의 범위 안에서 선거관리, 국민투표관리 또는 정당사무에 관한 규칙을 제정할 수 있는바, 이러한 중앙선거관리위원회규칙은 헌법이 명시하고 있는 법규명령으로서 헌법 제107조 제2항의 구체적 규범통제의 대상이 된다.

> **헌법 제107조** ② 명령 · 규칙 또는 처분이 헌법이나 법률에 위반되는 여부가 재판의 전제가 된 경우에는 대법원은 이를 최종적으로 심사할 권한을 가진다.

② ○

행정소송법은 취소소송과 무효등확인소송의 대상을 '처분 등'으로 규정하고 있는데, 일반적 · 추상적 규범으로서의 법규명령은 '처분 등'의 개념에 포함되지 않으므로 원칙적으로 항고소송의 대상이 될 수 없다. 다만, 처분적 성질을 가지는 이른바 처분적 법규명령은 항고소송의 대상이 될 수 있으며, 우리 대법원도 이를 인정하고 있다.

> 1. 일반적 · 추상적 법령(재무부령(현 기획재정부령))은 행정소송의 대상이 될 수 없다(대판 1987. 3. 24, 86누656).
> 2. 법규명령이 처분성을 가지는 경우 그러한 명령의 취소를 법원에 청구할 수 있다(대판 1953. 8. 19, 53누37).

③ ○

헌법 제107조 제2항에서는 대법원이 최종적으로 심사한다고 규정함으로써 대법원 외에 1차적으로는 지방법원 · 고등법원도 모두 주체가 될 수 있음을 밝히고 있다. 따라서 규범통제의 주체는 각급 법원이 모두 될 수 있다.

④ **빈출** ×

> 추상적인 법령의 제정 여부 등은 부작위위법확인소송의 대상이 될 수 없다.
>
> 행정소송은 구체적 사건에 대한 법률상 분쟁을 법에 의하여 해결함으로써 법적 안정을 기하자는 것이므로 부작위위법확인소송의 대상이 될 수 있는 것은 구체적 권리 · 의무에 관한 분쟁이어야 하고 추상적인 법령에 관하여 제정의 여부 등은 그 자체로서 국민의 구체적인 권리 · 의무에 직접적 변동을 초래하는 것이 아니어서 그 소송의 대상이 될 수 없다(대판 1992. 5. 8, 91누11261).

정답 02 ④

03 정답률 84% 중 2023 지방직 · 서울시 9급

법치행정의 원칙에 대한 설명으로 옳지 않은 것은?

□□□ ① 규율대상이 국민의 기본권 및 기본적 의무와 관련한 중요성을 가질수록 그리고 그에 관한 공개적 토론의 필요성 또는 상충하는 이익 사이의 조정 필요성이 클수록, 그것이 국회의 법률에 의해 직접 규율될 필요성은 더 증대된다고 보아야 한다.

□□□ ② 법률의 시행령은 법률에 의한 위임 없이도 법률이 규정한 개인의 권리 · 의무에 관한 내용을 변경 · 보충하거나 법률에 규정되지 아니한 새로운 내용을 규정할 수 있다.

□□□ ③ 법률유보의 원칙은 '법률에 의한 규율'만을 요청하는 것이 아니라 '법률에 근거한 규율'을 요청하는 것이기 때문에 기본권의 제한에는 법률의 근거가 필요할 뿐이고 기본권제한의 형식이 반드시 법률의 형식일 필요는 없다.

□□□ ④ 행정작용은 법률에 위반되어서는 아니 되며, 국민의 권리를 제한하거나 의무를 부과하는 경우와 그 밖에 국민생활에 중요한 영향을 미치는 경우에는 법률에 근거해야 한다.

관련기출

②

1. 법률의 시행령은 법률에 의한 위임이 없는 한 법률이 규정한 개인의 권리 · 의무에 관한 내용을 변경 · 보충하거나 법률에 규정되지 아니한 새로운 내용을 규정할 수는 없다. (○, ×) 2022 경찰간부

1. ○

① 제2강 참조 ○

규율대상이 국민의 기본권 및 기본적 의무와 관련한 중요성을 가질수록 그리고 그에 관한 공개적 토론의 필요성 또는 상충하는 이익 사이의 조정 필요성이 클수록, 그것이 국회의 법률에 의해 직접 규율될 필요성은 더 증대된다는 것이 판례의 입장이다(대판 2020. 9. 3, 2016두32992 전합 ; 대판 2015. 8. 20, 2012두23808 전합).

② ×

> 법률의 시행령은 모법인 법률에 의하여 위임받은 사항이나 법률이 규정한 범위 내에서 법률을 현실적으로 집행하는 데 필요한 세부적인 사항만을 규정할 수 있을 뿐, 법률에 의한 위임이 없는 한 법률이 규정한 개인의 권리 · 의무에 관한 내용을 변경 · 보충하거나 법률에 규정되지 아니한 새로운 내용을 규정할 수는 없다(대판 2020. 9. 3, 2016두32992 전합).

③ 제2강 참조 ○

법률유보의 원칙은 '법률에 의한' 규율만을 뜻하는 것이 아니라 '법률에 근거한' 규율을 요청하는 것이므로 기본권제한의 형식이 반드시 법률의 형식일 필요는 없고 법률에 근거를 두면서 헌법 제75조가 요구하는 위임의 구체성과 명확성을 구비하기만 하면 위임입법에 의하여도 기본권제한을 할 수 있다는 것이 판례의 입장이다(헌재 2005. 2. 24, 2003헌마289).

④ **빈출** 제2강 참조 ○

> **행정기본법 제8조【법치행정의 원칙】** 행정작용은 법률에 위반되어서는 아니 되며, 국민의 권리를 제한하거나 의무를 부과하는 경우와 그 밖에 국민생활에 중요한 영향을 미치는 경우에는 법률에 근거하여야 한다.

정답 03 ②

대표

04 빈출 정답률 82% 중 2023 국가직 9급

행정입법에 대한 설명으로 옳지 않은 것은? (다툼이 있는 경우 판례에 의함)

□□□ ① 총리령 · 부령의 제정절차는 대통령령의 경우와는 달리 국무회의 심의는 거치지 않아도 된다.

□□□ ② 법령보충적 행정규칙은 물론이고 재량권행사의 준칙이 되는 행정규칙이 행정의 자기구속원리에 따라 대외적 구속력을 가지는 경우에는 헌법소원의 대상이 될 수 있다.

□□□ ③ 상위법령의 위임이 없음에도 상위법령에 규정된 처분요건에 해당하는 사항을 부령에서 변경하여 규정한 경우 그 부령의 규정은 국민에 대한 대외적 구속력이 있다.

□□□ ④ 특정다목적댐법에서 댐 건설로 손실을 입으면 국가가 보상해야 하고 그 절차와 방법은 대통령령으로 제정토록 명시되어 있음에도 미제정된 경우, 법령제정의 여부는 행정소송법상 부작위위법확인소송의 대상이 될 수 없다.

관련기출

③

1. 법령의 위임이 없음에도 법령에 규정된 처분 요건에 해당하는 사항을 부령에서 변경하여 규정한 경우, 그 부령은 행정조직 내부에서 적용되는 행정명령의 성격을 지닐 뿐이다. (○, ×) 2023 소방승진
2. 법령의 위임이 없음에도 법령에 규정된 처분 요건에 해당하는 사항을 부령에서 변경하여 규정한 경우에는 그 부령의 규정은 행정청 내부의 사무처리기준 등을 정한 것으로서 행정조직 내에서 적용되는 행정명령의 성격을 지닐 뿐 국민에 대한 대외적 구속력은 없다. (○, ×) 2023 국가직 7급
3. 법령의 위임이 없음에도 법령에 규정된 처분요건에 해당하는 사항을 부령에서 변경하여 규정한 경우에 처분의 적법 여부는 그러한 부령에서 정한 요건을 기준으로 판단하여야 한다. (○, ×) 2021 지방직 · 서울시 7급

1. ○ 2. ○ 3. ×

① ○

대통령령은 법제처 심사와 국무회의 심의를 거쳐야 하며, 총리령과 부령은 국무회의 심의를 거칠 필요는 없고 법제처의 심사를 거치면 된다.

> **헌법 제89조** 다음 사항은 국무회의의 심의를 거쳐야 한다.
> 3. 헌법개정안 · 국민투표안 · 조약안 · 법률안 및 대통령령안
>
> **정부조직법 제23조【법제처】** ① 국무회의에 상정될 법령안 · 조약안과 총리령안 및 부령안의 심사와 그 밖에 법제에 관한 사무를 전문적으로 관장하기 위하여 국무총리 소속으로 법제처를 둔다.

② 제11강 참조 ○

> 법령보충규칙 또는 재량준칙이 그 정한 바에 따라 되풀이 시행되어 행정관행이 이룩되게 되면, 평등의 원칙이나 신뢰보호의 원칙에 따라 행정기관은 그 상대방에 대한 관계에서 그 규칙에 따라야 할 자기구속을 당하게 되는 경우에는 대외적인 구속력을 가지게 되며, 이러한 경우에는 헌법소원의 대상이 될 수도 있다(헌재 2001. 5. 31, 99헌마413).

③ ×

> 법령의 위임이 없음에도 법령에 규정된 처분요건에 해당하는 사항을 부령에서 변경하여 규정한 경우에는 그 부령의 규정은 행정청 내부의 사무처리기준 등을 정한 것으로서 행정조직 내에서 적용되는 행정명령의 성격을 지닐 뿐 국민에 대한 대외적 구속력은 없다.
> 어떤 행정처분이 그와 같이 법규성이 없는 시행규칙 등의 규정에 위배된다고 하더라도 그 이유만으로 처분이 위법하게 되는 것은 아니라 할 것이고, 또 그 규칙 등에서 정한 요건에 부합한다고 하여 반드시 그 처분이 적법한 것이라고 할 수도 없다. 이 경우 처분의 적법 여부는 그러한 규칙 등에서 정한 요건에 합치하는지 여부가 아니라 일반국민에 대하여 구속력을 가지는 법률 등 법규성이 있는 관계법령의 규정을 기준으로 판단하여야 한다(대판 2013. 9. 12, 2011두10584).

④ ○

추상적인 법령에 관한 제정 여부 등은 그 자체로서 국민의 구체적인 권리 · 의무에 직접적 변동을 초래하는 것이 아니어서 부작위위법확인소송의 대상이 될 수 없다는 것이 판례의 입장이다.

> 원고는 안동지역댐 피해대책위원회 위원장으로서 안동댐 건설로 인하여 급격한 이상기후의 발생 등으로 많은 손실을 입어 왔는바, 특정다목적댐법 제41조에 의하면 다목적댐 건설로 인한 손실보상 의무가 국가에게 있고 같은 법 제42조에 의하면 손실보상 절차와 그 방법 등 필요한 사항은 대통령령으로 규정하도록 되어 있음에도 피고(대통령)가 이를 제정하지 아니한 것은 행정입법부작위에 해당하는 것이어서 그 부작위위법확인을 구한다고 주장하나, 행정소송은 구체적 사건에 대한 법률상 분쟁을 법에 의하여 해결함으로써 법적 안정을 기하자는 것이므로 부작위위법확인소송의 대상이 될 수 있는 것은 구체적 권리 · 의무에 관한 분쟁이어야 하고 추상적인 법령에 관하여 제정의 여부 등은 그 자체로서 국민의 구체적인 권리 · 의무에 직접적 변동을 초래하는 것이 아니어서 부작위위법확인소송의 대상이 될 수 없다(대판 1992. 5. 8, 91누11261).

정답 04 ③

05 중 2023 변호사

다음 사례에 관한 설명으로 옳은 것(○)과 옳지 않은 것(×)을 올바르게 조합한 것은? (다툼이 있는 경우 판례에 의함)

A법률이 해당 법률의 집행에 관한 특정한 사항을 부령에 위임하고 있음에도 관계 행정기관은 그에 따른 B부령을 제정하고 있지 않다.

□□□ ㉠ B부령의 제정이 없더라도 상위법령의 규정만으로 A법률의 집행이 이루어질 수 있는 경우라면 B부령을 제정하여야 할 작위의무는 인정되지 않는다.

□□□ ㉡ B부령을 제정하여야 할 작위의무가 인정되는 경우에는 B부령을 제정하지 않은 입법부작위에 대해 행정소송법상 부작위위법확인소송으로 다툴 수 있다.

□□□ ㉢ B부령을 제정하지 않은 입법부작위는 국가배상법상 국가배상청구의 요건인 공무원의 '직무'에 포함되지 않는다.

□□□ ㉣ 만일 B부령이 A법률의 위임 범위를 벗어나 제정되었다고 하더라도 사후에 A법률의 개정으로 위임의 근거가 부여되면 그때부터 B부령은 유효하게 된다.

① ㉠(○), ㉡(×), ㉢(×), ㉣(○)
② ㉠(○), ㉡(×), ㉢(○), ㉣(○)
③ ㉠(○), ㉡(○), ㉢(×), ㉣(○)
④ ㉠(×), ㉡(○), ㉢(○), ㉣(○)
⑤ ㉠(×), ㉡(×), ㉢(○), ㉣(×)

관련기출

㉠

1. 행정입법부작위가 위헌 또는 위법이라고 하기 위해서는 행정청에게 행정입법을 하여야 할 작위의무를 전제로 하는 것이므로, 만일 하위 행정입법의 제정 없이 상위법령의 규정만으로도 집행이 이루어질 수 있는 경우라면 행정청에게 하위 행정입법을 제정하여야 할 작위의무가 인정되지 않는다. (○, ×) 2021 국회직 8급
2. 하위 행정입법의 제정 없이 상위법령의 규정만으로도 집행이 이루어질 수 있는 경우라면 하위 행정입법을 하여야 할 헌법적 작위의무는 인정되지 않는다. (○, ×) 2020 경행경채
3. 행정입법부작위의 위헌·위법성과 관련하여, 하위 행정입법의 제정 없이 상위법령의 규정만으로 집행이 이루어질 수 있는 경우에도 상위법령의 명시적 위임이 있다면 하위 행정입법을 제정하여야 할 작위의무는 인정된다. (○, ×) 2016 지방직 9급
4. 집행명령이 없어도 법령이 시행될 수 있는 경우에는 특별한 규정이 없는 한 행정권에게 집행명령을 제정할 의무가 있다. (○, ×) 2006 서울시 9급

1. ○ 2. ○ 3. × 4. ×

㉠ 빈출 ○

행정입법부작위의 위헌·위법성과 관련하여 하위 행정입법의 제정 없이 상위법령의 규정만으로도 집행이 이루어질 수 있는 경우라면 하위 행정입법을 제정하여야 할 작위의무는 인정되지 아니한다고 할 것이다(헌재 2005. 12. 22, 2004헌마66).

㉡ ×

추상적인 법령에 관한 제정 여부 등은 그 자체로서 국민의 구체적인 권리·의무에 직접적 변동을 초래하는 것이 아니어서 부작위위법확인소송의 대상이 될 수 없다는 것이 판례의 입장이다(대판 1992. 5. 8, 91누11261).

㉢ 빈출 ×

행정입법부작위로 인해 손해가 발생한 경우 손해배상청구의 요건을 충족하면 손해배상청구가 가능하다.

1. 입법부가 법률로써 행정부에게 특정한 사항을 위임했음에도 불구하고 행정부가 정당한 이유 없이 이를 이행하지 않는다면 권력분립의 원칙과 법치국가 내지 법치행정의 원칙에 위배되는 것으로서 위법함과 동시에 위헌적인 것이 된다.
2. 법률에서 군법무관의 보수의 구체적 내용을 시행령에 위임했음에도 불구하고 행정부가 정당한 이유 없이 시행령을 제정하지 않은 것은 불법행위에 해당하여 국가배상청구가 가능하다.
3. 행정입법부작위로 인하여 손해가 발생한 경우에 과실이 인정되는 경우에는 국가배상청구가 가능하다(대판 2007. 11. 29, 2006다3561).

㉣ ○

1. 일반적으로 법률의 위임에 의하여 효력을 갖는 법규명령의 경우, 구법에 위임의 근거가 없어 무효였더라도 사후에 법개정으로 위임의 근거가 부여되면 그때부터는 유효한 법규명령이 된다.
2. 그리고 구법의 위임에 의한 유효한 법규명령이 법개정으로 위임의 근거가 없어지게 되면 그때부터 무효인 법규명령이 된다.
3. 따라서 어떤 법령의 위임근거 유무에 따른 유효 여부를 심사하려면 법개정의 전·후에 걸쳐 모두 심사하여야만 그 법규명령의 시기에 따른 유효·무효를 판단할 수 있다(대판 1995. 6. 30, 93추83).

정답 05 ①

06 정답률 86% 중 2022 지방직 7급

행정입법에 대한 설명으로 옳지 않은 것은? (다툼이 있는 경우 판례에 의함)

□□□ ① 행정기관 내부의 사무처리준칙에 불과한 행정규칙은 공포되어야 하는 것은 아니므로 특별한 규정이 없는 한, 수명기관에 도달된 때부터 효력이 발생한다.

□□□ ② 부작위위법확인소송의 대상이 될 수 있는 것은 구체적 권리·의무에 관한 분쟁이어야 하고 추상적인 법령에 관하여 제정의 여부 등은 그 자체로서 국민의 구체적인 권리·의무에 직접적 변동을 초래하는 것이 아니어서 그 소송의 대상이 될 수 없다.

□□□ ③ 부령에서 제재적 행정처분의 기준을 정하였다고 하더라도 이에 관한 처분의 적법 여부는 부령에 적합한 것인가의 여부에 따라 판단할 것이 아니라 처분의 근거법률의 규정 및 그 취지에 적합한 것인가의 여부에 따라 판단하여야 한다.

□□□ ④ 법률이 공법적 단체 등의 정관에 자치법적 사항을 위임한 경우에도 원칙적으로 헌법 제75조가 정하는 포괄적인 위임입법금지원칙이 적용되므로 이와 별도로 법률유보 내지 의회유보의 원칙을 적용할 필요는 없다.

관련기출

④

1. 법률이 공법적 단체 등의 정관에 자치법적 사항을 위임한 경우에는 헌법 제75조가 정하는 포괄적인 위임입법의 금지는 원칙적으로 적용되지 않지만, 그 사항이 국민의 권리·의무에 관련되는 것일 경우에는 적어도 국민의 권리·의무에 관한 기본적이고 본질적인 사항은 국회가 정하여야 한다. (○, ×) 2021 국가직 9급
2. 법률이 공법적 단체 등의 정관에 자치법적 사항을 위임한 경우에도 헌법 제75조가 정하는 포괄적인 위임입법의 금지는 원칙적으로 적용된다. (○, ×) 2020 군무원 7급
3. 법률이 공법적 단체 등의 정관에 자치법적인 사항을 위임한 경우, 포괄적 위임입법금지가 원칙적으로 적용된다. (○, ×) 2020 소방직 9급
4. 헌법재판소는 법률이 공법적 단체 등의 정관에 자치법적 사항을 위임하는 경우에는 의회유보원칙이 적용될 여지가 없다고 한다. (○, ×) 2019 서울시 9급

1. ○ 2. × 3. × 4. ×

① ○

행정규칙은 법규명령과 달리 공포라는 형식이 필요한 것은 아니고 복사본 교부 등 적당한 방법으로 수명(受命)기관에 도달됨으로써 효력이 발생한다.

② ○

추상적인 법령에 관한 제정 여부 등은 그 자체로서 국민의 구체적인 권리·의무에 직접적 변동을 초래하는 것이 아니어서 부작위위법확인소송의 대상이 될 수 없다는 것이 판례의 입장이다(대판 1992. 5. 8, 91누11261).

③ ○

부령형식으로 정해진 제재적 처분기준은 행정규칙에 불과하다(제11강 참조).

1. 식품위생법 제58조 제1항에 의한 제재적 처분의 기준을 정한 같은 법 시행규칙 제53조는 행정규칙에 불과하므로 행정처분이 이에 위반되었다고 하여 곧바로 위법한 것으로 되지는 않는다.
2. 즉, 처분의 적법 여부는 위 규칙에 적합한 것인가의 여부에 따라 판단할 것이 아니라 위 법의 규정 및 그 취지에 적합한 것인가의 여부에 따라 판단하여야 한다.

   식품위생법 시행규칙 제53조에서 [별표 15]로 식품위생법 제58조에 따른 행정처분의 기준을 정하였다고 하더라도 이는 형식만 부령으로 되어 있을 뿐, 그 성질은 행정기관 내부의 사무처리준칙을 정한 것으로서 행정명령의 성질을 가지는 것이고, 대외적으로 국민이나 법원을 기속하는 힘이 있는 것은 아니므로 식품위생법 제58조 제1항에 의한 처분의 적법 여부는 위 규칙에 적합한 것인가의 여부에 따라 판단할 것이 아니라 위 법의 규정 및 그 취지에 적합한 것인가의 여부에 따라 판단하여야 한다는 것이 당원의 확립된 견해이다(대판 1995. 3. 28, 94누6925).

④ **빈출** ×

법률이 공법적 단체 등의 정관에 자치법적 사항을 위임한 경우에도 법률유보 내지 의회유보의 원칙은 적용된다.

1. 법률이 자치적인 사항을 정관에 위임할 경우 원칙적으로 헌법상의 포괄위임입법금지원칙이 적용되지 않는다.
2. 다만, 그 사항이 국민의 권리·의무에 관련되는 것일 경우에는, 적어도 국민의 권리와 의무의 형성에 관한 사항을 비롯하여 국가의 통치조직과 작용에 관한 기본적이고 본질적인 사항은 반드시 국회가 정하여야 한다는 법률유보 내지 의회유보의 원칙이 지켜져야 할 것이다(헌재 2006. 3. 30, 2005헌바31).

정답 06 ④

07 빈출 정답률 80% 중 2022 지방직 · 서울시 9급

행정입법에 대한 설명으로 옳지 않은 것은? (다툼이 있는 경우 판례에 의함)

□□□ ① 자치조례에 대한 법률의 위임은 반드시 구체적으로 범위를 정하여 할 필요가 없으며 포괄적인 것으로 족하다.

□□□ ② 부령형식으로 정해진 제재적 행정처분의 기준은 법규성이 있어서 대외적으로 국민이나 법원을 기속하는 효력이 있다.

□□□ ③ 고시가 법령의 수권에 의하여 법령을 보충하는 사항을 정하는 경우 위임의 한계를 벗어나지 않는 한 그 근거 법령과 결합하여 대외적으로 구속력이 있는 법규명령으로서의 효력을 가진다.

□□□ ④ 법률의 시행령이 형사처벌에 관한 사항을 규정하면서 법률의 명시적인 위임범위를 벗어나 처벌의 대상을 확장하는 것은 위임입법의 한계를 벗어난 것으로 그 시행령은 무효이다.

관련기출

①

1. 헌법재판소에 따르면 지방자치단체의 조례에 대한 법률의 위임은 법규명령에 대한 위임과 달리 반드시 구체적으로 범위를 정하여야 할 필요가 없고 포괄적인 것으로 족하다. (○, ×) 2022 국회직 8급
2. 조례에 대한 법률의 위임은 법규명령에 대한 법률의 위임과 같이 반드시 구체적으로 범위를 정하여 할 필요가 없으며 포괄적인 것으로 족하다. (○, ×) 2020 군무원 7급
3. 조례에 대한 법률의 위임은 반드시 구체적으로 범위를 정하여 해야 한다. (○, ×) 2018 서울시 2회 7급

1. ○ 2. ○ 3. ×

③

1. 상위법령의 위임에 의하여 정하여진 행정규칙은 위임한계를 벗어나지 아니하는 한 그 상위법령의 규정과 결합하여 대외적인 구속력이 있는 법규명령으로서의 효력을 갖게 된다. (○, ×) 2020 군무원 9급
2. 행정규칙인 고시가 법령의 수권에 의해 법령을 보충하는 사항을 정하는 경우에는 법령보충적 고시로서 근거법령규정과 결합하여 대외적으로 구속력을 가진다. (○, ×) 2019 국가직 7급
3. 법령의 규정이 특정 행정기관에 그 법령내용의 구체적 사항을 정할 수 있는 권한을 부여하면서 그 권한행사의 절차나 방법을 특정하고 있지 아니한 관계로 수임행정기관이 행정규칙의 형식으로 그 법령의 내용이 될 사항을 구체적으로 정하고 있다면 그와 같은 행정규칙은 행정기관에 법령의 구체적 내용을 보충할 권한을 부여한 법령규정의 효력에 의하여 그 내용을 보충하는 기능을 갖게 된다. (○, ×) 2019 서울시 1회 7급

1. ○ 2. ○ 3. ○

④

1. 법률의 시행령이 형사처벌에 관한 사항을 규정하면서 법률의 명시적인 위임범위를 벗어나 처벌의 대상을 확장하는 것은 죄형법정주의원칙에 어긋나는 것이므로, 그러한 시행령은 위임입법의 한계를 벗어난 것으로서 무효이다. (○, ×) 2017 지방직 9급

1. ○

① **빈출** ○

> 조례에 대한 법률의 위임은 법규명령에 대한 법률의 위임과 같이 반드시 구체적으로 범위를 정하여야 할 필요가 없으며 포괄적인 것으로 족하다.
>
> 조례의 제정권자인 지방의회는 선거를 통해서 그 지역적인 민주적 정당성을 지니고 있는 주민의 대표기관이고, 헌법이 지방자치단체에 대해 포괄적인 자치권을 보장하고 있는 취지로 볼 때 조례제정권에 대한 지나친 제약은 바람직하지 않으므로 조례에 대한 법률의 위임은 법규명령에 대한 법률의 위임과 같이 반드시 구체적으로 범위를 정하여야 할 필요가 없으며 포괄적인 것으로 족하다고 할 것이다(헌재 1995. 4. 20, 92헌마264 등).

② 제11강 참조 ×

판례는 부령형식으로 정해진 제재적 처분기준은 그 성질과 내용이 행정내부의 사무처리기준을 규정한 것에 불과하므로 행정규칙의 성질을 가지며 대외적으로 국민이나 법원을 구속하는 것은 아니라고 보고 있다.

> 제재적 행정처분의 기준이 부령의 형식으로 규정되어 있더라도 그것은 행정청 내부의 사무처리준칙을 정한 것에 지나지 아니하여 대외적으로 국민이나 법원을 기속하는 효력이 없다(대판 2007. 9. 20, 2007두6946 ; 대판 2018. 5. 15, 2016두57984).

③ **빈출** 제11강 참조 ○

판례는 형식은 행정규칙이지만 내용적으로는 법률을 보충하는 법규명령의 성질을 띤 행정규칙(법령보충규칙)에 대해 수권법령(상위법)과 결합하여 대외적인 구속력이 있는 법규명령으로서의 효력을 갖는다고 본다. 예컨대 행정규칙인 고시가 법령의 수권에 의해 법령을 보충하는 사항을 정하는 경우에는 법령보충적 고시로서 근거법령규정과 결합하여 대외적으로 구속력을 가진다.

> 1. 법령보충적 행정규칙은 그 자체로서 직접적으로 대외적인 구속력을 갖는 것은 아니나 상위법령과 결합되어 일체가 되는 한도 내에서 상위법령의 일부가 됨으로써 대외적 구속력이 발생된다.
>   이른바 법령보충적 행정규칙이라도 그 자체로서 직접적으로 대외적인 구속력을 갖는 것은 아니다. 즉, 상위법령과 결합되어 일체가 되는 한도 내에서 상위법령의 일부가 됨으로써 대외적 구속력이 발생되는 것일 뿐 그 행정규칙 자체는 대외적 구속력을 갖는 것은 아니라 할 것이다(헌재 2004. 10. 28, 99헌바91).
> 2. 법령의 규정이 특정 행정기관에 그 법령내용의 구체적 사항을 정할 수 있는 권한을 부여하면서 권한행사의 절차나 방법을 특정하고 있지 않은 관계로 수임행정기관이 행정규칙의 형식으로 법령의 내용이 될 사항을 구체적으로 정하고 있는 경우, 그러한 행정규칙, 규정은 행정조직 내부에서만 효력을 가질 뿐 대외적인 구속력을 갖지 않는 행정규칙의 일반적 효력으로서가 아니라, 행정기관에 법령의 구체적 내용을 보충할 권한을 부여한 법령규정의 효력에 의하여 그 내용을 보충하는 기능을 갖게 되고, 따라서 당해 법령의 위임한계를 벗어나지 아니하는 한 그것들과 결합하여 대외적인 구속력이 있는 법규명령으로서의 효력을 갖게 된다(대판 1998. 6. 9, 97누19915).

④ ○

> 법률의 시행령이 형사처벌에 관한 사항을 규정하면서 법률의 명시적인 위임범위를 벗어나 처벌의 대상을 확장하는 것은 죄형법정주의의 원칙에도 어긋나는 것이므로, 그러한 시행령은 위임입법의 한계를 벗어난 것으로서 무효이다(대판 2017. 2. 16, 2015도16014 전합).

정답 07 ②

08 **빈출** 정답률 70% 중 2022 소방직 9급

행정입법에 대한 설명으로 옳지 않은 것은? (다툼이 있는 경우 판례에 의함)

□□□ ① 법률의 시행령이나 시행규칙은 법률의 위임이 없으면 개인의 권리 · 의무에 관한 내용을 변경 · 보충하거나 법률이 규정하지 아니한 새로운 내용을 정할 수는 없으므로, 모법에 이에 관하여 직접 위임하는 규정을 두지 아니하였다면 당연히 이를 무효라고 보아야 한다.

□□□ ② 법률에서 군법무관의 보수의 구체적 내용을 시행령에 위임했음에도 불구하고 행정부가 정당한 이유 없이 시행령을 제정하지 않은 것은 불법행위이므로 이에 대하여 국가배상청구를 할 수 있다.

□□□ ③ 일반적으로 법률의 위임에 따라 효력을 갖는 법규명령의 경우에 위임의 근거가 없어 무효였더라도 나중에 법개정으로 위임의 근거가 부여되면 그때부터는 유효한 법규명령으로 볼 수 있다.

□□□ ④ 행정처분이 법규성이 없는 내부지침 등의 규정에 위배된다고 하더라도 그 이유만으로 처분이 위법하게 되는 것은 아니며, 내부지침 등에서 정한 요건에 부합한다고 하여 반드시 그 처분이 적법한 것이라고 할 수도 없다.

관련기출

①

1. 법률의 시행령이나 시행규칙의 내용이 모법의 입법취지와 관련조항 전체를 유기적 · 체계적으로 살펴보아 모법의 해석상 가능한 것을 명시한 것에 지나지 아니하는 때에는 모법에 이에 관하여 직접 위임하는 규정을 두지 아니하였다고 하더라도 이를 무효라고 볼 수는 없다. (○, ×)
   2021 국가직 7급, 2017 국가직(하) 9급
2. 법률의 시행령 내용이 모법 조항의 취지에 근거하여 이를 구체화하기 위한 것인 때에는 모법에 직접 위임하는 규정을 두지 않았더라도 이를 무효라고 볼 수 없다. (○, ×) 2021 지방직 · 서울시 9급
3. 법률의 시행령이나 시행규칙의 내용이 모법 조항의 취지에 근거하여 이를 구체화하기 위한 것인 때에는 모법의 규율범위를 벗어난 것으로 볼 수 없다. 이러한 경우에는 모법에 이에 관하여 직접 위임하는 규정을 두지 않았다고 하여도 이를 무효라고 볼 수 없다. (○, ×) 2021 국가직 9급

1. ○ 2. ○ 3. ○

① **빈출** ×

법률의 시행령이나 시행규칙은 법률에 의한 위임이 없으면 개인의 권리 · 의무에 관한 내용을 변경 · 보충하거나 법률이 규정하지 아니한 새로운 내용을 정할 수는 없지만, 법률의 시행령이나 시행규칙의 내용이 모법의 입법취지와 관련조항 전체를 유기적 · 체계적으로 살펴보아 모법의 해석상 가능한 것을 명시한 것에 지나지 않거나 모법 조항의 취지에 근거하여 이를 구체화하기 위한 것인 경우, 모법에 직접 위임하는 규정을 두지 않았다고 하여 무효라고 볼 수는 없다(대판 2014. 8. 20, 2012두19526).

② ○

법률에서 군법무관의 보수의 구체적 내용을 시행령에 위임했음에도 불구하고 행정부가 정당한 이유 없이 시행령을 제정하지 않은 것은 불법행위에 해당하여 국가배상청구가 가능하다는 것이 판례의 입장이다(대판 2007. 11. 29, 2006다3561).

③ ○

일반적으로 법률의 위임에 의하여 효력을 갖는 법규명령의 경우, 구법에 위임의 근거가 없어 무효였더라도 사후에 법개정으로 위임의 근거가 부여되면 그때부터는 유효한 법규명령이 된다는 것이 판례의 입장이다(대판 1995. 6. 30, 93추83).

④ 제11강 참조 ○

1. 행정처분이 법규성이 없는 내부지침 등의 규정에 위배된다고 하더라도 그 이유만으로 처분이 위법하게 되는 것은 아니고, 또 내부지침 등에서 정한 요건에 부합한다고 하여 반드시 그 처분이 적법한 것이라고 할 수도 없다.
2. 처분의 적법 여부는 그러한 내부지침 등에서 정한 요건에 합치하는지 여부가 아니라 일반국민에 대하여 구속력을 가지는 법률 등 법규성이 있는 관계법령의 규정을 기준으로 판단하여야 한다(대판 2018. 6. 15, 2015두40248).

정답 08 ①

09 정답률 88% 중 2021 국가직 7급

행정입법에 대한 판례의 입장으로 옳지 않은 것은?

□□□ ① 고시가 비록 법령에 근거를 둔 것이더라도 규정내용이 법령의 위임범위를 벗어난 것일 경우에는 법규명령으로서의 대외적 구속력을 인정할 여지는 없다.

□□□ ② 법률의 위임에 따라 효력을 갖는 법규명령의 경우에 위임의 근거가 없어 무효였더라도 나중에 법개정으로 위임의 근거가 다시 부여된 경우에는 이전부터 소급하여 유효한 법규명령이 있었던 것으로 본다.

□□□ ③ 어떠한 고시가 다른 집행행위의 매개 없이 그 자체로서 직접 국민의 구체적인 권리·의무나 법률관계를 규율하는 성격을 가질 때에는 행정처분에 해당한다.

□□□ ④ 법률의 시행령이나 시행규칙의 내용이 모법의 입법취지와 관련조항 전체를 유기적·체계적으로 살펴보아 모법의 해석상 가능한 것을 명시한 것에 지나지 아니하는 때에는 모법에 이에 관하여 직접 위임하는 규정을 두지 아니하였다고 하더라도 이를 무효라고 볼 수는 없다.

관련기출

③

1. 고시가 다른 집행행위의 매개 없이 그 자체로서 직접 국민의 구체적인 권리·의무나 법률관계를 규율하는 성격을 가질 때에는 항고소송의 대상이 되는 행정처분에 해당한다. (○, ×) 2023 행정사
2. 고시가 집행행위 매개 없이 그 자체로서 이해당사자의 법률관계를 직접 규율하는 경우 취소소송의 대상이 되는 처분에 해당한다. (○, ×) 2022 군무원 9급 변형
3. 행정규칙인 고시가 집행행위의 개입 없이도 그 자체로서 국민의 구체적인 권리·의무에 직접적인 변동을 초래하는 경우에는 항고소송의 대상이 된다. (○, ×) 2017 국회직 8급
4. 어떠한 고시가 일반적·추상적 성격을 가질 때에는 법규명령 또는 행정규칙에 해당할 것이지만, 다른 집행행위의 매개 없이 그 자체로서 직접 국민의 구체적인 권리·의무나 법률관계를 규율하는 성격을 가질 때에는 항고소송의 대상이 되는 행정처분에 해당한다. (○, ×) 2017 서울시 7급

1. ○ 2. ○ 3. ○ 4. ○

① ○

> 행정각부의 장이 정하는 고시가 비록 법령에 근거를 둔 것이라고 하더라도 그 규정내용이 법령의 위임범위를 벗어난 것일 경우에는 법규명령으로서의 대외적 구속력을 인정할 여지는 없다(대결 2006. 4. 28, 2003마715).

② ×

일반적으로 법률의 위임에 따라 효력을 갖는 법규명령의 경우에 위임의 근거가 없어 무효였더라도 나중에 법개정으로 위임의 근거가 부여되면 그때부터는 유효한 법규명령으로 볼 수 있다는 것이 판례의 입장이다(대판 2017. 4. 20, 2015두45700 전합).

③ **빈출** ○

> 어떠한 고시가 일반적·추상적 성격을 가질 때에는 법규명령 또는 행정규칙에 해당할 것이지만, 다른 집행행위의 매개 없이 그 자체로서 직접 국민의 구체적인 권리·의무나 법률관계를 규율하는 성격을 가질 때에는 행정처분에 해당한다(대판 2006. 9. 22, 2005두2506).

④ ○

법률의 시행령이나 시행규칙의 내용이 모법의 입법취지와 관련조항 전체를 유기적·체계적으로 살펴보아 모법의 해석상 가능한 것을 명시한 것에 지나지 않거나 모법 조항의 취지에 근거하여 이를 구체화하기 위한 것인 경우, 모법에 직접 위임하는 규정을 두지 않았다고 하여 무효라고 볼 수는 없다는 것이 판례의 입장이다(대판 2014. 8. 20, 2012두19526).

정답 09 ②

10 **빈출** 정답률 73% 중 2020 소방직 9급

행정입법에 대한 설명으로 옳은 내용만을 모두 고른 것은? (다툼이 있는 경우 판례에 의함)

> □□□ ㉠ 위임명령이 위임내용을 구체화하는 단계를 벗어나 새로운 입법을 한 것으로 평가할 수 있다면, 위임의 한계를 벗어난 것으로서 허용되지 않는다.
>
> □□□ ㉡ 법률이 공법적 단체 등의 정관에 자치법적인 사항을 위임한 경우, 포괄적 위임입법금지가 원칙적으로 적용된다.
>
> □□□ ㉢ 상급행정기관이 하급행정기관에 대하여 업무처리지침이나 법령의 해석 · 적용에 관한 기준을 정하여 발하는 이른바 행정규칙은 일반적으로 대외적 구속력을 갖는다.

① ㉠ ② ㉠, ㉡
③ ㉠, ㉢ ④ ㉡, ㉢

㉠ ○

> 위임명령이 위임 내용을 구체화하는 단계를 벗어나 새로운 입법을 한 것으로 평가할 수 있다면, 이는 위임의 한계를 일탈한 것으로서 허용되지 않는다.
>
> 법률이 특정 사안과 관련하여 시행령에 위임을 한 경우 시행령이 위임의 한계를 준수하고 있는지를 판단할 때는 당해 법률규정의 입법목적과 규정 내용, 규정의 체계, 다른 규정과의 관계 등을 종합적으로 살펴야 한다. 법률의 위임규정 자체가 그 의미내용을 정확하게 알 수 있는 용어를 사용하여 위임의 한계를 분명히 하고 있는데도 시행령이 그 문언적 의미의 한계를 벗어났다든지, 위임규정에서 사용하고 있는 용어의 의미를 넘어 그 범위를 확장하거나 축소함으로써 위임내용을 구체화하는 단계를 벗어나 새로운 입법을 한 것으로 평가할 수 있다면, 이는 위임의 한계를 일탈한 것으로서 허용되지 않는다(대판 2012. 12. 20, 2011두30878 전합).

㉡ ×

법률이 공법적 단체 등의 정관에 자치법적 사항을 위임한 경우 헌법 제75조가 정하는 포괄위임입법금지원칙은 적용되지 않는다는 것이 판례의 입장이다(대판 2007. 10. 12, 2006두14476).

㉢ ×

> 상급행정기관이 하급행정기관에 대하여 업무처리지침이나 법령의 해석 · 적용에 관한 기준을 정하여 발하는 이른바 행정규칙은 일반적으로 행정조직 내부에서만 효력을 가질 뿐 대외적인 구속력을 갖는 것은 아니다(대판 1998. 6. 9, 97누19915).

정답 10 ①

11 정답률 66% 중 2019 국가직 9급 변형

행정입법에 대한 설명으로 옳은 것은? (다툼이 있는 경우 판례에 의함)

□□□ ① 상위법령 등의 단순한 집행을 위해 총리령을 제정하려는 경우, 행정상 입법예고를 하지 아니할 수 있다.

□□□ ② 특히 긴급한 필요가 있거나 미리 법률로 자세히 정할 수 없는 부득이한 사정이 있어 법률에 형벌의 종류·상한·폭을 명확히 규정하더라도, 행정형벌에 대한 위임입법은 허용되지 않는다.

□□□ ③ 교육부장관이 대학입시기본계획의 내용에서 내신성적 산정기준에 관한 시행지침을 정한 경우, 각 고등학교는 이에 따라 내신성적을 산정할 수밖에 없어 이는 행정처분에 해당된다.

□□□ ④ 행정소송에 대한 대법원판결에 의하여 명령·규칙이 헌법 또는 법률에 위반된다는 것이 확정된 경우, 대법원은 지체 없이 그 사유를 법무부장관에게 통보하여야 한다.

관련기출

②

1. 형사처벌에 관한 위임입법의 경우, 수권법률이 구성요건의 점에서는 처벌대상인 행위가 어떠한 것인지 이를 예측할 수 있을 정도로 구체적으로 정하고, 형벌의 점에서는 형벌의 종류 및 그 상한과 폭을 명확히 규정하는 것을 전제로 한다. (○, ×) 2013 지방직(하) 7급
2. 처벌규정의 위임은 죄형법정주의로 인하여 어떠한 경우에도 허용되지 않는다. (○, ×) 2011 지방직(하) 7급

1. ○ 2. ×

④

1. 명령 등이 헌법이나 법률에 위반되어 대법원에서 무효라고 선언하여도 당해 사건에만 적용이 배제될 뿐 형식적으로는 존재하므로 판결확정 후 대법원은 행정안전부장관에게 통보하도록 하고 있다. (○, ×) 2018 소방직 9급
2. 행정소송법 제6조에 의하면 행정소송에 대한 대법원판결에 의하여 명령·규칙이 헌법 또는 법률에 위반된다는 것이 확정된 경우에는 대법원은 지체 없이 그 사유를 법무부장관에게 통보하여야 한다. (○, ×) 2017 경행경채
3. 행정소송에 대한 대법원판결에 의하여 명령·규칙이 헌법 또는 법률에 위반된다는 것이 확정된 경우에는 대법원은 지체 없이 그 사유를 행정안전부장관에게 통보하여야 하고, 그 통보를 받은 행정안전부장관은 지체 없이 이를 관보에 게재하여야 한다. (○, ×) 2014 지방직 7급

1. ○ 2. × 3. ○

① ○

행정절차법 제41조【행정상 입법예고】① 법령 등을 제정·개정 또는 폐지(이하 '입법'이라 한다)하려는 경우에는 해당 입법안을 마련한 행정청은 이를 예고하여야 한다. 다만, 다음 각 호의 어느 하나에 해당하는 경우에는 예고를 하지 아니할 수 있다.
1. 신속한 국민의 권리 보호 또는 예측 곤란한 특별한 사정의 발생 등으로 입법이 긴급을 요하는 경우
2. 상위법령 등의 단순한 집행을 위한 경우
3. 입법내용이 국민의 권리·의무 또는 일상생활과 관련이 없는 경우
4. 단순한 표현·자구를 변경하는 경우 등 입법내용의 성질상 예고의 필요가 없거나 곤란하다고 판단되는 경우
5. 예고함이 공공의 안전 또는 복리를 현저히 해칠 우려가 있는 경우

② 빈출 ×

형벌법규의 경우 ㉠ 보충성(특히 긴급한 필요가 있거나 미리 법률로써 자세히 정할 수 없는 부득이한 사정이 있는 경우), ㉡ 구성요건의 구체성, ㉢ 형벌의 종류 및 상한과 폭의 명확성을 조건으로 위임입법이 허용된다.

형벌법규에 대하여도 특히 긴급한 필요가 있거나 미리 법률로써 자세히 정할 수 없는 부득이한 사정이 있는 경우에 한하여 수권법률(위임법률)이 구성요건의 점에서는 처벌대상인 행위가 어떠한 것일 거라고 이를 예측할 수 있을 정도로 구체적으로 정하고, 형벌의 점에서는 형벌의 종류 및 그 상한과 폭을 명확히 규정하는 것을 조건으로 위임입법이 허용되며, 이러한 위임입법은 죄형법정주의에 반하지 않는다(헌재 1996. 2. 29, 94헌마213).

③ ×

교육부장관이 시·도 교육감에게 통보한 대학입시기본계획 내의 내신성적 산정지침은 항고소송의 대상인 행정처분이 아니다.

교육부장관이 내신성적 산정기준의 통일을 기하기 위해 대학입시기본계획의 내용에서 내신성적 산정기준에 관한 시행지침을 마련하여 시·도 교육감에게 통보한 것은 행정조직 내부에서 내신성적 평가에 관한 내부적 심사기준을 시달한 것에 불과하며, 각 고등학교에서 위 지침에 일률적으로 기속되어 내신성적을 산정할 수밖에 없고 또 대학에서도 이를 그대로 내신성적으로 인정하여 입학생을 선발할 수밖에 없는 관계로 장차 일부 수험생들이 위 지침으로 인해 어떤 불이익을 입을 개연성이 없지는 아니하나, 그러한 사정만으로서 위 지침에 의하여 곧바로 개별적이고 구체적인 권리의 침해를 받은 것으로는 도저히 인정할 수 없으므로, 그것만으로는 현실적으로 특정인의 구체적인 권리·의무에 직접적으로 변동을 초래케 하는 것은 아니라 할 것이어서 내신성적 산정지침을 항고소송의 대상이 되는 행정처분으로 볼 수 없다(대판 1994. 9. 10, 94두33).

④ 빈출 ×

행정소송법 제6조【명령·규칙의 위헌판결 등 공고】① 행정소송에 대한 대법원판결에 의하여 명령·규칙이 헌법 또는 법률에 위반된다는 것이 확정된 경우에는 대법원은 지체 없이 그 사유를 행정안전부장관에게 통보하여야 한다.
② 제1항의 규정에 의한 통보를 받은 행정안전부장관은 지체 없이 이를 관보에 게재하여야 한다.

정답 11 ①

12 빈출 정답률 83% 중 2018 국가직 9급

법규명령에 대한 설명으로 옳지 않은 것은? (다툼이 있는 경우 판례에 의함)

□□□ ① 법규명령이 구체적인 집행행위 없이 직접 개인의 권리 · 의무에 영향을 주는 경우 처분성이 인정된다.

□□□ ② 법규명령이 법률상 위임의 근거가 없어 무효이더라도 나중에 법률의 개정으로 위임의 근거가 부여되면 그때부터는 유효한 법규명령으로서 구속력을 갖는다.

□□□ ③ 행정각부의 장이 정하는 고시(告示)는 법령의 규정으로부터 구체적 사항을 정할 수 있는 권한을 위임받아 그 법령내용을 보충하는 기능을 가진 경우라도 그 형식상 대외적으로 구속력을 갖지 않는다.

□□□ ④ 법규명령이 법률에서 위임받은 사항에 관하여 대강을 정하고 그중의 특정사항에 대하여 범위를 정하여 하위법령에 다시 위임하는 경우에는 재위임이 허용된다.

관련기출

④

1. 법률에서 위임받은 사항을 전혀 규정하지 아니하고 그대로 재위임하는 것은 허용되지 않으며 위임받은 사항에 관하여 대강을 정하고 그중의 특정사항을 범위를 정하여 하위법령에 다시 위임하는 경우에만 재위임이 허용된다. (○, ×) 2024 군무원 9급
2. 법률에서 위임받은 사항을 전혀 규정하지 않고 재위임하는 것은 허용되지 않는다. (○, ×) 2017 경행경채
3. 법률에서 위임받은 사항을 하위법규명령에 다시 위임하기 위해서는 위임받은 사항의 대강을 정하고 그중 특정사항을 범위를 정하여 하위의 법규명령에 다시 위임하는 경우에만 재위임이 허용된다. (○, ×) 2014 국가직 9급
4. 행정의 효율성을 도모하기 위해 법률에서 위임받은 사항을 전혀 규정하지 않고 하위의 법규명령에 재위임하는 것도 가능하다. (○, ×) 2014 서울시 9급

1. ○ 2. ○ 3. ○ 4. ×

① ○

법규명령은 일반적 · 추상적 규율의 성격을 갖는 것으로 원칙적으로 처분성이 인정되지 않는다. 그러나 법규명령이라도 구체적인 집행행위 없이 직접 개인의 권리 · 의무에 영향을 주는 경우, 즉 구체적 규율의 성격을 갖는다면 처분성이 인정된다.

② ○

일반적으로 법률의 위임에 의하여 효력을 갖는 법규명령의 경우, 구법에 위임의 근거가 없어 무효였더라도 사후에 법개정으로 위임의 근거가 부여되면 그때부터는 유효한 법규명령이 된다는 것이 판례의 입장이다(대판 1995. 6. 30, 93추83).

③ ×

행정각부의 장이 정하는 고시(告示)는 일반적으로 행정규칙에 불과하다. 다만, 고시의 경우 법령의 규정으로부터 구체적 사항을 정할 수 있는 권한을 위임받아 그 법령내용을 보충하는 기능을 가진 경우라면 이른바 법령보충규칙으로서 상위법령의 규정과 결합하여 대외적 구속력이 인정된다(대판 2008. 4. 10, 2007두4841 참조).

④ ○

이른바 전면적 재위임은 금지되나 법률에서 위임받은 사항에 관하여 대강을 정하고 그중의 특정사항에 대하여 범위를 정하여 하위법령에 다시 위임하는 경우는 재위임이 허용된다.

> 법률에서 위임받은 사항을 전혀 규정하지 않고 전면적으로 재위임하는 것은 금지되나 위임받은 사항에 관하여 대강을 정하고 그중의 특정사항을 다시 하위법령에 위임하는 것은 허용될 수 있다(헌재 1996. 2. 29, 94헌마213).

정답 12 ③

13 중 2017 지방직(하) 9급

법률유보원칙에 대한 판례의 입장으로 옳지 않은 것은?

□□□ ① 대법원은 구 「도시 및 주거환경정비법」 제28조 제4항 본문이 사업시행인가 신청시의 동의요건을 조합의 정관에 포괄적으로 위임한 것은 헌법 제75조가 정하는 포괄위임입법금지의 원칙이 적용되어 이에 위배된다고 하였다.

□□□ ② 헌법재판소는 법률유보의 형식에 대하여 반드시 법률에 의한 규율만이 아니라 법률에 근거한 규율이면 되기 때문에 기본권제한의 형식이 반드시 법률의 형식일 필요는 없다고 하였다.

□□□ ③ 헌법재판소는 중학교 의무교육 실시 여부 자체는 법률로 정하여야 하는 기본사항으로서 법률유보사항이나 그 실시의 시기 · 범위 등 구체적 실시에 필요한 세부사항은 법률유보사항이 아니라고 하였다.

□□□ ④ 대법원은 지방의회의원에 대하여 유급보좌인력을 두는 것은 지방의회의원의 신분 · 지위 및 그 처우에 관한 현행 법령상의 제도에 중대한 변경을 초래하는 것으로서, 이는 개별 지방의회의 조례로써 규정할 사항이 아니라 국회의 법률로써 규정할 입법사항이라고 하였다.

관련기출

①

1. 헌법재판소에 따르면 법률이 자치적인 사항을 공법적 단체의 정관으로 정하도록 위임한 경우에는 포괄위임입법금지원칙이 적용되지 않는다. (○, ×)
2022 국회직 8급
2. 구 「도시 및 주거환경정비법」에서 주택재개발사업시행인가 신청시 토지 등 소유자의 동의요건을 재개발조합의 정관에 포괄적으로 위임하고 있는 것은 헌법 제75조에서 정하고 있는 포괄위임입법 금지 원칙에 위배된다. (○, ×)
2022 소방간부
3. 법률이 행정부가 아니거나 행정부에 속하지 않는 공법적 기관의 정관에 자치법적 사항을 위임한 경우에는 포괄적인 위임입법의 금지는 원칙적으로 적용되지 않는다. (○, ×) 2021 변호사
4. 법률이 공법적 단체 등의 정관에 자치법적 사항을 위임한 경우에도 헌법 제75조가 정하는 포괄적인 위임입법의 금지는 원칙적으로 적용된다. (○, ×)
2020 군무원 7급

1. ○ 2. × 3. ○ 4. ×

① ×

1. 법률이 공법적 단체 등의 정관에 자치법적 사항을 위임한 경우 헌법 제75조가 정하는 포괄위임입법금지원칙은 적용되지 않는다.
2. 「도시 및 주거환경정비법」 제28조 제4항 본문이 조합의 사업시행인가 신청시의 동의요건을 조합의 정관에 포괄적으로 위임하고 있다고 하더라도 헌법 제75조가 정하는 포괄위임입법금지의 원칙이 적용되지 아니하므로 이에 위배된다고 할 수 없다.

「도시 및 주거환경정비법」(2005. 3. 18, 법률 제7392호로 개정되기 전의 것)상 사업시행자에게 사업시행계획의 작성권이 있고 행정청은 단지 이에 대한 인가권만을 가지고 있으므로 사업시행자인 조합의 사업시행계획 작성은 자치법적 요소를 가지고 있는 사항이라 할 것이고, 이와 같이 사업시행계획의 작성이 자치법적 요소를 가지고 있는 이상, 조합의 사업시행인가 신청시의 토지 등 소유자의 동의요건 역시 자치법적 사항이라 할 것이며, 따라서 2005. 3. 18, 법률 제7392호로 개정된 「도시 및 주거환경정비법」 제28조 제4항 본문이 사업시행인가 신청시의 동의요건을 조합의 정관에 포괄적으로 위임하고 있다고 하더라도 헌법 제75조가 정하는 포괄위임입법금지의 원칙이 적용되지 아니하므로 이에 위배된다고 할 수 없다(대판 2007. 10. 12, 2006두14476).

② ○

법률유보의 원칙은 '법률에 의한' 규율만을 뜻하는 것이 아니라 '법률에 근거한' 규율을 요청하는 것이므로 기본권제한의 형식이 반드시 법률의 형식일 필요는 없다는 것이 판례의 입장이다(헌재 2005. 2. 24, 2003헌마289).

③ ○

중학교 의무교육의 실시 여부 자체라든가 그 연한은 교육제도의 수립에 있어서 본질적 내용으로서 국회입법에 유보되어 있어서 반드시 형식적 의미의 법률로 규정되어야 할 기본적 사항이라 하겠으나, 그 실시의 시기 · 범위 등 구체적인 실시에 필요한 세부사항에 관하여는 반드시 그런 것은 아니다(헌재 1991. 2. 11, 90헌가27).

④ ○

지방의회의원에 대하여 유급보좌인력을 두는 것은 지방의회의원의 신분 · 지위 및 그 처우에 관한 현행 법령상의 제도에 중대한 변경을 초래하는 것으로서, 이는 개별 지방의회의 조례로써 규정할 사항이 아니라 국회의 법률로써 규정하여야 할 입법사항이라는 것이 판례의 입장이다(대판 2013. 1. 16, 2012추84).

정답 13 ①

14 중

2017 지방직(하) 9급

행정입법에 대한 판례의 입장으로 옳지 않은 것은?

① 제재적 행정처분의 기준이 부령의 형식으로 규정되어 있는 경우, 이 처분기준에 적합하다 하여 곧바로 당해 처분이 적법한 것이라고 할 수는 없다.

② 구 청소년보호법의 위임에 따른 동법 시행령상의 위반행위의 종별에 따른 과징금 처분기준은 법규명령이다.

③ 어느 시행령의 규정이 모법에 저촉되는지 여부가 명백하지 아니하는 경우에는 모법과 시행령의 다른 규정들과 그 입법취지, 연혁 등을 종합적으로 살펴 모법에 합치한다는 해석도 가능한 경우라면 그 규정을 모법 위반으로 무효라고 선언하여서는 안 된다.

④ 치과전문의 시험실시를 위한 시행규칙 규정의 제정 미비로 인해 치과전문의 자격을 갖지 못한 사람은 부작위위법확인소송을 통하여 구제받을 수 있다.

관련기출

②

1. 과징금 부과처분의 기준을 규정하고 있는 구 청소년보호법 시행령 제40조 [별표 6]은 행정규칙의 성질을 갖는다. (○, ×) 2018 지방직 9급

1. ×

① ○

제재적 행정처분의 기준이 부령의 형식으로 규정되어 있더라도 그것은 행정청 내부의 사무처리준칙을 정한 것에 지나지 아니하여 대외적으로 국민이나 법원을 기속하는 효력이 없고, 당해 처분의 적법 여부는 위 처분기준만이 아니라 관계법령의 규정내용과 취지에 따라 판단되어야 하므로, 위 처분기준에 적합하다 하여 곧바로 당해 처분이 적법한 것이라고 할 수는 없다(대판 2007. 9. 20, 2007두6946).

② **빈출** ○

구 청소년보호법 제49조 제1 · 2항의 위임에 따른 같은 법 시행령 제40조 [별표 6]의 위반행위의 종별에 따른 과징금 처분기준은 법규명령이나, 처분기준에 규정된 금액은 정액이 아닌 최고한도액이라고 할 것이다(대판 2001. 3. 9, 99두5207).

③ ○

어느 시행령의 규정이 모법에 저촉되는지의 여부가 명백하지 아니하는 경우에는 모법과 시행령의 다른 규정들과 그 입법취지, 연혁 등을 종합적으로 살펴 모법에 합치된다는 해석도 가능한 경우라면 그 규정을 모법 위반으로 무효라고 선언하여서는 안 된다(대판 2001. 8. 24, 2000두2716).

④ ×

부작위위법확인소송의 대상은 행정소송법의 조문을 고려할 때 '처분'의 부작위이지 '입법'의 부작위는 아니다. 따라서 행정입법부작위의 경우 부작위위법확인소송의 대상이 되지 않는다는 것이 판례의 입장이다(대판 1992. 5. 8, 91누11261). 그러므로 시행규칙 규정의 제정 미비로 인해 권익을 침해받은 자는 부작위위법확인소송을 통하여 구제받을 수는 없다.

정답 14 ④

15 중

2011 사회복지직 9급

포괄적 위임금지의 원칙에 대한 판례의 태도로 옳지 않은 것은?

□□□ ① 일반적인 급부행정법규는 처벌법규나 조세법규의 경우보다 그 위임의 요건과 범위가 더 엄격하게 제한적으로 규정되어야 한다.

□□□ ② 조례에 대한 법률의 위임은 포괄적인 것으로 족하다.

□□□ ③ 수권법률의 예측가능성 유무를 판단함에 있어서는 수권규정과 이와 관계된 조항, 수권법률 전체의 취지, 입법목적의 유기적 · 체계적 해석 등을 통하여 종합 판단하여야 한다.

□□□ ④ 공법적 단체 등의 정관에 대한 자치법적 사항의 위임이라도 국민의 권리 · 의무에 관한 본질적이고 기본적인 사항은 국회가 정하여야 한다.

① ×

> 보건위생 등 급부행정영역에서는 침해영역보다 구체성 요구가 다소 약화되어도 무방하다.
>
> 이러한 구체성의 정도는 규제대상의 종류와 성격에 따라 달라진다고 할 것이므로 보건위생 등 급부행정영역에서 기본권침해영역보다 구체성의 요구가 다소 약화되어도 무방하다고 해석된다(대결 1995. 12. 8, 95카기16).

② ○

조례로 일정사항을 정하도록 위임한 경우에는 일반적인 위임의 경우와 달리 법에 위반되지 않는 범위 내에서 포괄적 위임도 가능하다.

+ 위임의 정도

구체성	강화	기본권침해영역
	약화	급부영역
포괄위임 가능	• 법에 위반되지 않는 범위 내에서 조례에 위임 • 정관에 자치법적 사항을 위임	

③ ○

판례는 예측가능성을 기준으로 구체적 위임 여부를 판단한다. 다만, 그 예측가능성은 특정조항 · 개별조항 하나만이 아닌 관련법조항 전체를 유기적 · 체계적으로 종합 판단하여야 한다고 보고 있다.

> 여기에서 구체적인 위임의 범위는 규제하고자 하는 대상의 종류와 성격에 따라 달라지는 것이어서 일률적 기준을 정할 수는 없지만, 적어도 위임명령에 규정될 내용 및 범위의 기본사항이 구체적으로 규정되어 있어서 누구라도 당해 법률이나 상위명령으로부터 위임명령에 규정될 내용의 대강을 예측할 수 있어야 하나, 이 경우 그 예측가능성의 유무는 당해 위임조항 하나만을 가지고 판단할 것이 아니라 그 위임조항이 속한 법률이나 상위명령의 전반적인 체계와 취지 · 목적, 당해 위임조항의 규정형식과 내용 및 관련 법규를 유기적 · 체계적으로 종합 판단하여야 하고 …… (대판 2002. 8. 23, 2001두5651)

④ ○

공법적 단체 등의 정관에 자치법적 사항을 위임한 경우 포괄위임입법금지 원칙이 적용되지 않지만 그 사항이 국민의 권리 · 의무에 관한 기본적이고 본질적인 사항일 경우에는 국회가 정하여야 한다는 것이 판례의 입장이다(대판 2007. 10. 12, 2006두14476). 즉, 공법적 단체의 정관에 자치법적 사항을 위임한 경우에도 의회유보원칙(본질적인 사항은 국회가 스스로 정하여야 함)은 적용된다고 볼 수 있다.

정답 15 ①

제 11 강 행정규칙 등

1회독	2회독	3회독
/	/	/

⊘정답률 공단기/소방단기 합격예측 풀서비스 통계 데이터 기준 기 기본서 핵 핵심집약

01 행정규칙 기 194~210쪽 핵 T 21

01 빈출 중 2024 소방간부

행정입법에 관한 설명으로 옳지 않은 것은? (다툼이 있는 경우 판례에 의함)

□□□ ① 교육부장관이 시 · 도교육감에게 통보한 내신성적산정지침은 행정조직 내부에서의 내부적 심사기준이라기보다는 그 지침으로 인해 국민의 권익에 대한 직접적 · 구체적 변동을 가져올 수 있는 점에서 항고소송의 대상이 되는 처분으로 보아야 한다.

□□□ ② 행정규칙의 내용이 상위법령에 반하는 것이라면 법치국가원리에서 파생되는 법질서의 통일성과 모순금지 원칙에 따라 그것은 법질서상 당연무효이고, 행정내부적 효력도 인정될 수 없다.

□□□ ③ 구 청소년보호법에 따른 청소년유해매체물 결정 및 고시처분은 일반 불특정 다수인을 상대방으로 하는 행정처분이다.

□□□ ④ 시외버스운송사업의 사업계획변경 기준 등에 관한 구 「여객자동차 운수사업법 시행규칙」은 대외적 구속력이 있는 법규명령에 해당한다.

□□□ ⑤ 보건복지부 고시인 「약제급여 · 비급여목록 및 급여상한금액표」는 다른 집행행위의 매개 없이 그 자체로서 국민건강보험가입자, 국민건강보험공단, 요양기관 등의 법률관계를 직접 규율하는 행정처분의 성격을 가진다.

관련기출

⑤

1. 보건복지부 고시인 구 「약제급여 · 비급여목록 및 급여상한금액표」는 그 자체로서 국민건강보험가입자, 국민건강보험공단, 요양기관 등의 법률관계를 직접 규율하는 성격을 가지므로 항고소송의 대상이 되는 행정처분에 해당한다. (O, X) 2018 국가직 9급

1. O

① ×

교육부장관이 시 · 도 교육감에게 통보한 대학입시기본계획 내의 내신성적산정지침은 항고소송의 대상인 행정처분이 아니다(대판 1994. 9. 10, 94두33).

② **빈출** ○

행정규칙의 내용이 상위법령에 반하는 것이라면 법치국가원리에서 파생되는 법질서의 통일성과 모순금지 원칙에 따라 그것은 법질서상 당연무효이고, 행정내부적 효력도 인정될 수 없다. 이러한 경우 법원은 해당 행정규칙이 법질서상 부존재하는 것으로 취급하여 행정기관이 한 조치의 당부를 상위법령의 규정과 입법목적 등에 따라서 판단하여야 한다(대판 2019. 10. 31, 2013두20011).

③ 제15강 참조 ○

구 청소년보호법에 따른 청소년유해매체물 결정 · 고시처분은 행정처분이다.
구 청소년보호법에 따른 청소년유해매체물 결정 및 고시처분은 당해 유해매체물의 소유자 등 특정인만을 대상으로 한 행정처분이 아니라 일반 불특정 다수인을 상대방으로 하여 일률적으로 표시의무, 포장의무, 청소년에 대한 판매 · 대여 등의 금지의무 등 각종 의무를 발생시키는 행정처분이다(대판 2007. 6. 14, 2004두619).

④ **빈출** ○

판례는 특허의 기준을 법령의 위임을 받아 부령으로 정한 경우, 이를 법규명령으로 보고 있다.

구 「여객자동차 운수사업법」 제11조 제4항의 위임에 따라 시외버스운송사업의 사업계획변경에 관한 절차, 인가기준 등을 구체적으로 규정한 구 「여객자동차 운수사업법 시행규칙」 제31조 제2항 제1호, 제2호, 제6호는 대외적인 구속력이 있는 법규명령이라고 할 것이고, 그것을 행정청 내부의 사무처리준칙을 규정한 행정규칙에 불과하다고 할 수는 없다.
구 「여객자동차 운수사업법 시행규칙」 제31조 제2항 제1호, 제2호, 제6호는 법 제11조 제4항의 위임에 따라 시외버스운송사업의 사업계획변경에 관한 절차, 인가기준 등을 구체적으로 규정한 것으로서, 대외적인 구속력이 있는 법규명령이라고 할 것이고, 그것을 행정청 내부의 사무처리준칙을 규정한 행정규칙에 불과하다고 할 수는 없는 것이다(대판 2006. 6. 27, 2003두4355).

⑤ **빈출** ○

1. 고시도 집행행위의 매개 없이 직접 국민의 권리·의무를 규율하는 경우 처분이 된다.
2. 보건복지부 고시인 「약제급여 · 비급여목록 및 급여상한금액표」는 다른 집행행위의 매개 없이 그 자체로서 국민건강보험가입자, 국민건강보험공단, 요양기관 등의 법률관계를 직접 규율하는 성격을 가지므로 항고소송의 대상이 되는 행정처분에 해당한다.
   어떠한 고시가 일반적 · 추상적 성격을 가질 때에는 법규명령 또는 행정규칙에 해당할 것이지만, 다른 집행행위의 매개 없이 그 자체로서 직접 국민의 구체적인 권리·의무나 법률관계를 규율하는 성격을 가질 때에는 행정처분에 해당한다(대판 2006. 9. 22, 2005두2506).

정답 01 ①

02 ㉦

2023 변호사 변형

식품위생법상 영업허가를 받아 영업을 하는 식품접객영업자 甲은 영업시간 제한을 2차 위반하였음을 이유로 다음의 규정에 근거하여 영업정지 1개월의 처분을 받았다. 이에 관한 설명으로 옳은 것은? (다툼이 있는 경우 판례에 의함)

(※ 아래 조항은 현행 법령 중 필요한 부분만 발췌한 것임)

식품위생법 제43조【영업 제한】① 구청장은 영업 질서와 선량한 풍속을 유지하는 데에 필요한 경우에는 영업자 중 식품접객영업자와 그 종업원에 대하여 영업시간 및 영업행위를 제한할 수 있다.

② 제1항에 따른 제한 사항은 대통령령으로 정하는 범위에서 해당 특별자치시 · 특별자치도 · 시 · 군 · 구의 조례로 정한다.

제75조【허가취소 등】① 구청장은 영업자가 다음 각 호의 어느 하나에 해당하는 경우에는 대통령령으로 정하는 바에 따라 영업허가를 취소하거나 6개월 이내의 기간을 정하여 그 영업의 전부 또는 일부를 정지할 수 있다.

12. 제43조에 따른 영업 제한을 위반한 경우

제100조【양벌규정】개인의 종업원이 개인의 업무에 관하여 제95조에 해당하는 위반행위를 하면 행위자를 벌하는 외에 개인에게도 5천만원 이하의 벌금에 처한다.

「식품위생법 시행규칙」[별표 23] 행정처분기준(제89조 관련)

3. 식품접객업

위반사항	근거법령	행정처분기준		
		1차 위반	2차 위반	3차 위반
9. 법 제43조에 따른 영업시간 제한을 위반하여 영업한 경우	법 제71조 및 제75조	영업정지 15일	영업정지 1개월	영업정지 2개월

□□□ ① 영업 제한에 관한 사항을 조례에 위임하고 있는 식품위생법 제43조 제2항은 포괄위임금지원칙에 위배된다.

□□□ ② 甲에 대한 처분이 위 [별표 23]상 처분 기준에 부합하는 것이라고 하더라도 위법한 처분이 될 수 있다.

□□□ ③ 식품위생법상 양벌규정에 따라 영업 제한 위반을 이유로 甲을 처벌하려는 경우, 위반행위자인 종업원을 처벌할 수 없다면 영업주 甲도 처벌할 수 없다.

□□□ ④ 관할 구청장이 甲의 영업시간 준수 여부를 확인할 목적으로 甲의 영업장에 출입하여 현장조사를 하기 위해서는 식품위생법에 근거가 있어야 하며, 만일 이 법에 현장조사에 관한 근거가 없다면 甲의 자발적인 협조가 있더라도 현장조사를 할 수 없다.

□□□ ⑤ 만일 甲에 대한 영업정지 1개월의 처분 후에 처분의 근거가 되는 법령이 쟁송절차를 통해 무효로 선언된다면, 甲에 대한 영업정지처분은 당연무효가 된다.

① ×

조례에 대한 위임은 포괄적인 것으로 족하므로 사안의 식품위생법 제43조 제2항은 포괄위임금지원칙에 위배되지 않는다.

> 조례에 대한 법률의 위임은 법규명령에 대한 법률의 위임과 같이 반드시 구체적으로 범위를 정하여야 할 필요가 없으며 포괄적인 것으로 족하다(헌재 1995. 4. 20, 92헌마264 등).

② **빈출** ○

판례는 부령 형식으로 정해진 제재적 처분기준은 행정규칙에 불과하다고 본다. 사안의 [별표 23] 행정처분기준은 행정규칙이므로 甲에 대한 처분의 적법 여부는 [별표 23] 처분기준에 따라 판단할 것이 아니라 상위법인 식품위생법의 규정 및 그 취지에 적합한 것인가의 여부에 따라 판단하여야 한다. 따라서 위 [별표 23]상 처분기준에 부합하는 것이라고 하더라도 위법한 처분이 될 수 있다.

> 1. 식품위생법 제58조 제1항에 의한 제재적 처분의 기준을 정한 같은 법 시행규칙 제53조는 행정규칙에 불과하므로 행정처분이 이에 위반되었다고 하여 곧바로 위법한 것으로 되지는 않는다.
> 2. 즉, 처분의 적법 여부는 위 규칙에 적합한 것인가의 여부에 따라 판단할 것이 아니라 위 법의 규정 및 그 취지에 적합한 것인가의 여부에 따라 판단하여야 한다.
>
> 식품위생법 시행규칙 제53조에서 [별표 15]로 식품위생법 제58조에 따른 행정처분의 기준을 정하였다고 하더라도 이는 형식만 부령으로 되어 있을 뿐, 그 성질은 행정기관 내부의 사무처리준칙을 정한 것으로서 행정명령의 성질을 가지는 것이고, 대외적으로 국민이나 법원을 기속하는 힘이 있는 것은 아니므로 식품위생법 제58조 제1항에 의한 처분의 적법 여부는 위 규칙에 적합한 것인가의 여부에 따라 판단할 것이 아니라 위 법의 규정 및 그 취지에 적합한 것인가의 여부에 따라 판단하여야 한다는 것이 당원의 확립된 견해이다(대판 1995. 3. 28, 94누6925).

③ ×

위반행위자인 종업원의 처벌과 별개로 영업주 甲은 처벌할 수 있다(제26강 참조).

> 양벌규정에 의한 영업주의 처벌은 금지위반행위자인 종업원의 처벌에 종속하는 것이 아니라 독립하여 그 자신의 종업원에 대한 선임 · 감독상의 과실로 인하여 처벌되는 것이므로 종업원의 범죄성립이나 처벌이 영업주 처벌의 전제조건이 될 필요는 없다(대판 2006. 2. 24, 2005도7673).

④ ×

지문의 현장조사는 행정조사로서 개별법에 근거가 없더라도 조사대상자의 자발적인 협조를 얻어 실시하는 것은 가능하다(제25강 참조).

> **행정조사기본법 제2조【정의】** 이 법에서 사용하는 용어의 정의는 다음과 같다.
> 1. '행정조사'란 행정기관이 정책을 결정하거나 직무를 수행하는 데 필요한 정보나 자료를 수집하기 위하여 현장조사 · 문서열람 · 시료채취 등을 하거나 조사대상자에게 보고요구 · 자료제출요구 및 출석 · 진술요구를 행하는 활동을 말한다.
>
> **제5조【행정조사의 근거】** 행정기관은 법령 등에서 행정조사를 규정하고 있는 경우에 한하여 행정조사를 실시할 수 있다. 다만, 조사대상자의 자발적인 협조를 얻어 실시하는 행정조사의 경우에는 그러하지 아니하다.

⑤ ×

甲에 대한 영업정지 1개월의 처분 후에 처분의 근거가 되는 법령이 쟁송절차를 통해 무효로 선언된다면, 甲에 대한 영업정지처분은 취소사유가 있게 된다(제16강 참조).

> 처분 후 처분의 근거법률에 대해 위헌결정이 내려진 경우 행정처분의 하자는 헌법재판소의 위헌결정이 있기 전에는 객관적으로 명백한 것이라고 할 수는 없으므로 취소사유에 불과할 뿐 당연무효는 아니다(대판 1994. 10. 28, 92누9463).

정답 02 ②

03 정답률 83% 중 2022 국가직 7급

행정규칙에 대한 설명으로 옳지 않은 것은? (다툼이 있는 경우 판례에 의함)

① 중앙행정기관의 장이 정한 훈령 · 예규 및 고시 등 행정규칙은 상위법령의 위임이 있다고 하더라도 행정기본법상의 '법령'에 해당하지 않는다.

② 처분이 행정규칙을 위반하였다고 해서 그러한 사정만으로 곧바로 위법하게 되는 것은 아니다.

③ 처분의 근거나 법적인 효과가 행정규칙에 규정되어 있더라도 그 상대방의 권리 · 의무에 직접 영향을 미치는 행위라면, 항고소송의 대상이 되는 행정처분에 해당한다.

④ 행정규칙의 내용이 상위법령이나 법의 일반원칙에 반하는 것이라면 행정 내부적 효력도 인정될 수 없다.

관련기출

③

1. 어떠한 처분의 근거나 법적인 효과가 행정규칙에 규정되어 있다면, 그 처분이 행정규칙의 내부적 구속력에 의하여 상대방의 권리 · 의무에 직접 영향을 미치는 행위라도 항고소송의 대상이 되는 행정처분이라 볼 수 없다. (O, ×) 2020 국가직 9급
2. 어떠한 처분의 근거나 법적인 효과가 행정규칙에 규정되어 있다고 하더라도, 그 처분이 행정규칙의 내부적 구속력에 의하여 상대방에게 권리의 설정 또는 의무의 부담을 명하거나 기타 법적인 효과를 발생하게 하는 등 그 상대방의 권리 · 의무에 직접 영향을 미치는 행위라면, 이는 항고소송의 대상이 되는 행정처분에 해당한다. (O, ×) 2018 서울시 1회 7급
3. 행정청의 지침에 의해 내린 행위가 상대방에게 권리의 설정이나 의무의 부담을 명하거나 기타 법적 효과에 직접적 영향을 미치는 경우에는 처분성을 긍정한다. (O, ×) 2016 사회복지직 9급

1. × 2. O 3. O

④

1. 행정규칙의 내용이 상위법령에 반하는 것이라면 법원은 해당 행정규칙이 법질서상 부존재하는 것으로 취급하여 행정기관이 한 조치의 당부를 상위법령의 규정과 입법목적 등에 따라서 판단하여야 한다. (O, ×) 2022 소방간부
2. 행정규칙의 내용이 상위법령이나 법의 일반원칙에 반하는 것이라면 그것은 법질서상 당연무효이고 취소의 대상이 될 수 없다. (O, ×) 2021 군무원 9급
3. 행정규칙도 행정작용의 하나이므로 하자가 있으면 하자의 정도에 따라 무효 또는 취소할 수 있는 행정규칙이 된다. (O, ×) 2018 서울시 1회 7급

1. O 2. O 3. ×

① ×

상위법령의 위임을 받아 중앙행정기관의 장이 정한 훈령 · 예규 및 고시 등 행정규칙도 행정기본법상의 '법령'에 해당한다.

> **행정기본법 제2조【정의】** 이 법에서 사용하는 용어의 뜻은 다음과 같다.
> 1. '법령 등'이란 다음 각 목의 것을 말한다.
>   가. 법령 : 다음의 어느 하나에 해당하는 것
>   1) 법률 및 대통령령 · 총리령 · 부령
>   2) 국회규칙 · 대법원규칙 · 헌법재판소규칙 · 중앙선거관리위원회 규칙 및 감사원규칙
>   3) 1) 또는 2)의 위임을 받아 중앙행정기관(정부조직법 및 그 밖의 법률에 따라 설치된 중앙행정기관을 말한다. 이하 같다)의 장이 정한 훈령 · 예규 및 고시 등 행정규칙
>   나. 자치법규 : 지방자치단체의 조례 및 규칙

② O

> 상급행정기관이 하급행정기관에 대하여 업무처리지침이나 법령의 해석 · 적용에 관한 기준을 정하여 발하는 이른바 '행정규칙이나 내부지침'은 일반적으로 행정조직 내부에서만 효력을 가질 뿐 대외적인 구속력을 갖는 것은 아니므로 행정처분이 그에 위반하였다고 하여 그러한 사정만으로 곧바로 위법하게 되는 것은 아니다(대판 2009. 12. 24, 2009두7967).

③ **빈출** O

> 어떠한 처분의 근거가 행정규칙에 규정되어 있다고 하더라도, 그 처분이 상대방에게 권리의 설정 또는 의무의 부담을 명하거나 기타 법적인 효과를 발생하게 하는 등으로 그 상대방의 권리 · 의무에 직접 영향을 미치는 행위라면, 이 경우에도 항고소송의 대상이 되는 행정처분에 해당한다(대판 2004. 11. 26, 2003두10251 · 10268).

④ O

> 행정규칙의 내용이 상위법령에 반하는 것이라면 법치국가원리에서 파생되는 법질서의 통일성과 모순금지 원칙에 따라 그것은 법질서상 당연무효이고, 행정내부적 효력도 인정될 수 없다. 이러한 경우 법원은 해당 행정규칙이 법질서상 부존재하는 것으로 취급하여 행정기관이 한 조치의 당부를 상위법령의 규정과 입법목적 등에 따라서 판단하여야 한다(대판 2019. 10. 31, 2013두20011).

정답 03 ①

04 빈출 정답률 46% 상 2021 국가직 9급

다음 사례에 관한 설명으로 옳지 않은 것은? (다툼이 있는 경우 판례에 의함)

> A도(道) B군(郡)에서 식품접객업을 하는 甲은 청소년에게 술을 팔다가 적발되었다. 식품위생법은 위법하게 청소년에게 주류를 제공한 영업자에게 "6개월 이내의 기간을 정하여 그 영업의 전부 또는 일부를 정지할 수 있다."라고 규정하고, 식품위생법 시행규칙 [별표 23]은 청소년 주류제공(1차 위반)시 행정처분기준을 '영업정지 2개월'로 정하고 있다. B군수는 甲에게 2개월의 영업정지처분을 하였다.

① 甲은 영업정지처분에 불복하여 A도 행정심판위원회에 행정심판을 청구할 수 있다.

② 甲은 행정심판을 청구하지 않고 영업정지처분에 대한 취소소송을 제기할 수 있다.

③ 식품위생법 시행규칙의 행정처분기준은 행정규칙의 형식이나, 식품위생법의 내용을 보충하면서 식품위생법의 규정과 결합하여 위임의 범위 내에서 대외적인 구속력을 가진다.

④ 甲이 취소소송을 제기하는 경우 법원은 재량권의 일탈·남용이 인정되면 영업정지처분을 취소할 수 있다.

관련기출

①

1. 종로구청장의 처분이나 부작위에 대한 행정심판청구는 서울특별시 행정심판위원회에서 심리·재결하여야 한다. (○, ×) 2019 서울시 9급
2. 시·도의 관할구역에 있는 둘 이상의 시·군·자치구 등이 공동으로 설립한 행정청의 처분에 대하여는 시·도지사 소속 행정심판위원회에서 심리·재결한다. (○, ×) 2015 지방직 9급

1. ○ 2. ○

②

1. 취소소송은 법령의 규정에 의하여 당해 처분에 대한 행정심판을 제기할 수 있는 경우에도 이를 거치지 아니하고 제기할 수 있다. 다만, 다른 법률에 당해 처분에 대한 행정심판의 재결을 거치지 아니하면 취소소송을 제기할 수 없다는 규정이 있는 때에는 그러하지 아니하다. (○, ×) 2016 경행경채
2. 취소소송을 제기하기 위해서는 행정심판을 거쳐야 하는 것이 원칙이다. (○, ×) 2010 세무사

1. ○ 2. ×

④

1. 행정청의 재량행위에 속하는 처분은 취소소송의 대상이 되지 않는다. (○, ×) 2012 지방직(상) 9급

1. ×

① 제33강 참조 ○

甲은 불이익처분의 직접 상대방으로서 B군수의 영업정지처분을 다툴 법률상 이익이 있으므로 A도 행정심판위원회에 행정심판을 청구할 수 있다(행정심판법 제6조 제3항 제2호).

> **행정심판법 제13조【청구인적격】** ① 취소심판은 처분의 취소 또는 변경을 구할 법률상 이익이 있는 자가 청구할 수 있다. 처분의 효과가 기간의 경과, 처분의 집행, 그 밖의 사유로 소멸된 뒤에도 그 처분의 취소로 회복되는 법률상 이익이 있는 자의 경우에도 또한 같다.
>
> **제6조【행정심판위원회의 설치】** ③ 다음 각 호의 행정청의 처분 또는 부작위에 대한 심판청구에 대하여는 시·도지사 소속으로 두는 행정심판위원회에서 심리·재결한다.
> 1. 시·도 소속 행정청
> 2. 시·도의 관할구역에 있는 시·군·자치구의 장, 소속 행정청 또는 시·군·자치구의 의회(의장, 위원회의 위원장, 사무국장, 사무과장 등 의회 소속 모든 행정청을 포함한다)
> 3. 시·도의 관할구역에 있는 둘 이상의 지방자치단체(시·군·자치구를 말한다)·공공법인 등이 공동으로 설립한 행정청

② **빈출** 제38강 참조 ○

우리 행정소송법은 원칙적 행정심판임의주의를 채택하고 있으므로 처분에 대해 행정심판을 거쳐 취소소송을 제기할 수도 있고, 곧바로 취소소송을 제기할 수도 있다.

> **행정소송법 제18조【행정심판과의 관계】** ① 취소소송은 법령의 규정에 의하여 당해 처분에 대한 행정심판을 제기할 수 있는 경우에도 이를 거치지 아니하고 제기할 수 있다. 다만, 다른 법률에 당해 처분에 대한 행정심판의 재결을 거치지 아니하면 취소소송을 제기할 수 없다는 규정이 있는 때에는 그러하지 아니하다.

③ ×

이른바 '법규명령형식의 행정규칙'과 '법령보충적 행정규칙'의 개념차이를 물어보는 지문이다. 지문의 '식품위생법 시행규칙'의 행정처분기준은 행정규칙형식이 아니라, 법규명령인 부령 형식이나 그 내용은 재량준칙에 불과한 제재적 처분기준을 정한 이른바 '법규명령형식의 행정규칙'이다. 판례는 부령 형식으로 정해진 제재적 처분기준은 행정규칙에 불과하다고 보므로 대외적 구속력이 없다(02 ② 해설 판례 참조). 한편, 지문의 뒷부분은 이른바 '법령보충적 행정규칙'을 의미하는 것으로서 '법령보충적 행정규칙'이라 함은 형식적으로는 행정규칙이나 법령의 위임에 의해 법령을 보충하는 법규사항을 정하는 행정규칙을 말하는데, 본 지문의 '식품위생법 시행규칙'은 형식적으로 행정규칙이 아니라 법규명령이므로 이에 해당하지 않는다.

④ 제12강 참조 ○

> **행정소송법 제27조【재량처분의 취소】** 행정청의 재량에 속하는 처분이라도 재량권의 한계를 넘거나 그 남용이 있는 때에는 법원은 이를 취소할 수 있다.

정답 04 ③

05 빈출 정답률 72% 중 2020 국가직 9급

행정규칙에 대한 설명으로 옳지 않은 것은? (다툼이 있는 경우 판례에 의함)

□□□ ① 법령의 위임이 없음에도 법령에 규정된 처분요건에 해당하는 사항을 부령에서 변경하여 규정한 경우에는 그 부령의 규정은 행정명령의 성격을 지닐 뿐 국민에 대한 대외적 구속력은 없다.

□□□ ② 행정관청 내부의 사무처리규정에 불과한 전결규정에 위반하여 원래의 전결권자 아닌 보조기관 등이 처분권자인 행정관청의 이름으로 행정처분을 한 경우, 그 처분은 권한 없는 자에 의하여 행하여진 것으로 무효이다.

□□□ ③ 법령의 규정이 특정 행정기관에게 법령내용의 구체적 사항을 정할 수 있는 권한을 부여하면서 권한행사의 절차나 방법을 특정하지 아니한 경우에는 수임행정기관은 행정규칙으로 법령내용이 될 사항을 구체적으로 정할 수 있다.

□□□ ④ 재량권행사의 준칙인 행정규칙이 그 정한 바에 따라 되풀이 시행되어 행정관행이 형성되어 행정기관이 그 상대방에 대한 관계에서 그 행정규칙에 따라야 할 자기구속을 당하게 되는 경우에는 그 행정규칙은 헌법소원의 심판대상이 될 수도 있다.

관련기출

②

1. 행정관청 내부의 사무처리규정에 불과한 전결규정에 위반하여 원래의 전결권자 아닌 보조기관 등이 처분권자인 행정관청의 이름으로 행정처분을 하였다고 하더라도 그 처분이 권한 없는 자에 의하여 행하여진 무효의 처분이라고는 할 수 없다. (○, ×) 2022 지방직 7급
2. 전결규정에 위반하여 원래의 전결권자 아닌 보조기관 등이 처분권자인 행정관청의 이름으로 행정처분을 한 경우 그 처분은 권한 없는 자에 의하여 행하여진 무효의 처분이다. (○, ×) 2022 국회직 8급
3. 행정관청 내부의 사무처리규정에 불과한 전결규정에 위반하여 원래의 전결권자 아닌 보조기관 등이 처분권자인 행정관청의 이름으로 행정처분을 한 경우, 그 처분은 권한 없는 자에 의하여 행하여진 것으로 무효이다. (○, ×) 2019 서울시 2회 7급, 2014 지방직 7급

1. ○ 2. × 3. ×

④

1. 헌법재판소 판례에 의하면, 재량준칙인 행정규칙도 행정의 자기구속의 법리에 의거하여 헌법소원심판의 대상이 될 수 있다. (○, ×) 2016 서울시 9급
2. 행정규칙이 재량권행사의 준칙으로서 반복적으로 시행됨으로써 평등원칙이나 신뢰보호원칙에 따라 행정기관이 그 규칙에 따라야 할 자기구속을 당하게 되는 경우에는 그 행정규칙은 대외적인 구속력을 갖게 되어 헌법소원의 대상이 된다. (○, ×) 2008 국가직 7급

1. ○ 2. ○

① ○

법령의 위임이 없음에도 법령에 규정된 처분요건에 해당하는 사항을 부령에서 변경하여 규정한 경우에는 그 부령의 규정은 행정청 내부의 사무처리기준 등을 정한 것으로서 행정조직 내에서 적용되는 행정명령의 성격을 지닐 뿐 국민에 대한 대외적 구속력은 없다는 것이 판례의 입장이다(대판 2013. 9. 12, 2011두10584).

② 빈출 ×

> 행정관청 내부의 사무처리규정에 불과한 전결규정에 위반하여 원래의 전결권자 아닌 보조기관 등이 처분권자인 행정관청의 이름으로 행정처분을 한 경우라도 무효는 아니다.
>
> 전결과 같은 행정권한의 내부위임은 법령상 처분권자인 행정관청이 내부적인 사무처리의 편의를 도모하기 위하여 그의 보조기관 또는 하급 행정관청으로 하여금 그의 권한을 사실상 행사하게 하는 것으로서 법률이 위임을 허용하지 않는 경우에도 인정되는 것이므로, 설사 행정관청 내부의 사무처리규정에 불과한 전결규정에 위반하여 원래의 전결권자 아닌 보조기관 등이 처분권자인 행정관청의 이름으로 행정처분을 하였다고 하더라도 그 처분이 권한 없는 자에 의하여 행하여진 무효의 처분이라고는 할 수 없다(대판 1998. 2. 27, 97누1105).

③ ○

> 법령의 규정이 특정 행정기관에게 법령내용의 구체적 사항을 정할 수 있는 권한을 부여하면서 권한행사의 절차나 방법을 특정하지 아니한 경우에는 수임행정기관은 행정규칙이나 규정형식으로 법령내용이 될 사항을 구체적으로 정할 수 있다(대판 2012. 7. 5, 2010다72076).

④ 빈출 ○

> 법령보충규칙 또는 재량준칙이 그 정한 바에 따라 되풀이 시행되어 행정관행이 이룩되게 되면, 평등의 원칙이나 신뢰보호의 원칙에 따라 행정기관은 그 상대방에 대한 관계에서 그 규칙에 따라야 할 자기구속을 당하게 되는 경우에는 대외적인 구속력을 가지게 되며, 이러한 경우에는 헌법소원의 대상이 될 수도 있다(헌재 2001. 5. 31, 99헌마413).

정답 05 ②

대표

06 빈출 정답률 78% 중 2020 지방직 · 서울시 9급

대외적 구속력을 인정할 수 없는 경우만을 모두 고르면? (다툼이 있는 경우 판례에 의함)

□□□ ㉠ 운전면허에 관한 제재적 행정처분의 기준이 도로교통법 시행규칙 [별표]에 규정되어 있는 경우
□□□ ㉡ 행정각부의 장이 정하는 특정 고시가 비록 법령에 근거를 둔 것이더라도 규정내용이 법령의 위임범위를 벗어난 것일 경우
□□□ ㉢ 상위법령에서 세부사항 등을 시행규칙으로 정하도록 위임하였음에도 이를 고시 등 행정규칙으로 정한 경우
□□□ ㉣ 상위법령의 위임이 없음에도 상위법령에 규정된 처분요건에 해당하는 사항을 하위 부령에서 변경하여 규정한 경우

① ㉠, ㉡ ② ㉡, ㉢
③ ㉠, ㉡, ㉢ ④ ㉠, ㉡, ㉢, ㉣

관련기출

㉠

1. 부령형식으로 정해진 제재적 행정처분의 기준은 법규성이 있어서 대외적으로 국민이나 법원을 기속하는 효력이 있다. (O, ×) 2022 지방직 · 서울시 9급
2. 부령의 형식으로 정해진 제재적 행정처분의 기준은 그 규정의 성질과 내용이 행정청 내부의 사무처리준칙을 정한 것에 불과하므로 대외적으로 국민이나 법원을 구속하는 것은 아니다. (O, ×) 2022 국가직 9급
3. 제재적 행정처분의 기준이 부령의 형식으로 규정되어 있는 경우 그러한 처분기준에 적합하다 하여 곧바로 당해 처분이 적법한 것이라고 할 수는 없다. (O, ×) 2021 지방직 · 서울시 7급
4. 제재적 행정처분의 기준이 부령의 형식으로 규정되어 있는 경우, 이 처분기준에 적합하다 하여 곧바로 당해 처분이 적법한 것이라고 할 수는 없다. (O, ×) 2017 지방직(하) 9급
5. 구 도로교통법 시행규칙 제53조 제1항이 정한 [별표 16]의 운전면허행정처분기준은 부령의 형식으로 되어 있으나, 그 규정의 성질과 내용이 운전면허의 취소처분 등에 관한 사무처리기준과 처분절차 등 행정청 내부의 사무처리준칙을 규정한 것에 지나지 아니하므로 대외적 구속력이 없다. (O, ×) 2014 지방직 9급

1. × 2. O 3. O 4. O 5. O

㉠ 빈출 ×

판례는 부령 형식으로 정해진 제재적 처분기준(영업허가의 취소, 정지 등)은 그 성질과 내용이 행정내부의 사무처리기준을 규정한 것에 불과하므로 행정규칙의 성질을 가지며 대외적으로 국민이나 법원을 구속하는 것은 아니라고 보고 있다. 도로교통법 시행규칙은 규정형식상 부령이지만 시행규칙에서 제재적 처분기준을 정하고 있는 경우 그 내용은 재량준칙, 즉 행정규칙에 불과하다. 판례는 이 경우 내용에 따라 행정규칙에 불과한 것으로 보고 있다.

> 도로교통법 시행규칙 제53조 제1항이 정한 [별표 16]의 운전면허행정처분기준은 부령의 형식으로 되어 있으나, 그 규정의 성질과 내용이 운전면허의 취소처분 등에 관한 사무처리기준과 처분절차 등 행정청 내부의 사무처리준칙을 규정한 것에 지나지 아니하므로 대외적으로 국민이나 법원을 기속하는 효력이 없으므로, 자동차운전면허취소처분의 적법 여부는 그 운전면허행정처분기준만에 의하여 판단할 것이 아니라 도로교통법의 규정내용과 취지에 따라 판단되어야 한다(대판 1997. 5. 30, 96누5773).

㉡ ×

행정각부의 장이 정하는 고시가 비록 법령에 근거를 둔 것이라고 하더라도 그 규정내용이 법령의 위임범위를 벗어난 것일 경우에는 법규명령으로서의 대외적 구속력을 인정할 여지는 없다는 것이 판례의 입장이다(대결 2006. 4. 28, 2003마715).

㉢ ×

상위법령에서 세부사항 등을 시행규칙으로 정하도록 위임하였음에도 이를 고시 등 행정규칙으로 정한 경우, 대외적 구속력을 가지는 법규명령으로서 효력을 인정할 수는 없다는 것이 판례의 입장이다(대판 2012. 7. 5, 2010다72076).

㉣ ×

법령의 위임이 없음에도 법령에 규정된 처분요건에 해당하는 사항을 부령에서 변경하여 규정한 경우에는 그 부령의 규정은 행정청 내부의 사무처리기준 등을 정한 것으로서 행정조직 내에서 적용되는 행정명령의 성격을 지닐 뿐 국민에 대한 대외적 구속력은 없다는 것이 판례의 입장이다(대판 2013. 9. 12, 2011두10584).

정답 06 ④

07 **빈출** 정답률 78% 중 2019 국가직 7급

행정규칙에 대한 판례의 입장으로 옳지 않은 것은?

① 행정규칙인 고시가 법령의 수권에 의해 법령을 보충하는 사항을 정하는 경우에는 법령보충적 고시로서 근거법령규정과 결합하여 대외적으로 구속력을 가진다.

② 법령보충적 행정규칙은 법령의 수권에 의하여 인정되고, 그 수권은 포괄위임금지의 원칙상 구체적 · 개별적으로 한정된 사항에 대하여 행해져야 한다.

③ 고시에 담긴 내용이 구체적 규율의 성격을 갖는다고 하더라도, 해당 고시를 행정처분으로 볼 수는 없으며 법령의 수권 여부에 따라 법규명령 또는 행정규칙으로 볼 수 있을 뿐이다.

④ 재산권 등의 기본권을 제한하는 작용을 하는 법률이 구체적으로 범위를 정하여 고시와 같은 형식으로 입법위임을 할 수 있는 사항은 전문적 · 기술적 사항이나 경미한 사항으로서 업무의 성질상 위임이 불가피한 사항에 한정된다.

관련기출

③

1. 고시가 일반 · 추상적 성격을 가질 때는 법규명령 또는 행정규칙에 해당하지만, 고시가 구체적인 규율의 성격을 갖는다면 행정처분에 해당한다. (○, ×) 2018 경행경채
2. 고시(告示)에 대하여 헌법재판소는 고시가 일반 · 추상적 성격을 가질 때는 법규명령 또는 행정규칙에 해당하지만, 고시가 구체적인 규율의 성격을 갖는다면 행정처분에 해당한다고 본다. (○, ×) 2011 국가직 9급

1. ○ 2. ○

④

1. 법령에서 전문적 · 기술적 사항이나 경미한 사항으로서 업무의 성질상 위임이 불가피한 사항에 관하여 구체적으로 범위를 정하여 위임한 경우에는 고시 등으로 정할 수 있다. (○, ×) 2022 경찰간부
2. 재산권 등과 같은 기본권을 제한하는 작용을 하는 법률이 입법위임을 할 때에는 법규명령에 위임함이 바람직하고, 금융감독위원회의 고시와 같은 행정규칙 형식으로 입법위임을 할 때에는 적어도 행정규제기본법 제4조 제2항 단서에서 정한 바와 같이 법령이 전문적 · 기술적 사항이나 경미한 사항으로서 업무의 성질상 위임이 불가피한 사항에 한정된다. (○, ×) 2020 군무원 9급
3. 성질상 위임이 불가피한 전문적 · 기술적 사항에 관하여 구체적으로 범위를 정하여 법령에서 위임하더라도 고시 등으로는 규제의 세부적인 내용을 정할 수 없다. (○, ×) 2018 교육행정직 9급
4. 헌법재판소는 법률이 일정한 사항을 행정규칙에 위임하더라도 그 위임은 전문적 · 기술적 사항이나 경미한 사항으로서 업무의 성질상 위임이 불가피한 사항에 한정된다고 한다. (○, ×) 2017 국가직 9급

1. ○ 2. ○ 3. × 4. ○

① ○

행정규칙인 고시가 법령의 수권에 의해 법령을 보충하는 사항을 규정하는 경우에는 근거법령(수권법령)의 규정과 결합하여 대외적으로 구속력 있는 법규명령으로서의 효력을 갖는다.

> 법령의 규정이 특정 행정기관에 그 법령내용의 구체적 사항을 정할 수 있는 권한을 부여하면서 권한행사의 절차나 방법을 특정하고 있지 않은 관계로 수임행정기관이 행정규칙의 형식으로 법령의 내용이 될 사항을 구체적으로 정하고 있는 경우, 그러한 행정규칙, 규정은 행정조직 내부에서만 효력을 가질 뿐 대외적인 구속력을 갖지 않는 행정규칙의 일반적 효력으로서가 아니라, 행정기관에 법령의 구체적 내용을 보충할 권한을 부여한 법령규정의 효력에 의하여 그 내용을 보충하는 기능을 갖게 되고, 따라서 당해 법령의 위임한계를 벗어나지 아니하는 한 그것들과 결합하여 대외적인 구속력이 있는 법규명령으로서의 효력을 갖게 된다(대판 1998. 6. 9, 97누19915).

②④ ○

> 행정규칙 형식의 법규명령도 법규명령에 해당하므로 포괄적 위임금지 등 위임입법의 한계를 준수해야 한다.
>
> 행정규칙은 법규명령과 같은 엄격한 제정 및 개정절차를 요하지 아니하므로, 재산권 등과 같은 기본권을 제한하는 작용을 하는 법률이 입법위임을 할 때에는 대통령령, 총리령, 부령 등 법규명령에 위임함이 바람직하고, 고시와 같은 형식으로 입법위임을 할 때에는 적어도 행정규제기본법 제4조 제2항 단서에서 정한 바와 같이 법령이 전문적 · 기술적 사항이나 경미한 사항으로서 업무의 성질상 위임이 불가피한 사항에 한정된다(④) 할 것이고, 그러한 사항이라 하더라도 포괄위임금지의 원칙상 법률의 위임은 반드시 구체적 · 개별적으로 한정된 사항에 대하여 행하여져야 한다(②)(헌재 2006. 12. 28, 2005헌바59).

③ **빈출** ×

고시에 담긴 내용이 구체적인 규율의 성격을 갖는다면 행정처분이라는 것이 판례의 입장이다.

> 고시는 법규명령일 수도 있고 행정규칙일 수도 있으며 일반처분의 성질을 가질 수도 있다.
>
> 고시 또는 공고의 법적 성질은 일률적으로 판단될 것이 아니라 고시에 담겨진 내용에 따라 구체적인 경우마다 달리 결정된다고 보아야 한다. 즉, 고시가 일반 · 추상적 성격을 가질 때에는 법규명령 또는 행정규칙에 해당하지만, 고시가 구체적인 규율의 성격을 갖는다면 행정처분에 해당한다(헌재 1998. 4. 30, 97헌마141).

정답 07 ③

08 **빈출** 정답률 82% 중 2019 지방직 · 교육행정직 9급

행정입법에 대한 설명으로 옳지 않은 것은? (다툼이 있는 경우 판례에 의함)

□□□ ① 집행명령은 상위법령의 집행에 필요한 세칙을 정하는 범위 내에서만 가능하고 새로운 국민의 권리 · 의무를 정할 수 없다.

□□□ ② 구 청소년보호법 시행령 제40조 [별표 6]의 위반행위의 종별에 따른 과징금 처분기준에서 정한 과징금 수액은 정액이 아니고 최고한도액이다.

□□□ ③ 집행명령은 상위법령이 개정되더라도 개정법령과 성질상 모순 · 저촉되지 아니하고 개정된 상위법령의 시행에 필요한 사항을 규정하고 있는 이상, 개정법령의 시행을 위한 집행명령이 제정 · 발효될 때까지는 여전히 그 효력을 유지한다.

□□□ ④ 상위법령에서 세부사항 등을 시행규칙으로 정하도록 위임하였으나, 이를 고시 등 행정규칙으로 정하였더라도 이는 대외적 구속력을 가지는 법규명령으로서 효력이 인정된다.

관련기출

②

1. 구 청소년보호법 시행령상 별표에 따른 과징금 처분기준은 단지 상한을 정한 것이 아니라 특정금액을 정한 것이다. (○, ×) 2017 사회복지직 9급
2. 구 청소년보호법 시행령 제40조 [별표 6]의 위반행위의 종별에 따른 과징금 처분기준은 법규명령에 해당하지만 그 과징금의 액수는 정액이 아니라 최고한도액이다. (○, ×) 2015 사회복지직 9급
3. 구 청소년보호법 제49조 제1 · 2항에 따른 동법 시행령 제40조 [별표 6]의 위반행위의 종별에 따른 과징금 처분기준은 법규명령에 해당하고 과징금 처분기준의 수액은 최고한도액이 아니라 정액이다. (○, ×) 2013 국가직 9급

1. × 2. ○ 3. ×

① ○

집행명령은 법률 또는 상위법령의 집행을 위하여 필요한 세부적 · 기술적 사항을 규정하는 명령으로, 신고서의 양식과 법령을 시행하기 위한 세칙 등 세부적 사항을 규정할 뿐 새로운 법규사항(국민의 권리 · 의무에 관한 사항)을 규정할 수는 없다.

② **빈출** ○

> 구 청소년보호법 제49조 제1 · 2항의 위임에 따른 같은 법 시행령 제40조 [별표 6]의 위반행위의 종별에 따른 과징금 처분기준은 법규명령이나, 처분기준에 규정된 금액은 정액이 아닌 최고한도액이라고 할 것이다(대판 2001. 3. 9, 99두5207).

③ ○

> 1. 상위법령의 시행에 필요한 세부적 사항을 정한, 이른바 집행명령은 근거법령인 상위법령이 폐지되면 특별한 규정이 없는 한 실효된다.
> 2. 그러나 상위법령이 개정됨에 그친 경우에는 성질상 이와 모순 · 저촉되지 아니하는 한 개정된 상위법령의 시행을 위한 집행명령이 새로 제정 · 발효될 때까지는 여전히 그 효력을 유지한다(대판 1989. 9. 12, 88누6962).

④ ×

상위법령에서 세부사항 등을 시행규칙으로 정하도록 위임하였음에도 이를 고시 등 행정규칙으로 정한 경우, 대외적 구속력을 가지는 법규명령으로서 효력을 인정할 수는 없다는 것이 판례의 입장이다(대판 2012. 7. 5, 2010다72076).

정답 08 ④

09 빈출 정답률 23% 상 2017 국가직 9급

행정입법에 대한 판례의 입장으로 옳지 않은 것은?

□□□ ① 헌법재판소는 대법원규칙인 구 법무사법 시행규칙에 대해, 법규명령이 별도의 집행행위를 기다리지 않고 직접 기본권을 침해하는 것일 때에는 헌법 제107조 제2항의 명령 · 규칙에 대한 대법원의 최종심사권에도 불구하고 헌법소원심판의 대상이 된다고 한다.

□□□ ② 대법원은 구 「여객자동차 운수사업법 시행규칙」 제31조 제2항 제1호, 제2호, 제6호는 구 「여객자동차 운수사업법」 제11조 제4항의 위임에 따라 시외버스운송사업의 사업계획변경에 관한 절차, 인가기준 등을 구체적으로 규정한 것으로서 행정청 내부의 사무처리준칙을 규정한 행정규칙에 불과하다고 할 수는 없다고 한다.

□□□ ③ 대법원은 재량준칙이 되풀이 시행되어 행정관행이 성립된 경우에는 당해 재량준칙에 자기구속력을 인정한다. 따라서 당해 재량준칙에 반하는 처분은 법규범인 당해 재량준칙을 직접 위반한 것으로서 위법한 처분이 된다고 한다.

□□□ ④ 헌법재판소는 법률이 일정한 사항을 행정규칙에 위임하더라도 그 위임은 전문적 · 기술적 사항이나 경미한 사항으로서 업무의 성질상 위임이 불가피한 사항에 한정된다고 한다.

관련기출

①

1. 헌법재판소는 법규명령이 재판의 전제가 됨이 없이 직접 개인의 기본권을 침해하는 경우에는 헌법소원의 대상이 된다고 하였다. (○, ×) 2011 사회복지직 9급
2. 집행행위의 매개 없이 직접 개인의 기본권을 침해하는 법규명령은 헌법소원의 대상이 된다. (○, ×) 2009 서울시 9급
3. 헌법재판소는 구 법무사법 시행규칙 제3조 제1항에 대한 헌법소원심판사건에서 명령 · 규칙에 대한 헌법재판소의 심사권을 인정하였다. (○, ×) 2008 지방직 7급

1. ○ 2. ○ 3. ○

②

1. 「여객자동차 운수사업법」의 위임에 따른 시외버스운송사업의 사업계획변경기준 등에 관한 「여객자동차 운수사업법 시행규칙」의 관련규정은 대외적인 구속력이 있는 법규명령이라고 할 것이다. (○, ×) 2023 지방직 · 서울시 7급
2. 구 「여객자동차 운수사업법 시행규칙」 제31조 제2항 제1호, 제2호, 제6호는 구 「여객자동차 운수사업법」 제11조 제4항의 위임에 따라 시외버스 운송사업의 사업계획변경에 관한 절차, 인가기준 등을 구체적으로 규정한 것으로서, 이는 행정청 내부의 사무처리준칙을 규정한 행정규칙에 불과하여 대외적 구속력이 없다. (○, ×) 2016 경행경채

1. ○ 2. ×

① 빈출 ○

법규명령 등이 별도의 집행행위를 기다리지 않고 직접 기본권을 침해하는 것인 때에는 헌법소원심판의 대상이 될 수 있다.

헌법 제107조 제2항이 규정한 명령 · 규칙에 대한 대법원의 최종심사권이란 구체적인 소송사건에서 명령 · 규칙의 위헌 여부가 재판의 전제가 되었을 경우 법률의 경우와는 달리 헌법재판소에 제청할 것 없이 대법원이 최종적으로 심사할 수 있다는 의미이며, 동법 제111조 제1항 제1호에서 법률의 위헌여부심사권을 헌법재판소에 부여한 이상 통일적인 헌법해석과 규범통제를 위하여 공권력에 의한 기본권침해를 이유로 하는 헌법소원심판청구사건에 있어서 법률의 하위규범인 명령 · 규칙의 위헌여부심사권이 헌법재판소의 관할에 속함은 당연한 것으로서 동법 제107조 제2항의 규정이 이를 배제한 것이라고는 볼 수 없다. …… 헌법재판소법 제68조 제1항이 규정하고 있는 헌법소원심판의 대상으로서의 '공권력'이란 입법 · 사법 · 행정 등 모든 공권력을 말하는 것이므로 입법부에서 제정한 법률, 행정부에서 제정한 시행령이나 시행규칙 및 사법부에서 제정한 규칙(편저자 주 : 대법원규칙인 구 법무사법 시행규칙) 등은 그것들이 별도의 집행행위를 기다리지 않고 직접 기본권을 침해하는 것일 때에는 모두 헌법소원심판의 대상이 될 수 있는 것이다(헌재 1990. 10. 15, 89헌마178).

② 빈출 ○

구 「여객자동차 운수사업법」 제11조 제4항의 위임에 따라 시외버스운송사업의 사업계획변경에 관한 절차, 인가기준 등을 구체적으로 규정한 구 「여객자동차 운수사업법 시행규칙」 제31조 제2항 제1호, 제2호, 제6호는 대외적인 구속력이 있는 법규명령이라고 할 것이고, 그것을 행정청 내부의 사무처리준칙을 규정한 행정규칙에 불과하다고 할 수는 없다는 것이 판례의 입장이다(대판 2006. 6. 27, 2003두4355).

③ ×

지문의 뒷부분이 옳지 않다. 재량준칙은 그 자체가 직접적으로 법규성이 있는 것은 아니나 재량준칙이 되풀이 시행되어 행정관행이 성립한 경우 평등의 원칙, 자기구속의 원칙을 매개로 하여 간접적으로 대외적인 구속력을 갖는다는 것이 일반적 견해이다. 재량준칙에 직접 위반되었다는 이유로 처분이 위법하게 되는 것은 아니다.

재량권행사의 준칙인 행정규칙이 그 정한 바에 따라 되풀이 시행되어 행정관행이 이루어지게 되면 평등의 원칙이나 신뢰보호의 원칙에 따라 행정기관은 그 상대방에 대한 관계에서 그 규칙에 따라야 할 자기구속을 받게 되므로, 이러한 경우에는 특별한 사정이 없는 한 그를 위반하는 처분은 평등의 원칙이나 신뢰보호의 원칙에 위배되어 재량권을 일탈 · 남용한 위법한 처분이 된다(대판 2009. 12. 24, 2009두7967).

④ ○

고시와 같은 형식으로 입법위임을 할 때에는 적어도 법령이 전문적 · 기술적 사항이나 경미한 사항으로서 업무의 성질상 위임이 불가피한 사항에 한정된다 할 것이고, 그러한 사항이라 하더라도 포괄위임금지의 원칙상 법률의 위임은 반드시 구체적 · 개별적으로 한정된 사항에 대하여 행하여져야 한다는 것이 판례의 입장이다(헌재 2006. 12. 28, 2005헌바59).

정답 09 ③

제 12 강 행정행위의 기초개념

1회독	2회독	3회독
/	/	/

⊘정답률 공단기/소방단기 합격예측 풀서비스 통계 데이터 기준 기 기본서 핵 핵심집약

02 기속행위와 재량행위, 불확정개념과 판단여지

기 222~239쪽 핵 T 23~24

01

정답률 79% 중 2023 국가직 7급

기속행위와 재량행위에 대한 설명으로 옳은 것은? (다툼이 있는 경우 판례에 의함)

□□□ ① 재량행위에 대한 법원의 심사는 재량권의 일탈 또는 남용 및 재량권의 한계 내에서의 행정청의 판단, 즉 합목적성 내지 공익성의 판단 등을 대상으로 한다.

□□□ ② 육아휴직 중 국가공무원법 제73조 제2항에서 정한 복직 요건인 '휴직사유가 없어진 때'에 하는 복직명령은 기속행위이므로 휴직사유가 소멸하였음을 이유로 복직을 신청하는 경우 임용권자는 지체 없이 복직명령을 하여야 한다.

□□□ ③ 재외동포에 대한 사증발급은 행정청의 기속행위에 속하는 것으로서, 재외동포가 사증발급을 신청한 경우에 구 「출입국관리법 시행령」 [별표 1의2]에서 정한 재외동포체류자격의 요건을 갖추었다면 사증을 발급해야 한다.

□□□ ④ 구 주택건설촉진법 제33조에 의한 주택건설사업계획의 승인은 인간이 본래 가지고 있는 자연적 자유의 회복을 내용으로 하는 행정청의 기속행위에 속한다.

관련기출

③

1. 재외동포가 사증발급을 신청한 경우에 「출입국관리법 시행령」 [별표 1의2]에서 정한 재외동포체류자격의 요건을 갖추었다고 해서 무조건 사증을 발급해야 하는 것은 아니다. (O, X) 2024 해경간부

1. O

④

1. 구 주택건설촉진법에 의한 주택건설사업계획 사전결정이 있는 경우 주택건설계획 승인처분은 사전결정에 기속되므로 다시 승인 여부를 결정할 수 없다. (O, X) 2017 서울시 9급

1. X

① 정답률 12% X

재량권의 일탈 또는 남용은 법원의 심사대상이 된다(행정소송법 제27조). 그러나 재량권의 한계 내에서의 행정청의 판단, 즉 합목적성 내지 공익성의 판단 등은 위법의 문제가 아니라 당·부당의 문제로서 행정심판의 대상은 되지만 법원의 심사대상은 되지 않는다.

> **행정소송법 제27조【재량처분의 취소】** 행정청의 재량에 속하는 처분이라도 재량권의 한계를 넘거나 그 남용이 있는 때에는 법원은 이를 취소할 수 있다.
>
> **행정심판법 제5조【행정심판의 종류】** 행정심판의 종류는 다음 각 호와 같다.
> 1. 취소심판 : 행정청의 위법 또는 부당한 처분을 취소하거나 변경하는 행정심판

② **빈출** 정답률 79% O

> 육아휴직 중 국가공무원법 제73조 제2항에 따른 복직명령의 법적 성질은 기속행위이다.
>
> 구 교육공무원법 제44조 제1항 제7호는 '만 6세 이하의 초등학교 취학 전 자녀'를 양육대상으로 하여 '교육공무원이 그 자녀를 양육하기 위하여 필요한 경우'를 육아휴직의 사유로 규정하고 있으므로, 육아휴직 중 그 사유가 소멸하였는지는 해당 자녀가 사망하거나 초등학교에 취학하는 등으로 양육대상에 관한 요건이 소멸한 경우뿐만 아니라 육아휴직 중인 교육공무원에게 해당 자녀를 더 이상 양육할 수 없거나, 양육을 위하여 휴직할 필요가 없는 사유가 발생하였는지 여부도 함께 고려하여야 하고, 국가공무원법 제73조 제2항의 문언에 비추어 복직명령은 기속행위이므로 휴직사유가 소멸하였음을 이유로 신청하는 경우 임용권자는 지체 없이 복직명령을 하여야 한다(대판 2014. 6. 12, 2012두4852).

③ 정답률 4% X

> 재외동포에 대한 사증발급은 행정청의 재량행위에 속한다.
>
> 재외동포에 대한 사증발급은 행정청의 재량행위에 속하는 것으로서, 재외동포가 사증발급을 신청한 경우에 출입국관리법 시행령 [별표 1의2]에서 정한 재외동포체류자격의 요건을 갖추었다고 해서 무조건 사증을 발급해야 하는 것은 아니다(대판 2019. 7. 11, 2017두38874).

④ 정답률 2% X

> 1. 주택건설사업계획승인은 재량행위로서 주택건설사업계획의 사전결정이 있다 하더라도 여전히 재량행위이다.
>   구 주택건설촉진법 제33조 제1항의 규정에 의한 주택건설사업계획의 승인은 상대방에게 권리나 이익을 부여하는 효과를 수반하는 이른바 수익적 행정처분으로서 행정처분의 요건에 관하여 일의적으로 규정되어 있지 아니한 이상 행정청의 재량행위에 속하고, 그 전 단계인 같은 법 제32조의4 제1항의 규정에 의한 주택건설사업계획의 사전결정이 있다 하여 달리 볼 것은 아니다.
> 2. 따라서 주택건설사업계획승인을 함에 있어 비록 사전결정을 하였다고 하더라도 사전결정에 기속되지 않고 사익과 공익을 비교·형량하여 그 승인 여부를 결정할 수 있다(대판 1999. 5. 25, 99두1052).

정답 01 ②

02 정답률 91% 중 2023 군무원 9급

기속행위와 재량행위에 대한 설명으로 옳지 않은 것은? (다툼이 있는 경우 판례에 의함)

□□□ ① 기속행위와 재량행위의 구분은 당해 행위의 근거가 된 법규의 체재 · 형식과 그 문언, 당해 행위가 속하는 행정 분야의 주된 목적과 특성, 당해 행위 자체의 개별적 성질과 유형 등을 모두 고려하여 판단하여야 한다.

□□□ ② 처분의 근거 법령이 행정청에 재량을 부여하였으나 행정청이 처분으로 달성하려는 공익과 처분상대방이 입게 되는 불이익을 전혀 비교형량하지 않은 채 처분을 하였더라도 재량권 일탈 · 남용으로 해당 처분을 취소해야 할 위법사유가 되지는 않는다.

□□□ ③ 행정청은 처분에 재량이 없는 경우에는 법률에 근거가 있는 경우에 부관을 붙일 수 있다.

□□□ ④ 재량행위의 경우 법원은 독자의 결론을 도출함이 없이 당해 행위에 재량권의 일탈 · 남용이 있는지 여부만을 심사한다.

①④ ○

기속행위의 경우 법원이 일정한 결론을 도출한 후 그 결론에 비추어 행정청이 한 판단의 적법 여부를 독자의 입장에서 판정하는 방식에 의한다. 재량행위의 경우 법원은 독자의 결론을 도출함이 없이 당해 행위에 재량권의 일탈 · 남용이 있는지 여부만을 심사하게 된다(④).

행정행위가 그 재량성의 유무 및 범위와 관련하여 이른바 기속행위 내지 기속재량행위와 재량행위 내지 자유재량행위로 구분된다고 할 때, 그 구분은 당해 행위의 근거가 된 법규의 체재 · 형식과 그 문언, 당해 행위가 속하는 행정 분야의 주된 목적과 특성, 당해 행위 자체의 개별적 성질과 유형 등을 모두 고려하여 판단하여야 하고(①), 이렇게 구분되는 양자에 대한 사법심사는, 전자(편저자 주 : 기속행위)의 경우 그 법규에 대한 원칙적인 기속성으로 인하여 법원이 사실인정과 관련법규의 해석 · 적용을 통하여 일정한 결론을 도출한 후 그 결론에 비추어 행정청이 한 판단의 적법 여부를 독자의 입장에서 판정하는 방식에 의하게 되나, 후자(편저자 주 : 재량행위)의 경우 행정청의 재량에 기한 공익판단의 여지를 감안하여 법원은 독자의 결론을 도출함이 없이 당해 행위에 재량권의 일탈 · 남용이 있는지 여부만을 심사하게 되고, 이러한 재량권의 일탈 · 남용 여부에 대한 심사는 사실오인, 비례 · 평등의 원칙 위배, 당해 행위의 목적 위반이나 동기의 부정 유무 등을 그 판단대상으로 한다(대판 2001. 2. 9, 98두17593).

② ×

처분의 근거법령이 행정청에 처분의 요건과 효과 판단에 일정한 재량을 부여하였는데도, 행정청이 자신에게 재량권이 없다고 오인한 나머지 처분으로 달성하려는 공익과 그로써 처분상대방이 입게 되는 불이익의 내용과 정도를 전혀 비교형량하지 않은 채 처분을 하였다면, 이는 재량권 불행사로서 그 자체로 재량권 일탈 · 남용으로 해당 처분을 취소하여야 할 위법사유가 된다(대판 2019. 7. 11, 2017두38874).

③ ○

행정기본법 제17조【부관】 ② 행정청은 처분에 재량이 없는 경우에는 법률에 근거가 있는 경우에 부관을 붙일 수 있다.

정답 02 ②

03 정답률 74% 중 2022 지방직 · 서울시 9급

판례상 재량행위에 해당하는 것만을 모두 고르면?

□□□ ㉠ 「여객자동차 운수사업법」상 개인택시운송사업 면허
□□□ ㉡ 구 수도권대기환경특별법상 대기오염물질 총량관리사업장 설치허가
□□□ ㉢ 국가공무원법상 휴직사유 소멸을 이유로 한 신청에 대한 복직명령
□□□ ㉣ 출입국관리법상 체류자격변경허가

① ㉠, ㉣ ② ㉡, ㉢
③ ㉠, ㉡, ㉣ ④ ㉠, ㉡, ㉢, ㉣

관련기출

㉠

1. 개인택시운송사업면허는 특정인에게 권리나 의무를 부여하는 것이므로 강학상 특허에 해당한다. (○, ×) 2022 국회직 8급
2. 개인택시운송사업면허는 특정인에게 권리나 이익을 부여하는 행정행위로서 법령에 특별한 규정이 없는 한 재량행위이고, 그 면허에 필요한 기준을 정하는 것 역시 행정청의 재량에 속한다. (○, ×) 2020 변호사

1. ○ 2. ○

㉡

1. 구 「수도권 대기환경개선에 관한 특별법」상 대기오염물질 총량관리사업장 설치의 허가는 강학상 특허이다. (○, ×) 2019 서울시 9급

1. ○

㉢

1. 육아휴직 중 국가공무원법 제73조 제2항에서 정한 복직 요건인 '휴직사유가 없어진 때'에 하는 복직명령은 기속행위이므로 휴직사유가 소멸하였음을 이유로 복직을 신청하는 경우 임용권자는 지체 없이 복직명령을 하여야 한다. (○, ×) 2023 국가직 7급
2. 국가공무원법상 복직명령은 재량행위이므로, 국가공무원이 휴직사유가 소멸하였음을 이유로 복직신청을 한 경우 임용권자는 지체 없이 복직명령을 하여야 하는 것은 아니다. (○, ×) 2023 경찰간부

1. ○ 2. ×

㉣

1. "대한민국에 체류하는 외국인이 그 체류자격과 다른 체류자격에 해당하는 활동을 하려면 미리 법무부장관의 체류자격변경허가를 받아야 한다."라는 규정에 따라 변경신청을 받은 법무부장관은 변경허가를 해주어야 한다. (○, ×) 2022 서울시 지적 7급
2. 출입국관리법상 체류자격변경허가는 기속행위이므로 신청인이 관계법령에서 정한 요건을 충족하면 허가권자는 신청을 받아들여 허가해야 한다. (○, ×) 2022 소방직 9급
3. 출입국관리법상 체류자격 변경허가는 설권적 처분의 성격을 가지므로, 허가권자는 허가 여부를 결정할 수 있는 재량을 가진다. (○, ×) 2019 소방직 9급
4. 출입국관리법상 체류자격변경허가는 강학상 특허에 해당한다. (○, ×) 2017 교육행정직 9급

1. × 2. × 3. ○ 4. ○

㉠ **빈출** 제13강 참조 ○

개인택시운송사업면허는 특허로서 특별한 규정이 없는 한 재량행위이다.

자동차운수사업법에 의한 개인택시운송사업면허는 특정인에게 권리나 이익을 부여하는 행정행위로서 법령에 특별한 규정이 없으면 행정청의 재량에 속하는 것이고, 그 면허를 위하여 정하여진 순위 내에서의 운전경력 인정방법에 관한 기준을 설정하는 것 역시 행정청의 재량이므로, 그 설정된 기준이 객관적으로 합리적이 아니라거나 타당하지 않다고 볼 만한 다른 특별한 사정이 없는 이상 이에 기하여 운전경력을 산정한 것을 위법하다고 할 수는 없다(대판 1995. 7. 14, 94누14841 ; 대판 1995. 11. 10, 95누8461 ; 대판 1996. 10. 11, 96누6172).

㉡ 제13강 참조 ○

구 수도권대기환경특별법 제14조 제1항에서 정한 대기오염물질 총량관리사업장 설치의 허가 또는 변경허가는 특정인에게 인구가 밀집되고 대기오염이 심각하다고 인정되는 수도권 대기관리권역에서 총량관리대상 오염물질을 일정량을 초과하여 배출할 수 있는 특정한 권리를 설정하여 주는 행위로서 그 처분의 여부 및 내용의 결정은 행정청의 재량에 속한다(대판 2013. 5. 9, 2012두22799).

㉢ ×

(육아휴직과 관련하여) 복직명령은 기속행위이므로 휴직사유가 소멸하였음을 이유로 신청하는 경우 임용권자는 지체 없이 복직명령을 하여야 한다.

구 교육공무원법 제44조 제1항 제7호는 '만 6세 이하의 초등학교 취학 전 자녀'를 양육대상으로 하여 '교육공무원이 그 자녀를 양육하기 위하여 필요한 경우'를 육아휴직의 사유로 규정하고 있으므로, 육아휴직 중 그 사유가 소멸하였는지는 해당 자녀가 사망하거나 초등학교에 취학하는 등으로 양육대상에 관한 요건이 소멸한 경우뿐만 아니라 육아휴직 중인 교육공무원에게 해당 자녀를 더 이상 양육할 수 없거나, 양육을 위하여 휴직할 필요가 없는 사유가 발생하였는지 여부도 함께 고려하여야 하고, 국가공무원법 제73조 제2항의 문언에 비추어 복직명령은 기속행위이므로 휴직사유가 소멸하였음을 이유로 신청하는 경우 임용권자는 지체 없이 복직명령을 하여야 한다(대판 2014. 6. 12, 2012두4852).

㉣ **빈출** ○

출입국관리법상 체류자격변경허가는 설권적 처분(특허)의 성격을 가지며 허가권자는 허가 여부를 결정할 재량을 가진다.

출입국관리법 제10조는, 외국인으로서 입국하려는 자는 대통령령으로 정하는 체류자격을 가져야 한다고 규정하고(제1항), 1회에 부여할 수 있는 체류자격별 체류기간의 상한은 법무부령으로 정하도록 규정하고 있다(제2항). 그리고 같은 법 제24조 제1항은, 대한민국에 체류하는 외국인이 그 체류자격과 다른 체류자격에 해당하는 활동을 하려면 미리 법무부장관의 체류자격 변경허가를 받도록 규정하고 있다. …… 위와 같은 관련 법령의 문언, 내용 및 형식, 체계 등에 비추어 보면, 체류자격변경허가는 신청인에게 당초의 체류자격과 다른 체류자격에 해당하는 활동을 할 수 있는 권한을 부여하는 일종의 설권적 처분의 성격을 가지므로, 허가권자는 신청인이 관계 법령에서 정한 요건을 충족하였더라도, 신청인의 적격성, 체류 목적, 공익상의 영향 등을 참작하여 허가 여부를 결정할 수 있는 재량을 가진다(대판 2016. 7. 14, 2015두48846).

정답 03 ③

04 정답률 88% 하 2021 국가직 7급

기속행위와 재량행위에 대한 판례의 입장으로 옳지 않은 것은?

① 「여객자동차 운수사업법」에 의한 개인택시운송사업면허는 특정인에게 권리나 이익을 부여하는 행정행위로서 법령에 특별한 규정이 없는 한 재량행위이다.

② 공유수면점용허가는 특정인에게 공유수면이용권이라는 독점적 권리를 설정하여 주는 처분으로서 그 처분의 여부 및 내용의 결정은 원칙적으로 행정청의 재량에 속한다.

③ 「국토의 계획 및 이용에 관한 법률」상 토지의 형질변경허가는 그 금지요건이 불확정개념으로 규정되어 있으므로, 동법상 지정된 도시지역 안에서 토지의 형질변경행위를 수반하는 건축법상의 건축허가는 재량행위이다.

④ 귀화허가는 강학상 허가에 해당하므로, 귀화신청인이 귀화요건을 갖추어서 귀화허가를 신청한 경우에 법무부장관은 귀화허가를 해 주어야 한다.

관련기출

④

1. 귀화허가는 특허에 해당한다. (○, ×) 2020 소방직 9급
2. 귀화허가는 외국인에게 대한민국 국적을 부여함으로써 국민으로서의 법적 지위를 포괄적으로 설정하는 행위에 해당하므로 법무부장관은 귀화신청인이 국적법 소정의 귀화요건을 모두 갖춘 경우에는 관계법령에서 정하는 제한사유 외에 공익상의 이유로 귀화허가를 거부할 수 없다. (○, ×) 2017 국가직(하) 9급
3. 법률에서 정한 귀화요건을 갖춘 신청에 대한 법무부장관의 귀화허가는 재량행위로 볼 수 있다. (○, ×) 2014 경행특채 1차

1. ○ 2. × 3. ○

① ○

개인택시운송사업면허는 특허로서 특별한 규정이 없는 한 재량행위라는 것이 판례의 입장이다(대판 1995. 7. 14, 94누14841 ; 대판 1995. 11. 10, 95누8461 ; 대판 1996. 10. 11, 96누6172).

② 제13강 참조 ○

> 구 공유수면관리법에 따른 공유수면의 점·사용허가는 특정인에게 공유수면이용권이라는 독점적 권리를 설정하여 주는 처분으로서 그 처분의 여부 및 내용의 결정은 원칙적으로 행정청의 재량에 속한다고 할 것이다(대판 2004. 5. 28, 2002두5016).

③ 제13강 참조 ○

> 「국토의 계획 및 이용에 관한 법률」에 의하여 지정된 도시지역 안에서 토지의 형질변경행위를 수반하는 건축허가는 재량행위이다.
>
> 「국토의 계획 및 이용에 관한 법률」에서 정한 도시지역 안에서 토지의 형질변경행위를 수반하는 건축허가는 건축법 제8조 제1항의 규정에 의한 건축허가와 「국토의 계획 및 이용에 관한 법률」 제56조 제1항 제2호의 규정에 의한 토지의 형질변경허가의 성질을 아울러 갖는 것으로 보아야 할 것이고, 같은 법 제58조 제1항 제4호, 제3항, 같은 법 시행령 제56조 제1항 [별표 1] 제1호 (가)목 (3), (라)목 (1), (마)목 (1)의 각 규정을 종합하면, 같은 법 제56조 제1항 제2호의 규정에 의한 토지의 형질변경허가는 그 금지요건이 불확정개념으로 규정되어 있어 그 금지요건에 해당하는지 여부를 판단함에 있어서 행정청에 재량권이 부여되어 있다고 할 것이므로, 같은 법에 의하여 지정된 도시지역 안에서 토지의 형질변경행위를 수반하는 건축허가는 결국 재량행위에 속한다(대판 2005. 7. 14, 2004두6181).

④ **빈출** 제13강 참조 ×

> 법무부장관은 법률에 정한 귀화요건을 갖춘 귀화신청인에게 귀화를 허가할 것인지 여부에 관하여 재량권을 가진다.
>
> 귀화허가는 외국인에게 대한민국 국적을 부여함으로써 국민으로서의 법적 지위를 포괄적으로 설정하는 행위에 해당한다. 법무부장관은 귀화신청인이 법률이 정하는 귀화요건을 갖추었다고 하더라도 귀화를 허가할 것인지 여부에 관하여 재량권을 가진다(대판 2010. 7. 15, 2009두19069).

정답 04 ④

제 13 강 행정행위의 내용

1회독	2회독	3회독
/	/	/

⊘정답률 공단기/소방단기 합격예측 풀서비스 통계 데이터 기준 기 기본서 핵 핵심집약

01 법률행위적 행정행위 기 242~272쪽 핵 T 25~26

❷ 허 가

01 중 2024 군무원 7급

다음 중 영업양도와 제재사유의 승계에 관한 판례의 내용으로 가장 적절하지 않은 것은?

□□□ ① 불법증차를 실행한 운송사업의 양수인에 대하여는 양수인의 지위승계 전에 불법증차에 관하여 발생한 유가보조금 부정수급액에 대해서까지 양수인을 상대로 반환명령을 할 수 있다.

□□□ ② 건축법상의 위반행위에 대하여 건축주 등에 대하여 부과되는 이행강제금 납부의무는 상속인 기타의 사람에게 승계될 수 없는 일신전속적인 성질의 것이므로 이미 사망한 사람에게 이행강제금을 부과하는 내용의 처분이나 결정은 당연무효이다.

□□□ ③ 사업정지 등의 제재처분이 사업의 전부나 일부에 대한 것으로서 대물적 처분의 성격을 갖고 있는 경우, 종전 석유판매업자가 유사석유제품을 판매함으로써 받게 되는 사업정지 등 제재처분의 승계가 포함되어 그 지위를 승계한 자에 대하여 사업정지 등의 제재처분을 취할 수 있다.

□□□ ④ 양도인의 운전면허취소가 운송사업면허의 취소사유에 해당한다는 이유로 양수인의 운송사업면허를 취소하는 처분을 한 사안에서, 그 처분으로 인하여 공익상의 필요보다 상대방이 받게 되는 불이익 등이 막대한 경우에는 재량한계를 일탈한 것으로서 그 자체가 위법하게 된다.

① ×

관할행정청은 양수인의 선의·악의를 불문하고 양수인에 대하여 불법증차 차량에 관하여 지급된 유가보조금의 반환을 명할 수 있다. 다만 그에 따른 양수인의 책임범위는 지위승계 후 발생한 유가보조금 부정수급액에 한정되고, 지위승계 전에 발생한 유가보조금 부정수급액에 대해서까지 양수인을 상대로 반환명령을 할 수는 없다. 유가보조금 반환명령은 '운송사업자 등'이 유가보조금을 지급받을 요건을 충족하지 못함에도 유가보조금을 청구하여 부정수급하는 행위를 처분사유로 하는 '대인적 처분'으로서, '운송사업자'가 불법증차 차량이라는 물적 자산을 보유하고 있음을 이유로 한 운송사업 허가취소 등의 '대물적 제재처분'과는 구별되고, 양수인은 영업양도·양수 전에 벌어진 양도인의 불법증차 차량의 제공 및 유가보조금 부정수급이라는 결과발생에 어떠한 책임이 있다고 볼 수 없기 때문이다(대판 2021. 7. 29, 2018두55968).

② 제24강 참조 ○

건축법상의 이행강제금은 간접강제의 일종으로서 그 이행강제금 납부의무는 상속인에게 승계될 수 없는 일신전속적인 성질의 것이므로 이미 사망한 사람에게 이행강제금을 부과하는 내용의 처분이나 결정은 당연무효이다(대결 2006. 12. 8, 2006마470).

③ 제6강 참조 ○

석유판매업허가는 대물적 허가의 성격을 갖는 것으로 석유판매업자의 지위를 승계한 자(양수인)에 대하여 종전의 석유판매업자(양도인)가 유사석유제품을 판매하는 위법행위를 하였다는 이유로 사업정지 등 제재처분을 취할 수 있다(대판 2003. 10. 23, 2003두8005).

④ ○

(관할관청이 개인택시 운송사업의 양도·양수에 대한 인가를 한 후 그 이전에 있었던 양도인의 음주운전 사실로 운전면허가 취소되자, 양도인의 운전면허 취소가 운송사업면허의 취소사유에 해당한다는 이유로 양수인의 운송사업면허를 취소하는 처분을 한 사안에서) 개인택시 운송사업면허와 같은 수익적 행정처분을 취소 또는 철회하거나 중지하는 경우에는 이미 부여된 그 국민의 기득권을 침해하는 것이 되므로, 비록 취소 등의 사유가 있다고 하더라도 그 취소권 등의 행사는 기득권의 침해를 정당화할 만한 중대한 공익상의 필요 또는 제3자의 이익보호의 필요가 있는 때에 한하여 상대방이 받는 불이익과 비교·교량하여 결정하여야 하고, 그 처분으로 인하여 공익상의 필요보다 상대방이 받게 되는 불이익 등이 막대한 경우에는 재량권의 한계를 일탈한 것으로서 그 자체가 위법하게 된다(대판 2010. 4. 8, 2009두17018).

정답 01 ①

02 ㊤ 2024 국회직 8급

다음 사례에 있어 행정기본법상 인 · 허가 의제에 대한 설명으로 옳지 않은 것은? (다툼이 있는 경우 판례에 의함)

> 甲은 자신의 토지에 건축을 하기 위하여 건축허가(주된 허가)를 신청하려고 담당공무원에게 문의한 결과, 건축허가뿐만 아니라 개발행위허가(의제된 허가)도 받아야 함을 알게 되었다.

□□□ ① 甲은 건축허가를 신청할 때 개발행위허가에 필요한 서류를 함께 제출하여야 한다.

□□□ ② 건축허가 행정청은 건축허가를 하기 전에 개발행위허가에 관하여 미리 개발행위허가 행정청과 협의하여야 한다.

□□□ ③ 개발행위허가 행정청은 건축허가 행정청으로부터 협의를 요청받으면, 법률에 인 · 허가 의제시에도 관련 인 · 허가에 필요한 심의 · 의견청취 등 절차를 거친다는 명시적인 규정이 있는 경우 그 절차에 걸리는 기간을 제외하고, 그 요청을 받은 날부터 20일 이내에 의견을 제출하여야 한다.

□□□ ④ 개발행위허가 행정청이 건축허가 행정청으로부터 협의를 요청받고도 법령에서 정한 기간 내에 협의 여부에 관하여 의견을 제출하지 아니하면 건축허가 행정청은 재협의를 요청하여야 한다.

□□□ ⑤ 건축허가와 개발행위허가에 관해 법령에 따른 협의가 된 사항에 대해서는 건축허가를 받았을 때 개발행위허가를 받은 것으로 본다.

①②③⑤ ○

④ ×

재협의를 요청하는 것이 아니라 협의가 된 것으로 본다.

> **행정기본법 제24조【인 · 허가 의제의 기준】** ② 인 · 허가 의제를 받으려면 주된 인 · 허가를 신청할 때 관련 인 · 허가에 필요한 서류를 함께 제출하여야 한다(①). 다만, 불가피한 사유로 함께 제출할 수 없는 경우에는 주된 인 · 허가 행정청이 별도로 정하는 기한까지 제출할 수 있다.
> ③ 주된 인 · 허가 행정청은 주된 인 · 허가를 하기 전에 관련 인 · 허가에 관하여 미리 관련 인 · 허가 행정청과 협의하여야 한다(②).
> ④ 관련 인 · 허가 행정청은 제3항에 따른 협의를 요청받으면 그 요청을 받은 날부터 20일 이내(제5항 단서에 따른 절차에 걸리는 기간은 제외한다)에 의견을 제출하여야 한다(③). 이 경우 전단에서 정한 **기간**(민원처리 관련법령에 따라 의견을 제출하여야 하는 기간을 연장한 경우에는 그 연장한 기간을 말한다) **내에 협의 여부에 관하여 의견을 제출하지 아니하면 협의가 된 것으로 본다**(④).
> ⑤ 제3항에 따라 협의를 요청받은 관련 인 · 허가 행정청은 해당 법령을 위반하여 협의에 응해서는 아니 된다. 다만, 관련 인 · 허가에 필요한 심의, 의견청취 등 절차에 관하여는 법률에 인 · 허가 의제시에도 해당 절차를 거친다는 명시적인 규정이 있는 경우에만 이를 거친다.
> **제25조【인 · 허가 의제의 효과】** ① 제24조 제3항 · 제4항에 따라 협의가 된 사항에 대해서는 주된 인 · 허가를 받았을 때 관련 인 · 허가를 받은 것으로 본다(⑤).

정답 02 ④

03 중 2024 소방간부

행정행위에 관한 설명으로 옳은 것은? (다툼이 있는 경우 판례에 의함)

□□□ ① 행정처분이 불복기간의 경과로 인하여 불가쟁력이 발생하면 그 처분의 기초가 된 사실관계나 법률적 판단이 확정되는 것이므로 당사자는 이와 모순되는 주장을 할 수 없다.

□□□ ② 어떠한 공중위생영업에 대하여 그 영업을 정지할 위법사유가 있다면, 관할 행정청은 그 영업이 양도·양수되었다 하더라도 그 업소의 양수인에 대하여 영업정지처분을 할 수 있다.

□□□ ③ 원자력안전법상 원자로 건설허가에 앞선 부지사전승인처분은 그 자체로서 건설부지를 확정하고 사전공사를 허용하는 독립된 행정처분이므로 나중에 건설허가처분이 있게 되더라도 이와 별개로 독립하여 취소소송으로 다툴 수 있다.

□□□ ④ 운전면허취소처분이 위법하더라도 공정력이 인정되는 결과, 운전면허취소처분을 받은 자가 이후 당해 처분에 대한 취소소송기간 중 자동차를 운전하였다면, 그 이후 판결에 의해 운전면허취소처분이 취소되었더라도 무면허운전에 해당한다.

□□□ ⑤ 한의사 면허는 강학상 특허에 해당하고, 한약조제시험을 통하여 약사에게 한약조제권을 인정함으로써 한의사들의 영업상 이익이 감소되었다면 이러한 이익은 약사법이나 의료법 등의 법률에 의하여 보호되는 법률상 이익이라 볼 수 있다.

관련기출

②

1. 구 공중위생관리법상 공중위생영업에 대하여 영업을 정지할 위법사유가 있다면, 관할행정청은 그 영업이 양도·양수되었다 하더라도 양수인에 대하여 영업정지처분을 할 수 있다.(○, ×) 2021 국가직 9급

🔒 1. ○

④

1. 운전면허취소처분에 대한 취소소송에서 취소판결이 확정되었다면 운전면허취소처분 이후의 운전행위를 무면허운전이라 할 수는 없다. (○, ×) 2020 국가직 7급
2. 운전면허취소처분을 받은 후 자동차를 운전하였으나 위 취소처분이 행정쟁송절차에 의하여 취소된 경우, 행정행위에 인정되는 공정력에도 불구하고 무면허운전이 성립되지 않는다. (○, ×) 2008 지방직(하) 7급

🔒 1. ○ 2. ○

① 제15강 참조 ×

1. 일반적으로 행정처분이나 행정심판 재결이 불복기간의 경과로 인하여 확정될 경우 그 확정력은, 그 처분으로 인하여 법률상 이익을 침해받은 자가 당해 처분이나 재결의 효력을 더 이상 다툴 수 없다는 의미일 뿐이다.
2. 또한 그 확정력에는 판결에 있어서와 같은 기판력이 인정되는 것은 아니어서 그 처분의 기초가 된 사실관계나 법률적 판단이 확정되고 당사자들이나 법원이 이에 기속되어 모순되는 주장이나 판단을 할 수 없게 되는 것은 아니다(대판 2004. 7. 8, 2002두11288).

② ○

공중위생영업에 있어 그 영업을 정지할 위법사유가 있는 경우, 그 영업이 양도·양수되었다 하더라도 양수인에 대하여 영업정지처분을 할 수 있다.

양수인이 그 양수 후 행정청에 새로운 영업소개설통보를 하였다 하더라도, 그로 인하여 영업양도·양수로 영업소에 관한 권리·의무가 양수인에게 이전하는 법률효과까지 부정되는 것은 아니라 할 것인바, 만일 어떠한 공중위생영업에 대하여 그 영업을 정지할 위법사유가 있다면, 관할행정청은 그 영업이 양도·양수되었다 하더라도 그 업소의 양수인에 대하여 영업정지처분을 할 수 있다고 봄이 상당하다(대판 2001. 6. 29, 2001두1611).

③ 제18강 참조 ×

1. 원자력법(현 원자력안전법) 제11조 제3항 소정의 부지사전승인처분은 그 자체로서 독립한 행정처분이다.
2. 그러나 부지사전승인처분 후 건설허가처분이 있게 되면 부지사전승인처분은 건설허가처분에 흡수되어 독립된 존재가치를 상실함으로써 건설허가처분만이 소송의 대상이 된다(대판 1998. 9. 4, 97누19588).

④ **빈출** 제17강 참조 ×

운전면허취소처분을 받은 후 자동차를 운전하였으나 위 취소처분이 행정쟁송절차에 의하여 취소된 경우, 무면허운전이 성립되지 않는다.

피고인이 행정청으로부터 자동차 운전면허취소처분을 받았으나 나중에 그 행정처분 자체가 행정쟁송절차에 의하여 취소되었다면, 위 운전면허취소처분은 그 처분시에 소급하여 효력을 잃게 되고, 피고인은 위 운전면허취소처분에 복종할 의무가 원래부터 없었음이 후에 확정되었다고 봄이 타당할 것이고, 행정행위에 공정력의 효력이 인정된다고 하여 행정소송에 의하여 적법하게 취소된 운전면허취소처분이 단지 장래에 향하여서만 효력을 잃게 된다고 볼 수는 없다(대판 1999. 2. 5, 98도4239).

⑤ **빈출** ×

한의사면허는 강학상 허가로서 한의사의 영업상 이익은 사실상 이익에 불과하므로 한의사에게 한약조제시험을 통해 한약조제권을 인정받은 약사에 대한 합격처분의 효력을 다툴 원고적격이 없다.

한의사면허는 경찰금지를 해제하는 명령적 행위(강학상 허가)에 해당하고, 한약조제시험을 통하여 약사에게 한약조제권을 인정함으로써 한의사들의 영업상 이익이 감소되었더라도 이러한 이익은 사실상의 이익에 불과하고 약사법이나 의료법 등의 법률에 의하여 보호되는 이익이라고는 볼 수 없으므로, 한의사들이 한약조제시험을 통하여 한약조제권을 인정받은 약사들에 대한 합격처분의 무효확인을 구하는 당해 소는 원고적격이 없는 자들이 제기한 소로써 부적법하다(대판 1998. 3. 10, 97누4289).

정답 03 ②

04 중 2024 소방간부

인 · 허가 의제에 관한 설명으로 옳지 않은 것은? (다툼이 있는 경우 판례에 의함)

□□□ ① '인 · 허가 의제'란 하나의 인 · 허가를 받으면 법률로 정하는 바에 따라 그와 관련된 여러 인 · 허가를 받은 것으로 보는 것을 말한다.

□□□ ② 관련 인 · 허가 의제제도는 사업시행자의 이익을 위하여 만들어진 것이므로, 사업시행자가 반드시 관련 인 · 허가 의제 처리를 신청할 의무가 있는 것은 아니다.

□□□ ③ 주된 인 · 허가 행정청은 주된 인 · 허가를 하기 전에 관련 인 · 허가에 관하여 미리 관련 인 · 허가 행정청과 협의하여야 한다.

□□□ ④ 주택건설사업계획 승인권자가 도시 · 군관리계획 결정권자와 협의를 거쳐 주택건설사업계획을 승인함으로써 도시 · 군관리계획결정이 이루어진 것으로 의제되기 위해서는 협의절차와 별도로 「국토의 계획 및 이용에 관한 법률」에 따른 주민의견청취절차를 거쳐야만 한다.

□□□ ⑤ 인 · 허가 의제는 주된 인 · 허가가 있으면 다른 법률에 의한 인 · 허가가 있는 것으로 보는 데 그치고, 거기에서 더 나아가 다른 법률에 의하여 인 · 허가를 받았음을 전제로 하는 그 다른 법률의 모든 규정들까지 적용되는 것은 아니다.

① ○

행정기본법 제24조【인 · 허가 의제의 기준】 ① 이 절에서 '인 · 허가 의제'란 하나의 인 · 허가(이하 '주된 인 · 허가'라 한다)를 받으면 법률로 정하는 바에 따라 그와 관련된 여러 인 · 허가(이하 '관련 인 · 허가'라 한다)를 받은 것으로 보는 것을 말한다.

② ○

어떤 인 · 허가의 근거법령에서 절차간소화를 위하여 관련 인 · 허가를 의제 처리할 수 있는 근거규정을 둔 경우에는, 사업시행자가 인 · 허가를 신청하면서 하나의 절차 내에서 관련 인 · 허가를 의제 처리해 줄 것을 신청할 수 있다. 관련 인 · 허가 의제제도는 사업시행자의 이익을 위하여 만들어진 것이므로, 사업시행자가 반드시 관련 인 · 허가 의제 처리를 신청할 의무가 있는 것은 아니다(대판 2020. 7. 23, 2019두31839).

③ ○

행정기본법 제24조【인 · 허가 의제의 기준】 ③ 주된 인 · 허가 행정청은 주된 인 · 허가를 하기 전에 관련 인 · 허가에 관하여 미리 관련 인 · 허가 행정청과 협의하여야 한다.

④ ×

지구단위계획결정이 의제되려면 주택법에 의한 관계행정청과의 협의절차 외에 **「국토의 계획 및 이용에 관한 법률」상** 지구단위계획입안을 위한 주민의견청취**절차**를 별도로 **거쳐야 하는 것은 아니다**.

구 주택법(2016. 1. 19, 법률 제13805호로 전부 개정되기 전의 것, 이하 '구 주택법'이라 한다) 제17조 제1항에 인 · 허가 의제 규정을 둔 입법 취지는, 주택건설사업을 시행하는 데 필요한 각종 인 · 허가 사항과 관련하여 주택건설사업계획 승인권자로 그 창구를 단일화하고 절차를 간소화함으로써 각종 인 · 허가에 드는 비용과 시간을 절감하여 주택의 건설 · 공급을 활성화하려는 데에 있다. 이러한 인 · 허가 의제 규정의 입법 취지를 고려하면, 주택건설사업계획 승인권자가 구 주택법 제17조 제3항에 따라 도시 · 군관리계획 결정권자와 협의를 거쳐 관계 주택건설사업계획을 승인하면 같은 조 제1항 제5호에 따라 도시 · 군관리계획결정이 이루어진 것으로 의제되고, 이러한 협의절차와 별도로 「국토의 계획 및 이용에 관한 법률」 제28조 등에서 정한 도시 · 군관리계획 입안을 위한 주민의견청취절차를 거칠 필요는 없다(대판 2018. 11. 29, 2016두38792).

⑤ ○

주된 인 · 허가에 관한 사항을 규정하고 있는 어떤 법률에서 주된 인 · 허가가 있으면 다른 법률에 의한 인 · 허가를 받은 것으로 의제한다는 규정을 둔 경우 다른 법률에 의하여 인 · 허가를 받았음을 전제로 하는 그 다른 법률의 모든 규정들까지 적용되는 것은 아니다(대판 2004. 7. 22, 2004다19715 ; 대판 2016. 11. 24, 2014두47686).

정답 04 ④

05 상 2024 변호사

다음 사례에 관한 설명 중 옳지 않은 것을 모두 고른 것은? (다툼이 있는 경우 판례에 의함)

> 甲 창업기업은 중소기업창업지원법에 따라 A시장에게 공장설립계획의 승인을 신청하고자 한다. 동법 제47조는 A시장이 공장설립계획의 승인을 할 때 하천법 제33조에 따른 하천의 점용허가에 관하여 A시장이 하천점용허가청과 협의를 한 사항에 대하여는 그 허가를 받은 것으로 본다고 규정하고 있다.

□□□ ㉠ 甲이 하천점용허가를 의제받으려면 위 공장설립계획승인을 신청할 때 하천점용허가에 필요한 서류를 하천점용허가청이 별도로 정하는 기한까지 제출하여야 한다.

□□□ ㉡ A시장과 하천점용허가청 간에 협의가 된 사항에 대해서는 협의 성립시점에 하천점용허가를 받은 것으로 의제된다.

□□□ ㉢ A시장으로부터 협의를 요청받은 하천점용허가청은 하천법령을 위반하여 협의에 응해서는 아니 되며, 하천점용허가에 필요한 심의, 의견청취 등 절차에 관하여는 법률에 인·허가 의제시에도 해당 절차를 거친다는 명시적인 규정이 있는 경우에만 이를 거친다.

□□□ ㉣ 하천점용허가가 의제되면 하천점용허가청은 하천점용허가를 직접 한 것으로 보아 관계법령에 따른 관리·감독 등 필요한 조치를 하여야 한다.

① ㉠, ㉡ ② ㉠, ㉢
③ ㉠, ㉣ ④ ㉡, ㉢
⑤ ㉢, ㉣

관련기출

㉠

1. 인·허가 의제가 인정되는 경우 민원인은 하나의 인·허가 신청과 더불어 의제를 원하는 인·허가 신청을 각각의 해당 기관에 제출하여야 한다. (O, X) 2013 서울시 9급

1. X

㉡

1. 주된 인·허가 행정청은 주된 인·허가를 하기 전에 관련 인·허가에 관하여 미리 관련 인·허가 행정청과 협의하여야 하고, 협의요청을 받은 관련 인·허가 행정청은 그 요청을 받은 날부터 원칙적으로 20일 이내에 의견을 제출하여야 한다. (O, X) 2024 군무원 5급

1. O

㉠ X

> **행정기본법 제24조【인·허가 의제의 기준】** ② 인·허가 의제를 받으려면 주된 인·허가를 신청할 때 관련 인·허가에 필요한 서류를 함께 제출하여야 한다. 다만, 불가피한 사유로 함께 제출할 수 없는 경우에는 주된 인·허가 행정청이 별도로 정하는 기한까지 제출할 수 있다.

㉡ X

> **행정기본법 제24조【인·허가 의제의 기준】** ③ 주된 인·허가 행정청은 주된 인·허가를 하기 전에 관련 인·허가에 관하여 미리 관련 인·허가 행정청과 협의하여야 한다.
> ④ 관련 인·허가 행정청은 제3항에 따른 협의를 요청받으면 그 요청을 받은 날부터 20일 이내(제5항 단서에 따른 절차에 걸리는 기간은 제외한다)에 의견을 제출하여야 한다. 이 경우 전단에서 정한 기간(민원처리 관련법령에 따라 의견을 제출하여야 하는 기간을 연장한 경우에는 그 연장한 기간을 말한다) 내에 협의 여부에 관하여 의견을 제출하지 아니하면 협의가 된 것으로 본다.
> **제25조【인·허가 의제의 효과】** ① 제24조 제3항·제4항에 따라 협의가 된 사항에 대해서는 주된 인·허가를 받았을 때 관련 인·허가를 받은 것으로 본다.

㉢ O

> **행정기본법 제24조【인·허가 의제의 기준】** ⑤ 제3항에 따라 협의를 요청받은 관련 인·허가 행정청은 해당 법령을 위반하여 협의에 응해서는 아니 된다. 다만, 관련 인·허가에 필요한 심의, 의견청취 등 절차에 관하여는 법률에 인·허가 의제시에도 해당 절차를 거친다는 명시적인 규정이 있는 경우에만 이를 거친다.

㉣ O

> **행정기본법 제26조【인·허가 의제의 사후관리 등】** ① 인·허가 의제의 경우 관련 인·허가 행정청은 관련 인·허가를 직접 한 것으로 보아 관계 법령에 따른 관리·감독 등 필요한 조치를 하여야 한다.

정답 05 ①

06 중

2023 변호사

다음 사례에 관한 설명으로 옳지 않은 것을 모두 고른 것은? (다툼이 있는 경우 판례에 의함)

주택법상 주택건설사업계획의 승인이 있으면, 관계 행정기관의 장과 협의한 사항에 대하여 「국토의 계획 및 이용에 관한 법률」(이하 '국토계획법'이라 함)에 따른 도시·군관리계획의 결정을 비롯하여 주택법 제19조 제1항 각 호에서 열거하는 인·허가를 받은 것으로 의제된다. 甲은 관할 A행정청에 주택법에 따른 주택건설사업계획승인을 신청하였고, A행정청은 관계 행정기관의 장과 협의를 거쳐 주택건설사업계획을 승인·고시하였다.

□□□ ㉠ 주택건설사업계획의 승인이 있으면 주택법 제19조 제1항 각 호에서 열거하는 모든 인·허가가 의제되므로, 모든 인·허가 사항에 대해 사전에 관계 행정기관과 일괄하여 협의를 거쳐야 한다.

□□□ ㉡ A행정청은 도시·군관리계획 결정권자와 협의를 거쳐 주택건설사업계획을 승인하면서 이와는 별도로 국토계획법에서 정한 도시·군관리계획 입안을 위한 주민의견청취절차를 거칠 필요가 없다.

□□□ ㉢ 의제되는 국토계획법상 도시·군관리계획의 결정에 하자가 있다면, 주택건설사업계획 승인처분 자체가 위법하게 된다.

□□□ ㉣ 의제되는 인·허가는 주택건설사업계획 승인처분과 별도로 항고소송의 대상이 되는 처분에 해당하지 않는다.

① ㉠, ㉢ ② ㉠, ㉣
③ ㉡, ㉢ ④ ㉠, ㉢, ㉣
⑤ ㉡, ㉢, ㉣

관련기출

㉡

1. 행정청이 주택법상 주택건설사업계획을 승인하면 「국토의 계획 및 이용에 관한 법률」상의 도시·군관리계획결정이 이루어진 것으로 의제되는데, 이 경우 도시·군관리계획 결정권자와의 협의절차와 별도로 「국토의 계획 및 이용에 관한 법률」에서 정한 도시·군관리계획 입안을 위한 주민의견청취절차를 거칠 필요는 없다. (○, ×) 2022 지방직 7급
2. 주택건설사업계획 승인권자가 구 주택법에 따라 도시·군관리계획 결정권자와 협의를 거쳐 관계 주택건설사업계획을 승인하면 도시·군관리계획결정이 이루어진 것으로 의제되고, 이러한 협의절차와 별도로 「국토의 계획 및 이용에 관한 법률」 등에서 정한 도시·군관리계획 입안을 위한 주민의견청취절차를 거칠 필요는 없다. (○, ×) 2021 국가직 9급

1. ○ 2. ○

㉠㉢㉣ 빈출 ×

주택건설사업계획 승인처분에 따라 의제된 지구단위계획결정에 하자가 있음을 이해관계인이 다투고자 하는 경우, 주된 처분(주택건설사업계획 승인처분)이 아니라 의제된 인·허가(지구단위계획결정)를 항고소송의 대상으로 삼아야 한다.

구 주택법 제17조 제1항에 따르면, 주택건설사업계획 승인권자가 관계행정청의 장과 미리 협의한 사항에 한하여 승인처분을 할 때에 인·허가 등이 의제될 뿐이고, 각호에 열거된 모든 인·허가 등에 관하여 일괄하여 사전협의를 거칠 것을 주택건설사업계획 승인처분의 요건으로 규정하고 있지 않다(㉠). 따라서 인·허가 의제 대상이 되는 처분에 어떤 하자가 있더라도, 그로써 해당 인·허가 의제의 효과가 발생하지 않을 여지가 있게 될 뿐이고, 그러한 사정이 주택건설사업계획 승인처분 자체의 위법사유가 될 수는 없다(㉢).
또한 의제된 인·허가는 통상적인 인·허가와 동일한 효력을 가지므로, 적어도 '부분 인·허가 의제'가 허용되는 경우에는 그 효력을 제거하기 위한 법적 수단으로 의제된 인·허가의 취소나 철회가 허용될 수 있고, 이러한 직권 취소·철회가 가능한 이상 그 의제된 인·허가에 대한 쟁송취소 역시 허용된다. 따라서 주택건설사업계획 승인처분에 따라 의제된 인·허가가 위법함을 다투고자 하는 이해관계인은, 주택건설사업계획 승인처분의 취소를 구할 것이 아니라 의제된 인·허가의 취소를 구하여야 하며, 의제된 인·허가는 주택건설사업계획 승인처분과 별도로 항고소송의 대상이 되는 처분에 해당한다(㉣)(대판 2018. 11. 29, 2016두38792).

㉡ ○

지구단위계획결정이 의제되려면 주택법에 의한 관계행정청과의 협의절차 외에 「국토의 계획 및 이용에 관한 법률」상 지구단위계획입안을 위한 주민의견청취절차를 별도로 거쳐야 하는 것은 아니다.

구 주택법 제17조 제1항에 인·허가 의제 규정을 둔 입법 취지는, 주택건설사업을 시행하는 데 필요한 각종 인·허가 사항과 관련하여 주택건설사업계획 승인권자로 그 창구를 단일화하고 절차를 간소화함으로써 각종 인·허가에 드는 비용과 시간을 절감하여 주택의 건설·공급을 활성화하려는 데에 있다. 이러한 인·허가 의제 규정의 입법 취지를 고려하면, 주택건설사업계획 승인권자가 구 주택법 제17조 제3항에 따라 도시·군관리계획 결정권자와 협의를 거쳐 관계 주택건설사업계획을 승인하면 같은 조 제1항 제5호에 따라 도시·군관리계획결정이 이루어진 것으로 의제되고, 이러한 협의절차와 별도로 「국토의 계획 및 이용에 관한 법률」 제28조 등에서 정한 도시·군관리계획 입안을 위한 주민의견청취절차를 거칠 필요는 없다(대판 2018. 11. 29, 2016두38792).

정답 06 ④

07 정답률 73% 중 2022 지방직 7급

인 · 허가 의제에 대한 설명으로 옳지 않은 것은? (다툼이 있는 경우 판례에 의함)

□□□ ① 도시계획시설인 주차장에 대한 건축허가신청을 받은 행정청으로서는 건축법상 허가요건뿐 아니라 그에 의해 의제되는 국토의 계획 및 이용에 관한 법령이 정한 도시계획시설사업에 관한 실시계획인가요건도 충족하는 경우에 한하여 이를 허가해야 한다.

□□□ ② 주된 인 · 허가에 의해 의제된 인 · 허가는 통상적인 인 · 허가와 동일한 효력을 가지나, '부분 인 · 허가 의제'가 허용되는 경우 의제된 인 · 허가의 취소나 철회는 허용되지 않으므로 이해관계인이 의제된 인 · 허가의 위법함을 다투고자 하는 경우에는 주된 인 · 허가 처분을 항고소송의 대상으로 삼아야 한다.

□□□ ③ 행정청이 주택법상 주택건설사업계획을 승인하면 「국토의 계획 및 이용에 관한 법률」상의 도시 · 군관리계획결정이 이루어진 것으로 의제되는데, 이 경우 도시 · 군관리계획 결정권자와의 협의절차와 별도로 「국토의 계획 및 이용에 관한 법률」에서 정한 도시 · 군관리계획 입안을 위한 주민의견청취절차를 거칠 필요는 없다.

□□□ ④ 행정청이 건축불허가처분을 하면서 그 처분사유로 건축불허가사유뿐만 아니라 그 의제의 대상이 되는 형질변경불허가사유나 농지전용불허가사유를 들고 있다고 하여 그 건축불허가처분 외에 별개로 형질변경불허가처분이나 농지전용불허가처분이 존재하는 것은 아니다.

관련기출

④

1. A허가에 대해 B허가가 의제되는 것으로 규정된 경우, A불허가처분을 하면서 B불허가사유를 들고 있으면 A불허가처분과 별개로 B불허가처분도 존재한다. (○, ×) 2018 국가직 7급
2. 주된 인 · 허가 거부처분을 하면서 의제되는 인 · 허가 거부사유를 제시한 경우, 의제되는 인 · 허가 거부를 다투려는 자는 주된 인 · 허가 거부 외에 별도로 의제되는 인 · 허가 거부에 대한 쟁송을 제기해야 한다. (○, ×) 2016 지방직 7급
3. 주된 인 · 허가인 건축불허가처분을 하면서 그 처분사유로 의제되는 인 · 허가에 해당하는 형질변경불허가사유를 들고 있다면, 그 건축불허가처분을 받은 자는 형질변경불허가처분에 관해서도 쟁송을 제기하여 다툴 수 있다. (○, ×) 2016 서울시 7급

1. × 2. × 3. ×

① ○

건축법에서 인 · 허가 의제제도를 둔 취지는, 인 · 허가 의제사항과 관련하여 건축허가의 관할행정청으로 창구를 단일화하고 절차를 간소화하며 비용과 시간을 절감함으로써 국민의 권익을 보호하려는 것이지, 인 · 허가 의제사항 관련 법률에 따른 각각의 인 · 허가 요건에 관한 일체의 심사를 배제하려는 것으로 보기는 어려우므로, 도시계획시설인 주차장에 대한 건축허가신청을 받은 행정청으로서는 건축법상 허가 요건뿐 아니라 국토의 계획 및 이용에 관한 법령이 정한 도시계획시설사업에 관한 실시계획인가 요건도 충족하는 경우에 한하여 이를 허가해야 한다(대판 2015. 7. 9, 2015두39590).

② ×

의제된 인 · 허가는 통상적인 인 · 허가와 동일한 효력을 가지므로, 적어도 '부분 인 · 허가 의제'가 허용되는 경우에는 그 효력을 제거하기 위한 법적 수단으로 의제된 인 · 허가의 취소나 철회가 허용될 수 있고, 이러한 직권 취소 · 철회가 가능한 이상 그 의제된 인 · 허가에 대한 쟁송취소 역시 허용된다는 것이 판례의 입장이다(대판 2018. 11. 29, 2016두38792).

③ ○

주택건설사업계획 승인권자가 주택법에 따라 도시 · 군관리계획 결정권자와 협의를 거쳐 관계 주택건설사업계획을 승인하면 도시 · 군관리계획결정이 이루어진 것으로 의제되고, 이러한 협의절차와 별도로 「국토의 계획 및 이용에 관한 법률」에서 정한 도시 · 군관리계획 입안을 위한 주민의견청취절차를 거칠 필요는 없다는 것이 판례의 입장이다(대판 2018. 11. 29, 2016두38792).

④ **빈출** ○

건축불허가처분을 하면서 건축불허가사유 외에 형질변경불허가사유나 농지전용불허가사유를 들고 있는 경우, 그 건축불허가처분에 관한 쟁송에서 형질변경불허가사유나 농지전용불허가사유에 관하여도 다툴 수 있다.

건축불허가처분을 하면서 그 처분사유로 건축불허가사유뿐만 아니라 형질변경불허가사유나 농지전용불허가사유를 들고 있다고 하여 그 건축불허가처분 외에 별개로 형질변경불허가처분이나 농지전용불허가처분이 존재하는 것이 아니다. 따라서 그 건축불허가처분을 받은 사람은 그 건축불허가처분에 관한 쟁송에서 건축법상의 건축불허가사유뿐만 아니라 도시계획법상의 형질변경불허가사유나 농지법상의 농지전용불허가사유에 관하여도 다툴 수 있는 것이지, 그 건축불허가처분에 관한 쟁송과는 별개로 형질변경불허가처분이나 농지전용불허가처분에 관한 쟁송을 제기하여 이를 다투어야 하는 것은 아니며, 그러한 쟁송을 제기하지 아니하였어도 형질변경불허가사유나 농지전용불허가사유에 관하여 불가쟁력이 생기지 아니한다(대판 2001. 1. 16, 99두10988).

정답 07 ②

08 빈출 정답률 78% 중 2022 지방직 · 서울시 9급

행정행위에 대한 설명으로 옳지 않은 것은? (다툼이 있는 경우 판례에 의함)

① 건축허가는 대물적 성질을 갖는 것이어서 행정청으로서는 허가를 할 때에 건축주 또는 토지소유자가 누구인지 등 인적 요소에 관하여는 형식적 심사만 한다.

② 시 · 도경찰청장이 횡단보도를 설치하여 보행자 통행방법 등을 규제하는 것은 국민의 권리 · 의무에 직접 관계가 있는 행위로서 행정처분이다.

③ 국유재산의 무단점유에 대한 변상금 징수의 요건은 국유재산법에 명백히 규정되어 있으므로 변상금을 징수할 것인가는 처분청의 재량을 허용하지 않는 기속행위이다.

④ 공유수면의 점용 · 사용허가는 특정인에게 공유수면 이용권이라는 독점적 권리를 설정하여 주는 처분이 아니라 일반적인 상대적 금지를 해제하는 처분이다.

관련기출

①

1. 건축허가는 대물적 성질을 갖는 것이어서 행정청으로서는 그 허가를 할 때에 건축주 또는 토지소유자가 누구인지 등 인적 요소에 관하여는 형식적 심사만 한다. (○, ×) 2021 경행경채, 2019 서울시 2회 7급
2. 건축주가 토지소유자로부터 토지사용승낙서를 받아 그 토지 위에 건축물을 건축하는 건축허가를 받았다가 착공에 앞서 건축주의 귀책사유로 해당 토지를 사용할 권리를 상실한 경우, 토지소유자의 건축허가 철회신청을 거부한 행위는 항고소송의 대상이 된다. (○, ×) 2019 지방직 · 교육행정직 9급

1. ○ 2. ○

④

1. 공유수면점용허가는 특정인에게 공유수면이용권이라는 독점적 권리를 설정하여 주는 처분으로서 그 처분의 여부 및 내용의 결정은 원칙적으로 행정청의 재량에 속한다. (○, ×) 2021 국가직 7급, 2015 서울시 7급
2. 「공유수면 관리 및 매립에 관한 법률」에 따른 공유수면의 점용 · 사용허가는 특정인에게 공유수면이용권이라는 독점적 권리를 설정하여 주는 처분으로 원칙적으로 행정청의 재량행위에 속한다. (○, ×) 2021 군무원 7급
3. 공유수면사용에 대한 허가행위는 법률관계의 존부를 확인하는 행위이다. (○, ×) 2019 소방직 9급

1. ○ 2. ○ 3. ×

① **빈출** ○

> 건축허가는 대물적 성질을 갖는 것이어서 행정청으로서는 허가를 할 때에 건축주 또는 토지소유자가 누구인지 등 인적 요소에 관하여는 형식적 심사만 한다.
>
> 건축허가는 대물적 성질을 갖는 것이어서 행정청으로서는 허가를 할 때에 건축주 또는 토지소유자가 누구인지 등 인적 요소에 관하여는 형식적 심사만 한다. 건축주가 토지소유자로부터 토지사용승낙서를 받아 그 토지 위에 건축물을 건축하는 대물적 성질의 건축허가를 받았다가 착공에 앞서 건축주의 귀책사유로 해당 토지를 사용할 권리를 상실한 경우, 건축허가의 존재로 말미암아 토지에 대한 소유권행사에 지장을 받을 수 있는 토지소유자로서는 건축허가의 철회를 신청할 수 있다고 보아야 한다. 따라서 토지소유자의 위와 같은 신청을 거부한 행위는 항고소송의 대상이 된다(대판 2017. 3. 15, 2014두41190).

② 제12강 참조 ○

> 지방경찰청장(현 시 · 도경찰청장)이 횡단보도를 설치하여 보행자의 통행방법 등을 규제하는 것은, 행정청이 특정사항에 대하여 의무의 부담을 명하는 행위이고 이는 국민의 권리 · 의무에 직접 관계가 있는 행위로서 행정처분이라고 보아야 할 것이다.
>
> 도로교통법 제24조 제1항은 모든 차의 운전자는 보행자가 횡단보도를 통행하고 있는 때에는 그 횡단보도 앞에서 일시정지하여 보행자의 횡단을 방해하거나 위험을 주어서는 아니 된다고 …… 규정하는 도로교통법의 취지에 비추어 볼 때, 지방경찰청장(현 시 · 도경찰청장)이 횡단보도를 설치하여 보행자의 통행방법 등을 규제하는 것은, 행정청이 특정사항에 대하여 의무의 부담을 명하는 행위이고 이는 국민의 권리 · 의무에 직접 관계가 있는 행위로서 행정처분이라고 보아야 할 것이다(대판 2000. 10. 27, 98두8964).

③ 제12강 참조 ○

> 국유재산의 무단점유 등에 대한 변상금 부과처분은 기속행위이다.
>
> 국유재산의 무단점유 등에 대한 변상금 징수의 요건은 국유재산법 제51조 제1항에 명백히 규정되어 있으므로 변상금을 징수할 것인가는 처분청의 재량을 허용하지 않는 기속행위이고, 여기에 재량권 일탈 · 남용의 문제는 생길 여지가 없다(대판 1998. 9. 22, 98두7602).

④ **빈출** ×

상대적 금지를 해제하는 허가가 아니라 독점적 권리를 설정하여 주는 특허이다.

> 구 공유수면관리법에 따른 공유수면의 점 · 사용허가는 특정인에게 공유수면이용권이라는 독점적 권리를 설정하여 주는 처분으로서 그 처분의 여부 및 내용의 결정은 원칙적으로 행정청의 재량에 속한다고 할 것이다(대판 2004. 5. 28, 2002두5016).

정답 08 ④

09

정답률 68% 중 　2022 지방직 · 서울시 9급

영업의 양도와 영업자지위승계에 대한 설명으로 옳지 않은 것은? (다툼이 있는 경우 판례에 의함)

□□□ ① 식품위생법상 허가영업자의 지위승계신고수리처분을 하는 경우 행정절차법 규정 소정의 당사자에 해당하는 종전의 영업자에게 행정절차를 실시하여야 한다.

□□□ ② 관할행정청은 여객자동차운송사업의 양도 · 양수에 대한 인가를 한 후에도 그 양도 · 양수 이전에 있었던 양도인에 대한 운송사업면허취소사유를 들어 양수인의 사업면허를 취소할 수 있다.

□□□ ③ 영업양도행위가 무효임에도 행정청이 승계신고를 수리하였다면 양도자는 민사쟁송이 아닌 행정소송으로 신고수리처분의 무효확인을 구할 수 있다.

□□□ ④ 사실상 영업이 양도 · 양수되었지만 승계신고 및 수리처분이 있기 전에 양도인이 허락한 양수인의 영업 중 발생한 위반행위에 대한 행정적 책임은 양수인에게 귀속된다.

관련기출

②

1. 개인택시운송사업의 양도 · 양수가 있고 그에 대한 인가가 있은 후 그 양도 · 양수 이전에 있었던 양도인에 대한 운송사업면허 취소사유(음주운전 등으로 인한 자동차운전면허의 취소)를 들어 양수인의 운송사업면허를 취소한 것은 위법하다. (O, ×) 　2023 지방직 · 서울시 7급
2. 개인택시운송사업의 양도 · 양수에 대한 인가가 있은 후에 그 양도 · 양수 이전에 있었던 양도인에 대한 운송사업면허취소사유를 들어 양수인의 사업면허를 취소할 수 있다. (O, ×) 　2020 국가직 7급
3. 행정청은 개인택시운송사업의 양도 · 양수에 대한 인가가 있은 후에는 그 양도 · 양수 이전에 있었던 양도인에 대한 운송사업면허취소사유를 들어 양수인의 운송사업면허를 취소할 수 없다. (O, ×) 　2014 국가직 7급, 2012 국회(속기 · 경위직) 9급

1. × 2. O 3. ×

① 제21강 참조 　O

영업자지위승계신고를 수리하는 처분은 종전 영업자의 권익을 제한하는 처분으로서 종전 영업자에 대해 행정절차법 제21 · 22조 규정의 행정절차를 실시하고 처분을 하여야 한다는 것이 판례의 입장이다(대판 2003. 2. 14, 2001두7015).

② **빈출** 　O

> 개인택시운송사업의 양도 · 양수가 있고 그에 대한 인가가 있은 후 그 양도 · 양수 이전에 있었던 양도인에 대한 운송사업면허취소사유(음주운전 등으로 인한 자동차운전면허의 취소)를 들어 양수인의 운송사업면허를 취소한 것은 정당하다(대판 1998. 6. 26, 96누18960).

③ 제40강 참조 　O

> 사업의 양도행위가 무효라고 주장하는 양도자가 양도 · 양수행위의 무효를 구함이 없이 사업양도 · 양수에 따른 허가관청의 지위승계신고수리처분의 무효확인을 구할 법률상 이익이 있다.
>
> 사업양도 · 양수에 따른 허가관청의 지위승계신고의 수리는 적법한 사업의 양도 · 양수가 있었음을 전제로 하는 것이므로 그 수리대상인 사업양도 · 양수가 존재하지 아니하거나 무효인 때에는 수리를 하였다 하더라도 그 수리는 유효한 대상이 없는 것으로서 당연히 무효라 할 것이고, 사업의 양도행위가 무효라고 주장하는 양도자는 민사쟁송으로 양도 · 양수행위의 무효를 구함이 없이 막바로 허가관청을 상대로 하여 행정소송으로 위 신고수리처분의 무효확인을 구할 법률상 이익이 있다(대판 2005. 12. 23, 2005두3554).

④ 　×

> 사실상 영업이 양도 · 양수되었지만 아직 승계신고 및 수리처분이 있기 이전인 경우, 양수인의 영업 중 발생한 위반행위에 대한 행정적인 책임은 영업허가자인 양도인에게 귀속된다.
>
> 사실상 영업이 양도 · 양수되었지만 아직 승계신고 및 그 수리처분이 있기 이전에는 여전히 종전의 영업자인 양도인이 영업허가자이고, 양수인은 영업허가자가 되지 못한다 할 것이어서 행정제재처분의 사유가 있는지 여부 및 그 사유가 있다고 하여 행하는 행정제재처분은 영업허가자인 양도인을 기준으로 판단하여 그 양도인에 대하여 행하여야 할 것이고, 한편 양도인이 그의 의사에 따라 양수인에게 영업을 양도하면서 양수인으로 하여금 영업을 하도록 허락하였다면 그 양수인의 영업 중 발생한 위반행위에 대한 행정적인 책임은 영업허가자인 양도인에게 귀속된다(대판 1995. 2. 24, 94누9146).

정답 09 ④

10 정답률 79% 중 2022 소방직 9급

행정행위에 대한 설명으로 옳은 것은? (다툼이 있는 경우 판례에 의함)

① 건축물의 건축이 「국토의 계획 및 이용에 관한 법률」상 개발행위에 해당할 경우 그 건축의 허가권자는 개발행위허가가 의제되는 건축허가신청이 국토계획법령이 정한 개발행위허가기준에 부합하지 아니하면 이를 거부할 수 있다.

② 주택건설사업계획 승인처분에 따라 의제된 인·허가의 위법함을 다투고자 하는 이해관계인은 의제된 인·허가의 취소를 구할 것이 아니라, 주된 처분인 주택건설사업계획 승인처분의 취소를 구하여야 한다.

③ 하천법에 의한 하천의 점용허가는 강학상 허가에 해당한다.

④ 출입국관리법상 체류자격변경허가는 기속행위이므로 신청인이 관계법령에서 정한 요건을 충족하면 허가권자는 신청을 받아들여 허가해야 한다.

관련기출

①

1. 건축물의 건축이 「국토의 계획 및 이용에 관한 법률」상 개발행위에 해당할 경우 그 건축의 허가권자는 국토계획법령의 개발행위허가기준을 확인하여야 하므로, 국토계획법상 건축물의 건축에 관한 개발행위허가가 의제되는 건축허가신청이 국토계획법령이 정한 개발행위허가기준에 부합하지 아니하면 허가권자로서는 이를 거부할 수 있다. (○, ×) 2021 국가직 9급
2. 「국토의 계획 및 이용에 관한 법률」상의 개발행위허가가 의제되는 건축허가신청이 동 법령이 정한 개발행위허가기준에 부합하지 아니하면, 행정청은 건축허가를 거부할 수 있다. (○, ×) 2018 국가직 7급

1. ○ 2. ○

②

1. 주된 인·허가에 의해 의제된 인·허가는 통상적인 인·허가와 동일한 효력을 가지나, '부분 인·허가 의제'가 허용되는 경우 의제된 인·허가의 취소나 철회는 허용되지 않으므로 이해관계인이 의제된 인·허가의 위법함을 다투고자 하는 경우에는 주된 인·허가 처분을 항고소송의 대상으로 삼아야 한다. (○, ×) 2022 지방직 7급
2. 주택건설사업계획 승인처분에 따라 의제된 인·허가가 위법함을 다투고자 하는 이해관계인은, 주택건설사업계획 승인처분의 취소를 구해야지 의제된 인·허가의 취소를 구해서는 아니 되며, 의제된 인·허가는 주택건설사업계획 승인처분과 별도로 항고소송의 대상이 되는 처분에 해당하지 않는다. (○, ×) 2021 국가직 9급
3. 어떠한 허가처분에 대하여 타법상의 인·허가가 의제된 경우, 의제된 인·허가는 통상적인 인·허가와 동일한 효력을 갖는 것은 아니므로 '부분 인·허가 의제'가 허용되는 경우에도 의제된 인·허가에 대한 쟁송취소는 허용되지 않는다. (○, ×) 2020 국가직 9급
4. 허가에 타법상의 인·허가가 의제되는 경우, 의제된 인·허가는 통상적인 인·허가와 동일한 효력을 가질 수 없으므로 '부분 인·허가 의제'가 허용되는 경우라도 그에 대한 쟁송취소는 허용될 수 없다. (○, ×) 2019 지방직 7급

1. × 2. × 3. × 4. ×

③

1. 하천점용허가는 성질상 일반적 금지의 해제에 불과하여 허가의 일정한 요건을 갖춘 경우 기속적으로 판단하여야 한다. (○, ×) 2018 지방직 9급

1. ×

① **빈출** ○

인·허가 의제의 경우 의제되는 주된 허가 여부를 담당하는 행정청은 신청이 의제되는 법령상의 요건을 갖추지 못한 경우 이를 이유로 허가신청을 거부할 수 있다.

> 「국토의 계획 및 이용에 관한 법률」상 건축물의 건축에 관한 개발행위허가가 의제되는 건축허가신청이 국토의 계획 및 이용에 관한 법령이 정한 개발행위허가기준에 부합하지 아니하는 경우, 허가권자는 이를 거부할 수 있다.
>
> 「국토의 계획 및 이용에 관한 법률」(이하 '국토계획법'이라고 한다) 제56조 제1항, 제57조 제1항, 제58조 제1항 제4호, 「국토의 계획 및 이용에 관한 법률 시행령」(이하 '국토계획법 시행령'이라고 한다) 제51조 제1항 제1호, 제56조 제1항 [별표 1의2] 제1호 (라)목, 제2호 (가)목, 건축법 제11조 제1항, 제5항 제3호, 제12조 제1항의 규정 체제 및 내용 등을 종합해 보면, 건축물의 건축이 국토계획법상 개발행위에 해당할 경우 그에 대한 건축허가를 하는 허가권자는 건축허가에 배치·저촉되는 관계법령상 제한사유의 하나로 국토계획법령의 개발행위허가기준을 확인하여야 하므로, 국토계획법상 건축물의 건축에 관한 개발행위허가가 의제되는 건축허가신청이 국토계획법령이 정한 개발행위허가기준에 부합하지 아니하면 허가권자로서는 이를 거부할 수 있고, 이는 건축법 제16조 제3항에 의하여 개발행위허가의 변경이 의제되는 건축허가사항의 변경허가에서도 마찬가지이다(대판 2016. 8. 24, 2016두35762).

② ×

> 주택건설사업계획승인처분에 따라 의제된 지구단위계획결정에 하자가 있음을 이해관계인이 다투고자 하는 경우, 주된 처분(주택건설사업계획 승인처분)이 아니라 의제된 인·허가(지구단위계획결정)를 항고소송의 대상으로 삼아야 한다.
>
> 의제된 인·허가는 통상적인 인·허가와 동일한 효력을 가지므로, 적어도 '부분 인·허가 의제'가 허용되는 경우에는 그 효력을 제거하기 위한 법적 수단으로 의제된 인·허가의 취소나 철회가 허용될 수 있고, 이러한 직권취소·철회가 가능한 이상 그 의제된 인·허가에 대한 쟁송취소 역시 허용된다. 따라서 주택건설사업계획 승인처분에 따라 의제된 인·허가가 위법함을 다투고자 하는 이해관계인은, 주택건설사업계획 승인처분의 취소를 구할 것이 아니라 의제된 인·허가의 취소를 구하여야 하며, 의제된 인·허가는 주택건설사업계획 승인처분과 별도로 항고소송의 대상이 되는 처분에 해당한다(대판 2018. 11. 29, 2016두38792).

③ ×

허가가 아니라 특허에 해당한다.

> 하천법 제33조에 의한 하천의 점용허가는 특정인에게 하천이용권이라는 독점적 권리를 설정하여 주는 처분에 해당하므로, 그러한 점용허가를 받은 자는 일반인에게는 허용되지 않는 특별한 공물사용권을 설정받아 일정 기간 이를 배타적으로 사용할 수 있다(대판 2018. 12. 27, 2014두11601).

④ **빈출** ×

> 출입국관리법상 체류자격변경허가는 설권적 처분(특허)의 성격을 가지며 허가권자는 허가 여부를 결정할 재량을 가진다.
>
> 출입국관리법 제10조 등의 문언, 내용 및 형식, 체계 등에 비추어 보면, 체류자격변경허가는 신청인에게 당초의 체류자격과 다른 체류자격에 해당하는 활동을 할 수 있는 권한을 부여하는 일종의 설권적 처분의 성격을 가지므로, 허가권자는 신청인이 관계법령에서 정한 요건을 충족하였더라도, 신청인의 적격성, 체류목적, 공익상의 영향 등을 참작하여 허가 여부를 결정할 수 있는 재량을 가진다(대판 2016. 7. 14, 2015두48846).

정답 10 ①

11 빈출 ㊥ 2020 경행경채

다음 강학상 허가에 대한 설명 중 옳고 그름의 표시(○, ×)가 모두 바르게 된 것은? (다툼이 있는 경우 판례에 의함)

□□□ ㉠ 「국토의 계획 및 이용에 관한 법률」상 용도지역 안에서 토지의 형질변경행위를 수반하는 건축허가는 재량행위에 속한다.

□□□ ㉡ 한의사면허는 경찰금지를 해제하는 명령적 행위인 강학상 허가에 해당한다.

□□□ ㉢ 하천법상 하천의 점용허가는 일반인에게 하천이용권이라는 권리를 설정하여 주는 허가에 해당한다.

□□□ ㉣ 민법 제45조와 제46조에서 말하는 재단법인의 정관변경'허가'는 그 성질에 있어 일반적 금지를 해제하는 것으로 허가에 해당한다.

① ㉠(○) ㉡(×) ㉢(×) ㉣(○)
② ㉠(×) ㉡(○) ㉢(○) ㉣(×)
③ ㉠(○) ㉡(○) ㉢(×) ㉣(×)
④ ㉠(×) ㉡(×) ㉢(○) ㉣(○)

관련기출

㉠

1. 「국토의 계획 및 이용에 관한 법률」상 토지의 형질변경허가는 그 금지요건이 불확정개념으로 규정되어 있으므로, 동법상 지정된 도시지역 안에서 토지의 형질변경행위를 수반하는 건축법상의 건축허가는 재량행위이다. (○, ×) 2021 국가직 7급
2. 「국토의 계획 및 이용에 관한 법률」에 의해 지정된 도시지역 안에서 토지의 형질변경행위를 수반하는 건축허가는 재량행위에 속한다. (○, ×) 2019 국가직 9급
3. 토지의 형질변경행위를 수반하는 건축허가는 건축법에 의한 건축허가와 「국토의 계획 및 이용에 관한 법률」에 의한 개발행위허가의 성질을 아울러 갖게 되므로 재량행위에 해당한다. (○, ×) 2019 사회복지직 9급
4. 「국토의 계획 및 이용에 관한 법률」의 규정에 의한 토지의 형질변경허가는 그 금지요건이 불확정개념으로 규정되어 있어 그 금지요건에 해당하는지 여부를 판단함에 있어서 행정청에게 재량권이 부여되어 있다고 할 것이므로 재량행위에 속한다. (○, ×) 2019 사회복지직 9급

1. ○ 2. ○ 3. ○ 4. ○

㉣

1. 민법상 재단법인의 정관변경에 대한 주무관청의 허가는 법률상 표현이 허가로 되어 있기는 하나, 그 성질은 법률행위의 효력을 보충해 주는 것이지 일반적 금지를 해제하는 것은 아니다. (○, ×) 2020 지방직 · 서울시 9급
2. 재단법인의 정관변경에 대한 행정청의 허가는 다른 법률행위를 보충하여 그 법적 효력을 완성시키는 행위에 해당한다. (○, ×) 2019 국가직 9급
3. 재단법인의 정관변경허가는 강학상 특허이다. (○, ×) 2017 사회복지직 9급

1. ○ 2. ○ 3. ×

㉠ ○

「국토의 계획 및 이용에 관한 법률」에 의하여 지정된 도시지역 안에서 토지의 형질변경행위를 수반하는 건축허가는 재량행위이다.

「국토의 계획 및 이용에 관한 법률」에서 정한 도시지역 안에서 토지의 형질변경행위를 수반하는 건축허가는 건축법 제8조 제1항의 규정에 의한 건축허가와 「국토의 계획 및 이용에 관한 법률」 제56조 제1항 제2호의 규정에 의한 토지의 형질변경허가의 성질을 아울러 갖는 것으로 보아야 할 것이고, 같은 법 제58조 제1항 제4호, 제3항, 같은 법 시행령 제56조 제1항 [별표 1] 제1호 (가)목 (3), (라)목 (1), (마)목 (1)의 각 규정을 종합하면, 같은 법 제56조 제1항 제2호의 규정에 의한 토지의 형질변경허가는 그 금지요건이 불확정개념으로 규정되어 있어 그 금지요건에 해당하는지 여부를 판단함에 있어서 행정청에 재량권이 부여되어 있다고 할 것이므로, 같은 법에 의하여 지정된 도시지역 안에서 토지의 형질변경행위를 수반하는 건축허가는 결국 재량행위에 속한다(대판 2005. 7. 14, 2004두6181).

㉡ ○

한의사면허는 경찰금지를 해제하는 명령적 행위(강학상 허가)에 해당한다는 것이 판례의 입장이다(대판 1998. 3. 10, 97누4289).

㉢ ×

허가가 아니라 특허에 해당한다.

하천법 제33조에 의한 하천의 점용허가는 특정인에게 하천이용권이라는 독점적 권리를 설정하여 주는 처분에 해당하므로, 그러한 점용허가를 받은 자는 일반인에게는 허용되지 않는 특별한 공물사용권을 설정받아 일정 기간 이를 배타적으로 사용할 수 있다(대판 2018. 12. 27, 2014두11601).

㉣ 빈출 ×

민법상 재단법인(사회복지법인 등) 정관변경허가는 강학상 인가에 해당한다.

여기서(민법 제45 · 46조) 말하는 재단법인의 정관변경'허가'는 법률상의 표현이 허가로 되어 있기는 하나, 그 성질에 있어 법률행위의 효력을 보충해 주는 것이지 일반적 금지를 해제하는 것이 아니므로 그 법적 성격은 인가라고 보아야 할 것이다(대판 1996. 5. 16, 95누4810).

정답 11 ③

12 정답률 55% 상 2019 국가직 9급

건축허가와 건축신고에 대한 설명으로 옳지 않은 것만을 모두 고르면? (다툼이 있는 경우 판례에 의함)

□□□ ㉠ 건축법 제14조 제2항에 의한 인 · 허가 의제 효과를 수반하는 건축신고에 대한 수리거부는 처분성이 인정되나, 동 규정에 의한 인 · 허가 의제 효과를 수반하지 않는 건축신고에 대한 수리거부는 처분성이 부정된다.

□□□ ㉡ 「국토의 계획 및 이용에 관한 법률」에 의해 지정된 도시지역 안에서 토지의 형질변경행위를 수반하는 건축허가는 재량행위에 속한다.

□□□ ㉢ 건축허가권자는 중대한 공익상의 필요가 없음에도 관계법령에서 정하는 제한사유 이외의 사유를 들어 건축허가요건을 갖춘 자에 대한 허가를 거부할 수 있다.

□□□ ㉣ 건축허가는 대물적 허가에 해당하므로, 허가의 효과는 허가대상 건축물에 대한 권리변동에 수반하여 이전되고 별도의 승인처분에 의하여 이전되는 것은 아니다.

① ㉠, ㉡　　② ㉠, ㉢
③ ㉡, ㉢　　④ ㉢, ㉣

관련기출

㉢

1. 건축허가권자는 건축허가신청이 건축법 등 관계법규에서 정하는 어떠한 제한에 배치되지 않는 이상 당연히 같은 법조에서 정하는 건축허가를 하여야 하고, 중대한 공익상의 필요가 없는데도 관계법령에서 정하는 제한사유 이외의 사유를 들어 요건을 갖춘 자에 대한 허가를 거부할 수는 없다. (○, ×) 2024 소방직 9급
2. 건축허가권자는 건축허가신청이 건축법 등 관계법규에서 정하는 어떠한 제한에 배치되지 않는 이상 중대한 공익상의 필요가 있더라도 관계법령에서 정하는 제한사유 이외의 사유를 들어 요건을 갖춘 자에 대한 허가를 거부할 수는 없다. (○, ×) 2019 사회복지직 9급
3. 건축허가는 원칙상 기속행위이지만 중대한 공익상 필요가 있는 경우 예외적으로 건축허가를 거부할 수 있다. (○, ×) 2019 서울시 1회 7급

1. ○ 2. × 3. ○

② ㉠㉢은 옳지 않은 지문이고, ㉡㉣은 옳은 지문이다.

㉠ ×

인 · 허가 의제 효과를 수반하는 건축신고뿐만 아니라 인 · 허가 의제 효과를 수반하지 않는 건축신고에 대한 수리거부도 처분성을 긍정하는 것이 판례의 입장이다.

1. 건축법 제14조 제2항에 의한 인 · 허가 의제 효과를 수반하는 건축신고는 행정청이 그 실체적 요건에 관한 심사를 한 후 수리하여야 하는 이른바 '수리를 요하는 신고'에 해당하는 것으로 수리거부는 항고소송의 대상이 된다(대판 2011. 1. 20, 2010두14954 전합).
2. (인 · 허가 의제 효과를 수반하지 않는) 건축신고 반려행위는 항고소송의 대상이 된다(대판 2010. 11. 18, 2008두167).

㉡ ○

「국토의 계획 및 이용에 관한 법률」에 의하여 지정된 도시지역 안에서 토지의 형질변경행위를 수반하는 건축허가는 재량행위라는 것이 판례의 입장이다(대판 2005. 7. 14, 2004두6181).

㉢ **빈출** ×

중대한 공익상의 필요가 있다면 요건을 갖추더라도 건축허가를 거부할 수 있다는 것이 판례의 입장이다.

건축허가권자는 신청이 법령상 요건을 구비한 경우 원칙적으로 건축허가를 하여야 하고, 중대한 공익상의 필요가 없는데도 관계법령에서 정하는 제한사유 이외의 사유를 들어 요건을 갖춘 자에 대한 허가를 거부할 수는 없다.
건축허가권자는 건축허가신청이 건축법 등 관계법규에서 정하는 어떠한 제한에 배치되지 않는 이상 당연히 같은 법조에서 정하는 건축허가를 하여야 하고, 중대한 공익상의 필요가 없음에도 불구하고, 요건을 갖춘 자에 대한 허가를 관계법령에서 정하는 제한사유 이외의 사유를 들어 거부할 수는 없다(대판 2006. 11. 9, 2006두1227 ; 대판 2009. 9. 24, 2009두8946).

㉣ ○

건축허가는 대물적 허가의 성질을 가지는 것으로 그 허가의 효과는 허가대상 건축물에 대한 권리변동에 수반하여 이전되고, 별도의 승인처분에 의하여 이전되는 것이 아니다(대판 1979. 10. 30, 79누190).

정답 12 ②

13 정답률 77% 중 2018 국가직 7급

인 · 허가 의제에 대한 설명으로 옳지 않은 것은? (다툼이 있는 경우 판례에 의함)

□□□ ① 인 · 허가 의제는 행정청의 소관사항과 관련하여 권한행사의 변경을 가져오므로 법령의 근거를 필요로 한다.

□□□ ② 「국토의 계획 및 이용에 관한 법률」상의 개발행위허가가 의제되는 건축허가신청이 동 법령이 정한 개발행위허가기준에 부합하지 아니하면, 행정청은 건축허가를 거부할 수 있다.

□□□ ③ 주된 인 · 허가에 관한 사항을 규정하고 있는 법률에서 주된 인 · 허가가 있으면 다른 법률에 의한 인 · 허가를 받은 것으로 의제한다는 규정을 둔 경우, 주된 인 · 허가가 있으면 다른 법률에 의하여 인 · 허가를 받았음을 전제로 하는 그 다른 법률의 모든 규정들까지 적용되는 것은 아니다.

□□□ ④ A허가에 대해 B허가가 의제되는 것으로 규정된 경우, A불허가처분을 하면서 B불허가사유를 들고 있으면 A불허가처분과 별개로 B불허가처분도 존재한다.

관련기출

③

1. 주된 인 · 허가에 관한 사항을 규정하고 있는 A법률에서 주된 인 · 허가가 있으면 B법률에 의한 인 · 허가를 받은 것으로 의제한다는 규정을 둔 경우, B법률에 의하여 인 · 허가를 받았음을 전제로 하는 B법률의 모든 규정이 적용된다. (○, ×) 2016 서울시 7급

1. ×

① ○

인 · 허가 의제제도는 주된 인 · 허가를 담당하는 기관이 의제되는 인 · 허가(관련 인 · 허가)에 관한 심사도 담당한다는 점에서 행정기관의 권한에 변경을 가져오므로 법률에 명시적 근거가 있어야 하며, 의제되는 인 · 허가의 범위도 법령에 명시되어 있어야 한다. 행정기본법도 인 · 허가 의제 법정주의를 취하고 있다.

> **행정기본법 제24조【인 · 허가 의제의 기준】** ① 이 절에서 '인 · 허가 의제'란 하나의 인 · 허가(이하 '주된 인 · 허가'라 한다)를 받으면 법률로 정하는 바에 따라 그와 관련된 여러 인 · 허가(이하 '관련 인 · 허가'라 한다)를 받은 것으로 보는 것을 말한다.

② ○

인 · 허가 의제의 경우 의제되는 인 · 허가의 실체적인 요건불비를 이유로 한 주된 인 · 허가 신청에 대한 거부처분을 할 수 있다는 것이 판례의 입장이다(대판 2016. 8. 24, 2016두35762).

③ ○

> 주된 인 · 허가에 관한 사항을 규정하고 있는 어떤 법률에서 주된 인 · 허가가 있으면 다른 법률에 의한 인 · 허가를 받은 것으로 의제한다는 규정을 둔 경우 다른 법률에 의하여 인 · 허가를 받았음을 전제로 하는 그 다른 법률의 모든 규정들까지 적용되는 것은 아니다(대판 2004. 7. 22, 2004다19715 ; 대판 2016. 11. 24, 2014두47686).

④ ×

신청된 주된 행정행위의 거부처분이 있는 경우 주된 거부처분만이 존재할 뿐이며 의제되는 인 · 허가 거부처분은 실재(實在)하는 것은 아니라는 것이 통설 및 판례의 입장이다.

> 건축불허가처분을 하면서 그 처분사유로 건축불허가사유뿐만 아니라 형질변경불허가사유나 농지전용불허가사유를 들고 있다고 하여 그 건축불허가처분 외에 별개로 형질변경불허가처분이나 농지전용불허가처분이 존재하는 것이 아니다. 따라서 그 건축불허가처분을 받은 사람은 그 건축불허가처분에 관한 쟁송에서 건축법상의 건축불허가사유뿐만 아니라 도시계획법상의 형질변경불허가사유나 농지법상의 농지전용불허가사유에 관하여도 다툴 수 있는 것이지, 그 건축불허가처분에 관한 쟁송과는 별개로 형질변경불허가처분이나 농지전용불허가처분에 관한 쟁송을 제기하여 이를 다투어야 하는 것은 아니며, 그러한 쟁송을 제기하지 아니하였어도 형질변경불허가사유나 농지전용불허가사유에 관하여 불가쟁력이 생기지 아니한다(대판 2001. 1. 16, 99두10988).

정답 13 ④

❸ 예외적 허가(승인)

14 정답률 81% 하 2015 국가직 9급

강학상 예외적 승인에 해당하지 않는 것은?

□□□ ① 치료목적의 마약류사용허가
□□□ ② 재단법인의 정관변경허가
□□□ ③ 개발제한구역 내의 용도변경허가
□□□ ④ 사행행위 영업허가

①③④ ○

예외적 허가(승인)란 일정행위가 사회적으로 유해하거나 바람직하지 않은 것으로서 법령상 금지하는 것이 원칙이나 일정한 경우에 예외적으로 그 금지를 해제하여 해당 행위를 적법하게 해주는 행위를 말한다. 그 예로는 학교환경위생정화구역 내의 유흥음식점허가, 개발제한구역 내의 용도변경허가(③), 카지노업과 같은 사행행위의 영업허가(④), 치료목적의 마약류취급자의 허가(①) 등을 들 수 있다.

② ×

재단법인 정관변경허가는 인가라는 것이 판례의 입장이다.

> 민법상 재단법인(사회복지법인 등) 정관변경허가는 강학상 인가에 해당한다(대판 1996. 5. 16, 95누4810).

정답 14 ②

❹ 특 허

15 **빈출** 정답률 80% 중 2024 지방직 · 서울시 9급

행정행위에 대한 설명으로 옳은 것만을 모두 고르면? (다툼이 있는 경우 판례에 의함)

□□□ ㉠ 변상금 부과처분에 대한 취소소송이 진행 중인 경우 부과권자는 위법한 처분을 스스로 취소하고 그 하자를 보완하여 다시 적법한 부과처분을 할 수 없다.

□□□ ㉡ 행정청이 「도시 및 주거환경정비법」 등 관련법령에 근거하여 행하는 조합설립인가처분은 사인들의 조합설립행위에 대한 보충행위로서의 성질을 갖는 것에 그친다.

□□□ ㉢ 「여객자동차 운수사업법」에 따른 개인택시운송사업면허는 특정인에게 권리나 이익을 부여하는 재량행위이다.

□□□ ㉣ 귀화허가는 외국인에게 대한민국 국적을 부여함으로써 국민으로서의 법적 지위를 포괄적으로 설정하는 행위에 해당한다.

① ㉠, ㉡ ② ㉡, ㉢
③ ㉢, ㉣ ④ ㉠, ㉢, ㉣

관련기출

㉡

1. 행정청이 구 「도시 및 주거환경정비법」 등 관련법령에 근거하여 행하는 조합설립인가처분은 법령상 요건을 갖출 경우 「도시 및 주거환경정비법」상 주택재건축사업을 시행할 수 있는 권한을 갖는 행정주체(공법인)로서의 지위를 부여하는 일종의 설권적 처분의 성격을 갖는다. (○, ×) 2024 군무원 9급
2. 조합설립인가처분은 단순히 사인들의 조합설립행위에 대한 보충행위로서의 성질을 갖는 것에 그치지 않는다. (○, ×) 2023 소방직 9급
3. 「도시 및 주거환경정비법」에 따른 주택재건축사업조합의 설립인가는 행정행위 중 강학상 특허에 해당한다. (○, ×) 2018 경행경채
4. 「도시 및 주거환경정비법」상 주택재건축정비사업조합의 설립인가는 특정인에 대하여 새로운 권리 · 능력 또는 포괄적 법률관계를 설정하는 행위이다. (○, ×) 2017 국가직 7급

1. ○ 2. ○ 3. ○ 4. ○

③ ㉢㉣이 옳은 내용이다.

㉠ 제17강 참조 ×

> 변상금 부과처분에 대한 취소소송이 진행 중이라도 그 부과권자로서는 위법한 처분을 스스로 취소하고 그 하자를 보완하여 다시 적법한 부과처분을 할 수도 있는 것이어서 그 권리행사에 법률상의 장애사유가 있는 경우에 해당한다고 할 수 없다(대판 2006. 2. 10, 2003두5686).

㉡ **빈출** ×

> 「도시 및 주거환경정비법」 등 관련법령에 근거하여 행하는 조합설립인가처분은 단순히 사인들의 조합설립행위에 대한 보충행위로서의 성질을 갖는 것에 그치는 것이 아니라 법령상 요건을 갖출 경우 「도시 및 주거환경정비법」상 주택재건축사업을 시행할 수 있는 권한을 갖는 행정주체(공법인)로서의 지위를 부여하는 일종의 설권적 처분의 성격을 갖는다(대판 2009. 9. 24, 2008다60568).

㉢ 제12강 참조 ○

> 「여객자동차 운수사업법」에 의한 개인택시운송사업면허는 특정인에게 권리를 설정하는 재량행위이며 그 면허기준 설정행위도 행정청의 재량에 속한다(대판 2009. 11. 26, 2008두16087).

㉣ ○

> 귀화허가는 외국인에게 대한민국 국적을 부여함으로써 국민으로서의 법적 지위를 포괄적으로 설정하는 행위에 해당한다. 법무부장관은 귀화신청인이 법률이 정하는 귀화요건을 갖추었다고 하더라도 귀화를 허가할 것인지 여부에 관하여 재량권을 가진다(대판 2010. 7. 15, 2009두19069).

정답 15 ③

16 정답률 85% 중 2019 서울시 9급

강학상 특허가 아닌 것만을 <보기>에서 모두 고른 것은? (다툼이 있는 경우 판례에 따름)

보기

□□□ ㉠ 관할청의 구 사립학교법에 따른 학교법인의 이사장 등 임원취임승인행위
□□□ ㉡ 출입국관리법상 체류자격 변경허가
□□□ ㉢ 구 「수도권 대기환경개선에 관한 특별법」상 대기오염물질 총량관리사업장 설치의 허가
□□□ ㉣ 지방경찰청장(현 시 · 도경찰청장)이 운전면허시험에 합격한 사람에게 발급하는 운전면허
□□□ ㉤ 개발촉진지구 안에서 시행되는 지역개발사업에 관한 지정권자의 실시계획승인처분

① ㉠, ㉢ ② ㉠, ㉣
③ ㉡, ㉣ ④ ㉢, ㉤

관련기출

㉤

1. 구 「지역균형개발 및 지방중소기업 육성에 관한 법률」 및 동법 시행령상, 개발촉진지구 안에서 시행되는 지역개발사업(이하 '지구개발사업'이라 함)에서 지정권자의 실시계획 승인처분은 단순히 시행자가 작성한 실시계획에 대한 보충행위로서의 성질을 가지는 것이 아니라 시행자에게 지구개발사업을 시행할 수 있는 지위를 부여하는 일종의 설권적 처분의 성격을 가진 독립된 행정처분으로 보아야 한다. (○, ×) 2023 국회직 8급

1. ○

② ㉡㉢㉤은 특허이고, ㉠은 인가, ㉣은 허가에 해당한다.

㉠ ×

학교법인의 임원에 대한 감독청의 취임승인은 보충적 법률행위로서 강학상 인가라는 것이 판례의 입장이다(대판 1987. 8. 18, 86누152).

㉡ ○

출입국관리법상 체류자격 변경허가는 설권적 처분(특허)의 성격을 가지며 허가권자는 허가 여부를 결정할 재량을 가진다.

출입국관리법 제10조 등의 문언, 내용 및 형식, 체계 등에 비추어 보면, 체류자격 변경허가는 신청인에게 당초의 체류자격과 다른 체류자격에 해당하는 활동을 할 수 있는 권한을 부여하는 일종의 설권적 처분의 성격을 가지므로, 허가권자는 신청인이 관계법령에서 정한 요건을 충족하였더라도, 신청인의 적격성, 체류목적, 공익상의 영향 등을 참작하여 허가 여부를 결정할 수 있는 재량을 가진다(대판 2016. 7. 14, 2015두48846).

㉢ ○

구 수도권대기환경특별법 제14조 제1항에서 정한 대기오염물질 총량관리사업장 설치의 허가 또는 변경허가는 특정인에게 인구가 밀집되고 대기오염이 심각하다고 인정되는 수도권 대기관리권역에서 총량관리대상 오염물질을 일정량을 초과하여 배출할 수 있는 특정한 권리를 설정하여 주는 행위로서 그 처분의 여부 및 내용의 결정은 행정청의 재량에 속한다(대판 2013. 5. 9, 2012두22799).

㉣ ×

운전면허 발급행위는 학문상 허가에 해당한다.

㉤ ○

개발촉진지구 안에서 시행되는 지역개발사업에 관한 지정권자의 실시계획승인처분은 설권적 처분(편저자 주 : 특허)의 성격을 가진 독립된 행정처분이다.

관계법령의 내용과 취지 등에 비추어 보면 지구개발사업에 관한 지정권자의 실시계획승인처분은 단순히 시행자가 작성한 실시계획에 대한 법률상의 효력을 완성시키는 보충행위에 불과한 것이 아니라 법령상의 요건을 갖춘 경우 법이 규정하고 있는 지구개발사업을 시행할 수 있는 지위를 시행자에게 부여하는 일종의 설권적 처분으로서의 성격을 가진 독립된 행정처분으로 보아야 한다(대판 2014. 9. 26, 2012두5602).

정답 16 ②

대표

17 정답률 54% 상 2017 국가직 7급

행정행위의 내용과 구체적 사례를 바르게 연결한 것은? (다툼이 있는 경우 판례에 의함)

㉠ 특정인에 대하여 새로운 권리 · 능력 또는 포괄적 법률관계를 설정하는 행위
㉡ 행정청이 타자의 법률행위를 동의로써 보충하여 그 행위의 효력을 완성시켜 주는 행위

□□□ A. 「도시 및 주거환경정비법」상 주택재건축정비사업조합의 설립인가
□□□ B. 자동차관리법상 사업자단체조합의 설립인가
□□□ C. 「도시 및 주거환경정비법」상 도시환경정비사업조합이 수립한 사업시행계획인가
□□□ D. 「도시 및 주거환경정비법」상 토지 등 소유자들이 조합을 따로 설립하지 않고 직접 시행하는 도시환경정비사업시행인가
□□□ E. 출입국관리법상 체류자격 변경허가

① ㉠ - A, D, E ② ㉡ - B, C, D
③ ㉠ - A, C, D ④ ㉡ - B, D, E

관련기출

C
1. 도시환경정비사업조합이 수립한 사업시행계획을 인가하는 행정청의 행위는 사업시행계획에 대한 법률상의 효력을 완성시키는 보충행위에 해당한다. (O, ×) 2016 국회직 8급

1. O

D
1. 구 「도시 및 주거환경정비법」상 토지소유자들이 조합을 설립하지 아니하고 직접 도시환경정비사업을 시행하고자 하는 경우에 내려진 사업시행인가처분은 설권적 처분의 성격을 가진다. (O, ×) 2023 지방직 · 서울시 9급

1. O

특정인에 대하여 새로운 권리 · 능력 또는 포괄적 법률관계를 설정하는 행위는 강학상 '특허'이고, 행정청이 타자의 법률행위를 동의로써 보충하여 그 행위의 효력을 완성시켜 주는 행위는 강학상 '인가'이다.

A. 특허
「도시 및 주거환경정비법」 등 관련법령에 근거하여 행하는 조합설립인가처분은 행정주체(공법인)로서의 지위를 부여하는 일종의 설권적 처분(특허)의 성격을 갖는다는 것이 판례의 입장이다(대판 2009. 9. 24, 2008다60568).

B. 인가

> 구 자동차관리법 제67조 제1 · 3 · 4 · 5항, 구 자동차관리법 시행규칙 제148조 제1 · 2항의 내용 및 체계 등을 종합하면, 자동차관리법상 자동차관리사업자로 구성하는 사업자단체인 조합 또는 협회의 설립인가처분은 국토해양부장관(현 국토교통부장관) 또는 시 · 도지사가 자동차관리사업자들의 단체결성행위를 보충하여 효력을 완성시키는 처분(인가)에 해당한다(대판 2015. 5. 29, 2013두635).

C. 인가

> 구 「도시 및 주거환경정비법」에 기초하여 도시환경정비사업조합이 수립한 사업시행계획은 그것이 인가 · 고시를 통해 확정되면 이해관계인에 대한 구속적 행정계획으로서 독립된 행정처분에 해당하므로, 사업시행계획을 인가하는 행정청의 행위는 도시환경정비사업조합의 사업시행계획에 대한 법률상의 효력을 완성시키는 보충행위(인가)에 해당한다(대판 2010. 12. 9, 2010두1248).

D. 특허
토지 등 소유자들이 조합을 따로 설립하지 않고 직접 시행하는 도시환경정비사업에서 사업시행인가처분은 단순히 사업시행계획에 대한 보충행위로서의 성질을 가지는 것이 아니라 행정주체로서의 지위를 부여하는 일종의 설권적 처분의 성격을 가진다는 것이 판례의 입장이다(대판 2013. 6. 13, 2011두19994).

E. 특허
출입국관리법상 체류자격 변경허가는 설권적 처분(특허)의 성격을 가지며 허가권자는 허가 여부를 결정할 재량을 가진다는 것이 판례의 입장이다(대판 2016. 7. 14, 2015두48846).

정답 17 ①

18 중 2017 교육행정직 9급

강학상 특허에 해당하는 것을 <보기>에서 고른 것은? (단, 다툼이 있는 경우 판례에 따름)

보기
- □□□ ㉠ 재개발조합설립인가
- □□□ ㉡ 출입국관리법상 체류자격 변경허가
- □□□ ㉢ 사립학교법인 임원에 대한 취임승인행위
- □□□ ㉣ 서울특별시장의 의료유사업자 자격증 갱신발급행위

① ㉠, ㉡ ② ㉠, ㉢
③ ㉡, ㉣ ④ ㉢, ㉣

① ㉠㉡이 설권적 처분, 즉 특허의 성격을 갖는다.

㉠ ○

「도시 및 주거환경정비법」 등 관련법령에 근거하여 행하는 조합설립인가처분은 행정주체(공법인)로서의 지위를 부여하는 일종의 설권적 처분의 성격을 갖는다는 것이 판례의 입장이다(대판 2009. 9. 24, 2008다60568).

㉡ ○

체류자격 변경허가는 신청인에게 당초의 체류자격과 다른 체류자격에 해당하는 활동을 할 수 있는 권한을 부여하는 일종의 설권적 처분(특허)의 성격을 가진다는 것이 판례의 입장이다(대판 2016. 7. 14, 2015두48846).

㉢ ×

학교법인의 이사장 · 이사 · 감사 등에 대한 관할청의 임원취임승인행위는 보충적 법률행위(인가)이다.

구 사립학교법 제20조 제1 · 2항은 학교법인의 이사장 · 이사 · 감사 등의 임원은 이사회의 선임을 거쳐 관할청의 승인을 받아 취임하도록 규정하고 있는바, 관할청의 임원취임승인행위는 학교법인의 임원선임행위의 법률상 효력을 완성케 하는 보충적 법률행위이다(대판 2007. 12. 27, 2005두9651).

㉣ ×

의료유사업자 자격증 갱신발급행위는 유사의료업자의 자격을 부여 내지 확인하는 것이 아니라 특정한 사실 또는 법률관계의 존부를 공적으로 증명하는 소위 공증행위에 속하는 행정행위라 할 것이다(대판 1977. 5. 24, 76누295).

정답 18 ①

19 중

2014 지방직 9급

허가 및 특허에 대한 설명으로 옳지 않은 것은? (다툼이 있는 경우 판례에 의함)

□□□ ① 「여객자동차 운수사업법」에 의한 개인택시운송사업면허는 특정인에게 권리나 이익을 부여하는 행정청의 재량행위이며, 동법(同法) 및 그 시행규칙의 범위 내에서 면허를 위하여 필요한 기준을 정하는 것 역시 행정청의 재량에 속한다.

□□□ ② 주류판매업면허는 강학상의 허가로 해석되므로 주세법에 열거된 면허제한사유에 해당하지 아니하는 한 면허관청으로서는 임의로 그 면허를 거부할 수 없다.

□□□ ③ 건축허가시 건축허가서에 건축주로 기재된 자는 당연히 그 건물의 소유권을 취득하며, 건축 중인 건물의 소유자와 건축허가의 건축주는 일치하여야 한다.

□□□ ④ 한약조제시험을 통하여 약사에게 한약조제권을 인정함으로써 한의사들의 영업상 이익이 감소되었다고 하더라도 이러한 이익은 사실상의 이익에 불과하다.

관련기출

④

1. 한의사 면허는 허가에 해당하고, 한약조제시험을 통해 약사에게 한약조제권을 인정함으로써 한의사들의 영업이익이 감소되었다고 하더라도 이는 법률상 이익침해라고 할 수 없다. (○, ×) 2022 군무원 9급
2. 한의사들이 가지는 한약조제권을 한약조제시험을 통하여 약사에게도 인정함으로써 감소하게 되는 한의사들의 영업상 이익은 법률에 의하여 보호되는 이익이라 볼 수 없다. (○, ×) 2021 군무원 9급
3. 한의사면허는 경찰금지를 해제하는 명령적 행위인 강학상 허가에 해당한다. (○, ×) 2020 경행경채

1. ○ 2. ○ 3. ○

① ○

「여객자동차 운수사업법」에 의한 개인택시운송사업면허는 재량행위이며 그 면허기준 설정행위도 행정청의 재량에 속한다는 것이 판례의 입장이다(대판 2007. 6. 1, 2006두17987).

② ○

> 주류판매업면허는 강학상의 허가로 해석되므로 주세법에 열거된 면허제한사유에 해당하지 아니하는 한 면허관청으로서는 임의로 그 면허를 거부할 수 없다.
>
> 주류판매업면허는 설권적 행위가 아니라 주류판매의 질서유지, 주세 보전의 행정목적 등을 달성하기 위하여 개인의 자연적 자유에 속하는 영업행위를 일반적으로 제한하였다가 특정한 경우에 이를 회복하도록 그 제한을 해제하는 강학상의 허가로 해석되므로 주세법 제10조 제1호 내지 제11호에 열거된 면허제한사유에 해당하지 아니하는 한 면허관청으로서는 임의로 그 면허를 거부할 수 없다(대판 1995. 11. 10, 95누5714).

③ ×

건축허가는 명령적 행위로서 행정법상의 금지의무를 해제하여 건축행위를 적법하게 할 수 있도록 하는 것에 불과할 뿐이며 건축허가로서 건축허가의 상대방에 대해 건물의 소유권을 부여하는 것이 아니다. 따라서 건축허가서에 건축주로 기재된 자가 그 소유권을 취득하는 것은 아니며, 건축 중인 건물의 소유자와 건축허가의 건축주가 반드시 일치하여야 하는 것도 아니라는 것이 판례의 입장이다.

> 건축허가서는 허가된 건물에 관한 실체적 권리의 득실변경의 공시방법이 아니며 그 추정력도 없으므로 건축허가서에 건축주로 기재된 자가 그 소유권을 취득하는 것은 아니며, 건축 중인 건물의 소유자와 건축허가의 건축주가 반드시 일치하여야 하는 것도 아니다(대판 2009. 3. 12, 2006다28454).

④ ○

> 한의사면허는 강학상 허가로서 한의사의 영업상 이익은 사실상 이익에 불과하므로 한의사에게 한약조제시험을 통해 한약조제권을 인정받은 약사에 대한 합격처분의 효력을 다툴 원고적격이 없다.
>
> 한의사면허는 경찰금지를 해제하는 명령적 행위(강학상 허가)에 해당하고, 한약조제시험을 통하여 약사에게 한약조제권을 인정함으로써 한의사들의 영업상 이익이 감소되었더라도 이러한 이익은 사실상의 이익에 불과하고 약사법이나 의료법 등의 법률에 의하여 보호되는 이익이라고는 볼 수 없으므로, 한의사들이 한약조제시험을 통하여 한약조제권을 인정받은 약사들에 대한 합격처분의 무효확인을 구하는 당해 소는 원고적격이 없는 자들이 제기한 소로써 부적법하다(대판 1998. 3. 10, 97누4289).

정답 19 ③

❺ 인가

20 정답률 88% 중 2023 국가직 7급

행정행위에 대한 설명으로 옳은 것은? (다툼이 있는 경우 판례에 의함)

□□□ ① 행정청의 의사표시를 요소로 하는 법률행위적 행정행위 중에서 명령적 행위에는 하명, 허가, 대리가 속한다.

□□□ ② 상대방에게 권리, 능력, 법적 지위, 포괄적 법률관계를 설정하는 특허는 형성적 행정행위이며 원칙적으로 기속행위이다.

□□□ ③ 인가는 기본행위의 효력을 완성시켜 주는 보충적 행위이므로 기본행위가 무효인 경우에는 이에 대한 인가가 내려지더라도 그 인가는 무효이다.

□□□ ④ 특정의 사실 또는 법률관계의 존재를 공적으로 증명하여 공적 증거력을 부여하는 행정행위는 확인행위로서 당선인결정, 장애등급결정, 행정심판의 재결 등이 그 예이다.

관련기출

③

1. 재단법인의 정관변경결의에 하자가 있더라도, 그에 대한 인가가 있었다면 기본행위인 정관변경결의는 유효한 것으로 된다. (○, ×) 2021 국가직 7급
2. 강학상 인가는 기본행위에 대한 법률상의 효력을 완성시키는 보충행위로서, 그 기본이 되는 행위에 하자가 있을 때에는 그에 대한 인가가 있었다 하여도 기본행위가 유효한 것으로 될 수 없다. (○, ×) 2020 지방직·서울시 9급
3. 재단법인의 정관변경시 정관변경결의의 하자가 있는 경우에 주무부장관의 인가가 있다고 하여도 정관변경결의가 유효한 것으로 될 수 없다. (○, ×) 2020 국회직 8급

1. × 2. ○ 3. ○

① 정답률 4% ×

하명, 허가는 명령적 행위이지만 대리는 형성적 행위에 속한다.

② 정답률 3% ×

특허는 형성적 행정행위이며 원칙적으로 재량행위이다.

③ 정답률 88% ○

기본행위가 성립하지 않거나 무효인 경우에 인가를 받더라도 기본행위가 유효로 되는 것은 아니며 인가 역시 무효로 된다. 즉, 인가는 기본행위의 하자를 치유하지 않는다.

> 인가는 기본행위인 재단법인의 정관변경에 대한 법률상의 효력을 완성시키는 보충행위로서, 그 기본이 되는 정관변경 결의에 하자가 있을 때에는 그에 대한 인가가 있었다 하여도 기본행위인 정관변경 결의가 유효한 것으로 될 수 없다(대판 1996. 5. 16. 95누4810 전합).

④ 정답률 4% ×

지문의 앞부분이 옳지 않다. 특정의 사실 또는 법률관계의 존재를 공적으로 증명하여 공적 증거력을 부여하는 행정행위는 공증이다.

정답 20 ③

21 빈출 정답률 87% 중 2024 소방직 9급

행정행위로서 인가에 관한 설명으로 옳지 않은 것은? (다툼이 있는 경우 판례에 의함)

① 기본행위에는 하자가 없는데 인가처분에 고유한 하자가 있다면 그 인가처분의 무효확인이나 취소를 구하여야 한다.

② 인가처분에 고유한 하자가 없는데 기본행위에 하자가 있다면 기본행위의 무효를 주장하면서 곧바로 인가처분의 무효확인이나 취소를 구할 수 있다.

③ 기본행위가 무효인 경우 그에 대한 인가처분이 있더라도 그 기본행위가 유효한 것으로 될 수 없다.

④ 구 「도시 및 주거환경정비법」에 기초하여 주택재개발정비사업조합이 수립한 사업시행계획에 대한 관할 행정청의 인가처분은 사업시행계획의 법률상 효력을 완성시키는 보충행위에 해당한다.

관련기출

①

1. 재단법인의 정관변경결의가 적법 · 유효하고 보충행위인 인가처분 자체에만 하자가 있다면 그 인가처분의 무효나 취소를 주장할 수 있다. (○, ×) 2021 국가직 7급
2. 기본행위인 이사선임결의가 적법 · 유효하고 보충행위인 승인처분 자체에만 하자가 있다면 그 승인처분의 무효확인이나 그 취소를 주장할 수 있다. (○, ×) 2017 사회복지직 9급

1. ○ 2. ○

②

1. 인가처분에 하자가 없다면 기본행위에 하자가 있다 하더라도 기본행위의 무효를 내세워 바로 그에 대한 행정청의 인가처분의 취소 또는 무효확인을 소구할 법률상의 이익이 없다. (○, ×) 2022 국가직 7급
2. 강학상 인가에 있어 기본행위에 하자가 있는 경우에는 그 기본행위의 하자를 다투어야 하며, 기본행위의 하자를 이유로 인가처분의 취소 또는 무효확인을 구할 수 없다. (○, ×) 2019 경행경채 2차
3. 인가처분에 하자가 없더라도 기본행위의 하자를 이유로 행정청의 인가처분의 취소 또는 무효확인을 구할 법률상 이익이 인정된다. (○, ×) 2017 국가직 7급
4. 기본행위에 하자가 있는 경우에 그 기본행위의 하자를 다툴 수 있고, 기본행위의 하자를 이유로 인가처분의 취소 또는 무효확인도 소구할 수 있다. (○, ×) 2015 국가직 9급

1. ○ 2. ○ 3. × 4. ×

③

1. 강학상 인가는 기본행위에 대한 법률상의 효력을 완성시키는 보충행위로서, 그 기본이 되는 행위에 하자가 있을 때에는 그에 대한 인가가 있었다 하여도 기본행위가 유효한 것으로 될 수 없다. (○, ×) 2020 지방직 · 서울시 9급
2. 인가의 대상이 되는 행위에 취소원인이 있더라도 일단 인가가 있는 때에는 그 흠은 치유된다. (○, ×) 2018 국회직 8급
3. 기본행위가 성립하지 않거나 무효인 경우에 인가가 있어도 당해 인가는 무효가 된다. (○, ×) 2015 국가직 9급
4. 인가의 전제가 되는 기본행위에 하자가 있다고 하더라도 행정청의 적법한 인가가 있으면 그 하자는 치유가 된다. (○, ×) 2014 서울시 9급

1. ○ 2. × 3. ○ 4. ×

① 빈출 정답률 4% ○

② 빈출 정답률 87% ×

기본행위가 적법하고 인가에만 하자가 있는 경우에는 인가를 다툴 수 있다. 반면에 기본행위에 하자가 있고 인가처분에 하자가 없다면 기본행위를 다투어야 하는 것이지, 기본행위의 하자를 이유로 인가처분을 다툴 수 없다.

> 1. 인가는 기본행위인 재단법인의 정관변경에 대한 법률상의 효력을 완성시키는 보충행위로서, 그 기본이 되는 정관변경결의에 하자가 있을 때에는 그에 대한 인가가 있었다 하여도 기본행위인 정관변경결의가 유효한 것으로 될 수 없으므로 기본행위인 정관변경결의가 적법 · 유효하고 보충행위인 인가처분 자체에만 하자가 있다면 그 인가처분의 무효나 취소를 주장할 수 있지만(①), 인가처분에 하자가 없다면 기본행위인 정관변경결의에 하자가 있는 경우 기본행위를 다투는 것은 별론으로 하고 기본행위의 무효를 내세워 인가처분의 취소 또는 무효확인을 구할 법률상 이익은 없다(②)(대판 1996. 5. 16, 95누4810).
> 2. 기본행위인 이사선임결의가 적법 · 유효하고 보충행위인 승인처분 자체에만 하자가 있다면 그 승인처분의 무효확인이나 그 취소를 주장할 수 있다(①)(대판 2002. 5. 24, 2000두3641).

③ 빈출 정답률 3% ○

기본행위가 성립하지 않거나 무효인 경우에 인가를 받더라도 기본행위가 유효로 되는 것은 아니며 인가 역시 무효로 된다. 즉, 인가는 기본행위의 하자를 치유하지 않는다.

> 1. 학교법인의 임원에 대한 감독청의 취임승인은 학교법인의 임원선임행위를 보충하여 그 법률상의 효력을 완성하게 하는 보충적 행정행위로서 성질상 기본행위를 떠나 승인처분 그 자체만으로는 법률상 아무런 효력도 발생할 수 없다.
> 2. 기본행위인 학교법인의 임원선임행위가 불성립 또는 무효인 경우에는 비록 그에 대한 감독청의 취임승인이 있었다 하여도 이로써 무효인 그 선임행위가 유효한 것으로 될 수는 없다(대판 1987. 8. 18, 86누152).

④ 빈출 정답률 4% ○

주택재건축정비사업조합의 설립인가는 학문상 특허에 해당하나 조합이 설립인가를 통해 행정주체로서 성립된 후 조합이 수립한 사업시행계획의 인가, 관리처분계획의 인가는 보충행위로서 인가에 해당한다.

> 도시환경정비사업조합이 수립한 사업시행계획을 인가하는 행정청의 행위의 법적 성질은 인가이다.
>
> 구 「도시 및 주거환경정비법」에 기초하여 도시환경정비사업조합이 수립한 사업시행계획은 그것이 인가 · 고시를 통해 확정되면 이해관계인에 대한 구속적 행정계획으로서 독립된 행정처분에 해당하므로, 사업시행계획을 인가하는 행정청의 행위는 도시환경정비사업조합의 사업시행계획에 대한 법률상의 효력을 완성시키는 보충행위에 해당한다(대판 2010. 12. 9, 2010두1248).

정답 21 ②

22 정답률 50% 중 2024 국가직 9급

행정행위에 대한 설명으로 옳지 않은 것은? (다툼이 있는 경우 판례에 의함)

□□□ ① 여객자동차운송사업의 한정면허는 특정인에게 권리나 이익을 부여하는 수익적 행정행위로서 재량행위에 해당한다.

□□□ ② 난민 인정에 관한 신청을 받은 행정청은 원칙적으로 법령이 정한 난민 요건에 해당하는지를 심사하여 난민 인정 여부를 결정할 수 있을 뿐이고, 법령이 정한 난민 요건과 무관한 다른 사유만을 들어 난민 인정을 거부할 수는 없다.

□□□ ③ 자동차관리사업자로 구성하는 사업자단체 설립인가는 인가권자가 가지는 지도 · 감독 권한의 범위 등과 아울러 설립인가에 관하여 구체적인 기준이 정하여져 있지 않은 점 등에 비추어 재량행위로 보아야 한다.

□□□ ④ 공익법인의 기본재산 처분허가에 부관을 붙인 경우, 그 처분허가의 법적 성질은 명령적 행정행위인 허가에 해당하며 조건으로서 부관의 부과가 허용되지 아니한다.

관련기출

④

1. 공익법인의 기본재산처분에 대하여 행정청이 허가하는 경우 그 성질이 형성적 행정행위로서의 인가에 해당한다고 하여 조건으로서의 부관을 붙이지 못하는 것은 아니다. (○, ×) 2023 국회직 8급
2. 공익법인의 기본재산 처분에 대한 허가의 법률적 성질이 형성적 행정행위로서의 인가에 해당하므로, 그 허가에 조건으로서의 부관의 부과가 허용되지 아니한다. (○, ×) 2020 국가직 9급
3. 판례는 인가에 해당하면 부관의 부과가 허용되지 않는다고 본다. (○, ×) 2011 국가직 7급
4. 보충행위인 인가에 대하여도 부관을 붙일 수 있다. (○, ×) 2008 지방직(하) 7급

1. ○ 2. × 3. × 4. ○

① 정답률 4% ○

> 여객자동차운송사업의 한정면허는 특정인에게 권리나 이익을 부여하는 수익적 행정행위로서 재량행위이다.
>
> 한정면허가 신규로 발급되는 때는 물론이고 한정면허의 갱신 여부를 결정하는 때에도 관계 법규 내에서 한정면허의 기준이 충족되었는지를 판단하는 것은 관할 행정청의 재량에 속한다(대판 2020. 6. 11. 2020두34384).

② 정답률 29% 제12강 참조 ○

> 구 출입국관리법 제2조 제3호, 제76조의2 제1항, 제3항, 제4항, 구 출입국관리법 시행령 제88조의2, 난민의 지위에 관한 협약 제1조, 난민의 지위에 관한 의정서 제1조의 문언, 체계와 입법 취지를 종합하면, 난민 인정에 관한 신청을 받은 행정청은 원칙적으로 법령이 정한 난민 요건에 해당하는지를 심사하여 난민 인정 여부를 결정할 수 있을 뿐이고, 이와 무관한 다른 사유만을 들어 난민 인정을 거부할 수는 없다(대판 2017.12.5, 2016두42913).

③ 정답률 15% ○

> 구 자동차관리법상 자동차관리사업자로 구성하는 사업자단체인 조합 또는 협회(이하 '조합 등'이라고 한다) 설립인가 제도의 입법 취지, 조합 등에 대하여 인가권자가 가지는 지도·감독 권한의 범위 등과 아울러 자동차관리법상 조합 등 설립인가에 관하여 구체적인 기준이 정하여져 있지 않은 점에 비추어 보면, 인가권자인 국토해양부장관(현 국토교통부장관) 또는 시 · 도지사는 조합 등의 설립인가 신청에 대하여 자동차관리법 제67조 제3항에 정한 설립요건의 충족 여부는 물론, 나아가 조합 등의 사업내용이나 운영계획 등이 자동차관리사업의 건전한 발전과 질서 확립이라는 사업자단체 설립의 공익적 목적에 부합하는지 등을 함께 검토하여 설립인가 여부를 결정할 재량을 가진다(대판 2015. 5. 29, 2013두635).

④ **빈출** 정답률 50% ×

공익법인 기본재산처분허가는 '허가'가 아니라 '인가'에 해당한다. 주된 행정행위가 인가라고 하더라도 부관을 붙일 수 있다는 것이 통설 및 판례의 입장이다. 즉, 인가가 재량행위라면 법률에 근거가 없다고 하더라도 부관을 붙일 수 있으며 인가가 기속행위인 경우 법률에 근거가 있다면 부관의 부가가 가능하다. 제14강 참조

> 공익법인의 기본재산처분허가는 인가로서 이러한 경우에도 부관을 붙일 수 있다.
>
> 공익법인의 기본재산의 처분에 관한 「공익법인의 설립 · 운영에 관한 법률」 제11조 제3항의 규정은 강행규정으로서 이에 위반하여 주무관청의 허가를 받지 않고 기본재산을 처분하는 것은 무효라 할 것인데, 위 처분허가에 부관을 붙인 경우 그 처분허가의 법률적 성질이 형성적 행정행위로서의 인가에 해당한다고 하여 조건으로서의 부관의 부과가 허용되지 아니한다고 볼 수는 없고, 다만 구체적인 경우에 그것이 조건, 기한, 부담, 철회권의 유보 중 어느 종류의 부관에 해당하는지는 당해 부관의 내용, 경위 기타 제반 사정을 종합하여 판단하여야 할 것이다(대판 2005. 9. 28, 2004다50044).

정답 22 ④

23 정답률 69% 상 2023 지방직 · 서울시 9급

인가에 대한 설명으로 옳지 않은 것은?

① 자동차관리법상 자동차관리사업자로 구성하는 사업자단체인 조합 또는 협회의 설립인가처분은 자동차관리사업자들의 단체결성행위를 보충하여 효력을 완성시키는 처분에 해당한다.

② 구 「도시 및 주거환경정비법」상 조합설립추진위원회 구성승인처분은 조합의 설립을 위한 주체인 추진위원회의 구성행위를 보충하여 그 효력을 부여하는 처분이다.

③ 주택재개발정비사업조합이 수립한 사업시행계획에 하자가 있음에도 불구하고 관할행정청이 해당 사업시행계획에 대한 인가처분을 하였다면, 그 인가처분에는 고유한 하자가 없더라도 사업시행계획의 무효를 주장하면서 곧바로 그에 대한 인가처분의 무효확인이나 취소를 구하여야 한다.

④ 구 「도시 및 주거환경정비법」상 토지소유자들이 조합을 설립하지 아니하고 직접 도시환경정비사업을 시행하고자 하는 경우에 내려진 사업시행인가처분은 설권적 처분의 성격을 가진다.

관련기출

①

1. 구 자동차관리법상 자동차관리사업자로 구성하는 사업자단체인 조합 또는 협회 설립인가처분은 강학상 특허에 해당한다. (○, ×) 2024 국회직 8급
2. 구 자동차관리법상 자동차정비조합설립인가는 인가이다. (○, ×) 2021 행정사, 2018 서울시 9급
3. 자동차관리법상 사업자단체조합의 설립인가는 행정청이 타자의 법률행위를 동의로써 보충하여 그 행위의 효력을 완성시켜 주는 행위이다. (○, ×) 2017 국가직 7급

1. × 2. ○ 3. ○

②

1. 주택재개발조합설립추진위원회 구성승인처분은 조합의 설립을 위한 주체인 주택재개발조합설립추진위원회의 구성행위를 보충하여 그 효력을 부여하는 처분이다. (○, ×) 2022 지방직 7급
2. 주택재개발조합설립추진위원회의 구성을 승인하는 처분은 보충행위로서 강학상 인가이다. (○, ×) 2016 국회직 8급

1. ○ 2. ○

① **빈출** ○

구 자동차관리법 제67조 제1항, 제3항, 제4항, 제5항, 구 자동차관리법 시행규칙 제148조 제1항, 제2항의 내용 및 체계 등을 종합하면, 자동차관리법상 자동차관리사업자로 구성하는 사업자단체인 조합 또는 협회의 설립인가처분은 국토해양부장관(현 국토교통부장관) 또는 시 · 도지사가 자동차관리사업자들의 단체결성행위를 보충하여 효력을 완성시키는 처분(인가)에 해당한다(대판 2015. 5. 29, 2013두635).

② ○

조합설립인가가 특허인 것과 구별하기 바란다.

'조합설립추진위원회' 구성승인처분은 조합의 설립을 위한 주체인 추진위원회의 구성행위를 보충하여 그 효력을 부여하는 처분(인가)이다(대판 2013. 1. 31, 2011두11112).

③ ×

기본행위에 하자가 있다면 기본행위를 다투어야 하며 기본행위의 하자를 이유로 인가처분을 다툴 수는 없다는 것이 판례의 입장이다. 기본행위인 '사업시행계획'에 하자가 있다면 '사업시행계획'을 다투어야 한다.

구 「도시 및 주거환경정비법」에 기초하여 주택재개발정비사업조합이 수립한 사업시행계획은 관할행정청의 인가 · 고시가 이루어지면 이해관계인들에게 구속력이 발생하는 독립된 행정처분에 해당하고, 관할행정청의 사업시행계획 인가처분은 사업시행계획의 법률상 효력을 완성시키는 보충행위에 해당한다. 따라서 기본행위인 사업시행계획에는 하자가 없는데 보충행위인 인가처분에 고유한 하자가 있다면 그 인가처분의 무효확인이나 취소를 구하여야 할 것이지만, 인가처분에는 고유한 하자가 없는데 사업시행계획에 하자가 있다면 사업시행계획의 무효확인이나 취소를 구하여야 할 것이지 사업시행계획의 무효를 주장하면서 곧바로 그에 대한 인가처분의 무효확인이나 취소를 구하여서는 아니 된다(대판 2021. 2. 10, 2020두48031).

④ ○

토지 등 소유자들이 조합을 따로 설립하지 않고 직접 시행하는 도시환경정비사업에서 사업시행인가처분은 단순히 사업시행계획에 대한 보충행위로서의 성질을 가지는 것이 아니라 행정주체로서의 지위를 부여하는 일종의 설권적 처분의 성격을 가진다는 것이 판례의 입장이다(대판 2013. 6. 13, 2011두19994).

정답 23 ③

24 정답률 71% 상 2022 지방직 · 서울시 9급

다음 사례에 대한 설명으로 옳은 것은? (다툼이 있는 경우 판례에 의함)

> 「도시 및 주거환경정비법」에 따라 설립된 A주택재건축정비사업조합은 관할 B구청장으로부터 ㉠ 조합설립인가를 받은 후, 조합총회에서 재건축 관련 ㉡ 관리처분계획에 대한 의결을 하였고, 관할 B구청장으로부터 위 ㉢ 관리처분계획에 대한 인가를 받았다. 이후 조합원 甲은 위 관리처분계획의 의결에는 조합원 전체의 4/5 이상의 결의가 있어야 함에도 불구하고, 이를 위반하여 위법한 것임을 이유로 ㉣ 관리처분계획의 무효를 주장하며 소송으로 다투려고 한다.

① ㉠과 ㉢의 인가의 강학상 법적 성격은 동일하다.
② 甲이 ㉡에 대해 소송으로 다투려면 A주택재건축정비사업조합을 상대로 민사소송을 제기하여야 한다.
③ 甲이 ㉣에 대해 소송으로 다투려면 항고소송을 제기하여야 한다.
④ 甲이 ㉣에 대해 소송으로 다투려면 B구청장을 피고로 하여야 한다.

관련기출

①
1. 재건축조합이 수립하는 관리처분계획에 대한 행정청의 인가는 다른 법률행위를 보충하여 그 법적 효력을 완성시키는 행위에 해당한다. (○, ×)
2019 국가직 9급

1. ○

① ×
㉠은 특허, ㉢은 인가의 성격을 갖는다.

> 1. 「도시 및 주거환경정비법」 등 관련법령에 근거하여 행하는 (㉠) 조합설립인가처분은 단순히 사인들의 조합설립행위에 대한 보충행위로서의 성질을 갖는 것에 그치는 것이 아니라 법령상 요건을 갖출 경우 「도시 및 주거환경정비법」상 주택재건축사업을 시행할 수 있는 권한을 갖는 행정주체(공법인)로서의 지위를 부여하는 일종의 설권적 처분의 성격을 갖는다(대판 2009. 9. 24, 2008다60568).
> 2. 조합이 수립한 (㉢) 관리처분계획에 대한 행정청의 인가는 관리처분계획의 법률상 효력을 완성시키는 보충행위로서의 성질을 갖는다(대판 2012. 8. 30, 2010두24951).

② ×
③ ○

> 1. 「도시 및 주거환경정비법」상의 주택재건축정비사업조합을 상대로 관리처분계획안에 대한 조합총회결의의 효력을 다투는 소송의 법적 성질은 행정소송법상 당사자소송이다(②).
> 2. 「도시 및 주거환경정비법」상 주택재건축정비사업조합이 같은 법 제48조에 따라 수립한 관리처분계획에 대하여 관할행정청의 인가 · 고시까지 있게 되면 관리처분계획은 행정처분으로서 효력이 발생하게 되므로, 총회결의의 하자를 이유로 하여 행정처분의 효력을 다투는 항고소송의 방법으로 관리처분계획의 취소 또는 무효확인을 구하여야 하고(③), 그와 별도로 행정처분에 이르는 절차적 요건 중 하나에 불과한 총회결의 부분만을 따로 떼어내어 효력 유무를 다투는 확인의 소를 제기하는 것은 특별한 사정이 없는 한 허용되지 않는다(대판 2009. 9. 17, 2007다2428 전합).

④ 제37강 참조 ×
판례에 의하면 관리처분계획은 조합이 행한 처분에 해당하므로 A주택재건축정비사업조합이 항고소송의 피고가 된다.

> 재건축조합이 행하는 도시재개발법(현 「도시 및 주거환경정비법」)상의 관리처분계획은 항고소송의 대상이 되는 행정처분으로 이를 다투는 경우 조합을 피고로 하여 항고소송을 제기하여야 한다.
> 도시재개발법에 의한 재개발조합은 조합원에 대한 법률관계에서 적어도 특수한 존립목적을 부여받은 특수한 행정주체로서 국가의 감독하에 그 존립목적인 특정한 공공사무를 행하고 있다고 볼 수 있는 범위 내에서는 공법상의 권리 · 의무관계에 서 있는 것이므로 분양신청 후에 정하여진 관리처분계획의 내용에 관하여 다툼이 있는 경우에는 그 관리처분계획은 토지 등의 소유자에게 구체적이고 결정적인 영향을 미치는 것으로서 조합이 행한 처분에 해당하므로 항고소송의 방법으로 그 무효확인이나 취소를 구할 수 있다(대판 2002. 12. 10, 2001두6333).

정답 24 ③

25 중 2022 국회직 8급

행정행위의 분류에 대한 설명으로 옳은 것만을 <보기>에서 모두 고르면? (다툼이 있는 경우 판례에 의함)

보기

□□□ ㉠ 행정청의 사립학교법인 임원취임승인행위는 학교법인의 임원선임행위의 법률상 효력을 완성하게 하는 보충적 법률행위로서 강학상 인가에 해당한다.

□□□ ㉡ 개인택시운송사업면허는 특정인에게 권리나 의무를 부여하는 것이므로 강학상 특허에 해당한다.

□□□ ㉢ 공유수면의 점용·사용허가는 허가 상대방에게 제한을 해제하여 공유수면이용권을 부여하는 처분으로 강학상 허가에 해당한다.

□□□ ㉣ 토지거래허가는 토지거래허가구역 내의 토지거래를 전면적으로 금지시키고 특정한 경우에 예외적으로 토지거래계약을 체결할 수 있는 자격을 부여하는 점에서 강학상 특허에 해당한다.

① ㉠, ㉡ ② ㉠, ㉢
③ ㉡, ㉢ ④ ㉡, ㉣
⑤ ㉢, ㉣

관련기출

㉣

1. 토지거래허가구역 내의 토지거래계약에 대한 행정청의 허가는 다른 법률행위를 보충하여 그 법적 효력을 완성시키는 행위에 해당한다. (O, ×) 2019 국가직 9급
2. 토지거래허가제에서의 토지거래허가는 유동적 무효상태에 있는 법률행위의 효력을 완성시켜 주는 인가적 성질을 띤 것이라고 보는 것이 타당하다. (O, ×) 2019 경행경채 2차
3. 토지거래계약허가는 규제지역 내 토지거래의 자유를 일반적으로 금지하고 일정한 요건을 갖춘 경우에만 그 금지를 해제하여 계약체결의 자유를 회복시켜 주는 성질의 것이다. (O, ×) 2018 교육행정직 9급
4. 토지거래허가구역 내에 있는 토지에 관한 토지거래계약허가는 학문상 인가의 성질을 갖는다. (O, ×) 2013 국가직 7급

1. O 2. O 3. × 4. O

㉠ O

학교법인의 임원에 대한 감독청의 취임승인은 보충적 법률행위(인가)라는 것이 판례의 입장이다(대판 1987. 8. 18, 86누152).

㉡ O

> 개인택시운송사업면허는 특허로서 특별한 규정이 없는 한 재량행위이다(대판 1995. 7. 14, 94누14841 ; 대판 1995. 11. 10, 95누8461 ; 대판 1996. 10. 11, 96누6172).

㉢ ×

특허에 해당한다.

> 구 공유수면관리법에 따른 공유수면의 점·사용허가는 특정인에게 공유수면이용권이라는 독점적 권리를 설정하여 주는 처분으로서 그 처분의 여부 및 내용의 결정은 원칙적으로 행정청의 재량에 속한다고 할 것이다(대판 2004. 5. 28, 2002두5016).

㉣ **빈출** ×

인가에 해당한다.

> 토지거래허가는 인가적 성질을 띠는 것이다.
> 토지거래허가가 규제지역 내의 모든 국민에게 전반적으로 토지거래의 자유를 금지하고 일정한 요건을 갖춘 경우에만 금지를 해제하여 계약체결의 자유를 회복시켜 주는 성질의 것이라고 보는 것은 위 법의 입법취지를 넘어선 지나친 해석이라고 할 것이고, 규제지역 내에서도 토지거래의 자유가 인정되나, 다만 위 허가를 허가 전의 유동적 무효상태에 있는 법률행위의 효력을 완성시켜 주는 인가적 성질을 띤 것이라고 보는 것이 타당하다(대판 1991. 12. 24, 90다12243).

정답 25 ①

26 빈출 중 2020 군무원 9급

인가에 대한 설명으로 옳지 않은 것은? (다툼이 있는 경우 판례에 의함)

□□□ ① 기본행위가 적법 · 유효하고 보충행위인 인가처분 자체에 흠이 있다면 그 인가처분의 무효나 취소를 주장할 수 있다.

□□□ ② 구 외자도입법에 따른 기술도입계약에 대한 인가는 기본행위인 기술도입계약을 보충하여 그 법률상 효력을 완성시키는 보충적 행정행위에 지나지 아니하므로 기본행위인 기술도입계약의 해지로 인하여 소멸되었다면 위 인가처분은 처분청의 직권취소에 의하여 소멸한다.

□□□ ③ 공유수면매립법 등 관계법령상 공유수면매립의 면허로 인한 권리 · 의무의 양도 · 양수에 있어서의 면허관청의 인가는 효력요건으로서, 면허로 인한 권리 · 의무양도약정은 면허관청의 인가를 받지 않은 이상 법률상 아무런 효력도 발생할 수 없다.

□□□ ④ 인가처분에 흠이 없다면 기본행위에 흠이 있다고 하더라도 따로 기본행위의 흠을 다투는 것은 별론으로 하고 기본행위의 흠을 내세워 바로 그에 대한 인가처분의 무효확인 또는 취소를 구할 수는 없다.

관련기출

③

1. 공유수면매립면허의 공동명의자 사이의 면허로 인한 권리 · 의무양도약정은 면허관청의 인가를 받지 않은 이상 법률상 아무런 효력도 발생할 수 없다. (○, ×) 2020 국가직 9급
2. 공유수면매립면허로 인한 권리 · 의무의 양도 · 양수약정은 이에 대한 면허관청의 인가를 받지 않은 이상 법률상 효력이 발생하지 않는다. (○, ×) 2017 국가직(하) 9급
3. 판례에 따르면 공유수면매립의 면허로 인한 권리 · 의무의 양도 · 양수가 인가를 받지 못한 경우에 그 하자의 정도에 따라 취소할 수 있다. (○, ×) 2009 국회속기직 9급

1. ○ 2. ○ 3. ×

①④ ○

기본행위가 적법하고 인가에만 하자가 있는 경우에는 인가를 다툴 수 있다. 반면에 기본행위에 하자가 있고 인가처분에는 흠이 없다면 기본행위를 다투어야 하는 것이지 기본행위의 하자를 이유로 인가처분을 다툴 수는 없다.

> 인가는 기본행위인 재단법인의 정관변경에 대한 법률상의 효력을 완성시키는 보충행위로서, 그 기본이 되는 정관변경결의에 하자가 있을 때에는 그에 대한 인가가 있었다 하여도 기본행위인 정관변경결의가 유효한 것으로 될 수 없으므로 기본행위인 정관변경결의가 적법 유효하고 보충행위인 인가처분 자체에만 하자가 있다면 그 인가처분의 무효나 취소를 주장할 수 있지만(①), 인가처분에 하자가 없다면 기본행위인 정관변경결의에 하자가 있는 경우 기본행위를 다투는 것은 별론으로 하고 기본행위의 무효를 내세워 인가처분의 취소 또는 무효확인을 구할 법률상 이익은 없다(④) (대판 1996. 5. 16, 95누4810).

② ×

기본행위가 취소되거나 실효되면 인가도 당연히 실효된다. 처분청의 직권취소가 필요한 것이 아니다.

> 기본행위(기술도입계약)가 해지된 경우 그에 대한 인가처분은 당연히 실효된다.
>
> 외자도입법 제19조에 따른 기술도입계약에 대한 인가는 기본행위인 기술도입계약을 보충하여 그 법률상 효력을 완성시키는 보충적 행정행위에 지나지 아니하므로 기본행위인 기술도입계약이 해지로 인하여 소멸되었다면 위 인가처분은 무효선언이나 그 취소처분이 없어도 당연히 실효된다 (대판 1983. 12. 27, 82누491).

③ 빈출 ○

인가는 기본행위의 효력발생요건이므로 인가를 받지 않으면 기본행위는 효력이 발생하지 않는다.

> 공유수면매립면허로 인한 권리 · 의무양도약정은 면허관청의 인가를 받지 않은 이상 법률상 아무런 효력도 발생할 수 없다.
>
> 공유수면매립법 제20조 제1항 및 같은 법 시행령 제29조 제1항 등 관계법령의 규정내용과 공유수면매립의 성질 등에 비추어 볼 때, 공유수면매립의 면허로 인한 권리 · 의무의 양도 · 양수에 있어서의 면허관청의 인가는 효력요건으로서, 위 각 규정은 강행규정이라고 할 것인바, 위 면허의 공동명의자 사이의 면허로 인한 권리 · 의무양도약정은 면허관청의 인가를 받지 않은 이상 법률상 아무런 효력도 발생할 수 없다(대판 1991. 6. 25, 90누5184).

정답 26 ②

대표

27 빈출 정답률 75% 중 2020 지방직 · 서울시 9급

강학상 인가에 대한 설명으로 옳은 것만을 모두 고르면? (다툼이 있는 경우 판례에 의함)

□□□ ㉠ 강학상 인가는 기본행위에 대한 법률상의 효력을 완성시키는 보충행위로서, 그 기본이 되는 행위에 하자가 있을 때에는 그에 대한 인가가 있었다 하여도 기본행위가 유효한 것으로 될 수 없다.

□□□ ㉡ 민법상 재단법인의 정관변경에 대한 주무관청의 허가는 법률상 표현이 허가로 되어 있기는 하나, 그 성질은 법률행위의 효력을 보충해 주는 것이지 일반적 금지를 해제하는 것은 아니다.

□□□ ㉢ 인가처분에 하자가 없더라도 기본행위에 무효사유가 있다면 기본행위의 무효를 내세워 그에 대한 행정청의 인가처분의 취소 또는 무효확인을 구할 소의 이익이 있다.

□□□ ㉣ 「도시 및 주거환경정비법」상 관리처분계획에 대한 인가는 강학상 인가의 성격을 갖고 있으므로 관리처분계획에 대한 인가가 있더라도 관리처분계획안에 대한 총회결의에 하자가 있다면 민사소송으로 총회결의의 하자를 다투어야 한다.

① ㉠, ㉡ ② ㉡, ㉢
③ ㉢, ㉣ ④ ㉠, ㉡, ㉣

㉠ ○

기본행위가 성립하지 않거나 무효인 경우에 인가를 받더라도 기본행위가 유효로 되는 것은 아니며 인가 역시 무효로 된다. 즉, 인가는 기본행위의 하자를 치유하지 않는다.

1. 학교법인의 임원에 대한 감독청의 취임승인은 학교법인의 임원선임행위를 보충하여 그 법률상의 효력을 완성하게 하는 보충적 행정행위로서 성질상 기본행위를 떠나 승인처분 그 자체만으로는 법률상 아무런 효력도 발생할 수 없다.
2. 기본행위인 학교법인의 임원선임행위가 불성립 또는 무효인 경우에는 비록 그에 대한 감독청의 취임승인이 있었다 하여도 이로써 무효인 그 선임행위가 유효한 것으로 될 수는 없다(대판 1987. 8. 18, 86누152).

㉡ ○

민법상 재단법인(사회복지법인 등) 정관변경허가는 강학상 인가에 해당한다.

여기서(민법 제45 · 46조) 말하는 재단법인의 정관변경'허가'는 법률상의 표현이 허가로 되어 있기는 하나, 그 성질에 있어 법률행위의 효력을 보충해 주는 것이지 일반적 금지를 해제하는 것이 아니므로 그 법적 성격은 인가라고 보아야 할 것이다(대판 1996. 5. 16, 95누4810 전합).

㉢ ×

인가의 보충성에 비추어 기본행위에 하자가 있는 경우 기본행위를 다투어야 하며 기본행위의 하자를 이유로 인가처분을 다툴 수는 없다는 것이 통설 및 판례의 입장이다.

기본행위인 정관변경결의에 하자가 있는 경우 기본행위를 다투는 것은 별론으로 하고 기본행위의 무효를 내세워 인가처분의 취소 또는 무효확인을 구할 법률상 이익은 없다(대판 1996. 5. 16, 95누4810 전합).

㉣ ×

1. 조합이 수립한 관리처분계획에 대한 행정청의 인가는 관리처분계획의 법률상 효력을 완성시키는 보충행위로서의 성질을 갖는다(대판 2012. 8. 30, 2010두24951).

2-1. 「도시 및 주거환경정비법」상의 주택재건축정비사업조합을 상대로 관리처분계획안에 대한 조합총회결의의 효력을 다투는 소송의 법적 성질은 행정소송법상 당사자소송이다.

2-2. 그런데 「도시 및 주거환경정비법」상 주택재건축정비사업조합이 같은 법 제48조에 따라 수립한 관리처분계획에 대하여 관할행정청의 인가 · 고시까지 있게 되면 관리처분계획은 행정처분으로서 효력이 발생하게 되므로, 총회결의의 하자를 이유로 하여 행정처분의 효력을 다투는 항고소송의 방법으로 관리처분계획의 취소 또는 무효확인을 구하여야 하고, 그와 별도로 행정처분에 이르는 절차적 요건 중 하나에 불과한 총회결의 부분만을 따로 떼어내어 효력 유무를 다투는 확인의 소를 제기하는 것은 특별한 사정이 없는 한 허용되지 않는다(대판 2009. 9. 17, 2007다2428 전합).

정답 27 ①

28 정답률 34% 상 2016 국가직 9급

사립학교법은 학교법인의 임원은 정관이 정하는 바에 의하여 학교법인의 이사회에서 선임하고, 관할청의 승인을 얻어 취임하는 것으로 규정하고 있다. A사립학교법인은 이사회를 소집하지 않은 채 B를 임원으로 선임하여 취임승인을 요청하였고, 이에 대하여 관할청은 취임을 승인하였다. 이에 대한 설명으로 옳은 것은? (다툼이 있는 경우 판례에 의함)

□□□ ① 관할청의 임원취임승인으로 선임절차상의 하자는 치유되고 B는 임원으로서의 지위를 취득한다.

□□□ ② 임원선임절차상의 하자를 이유로 관할청의 취임승인처분에 대한 취소를 구하는 소송은 허용되지 않는다.

□□□ ③ A학교법인의 임원선임행위에 대해서는 선임처분취소소송을 제기하여 그 효력을 다툴 수 있다.

□□□ ④ 관할청의 임원취임승인은 B에 대해 학교법인의 임원으로서의 포괄적 지위를 설정하여 주는 특허에 해당한다.

①③④ **빈출** ×
② ○

1. 학교법인의 임원에 대한 감독청의 취임승인은 학교법인의 임원선임행위를 보충하여 그 법률상의 효력을 완성하게 하는 보충적 행정행위(④)로서 성질상 기본행위를 떠나 승인처분 그 자체만으로는 법률상 아무런 효력도 발생할 수 없다.
2. 기본행위인 학교법인의 임원선임행위가 불성립 또는 무효인 경우에는 비록 그에 대한 감독청의 취임승인이 있었다 하여도 이로써 무효인 그 선임행위가 유효한 것으로 될 수는 없다(①).
3. 기본행위인 사법(私法)상의 임원선임행위에 하자가 있다 하여 그 선임행위의 효력에 관하여 다툼이 있는 경우에 민사쟁송으로서 그 선임행위의 취소 또는 무효확인을 구하는 것은 별론으로 하고(③) 기본행위의 불성립 또는 무효를 내세워 바로 그에 대한 감독청의 취임승인처분의 취소 또는 무효확인을 구하는 것은 특단의 사정이 없는 한 소구할 법률상의 이익이 없다(②)(대판 1987. 8. 18, 86누152).

관련기출

②

1. 기본행위에 하자가 있는 경우에 그 기본행위의 하자를 다툴 수 있고, 기본행위의 하자를 이유로 인가처분의 취소 또는 무효확인도 소구할 수 있다. (○, ×) 2015 국가직 9급
2. 기본행위에 하자가 있는 경우 기본행위의 하자를 이유로 인가처분의 취소 또는 무효를 구할 법률상의 이익이 없다. (○, ×) 2014 국가직 7급

1. × 2. ○

④

1. 사립학교법 제20조 제2항에 의한 학교법인의 임원에 대한 감독청의 취임승인은 학교법인의 임원선임행위를 보충하여 그 법률상의 효력을 완성하게 하는 보충적 행정행위로서 성질상 기본행위를 떠나 승인처분 그 자체만으로는 법률상 아무런 효과도 발생할 수 없다. (○, ×) 2018 국회직 8급

1. ○

정답 28 ②

02 준법률행위적 행정행위 기 273~279쪽 핵 T 27

29 정답률 67% 중 2024 군무원 9급

다음 중 행정행위에 대한 설명으로 가장 적절하지 않은 것은? (다툼이 있는 경우 판례에 의함)

□□□ ① 행정청이 구 「도시 및 주거환경정비법」 등 관련법령에 근거하여 행하는 조합설립인가처분은 법령상 요건을 갖출 경우 「도시 및 주거환경정비법」상 주택재건축사업을 시행할 수 있는 권한을 갖는 행정주체(공법인)로서의 지위를 부여하는 일종의 설권적 처분의 성격을 갖는다.

□□□ ② 구 「친일반민족행위자 재산의 국가귀속에 관한 특별법」에 정한 친일재산은 친일반민족행위자재산조사위원회가 국가귀속결정을 하여야 비로소 국가의 소유로 되는 것이 아니다.

□□□ ③ 국민건강보험공단이 甲 등에게 한 '직장가입자 자격상실 및 자격변동 안내' 통보 및 '사업장 직권탈퇴에 따른 가입자 자격상실 안내' 통보는 항고소송의 대상이 되는 처분이 아니다.

□□□ ④ 교통안전공단이 그 사업목적에 필요한 재원으로 사용할 기금 조성을 위하여 구 교통안전공단법에 정한 분담금 납부의무자에 대하여 한 분담금납부통지는 그 납부의무자의 구체적인 분담금납부의무를 확정시키는 효력을 갖는 행정처분이 아니다.

관련기출

②

1. 친일반민족행위자재산조사위원회의 친일재산 국가귀속결정은 문제된 재산이 친일재산에 해당한다는 사실을 확인하는 준법률행위적 행정행위이다. (O, ×) 2019 서울시 2회 7급
2. 친일반민족행위자재산조사위원회의 친일재산 국가귀속결정은 법률행위적 행정행위이다. (O, ×) 2017 교육행정직 9급
3. 친일반민족행위자재산조사위원회의 국가귀속결정은 친일재산을 국가의 소유로 귀속시키는 형성행위이다. (O, ×) 2017 사회복지직 9급

1. O 2. × 3. ×

③

1. 국민건강보험공단에 의한 '직장가입자 자격상실 및 자격변동 안내' 통보 및 '사업장 직권탈퇴에 따른 가입자 자격상실 안내' 통보는 가입자 자격이 변동되는 효력을 가져오므로 항고소송의 대상이 되는 처분에 해당한다. (O, ×) 2020 지방직 · 서울시 7급

1. ×

④

1. 교통안전공단이 구 교통안전공단법에 의거하여 교통안전분담금 납부의무자에게 한 분담금납부통지는 행정처분이 아니다. (O, ×) 2014 국가직 9급

1. ×

① 정답률 5% O

「도시 및 주거환경정비법」 등 관련법령에 근거하여 행하는 조합설립인가처분은 단순히 사인들의 조합설립행위에 대한 보충행위로서의 성질을 갖는 것에 그치는 것이 아니라 법령상 요건을 갖출 경우 「도시 및 주거환경정비법」상 주택재건축사업을 시행할 수 있는 권한을 갖는 행정주체(공법인)로서의 지위를 부여하는 일종의 설권적 처분의 성격을 갖는다(대판 2009. 9. 24, 2008다60568).

② **빈출** 정답률 19% O

「친일반민족행위자 재산의 국가귀속에 관한 특별법」에 따른 친일반민족행위자재산조사위원회의 친일재산 국가귀속결정은 당해 재산이 친일재산에 해당한다는 사실을 확인하는 준법률행위적 행정행위에 해당한다.

「친일반민족행위자 재산의 국가귀속에 관한 특별법」제3조 제1항 본문, 제9조 규정들의 취지와 내용에 비추어 보면, 같은 법 제2조 제2호에 정한 친일재산은 친일반민족행위자재산조사위원회가 국가귀속결정을 하여야 비로소 국가의 소유로 되는 것이 아니라 특별법의 시행에 따라 그 취득 · 증여 등 원인행위시에 소급하여 당연히 국가의 소유로 되고, 위 위원회의 국가귀속결정은 당해 재산이 친일재산에 해당한다는 사실을 확인하는 이른바 준법률행위적 행정행위의 성격을 가진다(대판 2008. 11. 13, 2008두13491).

③ 정답률 8% O

국민건강보험공단이 甲 등에게 한 '직장가입자 자격상실 및 자격변동 안내' 통보 및 '사업장 직권탈퇴에 따른 가입자 자격상실 안내' 통보는 항고소송의 대상이 되는 처분이 아니다.

국민건강보험 직장가입자 또는 지역가입자 자격변동은 법령이 정하는 사유가 생기면 별도 처분 등의 개입 없이 사유가 발생한 날부터 변동의 효력이 당연히 발생하므로, 위 통보는 처분성이 인정되지 않는다(대판 2019. 2. 14, 2016두41729).

④ 정답률 67% 제12강 참조 ×

구 교통안전공단법에 의하여 설립된 교통안전공단의 사업목적과 분담금의 부담에 관한 같은 법 제13조, 그 납부통지에 관한 같은 법 제17조, 제18조 등의 규정 내용에 비추어 교통안전공단이 그 사업목적에 필요한 재원으로 사용할 기금 조성을 위하여 같은 법 제13조에 정한 분담금 납부의무자에 대하여 한 분담금 납부통지는 그 납부의무자의 구체적인 분담금 납부의무를 확정시키는 효력을 갖는 행정처분이다(대판 2000. 9. 8, 2000다12716).

정답 29 ④

30 중 2023 행정사

판례에 의할 때 항고소송의 대상이 되는 행정처분에 해당하는 것을 모두 고른 것은?

□□□ ㉠ 지목변경신청 반려행위
□□□ ㉡ 건축물 용도변경신청 거부행위
□□□ ㉢ 건축물대장 작성신청 반려행위
□□□ ㉣ 토지대장 직권말소행위
□□□ ㉤ 토지대장상의 소유자명의변경신청 거부행위

① ㉠ ② ㉡, ㉤
③ ㉢, ㉣, ㉤ ④ ㉠, ㉡, ㉢, ㉣
⑤ ㉠, ㉡, ㉢, ㉣, ㉤

관련기출

㉡

1. 건축물대장 소관청의 용도변경신청 거부행위는 국민의 권리관계에 영향을 미치는 것으로서 항고소송의 대상이 되는 행정처분에 해당한다. (○, ×) 2022 국가직 7급
2. 판례는 건축물대장 소관청의 용도변경신청 거부행위의 처분성을 부인한다. (○, ×) 2011 국회직 8급

1. ○ 2. ×

㉢

1. 건축물대장 소관청의 건축물대장 작성신청 반려행위는 항고소송의 대상이 된다. (○, ×) 2019 소방직 9급
2. 건축물대장 작성신청의 반려행위는 처분성이 인정된다. (○, ×) 2018 서울시 1회 7급

1. ○ 2. ○

㉣

1. 지적공부 소관청이 토지대장을 직권으로 말소하는 행위는 항고소송의 대상이 되는 행정처분에 해당한다. (○, ×) 2019 · 2014 지방직 7급, 2014 서울시 7급
2. 토지대장의 직권말소는 판례에 의할 경우 항고소송의 대상이 될 수 있다. (○, ×) 2014 국회직 8급

1. ○ 2. ○

㉤

1. 행정청이 토지대장상의 소유자명의변경신청을 거부한 행위는 판례상 항고소송의 대상으로 인정된다. (○, ×) 2020 지방직 · 서울시 9급
2. 지적공부 소관청이 토지대장상의 소유자명의변경신청을 거부한 행위는 항고소송의 대상이 되는 처분에 해당한다. (○, ×) 2019 서울시 9급
3. 소관청이 토지대장상의 소유자명의변경신청을 거부한 행위는 항고소송의 대상이 되는 행정처분에 해당한다. (○, ×) 2019 국회직 8급
4. 토지대장의 기재는 토지소유권을 제대로 행사하기 위한 전제요건으로서 토지소유자의 실체적 권리관계에 밀접하게 관련되어 있으므로 토지대장상의 소유자명의변경신청을 거부한 행위는 국민의 권리관계에 영향을 미치는 것이어서 항고소송의 대상이 되는 행정처분에 해당한다. (○, ×) 2016 국가직 9급

1. × 2. × 3. × 4. ×

㉠ 빈출 ○

지적공부 소관청의 지목변경신청 반려행위는 항고소송의 대상이 되는 행정처분이다.

지목은 토지소유권을 제대로 행사하기 위한 전제요건으로서 토지소유자의 실체적 권리관계에 밀접하게 관련되어 있으므로 지적공부 소관청의 지목변경신청 반려행위는 국민의 권리관계에 영향을 미치는 것으로서 항고소송의 대상이 되는 행정처분에 해당한다(대판 2004. 4. 22, 2003두9015).

㉡ ○

건축물대장의 용도는 건축물의 소유권을 제대로 행사하기 위한 전제요건으로서 건축물 소유자의 실체적 권리관계에 밀접하게 관련되어 있으므로, 건축물대장 소관청의 용도변경신청 거부행위는 국민의 권리관계에 영향을 미치는 것으로서 항고소송의 대상이 되는 행정처분에 해당한다(대판 2009. 1. 30, 2007두7277).

㉢ ○

행정청이 건축물대장의 작성신청을 거부(반려)한 행위는 항고소송의 대상이 되는 행정처분에 해당한다(대판 2009. 2. 12, 2007두17359).

㉣ 빈출 ○

지적공부 소관청이 토지대장을 직권으로 말소한 행위는 항고소송의 대상이 되는 행정처분이다.

토지대장은 토지에 대한 공법상의 규제, 개발부담금의 부과대상, 지방세의 과세대상, 공시지가의 산정, 손실보상가액의 산정 등 토지행정의 기초자료로서 공법상의 법률관계에 영향을 미칠 뿐만 아니라, 토지에 관한 소유권보존등기 또는 소유권이전등기를 신청하려면 이를 등기소에 제출해야 하는 점 등을 종합해 보면, 토지대장은 토지의 소유권을 제대로 행사하기 위한 전제요건으로서 토지 소유자의 실체적 권리관계에 밀접하게 관련되어 있으므로, 이러한 지적공부 소관청이 토지대장을 직권으로 말소한 행위는 항고소송의 대상이 되는 행정처분에 해당한다(대판 2013. 10. 24, 2011두13286).

㉤ 빈출 ×

행정청이 토지대장의 소유자명의변경신청을 거부한 행위는 항고소송의 대상이 되는 행정처분이 아니다.

토지대장상의 소유자 명의가 변경된다고 하여도 이로 인하여 당해 토지에 대한 실체상의 권리관계에 변동을 가져올 수 없고 토지소유권이 지적공부의 기재만에 의하여 증명되는 것도 아니다. 따라서 소관청이 토지대장상의 소유자명의변경신청을 거부한 행위는 이를 항고소송의 대상이 되는 행정처분이라고 할 수 없다(대판 2012. 1. 12, 2010두12354).

정답 30 ④

31

정답률 85% 중 2022 국가직 7급

행정행위에 대한 설명으로 옳은 것은? (다툼이 있는 경우 판례에 의함)

□□□ ① 상대방 있는 행정처분이 상대방에게 고지되지 아니한 경우에는 특별한 규정이 없는 한 상대방이 다른 경로를 통해 행정처분의 내용을 알게 되었다고 하더라도 행정처분의 효력이 발생한다고 볼 수 없다.

□□□ ② 기한의 도래로 실효한 종전의 허가에 대한 기간연장 신청은 새로운 허가를 내용으로 하는 행정처분을 구하는 것이 아니라, 종전의 허가처분을 전제로 하여 단순히 그 유효기간을 연장하여 주는 행정처분을 구하는 것으로 보아야 한다.

□□□ ③ 공무원에 대한 당연퇴직의 인사발령은 공무원의 신분을 상실시키는 새로운 형성적 행위이므로 행정소송의 대상이 되는 행정처분이다.

□□□ ④ 지적공부 소관청의 지목변경신청 반려행위는 국민의 권리관계에 영향을 미친다고 볼 수 없어서 행정처분에 해당하지 않는다.

관련기출

②

1. 종전 허가의 유효기간이 지나서 신청한 기간연장신청은 별도의 새로운 허가를 내용으로 하는 행정처분을 구하는 것이라기보다는 종전의 허가처분을 전제로 하여 단순히 그 유효기간을 연장하여 주는 행정처분을 구하는 것으로 보아야 한다. (○, ×) 2021 경행경채
2. 허가의 유효기간이 지난 후에 그 허가의 기간연장이 신청된 경우, 허가권자는 특별한 사정이 없는 한 유효기간을 연장해 주어야 한다. (○, ×) 2016 지방직 9급
3. 갱신신청 없이 유효기간이 지나면 주된 행정행위는 효력이 상실되므로 갱신기간이 지나 신청한 경우에는 기간연장신청이 아니라 새로운 허가신청으로 보아야 하며 허가요건의 충족 여부를 새로이 판단하여야 한다. (○, ×) 2015 국회직 8급
4. 종전의 허가가 기한의 도래로 실효되었다고 하여도 종전 허가의 유효기간이 지나서 기간연장을 신청하였다면 그 신청은 종전 허가의 유효기간을 연장하여 주는 행정처분을 구한 것으로 보아야 한다. (○, ×) 2014 경행특채 1차

1. × 2. × 3. ○ 4. ×

③

1. 국가공무원법상 당연퇴직의 인사발령은 취소소송의 대상이 되는 처분에 해당한다. (○, ×) 2022 군무원 9급, 2021 지방직 · 서울시 7급
2. 국가공무원 당연퇴직의 인사발령은 판례상 행정처분으로 인정된다. (○, ×) 2019 소방직 9급
3. 국가공무원법상 당연퇴직의 인사발령은 법률상 당연히 발생하는 퇴직사유를 공적으로 확인하여 알려주는 관념의 통지에 불과하여 행정처분이 아니다. (○, ×) 2017 국회직 8급
4. 국가공무원법상 당연퇴직의 인사발령은 법률상 당연히 발생하는 퇴직사유를 공적으로 확인하여 알려주는 이른바 관념의 통지에 불과하므로 행정소송의 대상이 되는 독립한 행정처분이라고 할 수 없다. (○, ×) 2016 국가직 9급

1. × 2. × 3. ○ 4. ○

① 제15강 참조 ○

1. 상대방 있는 행정처분은 상대방에게 고지되어야 원칙적으로 효력이 발생한다.
2. 상대방 있는 행정처분이 상대방에게 고지되지 않았으나 상대방이 다른 경로를 통해 행정처분의 내용을 알게 된 경우라도, 행정처분의 효력이 발생하는 것은 아니다(대판 2019. 8. 9, 2019두38656).

② ×

기한경과 후 유효기간이 지나서 한 신청은 신규허가의 신청이므로 허가요건 적합 여부를 새로이 판단하여 허가여부를 결정하여야 한다.

옥외광고물등관리법의 각 규정을 종합하여 보면, 이 사건의 경우와 같은 지주이용간판을 설치하고자 하는 자는 …… 그와 같은 기간연장허가를 받지 아니한 경우에는 그 허가는 특단의 사정이 없는 한 기한이 도래함으로써 별도의 행위를 기다릴 것 없이 당연히 효력이 상실되는 것이라 할 것인바, …… 종전의 허가가 기한의 도래로 실효한 이상 원고가 종전 허가의 유효기간이 지나서 신청한 이 사건 기간연장신청은 그에 대한 종전의 허가처분을 전제로 하여 단순히 그 유효기간을 연장하여 주는 행정처분을 구하는 것이라기보다는 종전의 허가처분과는 별도의 새로운 허가를 내용으로 하는 행정처분을 구하는 것이라고 보아야 할 것이어서, 이러한 경우 허가권자는 이를 새로운 허가신청으로 보아 법의 관계규정에 의하여 허가요건의 적합 여부를 새로이 판단하여 그 허가 여부를 결정하여야 할 것이다(대판 1995. 11. 10, 94누11866).

③ **빈출** ×

당연퇴직의 인사발령은 행정소송의 대상인 행정처분이 아니다.

국가공무원법 제69조에 의하면 공무원이 제33조 각 호의 1에 해당할 때에는 당연히 퇴직한다고 규정하고 있으므로, 국가공무원법상 당연퇴직은 결격사유가 있을 때 법률상 당연히 퇴직하는 것이지 공무원관계를 소멸시키기 위한 별도의 행정처분을 요하는 것이 아니며, 당연퇴직의 인사발령은 법률상 당연히 발생하는 퇴직사유를 공적으로 확인하여 알려주는 이른바 관념의 통지에 불과하고 공무원의 신분을 상실시키는 새로운 형성적 행위가 아니므로 행정소송의 대상이 되는 독립한 행정처분이라고 할 수 없다(대판 1995. 11. 14, 95누2036).

④ ×

지적공부 소관청의 지목변경신청 반려행위는 항고소송의 대상이 되는 행정처분이라는 것이 판례의 입장이다(대판 2004. 4. 22, 2003두9015).

정답 31 ①

32 상 2020 경행경채

다음 준법률적 행정행위 중 통지행위에 해당하는 것만을 모두 고른 것은? (다툼이 있는 경우 판례에 의함)

- □□□ ㉠ 특허출원의 공고
- □□□ ㉡ 부동산등기부에의 등기
- □□□ ㉢ 귀화의 고시
- □□□ ㉣ 선거에 있어 당선인 결정
- □□□ ㉤ 대집행의 계고

① ㉠, ㉡, ㉢ ② ㉢, ㉣, ㉤
③ ㉠, ㉢, ㉤ ④ ㉡, ㉢, ㉣

㉠㉢㉤ ○
준법률행위적 행정행위인 통지란 행정청이 특정인 또는 불특정 다수인에 대해 특정한 사실 또는 의사를 알리는 행위를 말하는 것으로서 일정한 법적 효과를 발생시키는 것을 의미한다. 특허출원의 공고(㉠), 귀화의 고시(㉢), 대집행의 계고(㉤) 등이 통지의 예이다.

㉡ ×
공증이란 특정한 사실 또는 법률관계의 존재를 공적으로 증명하는 행위를 말하는 것으로, 부동산등기부에의 등기는 이에 해당한다.

㉣ ×
확인이란 특정한 사실 또는 법률관계의 존재 여부 또는 정당성 여부에 관해 의문이나 다툼이 있는 경우 행정청이 공적인 권위로서 행하는 판단의 표시행위를 말한다. 선거에 있어 당선인 결정은 확인에 해당한다.

33 정답률 57% 상 2015 국가직 7급

갑(甲)은 식품위생법상 식품접객업 영업허가를 받아 영업을 하던 중, 자신의 영업을 을(乙)에게 양도하기로 계약을 체결하였고, 을(乙)은 같은 법이 정한 바에 따라 영업자지위승계신고를 하였다. 이에 대한 설명으로 옳은 것은? (다툼이 있는 경우 판례에 의함)

- □□□ ① 관할행정청이 신고를 수리하기 위해서는 갑(甲)에 대해 행정절차법상 불이익처분절차를 거쳐야 한다.
- □□□ ② 법령상 신고요건을 갖춘 적법한 신고가 있었다면, 관할행정청의 수리 여부와 관계없이 영업양도는 효력을 발생한다.
- □□□ ③ 관할행정청에 의해 신고가 수리되었다면, 갑(甲)과 을(乙) 사이의 양도계약이 무효이더라도 신고는 효력을 발생한다.
- □□□ ④ 관할행정청이 을(乙)의 신고를 수리하기 전에 갑(甲)의 영업허가가 취소되었을 경우, 을(乙)은 갑(甲)에 대한 영업허가취소에 대하여는 취소소송을 제기할 수 있는 원고적격이 없다.

① ○
영업자지위승계신고를 수리하는 처분은 종전 영업자의 권익을 제한하는 처분으로서 종전 영업자에 대해 행정절차법 제21 · 22조 규정의 행정절차를 실시하고 처분을 하여야 한다는 것이 판례의 입장이다(대판 2003. 2. 14, 2001두7015).

② ×
지위승계신고는 행위요건적 신고로서, 행위요건적 신고의 경우 신고서가 접수기관에 도달된 것만으로는 신고의 효과가 발생하지 않고 수리함으로써 비로소 신고의 효과가 발생한다.

> 식품위생법 제25조 제3항에 의한 영업양도에 따른 지위승계신고는 행위요건적 신고로서 이를 수리하는 행정청의 행위는 영업자의 변경이라는 법률효과를 발생시키는 행위이다(대판 1995. 2. 24, 94누9146).

③ ×
기본행위인 양도계약이 무효인 경우 행정청의 수리행위가 있다고 하더라도 기본행위가 유효하게 되지는 않으며 수리 또한 무효가 된다.

> 지위승계신고의 수리대상인 사업양도 · 양수가 존재하지 아니하거나 무효인 때에는 수리를 하였다 하더라도 그 수리는 당연히 무효이다.
>
> 사업양도 · 양수에 따른 허가관청의 지위승계신고의 수리는 적법한 사업의 양도 · 양수가 있었음을 전제로 하는 것이므로 그 수리대상인 사업양도 · 양수가 존재하지 아니하거나 무효인 때에는 수리를 하였다 하더라도 그 수리는 유효한 대상이 없는 것으로서 당연히 무효라 할 것이고 …… (대판 2005. 12. 23, 2005두3554)

④ ×
채석허가를 받은 자에 대한 관할행정청의 채석허가취소처분에 대하여, 수허가자의 지위를 양수한 양수인에게 그 취소처분의 취소를 구할 법률상 이익이 있다는 것이 판례의 입장이다(대판 2003. 7. 11, 2001두6289).

정답 32 ③ 33 ①

34 정답률 74% 중 2016 서울시 7급

행정작용과 그 성격을 연결한 것으로 옳지 않은 것을 모두 고르면?

□□□ ㉠ 특허출원의 공고 - 확인
□□□ ㉡ 운전면허 - 허가
□□□ ㉢ 국가시험합격자 결정 - 통지
□□□ ㉣ 한의사면허 - 특허
□□□ ㉤ 선거 당선인 결정 - 확인

① ㉠, ㉡, ㉣ ② ㉠, ㉢, ㉣
③ ㉠, ㉢, ㉤ ④ ㉢, ㉣, ㉤

② ㉠㉢㉣이 옳지 않고, ㉡㉤이 옳은 내용이다.

㉠ 특허출원의 공고 - 통지 ×
㉡ 운전면허 - 허가 ○
㉢ 국가시험합격자 결정 - 확인 ×
㉣ 한의사면허 - 허가 ×
㉤ 선거 당선인 결정 - 확인 ○

+ 행정작용과 그 성격

법률행위적 행정행위	하명	조세의무부과처분 등
	허가	의사면허, 한의사면허(㉣), 공중목욕탕영업허가, 산림형질변경허가, 운전면허(㉡) 등
	면제	작위 · 급부 · 수인 등의 의무 해제 등
	특허	어업면허, 하천점용허가, 귀화허가, 공유수면매립면허, 광업허가, 개인택시운송사업면허, 버스운송사업면허, 보세구역의 설치 · 운영에 관한 특허, 공증인 인가처분, 공무원임용 등
	인가	사립대학설립인가, 학교법인의 임원에 대한 감독청의 취임승인, 재단법인의 정관변경허가, 공공조합의 정관변경허가, 특허기업의 사업양도허가 등
	대리	행려병자의 유류품처분, 조세체납처분으로서의 공매처분 등
준법률행위적 행정행위	확인	도로구역의 결정, 행정심판의 재결, 발명의 특허, 교과서의 검정, 국가유공자등록결정, 장애등급결정, 민주화운동관련자결정, 국가시험합격자의 결정(㉢), 당선인의 결정(㉤), 조세 부과를 위한 소득금액의 결정, 건축물에 대한 준공검사처분 등
	공증	의료유사업자 자격증 갱신발급행위, 선거인명부의 등록, 당선증서의 발급, 합격증서의 발급, 여권 등의 발급 등
	통지	특허출원의 공고(㉠), 귀화의 고시, 토지수용에 있어 사업인정고시, 대집행의 계고, 납세의 독촉 등
	수리	사직원의 수리, 행정심판청구서의 수리 등

정답 34 ②

35 ⓢ

2014 서울시 7급

다음 행정청의 행위 중 판례에 의해 처분성이 인정되는 것을 모두 고른 것은?

> ㉠ 지적공부 소관청이 지목변경신청을 반려한 행위
> ㉡ 건축물대장 소관청이 용도변경신청을 거부한 행위
> ㉢ 지적공부 소관청이 토지대장을 직권으로 말소한 행위
> ㉣ 소관청이 토지대장상의 소유자명의변경신청을 거부한 행위
> ㉤ 건물등재대장 소관청이 무허가건물을 무허가건물관리대장에서 삭제하는 행위

① ㉠, ㉡, ㉢　② ㉠, ㉡, ㉤
③ ㉠, ㉣, ㉤　④ ㉡, ㉢, ㉣
⑤ ㉢, ㉣, ㉤

관련기출

㉠

1. 지적공부 소관청의 지목변경신청 반려행위는 국민의 권리관계에 영향을 미치는 것으로서 항고소송의 대상이 되는 행정처분에 해당한다. (○, ×) 2023 소방직 9급, 2021 지방직 · 서울시 9급
2. 지적공부 소관청의 지목변경신청 반려행위는 국민의 권리관계에 영향을 미친다고 볼 수 없어서 행정처분에 해당하지 않는다. (○, ×) 2022 국가직 7급
3. 토지소유권을 제대로 행사하기 위한 전제요건이므로 지적공부 소관청의 지목변경신청 반려행위는 항고소송의 대상이 되는 행정처분에 해당한다. (○, ×) 2019 지방직 7급
4. 지적공부 소관청의 지목변경신청 반려행위는 행정소송법상 '처분'에 해당한다. (○, ×) 2019 서울시 1회 7급, 2018 서울시 7급
5. 지적공부 소관청의 지목변경신청 반려행위는 행정사무의 편의와 사실증명의 자료로 삼기 위한 것이지 그 대장에 등재 여부는 어떠한 권리의 변동이나 상실효력이 생기지 않으므로 이를 항고소송의 대상으로 할 수 없다. (○, ×) 2017 국가직 9급

1. ○ 2. × 3. ○ 4. ○ 5. ×

① ㉠㉡㉢이 판례에 의해 처분성이 인정되는 것에 해당한다.

㉠ ○

> 지적공부 소관청의 지목변경신청 반려행위는 항고소송의 대상이 되는 행정처분이다.
>
> 지목은 토지에 대한 공법상의 규제, 개발부담금의 부과대상, 지방세의 과세대상, 공시지가의 산정, 손실보상가액의 산정 등 토지행정의 기초로서 공법상의 법률관계에 영향을 미치고, 토지소유자는 지목을 토대로 토지의 사용 · 수익 · 처분에 일정한 제한을 받게 되는 점 등을 고려하면, 지목은 토지소유권을 제대로 행사하기 위한 전제요건으로서 토지소유자의 실체적 권리관계에 밀접하게 관련되어 있으므로 지적공부 소관청의 지목변경신청반려행위는 국민의 권리관계에 영향을 미치는 것으로서 항고소송의 대상이 되는 행정처분에 해당한다(대판 2004. 4. 22, 2003두9015).

㉡ ○

행정청이 건축물대장의 용도변경신청을 거부한 행위는 행정처분에 해당한다는 것이 판례의 입장이다(대판 2009. 1. 30, 2007두7277).

㉢ ○

지적공부 소관청이 토지대장을 직권으로 말소한 행위는 항고소송의 대상이 되는 행정처분에 해당한다는 것이 판례의 입장이다(대판 2013. 10. 24, 2011두13286).

㉣ ×

행정청이 토지대장의 소유자명의변경신청을 거부한 행위는 항고소송의 대상이 되는 행정처분이 아니라는 것이 판례의 입장이다(대판 2012. 1. 12, 2010두12354).

㉤ ×

무허가건물등재대장 삭제행위는 행정처분이 아니라는 것이 판례의 입장이다(대판 2009. 3. 12, 2008두11525).

정답 35 ①

제 14 강 행정행위의 부관

1회독	2회독	3회독
/	/	/

⊘정답률 공단기/소방단기 합격예측 풀서비스 통계 데이터 기준 기 기본서 핵 핵심집약

01 행정행위의 부관 기 282~297쪽 핵 T 28

01 **빈출** 정답률 77% 중 2024 지방직 · 서울시 9급

행정행위의 부관에 대한 설명으로 옳지 않은 것은? (다툼이 있는 경우 판례에 의함)

□□□ ① 행정처분에 붙은 부담인 부관이 제소기간 도과로 확정되어 이미 불가쟁력이 생긴 경우에도 그 부담의 이행으로서 하게 된 사법상 매매 등의 법률행위의 효력을 다툴 수 있다.

□□□ ② 부담부 행정처분에 있어서 처분의 상대방이 부담을 이행하지 아니한 경우에 처분청이 이를 들어 당해 처분을 철회할 수 없다.

□□□ ③ 지방국토관리청장이 일부 공유수면매립지에 대하여 한 국가 귀속처분은 매립준공인가를 함에 있어서 매립의 면허를 받은 자의 매립지에 대한 소유권취득을 규정한 구 공유수면매립법의 법률효과를 일부 배제하는 부관을 붙인 것이다.

□□□ ④ 부담이 처분 당시 법령을 기준으로 적법하다면 처분 후 부담의 전제가 된 주된 행정처분의 근거 법령이 개정됨으로써 행정청이 더 이상 부관을 붙일 수 없게 되었다 하더라도 곧바로 위법하게 되거나 그 효력이 소멸하게 되는 것은 아니다.

관련기출

②

1. 부담부 행정처분에 있어서 처분의 상대방이 부담을 이행하지 아니한 경우에 처분행정청으로서는 이를 들어 당해 처분을 철회할 수 있다. (○, ×) 2023 국회직 9급
2. 부담부 행정행위에 있어서 처분의 상대방이 부담을 이행하지 아니한 경우에 당해 부담부 행정행위는 당연히 효력을 상실하게 된다. (○, ×) 2019 서울시 1회 7급
3. 부담에 의해 부과된 의무의 불이행으로 부담부 행정행위가 당연히 효력을 상실하는 것은 아니며, 당해 의무불이행은 부담부 행정행위의 취소(철회)사유가 될 뿐이다. (○, ×) 2015 지방직 9급

1. ○ 2. × 3. ○

① **빈출** 정답률 11% ○

행정처분에 붙인 부담인 부관에 제소기간 도과로 불가쟁력이 생긴 경우에도 그 부담의 이행으로 한 사법상 법률행위의 효력을 다툴 수 있다.

행정처분에 붙은 부담인 부관이 제소기간의 도과로 확정되어 이미 불가쟁력이 생겼다면 그 하자가 중대하고 명백하여 당연무효로 보아야 할 경우 외에는 누구나 그 효력을 부인할 수 없을 것이지만, 부담의 이행으로서 하게 된 사법상 매매 등의 법률행위는 부담을 붙인 행정처분과는 어디까지나 별개의 법률행위이므로 그 부담의 불가쟁력의 문제와는 별도로 법률행위가 사회질서 위반이나 강행규정에 위반되는지 여부 등을 따져보아 그 법률행위의 유효 여부를 판단하여야 한다(대판 2009. 6. 25, 2006다18174).

② **빈출** 정답률 77% ×

상대방이 부담을 통해 부과된 의무를 불이행하는 경우, 해제조건이 성취되거나 종기가 도래한 경우와 달리 주된 행정행위의 효력이 당연히 소멸하는 것이 아니며, 부담불이행은 행정행위의 철회사유가 되어 행정청은 주된 행정행위를 철회할 수 있다.

부담의 불이행시 철회할 수 있다.

부담부 행정처분에 있어서 처분의 상대방이 부담(의무)을 이행하지 아니한 경우에 처분행정청으로서는 이를 들어 당해 처분을 취소(철회)할 수 있는 것이다(대판 1989. 10. 24, 89누2431).

③ **빈출** 정답률 7% ○

매립지 일부에 대해 국가에 소유권을 귀속시킨 처분은 법률효과의 일부배제라는 부관을 붙인 것이다.

행정행위의 부관은 부담의 경우를 제외하고는 독립하여 행정소송의 대상이 될 수 없는 것인바, 행정청이 한 공유수면매립준공인가 중 매립지 일부에 대하여 한 국가귀속처분은 매립준공인가를 함에 있어서 매립의 면허를 받은 자의 매립지에 대한 소유권취득을 규정한 공유수면매립법 제14조의 효과 일부를 배제하는 부관을 붙인 것이므로 이러한 행정행위의 부관에 대하여는 독립하여 행정소송의 대상으로 삼을 수 없다(대판 1991. 12. 13, 90누8503).

④ **빈출** 정답률 3% ○

행정청이 수익적 행정처분을 하면서 부가한 부담의 위법 여부는 처분 당시 법령을 기준으로 판단하여야 하고, 부담이 처분 당시 법령을 기준으로 적법하다면 처분 후 부담의 전제가 된 주된 행정처분의 근거 법령이 개정됨으로써 행정청이 더 이상 부관을 붙일 수 없게 되었다 하더라도 곧바로 위법하게 되거나 그 효력이 소멸하게 되는 것은 아니다(대판 2009. 2. 12, 2005다65500).

정답 01 ②

02 빈출 상 2024 변호사

행정행위의 부관에 관한 설명 중 옳지 않은 것을 모두 고른 것은? (다툼이 있는 경우 판례에 의함)

□□□ ㉠ 사정변경이 있어 부관을 새로 붙이거나 종전의 부관을 변경하지 아니하면 해당 행정처분의 목적을 달성할 수 없는 경우라도 당사자의 동의가 없으면 부관을 새로 부가하거나 종전의 부관을 변경하는 것은 허용되지 않는다.

□□□ ㉡ 부담이 처분 당시 법령을 기준으로 적법하다면 처분 후 부담의 전제가 된 주된 행정처분의 근거 법령이 개정됨으로써 행정청이 더 이상 부관을 붙일 수 없게 되었다 하더라도 곧바로 위법하게 되거나 그 효력이 소멸되는 것은 아니다.

□□□ ㉢ 부관의 내용 중 사후에 행정소송을 제기하지 않겠다는 내용의 부제소특약에 관한 부분은 계약자유의 원칙에 따라 허용된다.

□□□ ㉣ 행정처분에 붙인 부담인 부관이 무효인 경우 그 처분을 받은 사람이 부담의 이행으로 사법상 매매 등의 법률행위를 한 때에는 그 부담은 특별한 사정이 없는 한 법률행위를 하게 된 동기로 작용하였을 뿐이므로 이는 법률행위의 취소사유가 될 수 있음은 별론으로 하고 그 법률행위 자체를 당연히 무효화하는 것은 아니다.

□□□ ㉤ 부담이 제소기간의 도과로 확정되어 불가쟁력이 생긴 경우 그 부담의 이행으로서 하게 된 사법상 매매 등의 법률행위의 효력도 다툴 수 없다.

① ㉠, ㉡, ㉣　　② ㉠, ㉢, ㉤
③ ㉠, ㉣, ㉤　　④ ㉡, ㉢, ㉣
⑤ ㉢, ㉣, ㉤

관련기출

㉢

1. 처분을 하면서 처분과 관련한 소의 제기를 금지하는 내용의 부제소특약을 부관으로 붙이는 것은 허용되지 않는다. (○, ×) 2019 서울시 9급
2. 행정청이 특정 개발사업의 시행자를 지정하는 처분을 하면서 상대방에게 지정처분의 취소에 대한 소권을 포기하도록 하는 내용의 부관을 붙이는 것은 단지 부제소특약만을 덧붙이는 것이어서 허용된다. (○, ×) 2017 국회직 8급
3. 행정청이 처분을 하면서 부제소(不提訴)특약의 부관을 붙인 것은 당사자가 임의로 처분할 수 없는 공법상 권리관계를 대상으로 하여 사인의 국가에 대한 소권을 당사자의 합의로 포기하는 것으로 허용될 수 없다. (○, ×) 2013 지방직(하) 7급

1. ○ 2. × 3. ○

㉠ 빈출 ×

행정기본법 제17조【부관】③ 행정청은 부관을 붙일 수 있는 처분이 다음 각 호의 어느 하나에 해당하는 경우에는 그 처분을 한 후에도 부관을 새로 붙이거나 종전의 부관을 변경할 수 있다.
1. 법률에 근거가 있는 경우
2. 당사자의 동의가 있는 경우
3. 사정이 변경되어 부관을 새로 붙이거나 종전의 부관을 변경하지 아니하면 해당 처분의 목적을 달성할 수 없다고 인정되는 경우

㉡ ○

행정청이 수익적 행정처분을 하면서 부가한 부담의 위법 여부는 처분 당시 법령을 기준으로 판단하여야 하고, 부담이 처분 당시 법령을 기준으로 적법하다면 처분 후 부담의 전제가 된 주된 행정처분의 근거 법령이 개정됨으로써 행정청이 더 이상 부관을 붙일 수 없게 되었다 하더라도 곧바로 위법하게 되거나 그 효력이 소멸하게 되는 것은 아니라는 것이 판례의 입장이다(대판 2009. 2. 12, 2005다65500).

㉢ 빈출 ×

도매시장법인 지정의 조건으로 소송이나 보상에 관한 부제소특약을 붙인 경우 부제소특약에 관한 부분은 개인적 공권인 소권을 당사자의 합의로 포기하는 것으로서 허용될 수 없다.

지방자치단체장이 도매시장법인의 대표이사에 대하여 위 지방자치단체장이 개설한 농수산물도매시장의 도매시장법인으로 다시 지정함에 있어서 그 지정조건으로 "지정기간 중이라도 개설자가 농수산물 유통정책의 방침에 따라 도매시장법인 이전 및 지정취소 또는 폐쇄지시에도 일절 소송이나 손실보상을 청구할 수 없다."라는 부관을 붙였으나, 그중 부제소특약에 관한 부분은 당사자가 임의로 처분할 수 없는 공법상의 권리관계를 대상으로 하여 사인의 국가에 대한 공권인 소권을 당사자의 합의로 포기하는 것으로서 허용될 수 없다(대판 1998. 8. 21, 98두8919).

㉣ 빈출 ○

행정처분에 붙인 부담인 부관이 무효가 되더라도 그 부담의 이행으로 한 사법상 법률행위가 당연히 무효가 되는 것은 아니다.

행정처분에 부담인 부관을 붙인 경우 부관의 무효화에 의하여 본체인 행정처분 자체의 효력에도 영향이 있게 될 수는 있지만, 그 처분을 받은 사람이 부담의 이행으로 사법상 매매 등의 법률행위를 한 경우에는 그 부관은 특별한 사정이 없는 한 법률행위를 하게 된 동기 내지 연유로 작용하였을 뿐이므로 이는 법률행위의 취소사유가 될 수 있음은 별론으로 하고 그 법률행위 자체를 당연히 무효화하는 것은 아니다(대판 2009. 6. 25, 2006다18174).

㉤ ×

행정처분에 붙인 부담인 부관에 제소기간 도과로 불가쟁력이 생긴 경우에도 그 부담의 이행으로 한 사법상 법률행위의 효력을 다툴 수 있다.

행정처분에 붙은 부담인 부관이 제소기간의 도과로 확정되어 이미 불가쟁력이 생겼다면 그 하자가 중대하고 명백하여 당연무효로 보아야 할 경우 외에는 누구나 그 효력을 부인할 수 없을 것이지만, 부담의 이행으로서 하게 된 사법상 매매 등의 법률행위는 부담을 붙인 행정처분과는 어디까지나 별개의 법률행위이므로 그 부담의 불가쟁력의 문제와는 별도로 법률행위가 사회질서 위반이나 강행규정에 위반되는지 여부 등을 따져보아 그 법률행위의 유효 여부를 판단하여야 한다(대판 2009. 6. 25, 2006다18174).

정답 02 ②

03 빈출 중 2023 소방승진

부관에 관한 설명으로 옳지 않은 것은? (다툼이 있는 경우 판례에 의함)

□□□ ① 행정기본법에 따르면, 행정청은 처분에 재량이 있거나 또는 처분에 재량이 없는 경우에는 법률에 근거가 있는 경우에 부관을 붙일 수 있다.

□□□ ② 건축허가를 하면서 일정 토지를 기부채납하도록 하는 내용의 허가조건은 부관을 붙일 수 없는 기속행위 내지 기속적 재량행위인 건축허가에 붙인 부담이거나 또는 법령상 아무런 근거가 없는 부관이어서 무효이다.

□□□ ③ 일반적으로 보조금 교부결정에 관해서는 행정청에 광범위한 재량이 부여되어 있고, 행정청은 보조금 교부결정을 할 때 법령과 예산에서 정하는 보조금의 교부 목적을 달성하는 데에 필요한 조건을 붙일 수 있다.

□□□ ④ 수익적 행정처분에 있어서는 법령에 특별한 근거규정이 없다고 하더라도 그 부관으로서 부담을 붙일 수 있으나, 그와 같은 부담을 부가하기 이전에 상대방과 협의하여 부담의 내용을 협약의 형식으로 미리 정한 다음 행정처분을 하면서 이를 부가할 수는 없다.

관련기출

②

1. 건축허가를 하면서 일정 토지를 기부채납하도록 하는 내용의 허가조건은 부관을 붙일 수 없는 기속행위 내지 기속적 재량행위인 건축허가에 붙인 부담이거나 또는 법령상 아무런 근거가 없는 부관이어서 무효이다. (○, ×) 2021 군무원 9급
2. (A행정청은 甲에게 처분을 하면서 법령에 근거 없이 일정 토지를 기부채납하도록 하는 부담을 붙였다) 처분이 기속행위라면 甲은 기부채납 부담을 이행할 의무가 없다. (○, ×) 2021 국회직 8급
3. 건축허가를 하면서 일정 토지를 기부채납하도록 하는 내용의 허가조건을 붙였다면 원칙상 취소사유로 보아야 한다. (○, ×) 2020 소방직 9급
4. 기속행위나 기속적 재량행위인 건축허가에 붙인 부관은 무효이다. (○, ×) 2020 소방직 9급
5. 건축허가를 하면서 일정 토지의 기부채납을 허가조건으로 하는 부관은 기속행위 내지 기속적 재량행위에 붙인 부담이거나 또는 법령상 근거가 없는 부관이어서 무효이다. (○, ×) 2011 지방직(상) 9급

1. ○ 2. ○ 3. × 4. ○ 5. ○

③

1. 일반적으로 보조금 교부결정은 법령과 예산에서 정하는 바에 엄격히 기속되므로, 행정청은 보조금 교부결정을 할 때 조건을 붙일 수 없다. (○, ×) 2022 지방직 7급

1. ×

① 빈출 ○

행정기본법 제17조【부관】① 행정청은 처분에 재량이 있는 경우에는 부관(조건, 기한, 부담, 철회권의 유보 등을 말한다. 이하 이 조에서 같다)을 붙일 수 있다.
② 행정청은 처분에 재량이 없는 경우에는 법률에 근거가 있는 경우에 부관을 붙일 수 있다.

② 빈출 ○

건축허가를 하면서 일정 토지를 기부채납하도록 한 허가조건은 기속행위 내지 기속적 재량행위인 건축허가에 붙인 부담이거나 또는 법령상 아무런 근거가 없는 부관이어서 무효이다(대판 1995. 6. 13, 94다56883).

③ ○

재량행위에는 법령상 근거가 없더라도 그 내용이 적법하고 이행가능하며 비례의 원칙 및 평등의 원칙에 적합하고 행정처분의 본질적 효력을 해하지 아니하는 한도 내에서 부관을 붙일 수 있다. <u>일반적으로 보조금 교부결정에 관해서는 행정청에 광범위한 재량이 부여되어 있고, 행정청은 보조금 교부결정을 할 때 법령과 예산에서 정하는 보조금의 교부 목적을 달성하는 데에 필요한 조건을 붙일 수 있다</u>(대판 2021. 2. 4, 2020두48772).

④ 빈출 ×

수익적 행정처분에 있어서는 법령에 특별한 근거규정이 없다고 하더라도 그 부관으로서 부담을 붙일 수 있고, 그와 같은 부담은 행정청이 행정처분을 하면서 일방적으로 부가할 수도 있지만 부담을 부가하기 이전에 상대방과 협의하여 부담의 내용을 협약의 형식으로 미리 정한 다음 행정처분을 하면서 이를 부가할 수도 있다(대판 2009. 2. 12, 2005다65500).

정답 03 ④

04 빈출 중 2023 해경간부

다음 <보기>에서 행정행위의 부관에 대한 설명으로 옳고 그름의 표시(○, ×)가 바르게 된 것은? (다툼이 있는 경우 판례에 의함)

보기

□□□ ㉠ 행정청이 수익적 행정처분을 하면서 부가한 부담의 위법 여부는 처분 당시 법령을 기준으로 판단하여야 하고, 부담이 처분 당시 법령을 기준으로 적법하다면 처분 후 부담의 전제가 된 주된 행정처분의 근거법령이 개정됨으로써 행정청이 더 이상 부관을 붙일 수 없게 되었다 하더라도 곧바로 위법하게 되거나 그 효력이 소멸하게 되는 것은 아니다.

□□□ ㉡ 허가에 붙은 기한이 그 허가된 사업의 성질상 부당하게 짧은 경우에는 이를 허가 자체의 존속기간이 아니라 그 허가조건의 존속기간으로 보아 그 기한이 도래함으로써 그 조건의 개정을 고려한다는 뜻으로 해석할 수 있다.

□□□ ㉢ 부관의 사후변경은 법률에 명문규정이 있거나 그 변경이 미리 유보되어 있는 경우 또는 상대방의 동의가 있는 경우에 한하여 허용되는 것이 원칙이지만, 사정변경으로 인하여 당초에 부담을 부가한 목적을 달성할 수 없게 된 경우에도 그 목적달성에 필요한 범위 내에서 예외적으로 허용된다.

□□□ ㉣ 부담의 이행으로서 하게 된 사법상 매매 등의 법률행위는 부담을 붙인 행정처분과는 어디까지나 별개의 법률행위이므로 그 부담의 불가쟁력의 문제와는 별도로 법률행위가 사회질서 위반이나 강행법규에 위반되는지 여부 등을 따져보아 그 법률행위의 유효 여부를 판단하여야 한다.

① ㉠(○), ㉡(○), ㉢(○), ㉣(○)
② ㉠(○), ㉡(×), ㉢(○), ㉣(○)
③ ㉠(○), ㉡(○), ㉢(×), ㉣(○)
④ ㉠(×), ㉡(○), ㉢(○), ㉣(×)

㉠ ○

행정청이 수익적 행정처분을 하면서 부가한 부담의 위법 여부는 처분 당시 법령을 기준으로 판단하여야 하고, 부담이 처분 당시 법령을 기준으로 적법하다면 처분 후 부담의 전제가 된 주된 행정처분의 근거 법령이 개정됨으로써 행정청이 더 이상 부관을 붙일 수 없게 되었다 하더라도 곧바로 위법하게 되거나 그 효력이 소멸하게 되는 것은 아니라는 것이 판례의 입장이다(대판 2009. 2. 12, 2005다65500).

㉡ 제13강 참조 ○

일반적으로 행정처분에 효력기간이 정하여져 있는 경우에는 그 기간의 경과로 그 행정처분의 효력은 상실되고, 다만 허가에 붙은 기한이 그 허가된 사업의 성질상 부당하게 짧은 경우에는 이를 그 허가 자체의 존속기간이 아니라 그 허가조건의 존속기간으로 보아 그 기한이 도래함으로써 그 조건의 개정을 고려한다는 뜻으로 해석할 수는 있지만, 그와 같은 경우라 하더라도 그 허가기간이 연장되기 위하여는 그 종기가 도래하기 전에 그 허가기간의 연장에 관한 신청이 있어야 하며, 만일 그러한 연장신청이 없는 상태에서 허가기간이 만료하였다면 그 허가의 효력은 상실된다(대판 2007. 10. 11, 2005두12404).

㉢ **빈출** ○

행정처분에 이미 부담이 부가되어 있는 상태에서 그 의무의 범위 또는 내용 등을 변경하는 부관의 사후변경은, 법률에 명문의 규정이 있거나 그 변경이 미리 유보되어 있는 경우 또는 상대방의 동의가 있는 경우에 한하여 허용되는 것이 원칙이지만, 사정변경으로 인하여 당초에 부담을 부가한 목적을 달성할 수 없게 된 경우에도 그 목적달성에 필요한 범위 내에서 예외적으로 허용된다(대판 1997. 5. 30, 97누2627).

㉣ ○

행정처분에 붙인 부담인 부관에 제소기간 도과로 불가쟁력이 생긴 경우에도 그 부담의 이행으로 한 사법상 법률행위의 효력을 다툴 수 있다.

행정처분에 붙은 부담인 부관이 제소기간의 도과로 확정되어 이미 불가쟁력이 생겼다면 그 하자가 중대하고 명백하여 당연무효로 보아야 할 경우 외에는 누구나 그 효력을 부인할 수 없을 것이지만, 부담의 이행으로서 하게 된 사법상 매매 등의 법률행위는 부담을 붙인 행정처분과는 어디까지나 별개의 법률행위이므로 그 부담의 불가쟁력의 문제와는 별도로 법률행위가 사회질서 위반이나 강행규정에 위반되는지 여부 등을 따져보아 그 법률행위의 유효 여부를 판단하여야 한다(대판 2009. 6. 25, 2006다18174).

정답 04 ①

05 빈출 정답률 92% 중 2023 국가직 7급

행정기본법상 부관에 대한 설명으로 옳지 않은 것은? (다툼이 있는 경우 판례에 의함)

□□□ ① 행정청은 처분에 재량이 있는 경우에는 부관을 붙일 수 있다.

□□□ ② 행정청은 처분에 재량이 없는 경우에는 법률에 근거가 있는 경우에 부관을 붙일 수 있다.

□□□ ③ 부관은 해당 처분의 목적에 위배되지 아니하여야 하며, 그 처분과 실질적인 관련이 있어야 하고 또한 그 처분의 목적을 달성하기 위하여 필요한 최소한의 범위 내에서 붙여야 한다.

□□□ ④ 행정청은 사정이 변경되어 종전의 부관을 변경하지 아니하면 해당 처분의 목적을 달성할 수 없다고 인정되는 경우에도 법률에 근거가 없다면 종전의 부관을 변경할 수 없다.

관련기출

①

1. 행정청은 처분에 재량이 있는 경우에는 부관(조건, 기한, 부담, 철회권의 유보 등을 말한다)을 붙일 수 있다. (○, ×) 2021 군무원 9급
2. 행정행위의 부관은 법령에 명시적 근거가 있는 경우에만 부가할 수 있다. (○, ×) 2017 지방직 9급

1. ○ 2. ×

③

1. 철회권의 유보는 해당 처분의 목적을 달성하기 위하여 필요한 최소한의 범위여야 한다. (○, ×) 2023 군무원 9급
2. 부관이 해당 처분과 실질적인 관련이 없더라도 목적을 달성하기 위하여 필요한 최소한의 범위이면 붙일 수 있다. (○, ×) 2022 경찰간부

1. ○ 2. ×

① 정답률 3% ② 정답률 2% ○

행정기본법 제17조【부관】① 행정청은 처분에 재량이 있는 경우에는 부관(조건, 기한, 부담, 철회권의 유보 등을 말한다. 이하 이 조에서 같다)을 붙일 수 있다(①).
② 행정청은 처분에 재량이 없는 경우에는 법률에 근거가 있는 경우에 부관을 붙일 수 있다(②).

③ 빈출 정답률 1% ○

행정기본법 제17조【부관】④ 부관은 다음 각 호의 요건에 적합하여야 한다.
1. 해당 처분의 목적에 위배되지 아니할 것
2. 해당 처분과 실질적인 관련이 있을 것
3. 해당 처분의 목적을 달성하기 위하여 필요한 최소한의 범위일 것

④ 정답률 92% ×

행정기본법 제17조【부관】③ 행정청은 부관을 붙일 수 있는 처분이 다음 각 호의 어느 하나에 해당하는 경우에는 그 처분을 한 후에도 부관을 새로 붙이거나 종전의 부관을 변경할 수 있다.
1. 법률에 근거가 있는 경우
2. 당사자의 동의가 있는 경우
3. 사정이 변경되어 부관을 새로 붙이거나 종전의 부관을 변경하지 아니하면 해당 처분의 목적을 달성할 수 없다고 인정되는 경우

정답 05 ④

06 정답률 77% 중 2023 국가직 9급

행정행위의 부관에 대한 설명으로 옳지 않은 것은? (다툼이 있는 경우 판례에 의함)

□□□ ① 수익적 행정처분에 있어서는 법령에 특별한 근거규정이 있는 경우에만 그 부관으로서 부담을 붙일 수 있다.

□□□ ② 기선선망어업의 허가를 하면서 운반선, 등선 등 부속선을 사용할 수 없도록 제한한 부관은 그 어업허가의 목적달성을 사실상 어렵게 하여 그 본질적 효력을 해하는 것이므로 위법한 것이다.

□□□ ③ 부관은 면허발급 당시에 붙이는 것뿐만 아니라 면허발급 이후에 붙이는 것도 법률에 명문의 규정이 있거나 변경이 미리 유보되어 있는 경우 또는 상대방의 동의가 있는 경우 등에는 특별한 사정이 없는 한 허용된다.

□□□ ④ 토지소유자가 토지형질변경행위허가에 붙은 기부채납의 부관에 따라 토지를 국가나 지방자치단체에 기부채납한 경우, 기부채납의 부관이 당연무효이거나 취소되지 아니한 이상 토지소유자는 위 부관으로 인하여 기부채납계약의 중요부분에 착오가 있음을 이유로 기부채납계약을 취소할 수 없다.

관련기출

①

1. 수익적 행정처분에 있어서는 법령에 특별한 근거규정이 있는 경우에 한하여 부관을 붙일 수 있다. (○, ×) 2022 소방직 9급, 2014 서울시 7급
2. 재량행위이더라도 수익적 행위에 부관을 붙이기 위해서는 특별한 법적 근거가 있어야 한다. (○, ×) 2021 국회직 8급
3. 수익적 행정처분인 재량행위를 하면서 침익적 성격의 부관을 부가하는 행위는 행정청이 별도의 법령상의 근거 없이도 할 수 있다. (○, ×) 2019 지방직 7급
4. 수익적 행정행위에 있어서는 법령에 특별한 근거규정이 없다고 하더라도 그 부관으로서 부담을 붙일 수 있다. (○, ×) 2015 경행특채 2차
5. 수익적 행정행위의 경우에도 법령에 근거가 있어야만 부관을 붙일 수 있다. (○, ×) 2008 지방직(하) 7급

1. × 2. × 3. ○ 4. ○ 5. ×

②

1. 허가의 목적달성을 사실상 어렵게 하여 그 본질적 효력을 해하는 부관은 적법하지 않다. (○, ×) 2023 소방직 9급
2. 기선선망어업의 허가를 하면서 운반선, 등선 등 부속선을 사용할 수 없도록 제한한 부관은 그 어업 허가의 목적달성을 사실상 어렵게 하여 그 본질적 효력을 해하는 것이다. (○, ×) 2019 지방직 · 교육행정직 9급
3. 구 수산업법 제15조에 의하여 어업의 면허 또는 허가에 붙이는 부관은 그 성질상 허가된 어업의 본질적 효력을 해하지 않는 한도의 것이어야 하고 허가된 어업의 내용 또는 효력 등에 대하여는 행정청이 임의로 제한 또는 조건을 붙일 수 없다. (○, ×) 2018 경행경채 3차
4. 부관은 본체인 행정행위의 본질적 효력을 저해해서는 아니 된다. (○, ×) 2009 관세사

1. ○ 2. ○ 3. ○ 4. ○

① **빈출** ×

수익적 행정처분에 있어서는 법령에 특별한 근거규정이 없다고 하더라도 그 부관으로서 부담을 붙일 수 있고, 그와 같은 부담은 행정청이 행정처분을 하면서 일방적으로 부가할 수도 있지만 부담을 부가하기 이전에 상대방과 협의하여 부담의 내용을 협약의 형식으로 미리 정한 다음 행정처분을 하면서 이를 부가할 수도 있다(대판 2009. 2. 12, 2005다65500).

② **빈출** ○

기선선망어업의 허가를 하면서 운반선, 등선 등 부속선을 사용할 수 없도록 제한한 부관은 그 어업허가의 목적달성을 사실상 어렵게 하여 그 본질적 효력을 해하는 것이다.

수산업법 제15조에 의하여 어업의 면허 또는 허가에 붙이는 부관은 그 성질상 허가된 어업의 본질적 효력을 해하지 않는 한도의 것이어야 하고 허가된 어업의 내용 또는 효력 등에 대하여는 행정청이 임의로 제한 또는 조건을 붙일 수 없다고 보아야 할 것이며 수산업법 시행령 제14조의4 제3항의 규정내용은 기선선망어업에는 그 어선규모의 대소를 가리지 않고 등선과 운반선을 갖출 수 있고, 또 갖추어야 하는 것이라고 해석되므로 기선선망어업의 허가를 하면서 운반선, 등선 등 부속선을 사용할 수 없도록 제한한 부관은 그 어업허가의 목적달성을 사실상 어렵게 하여 그 본질적 효력을 해하는 것일 뿐만 아니라 위 시행령의 규정에도 어긋나는 것이며, 더욱이 어업조정이나 기타 공익상 필요하다고 인정되는 사정이 없는 이상 위법한 것이다(대판 1990. 4. 27, 89누6808).

③ **빈출** ○

부관은 면허발급 당시에 붙이는 것뿐만 아니라 면허발급 이후에 붙이는 것도 법률에 명문의 규정이 있거나 변경이 미리 유보되어 있는 경우 또는 상대방의 동의가 있는 경우 등에는 특별한 사정이 없는 한 허용된다(대판 2016. 11. 24, 2016두45028).

④ ○

토지소유자가 토지형질변경행위허가에 붙은 기부채납의 부관에 따라 토지를 기부채납(증여)한 경우, 기부채납의 부관이 당연무효이거나 취소되지 않은 상태에서 그 부관으로 인하여 증여계약의 중요부분에 착오가 있음을 이유로 증여계약을 취소할 수 없다(대판 1999. 5. 25, 98다53134).

정답 06 ①

07 빈출 정답률 71% 중 2022 지방직 · 서울시 9급

행정행위의 부관에 대한 설명으로 옳은 것은? (다툼이 있는 경우 판례에 의함)

□□□ ① 행정처분에 부가한 부담이 무효인 경우에는 그 부담의 이행으로 이루어진 사법상 법률행위도 무효가 된다.

□□□ ② 부관의 사후변경은 종전의 부관을 변경하지 아니하면 해당 처분의 목적을 달성할 수 없는 경우가 아니라면 인정되지 않는다.

□□□ ③ 행정처분과 실제적 관련성이 없어 부관을 붙일 수 없는 경우에도 사법상 계약의 형식으로 공법상 제한을 회피할 수 있다.

□□□ ④ 행정재산에 대한 기한부 사용 · 수익허가를 받은 경우, 그 사용 · 수익허가의 기간에 대하여 독립하여 행정소송을 제기할 수 없다.

관련기출

②

1. 사정변경으로 인하여 당초에 부담을 부가한 목적을 달성할 수 없게 된 경우에도 부관의 사후변경은 허용되지 않는다. (○, ×) 2022 소방직 9급
2. 행정청은 부관을 붙일 수 있는 처분이 당사자의 동의가 있는 경우에는 그 처분을 한 후에도 부관을 새로 붙이거나 종전의 부관을 변경할 수 있다. (○, ×) 2021 국가직 7급

1. × 2. ○

③

1. 처분과 실제적 관련성이 없어 부관으로 붙일 수 없는 부담이라도 사법상 계약의 형식으로 처분의 상대방에게 부과할 수 있다. (○, ×) 2021 지방직 · 서울시 9급
2. 행정처분과 부관 사이에 실제적 관련성이 있다고 볼 수 없는 경우, 공무원이 공법상의 제한을 회피할 목적으로 행정처분의 상대방과 사이에 사법상 계약을 체결하는 형식을 취하였더라도 법치행정의 원리에 반하는 것으로서 위법하다고 볼 수 없다. (○, ×) 2021 국가직 9급
3. 행정처분과 부관 사이에 실제적 관련성이 있다고 볼 수 없는 경우 공무원이 공법상의 제한을 회피할 목적으로 행정처분의 상대방과 사이에 사법상 계약을 체결하는 형식을 취하였다면 이는 법치행정의 원리에 반하는 것으로서 위법하다. (○, ×) 2020 경행경채, 2019 국가직 7급
4. 부당결부금지원칙에 위반하여 허용되지 않는 부관을 행정처분과 상대방 사이의 사법상 계약의 형식으로 체결하는 것은 허용되지 않는다. (○, ×) 2019 서울시 9급

1. × 2. × 3. ○ 4. ○

④

1. 공유재산에 대한 40년간의 사용허가신청에 대해 행정청이 20년간 사용허가한 경우에 사용허가기간에 대해서 독립하여 행정소송을 제기할 수 있다. (○, ×) 2021 경행경채
2. 기부채납받은 행정재산에 대한 사용 · 수익허가에서 공유재산의 관리청이 정한 사용 · 수익허가의 기간은 그 허가의 효력을 제한하기 위한 행정행위의 부관으로서, 이러한 사용 · 수익허가의 기간에 대해서는 독립하여 행정소송을 제기할 수 있다. (○, ×) 2020 지방직 · 서울시 9급
3. 기부채납받은 행정재산에 대한 사용 · 수익허가에서 공유재산의 관리청이 정한 사용 · 수익허가의 기간에 대하여서는 독립하여 행정소송을 제기할 수 없다. (○, ×) 2019 국회직 8급

1. × 2. × 3. ○

① ×

행정처분에 붙인 부담인 부관이 무효가 되더라도 그 부담의 이행으로 한 사법상 법률행위가 당연히 무효가 되는 것은 아니라는 것이 판례의 입장이다(대판 2009. 6. 25, 2006다18174).

② ×

> **행정기본법 제17조【부관】** ③ 행정청은 부관을 붙일 수 있는 처분이 다음 각 호의 어느 하나에 해당하는 경우에는 그 처분을 한 후에도 부관을 새로 붙이거나 종전의 부관을 변경할 수 있다.
> 1. 법률에 근거가 있는 경우
> 2. 당사자의 동의가 있는 경우
> 3. 사정이 변경되어 부관을 새로 붙이거나 종전의 부관을 변경하지 아니하면 해당 처분의 목적을 달성할 수 없다고 인정되는 경우

③ **빈출** ×

> 1. 행정처분과 실제적 관련성이 없어 부관으로 붙일 수 없는 부담을 사법상 계약의 형식으로 행정처분의 상대방에게 부과할 수는 없다.
> 2. 공무원이 공법상의 제한을 회피할 목적으로 행정처분의 상대방과 사이에 사법상 계약을 체결하는 형식을 취하였다면 이는 법치행정의 원리에 반하는 것으로서 위법하다(대판 2009. 12. 10, 2007다63966).

④ ○

부담이 아닌 부관에 대해서는 독립하여 행정소송을 제기할 수 없다.

> (행정청이 원고에 대하여 행한 서울랜드 2차시설물에 대한 무상사용허가처분 중 원고가 신청한 무상사용기간 40년 가운데 20년을 초과하는 나머지 신청 부분에 대한 거부처분을 다툰 사건에서, 이러한 기간은 독립하여 소송대상이 될 수 없으므로 각하되어야 한다고 판시하면서) 기부채납받은 행정재산에 대한 사용 · 수익허가에서 사용 · 수익허가의 기간에 대하여 독립하여 행정소송을 제기할 수 없으며 이러한 청구는 부적법하므로 각하된다(대판 2001. 6. 15, 99두509).

정답 07 ④

08 빈출 중 2022 소방간부

행정행위의 부관에 관한 설명으로 옳지 않은 것은? (다툼이 있는 경우 판례에 의함)

□□□ ① 행정청이 종교단체에 대하여 기본재산전환인가를 함에 있어 인가조건을 부가하고 그 불이행시 인가를 취소할 수 있도록 한 경우, 그 부관은 철회권의 유보이다.

□□□ ② 공유수면매립준공인가 중 매립지 일부에 대하여 한 국가귀속처분은 법률효과의 일부를 배제하는 부관에 해당하고, 이러한 부관에 대하여는 독립하여 행정소송의 대상으로 삼을 수 없다.

□□□ ③ 어업면허처분을 함에 있어 그 면허의 유효기간을 1년으로 정한 경우, 그 유효기간만의 취소를 구하는 행정소송은 허용될 수 없다.

□□□ ④ 행정처분에 부가된 부담이 제소기간의 도과로 불가쟁력이 생긴 경우, 부담의 이행으로 한 사법상 매매 등의 법률행위도 효력이 확정되므로 그 법률행위의 유효 여부를 별도로 다툴 수 없다.

□□□ ⑤ 토지형질변경행위 허가에 붙은 기부채납의 부관에 따라 국가에 기부채납을 한 경우, 기부채납의 부관이 당연무효이거나 취소되지 않은 이상 토지소유자는 위 부관으로 인하여 증여계약의 중요 부분에 착오가 있음을 이유로 증여계약을 취소할 수 없다.

관련기출

②

1. 지방국토관리청장이 일부 공유수면매립지를 국가 또는 지방자치단체에 귀속처분한 것은 법률효과의 일부를 배제하는 부관을 붙인 것이므로 이러한 행정행위의 부관은 독립하여 행정쟁송대상이 될 수 없다. (○, ×) 2020 지방직 · 서울시 9급
2. 지방국토관리청장이 일부 공유수면매립지에 대하여 한 국가 또는 직할시(현 광역시) 귀속처분은 법률효과의 일부배제에 해당하는 것으로 행정행위의 부관의 유형으로 볼 수 없다는 것이 판례의 태도이다. (○, ×) 2020 소방직 9급
3. 공유수면매립준공인가처분을 하면서 매립지 일부에 대하여 한 국가 및 지방자치단체에의 귀속처분은 부관 중 부담에 해당하므로 독립하여 행정소송 대상이 될 수 있다. (○, ×) 2019 지방직 · 교육행정직 9급

1. ○ 2. × 3. ×

① ○

행정청이 종교단체에 대하여 기본재산전환인가를 함에 있어 인가조건을 부가하고 그 불이행시 인가를 취소할 수 있도록 한 경우, 인가조건의 의미는 철회권을 유보한 것이라는 것이 판례의 입장이다(대판 2003. 5. 30, 2003다6422).

② ○

판례는 부관 중 부담만이 주된 행정행위와 독립하여 항고소송의 대상이 된다는 입장이다.

> 매립지 일부에 대해 국가에 소유권을 귀속시킨 처분은 법률효과의 일부배제라는 부관을 붙인 것이다.
>
> 행정행위의 부관은 부담의 경우를 제외하고는 독립하여 행정소송의 대상이 될 수 없는 것인바, 행정청이 한 공유수면매립준공인가 중 매립지 일부에 대하여 한 국가귀속처분은 매립준공인가를 함에 있어서 매립의 면허를 받은 자의 매립지에 대한 소유권취득을 규정한 공유수면매립법 제14조의 효과 일부를 배제하는 부관을 붙인 것이므로 이러한 행정행위의 부관에 대하여는 독립하여 행정소송의 대상으로 삼을 수 없다(대판 1991. 12. 13, 90누8503).

③ ○

부담이 아니라 기한(종기)에 해당하므로 독립하여 소송대상이 될 수 없다.

> 어업면허처분을 함에 있어 그 면허의 유효기간을 1년으로 정한 경우, 위 면허의 유효기간은 행정행위의 부관이라 할 것이고, 이러한 행정행위의 부관은 독립하여 행정소송의 대상이 될 수 없는 것이므로 위 어업면허처분 중 그 면허유효기간만의 취소를 구하는 청구는 허용될 수 없다(대판 1986. 8. 19, 86누202).

④ ×

행정처분에 붙인 부담인 부관에 제소기간 도과로 불가쟁력이 생긴 경우에도 그 부담의 이행으로 한 사법상 법률행위의 효력을 다툴 수 있다는 것이 판례의 입장이다(대판 2009. 6. 25, 2006다18174).

⑤ ○

토지소유자가 토지형질변경행위허가에 붙은 기부채납의 부관에 따라 토지를 기부채납(증여)한 경우, 기부채납의 부관이 당연무효이거나 취소되지 않은 상태에서 그 부관으로 인하여 증여계약의 중요부분에 착오가 있음을 이유로 증여계약을 취소할 수 없다는 것이 판례의 입장이다(대판 1999. 5. 25, 98다53134).

정답 08 ④

09 정답률 79% 중 2021 국가직 7급

행정행위의 부관에 대한 설명으로 옳지 않은 것은? (다툼이 있는 경우 판례에 의함)

□□□ ① 행정청은 처분에 재량이 없는 경우에는 법률에 근거가 있는 경우에 부관을 붙일 수 있다.

□□□ ② 행정청은 부관을 붙일 수 있는 처분이 당사자의 동의가 있는 경우에는 그 처분을 한 후에도 부관을 새로 붙이거나 종전의 부관을 변경할 수 있다.

□□□ ③ 행정처분에 붙인 부담인 부관이 무효가 되면 그 부담의 이행으로 한 사법상 법률행위도 당연히 무효가 되는 것은 아니다.

□□□ ④ 행정처분에 붙인 부담인 부관이 제소기간 도과로 불가쟁력이 생긴 경우에는 그 부담의 이행으로 한 사법상 법률행위의 효력을 다툴 수 없다.

관련기출

③

1. 행정처분에 부담인 부관을 붙인 경우 부관의 무효화에 의하여 본체인 행정처분 자체의 효력에도 영향이 있게 될 수 있으며, 그 처분을 받은 사람이 부담의 이행으로 사법상 매매 등의 법률행위를 한 경우 그 법률행위 자체는 당연무효이다. (○, ×) 2024 국가직 9급
2. 행정처분에 부과한 부담이 무효가 된 경우라도, 특별한 사정이 없는 한 부담의 이행으로 행한 사법상 매매 등의 법률행위 자체를 당연히 무효화하는 것은 아니다. (○, ×) 2023 소방직 9급
3. 행정처분에 부가한 부담이 무효인 경우에는 그 부담의 이행으로 이루어진 사법상 법률행위도 무효가 된다. (○, ×) 2022 지방직·서울시 9급, 2022 소방직 9급, 2019 국가직 9급
4. 무효인 부담이 붙은 행정행위의 상대방이 그 부담의 이행으로 사법상 법률행위를 한 경우에 그 사법상 법률행위 자체가 당연무효로 되는 것은 아니다. (○, ×) 2017 사회복지직 9급

1. × 2. ○ 3. × 4. ○

④

1. 부담의 이행으로서 하게 된 사법상 매매 등의 법률행위는 부담을 붙인 행정처분과는 별개의 법률행위이므로, 그 부담의 불가쟁력의 문제와는 별도로 법률행위가 사회질서위반이나 강행규정에 위반되는지 여부 등을 따져보아 그 법률행위의 유효 여부를 판단하여야 한다. (○, ×) 2021 국가직 9급, 2020 경행경채

1. ○

① ○

> **행정기본법 제17조【부관】** ② 행정청은 처분에 재량이 없는 경우에는 법률에 근거가 있는 경우에 부관을 붙일 수 있다.

② ○

> **행정기본법 제17조【부관】** ③ 행정청은 부관을 붙일 수 있는 처분이 다음 각 호의 어느 하나에 해당하는 경우에는 그 처분을 한 후에도 부관을 새로 붙이거나 종전의 부관을 변경할 수 있다.
> 1. 법률에 근거가 있는 경우
> 2. 당사자의 동의가 있는 경우
> 3. 사정이 변경되어 부관을 새로 붙이거나 종전의 부관을 변경하지 아니하면 해당 처분의 목적을 달성할 수 없다고 인정되는 경우

③ ○

④ ×

1. 행정처분에 붙인 부담인 부관이 무효가 되더라도 그 부담의 이행으로 한 사법상 법률행위가 당연히 무효가 되는 것은 아니다(③).
   행정처분에 부담인 부관을 붙인 경우 부관의 무효화에 의하여 본체인 행정처분 자체의 효력에도 영향이 있게 될 수는 있지만, 그 처분을 받은 사람이 부담의 이행으로 사법상 매매 등의 법률행위를 한 경우에는 그 부관은 특별한 사정이 없는 한 법률행위를 하게 된 동기 내지 연유로 작용하였을 뿐이므로 이는 법률행위의 취소사유가 될 수 있음은 별론으로 하고 그 법률행위 자체를 당연히 무효화하는 것은 아니다.
2. 행정처분에 붙인 부담인 부관에 제소기간 도과로 불가쟁력이 생긴 경우에도 그 부담의 이행으로 한 사법상 법률행위의 효력을 다툴 수 있다(④).
   행정처분에 붙은 부담인 부관이 제소기간의 도과로 확정되어 이미 불가쟁력이 생겼다면 그 하자가 중대하고 명백하여 당연무효로 보아야 할 경우 외에는 누구나 그 효력을 부인할 수 없을 것이지만, 부담의 이행으로서 하게 된 사법상 매매 등의 법률행위는 부담을 붙인 행정처분과는 어디까지나 별개의 법률행위이므로 그 부담의 불가쟁력의 문제와는 별도로 법률행위가 사회질서 위반이나 강행규정에 위반되는지 여부 등을 따져보아 그 법률행위의 유효 여부를 판단하여야 한다(대판 2009. 6. 25, 2006다18174).

정답 09 ④

10 빈출 정답률 83% 중 2021 지방직 · 서울시 9급

행정행위의 부관에 대한 설명으로 옳지 않은 것은? (다툼이 있는 경우 판례에 의함)

□□□ ① 행정청은 처분에 재량이 없는 경우에는 법률에 근거가 있는 경우에 부관을 붙일 수 있다.

□□□ ② 부담이 처분 당시 법령을 기준으로 적법하다면 처분 후 부담의 전제가 된 주된 처분의 근거법령이 개정됨으로써 행정청이 더 이상 부관을 붙일 수 없게 되었다 하더라도 곧바로 그 효력이 소멸하게 되는 것은 아니다.

□□□ ③ 처분과 실제적 관련성이 없어 부관으로 붙일 수 없는 부담이라도 사법상 계약의 형식으로 처분의 상대방에게 부과할 수 있다.

□□□ ④ 행정재산에 대한 사용 · 수익허가에서 공유재산의 관리청이 정한 사용 · 수익허가의 기간에 대해서는 독립하여 행정소송을 제기할 수 없다.

관련기출

②

1. 행정청이 수익적 행정처분을 하면서 사전에 상대방과 체결한 협약상의 의무를 부담으로 부가하였는데 부담의 전제가 된 주된 행정처분의 근거 법령이 개정되어 부관을 붙일 수 없게 된 경우, 곧바로 위 협약의 효력이 소멸한다. (○, ×) 2023 소방승진
2. 부담의 전제가 된 주된 처분의 근거법령이 개정됨으로써 행정청이 더 이상 부관을 붙일 수 없게 되었다면, 특별한 사정이 없는 한 그 부담의 효력은 소멸하게 된다. (○, ×) 2023 소방직 9급
3. 주된 행정처분의 근거법령이 개정됨으로써 행정청이 더 이상 그 부담을 붙일 수 없게 되었다면 그 부담은 당연무효가 된다. (○, ×) 2023 소방간부
4. 행정청이 수익적 행정처분을 하면서 부가한 부담의 위법 여부는 처분 당시 법령을 기준으로 판단하여야 한다. (○, ×) 2021 경행경채

1. × 2. × 3. × 4. ○

① ○

행정청은 처분에 재량이 있는 경우(재량행위)에 부관을 붙일 수 있고, 처분에 재량이 없는 경우(기속행위)에는 법률에 근거가 있는 경우에 부관을 붙일 수 있다(행정기본법 제17조 제1 · 2항).

> **행정기본법 제17조【부관】** ① 행정청은 처분에 재량이 있는 경우에는 부관(조건, 기한, 부담, 철회권의 유보 등을 말한다. 이하 이 조에서 같다)을 붙일 수 있다.
> ② 행정청은 처분에 재량이 없는 경우에는 법률에 근거가 있는 경우에 부관을 붙일 수 있다.

② ○

> 행정청이 수익적 행정처분을 하면서 부가한 부담의 위법 여부는 처분 당시 법령을 기준으로 판단하여야 하고, 부담이 처분 당시 법령을 기준으로 적법하다면 처분 후 부담의 전제가 된 주된 행정처분의 근거법령이 개정됨으로써 행정청이 더 이상 부관을 붙일 수 없게 되었다 하더라도 곧바로 위법하게 되거나 그 효력이 소멸하게 되는 것은 아니다(대판 2009. 2. 12, 2005다65500).

③ ×

> 1. 행정처분과 실제적 관련성이 없어 부관으로 붙일 수 없는 부담을 사법상 계약의 형식으로 행정처분의 상대방에게 부과할 수는 없다.
> 2. 공무원이 공법상의 제한을 회피할 목적으로 행정처분의 상대방과 사이에 사법상 계약을 체결하는 형식을 취하였다면 이는 법치행정의 원리에 반하는 것으로서 위법하다(대판 2009. 12. 10, 2007다63966).

④ ○

> (행정청이 원고에 대하여 행한 서울랜드 2차시설물에 대한 무상사용허가처분 중 원고가 신청한 무상사용기간 40년 가운데 20년을 초과하는 나머지 신청 부분에 대한 거부처분을 다툰 사건에서, 이러한 기간은 독립하여 소송대상이 될 수 없으므로 각하되어야 한다고 판시하면서) 기부채납받은 행정재산에 대한 사용 · 수익허가에서 사용 · 수익허가의 기간에 대하여 독립하여 행정소송을 제기할 수 없으며 이러한 청구는 부적법하므로 각하된다(대판 2001. 6. 15, 99두509).

정답 10 ③

대표

11 빈출 정답률 76% 중 2020 지방직 · 서울시 9급

행정행위의 부관에 대한 설명으로 옳은 것은? (다툼이 있는 경우 판례에 의함)

□□□ ① 부관 중에서 부담은 주된 행정행위로부터 분리될 수 있다 할지라도 부담 그 자체는 독립된 행정행위가 아니므로 주된 행정행위로부터 분리하여 쟁송의 대상이 될 수 없다.

□□□ ② 기부채납받은 행정재산에 대한 사용 · 수익허가에서 공유재산의 관리청이 정한 사용 · 수익허가의 기간은 그 허가의 효력을 제한하기 위한 행정행위의 부관으로서, 이러한 사용 · 수익허가의 기간에 대해서는 독립하여 행정소송을 제기할 수 있다.

□□□ ③ 지방국토관리청장이 일부 공유수면매립지를 국가 또는 지방자치단체에 귀속처분한 것은 법률효과의 일부를 배제하는 부관을 붙인 것이므로 이러한 행정행위의 부관은 독립하여 행정쟁송대상이 될 수 없다.

□□□ ④ 행정청이 부담을 부가하기 이전에 상대방과 협의하여 부담의 내용을 협약의 형식으로 미리 정한 경우에는 행정처분을 하면서 이를 부담으로 부가할 수 없다.

관련기출

①

1. 부담은 그 자체로서 행정쟁송의 대상이 될 수 없다. (○, ×) 2020 경행경채
2. 甲은 개발제한구역 내에서의 건축허가를 관할행정청인 乙에게 신청하였고, 乙은 甲에게 일정 토지의 기부채납을 조건으로 이를 허가하였다. 건축허가 자체는 적법하고 부담인 기부채납조건만이 취소사유에 해당하는 위법성이 있는 경우, 甲은 기부채납조건부 건축허가처분 전체에 대하여 취소소송을 제기할 수 있을 뿐이고 기부채납조건만을 대상으로 취소소송을 제기할 수 없다. (○, ×) 2019 지방직 7급
3. 취소소송에 의하지 않으면 권리구제를 받을 수 없는 경우에는, 부담이 아닌 부관이라 하더라도 그 부관만을 대상으로 취소소송을 제기하는 것이 허용된다. (○, ×) 2018 국가직 7급
4. 부담이 아닌 부관은 독립하여 행정소송의 대상이 될 수 없으므로 이의 취소를 구하는 소송에 대하여는 각하판결을 하여야 한다. (○, ×) 2017 서울시 9급

1. × 2. × 3. × 4. ○

① ×

부담은 그 자체로 행정행위의 성질을 가지므로 주된 행정행위로부터 분리하여 쟁송의 대상이 될 수 있다는 것이 통설 및 판례의 입장이다.

> 부담은 독립하여 행정소송의 대상이 된다.
>
> 행정행위의 부관은 행정행위의 일반적인 효력이나 효과를 제한하기 위하여 의사표시의 주된 내용에 부가되는 종된 의사표시이지 그 자체로서 직접 법적 효과를 발생하는 독립된 처분이 아니므로 현행 행정쟁송제도 아래서는 부관 그 자체만을 독립된 쟁송의 대상으로 할 수 없는 것이 원칙이나 행정행위의 부관 중에서도 부담의 경우에는 다른 부관과는 달리 행정행위의 불가분적 요소가 아니고 그 존속의 본체인 행정행위의 존재를 전제로 하는 것일 뿐이므로, 부담 그 자체로서 행정쟁송의 대상이 될 수 있다(대판 1992. 1. 21, 91누1264).

② ×

부담이 아닌 부관에 대해서는 독립하여 소송을 제기하여 다툴 수는 없고 부관부 행정행위 전체를 소송대상으로 하여 다툴 수 있을 뿐이다. 지문의 경우 기한에 해당하므로 독립하여 소송을 제기할 수 없다.

> (행정청이 원고에 대하여 행한 서울랜드 2차시설물에 대한 무상사용허가처분 중 원고가 신청한 무상사용기간 40년 가운데 20년을 초과하는 나머지 신청 부분에 대한 거부처분을 다툰 사건에서, 이러한 기간은 독립하여 소송대상이 될 수 없으므로 각하되어야 한다고 판시하면서) 기부채납받은 행정재산에 대한 사용 · 수익허가에서 사용 · 수익허가의 기간에 대하여 독립하여 행정소송을 제기할 수 없으며 이러한 청구는 부적법하므로 각하된다(대판 2001. 6. 15, 99두509).

③ ○

판례는 부관 중 부담만 독립하여 항고소송의 대상이 될 수 있다고 한다.

> 매립지 일부에 대해 국가에 소유권을 귀속시킨 처분은 법률효과의 일부배제라는 부관을 붙인 것이다.
>
> 행정행위의 부관은 부담의 경우를 제외하고는 독립하여 행정소송의 대상이 될 수 없는 것인바, 행정청이 한 공유수면매립준공인가 중 매립지 일부에 대하여 한 국가귀속처분은 매립준공인가를 함에 있어서 매립의 면허를 받은 자의 매립지에 대한 소유권취득을 규정한 공유수면매립법 제14조의 효과 일부를 배제하는 부관을 붙인 것이므로 이러한 행정행위의 부관에 대하여는 독립하여 행정소송의 대상으로 삼을 수 없다(대판 1991. 12. 13, 90누8503).

④ 빈출 ×

> 수익적 행정처분에 있어서는 법령에 특별한 근거규정이 없다고 하더라도 그 부관으로서 부담을 붙일 수 있고, 그와 같은 부담은 행정청이 행정처분을 하면서 일방적으로 부가할 수도 있지만 부담을 부가하기 이전에 상대방과 협의하여 부담의 내용을 협약의 형식으로 미리 정한 다음 행정처분을 하면서 이를 부가할 수도 있다(대판 2009. 2. 12, 2005다65500).

정답 11 ③

12 정답률 68% 상 2017 국가직 9급

다음 사례에 대한 판례의 입장으로 옳지 않은 것은?

고속국도 관리청이 고속도로 부지와 접도구역에 송유관 매설을 허가하면서 상대방인 甲과 체결한 협약에 따라 송유관 시설을 이전하게 될 경우 그 비용을 甲이 부담하도록 하였는데, 그 후 도로법 시행규칙이 개정되어 접도구역에는 관리청의 허가 없이도 송유관을 매설할 수 있게 되었다.

□□□ ① 협약에 따라 송유관 시설을 이전하게 될 경우 그 비용을 甲이 부담하도록 한 것은 행정행위의 부관 중 부담에 해당한다.

□□□ ② 甲과의 협약이 없더라도 고속국도 관리청은 송유관 매설허가를 하면서 일방적으로 송유관 이전시 그 비용을 甲이 부담한다는 내용의 부관을 부가할 수 있다.

□□□ ③ 도로법 시행규칙의 개정 이후에도 위 협약에 포함된 부관은 부당결부금지의 원칙에 반하지 않는다.

□□□ ④ 도로법 시행규칙의 개정으로 접도구역에는 관리청의 허가 없이도 송유관을 매설할 수 있게 되었기 때문에 위 협약 중 접도구역에 대한 부분은 효력이 소멸된다.

관련기출

②

1. 행정청이 수익적 행정처분을 하면서 부담을 부가하는 경우, 행정청은 부담을 일방적으로 부가할 수도 있지만, 부담을 부가하기 이전에 상대방과 협약의 형식으로 부담의 내용을 미리 정한 다음 행정처분을 하면서 이를 부가할 수도 있다. (○, ×) 2024 소방간부
2. 수익적 행정처분에 있어서는 행정청이 행정처분을 하면서 부담을 일방적으로 부가할 수 있을 뿐, 부담을 부가하기 이전에 상대방과 협의하여 부담의 내용을 협약의 형식으로 미리 정한 다음 부가할 수는 없다. (○, ×) 2022 지방직 7급
3. 부담은 행정청이 행정처분을 하면서 일방적으로 부가하는 것이 일반적이므로 상대방과 협의하여 협약의 형식으로 미리 정한 다음 행정처분을 하면서 이를 부가하는 경우 부담으로 볼 수 없다. (○, ×) 2021 군무원 9급
4. 부담은 행정청이 행정행위를 하면서 일방적으로 부가할 수도 있지만 부담을 부가하기 이전에 상대방과 협의하여 부담의 내용을 협약의 형식으로 미리 정한 다음 행정행위를 하면서 부가할 수도 있다. (○, ×) 2021 소방직 9급
5. (甲은 개발제한구역 내의 토지에 건축물을 건축하기 위하여 건축허가를 신청하였다) 甲에게 허가를 하면서 일방적으로 부담을 부가할 수도 있지만, 부담을 부가하기 이전에 甲과 협의하여 부담의 내용을 협약의 형식으로 미리 정한 다음 허가를 하면서 이를 부가할 수도 있다. (○, ×) 2019 국가직 7급

1. ○ 2. × 3. × 4. ○ 5. ○

① ○

송유관매설허가(엄밀하게는 도로점용허가 및 공작물설치허가에 해당한다)를 하면서 사후에 시설이전이 있을 경우 비용을 甲이 부담하도록 의무를 부과한 것이므로 부관 중 부담에 해당한다. 정지조건이 아닌지에 대해서는 먼저 조건과 부담의 구별이 애매한 경우 부담으로 보아야 하며, 특히 위 사안의 경우 부관의 성취 여부와 무관하게 송유관매설허가의 효력은 처음부터 발생하므로 조건으로 볼 여지는 없다(정지조건의 경우 행정행위의 효력은 조건이 성취된 때로부터 발생하며 부담의 경우에는 행정행위의 효력은 처음부터 발생한다).

②③ ○

④ ×

1. 수익적 행정처분에 있어서는 법령에 특별한 근거규정이 없다고 하더라도 그 부관으로서 부담을 붙일 수 있고, 그와 같은 부담은 행정청이 행정처분을 하면서 일방적으로 부가할 수도 있지만 부담을 부가하기 이전에 상대방과 협의하여 부담의 내용을 협약의 형식으로 미리 정한 다음 행정처분을 하면서 이를 부가할 수도 있다(②).
2. 행정청이 수익적 행정처분을 하면서 부가한 부담의 위법 여부는 처분 당시 법령을 기준으로 판단하여야 하고, 부담이 처분 당시 법령을 기준으로 적법하다면 처분 후 부담의 전제가 된 주된 행정처분의 근거법령이 개정됨으로써 행정청이 더 이상 부관을 붙일 수 없게 되었다 하더라도 곧바로 위법하게 되거나 그 효력이 소멸하게 되는 것은 아니다. 따라서 행정처분의 상대방이 수익적 행정처분을 얻기 위하여 행정청과 사이에 행정처분에 부가할 부담에 관한 협약을 체결하고 행정청이 수익적 행정처분을 하면서 협약상의 의무를 부담으로 부가하였으나 부담의 전제가 된 주된 행정처분의 근거법령이 개정됨으로써 행정청이 더 이상 부관을 붙일 수 없게 된 경우에도 곧바로 협약의 효력이 소멸하는 것은 아니다(④).
3. 고속국도 관리청이 고속도로 부지와 접도구역에 송유관 매설을 허가하면서 상대방과 체결한 협약에 따라 송유관 시설을 이전하게 될 경우 그 비용을 상대방에게 부담하도록 하였고, 그 후 도로법 시행규칙이 개정되어 접도구역에는 관리청의 허가 없이도 송유관을 매설할 수 있게 된 사안에서, 위 협약이 효력을 상실하지 않을 뿐만 아니라 위 협약에 포함된 부관이 부당결부금지의 원칙에도 반하지 않는다(③)(대판 2009. 2. 12, 2005다65500).

정답 12 ④

02 부관과 이를 기초로 한 후속조치

기 298~299쪽 핵 T 28

13 정답률 57% 중 2016 국가직 9급

甲은 관할행정청 A에 도로점용허가를 신청하였고, 이에 대하여 행정청 A는 주민의 민원을 고려하여 甲에 대하여 공원부지를 기부채납할 것을 부관으로 하여 도로점용허가를 하였다. 이와 관련한 판례의 입장으로 옳지 않은 것은?

□□□ ① 위 부관을 조건으로 본다면, 甲은 부관부 행정행위 전체를 취소소송의 대상으로 하여 부관만의 일부취소를 구하여야 한다.

□□□ ② 위 부관을 부담으로 본다면, 부관만 독립하여 취소소송의 대상으로 할 수 있으며 부관만의 독립취소가 가능하다.

□□□ ③ 위 부관을 부담으로 보는 경우, 甲이 정해진 기간 내에 공원부지를 기부채납하지 않은 경우에도 도로점용허가를 철회하지 않는 한 도로점용허가는 유효하다.

□□□ ④ 부가된 부담이 무효임에도 불구하고 甲이 부관을 이행하여 기부채납을 완료한 경우, 甲의 기부채납행위가 당연히 무효로 되는 것은 아니다.

① ×
부관부 행정행위 전체를 취소소송의 대상으로 하여 부관만의 취소를 구하는 소송을 이른바 부진정일부취소소송이라고 하는데 판례는 부담 이외의 부관에 대해 이러한 형태의 소송을 인정하지 않는다.

② ○
행정행위의 부관 중에서도 부담의 경우에는 다른 부관과는 달리 행정행위의 불가분적 요소가 아니고 그 존속의 본체인 행정행위의 존재를 전제로 하는 것일 뿐이므로, 부담 그 자체로서 행정쟁송의 대상이 될 수 있다는 것이 판례의 입장이다(대판 1992. 1. 21, 91누1264).

③ ○
부담부 행정행위는 부담을 이행하지 않더라도 당연히 그 효력이 소멸되지는 않고 행정청이 주된 행정행위를 철회함으로써 주된 행정행위의 효력이 소멸된다.

④ ○
부담과 부담의 이행으로 행한 법률행위는 부담과는 별개의 법률행위라는 것이 판례의 입장이다. 그러므로 판례에 따르면, 부담이 무효인 경우라도 그 부담의 이행으로 행한 법률행위가 당연히 무효가 되는 것은 아니다(대판 2009. 6. 25, 2006다18174). 따라서 부담이 무효임에도 불구하고 甲이 부담을 이행하여 기부채납을 완료한 경우 甲의 기부채납행위가 당연히 무효로 되는 것은 아니다.

정답 13 ①

제 15 강 행정행위의 요건과 효력

1회독	2회독	3회독
/	/	/

⊘정답률 공단기/소방단기 합격예측 풀서비스 통계 데이터 기준 기 기본서 핵 핵심집약

01 행정행위의 성립 및 효력발생요건

기 302~308쪽 핵 T 29

01 정답률 91% 중 2023 군무원 9급

행정행위의 성립과 효력발생에 대한 설명으로 옳지 않은 것은? (다툼이 있는 경우 판례에 의함)

□□□ ① 상대방 있는 행정처분이 상대방에게 고지되지 아니한 경우에도 상대방이 다른 경로를 통해 행정처분의 내용을 알게 되었다면 행정처분의 효력이 발생한다고 볼 수 있다.

□□□ ② 일반적으로 행정처분이 주체·내용·절차와 형식이라는 내부적 성립요건과 외부에 대한 표시라는 외부적 성립요건을 모두 갖춘 경우에는 행정처분이 존재한다.

□□□ ③ 법무부장관이 입국금지에 관한 정보를 내부 전산망인 출입국관리정보시스템에 입력한 것만으로는 법무부장관의 의사가 공식적인 방법으로 외부에 표시된 것이 아니어서 위 입국금지결정은 항고소송의 대상인 처분에 해당되지 않는다.

□□□ ④ 행정처분의 외부적 성립은 행정의사가 외부에 표시되어 행정청이 자유롭게 취소·철회할 수 없는 구속을 받게 되는 시점을 확정하는 의미를 가진다.

관련기출

②③④

1. 병무청장의 요청에 따른 법무부장관의 입국금지결정은 법무부장관의 의사가 공식적인 방법으로 외부에 표시되어 입국 자체를 금지하는 것으로서 그 입국금지결정은 항고소송의 대상이 될 수 있는 처분에 해당한다. (○, ×) 2022 소방직 9급
2. 행정의사가 외부에 표시되어 행정청이 자유롭게 취소·철회할 수 없는 구속을 받게 되는 시점에 처분이 성립하고, 그 성립 여부는 행정청이 행정의사를 공식적인 방법으로 외부에 표시하였는지를 기준으로 판단해야 한다. (○, ×) 2021 국가직 9급
3. 일반적으로 행정행위가 주체·내용·절차와 형식의 요건을 모두 갖추고 외부에 표시된 경우에 행정행위의 존재가 인정된다. (○, ×) 2021 소방직 9급
4. 행정청의 의사가 외부에 표시되어 행정청이 자유롭게 취소·철회할 수 없는 구속을 받게 되는 시점에 행정행위가 성립하는 것은 아니며, 행정행위의 성립 여부는 행정청의 의사를 공식적인 방법으로 외부에 표시하였는지 여부를 기준으로 판단해야 한다. (○, ×) 2021 소방직 9급

🔓 1. × 2. ○ 3. ○ 4. ×

① ×

상대방 있는 행정처분이 상대방에게 고지되지 않았으나 상대방이 다른 경로를 통해 행정처분의 내용을 알게 된 경우라도, 행정처분의 효력이 발생하는 것은 아니라는 것이 판례의 입장이다(대판 2019. 8. 9, 2019두38656).

②③④ **빈출** ○

1. 일반적으로 처분이 주체·내용·절차와 형식의 요건을 모두 갖추고 외부에 표시된 경우에는 처분의 존재가 인정된다(②). 행정의사가 외부에 표시되어 행정청이 자유롭게 취소·철회할 수 없는 구속을 받게 되는 시점에 처분이 성립하고(④), 그 성립 여부는 행정청이 행정의사를 공식적인 방법으로 외부에 표시하였는지를 기준으로 판단해야 한다(③).
2. 병무청장이 법무부장관에게 "가수 甲이 공연을 위하여 국외여행허가를 받고 출국한 후 미국 시민권을 취득함으로써 사실상 병역의무를 면탈하였으므로 재외동포 자격으로 재입국하고자 하는 경우 국내에서 취업, 가수활동 등 영리활동을 할 수 없도록 하고, 불가능할 경우 입국 자체를 금지해 달라."고 요청함에 따라 법무부장관이 甲의 입국을 금지하는 결정을 하고, 그 정보를 내부전산망인 '출입국관리정보시스템'에 입력하였으나, 甲에게는 통보하지 않은 사안에서, 위 입국금지결정은 항고소송의 대상이 되는 '처분'에 해당하지 않는다.

   행정청이 행정의사를 외부에 표시하여 행정청이 자유롭게 취소·철회할 수 없는 구속을 받기 전에는 '처분'이 성립하지 않으므로 법무부장관이 출입국관리법 제11조 제1항 제3호 또는 제4호, 출입국관리법 시행령 제14조 제1항, 제2항에 따라 위 입국금지결정을 했다고 해서 '처분'이 성립한다고 볼 수는 없고, 위 입국금지결정은 법무부장관의 의사가 공식적인 방법으로 외부에 표시된 것이 아니라 단지 그 정보를 내부전산망인 '출입국관리정보시스템'에 입력하여 관리한 것에 지나지 않으므로, 항고소송의 대상이 될 수 있는 '처분'에 해당하지 않는다(③)(대판 2019. 7. 11, 2017두38874).

정답 01 ①

02 정답률 67% 중 2018 국가직 9급

행정행위의 효력발생요건으로서의 통지에 대한 설명으로 옳지 않은 것은? (다툼이 있는 경우 판례에 의함)

□□□ ① 처분의 통지는 행정처분을 상대방에게 표시하는 것으로서 상대방이 인식할 수 있는 상태에 둠으로써 족하고, 객관적으로 보아 행정처분으로 인식할 수 있도록 고지하면 된다.

□□□ ② 처분서를 보통우편의 방법으로 발송한 경우에는 그 우편물이 상당한 기간 내에 도달하였다고 추정할 수 없다.

□□□ ③ 구 청소년보호법에 따라 정보통신윤리위원회가 특정 웹사이트를 청소년유해매체물로 결정하고 청소년보호위원회가 효력발생시기를 명시하여 고시하였으나 정보통신윤리위원회와 청소년보호위원회가 웹사이트 운영자에게는 위 처분이 있었음을 통지하지 않았다면 그 효력이 발생하지 않는다.

□□□ ④ 등기에 의한 우편송달의 경우라도 수취인이 주민등록지에 실제로 거주하지 않는 경우에는 우편물의 도달사실을 처분청이 입증해야 한다.

관련기출

①

1. 보통의 행정행위는 상대방이 수령하여야만 효력이 발생하는 것이므로 상대방이 그 행정행위를 현실적으로 알고 있어야 한다. (○, ×) 2019 국회직 8급
2. 행정행위의 효력발생요건으로서의 도달은 상대방이 그 내용을 현실적으로 알 필요까지는 없고, 다만 알 수 있는 상태에 놓여짐으로써 충분하다. (○, ×) 2017 서울시 9급

1. × 2. ○

②

1. 판례는 내용증명우편이나 등기우편과는 달리 보통우편의 방법으로 발송되었다는 사실만으로는 그 우편물이 상당한 기간 내에 도달하였다고 추정할 수 없고, 송달의 효력을 주장하는 측에서 증거에 의하여 이를 입증하여야 한다고 본다. (○, ×) 2017 서울시 9급
2. 보통우편의 방법으로 발송된 경우 반송되지 않았다면 상당 기간 내에 도달하였다고 추정할 수 있다. (○, ×) 2014 서울시 9급
3. 보통우편에 의한 송달과 달리 등기우편에 의한 송달은 반송 등 기타 특별한 사유가 없는 한 배달된 것으로 추정된다. (○, ×) 2020 국회직 8급
4. 등기에 의한 우편송달의 경우라도 수취인이 주민등록지에 실제로 거주하지 않는 경우에는 우편물의 도달사실을 처분청이 입증해야 한다. (○, ×) 2018 국가직 9급
5. 등기우편의 방법으로 송달된 경우 수일 내에 우편물이 수취인에게 도달하였다고 추정한다. (○, ×) 2010 서울시 9급 변형

1. ○ 2. × 3. ○ 4. ○ 5. ○

① ○

1. (구치소에 수감 중인 공무원에 대해 파면처분을 하면서 그 서류를 구치소로 보내지 아니하고 주소지로 보내어 배우자가 처분서를 수령한 경우 처분이 도달되었다고 판시한 사건에서) 도달이란 상대방이 그 내용을 현실적으로 알 필요까지는 없고 알 수 있는 상태에 놓여짐으로써 충분하다(대판 1989. 9. 26, 89누4963).
2. (구)문화재보호법 제13조 제2항 소정의 중요문화재 가지정의 효력발생요건인 통지는 행정처분을 상대방에게 표시하는 것으로서 상대방이 인식할 수 있는 상태에 둠으로써 족하고, 객관적으로 보아서 행정처분으로 인식할 수 있도록 고지하면 되는 것이다(대판 2003. 7. 22, 2003두513).

② **빈출** ○

보통우편의 방법으로 발송한 사실만으로는 도달한 것으로 추정할 수 없다. 내용증명우편이나 등기우편과는 달리, 보통우편의 방법으로 발송되었다는 사실만으로는 그 우편물이 상당 기간 내에 도달하였다고 추정할 수 없고, 송달의 효력을 주장하는 측에서 증거에 의하여 도달사실을 입증하여야 한다(대판 2002. 7. 26, 2000다25002).

참고 '추정'이란 명확하지 않은 사실에 대해 일단 어떠한 사실이 존재하는 것으로 보는 것을 말한다. 다만, 그와 반대되는 사실에 대한 증명(반증)이 있으면 추정된 효력을 뒤집을 수 있다. 이에 비해 '간주'는 반대되는 사실에 대한 증명이 있어도 그 효과를 뒤집을 수 없다. 즉, 반증이 허용되지 않는다는 점에서 추정과 다르다.

비교판례

1. 우편물이 등기취급의 방법으로 발송된 경우 그것이 도중에 유실되었거나 반송되었다는 등의 특별한 사정에 대한 반증이 없는 한 그 무렵 수취인에게 배달되었다고 추정할 수 있다.
2. 다만, 수취인이 주민등록지에 실제로 거주하지 아니하는 등 특별한 사정이 있는 경우 도달이 추정되지 않으므로 행정청이 도달사실을 입증하여야 한다(대판 1998. 2. 13, 97누8977).

③ ×

1. 청소년유해매체물 결정 및 고시처분은 일반 불특정 다수인을 상대방으로 하여 포장의무 등을 발생시키는 행정처분이다.
2. 정보통신윤리위원회(현 방송통신심의위원회)가 특정 인터넷 웹사이트를 청소년유해매체물로 결정하고 청소년보호위원회가 효력발생시기를 명시하여 고시함으로써 그 명시된 시점에 효력이 발생하였다.
3. 정보통신윤리위원회와 청소년보호위원회가 위 처분이 있었음을 위 웹사이트 운영자에게 제대로 통지하지 아니하였다고 하여 그 효력 자체가 발생하지 아니한 것으로 볼 수는 없다(대판 2007. 6. 14, 2004두619).

④ ○

우편물이 등기취급의 방법으로 발송된 경우 그것이 도중에 유실되었거나 반송되었다는 등의 특별한 사정에 대한 반증이 없는 한 그 무렵 수취인에게 배달되었다고 추정할 수 있으나, 수취인이 주민등록지에 실제로 거주하지 아니하는 등 특별한 사정이 있는 경우 도달이 추정되지 않으므로 행정청이 도달사실을 입증하여야 한다는 것이 판례의 입장이다(대판 1998. 2. 13, 97누8977).

정답 02 ③

03 중 2017 국가직(하) 7급

행정절차법상 송달에 대한 내용으로 옳지 않은 것은?

□□□ ① 교부에 의한 송달은 수령확인서를 받고 문서를 교부함으로써 하며, 송달하는 장소에서 송달받을 자를 만나지 못한 경우에는 그 사무원 · 피용자 또는 동거인으로서 사리를 분별할 지능이 있는 사람에게 문서를 교부할 수 있다.

□□□ ② 송달이 불가능한 경우에는 송달받을 자가 알기 쉽도록 관보, 공보, 게시판, 일간신문 중 하나 이상에 공고하고 인터넷에도 공고하여야 한다.

□□□ ③ 문서를 송달받을 자 또는 그 사무원 등이 정당한 사유 없이 송달받기를 거부하는 때에는 그 사실을 수령확인서에 적고, 문서를 송달할 장소에 놓아둘 수 있다.

□□□ ④ 정보통신망을 이용한 송달을 할 경우 행정청은 송달받을 자의 동의를 얻어 송달받을 전자우편주소 등을 지정하여야 한다.

①②③ ○

④ ×

행정청이 지정하는 것이 아니라 송달받을 자가 지정한다(④).

> **행정절차법 제14조【송달】** ② 교부에 의한 송달은 수령확인서를 받고 문서를 교부함으로써 하며, 송달하는 장소에서 송달받을 자를 만나지 못한 경우에는 그 사무원 · 피용자 또는 동거인으로서 사리를 분별할 지능이 있는 사람(이하 이 조에서 '사무원 등'이라 한다)에게 문서를 교부할 수 있다(①). 다만, 문서를 송달받을 자 또는 그 사무원 등이 정당한 사유 없이 송달받기를 거부하는 때에는 그 사실을 수령확인서에 적고, 문서를 송달할 장소에 놓아둘 수 있다(③).
>
> ③ 정보통신망을 이용한 송달은 송달받을 자가 동의하는 경우에만 한다. 이 경우 송달받을 자는 송달받을 전자우편주소 등을 지정하여야 한다(④).
>
> ④ 다음 각 호의 어느 하나에 해당하는 경우에는 송달받을 자가 알기 쉽도록 관보, 공보, 게시판, 일간신문 중 하나 이상에 공고하고 인터넷에도 공고하여야 한다.
>
> 1. 송달받을 자의 주소 등을 통상적인 방법으로 확인할 수 없는 경우
> 2. 송달이 불가능한 경우(②)

정답 03 ④

02 행정법령의 적용문제 기 309~312쪽 핵 T 30

04 빈출 중 2024 군무원 7급

다음 중 행정기본법상 법적용의 기준에 대한 설명으로 가장 적절하지 않은 것은?

□□□ ① 새로운 법령 등은 법령 등에 특별한 규정이 있는 경우를 제외하고는 그 법령 등의 효력 발생 전에 완성되거나 종결된 사실관계 또는 법률관계에 대해서는 적용되지 아니한다.

□□□ ② 당사자의 신청에 따른 처분은 법령 등에 특별한 규정이 있거나 신청 당시의 법령 등을 적용하기 곤란한 특별한 사정이 있는 경우를 제외하고는 신청 당시의 법령 등에 따른다.

□□□ ③ 법령 등을 위반한 행위의 성립과 이에 대한 제재처분은 법령 등에 특별한 규정이 있는 경우를 제외하고는 법령 등을 위반한 행위 당시의 법령 등에 따른다.

□□□ ④ 법령 등을 위반한 행위 후 법령 등의 변경에 의하여 그 행위가 법령 등을 위반한 행위에 해당하지 아니하거나 제재처분기준이 가벼워진 경우로서 해당 법령 등에 특별한 규정이 없는 경우에는 변경된 법령 등을 적용한다.

① 제3강 참조 ○

> **행정기본법 제14조【법적용의 기준】** ① 새로운 법령 등은 법령 등에 특별한 규정이 있는 경우를 제외하고는 그 법령 등의 효력발생 전에 완성되거나 종결된 사실관계 또는 법률관계에 대해서는 적용되지 아니한다.

② **빈출** ×

> **행정기본법 제14조【법적용의 기준】** ② 당사자의 신청에 따른 처분은 법령 등에 특별한 규정이 있거나 처분 당시의 법령 등을 적용하기 곤란한 특별한 사정이 있는 경우를 제외하고는 처분 당시의 법령 등에 따른다.

③④ **빈출** ○

> **행정기본법 제14조【법적용의 기준】** ③ 법령 등을 위반한 행위의 성립과 이에 대한 제재처분은 법령 등에 특별한 규정이 있는 경우를 제외하고는 법령 등을 위반한 행위 당시의 법령 등에 따른다(③). 다만, 법령 등을 위반한 행위 후 법령 등의 변경에 의하여 그 행위가 법령 등을 위반한 행위에 해당하지 아니하거나 제재처분기준이 가벼워진 경우로서 해당 법령 등에 특별한 규정이 없는 경우에는 변경된 법령 등을 적용한다(④).

정답 04 ②

03 행정행위의 효력 및 구속력

기 313~325쪽 핵 T 31

05 빈출 상 2024 국회직 8급

행정행위의 공정력 또는 구성요건적 효력에 대한 설명으로 <보기>에서 옳은 것(○)과 옳지 않은 것(×)을 올바르게 조합한 것은? (다툼이 있는 경우 판례에 의함)

보기

㉠ 과세처분의 하자가 단지 취소할 수 있는 정도에 불과할 때에는 과세관청이 이를 스스로 취소하거나 항고소송절차에 의하여 취소되지 않는 한 그로 인한 조세의 납부가 부당이득이 되지 않는다.

㉡ 연령미달의 결격자인 피고인이 소외인의 이름으로 운전면허시험에 응시·합격하여 운전면허를 취득한 후 차를 운전하였다가 무면허운전죄로 기소되었더라도 무면허운전죄가 성립하지 않는다.

㉢ 미리 행정처분에 대한 취소판결이 있어야만 그 행정처분이 위법임을 이유로 한 국가배상청구를 할 수 있는 것은 아니다.

㉣ 개발행위허가를 받지 않고 무단으로 토지의 형질을 변경하였다는 이유로 관할행정청으로부터 원상복구조치명령을 받았으나, 위 조치명령에 취소사유에 해당하는 위법이 있는 경우 이를 이행하지 않더라도 처벌할 수는 없다고 할 것이다.

	㉠	㉡	㉢	㉣
①	○	×	×	○
②	×	○	○	×
③	○	○	×	×
④	×	○	×	○
⑤	○	○	○	○

관련기출

㉠

1. 취소사유 있는 과세처분에 의하여 세금을 납부한 자는 과세처분취소소송을 제기하지 않은 채 곧바로 부당이득반환청구소송을 제기하더라도 납부한 금액을 반환받을 수 있다. (○, ×) 2019 서울시 9급
2. 국민이 조세부과처분의 위법을 이유로 이미 납부한 세금의 반환을 청구하는 민사소송을 제기한 경우, 과세처분의 하자가 단지 취소할 수 있는 정도에 불과하더라도, 당해 민사법원은 위법한 과세처분의 효력을 직접 상실시켜 납부된 세금의 반환을 명할 수 있다. (○, ×) 2019 경행경채 2차
3. 과세처분의 하자가 취소할 수 있는 사유인 경우 과세관청이 이를 스스로 취소하거나 항고소송절차에 의하여 취소되지 아니하여도 해당 조세의 납부는 부당이득이 된다. (○, ×) 2018 지방직 7급

1. × 2. × 3. ×

㉠ 빈출 ○

행정행위의 하자가 취소사유에 불과한 때에는 처분이 취소되지 않는 한 그로 인한 이득은 법률상 원인 없는 이득, 즉 부당이득이 아니다.

조세의 과·오납이 부당이득이 되기 위하여는 납세 또는 조세의 징수가 실체법적으로나 절차법적으로 전혀 법률상의 근거가 없거나 과세처분의 하자가 중대하고 명백하여 당연무효이어야 하고, 과세처분의 하자가 단지 취소할 수 있는 정도에 불과할 때에는 과세관청이 이를 스스로 취소하거나 항고소송절차에 의하여 취소되지 않는 한 그로 인한 조세의 납부가 부당이득이 된다고 할 수 없다. …… 이러한 행정행위의 공정력은 판결의 기판력과 같은 효력은 아니지만 그 공정력의 객관적 범위에 속하는 행정행위의 하자가 취소사유에 불과한 때에는 그 처분이 취소되지 않는 한 처분의 효력을 부정하여 그로 인한 이득을 법률상 원인 없는 이득이라고 말할 수 없다(대판 1994. 11. 11, 94다28000).

㉡ 빈출 ○

행정행위의 효력을 부인하는 것이 형사소송에서 선결문제가 된 경우 행정행위가 당연무효가 아닌 한 형사법원은 공정력으로 인해 행정행위의 효력을 부인할 수 없다.

운전면허에 취소사유가 있다 하더라도 취소되지 않는 한 효력이 있으므로 무면허운전죄가 성립하는 것은 아니다(처분이 취소사유인 경우).

연령미달의 결격자인 피고인이 소외인(자신의 형)의 이름으로 운전면허시험에 응시, 합격하여 교부받은 운전면허는 당연무효가 아니고 도로교통법 제65조 제3호의 사유에 해당함에 불과하여 취소되지 않는 한 유효하므로 피고인의 운전행위는 무면허운전에 해당하지 아니한다(대판 1982. 6. 8, 80도2646).

㉢ 빈출 ○

판례에 의하면 국가배상청구소송에서 행정행위의 위법성을 판단하는 것이 선결문제인 경우, 민사법원은 행정행위의 위법성 여부를 확인하여 배상청구를 인용할 수 있으며 이때 해당 행정행위가 취소되어야만 하는 것은 아니다.

행정처분의 취소판결이 있어야만 그 행정처분이 위법임을 이유로 손해배상청구를 할 수 있는 것은 아니다.

본건 계고처분 행정처분이 위법임을 이유로 배상을 청구하는 취지로 인정될 수 있는 본건에 있어 미리 그 행정처분의 취소판결이 있어야만 그 행정처분의 위법임을 이유로 피고에게 배상을 청구할 수 있는 것은 아니라고 해석함이 상당할 것임에도 불구하고 행정처분의 취소가 있어 그 효력이 상실되어야만 배상을 청구할 수 있는 법리인 것같이 판단한 원판결에는 배상청구와 행정처분 취소판결의 관계에 관한 법리를 오해한 위법이 있다 할 것이다(대판 1972. 4. 28, 72다337).

㉣ 빈출 ○

행정행위의 위법성을 확인하는 것이 선결문제인 경우(범죄성립을 위해 행정행위의 위법 여부를 확인해야 하는 경우) 형사법원은 이를 심사할 수 있다.

1. 도시계획구역 안에서 허가 없이 토지의 형질을 변경한 경우 행정청이 도시계획법 제78조 제1항에 의하여 행하는 처분이나 원상회복 등 조치명령의 대상자는 그 토지의 형질을 변경한 자이며 토지의 형질을 변경하지 않은 자에 대하여 한 원상복구의 시정명령은 위법하다.
2. 도시계획법 제78조 제1항에 정한 처분이나 조치명령을 받은 자가 이에 위반한 경우 같은 법 제92조에 정한 처벌을 하기 위하여는 그 처분이나 조치명령이 적법한 것이라야 하고, 그 처분이 당연무효가 아니라 하더라도 그것이 위법한 처분으로 인정되는 한 같은 법 제92조 위반죄가 성립될 수 없다(대판 1992. 8. 18, 90도1709).

정답 05 ⑤

06 빈출 정답률 81% 중 2023 지방직 · 서울시 7급

선결문제에 대한 설명으로 옳지 않은 것은? (다툼이 있는 경우 판례에 의함)

□□□ ① 계고처분이 위법한 경우 행정대집행이 완료되면 그 처분의 취소를 구할 소의 이익은 없다 하더라도, 미리 그 행정처분의 취소판결이 있어야만 그 행정처분의 위법임을 이유로 한 손해배상청구를 할 수 있는 것은 아니다.

□□□ ② 민사소송에서 어느 행정처분의 당연무효 여부가 선결문제로 되는 경우 행정소송 등의 절차에 의하여 그 취소나 무효확인을 받아야 한다.

□□□ ③ 과세처분의 하자가 단지 취소할 수 있는 정도에 불과할 때에는 과세관청이 이를 스스로 취소하거나 항고쟁송절차에 의하여 취소되지 않는 한, 그로 인한 조세의 납부가 부당이득이 된다고 할 수 없다.

□□□ ④ 소방시설 등의 설치 또는 유지 · 관리에 대한 명령이 행정처분으로서 하자가 있어 무효인 경우, 위 명령위반을 이유로 행정형벌을 부과할 수 없다.

관련기출

②

1. 민사소송에 있어서 어느 행정처분의 당연무효 여부가 선결문제로 되는 때에는 당해 수소법원이 이를 판단하여 당연무효임을 전제로 판결할 수 있고, 반드시 행정소송 등의 절차에 의하여 무효확인을 받아야 하는 것은 아니다. (○, ×) 2022 국회직 8급

1. ○

④

1. 소방서 담당공무원이 소방시설보완명령을 구두로 고지한 것은 당연무효인 행정처분이므로 이러한 시정보완명령을 위반하였음을 이유로 행정형벌을 부과할 수는 없다. (○, ×) 2023 국회직 9급
2. 구 「소방시설 설치 · 유지 및 안전관리에 관한 법률」 제9조에 의한 소방시설 등의 설치 또는 유지 · 관리에 대한 명령이 행정처분으로서 하자가 있어 무효인 경우에는 명령에 따른 의무위반이 생기지 아니하므로, 명령 위반을 이유로 행정형벌을 부과할 수 없다. (○, ×) 2019 지방직 · 교육행정직 9급
3. 소방시설 등의 설치 또는 유지 · 관리에 대한 명령이 행정처분으로서 하자가 있어 무효인 경우에는 명령에 따른 의무위반이 생기지 아니하므로 행정형벌을 부과할 수 없다. (○, ×) 2013 경행특채

1. ○ 2. ○ 3. ○

① 정답률 8% ○

행정처분의 취소판결이 있어야만 그 행정처분이 위법임을 이유로 손해배상청구를 할 수 있는 것은 아니다.

본건 계고처분 행정처분이 위법임을 이유로 배상을 청구하는 취지로 인정될 수 있는 본건에 있어 미리 그 행정처분의 취소판결이 있어야만 그 행정처분의 위법임을 이유로 피고에게 배상을 청구할 수 있는 것은 아니라고 해석함이 상당할 것임에도 불구하고 행정처분의 취소가 있어 그 효력이 상실되어야만 배상을 청구할 수 있는 법리인 것같이 판단한 원판결에는 배상청구와 행정처분 취소판결의 관계에 관한 법리를 오해한 위법이 있다 할 것이다(대판 1972. 4. 28, 72다337).

② 정답률 81% ×

민사소송에 있어서 어느 행정처분의 당연무효 여부가 선결문제로 되는 때에는 이를 판단하여 당연무효임을 전제로 판결할 수 있고 반드시 행정소송 등의 절차에 의하여 그 취소나 무효확인을 받아야 하는 것은 아니며 …… (대판 2010. 4. 8, 2009다90092)

③ 정답률 6% ○

행정행위의 하자가 취소사유에 불과한 때에는 처분이 취소되지 않는 한 그로 인한 이득은 법률상 원인 없는 이득, 즉 부당이득이 아니다.

조세의 과오납이 부당이득이 되기 위하여는 납세 또는 조세의 징수가 실체법적으로나 절차법적으로 전혀 법률상의 근거가 없거나 과세처분의 하자가 중대하고 명백하여 당연무효이어야 하고, 과세처분의 하자가 단지 취소할 수 있는 정도에 불과할 때에는 과세관청이 이를 스스로 취소하거나 항고소송절차에 의하여 취소되지 않는 한 그로 인한 조세의 납부가 부당이득이 된다고 할 수 없다. …… 이러한 행정행위의 공정력은 판결의 기판력과 같은 효력은 아니지만 그 공정력의 객관적 범위에 속하는 행정행위의 하자가 취소사유에 불과한 때에는 그 처분이 취소되지 않는 한 처분의 효력을 부정하여 그로 인한 이득을 법률상 원인 없는 이득이라고 말할 수 없다(대판 1994. 11. 11, 94다28000).

④ 빈출 정답률 3% ○

「소방시설 설치 · 유지 및 안전관리에 관한 법률」 제9조에 의한 소방시설 등의 설치 또는 유지 · 관리에 대한 명령이 행정처분으로서 하자가 있어 무효인 경우, 위 명령 위반을 이유로 행정형벌을 부과할 수 없다(대판 2011. 11. 10, 2011도11109).

정답 06 ②

07 중 2023 서울시 지적 7급

행정행위의 효력에 대한 설명으로 가장 옳지 않은 것은? (다툼이 있는 경우 판례에 따름)

① 행정소송에서 영업허가취소처분이 취소판결을 받은 경우 해당 영업허가취소처분은 그 처분시에 소급하여 효력을 잃게 되며, 그 영업허가취소처분 이후의 영업행위는 무허가영업이 아니다.

② 과세관청이 과세처분에 대한 이의신청절차에서 납세자의 이의신청사유가 옳다고 인정하여 과세처분을 직권으로 취소한 경우, 특별한 사유 없이 이를 번복하고 종전처분을 되풀이할 수는 없다.

③ 행정처분이나 행정심판재결이 불복기간의 경과로 확정될 경우 그 처분의 기초가 된 사실관계나 법률적 판단이 확정되고 당사자들이나 법원은 이에 기속되어 모순되는 주장이나 판단을 할 수 없다.

④ 주택법상 공사중지명령을 위반하였음을 이유로 주택법 위반죄로 처벌하기 위해서는 그 중지명령이 적법한 것이라야 하고 위법한 것으로 인정되는 한 주택법 위반죄가 성립될 수 없다.

관련기출

②

1. 과세처분에 대해 이의신청을 하고 이에 따라 직권취소가 이루어졌다면 특별한 사정이 없는 한 불가변력이 발생한다. (O, X) 2020 국회직 8급
2. 국세기본법의 관련규정들의 취지에 비추어 볼 때 동일 사항에 관하여 특별한 사유 없이 종전 처분에 대한 취소를 번복하고 다시 종전 처분을 되풀이할 수는 없는 것이므로, 과세처분에 관한 이의신청절차에서 과세관청이 과세처분을 직권으로 취소한 이상 그 후 특별한 사유 없이 이를 번복하고 종전 처분을 되풀이하는 것은 허용되지 않는다. (O, X) 2020 변호사
3. 과세처분에 관한 이의신청절차에서 과세관청이 이의신청사유가 옳다고 인정하여 과세처분을 직권으로 취소한 이상 그 후 특별한 사유 없이 이를 번복하고 종전 처분을 되풀이하는 것은 허용되지 않는다. (O, X) 2016 국가직 7급, 2011 지방직(하) 7급

1. O 2. O 3. O

③

1. 행정처분이 불복기간의 경과로 인하여 불가쟁력이 발생하면 그 처분의 기초가 된 사실관계나 법률적 판단이 확정되는 것이므로 당사자는 이와 모순되는 주장을 할 수 없다. (O, X) 2024 소방간부
2. 일반적으로 행정처분이나 행정심판재결이 불복기간의 경과로 확정될 경우 그 확정력은, 처분으로 법률상 이익을 침해받은 자가 당해 처분이나 재결의 효력을 더 이상 다툴 수 없다는 의미이므로 확정판결에서와 같은 기판력이 인정된다. (O, X) 2022 군무원 7급, 2018 지방직 7급
3. 산업재해요양보상급여취소처분이 불복기간의 경과로 인해 확정되면 요양급여청구권 없음이 확정되므로 다시 요양급여를 청구할 수 없다. (O, X) 2017 국가직(하) 7급

1. X 2. X 3. X

① **빈출** 제17강 참조 O

영업허가취소처분이 행정쟁송절차에 의하여 취소된 경우 영업허가취소처분 이후의 영업행위를 무허가영업이라고 볼 수는 없다.

영업의 금지를 명한 영업허가취소처분 자체가 나중에 행정쟁송절차에 의하여 취소되었다면 그 영업허가취소처분은 그 처분시에 소급하여 효력을 잃게 되며, 그 영업허가취소처분에 복종할 의무가 원래부터 없었음이 확정되었다고 봄이 타당하고, 영업허가취소처분이 장래에 향하여서만 효력을 잃게 된다고 볼 것은 아니므로 그 영업허가취소처분 이후의 영업행위를 무허가영업이라고 볼 수는 없다(대판 1993. 6. 25, 93도277).

② **빈출** O

과세처분에 관한 이의신청절차에서 과세관청이 이의신청사유가 옳다고 인정하여 과세처분을 직권으로 취소한 후, 특별한 사유 없이 이를 번복하여 종전 처분과 동일한 내용의 처분을 할 수는 없다.

과세처분에 관한 불복절차과정에서 불복사유가 옳다고 인정하여 이에 따라 필요한 처분을 하였을 경우에는, 불복제도와 이에 따른 시정방법을 인정하고 있는 국세기본법 취지에 비추어 볼 때 동일사항에 관하여 특별한 사유 없이 이를 번복하고 종전과 동일한 처분을 하는 것은 허용될 수 없다. 따라서 과세관청이 과세처분에 대한 이의신청절차에서 납세자의 이의신청사유가 옳다고 인정하여 과세처분을 직권으로 취소한 경우, 납세자가 허위의 자료를 제출하는 등 부정한 방법에 기초하여 직권취소되었다는 등의 특별한 사유가 없는데도 이를 번복하고 종전과 동일한 과세처분을 하는 것은 위법하다(대판 2017. 3. 9, 2016두56790).

③ **빈출** X

1. 일반적으로 행정처분이나 행정심판 재결이 불복기간의 경과로 인하여 확정될 경우 그 확정력은, 그 처분으로 인하여 법률상 이익을 침해받은 자가 당해 처분이나 재결의 효력을 더 이상 다툴 수 없다는 의미일 뿐이다.
2. 또한 그 확정력에는 판결에 있어서와 같은 기판력이 인정되는 것은 아니어서 그 처분의 기초가 된 사실관계나 법률적 판단이 확정되고 당사자들이나 법원이 이에 기속되어 모순되는 주장이나 판단을 할 수 없게 되는 것은 아니다.
3. 산업재해요양보상급여취소처분이 쟁송기간의 경과로 더 이상 다툴 수 없게 된 경우에도 요양급여 청구권의 부존재가 확정된 것은 아니므로 다시 요양급여청구를 할 수 있다(대판 2004. 7. 8, 2002두11288).

④ O

주택법 제91조에 의하여 행정청으로부터 공사의 중지, 원상복구 그 밖의 필요한 조치명령을 받은 자가 이에 위반한 경우 이로 인하여 주택법 제98조 제11호에 정한 처벌을 하기 위하여는 그 처분이나 조치명령이 적법한 것이라야 하고, 그 조치명령이 당연무효가 아니라 하더라도 그것이 위법한 것으로 인정되는 한 법 제98조 제11호 위반죄가 성립될 수 없다고 할 것이다(대판 2007. 7. 13, 2007도3918).

정답 07 ③

08 정답률 58% 중 2022 지방직 · 서울시 9급

선결문제에 대한 판례의 입장으로 옳지 않은 것은?

□□□ ① 조세부과처분이 무효임을 이유로 이미 납부한 세금의 반환을 청구하는 민사소송에서 법원은 그 조세부과처분이 무효라는 판단과 함께 세금을 반환하라는 판결을 할 수 있다.

□□□ ② 영업허가취소처분으로 손해를 입은 자가 제기한 국가배상청구소송에서 법원은 영업허가취소처분에 취소사유에 해당하는 하자가 있는 경우에는 영업허가취소처분의 위법을 이유로 배상청구를 인용할 수 없다.

□□□ ③ 물품을 수입하고자 하는 자가 세관장에게 수입신고를 하여 그 면허를 받고 물품을 통관한 경우에는, 세관장의 수입면허가 중대하고도 명백한 하자가 있는 행정행위이어서 당연무효가 아닌 한 관세법 소정의 무면허수입죄가 성립될 수 없다.

□□□ ④ 영업허가취소처분 이후에 영업을 한 행위에 대하여 무허가영업으로 기소되었으나 형사법원이 판결을 내리기 전에 영업허가취소처분이 행정소송에서 취소되면 형사법원은 무허가영업행위에 대해서 무죄를 선고하여야 한다.

관련기출

③

1. 하자 있는 수입승인에 기초하여 수입면허를 받고 물품을 통관한 경우, 당해 수입면허가 당연무효가 아닌 이상 무면허수입죄가 성립되지 않는다. (○, ×) 2016 지방직 7급
2. 물품을 수입하고자 하는 자가 일단 세관장에게 수입신고를 하여 그 면허를 받고 물품을 통관한 경우에는, 세관장의 수입면허가 중대하고도 명백한 하자가 있는 행정행위이어서 당연무효가 아닌 한 관세법 제181조 소정의 무면허수입죄가 성립될 수 없다. (○, ×) 2013 국가직 9급
3. 세관장의 수입면허에 중대하고 명백한 하자가 있는 경우가 아닌 한, 무면허수입죄는 성립되지 않는다. (○, ×) 2010 국가직 7급
4. 부정한 방법으로 받은 수입승인서를 함께 제출하여 수입면허를 받았다고 하더라도, 그 수입면허가 당연무효인 것으로 인정되지 않는 한 관세법 소정의 무면허수입죄가 성립될 수 없는 것이다. (○, ×) 2008 국가직 9급

1. ○ 2. ○ 3. ○ 4. ○

① ○

행정처분이 당연무효인 경우 민사법원도 처분이 무효임을 전제로 판결할 수 있다는 것이 판례의 입장이다(대판 1973. 7. 10, 70다1439). 조세부과처분이 당연무효라면 납부한 세금은 법률상 원인없는 이득, 즉 부당이득에 해당하므로 법원은 세금을 반환하라는 판결을 할 수 있다.

> 행정행위가 당연무효인 때에는 민사법원도 당연무효를 전제로 하여 판단할 수 있다.
> 국세 등의 부과 및 징수처분 등과 같은 행정처분이 당연무효임을 전제로 하여 민사소송을 제기한 때에는 그 행정처분의 당연무효인지의 여부가 선결문제이므로, 법원은 이를 심사하여 그 행정처분의 하자가 중대하고 명백하여 당연무효라고 인정될 경우에는 이를 전제로 하여 판단할 수 있으나, 그 하자가 단순한 취소사유에 그칠 때에는 법원은 그 효력을 부인할 수 없다(대판 1973. 7. 10, 70다1439).

② ×

국가배상청구는 민사소송에 해당하는데 민사법원도 처분의 위법성은 심사할 수 있으므로 처분의 위법성이 인정되면 국가배상청구소송은 인용될 수 있다.

> 영업정지처분을 한 경우에 있어서 이미 그 영업정지기간이 만료되었다면 그 취소를 구할 법률상 이익이 없다 할 것이니 불법행위로 인한 민사상의 손해배상청구의 가능 여부는 본건 행정처분이 취소되는 여부와는 관계없이 별도의 입장에서 판단될 수 있는 것이다(대판 1974. 3. 12, 73누228).

③ **빈출** ○

무면허수입죄는 면허가 당연무효이거나 취소되어야 성립하는 범죄이다. 당연무효가 아닌 단순 취소사유의 위법이 있는 경우 형사법원은 공정력으로 인해 면허를 취소할 수 없으므로 무면허수입죄는 성립하지 않는다.

> 사위(詐僞) 기타 부정한 방법으로 수입면허를 받았다 하더라도 그 수입면허가 당연무효가 아닌 한 관세법 소정의 무면허수입죄가 성립될 수 없다(처분이 취소사유인 경우)(대판 1989. 3. 28, 89도149).

④ ○

영업허가취소처분이 행정쟁송절차에 의하여 취소된 경우 영업허가취소처분 이후의 영업행위를 무허가영업이라고 볼 수는 없다는 것이 판례의 입장이다(대판 1993. 6. 25, 93도277). 따라서 무죄를 선고하여야 한다.

정답 08 ②

09 정답률 84% 중 2022 국가직 9급

행정행위의 효력에 대한 설명으로 옳지 않은 것은? (다툼이 있는 경우 판례에 의함)

□□□ ① 영업허가취소처분이 나중에 행정쟁송절차에 의하여 취소되었더라도, 그 영업허가취소처분 이후의 영업행위는 무허가영업이다.

□□□ ② 연령미달 결격자가 다른 사람 이름으로 교부받은 운전면허는 당연무효가 아니고 취소되지 않는 한 유효하므로 그 연령미달 결격자의 운전행위는 무면허운전에 해당하지 아니한다.

□□□ ③ 구 도시계획법상 원상회복 등의 조치명령을 받고도 이를 따르지 않은 자에 대해 형사처벌을 하기 위해서는 적법한 조치명령이 전제되어야 하며, 이때 형사법원은 그 적법 여부를 심사할 수 있다.

□□□ ④ 조세부과처분을 취소하는 행정판결이 확정된 경우 부과처분의 효력은 처분시에 소급하여 효력을 잃게 되므로 확정된 행정판결은 조세포탈에 대한 무죄를 인정할 명백한 증거에 해당한다.

관련기출

①

1. 영업의 금지를 명한 영업허가취소처분 자체가 나중에 행정쟁송절차에 의하여 취소되었다면 그 영업허가취소처분 이후의 영업행위를 무허가영업이라고 볼 수는 없다. (○, ×) 2022 군무원 7급
2. 취소판결의 효력은 원칙적으로 소급적이므로, 취소판결에 의해 취소된 영업허가취소처분 이후의 영업행위는 무허가영업에 해당하지 않는다. (○, ×) 2020 국가직 9급
3. 영업허가취소처분이 청문절차를 거치지 않았다 하여 행정심판에서 취소되었더라도 그 허가취소처분 이후 취소재결시까지 영업했던 행위는 무허가영업에 해당한다. (○, ×) 2019 국가직 9급
4. 영업허가취소처분이 나중에 항고소송을 통해 취소되었다면 그 영업허가취소처분 이후의 영업행위를 무허가영업이라 할 수 없다. (○, ×) 2019 지방직 7급

1. ○ 2. ○ 3. × 4. ○

②

1. 연령미달의 결격자인 피고인이 형의 이름으로 운전면허시험에 응시하여 교부받은 운전면허는 당연무효가 아니고 취소되지 않는 한 유효하므로 피고인의 운전행위는 무면허운전에 해당하지 아니한다. (○, ×) 2023 소방간부
2. 연령미달의 결격자가 이를 속이고 운전면허를 교부받아 운전 중 적발되어 기소된 경우 형사법원은 운전면허처분의 효력을 부인하고 무면허운전죄로 판단할 수 없다. (○, ×) 2020 국회직 8급
3. 판례에 의하면 연령을 속여 발급받은 운전면허를 가지고 운전하였더라도 취소되지 않는 한 무면허운전행위는 아니다. (○, ×) 2000 행정고시

1. ○ 2. ○ 3. ○

③

1. 행정행위의 위법 여부가 범죄구성요건의 문제로 된 경우에는 형사법원이 행정행위의 위법성을 인정할 수 있다. (○, ×) 2022 군무원 7급
2. 어떤 법률에 의하여 행정청으로부터 시정명령을 받은 자가 이를 위반한 경우 그 때문에 그 법률에서 정한 처벌을 하기 위하여는 그 시정명령은 적법한 것이라야 한다. (○, ×) 2021 군무원 7급

1. ○ 2. ○

① ×

> 영업허가취소처분이 행정쟁송절차에 의하여 취소된 경우 영업허가취소처분 이후의 영업행위를 무허가영업이라고 볼 수는 없다.
>
> 영업의 금지를 명한 영업허가취소처분 자체가 나중에 행정쟁송절차에 의하여 취소되었다면 그 영업허가취소처분은 그 처분시에 소급하여 효력을 잃게 되며, 그 영업허가취소처분에 복종할 의무가 원래부터 없었음이 확정되었다고 봄이 타당하고, 영업허가취소처분이 장래에 향하여서만 효력을 잃게 된다고 볼 것은 아니므로 그 영업허가취소처분 이후의 영업행위를 무허가영업이라고 볼 수는 없다(대판 1993. 6. 25, 93도277).

② ○

연령미달의 결격자인 피고인이 소외인(자신의 형)의 이름으로 운전면허시험에 응시, 합격하여 교부받은 운전면허는 당연무효가 아니고 도로교통법 제65조 제3호의 사유에 해당함에 불과하여 취소되지 않는 한 유효하므로 피고인의 운전행위는 무면허운전에 해당하지 아니한다는 것이 판례의 입장이다(대판 1982. 6. 8, 80도2646).

③ ○

시정명령위반죄가 성립하기 위해서는 시정명령의 적법성이 전제되어야 한다. 시정명령이 무효가 아니라도 시정명령이 위법한 명령이라면 취소사유라 하더라도 시정명령위반죄는 성립하지 않는다. 한편 형사법원은 시정명령이 당연무효가 아니라면 그 명령을 취소할 수는 없으나 시정명령의 적법 여부는 심사할 수 있다.

> 1. 도시계획구역 안에서 허가 없이 토지의 형질을 변경한 경우 행정청이 도시계획법 제78조 제1항에 의하여 행하는 처분이나 원상회복 등 조치명령의 대상자는 그 토지의 형질을 변경한 자이며 토지의 형질을 변경하지 않은 자에 대하여 한 원상복구의 시정명령은 위법하다.
> 2. 도시계획법 제78조 제1항에 정한 처분이나 조치명령을 받은 자가 이에 위반한 경우 같은 법 제92조에 정한 처벌을 하기 위하여는 그 처분이나 조치명령이 적법한 것이라야 하고, 그 처분이 당연무효가 아니라 하더라도 그것이 위법한 처분으로 인정되는 한 같은 법 제92조 위반죄가 성립될 수 없다(대판 1992. 8. 18, 90도1709).

④ ○

> [조세부과처분이 있은 뒤 조세를 포탈(세금납부를 회피)한 혐의가 인정되어 조세포탈죄의 유죄판결을 받은 후 조세부과처분이 취소된 사건에서]
> 조세포탈에 관하여 유죄의 확정판결이 있은 후에 그 조세부과처분을 취소하는 행정소송판결이 확정된 경우에는 형사소송법 제420조 제5호 소정의 재심사유에 해당한다.
>
> 조세의 부과처분을 취소하는 행정소송판결이 확정된 경우 그 조세부과처분의 효력은 처분시에 소급하여 효력을 잃게 되고, 따라서 그 부과처분을 받은 사람은 그 처분에 따른 납부의무가 없다고 할 것이므로 위 확정된 행정판결은 조세포탈에 대한 무죄 내지 원판결이 인정한 죄보다 경한 죄를 인정할 명백한 증거라 할 것이다. 조세포탈에 관하여 원심판결이 있은 후에 그 조세부과처분을 취소하는 행정소송판결이 확정된 경우에는 형사소송법 제420조 제5호 소정의 재심사유에 해당한다(대판 1985. 10. 22, 83도2933).

정답 09 ①

10 상 2022 변호사

A행정청이 甲에게 한 X행정처분에 대하여 제소기간이 도과하여 불가쟁력이 발생하였다. 이에 관한 설명 중 옳은 것은? (다툼이 있는 경우 판례에 의함)

□□□ ① X행정처분이 산업재해요양급여결정을 취소하는 처분인 경우, 甲에게 요양급여청구권이 없다는 내용의 법률관계가 확정된다.

□□□ ② X행정처분이 甲의 신청을 거부하는 처분인 경우, 甲이 다시 동일한 내용의 새로운 신청을 하고 A행정청이 이를 거부한 경우에도 甲은 반복된 거부처분에 대하여 취소소송을 제기할 수 없다.

□□□ ③ 甲은 X행정처분의 위법을 이유로 국가배상청구소송을 제기할 수 없다.

□□□ ④ X행정처분이 부담부 행정행위인 경우, 甲은 그 부담의 이행으로서 하게 된 사법상 법률행위의 효력에 대해서 별도로 소송을 제기하여 다툴 수 있다.

□□□ ⑤ X행정처분에 후속하여 Y행정처분이 행해진 경우, 두 처분이 서로 결합하여 하나의 법률효과를 목적으로 하는 경우에도 甲은 X행정처분의 위법을 이유로 Y행정처분의 취소를 구할 수 없다.

① ×

판례에 따르면 산업재해요양보상급여취소처분이 쟁송기간의 경과로 더 이상 다툴 수 없게 된 경우라도 甲에게 요양급여청구권이 없다는 내용의 법률관계가 확정되는 것은 아니다.

> 1. 일반적으로 행정처분이나 행정심판 재결이 불복기간의 경과로 인하여 확정될 경우 그 확정력은, 그 처분으로 인하여 법률상 이익을 침해받은 자가 당해 처분이나 재결의 효력을 더 이상 다툴 수 없다는 의미일 뿐이다.
> 2. 또한 그 확정력에는 판결에 있어서와 같은 기판력이 인정되는 것은 아니어서 그 처분의 기초가 된 사실관계나 법률적 판단이 확정되고 당사자들이나 법원이 이에 기속되어 모순되는 주장이나 판단을 할 수 없게 되는 것은 아니다.
> 3. 산업재해요양보상급여취소처분이 쟁송기간의 경과로 더 이상 다툴 수 없게 된 경우에도 요양급여청구권의 부존재가 확정된 것은 아니므로 다시 요양급여청구를 할 수 있다(대판 2004. 7. 8, 2002두11288).

② 제37강 참조 ×

판례에 따르면 반복된 거부는 새로운 처분이므로 甲은 반복된 거부처분에 대하여 취소소송을 제기할 수 있다.

> 거부처분 이후 동일한 내용의 새로운 신청에 대하여 다시 거부한 경우, 새로운 거부처분이 있는 것으로 볼 수 있다.
>
> 거부처분은 관할행정청이 국민의 처분신청에 대하여 거절의 의사표시를 함으로써 성립되고, 그 이후 동일한 내용의 새로운 신청에 대하여 다시 거절의 의사표시를 한 경우에는 새로운 거부처분이 있는 것으로 보아야 할 것이다(대판 2002. 3. 29, 2000두6084).

③ ×

처분에 불가쟁력이 발생한 경우라도 처분의 위법성이 치유되는 것은 아니므로 소멸시효가 완성되지 않는 한 처분의 위법성을 이유로 손해배상청구는 할 수 있다. 따라서 甲은 X행정처분의 위법을 이유로 국가배상청구소송을 제기할 수 있다.

④ 제14강 참조 ○

부담과 부담의 이행으로 행한 사법(私法)상 법률행위는 별개의 것으로 보는 것이 판례의 입장이다. 따라서 X행정처분에 불가쟁력이 발생한 경우라도 그 부담의 이행으로 행한 사법상 법률행위에 하자가 있다면 그 사법상 법률행위에 대해 소송을 제기하여 다툴 수 있다(물론 사법상 법률행위에 대한 소송은 민사소송이 됨).

> 행정처분에 붙인 부담인 부관에 제소기간 도과로 불가쟁력이 생긴 경우에도 그 부담의 이행으로 한 사법상 법률행위의 효력을 다툴 수 있다.
>
> 부담의 이행으로서 하게 된 사법상 매매 등의 법률행위는 부담을 붙인 행정처분과는 어디까지나 별개의 법률행위이므로 그 부담의 불가쟁력의 문제와는 별도로 법률행위가 사회질서 위반이나 강행규정에 위반되는지 여부 등을 따져보아 그 법률행위의 유효 여부를 판단하여야 한다(대판 2009. 6. 25, 2006다18174).

⑤ 제16강 참조 ×

판례에 따르면 선행처분과 후행처분이 서로 결합하여 하나의 법률효과를 목적으로 하는 경우라면 하자의 승계를 긍정한다. 따라서 비록 X행정처분에 불가쟁력이 발생한 경우라도 甲은 X행정처분의 위법을 이유로 Y행정처분의 취소를 구할 수 있다.

> 2개 이상의 행정처분이 연속적 또는 단계적으로 이루어지는 경우 선행처분과 후행처분이 서로 합하여 1개의 법률효과를 완성하는 때에는 선행처분에 하자가 있으면 그 하자는 후행처분에 승계된다. 이러한 경우에는 선행처분에 불가쟁력이 생겨 그 효력을 다툴 수 없게 되더라도 선행처분의 하자를 이유로 후행처분의 효력을 다툴 수 있다(대판 2019. 1. 31, 2017두 40372).

정답 10 ④

11 빈출 상 2019 경행경채 2차

행정행위의 공정력과 선결문제에 대한 설명으로 가장 적절하지 않은 것은? (다툼이 있는 경우 판례에 의함)

□□□ ① 민사소송에 있어서 어느 행정처분의 당연무효 여부가 선결문제로 되는 때에는 이를 판단하여 당연무효임을 전제로 판결할 수 있고 반드시 행정소송 등의 절차에 의하여 그 취소나 무효확인을 받아야 하는 것은 아니다.

□□□ ② 국민이 조세부과처분의 위법을 이유로 이미 납부한 세금의 반환을 청구하는 민사소송을 제기한 경우, 과세처분의 하자가 단지 취소할 수 있는 정도에 불과하더라도, 당해 민사법원은 위법한 과세처분의 효력을 직접 상실시켜 납부된 세금의 반환을 명할 수 있다.

□□□ ③ 연령미달의 결격자 甲이 타인(자신의 형)의 이름으로 운전면허시험에 응시, 합격하여 교부받은 운전면허라 하더라도 당연무효는 아니고, 당해 면허가 취소되지 않는 한 유효하므로, 甲의 운전행위는 무면허운전죄에 해당하지 않는다.

□□□ ④ 「개발제한구역의 지정 및 관리에 관한 특별조치법」에 따라 행정청으로부터 시정명령을 받은 자가 이를 이행하지 않은 경우, 당해 시정명령이 위법한 것으로 인정되는 한 죄가 성립하지 않는다.

① ○

행정처분이 당연무효임을 전제로 하여 민사소송을 제기한 때에는 그 행정처분의 당연무효인지의 여부가 선결문제이므로, 법원은 이를 심사하여 그 행정처분의 하자가 중대하고 명백하여 당연무효라고 인정될 경우에는 이를 전제로 하여 판단할 수 있다는 것이 판례의 입장이다(대판 1973. 7. 10, 70다1439).

② ×

조세의 과 · 오납이 부당이득이 되기 위하여는 납세 또는 조세의 징수가 실체법적으로나 절차법적으로 전혀 법률상의 근거가 없거나 과세처분의 하자가 중대하고 명백하여 당연무효이어야 하고, 과세처분의 하자가 단지 취소할 수 있는 정도에 불과할 때에는 과세관청이 이를 스스로 취소하거나 항고소송절차에 의하여 취소되지 않는 한 그로 인한 조세의 납부가 부당이득이 된다고 할 수 없다(대판 1994. 11. 11, 94다28000).

③ ○

연령미달의 결격자인 피고인이 소외인(자신의 형)의 이름으로 운전면허시험에 응시, 합격하여 교부받은 운전면허는 당연무효가 아니고 도로교통법 제65조 제3호의 사유에 해당함에 불과하여 취소되지 않는 한 유효하므로 피고인의 운전행위는 무면허운전에 해당하지 아니한다는 것이 판례의 입장이다(대판 1982. 6. 8, 80도2646).

④ ○

「개발제한구역의 지정 및 관리에 관한 특별조치법」(이하 '개발제한구역법'이라 한다) 제30조 제1항에 의하여 행정청으로부터 시정명령을 받은 자가 이를 위반한 경우, 그로 인하여 개발제한구역법 제32조 제2호에 정한 처벌을 하기 위하여는 시정명령이 적법한 것이라야 하고, 시정명령이 당연무효가 아니더라도 위법한 것으로 인정되는 한 개발제한구역법 제32조 제2호 위반죄가 성립될 수 없다(대판 2017. 9. 21, 2017도7321).

정답 11 ②

12 중 2017 국가직(하) 7급

행정행위의 효력에 대한 설명으로 옳은 것만을 모두 고른 것은? (다툼이 있는 경우 판례에 의함)

> □□□ ㉠ 불가변력은 모든 행정행위에 공통되는 것이 아니라 행정심판의 재결 등과 같이 예외적이고 특별한 경우에 처분청 등 행정청에 대한 구속으로 인정되는 실체법적 효력을 의미한다.
>
> □□□ ㉡ 산업재해요양보상급여취소처분이 불복기간의 경과로 인해 확정되면 요양급여청구권 없음이 확정되므로 다시 요양급여를 청구할 수 없다.
>
> □□□ ㉢ 동일한 사유에 관하여 보다 무거운 면허취소처분을 하기 위하여 이미 행하여진 가벼운 면허정지처분을 취소하는 것은 선행처분에 대한 당사자의 신뢰 및 법적 안정성을 크게 저해하는 것이 되어 허용될 수 없다.
>
> □□□ ㉣ 제소기간이 이미 도과하여 불가쟁력이 생긴 행정처분에 대하여는 개별법규에서 그 변경을 요구할 신청권을 규정하고 있거나 관계법령의 해석상 그러한 신청권이 인정될 수 있는 등 특별한 사정이 없는 한 국민에게 그 행정처분의 변경을 구할 신청권이 없다.

① ㉠, ㉡ ② ㉡, ㉣
③ ㉠, ㉢, ㉣ ④ ㉠, ㉡, ㉢, ㉣

관련기출

㉢

1. 운전면허취소사유에 해당하는 음주운전을 적발한 경찰관의 소속 경찰서장이 사무착오로 위반자에게 운전면허정지처분을 한 상태에서 위반자의 주소지 관할 지방경찰청장(현 시·도경찰청장)이 위반자에게 운전면허취소처분을 한 것은 선행처분에 대한 당사자의 신뢰 및 법적 안정성을 저해하는 것으로 볼 수 없다. (○, ×) 2018 경행경채
2. 운전면허취소사유에 해당하는 음주운전을 적발한 경찰관의 소속 경찰서장이 사무착오로 위반자에게 운전면허정지처분을 한 상태에서 위반자의 주소지 관할 지방경찰청장(현 시·도경찰청장)이 위반자에게 운전면허취소처분을 한 것은 선행처분에 대한 당사자의 신뢰 및 법적 안정성을 저해하는 것으로서 허용될 수 없다. (○, ×) 2007 국가직 7급

1. × 2. ○

㉣

1. 제소기간이 이미 도과하여 불가쟁력이 생긴 행정처분에 대하여는 특별한 사정이 없는 한 국민에게 그 행정처분의 변경을 구할 신청권이 있다고 할 수는 없다. (○, ×) 2018 국회직 8급
2. 제소기간이 이미 도과하여 불가쟁력이 생긴 행정처분에 대하여는, 관계법령의 해석상 그 변경을 요구할 신청권이 인정될 수 있는 경우라 하더라도 국민에게 그 행정처분의 변경을 구할 신청권이 없다. (○, ×) 2017 국가직 7급

1. ○ 2. ×

③ ㉠㉢㉣이 행정행위의 효력에 대한 옳은 설명이다.

㉠ ○

불가변력이란 일정한 행정행위의 경우 행정행위가 행해지면 성질상 행위를 한 행정청 자신도 직권으로 자유로이 취소·철회할 수 없는 효력을 말한다(실질적 존속력). 불가변력은 법령에 명문의 규정이 없는 경우에도 행정행위의 성질에 비추어 인정되는 실체법적 효력이다. 불가변력이 인정되는 행정행위는 모든 행정행위가 아니라 행정심판의 재결 등과 같은 준사법적 행위에 인정된다는 것이 일반적 견해이다.

㉡ ×

산업재해요양보상급여취소처분이 쟁송기간의 경과로 더 이상 다툴 수 없게 된 경우에도 요양급여청구권의 부존재가 확정된 것은 아니므로 다시 요양급여청구를 할 수 있다는 것이 판례의 입장이다(대판 2004. 7. 8, 2002두11288).

㉢ ○

> 운전면허취소사유에 해당하는 음주운전을 적발한 경찰관의 소속 경찰서장이 사무착오로 위반자에게 운전면허정지처분을 한 상태에서 위반자의 주소지 관할 지방경찰청장(현 시·도경찰청장)이 위반자에게 운전면허취소처분을 한 것은 선행처분에 대한 당사자의 신뢰 및 법적 안정성을 저해하는 것으로서 허용될 수 없다.
>
> 동일한 사유에 관하여 보다 무거운 면허취소처분을 하기 위하여 이미 행하여진 가벼운 면허정지처분을 취소하는 것은 선행처분에 대한 당사자의 신뢰 및 법적 안정성을 크게 저해하는 것이 되어 허용될 수 없다 할 것이다(대판 2000. 2. 25, 99두10520).

㉣ **빈출** ○

판례는 거부행위가 항고소송의 대상이 되기 위해서는 상대방에게 법규상 또는 조리상의 신청권이 있을 것이 요구되는데, 제소기간이 도과하여 불가쟁력이 발생한 행정처분의 경우 특별한 사정이 없는 한 국민에게 그 행정처분의 변경을 구할 신청권이 없으므로 그 거부행위도 항고소송의 대상인 처분이 될 수 없다고 한다. 그 이유는 만약 제소기간이 지나서 불가쟁력이 발생한 처분에 대해서도 변경을 구하는 신청권이 인정된다고 보고 변경신청이 거부된 경우 이를 다툴 수 있도록 한다면, 제소기간을 두어 소제기를 제한하는 취지가 무색해지기 때문이다.

> 제소기간이 이미 도과하여 불가쟁력이 생긴 처분에 대해서는 특별한 사정이 없는 한 국민에게 그 처분의 변경을 구할 신청권을 인정할 수 없으므로 그 변경신청에 대한 거부는 항고소송의 대상이 되는 거부처분이 될 수 없다.
>
> 제소기간이 이미 도과하여 불가쟁력이 생긴 행정처분에 대하여는 개별법규에서 그 변경을 요구할 신청권을 규정하고 있거나 관계법령의 해석상 그러한 신청권이 인정될 수 있는 등 특별한 사정이 없는 한 국민에게 그 행정처분의 변경을 구할 신청권이 있다 할 수 없다. …… 피고가 원고들의 이 사건 신청을 거부하였다 하여도 그 거부로 인해 원고들의 권리나 법적 이익에 어떤 영향을 주는 것은 아니라 할 것이므로 그 거부행위인 이 사건 통지는 항고소송의 대상이 되는 행정처분이 될 수 없다(대판 2007. 4. 26, 2005두11104).
>
> **참고** 다만, 행정기본법 제37조에서는 일정한 요건하에 재심사청구를 인정하고 있다.

정답 12 ③

제 16 강 행정행위의 하자와 하자승계

1회독	2회독	3회독
/	/	/

⊘정답률 공단기/소방단기 합격예측 풀서비스 통계 데이터 기준 기 기본서 핵 핵심집약

01 행정행위의 하자 기 328~349쪽 핵 T 32

01 빈출 정답률 83% 중 2024 지방직 · 서울시 9급

행정행위의 하자에 대한 설명으로 옳지 않은 것은? (다툼이 있는 경우 판례에 의함)

① 수익적 행정처분의 취소 제한에 관한 법리는 처분청이 수익적 행정처분을 직권으로 취소하는 경우에 적용되는 법리일 뿐 쟁송취소의 경우에는 적용되지 않는다.

② 구 학교보건법상 학교환경위생정화구역에서의 금지행위 및 시설의 해제 여부에 관한 행정처분을 함에 있어 학교환경위생정화위원회 심의절차를 누락하였다면, 특별한 사정이 없는 한 이는 행정처분을 위법하게 하는 취소사유가 된다.

③ 행정청이 청문서 도달기간을 어겼다면 당사자가 이에 대하여 이의하지 아니한 채 스스로 청문일에 출석하여 방어의 기회를 충분히 가졌더라도 청문서 도달기간을 준수하지 아니한 하자가 치유되는 것은 아니다.

④ 토지등급결정내용의 개별통지가 있었다고 볼 수 없어 토지등급결정이 무효라면, 토지소유자가 그 결정 이전이나 이후에 토지등급결정내용을 알았다 하더라도 개별통지의 하자가 치유되는 것은 아니다.

관련기출

①

1. 취소소송에 의한 행정처분취소의 경우에도 수익적 행정처분의 직권취소 제한에 관한 법리가 적용된다. (○, ×) 2023 경찰간부
2. 수익적 행정처분에 대한 취소권 등의 행사는 기득권의 침해를 정당화할 만한 중대한 공익상의 필요 또는 제3자의 이익보호의 필요가 있는 때에 한하여 허용될 수 있다는 법리는 처분청이 수익적 행정처분을 직권으로 취소 · 철회하는 경우에 적용되는 법리일 뿐 쟁송취소의 경우에는 적용되지 않는다. (○, ×) 2023 국회직 8급, 2021 경행경채
3. 수익적 처분에 대한 취소권 등의 행사는 기득권의 침해를 정당화할 만한 중대한 공익상의 필요 또는 제3자의 이익보호의 필요가 있는 때에 한하여 허용되며 이러한 법리는 쟁송취소에는 적용되지 않는다. (○, ×) 2023 소방간부

1. × 2. ○ 3. ○

① **빈출** 정답률 7% 제17강 참조 ○

수익적 행정처분에 대한 취소권 등의 행사는 기득권의 침해를 정당화할 만한 중대한 공익상의 필요 또는 제3자의 이익보호의 필요가 있는 때에 한하여 허용될 수 있다는 법리는, 처분청이 수익적 행정처분을 직권으로 취소 · 철회하는 경우에 적용되는 법리일 뿐 쟁송취소의 경우에는 적용되지 않는다(대판 2019. 10. 17, 2018두104).

② **빈출** 정답률 5% ○

구 학교보건법상 학교환경위생정화구역의 금지행위 및 시설의 해제 여부에 관한 행정처분을 함에 있어 학교환경위생정화위원회의 심의를 누락한 행정처분에는 취소사유가 있다.

행정청이 구 학교보건법 소정의 학교환경위생정화구역 내에서 금지행위 및 시설의 해제 여부에 관한 행정처분을 함에 있어 학교환경위생정화위원회의 심의를 거치도록 한 취지는 그에 관한 전문가 내지 이해관계인의 의견과 주민의 의사를 행정청의 의사결정에 반영함으로써 공익에 가장 부합하는 민주적 의사를 도출하고 행정처분의 공정성과 투명성을 확보하려는 데 있고 …… 행정처분을 하면서 절차상 위와 같은 심의를 누락한 흠이 있다면 그와 같은 흠을 가리켜 위 행정처분의 효력에 아무런 영향을 주지 않는다거나 경미한 정도에 불과하다고 볼 수는 없으므로, 특별한 사정이 없는 한 이는 행정처분을 위법하게 하는 취소사유가 된다(대판 2007. 3. 15, 2006두15806).

③ **빈출** 정답률 83% ×

행정청이 식품위생법상의 청문절차를 이행함에 있어 청문서 도달기간을 다소 어겼지만 영업자가 이의하지 아니한 채 청문일에 출석하여 의견을 진술하고 변명하는 등 방어의 기회를 충분히 가졌다면 하자는 치유된다.

가령 행정청이 청문서 도달기간을 다소 어겼다 하더라도 영업자가 이에 대하여 이의하지 아니한 채 스스로 청문일에 출석하여 그 의견을 진술하고 변명하는 등 방어의 기회를 충분히 가졌다면 청문서 도달기간을 준수하지 아니한 하자는 치유되었다고 봄이 상당하다 할 것이다(대판 1992. 10. 23, 92누2844).

④ 정답률 3% ○

골프장의 부지로 이용되는 토지소유자 소유의 토지들 중 일부 토지들의 등급을 설정 또는 수정하는 결정을 하여 이를 개별통지함에 있어서 토지등급수정결과통지서의 토지 소재지란에는 "색달동 2542 <관광단지 내 전필지 수정>"이라고 기재하고, 지목란, 결정 이전의 토지등급 및 등급가액란, 결정으로 인한 토지등급 및 등급가액란에는 색달동 2542 토지에 해당하는 내용을 기재한 경우, 이와 같은 개별통지는 색달동 2542 토지를 제외한 나머지 토지에 대하여는 토지등급결정내용의 통지를 한 것으로 볼 수 없어 그 나머지 토지들에 대한 토지등급결정은 효력을 발생할 수 없는 무효의 처분이다. 토지등급결정내용의 개별통지가 있다고 볼 수 없어 토지등급결정이 무효인 이상, 토지소유자가 그 결정 이전이나 이후에 토지등급결정내용을 알았다거나 또는 그 결정 이후 매년 정기 등급수정의 결과가 토지소유자 등의 열람에 공하여졌다 하더라도 개별통지의 하자가 치유되는 것은 아니다(대판 1997. 5. 28, 96누5308).

정답 01 ③

02 빈출 정답률 88% 중 2024 소방직 9급

행정행위의 하자에 관한 설명으로 옳지 않은 것은? (다툼이 있는 경우 판례에 의함)

□□□ ① 하자 있는 행정행위의 치유는 행정행위의 성질이나 법치주의의 관점에서 볼 때 원칙적으로 허용될 수 없으며, 예외적으로 행정행위의 무용한 반복을 피하고 당사자의 법적 안정성을 위해 이를 허용하는 때에도 국민의 권리나 이익을 침해하지 않는 범위에서 구체적 사정에 따라 합목적적으로 인정할 필요가 있다.

□□□ ② 행정처분을 한 처분청은 그 처분의 성립에 하자가 있는 경우, 이를 취소할 별도의 법적 근거가 없다고 하더라도 직권으로 이를 취소할 수 있다.

□□□ ③ 징계처분이 중대하고 명백한 흠 때문에 당연무효의 것이라면 징계처분을 받은 자가 이를 용인하였다 하여 그 흠이 치유되는 것은 아니다.

□□□ ④ 수도과태료의 부과처분에 대한 납세고지서의 송달이 부적법하면 그 부과처분은 효력이 발생할 수 없지만 처분의 상대방이 객관적으로 위 부과처분의 존재를 인식할 수 있었다는 사실로써 송달의 하자가 치유된다.

관련기출

①

1. 하자 있는 행정행위의 치유는 원칙적으로 허용되나, 국민의 권리나 이익을 침해하지 않는 범위 내에서 인정된다. (○, ×) 2020 소방직 9급
2. 하자 있는 행정행위의 치유는 행정경제를 도모하기 위하여 원칙적으로 허용된다. (○, ×) 2019 소방직 9급
3. 법치주의 원칙을 강조할 경우 행정행위의 하자의 치유는 원칙적으로 허용될 수 없지만 예외적으로 행정의 무용한 반복을 피하고 당사자의 법적 안정성을 위해 허용될 수 있다. (○, ×) 2019 서울시 1회 7급

1. × 2. × 3. ○

③

1. 징계처분이 중대하고 명백한 하자 때문에 당연무효의 것이라면 징계처분을 받은 자가 이를 용인하였다 하여 그 하자가 치유되는 것은 아니다. (○, ×) 2019 지방직 · 교육행정직 9급
2. 당연무효인 징계처분의 하자는 징계를 받은 자의 용인으로 치유된다. (○, ×) 2017 교육행정직 9급
3. 징계처분이 중대하고 명백한 하자로 인해 당연무효의 것이라도 징계처분을 받은 원고가 이를 용인하였다면 그 하자는 치유된다. (○, ×) 2016 지방직 9급
4. 하자의 치유는 취소할 수 있는 행정행위에 대하여서만 인정된다. (○, ×) 2016 국회직 8급

1. ○ 2. × 3. × 4. ○

① 빈출 정답률 3% ○

하자 있는 행정행위의 치유는 원칙적으로 허용될 수 없는 것이고, 예외적으로 법적 안정성을 위해 이를 허용하는 때에도 국민의 권리나 이익을 침해하지 않는 범위에서 구체적 사정에 따라 합목적적으로 인정하여야 할 것이다.

하자 있는 행정행위의 치유는 행정행위의 성질이나 법치주의의 관점에서 볼 때 원칙적으로 허용될 수 없는 것이고, 예외적으로 행정행위의 무용한 반복을 피하고 당사자의 법적 안정성을 위해 허용되는 때에도 국민의 권리나 이익을 침해하지 않는 범위 내에서 구체적 사정에 따라 합목적적으로 인정해야 할 것이다(대판 1992. 5. 8, 91누13274).

② 정답률 4% 제17강 참조 ○

처분청은 별도의 법적 근거가 없더라도 처분을 직권으로 취소할 수 있다.

개별토지에 대한 가격결정도 행정처분에 해당하며, 원래 행정처분을 한 처분청은 그 행위에 하자가 있는 경우에는 원칙적으로 별도의 법적 근거가 없더라도 스스로 이를 직권으로 취소할 수 있는 것이다(대판 1995. 9. 15, 95누6311).

행정기본법 제18조【위법 또는 부당한 처분의 취소】 ① 행정청은 위법 또는 부당한 처분의 전부나 일부를 소급하여 취소할 수 있다. 다만, 당사자의 신뢰를 보호할 가치가 있는 등 정당한 사유가 있는 경우에는 장래를 향하여 취소할 수 있다.

③ 빈출 정답률 3% ○

무효인 행정행위는 하자의 치유가 인정되지 않는다.

당연무효인 징계처분의 하자는 피징계자의 인용으로 치유되지 않는다.

징계처분이 중대하고 명백한 흠 때문에 당연무효의 것이라면 징계처분을 받은 자가 이를 용인하였다 하여 그 흠이 치료되는 것은 아니다(대판 1989. 12. 12, 88누8869).

④ 정답률 88% ×

송달이 부적법한 수도과태료 부과처분은 아무런 효력이 발생하지 않으므로 처분의 존재를 비록 상대방이 인식할 수 있었다 하더라도 송달의 하자가 치유되는 것은 아니다(대판 1988. 3. 22, 87누986).

정답 02 ④

03 빈출 정답률 60% 상 2024 국가직 9급

다음 사례에 대한 설명으로 옳지 않은 것만을 모두 고르면? (다툼이 있는 경우 판례에 의함)

> 세무서장 A가 甲에게 과세처분을 하였는데, 그 후 과세처분의 근거가 되었던 법률규정은 헌법재판소에 의해 위헌으로 선언되었다. 그러나 그 과세처분에 대한 제소기간은 이미 경과하여 확정되었고, A는 甲 명의의 예금에 대한 압류처분을 하였다. 한편, 과세처분의 집행을 위한 위 압류처분의 근거규정 자체는 따로 위헌결정이 내려진 바 없다.

□□□ ㉠ 甲에 대한 과세처분과 압류처분은 별개의 행정처분이므로 선행처분인 과세처분이 당연무효가 아닌 이상 압류처분을 다툴 수 있는 방법은 존재하지 않는다.

□□□ ㉡ 압류처분은 과세처분 근거규정이 직접 적용되지 않고 압류처분 관련 규정이 적용될 뿐이므로, 과세처분 근거규정에 대한 위헌결정의 기속력은 압류처분과는 무관하다.

□□□ ㉢ 과세처분 이후 조세부과의 근거가 되었던 법률규정에 대하여 위헌결정이 내려진 경우, 과세처분이 당연무효가 아니더라도 위헌결정 이후에 과세처분의 집행을 위한 압류처분을 하는 것은 더 이상 허용되지 않는다.

① ㉠　　② ㉠, ㉡
③ ㉠, ㉢　　④ ㉡, ㉢

빈출 ㉠㉡ ×
㉢ ○

헌법재판소가 법률의 위헌결정을 내리는 경우 법률이 소급하여 효력을 상실하는지(소급효), 장래를 향하여 효력을 상실하는지(장래효) 문제된다. 이에 대해 헌법재판소법 제47조 제2항은 원칙적으로 장래효를 규정하고 있다. 그런데 판례는 법조문에도 불구하고 예외적으로 소급효를 널리 인정하면서, 다만 법적 안정성의 유지를 위해서 불가피한 경우에는 위헌결정의 소급효를 제한하고 있다. 즉, 법적 안정성의 유지를 위해 이미 취소소송의 제소기간을 경과하여 확정력이 발생한 행정처분에 대해서는 위헌결정의 소급효가 미치지 않는다고 본다.

> 이미 취소소송의 제기기간을 경과하여 확정력(불가쟁력)이 발생한 행정처분에는 위헌결정의 소급효가 미치지 않는다.
>
> 위헌결정의 효력은 그 결정 이후에 당해 법률이 재판의 전제가 되었음을 이유로 법원에 제소된 일반 사건에도 미치므로, 당해 법률에 근거하여 행정처분이 발하여진 후에 헌법재판소가 그 행정처분의 근거가 된 법률을 위헌으로 결정하였다면 결과적으로 행정처분은 법률의 근거가 없이 행하여진 것과 마찬가지가 되어 하자가 있는 것이 되나, 이미 취소소송의 제기기간을 경과하여 확정력이 발생한 행정처분의 경우에는 위헌결정의 소급효가 미치지 않는다고 보아야 할 것이다(대판 2002. 11. 8, 2001두3181).

사례의 경우 과세처분에 대한 제소기간이 경과한 후 과세처분의 근거가 된 법률이 위헌으로 선언되었으므로 갑에 대한 과세처분에 대해서는 위헌결정의 소급효가 미치지 않으므로 과세처분에 따른 조세채권은 확정된 상태이다. 그런데 헌법재판소법 제47조 제1항은 "법률의 위헌결정은 법원 기타 국가기관 및 지방자치단체를 기속한다."고 규정하여 위헌결정의 기속력을 선언하고 있다. 이러한 기속력으로 인해 국가기관 등은 위헌으로 선언된 법률 규정에 근거하여 새로운 처분을 할 수 없을 뿐만 아니라, 위헌결정 전에 이미 형성된 법률관계에 따른 후속처분이라도 그것이 위헌적 법률관계를 생성 · 확대하는 경우라면 허용되지 않는다. 사례에서 갑에 대한 과세처분은 확정된 상태이고 과세처분에 대한 근거규정에 대해 위헌결정이 내려졌을 뿐, 압류처분의 근거규정에 대해서는 위헌결정이 내려진 바가 없다고 하더라도 위헌결정 후 세무서장이 과세처분의 후속조치인 압류처분을 하는 것은 위헌결정의 기속력에 위반되어 위헌적 법률관계를 생성하는 것에 해당한다(㉡). 따라서 과세처분이 무효가 아니더라고 위헌결정 이후에 과세처분의 집행을 위한 압류처분을 하는 것은 더 이상 허용되지 않는다(㉢). 그러므로 비록 과세처분과 압류처분은 별개의 행정처분이기는 하나 압류처분이 위헌결정의 기속력에 위반되어 무효인 이상 갑은 압류처분무효확인소송을 통해 압류처분을 다툴 수 있다(㉠).

> 과세처분 이후 조세부과의 근거가 되었던 법률규정에 대하여 위헌결정이 내려진 경우, 그 조세채권의 집행을 위한 체납처분(현 강제징수)은 당연무효가 된다.
>
> 구 헌법재판소법 제47조 제1항은 "법률의 위헌결정은 법원 기타 국가기관 및 지방자치단체를 기속한다."고 규정하고 있는데, 이러한 위헌결정의 기속력과 헌법을 최고규범으로 하는 법질서의 체계적 요청에 비추어 국가기관 및 지방자치단체는 위헌으로 선언된 법률규정에 근거하여 새로운 행정처분을 할 수 없음은 물론이고, 위헌결정 전에 이미 형성된 법률관계에 기한 후속처분이라도 그것이 새로운 위헌적 법률관계를 생성·확대하는 경우라면 이를 허용할 수 없다(㉡). 따라서 조세 부과의 근거가 되었던 법률규정이 위헌으로 선언된 경우, 비록 그에 기한 과세처분이 위헌결정 전에 이루어졌고, 과세처분에 대한 제소기간이 이미 경과하여 조세채권이 확정되었으며, 조세채권의 집행을 위한 체납처분의 근거 규정 자체에 대하여는 따로 위헌결정이 내려진 바 없다고 하더라도, 위와 같은 위헌결정 이후에 조세채권의 집행을 위한 새로운 체납처분에 착수하거나 이를 속행하는 것은 더 이상 허용되지 않고(㉢) 나아가 이러한 위헌결정의 효력에 위배하여 이루어진 체납처분은 그 사유만으로 하자가 중대하고 객관적으로 명백하여 당연무효라고 보아야 한다(㉠)(대판 2012. 2. 16, 2010두10907 전합).

정답 03 ②

04 빈출 중 2023 서울시 지적 7급

행정행위의 하자에 대한 설명으로 가장 옳은 것은? (다툼이 있는 경우 판례에 따름)

① 선행처분과 후행처분이 서로 합하여 1개의 법률효과를 완성하는 경우 선행처분에 불가쟁력이 발생하였다면 선행처분의 하자를 이유로 후행처분의 효력을 다툴 수 없다.

② 선행처분과 후행처분이 서로 독립하여 별개의 법률효과를 발생시키는 경우 선행처분에 취소사유가 있다면 선행처분의 하자를 이유로 후행처분의 효력을 다툴 수 있는 것이 원칙이다.

③ 형식상 하자로 인하여 무효인 행정처분이 있은 후 행정청이 관계법령에서 정한 형식을 갖추어 다시 동일한 행정처분을 하였다면 당해 행정처분은 종전의 무효인 행정처분과 관계없이 새로운 행정처분이라고 보아야 한다.

④ 세액산출근거가 누락된 납세고지서에 의한 과세처분에 대한 취소소송의 사실심변론종결 직전에 세액산출근거의 통지가 있었다면 이로써 위 과세처분의 하자가 치유되었다고 볼 수 있다.

관련기출

①②

1. 2개 이상의 행정처분이 연속적 또는 단계적으로 이루어지는 경우 선행처분과 후행처분이 서로 합하여 1개의 법률효과를 완성하는 때에는 선행처분에 하자가 있으면 그 하자는 후행처분에 승계된다. (○, ×)
2023 지방직 · 서울시 9급
2. 선행행위에 대하여 불가쟁력이 발생하지 않았거나 선행행위와 후행행위가 서로 독립하여 각각 별개의 법률효과를 목적으로 하는 때에는 원칙적으로 선행행위의 하자를 이유로 후행행위의 효력을 다툴 수 없다. (○, ×)
2017 지방직 9급

1. ○ 2. ○

③

1. 절차상 하자로 인하여 무효인 행정처분이 있은 후 행정청이 관계법령에서 정한 절차를 갖추어 다시 동일한 행정처분을 하였다면 당해 행정처분은 종전의 무효인 행정처분과 관계없이 새로운 행정처분이라고 보아야 한다. (○, ×)
2019 국회직 8급, 2016 국가직 7급

1. ○

④

1. 하자의 치유는 늦어도 행정처분에 대한 불복 여부의 결정 및 불복신청을 할 수 있는 상당한 기간 내에 해야 하므로, 소가 제기된 이후에는 하자의 치유가 인정될 수 없다. (○, ×)
2014 사회복지직 9급
2. 이유제시 하자의 치유는 늦어도 처분에 대한 불복 여부의 결정 및 불복신청에 편의를 줄 수 있는 상당한 기간 내에 하여야 한다는 것이 판례의 입장이다. (○, ×)
2013 경행특채
3. 판례에 의하면 하자의 치유는 사실심변론종결시까지 가능하다. (○, ×)
2009 국회직 8급

1. ○ 2. ○ 3. ×

①② 빈출 ×

2개 이상의 행정처분이 연속적 또는 단계적으로 이루어지는 경우 선행처분과 후행처분이 서로 합하여 1개의 법률효과를 완성하는 때에는 선행처분에 하자가 있으면 그 하자는 후행처분에 승계된다. 이러한 경우에는 선행처분에 불가쟁력이 생겨 그 효력을 다툴 수 없게 되더라도 선행처분의 하자를 이유로 후행처분의 효력을 다툴 수 있다(①). 그러나 선행처분과 후행처분이 서로 독립하여 별개의 법률 효과를 발생시키는 경우에는 선행처분에 불가쟁력이 생겨 그 효력을 다툴 수 없게 되면 선행처분의 하자가 중대하고 명백하여 선행처분이 당연무효인 경우를 제외하고는 특별한 사정이 없는 한 선행처분의 하자를 이유로 후행처분의 효력을 다툴 수 없는 것이 원칙이다(②). 다만 그 경우에도 선행처분의 불가쟁력이나 구속력이 그로 인하여 불이익을 입게 되는 자에게 수인한도를 넘는 가혹함을 가져오고, 그 결과가 당사자에게 예측가능한 것이 아니라면, 국민의 재판받을 권리를 보장하고 있는 헌법의 이념에 비추어 선행처분의 후행처분에 대한 구속력을 인정할 수 없다(대판 2019. 1. 31, 2017두40372).

③ ○

절차상 또는 형식상 하자로 인하여 무효인 행정처분이 있은 후 행정청이 관계법령에서 정한 절차 또는 형식을 갖추어 다시 동일한 행정처분을 하였다면 당해 행정처분은 종전의 무효인 행정처분과 관계없이 새로운 행정처분이라고 보아야 한다(대판 2014. 3. 13, 2012두1006).

④ 빈출 ×

판례는 이유제시(부기)의 하자치유와 관련하여 늦어도 처분에 대한 불복 여부의 결정 및 불복신청에 편의를 줄 수 있는 상당한 기간 내에 하여야 한다고 보고 있는바, 쟁송제기전설을 취하고 있다. 따라서 과세처분의 세액산출근거가 누락된 하자가 있었던 경우, 과세처분에 대한 취소소송의 사실심변론종결 직전에 세액산출근거의 통지가 있었다고 하여도 과세처분의 하자가 치유될 수는 없다.

과세처분에 대한 전심절차가 모두 끝나고 상고심의 계류 중에 세액산출근거의 통지가 있었다고 하여 이로써 위 과세처분의 하자가 치유되었다고는 볼 수 없다(대판 1984. 4. 10, 83누393).

정답 04 ③

05 중 2023 소방간부

처분의 하자에 관한 판례의 내용으로 옳지 않은 것은?

□□□ ① 과징금을 부과하면서 여러 개의 처분사유에 터잡아 하나의 과징금 부과처분을 하였고 그 처분사유들 중 일부에 위법이 있으나 그 부분이 과징금 부과처분에 영향을 미치지 아니하였다면 그 부과처분을 위법하다고 할 수 없다.

□□□ ② 단속 경찰관이 자신의 명의로 운전면허정지처분 통지서를 작성 교부하였다면 권한 없는 자에 의하여 행하여진 점에서 무효의 처분에 해당한다.

□□□ ③ 구 학교보건법상 학교환경위생정화구역에서의 금지행위 및 시설의 해제 여부에 관한 행정처분을 함에 있어 학교환경위생정화위원회의 심의절차를 누락한 것은 취소사유가 된다.

□□□ ④ 행정처분의 하자가 중대하고 명백한 것인지 여부를 판별함에 있어서는 그 법규의 목적, 의미, 기능 등을 목적론적으로 고찰함과 동시에 구체적 사안 자체의 특수성에 관하여도 합리적으로 고찰하여야 한다.

□□□ ⑤ '4대강 살리기 사업' 각 하천 중 한강 부분에 관한 공사시행계획 및 각 실시계획승인처분에 보의 설치와 준설 등에 대한 예비타당성조사를 실시하지 아니한 하자는 예산 자체의 하자가 되며 이에 따라 해당 하천 부분에 관한 각 하천공사시행계획 및 각 실시계획승인처분의 하자도 인정된다.

관련기출

②

1. 음주운전을 단속한 경찰관 명의로 행한 운전면허정지처분은 무효이다. (○, ×) 2015 경행특채 2차
2. 음주운전을 단속한 경찰관 명의로 행한 운전면허정지처분은 취소사유에 해당한다. (○, ×) 2012 경행특채
3. 음주운전 단속경찰관이 자신의 명의로 운전면허행정처분통지서를 작성·교부하여 행한 운전면허정지처분은 위법하며, 취소의 원인이 된다. (○, ×) 2012 지방직(하) 7급

1. ○ 2. × 3. ×

⑤

1. 예산의 편성에 절차적 하자가 있으면 그 예산을 집행하는 처분은 위법하게 된다. (○, ×) 2016 국회직 8급

1. ×

① ○

행정처분에 있어 수개의 처분사유 중 일부가 적법하지 않다고 하더라도 다른 처분사유로써 그 처분의 정당성이 인정되는 경우에는 그 처분을 위법하다고 할 수 없을 것이므로, 구 법 제206조의11에 따라 과징금을 부과함에 있어 여러 개의 처분사유에 기하여 하나의 과징금 부과처분을 하였으나 그 처분사유들 중 일부에 위법이 있다고 하더라도 위법한 부분이 그 과징금 부과처분에 영향을 미치지 아니하였다면 그 부과처분을 위법하다고 볼 것은 아니다(대판 2010. 12. 9, 2010두15674).

② **빈출** ○

음주운전을 단속한 경찰관 자신의 명의로 행한 운전면허정지처분의 효력은 무효이다.

운전면허에 대한 정지처분권한은 경찰청장으로부터 경찰서장에게 권한위임된 것이므로 음주운전자를 적발한 단속경찰관으로서는 관할 경찰서장의 명의로 운전면허정지처분을 대행처리할 수 있을지는 몰라도 자신의 명의로 이를 할 수는 없다 할 것이므로, 단속경찰관이 자신의 명의로 운전면허행정처분통지서를 작성·교부하여 행한 운전면허정지처분은 비록 그 처분의 내용·사유·근거 등이 기재된 서면을 교부하는 방식으로 행하여졌다고 하더라도 권한 없는 자에 의하여 행하여진 점에서 무효의 처분에 해당한다(대판 1997. 5. 16, 97누2313).

③ ○

구 학교보건법상 학교환경위생정화구역의 금지행위 및 시설의 해제 여부에 관한 행정처분을 함에 있어 학교환경위생정화위원회의 심의를 누락한 행정처분에는 취소사유가 있다는 것이 판례의 입장이다(대판 2007. 3. 15, 2006두15806).

④ ○

1. 행정처분이 당연무효가 되기 위해서는 하자가 중대하고 객관적으로 명백한 것이어야 한다.
2. 하자가 중대하고도 명백한 것인가의 여부를 판별함에 있어서는 그 법규의 목적·의미·기능 등을 목적론적으로 고찰함과 동시에 구체적 사안 자체의 특수성에 관하여도 합리적으로 고찰함을 요한다(대판 1985. 7. 23, 84누419).

⑤ ×

예산의 편성에 절차상 하자가 있다는 사정만으로 예산을 집행하는 처분에 취소사유에 이를 정도의 하자가 존재한다고 보기 어렵다.

(甲 등이 '4대강 살리기 사업' 중 한강 부분에 관한 각 하천공사시행계획 및 각 실시계획승인처분에 보의 설치와 준설 등에 대한 구 국가재정법 제38조 등에서 정한 예비타당성조사를 하지 않은 절차상 하자가 있다는 이유로 각 처분의 취소를 구한 사안에서) 국가재정법령에 규정된 예비타당성조사는 이 사건 각 처분과 형식상 전혀 별개의 행정계획인 예산의 편성을 위한 절차일 뿐 이 사건 각 처분에 앞서 거쳐야 하거나 그 근거 법규 자체에서 규정한 절차가 아니므로, 예비타당성조사를 실시하지 아니한 하자는 원칙적으로 예산 자체의 하자일 뿐, 그로써 곧바로 이 사건 각 처분의 하자가 된다고 할 수 없다(대판 2015. 12. 10, 2011두32515).

정답 05 ⑤

06 정답률 85% 중 2022 지방직 7급 변형

행정행위의 하자에 대한 판례의 입장으로 옳지 않은 것은?

□□□ ① 과세처분 이후 과세의 근거가 되었던 법률규정에 대하여 위헌결정이 내려진 경우, 그 조세채권의 집행을 위해 새로운 체납처분에 착수하거나 이를 속행하는 것은 당연무효로 볼 수 없다.

□□□ ② 행정청이 어느 법률관계나 사실관계에 대하여 어느 법률의 규정을 적용하여 행정처분을 한 경우에, 그 법률관계나 사실관계에 대하여는 그 법률의 규정을 적용할 수 없다는 법리가 명백히 밝혀져 해석에 다툼의 여지가 없음에도 행정청이 그 규정을 적용하여 처분을 한 때에는 하자가 중대하고 명백하다.

□□□ ③ 행정청이 청문서 도달기간을 다소 어겼다 하더라도 당사자가 이에 대하여 이의하지 아니한 채 스스로 청문일에 출석하여 그 의견을 진술하고 변명하는 등 방어의 기회를 충분히 가졌다면 청문서 도달기간을 준수하지 아니한 하자는 치유되었다고 볼 수 있다.

□□□ ④ 선행처분인 소득금액변동통지에 하자가 존재하더라도 당연무효사유에 해당하지 않는 한 그 하자는 후행처분인 징수처분에 그대로 승계되지 아니한다.

관련기출

②

1. 행정청이 어느 법률관계나 사실관계에 대하여 어느 법률의 규정을 적용하여 행정처분을 한 경우에 그 법률관계나 사실관계에 대하여는 그 법률의 규정을 적용할 수 없다는 법리가 명백히 밝혀져 그 해석에 다툼의 여지가 없음에도 행정청이 그 규정을 적용하여 처분을 한 때에는 그 하자가 중대하고도 명백하다고 할 것이다. (○, ×) 2018 경행경채 3차

1. ○

③

1. 행정청이 식품위생법상의 청문절차를 이행함에 있어 청문서 도달기간을 다소 어겼지만 영업자가 이의하지 아니한 채 청문일에 출석하여 의견을 진술하고 변명하는 등 방어의 기회를 충분히 가졌다면 청문서 도달기간을 준수하지 아니한 하자는 치유되었다고 본다. (○, ×) 2020 국가직 9급
2. 행정청이 처분의 근거법률상 청문절차를 이행하는 과정에서 청문서 도달기간을 다소 어겼지만 당사자가 이의를 제기하지 않고 청문일에 출석하여 의견진술과 변명의 기회를 충분히 가졌다면 청문서 도달기간 미준수의 하자는 치유된 것으로 본다. (○, ×) 2020 국회직 8급

1. ○ 2. ○

① ×

과세처분 이후 조세 부과의 근거가 되었던 법률규정에 대하여 위헌결정이 내려진 경우, 그 조세채권의 집행을 위해 새로운 체납처분에 착수하거나 이를 속행하는 것은 당연무효가 된다는 것이 판례의 입장이다(대판 2012. 2. 16, 2010두10907 전합).

② **빈출** ○

> 1. 행정청이 어느 법률관계나 사실관계에 대하여 어느 법률의 규정을 적용하여 행정처분을 한 경우에 그 법률관계나 사실관계에 대하여는 그 법률의 규정을 적용할 수 없다는 법리가 명백히 밝혀져 그 해석에 다툼의 여지가 없음에도 불구하고 행정청이 위 규정을 적용하여 처분을 한 때에는 그 하자가 중대하고 명백하다고 할 것이다.
> 2. 그러나 그 법률관계나 사실관계에 대하여 그 법률의 규정을 적용할 수 없다는 법리가 명백히 밝혀지지 아니하여 그 해석에 다툼의 여지가 있는 때에는 행정관청이 이를 잘못 해석하여 행정처분을 하였더라도 이는 그 처분요건사실을 오인한 것에 불과하여 그 하자가 명백하다고 할 수 없다(대판 2014. 5. 16, 2011두27094).

③ ○

행정청이 식품위생법상의 청문절차를 이행함에 있어 청문서 도달기간을 다소 어겼지만 영업자가 이의하지 아니한 채 청문일에 출석하여 의견을 진술하고 변명하는 등 방어의 기회를 충분히 가졌다면 하자는 치유된다는 것이 판례의 입장이다(대판 1992. 10. 23, 92누2844).

④ ○

> 과세관청의 소득금액변동통지와 징수처분 사이에는 하자의 승계가 부정된다.
>
> 원천징수의무자인 법인이 원천징수하는 소득세의 납세의무를 이행하지 아니함에 따라 과세관청이 하는 납세고지(현 납부고지)는 확정된 세액의 납부를 명하는 징수처분에 해당하므로 선행처분인 소득금액변동통지에 하자가 존재하더라도 당연무효 사유에 해당하지 않는 한 후행처분인 징수처분에 그대로 승계되지 아니한다. 따라서 과세관청의 소득처분과 그에 따른 소득금액변동통지가 있는 경우 원천징수하는 소득세의 납세의무에 관하여는 이를 확정하는 소득금액변동통지에 대한 항고소송에서 다투어야 하고, 소득금액변동통지가 당연무효가 아닌 한 징수처분에 대한 항고소송에서 이를 다툴 수는 없다(대판 2012. 1. 26, 2009두14439).

정답 06 ①

07 정답률 84% 중 2022 국가직 7급

행정행위의 하자에 대한 설명으로 옳지 않은 것은? (다툼이 있는 경우 판례에 의함)

□□□ ① 인가처분에 하자가 없다면 기본행위에 하자가 있다 하더라도 기본행위의 무효를 내세워 바로 그에 대한 행정청의 인가처분의 취소 또는 무효확인을 소구할 법률상의 이익이 없다.

□□□ ② 행정처분의 당연무효를 선언하는 의미에서 취소를 구하는 행정소송을 제기한 경우에는 취소소송의 제소요건을 갖추어야 한다.

□□□ ③ 행정처분이 발하여진 후에 헌법재판소가 그 행정처분의 근거가 된 법률을 위헌으로 결정하였다면, 그 행정처분은 특별한 사정이 없는 한 당연무효이다.

□□□ ④ 납세자가 아닌 제3자의 재산을 대상으로 한 압류처분은 그 처분의 내용이 법률상 실현될 수 없는 것이어서 당연무효이다.

관련기출

③

1. 행정처분 이후에 처분의 근거법령에 대하여 헌법재판소 또는 대법원이 위헌 또는 위법하다는 결정을 하게 되면, 당해 처분은 법적 근거가 없는 처분으로 하자 있는 처분이고 그 하자는 중대한 것으로 당연무효이다. (○, ×) 2019 사회복지직 9급
2. 대법원은 행정처분 이후에 처분의 근거법령에 대하여 헌법재판소 또는 대법원이 위헌 또는 위법하다는 결정을 하게 되면, 당해 처분은 법적 근거가 없는 처분으로 하자 있는 처분이고 그 하자는 중대한 것이지만, 위헌 또는 위법하다는 결정이 있기 전에는 객관적으로 명백하다고 보기 어려우므로 취소사유에 그치는 것으로 본다. (○, ×) 2016 사회복지직 9급
3. 처분 이후에 처분의 근거가 된 법률이 헌법재판소에 의해 위헌으로 결정되었다면 그 처분은 법률상 근거 없는 처분이 되어 당연무효임이 원칙이다. (○, ×) 2015 지방직 7급

1. × 2. ○ 3. ×

④

1. 납세자가 아닌 제3자의 재산을 대상으로 압류처분을 한 경우 무효사유에 해당한다. (○, ×) 2022 소방직 9급
2. 납세자가 아닌 제3자의 재산을 대상으로 한 압류처분은 당연무효이다. (○, ×) 2018 서울시 2회 7급
3. 납세자가 아닌 제3자의 재산을 대상으로 한 압류처분은 무효사유에 해당하지 않는다. (○, ×) 2015 지방직 9급

1. ○ 2. ○ 3. ×

① 제13강 참조 ○

기본행위에 하자가 있는 경우 기본행위를 다투어야 하며, 기본행위의 하자를 이유로 인가처분의 취소 또는 무효를 소송으로 다툴 이익은 없다.

> 인가처분에 하자가 없다면 기본행위에 하자가 있다 하더라도 따로 그 기본행위의 하자를 다투는 것은 별론으로 하고 기본행위의 무효를 내세워 바로 그에 대한 행정청의 인가처분의 취소 또는 무효확인을 소구할 법률상의 이익이 있다고 할 수 없다(대판 1994. 10. 14, 93누22753).

② 제40강 참조 ○

> 1. 무효사유에 해당하는 처분에 대해 취소소송을 제기하는 경우에도 제소기간의 준수 등 취소소송의 제소요건을 갖추어야 한다(대판 1984. 5. 29, 84누175).
> 2. 당연무효를 선언하는 의미의 취소청구소송(무효선언적 의미의 취소소송)을 제기함에 있어서는 제소기간의 제한이 있다.
>
> 행정처분의 당연무효를 선언하는 의미에서 그 취소를 구하는 행정소송을 제기하는 경우에는 전치절차와 그 제소기간의 준수 등 취소소송의 제소요건을 갖추어야 한다(대판 1987. 6. 9, 87누219).

③ **빈출** ×

행정처분이 행해지고 난 후에 행정처분의 근거법률이 헌법재판소에 의해 위헌결정이 내려지면 그 행정처분은 결과적으로 법률에 근거가 없는 행정처분으로서 위법한 처분이 된다. 이때 그 처분이 당연무효인지 아니면 취소할 수 있는 행정처분에 불과한지가 문제되는데 대법원은 그 하자가 중대하지만 명백한 것이라고는 볼 수 없어 취소할 수 있는 행정처분에 그칠 뿐 무효가 아니라고 본다. 한편, 이와 달리 법률에 대해 위헌결정이 내려진 후에 이러한 법률을 근거로 행정처분이 행해진 경우라면 이러한 행정처분은 하자가 중대하고 명백하여 당연무효가 된다는 것과 구별하여 이해하기 바란다.

> 처분 후 처분의 근거법률에 대해 위헌결정이 내려진 경우 행정처분의 하자는 헌법재판소의 위헌결정이 있기 전에는 객관적으로 명백한 것이라고 할 수는 없으므로 취소사유에 불과할 뿐 당연무효는 아니다.
>
> 법률에 근거하여 행정처분이 발하여진 후에 헌법재판소가 그 행정처분의 근거가 된 법률을 위헌으로 결정하였다면 결과적으로 행정처분은 법률의 근거가 없이 행하여진 것과 마찬가지가 되어 하자가 있는 것이 되나, 하자 있는 행정처분이 당연무효가 되기 위하여는 그 하자가 중대할 뿐만 아니라 명백한 것이어야 하는데, 일반적으로 법률이 헌법에 위반된다는 사정이 헌법재판소의 위헌결정이 있기 전에는 객관적으로 명백한 것이라고 할 수는 없으므로 헌법재판소의 위헌결정 전에 행정처분의 근거되는 당해 법률이 헌법에 위반된다는 사유는 특별한 사정이 없는 한 그 행정처분의 취소소송의 전제가 될 수 있을 뿐 당연무효사유는 아니라고 봄이 상당하다(대판 1994. 10. 28, 92누9463).

④ **빈출** ○

> 납세자가 아닌 제3자의 재산을 대상으로 한 압류처분은 당연무효이다.
>
> 체납처분으로서 압류의 요건을 규정한 국세징수법 제24조 각 항의 규정을 보면 어느 경우에나 압류의 대상을 납세자의 재산에 국한하고 있으므로, 납세자가 아닌 제3자의 재산을 대상으로 한 압류처분은 그 처분의 내용이 법률상 실현될 수 없는 것이어서 당연무효이다(대판 2012. 4. 12, 2010두4612).

정답 07 ③

08 정답률 74% 중 2022 소방직 9급

행정절차의 하자에 대한 설명으로 옳지 않은 것은? (다툼이 있는 경우 판례에 의함)

□□□ ① 환경영향평가를 거쳐야 하는 대상사업에 대하여 환경영향평가를 거치지 아니하였음에도 불구하고 승인 등 처분이 행해진 경우, 그 행정처분은 당연무효이다.

□□□ ② 행정청이 사전환경성검토협의를 거쳐야 할 대상사업에 관하여 법의 해석을 잘못한 나머지 세부용도지역이 지정되지 않은 개발사업부지에 대하여 사전환경성검토협의를 할지 여부를 결정하는 절차를 생략한 채 승인 등의 처분을 하였다면, 그 행정처분은 당연무효이다.

□□□ ③ 환경영향평가를 거쳐야 할 대상사업에 대해 환경영향평가절차를 거쳤으나 그 내용이 다소 부실한 경우, 그 부실의 정도가 환경영향평가를 하지 아니한 것과 같은 정도가 아닌 한 당해 승인 등 처분이 위법하게 되는 것은 아니다.

□□□ ④ 환경영향평가대상지역 밖의 주민이라 할지라도 공유수면매립면허처분 등으로 인하여 그 처분 전과 비교하여 수인한도를 넘는 환경피해를 받거나 받을 우려가 있는 경우에는, 이를 입증함으로써 그 처분 등의 무효확인을 구할 원고적격을 인정받을 수 있다.

관련기출

①

1. 환경영향평가를 거쳐야 할 대상사업에 대하여 환경영향평가를 거치지 아니하였음에도 불구하고 승인 등 처분이 이루어졌다면, 이러한 행정처분의 하자는 법규의 중요한 부분을 위반한 중대한 것이고 객관적으로도 명백한 것이라고 하지 않을 수 없어, 이와 같은 행정처분은 당연무효이다. (○, ×) 2020 국회직 8급
2. 구 환경영향평가법상 환경영향평가를 실시하여야 할 사업에 대하여 환경영향평가를 거치지 아니하였음에도 승인 등 처분을 한 경우, 그 처분은 당연무효이다. (○, ×) 2019 지방직 · 교육행정직 9급

1. ○ 2. ○

③

1. 환경영향평가절차를 거쳤다면, 환경영향평가의 내용이 다소 부실하다 하더라도, 그 부실의 정도가 환경영향평가를 하지 아니한 것과 다를 바 없는 정도의 것이 아니라면 당연히 당해 승인 등 처분이 위법하게 되는 것은 아니다. (○, ×) 2022 국가직 7급
2. 환경영향평가법령에서 요구하는 환경영향평가절차를 거쳤더라도 그 내용이 부실한 경우, 부실의 정도가 환경영향평가를 하지 아니한 것과 마찬가지인 정도가 아니라면 이는 취소사유에 해당한다. (○, ×) 2017 국회직 8급
3. 법령상 환경영향평가대상사업에 대하여 환경영향평가를 부실하게 거쳐 사업승인을 하였다면, 그러한 부실로 인하여 당연히 승인처분은 위법하게 된다. (○, ×) 2016 서울시 7급

1. ○ 2. × 3. ×

① **빈출** ○

구 환경영향평가법상 환경영향평가를 실시하여야 할 사업에 대하여 환경영향평가를 거치지 아니하였음에도 승인 등 처분을 한 경우, 그 처분은 당연무효이다.

환경영향평가를 거쳐야 할 대상사업에 대하여 환경영향평가를 거치지 아니하였음에도 불구하고 승인 등 처분이 이루어진다면, 이러한 행정처분의 하자는 법규의 중요한 부분을 위반한 중대한 것이고 객관적으로도 명백한 것이라고 하지 않을 수 없어, 이와 같은 행정처분은 당연무효이다(대판 2006. 6. 30, 2005두14363).

② ×

행정청이 사전환경성검토협의를 거쳐야 할 대상사업에 관하여 법의 해석을 잘못한 나머지 세부용도지역이 지정되지 않은 개발사업부지에 대하여 사전환경성검토협의를 할지 여부를 결정하는 절차를 생략한 채 승인 등의 처분을 한 사안에서, 그 하자가 중대한 하자라고 할 수 있으나, 객관적으로 명백하다고 할 수는 없다(대판 2009. 9. 24, 2009두2825).

③ **빈출** ○

환경영향평가법령에서 정한 환경영향평가절차를 거쳤으나 그 환경영향평가의 내용이 부실한 경우, 그 부실의 정도가 환경영향평가를 하지 아니한 것과 다를 바 없는 정도의 것이 아닌 이상, 그 부실은 당해 승인 등 처분에 재량권 일탈 · 남용의 위법이 있는지 여부를 판단하는 하나의 요소로 됨에 그칠 뿐, 그 부실로 인하여 당연히 당해 승인 등 처분이 위법하게 되는 것은 아니다(대판 2006. 3. 16, 2006두330 전합).

④ 제36강 참조 ○

환경영향평가대상지역 밖의 주민이라 할지라도 공유수면매립면허처분 등으로 인하여 그 처분 전과 비교하여 수인한도를 넘는 환경피해를 받거나 받을 우려가 있는 경우에는, 공유수면매립면허처분 등으로 인하여 환경상 이익에 대한 침해 또는 침해우려가 있다는 것을 입증함으로써 그 처분 등의 무효확인을 구할 원고적격을 인정받을 수 있다(대판 2006. 3. 16, 2006두330 전합).

정답 08 ②

09 정답률 75% 중 2022 국가직 9급

행정행위의 하자에 대한 설명으로 옳지 않은 것은? (다툼이 있는 경우 판례에 의함)

□□□ ① 이미 불가쟁력이 발생한 보충역편입처분에 하자가 있다고 하더라도 그것이 당연무효의 사유가 아닌 한 공익근무요원소집처분에 승계되는 것은 아니다.

□□□ ② 건물철거명령이 당연무효가 아니고 불가쟁력이 발생하였다면 건물철거명령의 하자를 이유로 후행 대집행계고처분의 효력을 다툴 수 없다.

□□□ ③ 도시계획시설사업시행자 지정처분이 처분요건을 충족하지 못하여 당연무효인 경우, 도시계획시설사업의 시행자가 작성한 실시계획을 인가하는 처분도 무효이다.

□□□ ④ 선행처분인 공무원직위해제처분과 후행 직권면직처분 사이에는 하자의 승계가 인정된다.

관련기출

①

1. 보충역편입처분이 위법한 경우에 그 자체의 위법 여부를 다툴 수 있음은 물론 불가쟁력이 생긴 후에 후행처분인 공익근무요원소집처분의 취소소송에서도 선행처분인 보충역편입처분의 위법을 이유로 공익근무요원소집처분의 효력을 다툴 수 있다. (○, ×) 2022 서울시 지적 7급
2. 보충역편입처분과 공익근무요원소집처분은 하자의 승계가 인정된다. (○, ×) 2022 군무원 7급
3. 보충역편입처분에 하자가 있다고 할지라도 그것이 중대하고 명백하지 않는 한, 그 하자를 이유로 공익근무요원소집처분의 효력을 다툴 수 없다. (○, ×) 2021 소방직 9급
4. 병역법상 보충역편입처분과 공익근무요원소집처분이 각각 단계적으로 별개의 법률효과를 발생하는 독립된 행정처분이 아니므로, 불가쟁력이 생긴 보충역편입처분의 위법을 이유로 공익근무요원소집처분의 효력을 다툴 수 있다. (○, ×) 2020 군무원 9급

1. × 2. × 3. ○ 4. ×

④

1. 구 경찰공무원법 제50조 제1항에 의해 선행된 직위해제처분의 위법사유를 들어 동법 제50조 제3항에 의한 후행 면직처분의 효력을 다툴 수 없다. (○, ×) 2017 경행경채
2. 경찰공무원법상 직위해제처분과 면직처분은 후자가 전자의 처분을 전제로 한 것이기는 하나 각각 단계적으로 별개의 법률효과를 발생하는 행정처분이어서 선행 직위해제처분의 위법사유가 면직처분에는 승계되지 아니한다. (○, ×) 2014 경행특채 1차

1. ○ 2. ○

① ○

> 보충역편입처분과 공익근무요원소집처분은 양자가 별개의 법률효과를 목표로 하는 것이므로 선행처분에 대한 하자는 후행처분에 승계되지 않는다.
>
> 병역법상 보충역편입처분과 공익근무요원소집처분이 각각 단계적으로 별개의 법률효과를 발생하는 독립된 행정처분이라고 할 것이므로, 따라서 보충역편입처분의 기초가 되는 신체등위판정에 잘못이 있다는 이유로 이를 다투기 위하여는 신체등위판정을 기초로 한 보충역편입처분에 대하여 쟁송을 제기하여야 할 것이며, 그 처분을 다투지 아니하여 이미 불가쟁력이 생겨 그 효력을 다툴 수 없게 된 경우에는, 병역처분변경신청에 의하는 경우는 별론으로 하고, <u>보충역편입처분에 하자가 있다고 할지라도 그것이 당연무효라고 볼 만한 특단의 사정이 없는 한 그 위법을 이유로 공익근무요원소집처분의 효력을 다툴 수 없다</u>(대판 2002. 12. 10, 2001두5422).

② ○

건물철거명령과 같이 의무를 명하는 행위와 계고 간에는 의무부과행위가 당연무효가 아닌 한 하자의 승계가 인정되지 않는다고 함이 통설 · 판례의 입장이다.

> 건물철거명령이 당연무효가 아닌 이상 행정심판이나 소송을 제기하여 그 위법함을 소구하는 절차를 거치지 아니하였다면 위 선행행위인 건물철거명령은 적법한 것으로 확정되었다고 할 것이므로 후행행위인 대집행계고처분에서는 그 건물이 무허가건물이 아닌 적법한 건축물이라는 주장이나 그러한 사실인정을 하지 못한다(대판 1998. 9. 8, 97누20502).

③ ○

선행행위가 무효인 경우에는 당사자는 선행행위의 무효를 언제나 주장할 수 있고 또한 선행행위의 무효는 당연히 후행 행정행위에 승계되어 후행행위도 무효가 된다.

> 1. 국토의 계획 및 이용에 관한 법령이 정한 도시계획시설사업의 대상 토지의 소유와 동의요건을 갖추지 못하였는데도 사업시행자로 지정한 경우, 하자가 중대하고 명백하다.
> 2. 선행처분인 도시계획시설사업 시행자 지정처분이 처분요건을 충족하지 못하여 당연무효인 경우, 후행처분인 도시계획시설사업의 시행자가 작성한 실시계획을 인가하는 처분도 무효이다(대판 2017. 7. 11, 2016두35120).

④ ×

선행처분인 공무원직위해제처분과 후행 직권면직처분 사이에는 하자가 승계되지 않는다.

> 선행 직위해제처분의 위법사유를 들어 후행 면직처분의 효력을 다툴 수 없다.
>
> 구 경찰공무원법 제50조 제1항에 의한 직위해제처분과 같은 제3항에 의한 면직처분은 후자가 전자의 처분을 전제로 한 것이기는 하나 각각 단계적으로 별개의 법률효과를 발생하는 행정처분이어서 선행 직위해제처분의 위법사유가 면직처분에는 승계되지 아니한다 할 것이므로 선행된 직위해제처분의 위법사유를 들어 면직처분의 효력을 다툴 수는 없다(대판 1984. 9. 11, 84누191).

정답 09 ④

10 빈출 정답률 77% 하 2020 국가직 9급

행정행위의 하자에 대한 설명으로 옳지 않은 것은? (다툼이 있는 경우 판례에 의함)

□□□ ① 행정청이 식품위생법상의 청문절차를 이행함에 있어 청문서 도달기간을 다소 어겼지만 영업자가 이의하지 아니한 채 청문일에 출석하여 의견을 진술하고 변명하는 등 방어의 기회를 충분히 가졌다면 청문서 도달기간을 준수하지 아니한 하자는 치유되었다고 본다.

□□□ ② 행정처분을 한 처분청은 그 처분의 성립에 하자가 있는 경우 이를 취소할 별도의 법적 근거가 없다고 하더라도 직권으로 이를 취소할 수 있다.

□□□ ③ 행정처분에 있어 여러 개의 처분사유 중 일부가 적법하지 않으면 다른 처분사유로써 그 처분의 정당성이 인정된다고 하더라도, 그 처분은 위법하게 된다.

□□□ ④ 계고처분의 후속절차인 대집행에 위법이 있다고 하더라도 그와 같은 후속절차에 위법성이 있다는 점을 들어 선행절차인 계고처분이 부적법하다는 사유로 삼을 수는 없다.

관련기출

③

1. 행정처분의 이유로 제시한 수개의 처분사유 중 일부가 위법하면, 다른 처분사유로써 그 처분의 정당성이 인정되더라도 그 처분은 위법하다. (○, ×) 2018 국가직 7급

1. ×

④

1. 계고처분의 후속절차인 대집행에 위법이 있다 하더라도 선행절차인 계고처분이 부적법하게 되는 것은 아니다. (○, ×) 2018 경행경채 3차
2. 선행행위의 하자를 이유로 후행행위를 다투는 경우뿐만 아니라 후행행위의 하자를 이유로 선행행위를 다투는 것도 하자의 승계이다. (○, ×) 2017 지방직(하) 9급
3. 계고처분의 후속절차인 대집행에 위법이 있다고 하더라도, 그와 같은 후속절차에 위법성이 있다는 점을 들어 선행절차인 계고처분이 부적법하다는 사유로 삼을 수는 없다. (○, ×) 2016 국가직 7급

1. ○ 2. × 3. ○

① ○

일정한 불이익처분의 경우 처분 전에 청문을 할 것이 요구되는데, 이러한 청문을 실시함에 있어서는 청문이 시작되는 날부터 10일 전까지 일정한 사항을 당사자 등에게 통지하여야 한다. 판례는 이러한 청문통지기간을 지키지 아니한 경우에도 일정한 경우 하자의 치유를 긍정한다(하자의 치유의 개념에 대해서는 완성편 16강 04 ① 해설 참조).

행정청이 식품위생법상의 청문절차를 이행함에 있어 청문서 도달기간을 다소 어겼지만 영업자가 이의하지 아니한 채 청문일에 출석하여 의견을 진술하고 변명하는 등 방어의 기회를 충분히 가졌다면 하자는 치유된다는 것이 판례의 입장이다(대판 1992. 10. 23, 92누2844).

② ○

한편, 최근 제정된 행정기본법에서는 행정청은 위법 또는 부당한 처분의 전부나 일부를 취소할 수 있다는 법적 근거를 마련해 두고 있다(동법 제18조).

> 처분청은 별도의 법적 근거가 없더라도 처분을 직권으로 취소할 수 있다.
> 개별토지에 대한 가격결정도 행정처분에 해당하며, 원래 행정처분을 한 처분청은 그 행위에 하자가 있는 경우에는 원칙적으로 별도의 법적 근거가 없더라도 스스로 이를 직권으로 취소할 수 있는 것이다(대판 1995. 9. 15, 95누6311).

③ ×

예컨대, 수개의 징계사유 중 일부가 인정되지 않더라도 인정되는 다른 징계사유만으로도 당해 징계처분의 타당성을 인정하기에 충분한 경우에는 그 징계처분은 위법하지 않다(대판 2002. 9. 24, 2002두6620 참조).

> 행정처분에 있어 수개의 처분사유 중 일부가 적법하지 않다고 하더라도 다른 처분사유로써 그 처분의 정당성이 인정되는 경우에는 그 처분을 위법하다고 할 수 없다(대판 2013. 10. 24, 2013두963).

④ **빈출** ○

선행행위의 위법을 이유로 후행행위의 위법을 주장할 수 있는지의 문제가 하자의 승계이론이다. 후행행위의 하자를 이유로 선행행위를 다투는 것은 하자의 승계문제가 아닐뿐더러, 인정될 수도 없다.

> 대집행에 위법이 있다는 사유로 그 선행절차인 계고처분이 부적법한 것으로 되지는 않는다.
> 계고처분의 후속절차인 대집행에 위법이 있다고 하더라도, 그와 같은 후속절차에 위법성이 있다는 점을 들어 선행절차인 계고처분이 부적법하다는 사유로 삼을 수는 없다(대판 1997. 2. 14, 96누15428).

정답 10 ③

대표

11 **빈출** 정답률 76% 중 2019 지방직 · 교육행정직 9급

행정행위의 하자에 대한 설명으로 옳지 않은 것은? (다툼이 있는 경우 판례에 의함)

□□□ ① 구 환경영향평가법상 환경영향평가를 실시하여야 할 사업에 대하여 환경영향평가를 거치지 아니하였음에도 승인 등 처분을 한 경우, 그 처분은 당연무효이다.

□□□ ② 적법한 권한위임 없이 세관출장소장에 의하여 행하여진 관세부과처분은 그 하자가 중대하기는 하지만 객관적으로 명백하다고 할 수 없어 당연무효는 아니다.

□□□ ③ 행정청이 사전에 교통영향평가를 거치지 아니한 채 '건축허가 전까지 교통영향평가 심의필증을 교부받을 것'을 부관으로 붙여서 한 '실시계획변경 승인 및 공사시행변경 인가처분'은 그 하자가 중대하고 객관적으로 명백하여 당연무효이다.

□□□ ④ 징계처분이 중대하고 명백한 하자 때문에 당연무효의 것이라면 징계처분을 받은 자가 이를 용인하였다 하여 그 하자가 치유되는 것은 아니다.

관련기출

②

1. 적법한 권한위임 없이 세관출장소장이 한 관세부과처분은 당연무효이다. (O, ×) 2017 교육행정직 9급
2. 적법한 권한위임 없이 세관출장소장에 의하여 행하여진 관세부과처분은 무효사유에 해당한다. (O, ×) 2015 지방직 9급

1. × 2. ×

① O

구 환경영향평가법상 환경영향평가를 실시하여야 할 사업에 대하여 환경영향평가를 거치지 아니하였음에도 승인 등 처분을 한 경우, 그 처분은 당연무효라는 것이 판례의 입장이다(대판 2006. 6. 30, 2005두14363).

② **빈출** O

> 적법한 권한위임 없이 세관출장소장이 행한 관세부과처분은 그 하자가 중대하지만 객관적으로 명백하다고 할 수 없어 당연무효는 아니다.
>
> 세관출장소장에게 관세부과처분에 관한 권한이 위임되었다고 볼 만한 법령상의 근거가 없는데도 피고가 이 사건 처분을 한 것은 결국, 적법한 위임 없이 권한 없는 자가 행한 처분으로서 그 하자가 중대하다고 할 것이나, …… 그동안 세관출장소장에게 관세부과처분에 관한 권한이 있는지 여부에 관하여 아무런 이의제기가 없었던 점 등에 비추어 보면, 세관출장소장에게 관세부과처분을 할 권한이 있다고 객관적으로 오인할 여지가 다분하다고 인정되므로 결국 적법한 권한위임 없이 행해진 이 사건 처분은 그 하자가 중대하기는 하지만 객관적으로 명백하다고 할 수는 없어 당연무효는 아니라고 보아야 할 것이다(대판 2004. 11. 26, 2003두2403).

③ ×

> 행정청이 사전에 교통영향평가를 거치지 아니한 채 '건축허가 전까지 교통영향평가 심의필증을 교부받을 것'을 부관으로 붙여서 한 '실시계획변경 승인 및 공사시행변경 인가처분'은 중대하고 명백한 흠이 있다고 할 수 없어 무효로 보기 어렵다(대판 2010. 2. 25, 2009두102).

④ O

징계처분이 중대하고 명백한 흠 때문에 당연무효의 것이라면 징계처분을 받은 자가 이를 용인하였다 하여 그 흠이 치유되는 것은 아니라는 것이 판례의 입장이다(대판 1989. 12. 12, 88누8869).

정답 11 ③

12 빈출 ⓢ 2019 사회복지직 9급

위헌 · 위법인 법령에 근거한 행정처분의 효력에 대한 설명으로 옳은 것은? (다툼이 있는 경우 판례에 따름)

□□□ ① 행정처분 이후에 처분의 근거법령에 대하여 헌법재판소 또는 대법원이 위헌 또는 위법하다는 결정을 하게 되면, 당해 처분은 법적 근거가 없는 처분으로 하자 있는 처분이고 그 하자는 중대한 것으로 당연무효이다.

□□□ ② 헌법재판소의 위헌결정의 효력은 위헌제청을 한 당해 사건은 물론 위헌제청신청은 아니하였지만 당해 법률 또는 법률의 조항이 재판의 전제가 되어 법원에 계속 중인 사건에도 미친다.

□□□ ③ 처분이 있은 후에 근거법률이 위헌으로 결정된 경우, 그 법률을 적용한 공무원에게 고의 또는 과실이 있었다고 단정할 수 있다.

□□□ ④ 조세 부과의 근거가 되었던 법률규정이 위헌으로 선언된 이후, 조세채권의 집행을 위한 새로운 체납처분에 착수하거나 이를 속행하더라도 위법하지 않다.

관련기출

②

1. 헌법재판소의 위헌결정의 효력은 위헌제청을 한 당해 사건은 물론 위헌제청신청은 아니하였지만 당해 법률 또는 법률의 조항이 재판의 전제가 되어 법원에 계속 중인 사건에도 미친다. (○, ×) 2015 지방직 9급
2. 헌법재판소의 위헌결정의 효력은 위헌제청을 한 당해 사건은 물론, 당해 법률조항이 재판의 전제가 되어 법원에 계속 중인 사건에도 미친다. (○, ×) 2007 국가직 7급

1. ○ 2. ○

③

1. 처분이 있은 후에 근거법률이 위헌으로 결정된 경우, 그 법률을 적용한 공무원에게 고의 또는 과실이 있었다고 단정할 수 없다. (○, ×) 2014 경행특채 2차
2. 헌법재판소는 처분이 있은 후에 근거법률이 위헌으로 결정된 경우, 그 법률을 적용한 공무원에게 고의 또는 과실이 있었다고 단정할 수 없다고 보았다. (○, ×) 2012 국가직 7급

1. ○ 2. ○

① ×

1. 처분 후 처분의 근거법률에 대해 위헌결정이 내려진 경우 행정처분의 하자는 헌법재판소의 위헌결정이 있기 전에는 객관적으로 명백한 것이라고 할 수는 없으므로 취소사유에 불과할 뿐 당연무효는 아니다(대판 1994. 10. 28, 92누9463).
2. 위헌 · 위법한 시행령에 근거한 행정처분은 그 시행령의 무효를 선언한 대법원판결이 없는 상태라면 특별한 사정이 없는 한 당연무효라 할 수 없다(대판 2007. 6. 14, 2004두619).

② ○

헌법재판소의 위헌결정의 효력은 위헌제청을 한 당해 사건은 물론 위헌제청신청은 아니하였지만 당해 법률 또는 법률의 조항이 재판의 전제가 되어 법원에 계속 중인 사건뿐만 아니라 위헌결정 이후에 위와 같은 이유로 제소된 일반사건에도 미친다(대판 1993. 2. 26, 92누12247).

③ ×

처분이 있은 후에 근거법률이 위헌으로 결정된 경우, 그 법률을 적용한 공무원에게 고의 또는 과실이 있었다고 단정할 수 없다(헌재 2009. 9. 24, 2008헌바23).

④ ×

과세처분 이후 조세 부과의 근거가 되었던 법률규정에 대하여 위헌결정이 내려진 경우, 그 조세채권의 집행을 위한 체납처분(현 강제징수)은 당연무효가 된다는 것이 판례의 입장이다(대판 2012. 2. 16, 2010두10907 전합).

정답 12 ②

13 중

2019 서울시 1회 7급

행정행위의 하자에 대한 내용으로 가장 옳지 않은 것은? (다툼이 있는 경우 판례에 따름)

□□□ ① 적법한 건축물에 대한 철거명령은 그 하자가 중대하고 명백하여 당연무효이고 그 후행행위인 건축물철거 대집행계고처분 역시 당연무효이다.

□□□ ② 처분의 하자가 그 내용에 관한 것인 경우, 판례는 소제기 이후에도 하자의 치유가 가능한 것으로 본다.

□□□ ③ 법치주의 원칙을 강조할 경우 행정행위의 하자의 치유는 원칙적으로 허용될 수 없지만 예외적으로 행정의 무용한 반복을 피하고 당사자의 법적 안정성을 위해 허용될 수 있다.

□□□ ④ 행정행위의 하자가 치유되면 당해 행정행위는 처분당시부터 하자가 없는 적법한 행정행위로 효력을 발생한다.

관련기출

②

1. 행정행위 하자의 치유는 행정행위의 성질이나 법치주의 관점에서 볼 때 원칙적으로 허용될 수 없지만, 예외적으로 행정행위의 무용한 반복을 피하고 당사자의 법적 안정성을 위해서는 내용상 하자뿐 아니라 절차상 하자도 치유될 수 있다. (○, ×) 2024 변호사
2. 행정행위의 내용상의 하자에 대해서는 하자의 치유가 인정되지 않는다. (○, ×) 2017 국가직(하) 9급
3. 행정행위의 내용상의 하자는 치유의 대상이 될 수 있으나, 형식이나 절차상의 하자에 대해서는 치유가 인정되지 않는다. (○, ×) 2016 국가직 9급
4. 행정처분의 내용상 하자에 대해서는 하자의 치유를 인정하지 아니한다. (○, ×) 2014 경행특채 2차

1. × 2. ○ 3. × 4. ○

① ○

적법한 건축물에 대한 철거명령은 그 하자가 중대하고 명백하여 당연무효라고 할 것이고, 그 후행행위인 건축물철거 대집행계고처분 역시 당연무효라고 할 것이다(대판 1999. 4. 27, 97누6780).

② **빈출** ×

하자가 행정처분의 내용에 관한 것인 경우에는 치유가 인정되지 않는다.
행정행위의 성질이나 법치주의의 관점에서 볼 때 하자 있는 행정행위의 치유는 원칙적으로 허용될 수 없을 뿐만 아니라 이를 허용하는 경우에도 국민의 권리와 이익을 침해하지 않는 범위에서 구체적 사정에 따라 합목적적으로 가려야 할 것이다. …… 사업계획변경인가처분에 관한 하자가 행정처분의 내용에 관한 것이고 새로운 노선면허가 소제기 이후에 이루어진 사정 등에 비추어 하자의 사후적 치유를 인정하지 아니한다(대판 1991. 5. 28, 90누1359).

③ ○

하자 있는 행정행위의 치유는 원칙적으로 허용될 수 없는 것이고, 예외적으로 법적 안정성을 위해 이를 허용하는 때에도 국민의 권리나 이익을 침해하지 않는 범위에서 구체적 사정에 따라 합목적적으로 인정하여야 한다는 것이 판례의 입장이다(대판 1992. 5. 8, 91누13274).

④ ○

행정행위의 하자가 치유되면 당해 행정행위는 치유시가 아니라 처음부터 하자가 없는 적법한 행정행위로서 그 효력이 발생한다. 즉, 하자의 치유는 소급효가 있다.

정답 13 ②

14 중

2017 국가직(하) 7급

행정행위의 하자에 대한 판례의 입장으로 옳은 것은?

□□□ ① 세액산출근거가 누락된 납세고지서에 의한 과세처분에 대하여 상고심 계류 중 세액산출근거의 통지가 행하여지면 당해 과세처분의 하자는 치유된다.

□□□ ② 적법하게 건축된 건축물에 대한 철거명령을 전제로 행하여진 후행행위인 건축물철거 대집행계고처분은 당연무효라 할 수 없다.

□□□ ③ 국민연금법상 장애연금 지급을 위한 장애등급결정을 하는 경우에는 원칙상 장애연금지급청구권을 취득할 당시가 아니라 장애연금 지급을 결정할 당시의 법령을 적용한다.

□□□ ④ 구 폐기물처리시설 설치촉진 및 주변지역지원 등에 관한 법령상 입지선정위원회는 일정 수 이상의 주민대표 등을 참여시키도록 하고 있음에도 불구하고 이에 위배하여 군수와 주민대표가 선정·추천한 전문가를 포함시키지 않은 채 입지선정위원회를 임의로 구성하여 의결한 경우 이에 따른 폐기물처리시설 입지결정처분의 하자는 무효사유에 해당한다.

① ×

세액산출근거가 누락된 납세고지서에 의한 과세처분의 하자의 치유를 허용하려면 늦어도 과세처분에 대한 불복 여부의 결정 및 불복신청에 편의를 줄 수 있는 상당한 기간 내에 하여야 한다고 할 것이므로 위 과세처분에 대한 전심절차가 모두 끝나고 상고심의 계류 중에 세액산출근거의 통지가 있었다고 하여 이로써 위 과세처분의 하자가 치유되었다고는 볼 수 없다(대판 1984. 4. 10, 83누393).

② ×

선행행위와 후행행위가 서로 독립하여 각각 별개의 법률효과를 목적으로 하는 때에도, 선행행위의 하자가 중대하고 명백하여 당연무효인 경우 그 하자는 후행행위에 승계되어 후행 행정행위도 당연무효가 된다.

적법한 건축물에 대한 철거명령은 그 하자가 중대하고 명백하여 당연무효라고 할 것이고, 그 후행행위인 건축물철거 대집행계고처분 역시 당연무효라고 할 것이다(대판 1999. 4. 27, 97누6780).

③ ×

장애연금 지급을 위한 장애등급결정은 장애연금지급청구권을 취득할 당시, 즉 치료종결 후 신체 등에 장애가 있게 된 당시의 법령에 따르는 것이 원칙이다.

국민연금법상 장애연금은 국민연금 가입 중에 생긴 질병이나 부상으로 완치된 후에도 신체상 또는 정신상의 장애가 있는 자에 대하여 그 장애가 계속되는 동안 장애 정도에 따라 지급되는 것으로서, 치료종결 후에도 신체 등에 장애가 있을 때 지급사유가 발생하고 그때 가입자는 장애연금 지급청구권을 취득한다. 따라서 장애연금 지급을 위한 장애등급 결정은 장애연금지급청구권을 취득할 당시, 즉 치료종결 후 신체 등에 장애가 있게 된 당시의 법령에 따르는 것이 원칙이다(대 2014. 10. 15, 2012두15135).

④ ○

구 「폐기물처리시설 설치촉진 및 주변지역지원 등에 관한 법률」에 정한 입지선정위원회가 그 구성방법 및 절차에 관한 같은 법 시행령의 규정에 위배하여 군수와 주민대표가 선정·추천한 전문가를 포함시키지 않은 채 임의로 구성되어 의결을 한 경우, 그에 터잡아 이루어진 폐기물처리시설 입지결정처분의 하자는 중대한 것이고 객관적으로도 명백하므로 무효사유에 해당한다(대판 2007. 4. 12, 2006두20150).

정답 14 ④

15 정답률 79% 중 2017 지방직 7급

다음 중 무효인 행정행위에 해당하는 것을 모두 고른 것은? (다툼이 있는 경우 판례에 의함)

□□□ ㉠ 환경영향평가법상 환경영향평가를 실시하여야 할 사업에 대하여 환경영향평가를 거치지 않고 행한 승인처분

□□□ ㉡ 과세처분의 근거가 되었던 법률규정에 대해 위헌결정이 내려진 이후 당해 처분의 집행을 위해 행한 체납처분

□□□ ㉢ 행정절차법상 청문절차를 거쳐야 하는 처분임에도 청문절차를 결여한 처분

□□□ ㉣ 택지개발촉진법상 택지개발예정지구를 지정함에 있어 거쳐야 하는 관계중앙행정기관의 장과의 협의를 거치지 않은 택지개발예정지구 지정처분

① ㉠, ㉡ ② ㉠, ㉣
③ ㉡, ㉢ ④ ㉢, ㉣

관련기출

㉡

1. 조세 부과의 근거가 되었던 법률규정이 위헌으로 선언된 경우, 그 위헌결정의 기속력 때문에 그 위헌결정 이후 조세채권의 집행을 위한 새로운 체납처분에 착수하거나 이를 속행하는 것은 더 이상 허용되지 않는다. 이러한 위헌결정의 효력에 위배하여 이루어진 체납처분은 그 사유만으로 하자가 중대하고 객관적으로 명백하여 당연무효이다. (○, ×) 2024 변호사
2. 과세처분 이후에 조세부과의 근거가 되었던 법률규정에 대하여 위헌결정이 있었으나, 과세처분에 대한 제소기간이 이미 경과하여 조세채권이 확정된 경우에는 그 조세채권의 집행을 위한 새로운 체납처분은 당연무효가 아니다. (○, ×) 2024 해경간부
3. 과세처분 이후 조세부과의 근거가 되었던 법률규정에 대하여 헌법재판소에서 위헌결정이 내려진 후 그 조세채권의 집행을 위한 체납처분은 당연무효이다. (○, ×) 2023 군무원 7급
4. 법률이 위헌으로 선언된 경우, 위헌결정 전에 이미 형성된 법률관계에 기한 후속처분은 비록 그것이 새로운 위헌적 법률관계를 생성·확대하는 경우라도 당연무효라 볼 수는 없다. (○, ×) 2016 지방직 7급

1. ○ 2. × 3. ○ 4. ×

㉢

1. 행정청이 청문을 거쳐야 하는 처분을 하면서 청문절차를 거치지 않는 경우에는 그 처분은 위법하지만 당연무효인 것은 아니다. (○, ×) 2015 국가직 9급
2. 행정청이 침해적 행정처분을 하기 전에 청문을 실시해야 하는 경우 청문을 결여한 처분은 위법한 처분으로서 취소사유에 해당한다. (○, ×) 2014 국회직 8급
3. 침해적 행정처분을 할 때 처분의 근거법령 등에서 청문을 실시하도록 규정하고 있다면 행정절차법 등의 예외에 해당하지 않는 한 반드시 청문을 실시하여야 하며, 그러한 절차를 결여한 처분은 위법한 처분으로서 당연무효이다. (○, ×) 2012 지방직(상) 9급

1. ○ 2. ○ 3. ×

① ㉠㉡이 무효인 행정행위에 해당한다.

㉠ ○

구 환경영향평가법상 환경영향평가를 실시하여야 할 사업에 대하여 환경영향평가를 거치지 아니하였음에도 승인 등 처분을 한 경우, 그 처분은 당연무효라는 것이 판례의 입장이다(대판 2006. 6. 30, 2005두14363).

㉡ ○

과세처분 이후 조세 부과의 근거가 되었던 법률규정에 대하여 위헌결정이 내려진 경우, 그 조세채권의 집행을 위한 체납처분(현 강제징수)은 당연무효가 된다는 것이 판례의 입장이다(대판 2012. 2. 16, 2010두10907 전합).

㉢ **빈출** ×

> 행정처분의 근거법령 등에서 청문의 실시를 규정하고 있는 경우, 청문절차를 결여한 처분은 위법하여 취소사유에 해당한다.
> 행정청이 특히 침해적 행정처분을 할 때 그 처분의 근거법령 등에서 청문을 실시하도록 규정하고 있다면, 행정절차법 등 관련법령상 청문을 실시하지 않아도 되는 예외적인 경우에 해당하지 않는 한 반드시 청문을 실시하여야 하며, 그러한 절차를 결여한 처분은 위법한 처분으로서 취소사유에 해당한다(대판 2007. 11. 16, 2005두15700).

㉣ ×

> 건설부장관(현 국토교통부장관)이 관계중앙행정기관의 장과 협의를 거치지 아니하고 택지개발예정지구를 지정한 경우, 지정처분이 당연무효가 되는 하자에 해당하는 것은 아니다(즉, 취소사유로 봄)(대판 2000. 10. 13, 99두653).

정답 15 ①

16 중

2017 교육행정직 9급

행정행위의 하자에 관한 설명으로 옳은 것은? (단, 다툼이 있는 경우 판례에 따름)

□□□ ① 무효인 행정행위에는 공정력과 불가쟁력이 발생한다.

□□□ ② 당연무효인 징계처분의 하자는 징계를 받은 자의 용인으로 치유된다.

□□□ ③ 적법한 권한위임 없이 세관출장소장이 한 관세부과처분은 당연무효이다.

□□□ ④ 취소소송의 제기기간을 경과하여 확정력이 발생한 행정처분에는 위헌결정의 소급효가 미치지 않는다.

관련기출

④

1. 이미 취소소송의 제기기간을 경과하여 확정력이 발생한 행정처분에는 그 근거가 되는 법률에 대한 위헌결정의 소급효가 미치지 않는다. (○, ×)
2023 소방직 9급
2. 처분이 있은 날로부터 1년이 도과한 처분으로서 당연무효에 해당하는 하자가 없는 경우, 그 처분의 근거법령이 위헌결정되었다면 원칙적으로 소급효가 미친다. (○, ×)
2020 국회직 8급
3. 대법원은 처분이 있은 후에 근거법률이 위헌으로 결정된 경우, 그 처분은 법률의 근거가 없이 행하여진 것과 마찬가지의 하자가 인정되므로 불가쟁력이 발생하였다 하더라도 위헌결정의 소급효가 미친다고 보았다. (○, ×)
2012 국가직 7급

1. ○ 2. × 3. ×

① ×

무효인 행정행위에는 행정행위의 효력이 발생하지 않으므로 행정행위의 효력인 공정력이 인정되지 않으며, 불가쟁력 또한 발생하지 않는다.

② ×

징계처분이 중대하고 명백한 흠 때문에 당연무효의 것이라면 징계처분을 받은 자가 이를 용인하였다 하여 그 흠이 치료되는 것은 아니라는 것이 판례의 입장이다(대판 1989. 12. 12, 88누8869).

③ ×

무권한자의 행위이지만 판례가 무효로 보지 않은 경우이다.

> 적법한 권한위임 없이 세관출장소장이 행한 관세부과처분은 그 하자가 중대하지만 객관적으로 명백하다고 할 수 없어 당연무효는 아니다(대판 2004. 11. 26, 2003두2403).

④ ○

> 이미 취소소송의 제기기간을 경과하여 확정력(불가쟁력)이 발생한 행정처분에는 위헌결정의 소급효가 미치지 않는다.
>
> 위헌결정의 효력은 그 결정 이후에 당해 법률이 재판의 전제가 되었음을 이유로 법원에 제소된 일반사건에도 미치므로, 당해 법률에 근거하여 행정처분이 발하여진 후에 헌법재판소가 그 행정처분의 근거가 된 법률을 위헌으로 결정하였다면 결과적으로 행정처분은 법률의 근거가 없이 행하여진 것과 마찬가지가 되어 하자가 있는 것이 되나, 이미 취소소송의 제기기간을 경과하여 확정력이 발생한 행정처분의 경우에는 위헌결정의 소급효가 미치지 않는다고 보아야 할 것이다(대판 2002. 11. 8, 2001두3181).

정답 16 ④

17 중 2016 국회직 8급

행정행위의 하자에 대한 설명으로 옳은 것은? (다툼이 있는 경우 판례에 의함)

□□□ ① 선행 행정행위가 당연무효이더라도 양자가 서로 독립하여 별개의 효과를 목적으로 하는 경우에는 후행 행정행위가 당연무효가 되는 것은 아니다.

□□□ ② 학교보건법에 따른 학교환경위생정화구역 내에서의 금지행위 및 해제 여부에 관한 행정처분을 하면서 학교위생정화위원회의 심의절차를 누락한 것은 당연무효사유이다.

□□□ ③ 처분 당시 당사자가 어떠한 근거와 이유로 처분이 이루어진 것인지 충분히 알 수 있어서 그에 불복하여 행정구제절차로 나아가는 데에 별다른 지장이 없었던 것으로 인정되는 경우에도 처분서에 처분의 근거와 이유가 구체적으로 명시되어 있지 않았다면, 그 처분은 위법한 것으로 된다.

□□□ ④ 선행 사업인정과 후행 수용재결 사이에는 하자가 승계된다.

□□□ ⑤ 과세처분 이후 조세 부과의 근거가 되었던 법률규정에 대하여 헌법재판소의 위헌결정이 내려진 경우, 비록 체납처분의 근거법률에 대하여 따로 위헌결정이 내려진 바 없더라도 그 조세채권의 집행을 위한 체납처분은 당연무효이다.

관련기출

②

1. 구 학교보건법상 학교환경위생정화구역에서의 금지행위 및 시설의 해제 여부에 관한 행정처분을 함에 있어 학교환경위생정화위원회의 심의절차를 누락한 것은 취소사유가 된다. (○, ×) 2023 소방간부
2. 학교환경위생정화위원회의 심의절차를 누락한 채 학교환경위생정화구역에서의 금지행위 및 시설해제 여부에 관한 행정처분을 한 경우 무효사유에 해당한다. (○, ×) 2022 소방직 9급
3. 구 학교보건법상 학교환경위생정화구역에서의 금지행위 및 시설의 해제 여부에 관한 행정처분을 함에 있어 학교환경위생정화위원회의 심의절차를 누락한 행정처분은 무효이다. (○, ×) 2017 지방직(하) 9급

1. ○ 2. × 3. ×

④

1. (甲의 토지는 공익사업의 대상지역으로 「공익사업을 위한 토지 등의 취득 및 보상에 관한 법률」에 따라 사업인정절차를 거쳐 甲의 토지에 대한 수용재결이 있었다) 위 사업인정에 취소사유인 위법이 있는 경우 사업인정의 하자는 후행처분인 수용재결에 승계되지 않는다. (○, ×) 2016 서울시 7급
2. 판례는 재개발사업시행인가처분과 토지수용재결처분의 사이에 하자승계를 인정한다. (○, ×) 2012 경행특채 변형

1. ○ 2. ×

① ×

선행행위와 후행행위가 서로 독립하여 각각 별개의 법률효과를 목적으로 하는 때에도 선행행위의 하자가 중대하고 명백하여 당연무효인 경우 그 하자는 후행행위에 승계되어 후행 행정행위도 당연무효가 된다는 것이 판례의 입장이다(14 ② 해설 참조).

② ×

> 구 학교보건법상 학교환경위생정화구역의 금지행위 및 시설의 해제 여부에 관한 행정처분을 함에 있어 학교환경위생정화위원회의 심의를 누락한 행정처분에는 취소사유가 있다(대판 2007. 3. 15, 2006두15806).

③ ×

> 행정절차법 제23조 제1항의 규정취지를 고려해 볼 때 처분서에 기재된 내용과 관계법령 및 당해 처분에 이르기까지 전체적인 과정 등을 종합적으로 고려하여, 처분 당시 당사자가 어떠한 근거와 이유로 처분이 이루어진 것인지를 충분히 알 수 있어서 그에 불복하여 행정구제절차로 나아가는 데에 별다른 지장이 없었던 것으로 인정되는 경우에는 처분서에 처분의 근거와 이유가 구체적으로 명시되어 있지 않았다고 하더라도 그로 말미암아 그 처분이 위법한 것으로 된다고 할 수는 없다(대판 2013. 11. 14, 2011두18571).

④ **빈출** ×

> 선행 사업인정과 후행 수용재결 사이는 하자의 승계가 부정된다(대판 1992. 12. 11, 92누5584).

⑤ ○

과세처분 이후 조세 부과의 근거가 되었던 법률규정에 대하여 위헌결정이 내려진 경우, 비록 체납처분(현 강제징수)의 근거규정 자체에 대해서는 따로 위헌결정이 내려진 바 없더라도 그 조세채권의 집행을 위한 체납처분은 당연무효가 된다는 것이 판례의 입장이다(대판 2012. 2. 16, 2010두10907 전합).

정답 17 ⑤

18 중 2014 사회복지직 9급

행정행위의 하자의 치유에 대한 설명으로 옳지 않은 것은? (다툼이 있는 경우 판례에 의함)

□□□ ① 행정행위의 하자의 치유는 원칙적으로 허용될 수 없고, 예외적으로 행정행위의 무용한 반복을 피하고 당사자의 법적 안정성을 위해 허용하는 때에도 국민의 권리나 이익을 침해하지 않는 범위에서 인정될 수 있다.

□□□ ② 행정청이 청문서 도달기간을 다소 어겼다고 하더라도 상대방이 이의를 제기하지 아니한 채 스스로 청문일에 출석하여 방어의 기회를 충분히 가졌다면 청문서 도달기간을 준수하지 아니한 하자는 치유된다.

□□□ ③ 당연무효인 징계처분을 받은 자가 이를 용인하였다면 그 징계처분의 하자는 치유된다.

□□□ ④ 하자의 치유는 늦어도 행정처분에 대한 불복 여부의 결정 및 불복신청을 할 수 있는 상당한 기간 내에 해야 하므로, 소가 제기된 이후에는 하자의 치유가 인정될 수 없다.

관련기출

④

1. (A시 시장은 식품접객업주 甲에게 청소년고용금지업소에 청소년을 고용하였다는 사유로 식품위생법령에 근거하여 영업정지 2개월 처분에 갈음하는 과징금 부과처분을 하였고, 甲은 부과된 과징금을 납부하였다. 그러나 甲은 이후 과징금 부과처분에 하자가 있음을 알게 되었다) A시 시장이 과징금 부과처분을 함에 있어 과징금부과통지서의 일부 기재가 누락되어 이를 이유로 甲이 관할 행정법원에 과징금 부과처분의 취소를 구하는 소를 제기한 경우, A시 시장은 취소소송절차가 종결되기 전까지 보정된 과징금 부과처분 통지서를 송달하면 일부 기재 누락의 하자는 치유된다. (○, ×) 2022 국가직 9급
2. 행정처분의 이유제시가 아예 결여되어 있는 경우에 이를 사후적으로 추완하거나 보완하는 것은 늦어도 당해 행정처분에 대한 쟁송이 제기되기 전에는 행해져야 위법성이 치유될 수 있다. (○, ×) 2018 지방직 9급
3. 이유부기를 결한 행정행위는 무효이며 그 흠의 치유를 인정하지 아니하는 것이 판례의 입장이다. (○, ×) 2018 국회직 8급

1. × 2. ○ 3. ×

① ○

하자 있는 행정행위의 치유는 행정행위의 성질이나 법치주의의 관점에서 볼 때 원칙적으로 허용될 수 없는 것이고, 예외적으로 행정행위의 무용한 반복을 피하고 당사자의 법적 안정성을 위해 허용되는 때에도 국민의 권리나 이익을 침해하지 않는 범위 내에서 구체적 사정에 따라 합목적적으로 인정해야 할 것이다(대판 1992. 5. 8, 91누13274).

② ○

행정청이 식품위생법상의 청문절차를 이행함에 있어 청문서 도달기간을 다소 어겼지만 영업자가 이의하지 아니한 채 청문일에 출석하여 의견을 진술하고 변명하는 등 방어의 기회를 충분히 가졌다면 하자는 치유된다는 것이 판례의 입장이다(대판 1992. 10. 23, 92누2844).

③ ×

무효인 행정행위에 대해서는 하자의 치유를 인정하지 않는다. 징계처분이 중대하고 명백한 흠 때문에 당연무효의 것이라면 징계처분을 받은 자가 이를 용인하였다 하여 그 흠이 치료되는 것은 아니라고 봄이 판례의 입장이다(대판 1989. 12. 12, 88누8869).

④ **빈출** ○

과세처분에 이유제시를 하도록 한 것은 납세의무자에게 처분의 내용을 상세히 알려서 불복 여부의 결정 및 불복신청에 편의를 주려는 데 그 취지가 있으므로, 하자의 치유는 늦어도 과세처분에 대한 불복 여부의 결정 및 불복신청에 편의를 줄 수 있는 상당한 기간 내에 이루어져야 한다(대판 1983. 7. 26, 82누420).

정답 18 ③

19 중 2013 서울시 7급

행정행위에 대한 설명 중 옳은 것은?

□□□ ① 헌법재판소법 제47조는 위헌으로 결정된 법률 또는 법률의 조항은 원칙적으로 그 법률 또는 법률 조항이 제정된 날까지 소급하여 관련된 사건의 효력을 상실시킨다고 규정하고 있다.

□□□ ② 당해 처분에 이미 불가쟁력이 발생하였거나 법적 안정성이 요구되는 경우에도 소급효를 인정하고 있다.

□□□ ③ 중대 · 명백설은 하자 있는 행정처분이 당연무효이기 위해서는 그 하자가 적법요건의 중대한 위반과 일반인의 관점에서도 외관상 명백한 것을 기준으로 한다.

□□□ ④ 행정처분이 있는 후에 집행단계에서 그 처분의 근거가 된 법률이 위헌으로 결정되는 경우 그 처분의 집행을 위한 행위는 위헌결정의 기속력에 위반되는 것이 아니므로 이를 허용한다.

① ×

헌법재판소법 제47조【위헌결정의 효력】 ② 위헌으로 결정된 법률 또는 법률의 조항은 그 결정이 있는 날부터 효력을 상실한다.

② ×

1. 이미 취소소송의 제기기간을 경과하여 확정력(불가쟁력)이 발생한 행정처분에는 위헌결정의 소급효가 미치지 않는다(대판 2002. 11. 8, 2001두3181).
2. 법적 안정성의 유지나 당사자의 신뢰보호를 위하여 불가피한 경우에는 위헌결정의 소급효가 제한된다(대판 2005. 11. 10, 2005두5628).

③ ○

중대 · 명백설은 하자가 중대하고 명백할 것을 요구하는바, 하자의 중대성이란 행정행위가 중대한 법률요건을 위반하고 그 위반 정도가 상대적으로 심한 경우를 말하며, 하자의 명백성이란 일반인의 판단에 의해서도 그 하자가 있음이 외관상 분명한 것을 말한다.

④ ×

위헌법률에 기한 행정처분의 집행을 위한 행위는 위헌결정의 기속력에 위반되어 허용되지 않는다는 것이 판례의 입장이다(대판 2002. 8. 23, 2001두2959).

정답 19 ③

20 상

2011 지방직(상) 9급

행정행위의 하자에 대한 판례의 입장으로 옳지 않은 것은?

□□□ ① (구)「폐기물처리시설 설치촉진 및 주변지역지원 등에 관한 법률」에서 정한 입지선정위원회가 군수와 주민대표가 선정 · 추천한 전문가를 포함시키지 않은 채 임의로 구성되어 의결한 경우 폐기물처리시설 입지결정처분의 하자는 중대하고 명백하므로 무효사유에 해당한다.

□□□ ② 대집행에 있어서 선행처분인 계고처분이 하자가 있는 위법한 처분이라면 후행처분인 대집행영장발부통보처분도 위법한 것이라고 주장할 수 있다.

□□□ ③ 부동산을 양도한 사실이 없음에도 세무당국이 부동산을 양도한 것으로 오인한 양도소득세 부과처분은 착오에 의한 행정처분으로서 취소할 수 있는 행정행위에 해당한다.

□□□ ④ 주민등록말소처분이 주민등록법에 규정한 최고 · 공고의 절차를 거치지 아니하였다 하더라도 그러한 하자는 중대하고 명백한 것이라고 할 수 없어 처분의 당연무효사유에 해당하지 않는다.

관련기출

③

1. 부동산을 양도한 사실이 없음에도 세무당국이 부동산을 양도한 것으로 오인하여 양도소득세를 부과하였다면 그 부과처분은 착오에 의한 행정처분으로서 그 표시된 내용에 중대하고 명백한 하자가 있어 당연무효이다. (O, ×)

2015 경행특채 2차

1. O

① O

구「폐기물처리시설 설치촉진 및 주변지역지원 등에 관한 법률」에 정한 입지선정위원회가 그 구성방법 및 절차에 관한 같은 법 시행령의 규정에 위배하여 군수와 주민대표가 선정 · 추천한 전문가를 포함시키지 않은 채 임의로 구성되어 의결을 한 경우, 그에 터잡아 이루어진 폐기물처리시설 입지결정처분의 하자는 중대한 것이고 객관적으로도 명백하므로 무효사유에 해당한다(대판 2007. 4. 12, 2006두20150).

② O

후행처분인 대집행영장발부통보처분의 취소를 청구하는 소송에서 청구원인으로 선행처분인 계고처분이 위법한 것이기 때문에 그 계고처분을 전제로 행하여진 대집행영장발부통보처분도 위법한 것이라는 주장을 할 수 있다(대판 1996. 2. 9, 95누12507).

③ ×

부동산을 양도한 사실이 없는 자에 대한 양도소득세 부과처분은 당연무효이다.
부동산을 양도한 사실이 없음에도 세무당국이 부동산을 양도한 것으로 오인하여 양도소득세를 부과하였다면 그 부과처분은 착오에 의한 행정처분으로서 그 표시된 내용에 중대하고 명백한 하자가 있어 당연무효이다(대판 1983. 8. 23, 83누179).

④ O

관할행정청이 주민등록신고시 거주용 여권의 무효확인서를 첨부하지 아니하고 여행용 여권의 무효확인서를 첨부하는 위법이 있었다고 하여 주민등록을 말소하는 처분을 한 경우 이 처분이 주민등록법 제17조의2에 규정한 최고, 공고의 절차를 거치지 아니하였다 하더라도 그러한 하자는 중대하고 명백한 것이라고 할 수 없어 처분의 당연무효사유에 해당하는 것이라고는 할 수 없고 …… (대판 1994. 8. 26, 94누3223)

정답 20 ③

02 행정행위의 하자승계

기 350~357쪽 핵 T 33

21 빈출 정답률 82% 중 2024 소방직 9급

취소할 수 있는 행정행위의 하자의 승계에 관한 설명으로 옳은 것은? (다툼이 있는 경우 판례에 의함)

□□□ ① 선행처분인 대집행계고처분에 불가쟁력이 발생하였다면, 후행처분인 대집행영장발부통보처분을 다투는 데 있어서 대집행계고처분이 위법하다는 것을 이유로 후행행위 또한 위법한 것이라 주장할 수 없다.

□□□ ② 선행처분과 후행처분이 서로 독립하여 별개의 효과를 목적으로 하는 경우에도 선행처분의 불가쟁력이나 구속력이 그로 인하여 불이익을 입게 되는 자에게 수인한도를 넘는 가혹함을 가져오며, 그 결과가 당사자에게 예측가능한 것이 아닌 경우에는 선행처분의 위법사유가 후행처분에 승계된다.

□□□ ③ 구 경찰공무원법에 따른 직위해제처분과 면직처분은 후자가 전자의 처분을 전제로 한 것이기 때문에 선행처분의 위법사유가 후행행위에 승계된다.

□□□ ④ 과세관청의 소득처분과 그에 따른 소득금액변동통지가 있는 경우 원천징수의무자인 법인은 원천징수하는 소득세의 납세의무에 관하여는 이를 확정하는 소득금액변동통지에 대한 항고소송에서 다툴 수 있고, 소득금액변동통지의 하자는 후행처분인 징수처분에 그대로 승계된다.

관련기출

①

1. 대집행의 계고, 대집행영장에 의한 통지, 대집행의 실행, 대집행비용의 납부명령은 동일한 행정목적을 달성하기 위하여 일련의 절차로 연속하여 행하여지는 것으로서, 서로 결합하여 하나의 법률효과를 발생시키는 것이다. (O, X) 2018 서울시 9급
2. 행정대집행법상 선행처분인 계고처분의 하자는 대집행영장발부통보처분에 승계된다. (O, X) 2018 국가직 9급
3. 대집행에 있어서 선행처분인 계고처분이 하자가 있는 위법한 처분이라면 후행처분인 대집행영장발부통보처분의 취소를 청구하는 소송에서 청구원인으로 선행처분인 계고처분이 위법한 것이기 때문에 그 계고처분을 전제로 행하여진 대집행영장발부통보처분도 위법한 것이라는 주장을 할 수 있다. (O, X) 2017 경행경채
4. 행정대집행에서의 계고와 대집행영장의 통지는 판례가 행정행위의 하자의 승계를 인정한다. (O, X) 2017 서울시 9급

1. O 2. O 3. O 4. O

① **빈출** 정답률 6% ×

후행처분인 대집행영장발부통보처분의 취소청구소송에서 선행처분인 계고처분이 위법하다는 이유로 대집행영장발부통보처분도 위법한 것이라는 주장을 할 수 있다(하자승계를 긍정한 판례).

대집행의 계고, 대집행영장에 의한 통지, 대집행의 실행, 대집행에 요한 비용의 납부명령 등은 타인이 대신하여 행할 수 있는 행정의무의 이행을 의무자의 비용부담하에 확보하고자 하는, 동일한 행정목적을 달성하기 위하여 단계적인 일련의 절차로 연속하여 행하여지는 것으로서, 서로 결합하여 하나의 법률효과를 발생시키는 것이므로, 선행처분인 계고처분이 하자가 있는 위법한 처분이라면, …… 후행처분인 대집행영장발부통보처분의 취소를 청구하는 소송에서 청구원인으로 선행처분인 계고처분이 위법한 것이기 때문에 그 계고처분을 전제로 행하여진 대집행영장발부통보처분도 위법한 것이라는 주장을 할 수 있다(대판 1996. 2. 9, 95누12507).

② **빈출** 정답률 82% ○

개별공시지가결정과 과세처분은 비록 별개의 효과를 목적으로 하는 것이기는 하나 관계인에게 수인한도를 넘는 불이익을 강요하는 것인 경우에는 과세처분에 대한 취소소송에서 개별공시지가결정의 위법을 주장할 수 있다(개별공시지가결정과 과세처분 간의 하자승계 긍정).

선행처분과 후행처분이 서로 독립하여 별개의 법률효과를 목적으로 하는 때에는 선행처분에 불가쟁력이 생겨 그 효력을 다툴 수 없게 된 경우에는 선행처분의 하자가 중대하고 명백하여 당연무효인 경우를 제외하고는 선행처분의 하자를 이유로 후행처분의 효력을 다툴 수 없는 것이 원칙이나 선행처분과 후행처분이 서로 독립하여 별개의 효과를 목적으로 하는 경우에도 선행처분의 불가쟁력이나 구속력이 그로 인하여 불이익을 입게 되는 자에게 수인한도를 넘는 가혹함을 가져오며, 그 결과가 당사자에게 예측가능한 것이 아닌 경우에는 국민의 재판받을 권리를 보장하고 있는 헌법의 이념에 비추어 선행처분의 후행처분에 대한 구속력은 인정될 수 없다(대판 1994. 1. 25, 93누8542).

③ **빈출** 정답률 4% ×

선행 직위해제처분의 위법사유를 들어 후행 면직처분의 효력을 다툴 수 없다.

구 경찰공무원법 제50조 제1항에 의한 직위해제처분과 같은 제3항에 의한 면직처분은 후자가 전자의 처분을 전제로 한 것이기는 하나 각각 단계적으로 별개의 법률효과를 발생하는 행정처분이어서 선행직위해제처분의 위법사유가 면직처분에는 승계되지 아니한다 할 것이므로 선행된 직위해제처분의 위법사유를 들어 면직처분의 효력을 다툴 수는 없다(대판 1984. 9. 11, 84누191).

④ **빈출** 정답률 6% ×

과세관청의 소득금액변동통지와 징수처분(납세고지) 사이에는 하자의 승계가 부정된다.

원천징수의무자인 법인이 원천징수하는 소득세의 납세의무를 이행하지 아니함에 따라 과세관청이 하는 납세고지(현 납부고지)는 확정된 세액의 납부를 명하는 징수처분에 해당하므로 선행처분인 소득금액변동통지에 하자가 존재하더라도 당연무효 사유에 해당하지 않는 한 후행처분인 징수처분에 그대로 승계되지 아니한다. 따라서 과세관청의 소득처분과 그에 따른 소득금액변동통지가 있는 경우 원천징수하는 소득세의 납세의무에 관하여는 이를 확정하는 소득금액변동통지에 대한 항고소송에서 다투어야 하고, 소득금액변동통지가 당연무효가 아닌 한 징수처분에 대한 항고소송에서 이를 다툴 수는 없다(대판 2012. 1. 26, 2009두14439).

정답 21 ②

22 중

2024 소방간부

행정행위의 하자의 승계에 관한 설명으로 옳지 않은 것은? (다툼이 있는 경우 판례에 의함)

□□□ ① 건물철거명령이 당연무효가 아닌 이상 후행행위인 대집행계고처분에 대한 취소소송에서 건물철거명령의 위법사유를 주장할 수 없다.

□□□ ② 개별공시지가결정에 중대하고 명백한 하자가 있을 경우 개별공시지가결정의 하자를 이유로 이를 기초로 한 과세처분의 위법성을 주장할 수 있다.

□□□ ③ 도시 · 군계획시설결정과 실시계획인가는 도시 · 군계획시설사업을 위하여 이루어지는 단계적 행정절차에서 서로 결합하여 하나의 법률효과를 발생시키므로 선행처분인 도시·군계획시설결정의 하자는 후행처분인 실시계획인가에 승계된다.

□□□ ④ 병역법상 보충역편입처분과 공익근무요원소집처분은 각각 단계적으로 별개의 법률효과를 발생하는 독립된 행정처분이므로, 보충역편입처분에 하자가 있다고 할지라도 그것이 당연무효라고 볼만한 특단의 사정이 없는 한 그 위법을 이유로 공익근무요원소집처분의 효력을 다툴 수 없다.

□□□ ⑤ 수용보상금의 증액을 구하는 소송에서, 선행처분으로서 그 수용대상 토지가격 산정의 기초가 된 비교표준지공시지가결정의 위법을 독립한 사유로 주장할 수 있다.

관련기출

①

1. 건물철거명령이 당연무효가 아니고 불가쟁력이 발생하였다면 건물철거명령의 하자를 이유로 후행 대집행계고처분의 효력을 다툴 수 없다. (○, ×) 2022 국가직 9급

1. ○

③

1. 도시 · 군계획시설결정과 실시계획인가는 서로 결합하여 도시 · 군계획시설사업의 실시라는 하나의 법적 효과를 완성하므로, 도시 · 군계획시설결정의 하자는 실시계획인가에 승계된다. (○, ×) 2020 지방직 · 서울시 7급
2. 「국토의 계획 및 이용에 관한 법률」상 도시 · 군계획시설결정과 실시계획인가는 동일한 법률효과를 목적으로 하는 것이므로 선행처분인 도시 · 군계획시설결정의 하자는 실시계획인가에 승계된다. (○, ×) 2018 국가직 9급

1. × 2. ×

① 빈출 ○

건물철거명령과 같이 의무를 명하는 행위와 계고 간에는 의무부과행위가 당연무효가 아닌 한 하자의 승계가 인정되지 않는다고 함이 통설 · 판례의 입장이다.

> 건물철거명령이 당연무효가 아닌 이상 행정심판이나 소송을 제기하여 그 위법함을 소구하는 절차를 거치지 아니하였다면 위 선행행위인 건물철거명령은 적법한 것으로 확정되었다고 할 것이므로 후행행위인 대집행계고처분에서는 그 건물이 무허가건물이 아닌 적법한 건축물이라는 주장이나 그러한 사실인정을 하지 못한다(대판 1998. 9. 8, 97누20502).

② ○

선행행위가 무효인 경우에는 선행행위의 무효는 당연히 후행 행정행위에 승계되어 후행행위도 무효로 된다. 따라서 선행 개별공시지가결정에 중대하고 명백한 하자가 있는 경우 개별공시지가결정의 하자를 이유로 이를 기초로 한 과세처분의 위법성을 주장할 수 있다.

③ ×

> 도시 · 군계획시설결정과 도시 · 군계획시설사업실시계획인가는 하자가 승계되지 않는다.
>
> 도시 · 군계획시설결정과 실시계획인가는 도시 · 군계획시설사업을 위하여 이루어지는 단계적 행정절차에서 별도의 요건과 절차에 따라 별개의 법률효과를 발생시키는 독립적인 행정처분이다. 그러므로 선행처분인 도시 · 군계획시설결정에 하자가 있더라도 그것이 당연무효가 아닌 한 원칙적으로 후행처분인 실시계획인가에 승계되지 않는다(대판 2017. 7. 18, 2016두49938).

④ 빈출 ○

> 보충역편입처분과 공익근무요원소집처분은 양자가 별개의 법률효과를 목표로 하는 것이므로 선행처분에 대한 하자는 후행처분에 승계되지 않는다.
>
> 병역법상 보충역편입처분과 공익근무요원소집처분이 각각 단계적으로 별개의 법률효과를 발생하는 독립된 행정처분이라고 할 것이므로, 따라서 보충역편입처분의 기초가 되는 신체등위판정에 잘못이 있다는 이유로 이를 다투기 위하여는 신체등위판정을 기초로 한 보충역편입처분에 대하여 쟁송을 제기하여야 할 것이며, 그 처분을 다투지 아니하여 이미 불가쟁력이 생겨 그 효력을 다툴 수 없게 된 경우에는, 병역처분변경신청에 의하는 경우는 별론으로 하고, 보충역편입처분에 하자가 있다고 할지라도 그것이 당연무효라고 볼 만한 특단의 사정이 없는 한 그 위법을 이유로 공익근무요원소집처분의 효력을 다툴 수 없다(대판 2002. 12. 10, 2001두5422).

⑤ 빈출 ○

> 수용보상금의 증액을 구하는 소송에서 선행처분으로서 그 수용대상 토지가격 산정의 기초가 된 비교표준지공시지가결정의 위법을 독립한 사유로 주장할 수 있다(표준공시지가와 수용재결(보상금 결정) 간 하자승계 긍정).
>
> 위법한 표준지공시지가결정에 대하여 그 정해진 시정절차를 통하여 시정하도록 요구하지 않았다는 이유로 위법한 표준지공시지가를 기초로 한 수용재결 등 후행 행정처분에서 표준지공시지가결정의 위법을 주장할 수 없도록 하는 것은 수인한도를 넘는 불이익을 강요하는 것으로서 국민의 재산권과 재판받을 권리를 보장한 헌법의 이념에도 부합하는 것이 아니다. 따라서 표준지공시지가결정이 위법한 경우에는 그 자체를 행정소송의 대상이 되는 행정처분으로 보아 그 위법 여부를 다툴 수 있음은 물론, 수용보상금의 증액을 구하는 소송에서도 선행처분으로서 그 수용대상 토지가격 산정의 기초가 된 비교표준지공시지가결정의 위법을 독립한 사유로 주장할 수 있다(대판 2008. 8. 21, 2007두13845).

정답 22 ③

23

정답률 77% 중 2023 지방직 · 서울시 9급

행정행위의 하자의 승계에 대한 설명으로 옳지 않은 것은?

□□□ ① 2개 이상의 행정처분이 연속적 또는 단계적으로 이루어지는 경우 선행처분과 후행처분이 서로 합하여 1개의 법률효과를 완성하는 때에는 선행처분에 하자가 있으면 그 하자는 후행처분에 승계된다.

□□□ ② 선행처분과 후행처분이 서로 독립하여 별개의 법률효과를 발생시키는 경우에는 선행처분에 불가쟁력이 생겨 그 효력을 다툴 수 없게 되면 수인한도를 넘는 가혹함을 가져오며 그 결과가 당사자에게 예측가능하지 않더라도 하자의 승계가 인정되지 않는다.

□□□ ③ 과세관청의 선행처분인 소득금액변동통지에 하자가 존재하더라도 당연무효사유에 해당하지 않는 한 후행처분인 징수처분에 대한 항고소송에서 그 하자를 다툴 수 없다.

□□□ ④ 수용보상금의 증액을 구하는 소송에서는 선행처분으로서 그 수용대상 토지가격 산정의 기초가 된 비교표준지공시지가결정의 위법을 독립된 사유로 주장할 수 있다.

관련기출

②

1. 선행행위와 후행행위가 서로 독립하여 별개의 법률효과를 목적으로 하는 경우라도 선행행위의 불가쟁력이나 구속력이 그로 인하여 불이익을 입는 자에게 수인한도를 넘는 가혹함을 가져오고 그 결과가 예측가능한 것이 아닌 때에는 하자의 승계를 인정할 수 있다. (○, ×) 2017 지방직 9급

1. ○

③

1. 선행처분인 소득금액변동통지에 하자가 존재하더라도 당연무효사유에 해당하지 않는 한 그 하자는 후행처분인 소득세 납세고지처분에 그대로 승계되지 아니한다. (○, ×) 2022 지방직 7급

1. ○

④

1. 표준지공시지가결정과 수용보상금에 대한 재결은 판례가 하자의 승계를 인정한다. (○, ×) 2023 군무원 5급
2. 구 「부동산 가격공시 및 감정평가에 관한 법률」상 선행처분인 표준지공시지가의 결정에 하자가 있는 경우에 그 하자는 보상금 산정을 위한 수용재결에 승계된다. (○, ×) 2023 국회직 8급, 2018 국가직 9급
3. 표준지공시지가결정이 위법한 경우에 그 자체의 위법 여부를 다툴 수 있음은 물론 수용보상금의 증액을 구하는 소송에서도 선행처분으로서 비교표준지공시지가결정의 위법을 독립된 사유로 주장할 수 있다. (○, ×) 2022 서울시 7급

1. ○ 2. ○ 3. ○

---

① ○

② ×

1. 2개 이상의 행정처분이 연속적 또는 단계적으로 이루어지는 경우 선행처분과 후행처분이 서로 합하여 1개의 법률효과를 완성하는 때에는 선행처분에 하자가 있으면 그 하자는 후행처분에 승계된다(①). 이러한 경우에는 선행처분에 불가쟁력이 생겨 그 효력을 다툴 수 없게 되더라도 선행처분의 하자를 이유로 후행처분의 효력을 다툴 수 있다.
2. 그러나 선행처분과 후행처분이 서로 독립하여 별개의 법률 효과를 발생시키는 경우에는 선행처분에 불가쟁력이 생겨 그 효력을 다툴 수 없게 되면 선행처분의 하자가 중대하고 명백하여 선행처분이 당연무효인 경우를 제외하고는 특별한 사정이 없는 한 선행 처분의 하자를 이유로 후행처분의 효력을 다툴 수 없는 것이 원칙이다. 다만 그 경우에도 선행처분의 불가쟁력이나 구속력이 그로 인하여 불이익을 입게 되는 자에게 수인한도를 넘는 가혹함을 가져오고, 그 결과가 당사자에게 예측가능한 것이 아니라면, 국민의 재판받을 권리를 보장하고 있는 헌법의 이념에 비추어 선행처분의 후행처분에 대한 구속력을 인정할 수 없다(즉, 하자의 승계가 인정된다)(②)(대판 2019. 1. 31, 2017두40372).

③ ○

과세관청의 소득금액변동통지와 징수처분(납세고지) 사이에는 하자의 승계가 부정된다.

과세관청의 소득처분과 그에 따른 소득금액변동통지가 있는 경우 원천징수의무자인 법인은 소득금액변동통지서를 받은 날에 그 통지서에 기재된 소득의 귀속자에게 당해 소득금액을 지급한 것으로 의제되어 그때 원천징수하는 소득세의 납세의무가 성립함과 동시에 확정되므로 소득금액변동통지는 원천징수의무자인 법인의 납세의무에 직접 영향을 미치는 과세관청의 행위로서 항고소송의 대상이 된다. 그리고 원천징수의무자인 법인이 원천징수하는 소득세의 납세의무를 이행하지 아니함에 따라 과세관청이 하는 납세고지(현 납부고지)는 확정된 세액의 납부를 명하는 징수처분에 해당하므로 선행처분인 소득금액변동통지에 하자가 존재하더라도 당연무효 사유에 해당하지 않는 한 후행처분인 징수처분에 그대로 승계되지 아니한다. 따라서 과세관청의 소득처분과 그에 따른 소득금액변동통지가 있는 경우 원천징수하는 소득세의 납세의무에 관하여는 이를 확정하는 소득금액변동통지에 대한 항고소송에서 다투어야 하고, 소득금액변동통지가 당연무효가 아닌 한 징수처분에 대한 항고소송에서 이를 다툴 수는 없다(대판 2012. 1. 26, 2009두14439).

④ ○

수용보상금의 증액을 구하는 소송에서 선행처분으로서 그 수용대상 토지가격 산정의 기초가 된 비교표준지공시지가결정의 위법을 독립한 사유로 주장할 수 있다〔표준공시지가와 수용재결(보상금 결정) 간 승계 긍정〕.

위법한 표준지공시지가결정에 대하여 그 정해진 시정절차를 통하여 시정하도록 요구하지 않았다는 이유로 위법한 표준지공시지가를 기초로 한 수용재결 등 후행 행정처분에서 표준지공시지가결정의 위법을 주장할 수 없도록 하는 것은 수인한도를 넘는 불이익을 강요하는 것으로서 국민의 재산권과 재판받을 권리를 보장한 헌법의 이념에도 부합하는 것이 아니다. 따라서 표준지공시지가결정이 위법한 경우에는 그 자체를 행정소송의 대상이 되는 행정처분으로 보아 그 위법 여부를 다툴 수 있음은 물론, 수용보상금의 증액을 구하는 소송에서도 선행처분으로서 그 수용대상 토지가격 산정의 기초가 된 비교표준지공시지가결정의 위법을 독립한 사유로 주장할 수 있다(대판 2008. 8. 21, 2007두13845).

정답 23 ②

24 빈출 상 2008 국가직 9급

다음 사례에 관한 설명으로 옳은 것은?

> A는 본인 소유의 토지를 乙에게 매도하였고, 관할 세무서장은 위 토지의 양도 당시의 기준시가로서 이 토지의 개별공시지가를 기준으로 양도소득세를 부과하였다. 그런데 양도소득세가 지나치게 많다고 생각한 A는 개별공시지가결정이 있은 지 1년 넘게 지나고 나서야 개별공시지가에 대하여 이의가 있으면 개별공시지가의 경정 · 공시일로부터 30일 이내에 이의를 신청할 수 있다는 사실과 이 개별공시지가가 자신의 토지에 대하여는 잘못된 사실판단으로 인하여 지나치게 높게 결정되었다는 사실을 알게 되었다.

□□□ ① A는 개별공시지가결정을 대상으로 취소소송을 제기하여 이를 다투면 된다.

□□□ ② 개별공시지가결정이 무효라 하더라도 A는 개별공시지가결정이 잘못되었음을 이유로 양도소득세 부과처분의 위법을 주장할 수 없다.

□□□ ③ 개별공시지가의 결정과 이를 기초로 한 과세처분은 동일한 목적을 달성하기 위하여 일련의 절차로 연속하여 행하여지는 것으로서 양 행위는 서로 결합된 처분이라고 보는 것이 다수설의 입장이다.

□□□ ④ 대법원은 관계인의 수인한도를 넘어 불이익을 강요하는 경우에는 과세처분의 위법사유로서 개별공시지가결정의 위법을 주장할 수 있다고 판시한 바 있다.

① ×
개별공시지가결정은 처분이 있은 날로부터 1년이 경과하였으므로 불가쟁력이 발생한다. 따라서 취소소송을 제기하여 다툴 수는 없다.

② ×
선행처분이 무효라면 그 하자는 후행처분에 항상 승계된다는 것이 일반적 견해이므로, 선행처분인 개별공시지가결정이 무효인 경우 양도소득세처분 또한 위법하게 되므로 양도소득세 부과처분의 위법을 주장할 수 있다.

③ ×
개별공시지가결정과 양도소득세 부과처분은 별개의 독립된 처분으로 보는 것이 다수설의 입장이다.

④ ○

> 개별공시지가결정과 과세처분은 비록 별개의 효과를 목적으로 하는 것이기는 하나 관계인에게 수인한도를 넘는 불이익을 강요하는 것인 경우에는 과세처분에 대한 취소소송에서 개별공시지가결정의 위법을 주장할 수 있다(대판 1994. 1. 25, 93누8542).

정답 24 ④

제 17 강 행정행위의 폐지(취소 · 철회) 및 실효

1회독	2회독	3회독
/	/	/

⊘정답률 공단기/소방단기 합격예측 풀서비스 통계 데이터 기준 기 기본서 핵 핵심집약

01 행정행위의 폐지 기 360~374쪽 핵 T 34~35

❶ 행정행위의 취소

01 빈출 정답률 76% 중 2024 소방직 9급

행정행위에 관한 설명으로 옳은 것만을 고른 것은? (다툼이 있는 경우 판례에 의함)

□□□ ㉠ 변상금 부과처분에 대한 취소소송이 진행 중이라도 그 부과권자로서는 위법한 처분을 스스로 취소하고 그 하자를 보완하여 다시 적법한 부과처분을 할 수도 있다.

□□□ ㉡ 과세예고 통지 후 과세전적부심사청구나 그에 대한 결정이 있기도 전에 과세처분을 하는 것은 절차상 하자가 중대하고도 명백하여 무효이다.

□□□ ㉢ 권한 없는 행정기관이 한 당연무효의 행정처분을 취소할 수 있는 권한은 당해 행정처분을 한 처분청에 속한다.

□□□ ㉣ 수익적 행정처분의 하자가 당사자의 사실은폐나 기타 사위의 방법에 의한 신청행위에 기인한 것이라면 당사자는 처분에 의한 이익이 위법하게 취득되었음을 알아 취소가능성도 예상하고 있었다 할 것이므로, 그 자신이 처분에 관한 신뢰이익을 원용할 수 없음은 물론 행정청이 이를 고려하지 아니하였다고 하여도 재량권의 남용이 되지 않는다.

① ㉠, ㉡ ② ㉠, ㉢, ㉣
③ ㉡, ㉢, ㉣ ④ ㉠, ㉡, ㉢, ㉣

관련기출

㉡

1. 과세관청이 과세예고 통지 후 과세전적부심사청구나 그에 대한 결정이 있기 전에 과세처분을 한 경우, 특별한 사정이 없는 한 그 과세처분은 절차상 하자가 중대 · 명백하여 당연무효이다. (○, ×) 2019 국가직 7급
2. 과세관청이 과세예고 통지 후 과세전적부심사청구나 그에 대한 결정이 있기 전에 국세부과처분을 한 경우, 특별한 사정이 없는 한 그 하자가 중대 · 명백하다고 볼 수 없어 당연무효가 아닌 취소사유에 해당한다. (○, ×) 2018 국가직 7급

1. ○ 2. ×

㉠ **빈출** ○

처분에 대한 취소소송이 진행 중이라도 부과권자는 처분을 직권취소할 수 있다.

변상금 부과처분에 대한 취소소송이 진행 중이라도 그 부과권자로서는 위법한 처분을 스스로 취소하고 그 하자를 보완하여 다시 적법한 부과처분을 할 수도 있다(대판 2006. 2. 10, 2003두5686).

㉡ **빈출** ○

과세관청이 과세예고 통지 후 과세전적부심사청구나 그에 대한 결정이 있기 전에 과세처분을 한 경우, 원칙적으로 절차상 하자가 중대 · 명백하여 과세처분은 무효가 된다.

국세기본법 및 국세기본법 시행령이 과세전적부심사를 거치지 않고 곧바로 과세처분을 할 수 있거나 과세전적부심사에 대한 결정이 있기 전이라도 과세처분을 할 수 있는 예외사유로 정하고 있다는 등의 특별한 사정이 없는 한, 과세예고통지 후 과세전적부심사청구나 그에 대한 결정이 있기도 전에 과세처분을 하는 것은 원칙적으로 과세전적부심사 이후에 이루어져야 하는 과세처분을 그보다 앞서 함으로써 과세전적부심사제도 자체를 형해화시킬 뿐만 아니라 과세전적부심사 결정과 과세처분 사이의 관계 및 불복절차를 불분명하게 할 우려가 있으므로, 그와 같은 과세처분은 납세자의 절차적 권리를 침해하는 것으로서 절차상 하자가 중대하고도 명백하여 무효이다(대판 2016. 12. 27, 2016두49228).

㉢ **빈출** ○

권한 없는 행정기관이 한 당연무효인 행정처분의 취소권자는 당해 처분을 한 처분청이다.

권한 없는 행정기관이 한 당연무효인 행정처분을 취소할 수 있는 권한은 당해 행정처분을 한 처분청에 속하고, 당해 행정처분을 할 수 있는 적법한 권한을 가지는 행정청에 그 취소권이 귀속되는 것이 아니다(대판 1984. 10. 10, 84누463).

㉣ **빈출** ○

수익적 행정처분의 하자가 당사자의 사실은폐나 기타 사위의 방법에 의한 신청행위에 기인한 경우, 당사자의 신뢰이익을 고려하지 않았다고 하더라도 재량권의 남용이 되지 않는다.

수익적 행정처분을 취소할 때에는 이를 취소하여야 할 공익상의 필요와 그 취소로 인하여 당사자가 입게 될 기득권과 신뢰보호 및 법률생활 안정의 침해 등 불이익을 비교 · 교량한 후 공익상의 필요가 당사자가 입을 불이익을 정당화할 만큼 강한 경우에 한하여 취소할 수 있으며, 나아가 수익적 행정처분의 하자가 당사자의 사실은폐나 기타 사위의 방법에 의한 신청행위에 기인한 것이라면 당사자는 처분에 의한 이익이 위법하게 취득되었음을 알아 취소가능성도 예상하고 있었다 할 것이므로, 그 자신이 처분에 관한 신뢰이익을 원용할 수 없음은 물론 행정청이 이를 고려하지 아니하였다고 하여도 재량권의 남용이 되지 않는다(대판 2006. 5. 25, 2003두4669).

정답 01 ④

02 정답률 84% 중 2024 국가직 9급

행정행위의 직권취소 및 철회에 대한 설명으로 옳지 않은 것은? (다툼이 있는 경우 판례에 의함)

□□□ ① 처분에 대하여 행정심판이나 행정소송이 제기되어 쟁송이 진행되고 있는 도중에는 행정청은 스스로 대상 처분을 취소할 수 없다.

□□□ ② 행정청은 사정변경으로 적법한 처분을 더 이상 존속시킬 필요가 없게 된 경우 그 처분의 전부 또는 일부를 장래를 향하여 철회할 수 있다.

□□□ ③ 제소기간의 경과 등으로 처분에 불가쟁력이 발생하였다 하여도 행정청은 실권의 법리에 해당하지 않는다면 직권으로 처분을 취소할 수 있다.

□□□ ④ 행정청은 위법 또는 부당한 처분의 전부나 일부를 소급하여 취소할 수 있다. 다만, 당사자의 신뢰를 보호할 가치가 있는 등 정당한 사유가 있는 경우에는 장래를 향하여 취소할 수 있다.

관련기출

①
1. 변상금 부과처분에 대한 취소소송이 진행 중인 경우 부과권자는 위법한 처분을 스스로 취소하고 그 하자를 보완하여 다시 적법한 부과처분을 할 수 없다. (○, ×) 2024 지방직·서울시 9급, 2023 경찰간부
2. 행정청은 행정소송이 계속되고 있는 때에는 직권으로 해당 처분을 변경할 수 없다. (○, ×) 2021 행정사
3. 행정행위의 위법 여부에 대하여 취소소송이 이미 진행 중인 경우 처분청은 위법을 이유로 그 행정행위를 직권취소할 수 없다. (○, ×) 2019 국가직 7급
4. 취소소송이 진행 중이라도 처분권자는 위법한 처분을 스스로 취소하고 그 하자를 보완하여 다시 적법한 처분을 할 수 있다. (○, ×) 2015 국가직 7급

1. × 2. × 3. × 4. ○

① 정답률 84% ×

처분에 대한 취소소송이 진행 중이라도 부과권자는 처분을 직권취소할 수 있다.

변상금 부과처분에 대한 취소소송이 진행 중이라도 그 부과권자로서는 위법한 처분을 스스로 취소하고 그 하자를 보완하여 다시 적법한 부과처분을 할 수도 있다(대판 2006. 2. 10, 2003두5686).

② 정답률 2% ○

행정기본법 제19조【적법한 처분의 철회】 ① 행정청은 적법한 처분이 다음 각 호의 어느 하나에 해당하는 경우에는 그 처분의 전부 또는 일부를 장래를 향하여 철회할 수 있다.
1. 법률에서 정한 철회사유에 해당하게 된 경우
2. 법령 등의 변경이나 사정변경으로 처분을 더 이상 존속시킬 필요가 없게 된 경우
3. 중대한 공익을 위하여 필요한 경우

③ 정답률 8% ○

불가쟁력이 발생하였다고 하더라도 불가변력이 발생하는 것은 아니므로 행정청은 실권의 법리에 해당하지 않는다면 직권으로 처분을 취소할 수 있다.

④ 정답률 4% ○

행정기본법 제18조【위법 또는 부당한 처분의 취소】 ① 행정청은 위법 또는 부당한 처분의 전부나 일부를 소급하여 취소할 수 있다. 다만, 당사자의 신뢰를 보호할 가치가 있는 등 정당한 사유가 있는 경우에는 장래를 향하여 취소할 수 있다.

정답 02 ①

03 빈출 중 2024 변호사

하자 있는 행정행위에 관한 설명 중 옳은 것(○)과 옳지 않은 것(×)을 올바르게 조합한 것은? (다툼이 있는 경우 판례에 의함)

□□□ ㉠ 행정행위를 한 행정청은 비록 발령 당시에는 별다른 하자가 없었고 또 철회할 수 있다는 개별법상 별도의 법적 근거가 없다 하더라도 그 발령 후에 중대한 공익상의 필요가 있는 때에는 공익·사익 간 비교·형량을 거쳐 그 행정행위를 장래를 향하여 철회할 수 있다.

□□□ ㉡ 행정청은 하자 있는 행정행위의 전부 또는 일부를 소급하여 취소할 수 있는 것이 원칙이나, 당사자의 신뢰를 보호할 가치가 있는 등 정당한 사유가 있을 때에는 장래를 향하여 취소할 수 있다.

□□□ ㉢ 취소되는 수익적 행정처분의 하자가 당사자의 사실은폐나 기타 사위(詐僞)의 방법에 의한 신청행위에 기인한 것이라면 당사자는 처분에 관한 신뢰이익을 원용할 수 없지만, 행정청이 이를 고려하지 아니한 경우에는 재량권의 일탈·남용이 된다.

□□□ ㉣ 행정행위 하자의 치유는 행정행위의 성질이나 법치주의의 관점에서 볼 때 원칙적으로 허용될 수 없지만, 예외적으로 행정행위의 무용한 반복을 피하고 당사자의 법적 안정성을 위해서는 내용상 하자뿐 아니라 절차상 하자도 치유될 수 있다.

① ㉠(×), ㉡(×), ㉢(×), ㉣(○)
② ㉠(○), ㉡(×), ㉢(○), ㉣(×)
③ ㉠(×), ㉡(×), ㉢(○), ㉣(○)
④ ㉠(○), ㉡(○), ㉢(○), ㉣(×)
⑤ ㉠(○), ㉡(○), ㉢(×), ㉣(×)

관련기출

㉠

1. (판례에 따르면) 행정행위를 한 처분청은 처분 당시에 별다른 하자가 없었고, 또 그 처분 후에 이를 철회할 별도의 법적 근거가 없다면 사정변경을 이유로 그 효력을 상실케 하는 별개의 행정행위로 이를 철회할 수 없다. (○, ×) 2018 지방직 9급
2. 행정행위를 한 처분청은 비록 그 처분 당시에 별다른 하자가 없었고, 또 그 처분 후에 이를 취소할 별도의 법적 근거가 없다 하더라도 원래의 처분을 존속시킬 필요가 없게 된 사정변경이 생겼거나 또는 중대한 공익상의 필요가 발생한 경우에는 그 효력을 상실케 하는 별개의 행정행위로 이를 취소할 수 있다. (○, ×) 2017 경행경채
3. 처분 당시에 별다른 하자가 없이 일단 적법하게 성립한 행정행위는 별도의 법적 근거가 없이는 철회할 수 없다. (○, ×) 2012 국가직 9급

1. × 2. ○ 3. ×

㉠ 빈출 ○

처분청은 별도의 법적 근거가 없더라도 행정행위를 철회하거나 변경할 수 있다.

행정행위를 한 처분청은 그 처분 당시에 그 행정처분에 별다른 하자가 없었고 또 그 처분 후에 이를 취소할 별도의 법적 근거가 없다 하더라도 원래의 처분을 그대로 존속시킬 필요가 없게 된 사정변경이 생겼거나 또는 중대한 공익상의 필요가 발생한 경우에는 별개의 행정행위로 이를 철회하거나 변경할 수 있다(대판 1992. 1. 17, 91누3130).

행정기본법 제19조【적법한 처분의 철회】 ① 행정청은 적법한 처분이 다음 각 호의 어느 하나에 해당하는 경우에는 그 처분의 전부 또는 일부를 장래를 향하여 철회할 수 있다.
1. 법률에서 정한 철회사유에 해당하게 된 경우
2. 법령 등의 변경이나 사정변경으로 처분을 더 이상 존속시킬 필요가 없게 된 경우
3. 중대한 공익을 위하여 필요한 경우

② 행정청은 제1항에 따라 처분을 철회하려는 경우에는 철회로 인하여 당사자가 입게 될 불이익을 철회로 달성되는 공익과 비교·형량하여야 한다.

㉡ ○

행정기본법 제18조【위법 또는 부당한 처분의 취소】 ① 행정청은 위법 또는 부당한 처분의 전부나 일부를 소급하여 취소할 수 있다. 다만, 당사자의 신뢰를 보호할 가치가 있는 등 정당한 사유가 있는 경우에는 장래를 향하여 취소할 수 있다.

㉢ ×

수익적 행정처분의 하자가 당사자의 사실은폐나 기타 사위의 방법에 의한 신청행위에 기인한 것이라면 당사자는 처분에 의한 이익이 위법하게 취득되었음을 알아 취소가능성도 예상하고 있었다 할 것이므로, 그 자신이 처분에 관한 신뢰이익을 원용할 수 없음은 물론 행정청이 이를 고려하지 아니하였더라도 재량권의 남용이 되지 아니한다(대판 2014. 11. 27, 2013두16111).

㉣ ×

판례는 내용상의 하자에 대해서는 치유를 인정하지 않고 있다. 제16강 참조

1. 하자 있는 행정행위의 치유는 원칙적으로 허용될 수 없는 것이고, 예외적으로 법적 안정성을 위해 이를 허용하는 때에도 국민의 권리나 이익을 침해하지 않는 범위에서 구체적 사정에 따라 합목적적으로 인정하여야 할 것이다.

   하자 있는 행정행위의 치유는 행정행위의 성질이나 법치주의의 관점에서 볼 때 원칙적으로 허용될 수 없는 것이고, 예외적으로 행정행위의 무용한 반복을 피하고 당사자의 법적 안정성을 위해 허용되는 때에도 국민의 권리나 이익을 침해하지 않는 범위 내에서 구체적 사정에 따라 합목적적으로 인정해야 할 것이다(대판 1992. 5. 8, 91누13274).
2. 하자가 행정처분의 내용에 관한 것인 경우에는 치유가 인정되지 않는다.

   행정행위의 성질이나 법치주의의 관점에서 볼 때 하자 있는 행정행위의 치유는 원칙적으로 허용될 수 없을 뿐만 아니라 이를 허용하는 경우에도 국민의 권리와 이익을 침해하지 않는 범위에서 구체적 사정에 따라 합목적적으로 가려야 할 것이다. …… 사업계획변경인가처분에 관한 하자가 행정처분의 내용에 관한 것이고 새로운 노선면허가 소 제기 이후에 이루어진 사정 등에 비추어 하자의 사후적 치유를 인정하지 아니한다(대판 1991. 5. 28, 90누1359).

정답 03 ⑤

04 정답률 82% 중 2023 군무원 9급

행정행위의 취소와 철회에 대한 설명으로 옳지 않은 것은? (다툼이 있는 경우 판례에 의함)

□□□ ① 한 사람이 여러 종류의 자동차운전면허를 취득하는 경우뿐 아니라 이를 취소함에 있어서도 서로 별개의 것으로 취급하는 것이 원칙이다.

□□□ ② 당사자가 처분의 위법성을 중대한 과실로 알지 못한 경우에는 행정청은 당사자에게 이익을 부여하는 처분의 취소로 인하여 당사자가 입게 될 불이익을 취소로 달성되는 공익과 비교 · 형량하지 않아도 된다.

□□□ ③ 행정청은 정당한 사유가 있는 경우에는 처분을 장래를 향하여 취소할 수 있다.

□□□ ④ 처분청은 행정처분에 하자가 있는 경우에는 별도의 법적 근거가 있어야만 스스로 이를 취소할 수 있다.

관련기출

①

1. 행정청이 여러 종류의 자동차운전면허를 취득한 자에 대해 그 운전면허를 취소하는 경우, 취소사유가 특정 면허에 관한 것이 아니고 다른 면허와 공통된 것이거나 운전면허를 받은 사람에 관한 것일 경우에는 여러 면허를 전부 취소할 수 있다. (○, ×) 2018 지방직 9급
2. 여러 종류의 자동차운전면허는 서로 별개의 것으로 취급하는 것이 원칙이나, 취소사유가 특정 면허에 관한 것이 아니고 다른 면허와 공통된 것이거나 운전면허를 받은 사람에 관한 것일 경우에는 여러 면허를 전부 취소할 수도 있다. (○, ×) 2016 서울시 7급
3. 운전면허 취소사유가 그 사람이 가진 여러 면허에 공통된 것이라면 그 면허 전부를 취소할 수 있다. (○, ×) 2015 경행특채 1차

1. ○ 2. ○ 3. ○

④

1. 행정처분을 한 행정청은 그 처분의 성립에 하자가 있는 경우 이를 취소할 별도의 법적 근거가 없다 하더라도 직권으로 이를 취소할 수 있다. (○, ×) 2024 소방직 9급, 2022 국회직 8급
2. 처분청은 행정처분에 하자가 있는 경우라도 취소에 관한 별도의 법적 근거가 없으면 해당 행정처분을 스스로 취소할 수 없다. (○, ×) 2023 국회직 8급, 2022 소방직 9급
3. 하자 있는 처분을 직권으로 취소하는 것은 행정청이 법률의 근거규정 없이도 할 수 있는 조치이다. (○, ×) 2018 국가직 9급

1. ○ 2. × 3. ○

① **빈출** ○

> 1. 한 사람이 여러 종류의 자동차운전면허를 취득한 경우 이를 취소 또는 정지할 때 서로 별개의 것으로 취급하는 것이 원칙이다.
> 2. 취소사유가 특정 면허에 관한 것이 아니고 다른 면허와 공통된 것이거나 운전면허를 받은 사람에 관한 것일 경우, 여러 면허를 전부 취소할 수 있다(대판 2012. 5. 24, 2012두1891).

②③ ○

> 행정기본법 제18조【위법 또는 부당한 처분의 취소】① 행정청은 위법 또는 부당한 처분의 전부나 일부를 소급하여 취소할 수 있다. 다만, 당사자의 신뢰를 보호할 가치가 있는 등 정당한 사유가 있는 경우에는 장래를 향하여 취소할 수 있다(③).
> ② 행정청은 제1항에 따라 당사자에게 권리나 이익을 부여하는 처분을 취소하려는 경우에는 취소로 인하여 당사자가 입게 될 불이익을 취소로 달성되는 공익과 비교 · 형량(衡量)하여야 한다. 다만, 다음 각 호의 어느 하나에 해당하는 경우에는 그러하지 아니하다.
> 1. 거짓이나 그 밖의 부정한 방법으로 처분을 받은 경우
> 2. 당사자가 처분의 위법성을 알고 있었거나 중대한 과실로 알지 못한 경우(②)

④ **빈출** ×

판례는 처분청은 취소에 관한 별도의 법적 근거가 없더라도 행정행위를 취소할 수 있다고 본다. 한편, 최근 제정된 행정기본법에서는 행정청은 위법 또는 부당한 처분의 전부나 일부를 취소할 수 있다는 법적 근거를 마련해 두고 있다(동법 제18조).

> 처분청은 별도의 법적 근거가 없더라도 처분을 직권으로 취소할 수 있다.
> 개별토지에 대한 가격결정도 행정처분에 해당하며, 원래 행정처분을 한 처분청은 그 행위에 하자가 있는 경우에는 원칙적으로 별도의 법적 근거가 없더라도 스스로 이를 직권으로 취소할 수 있는 것이다(대판 1995. 9. 15, 95누6311).

정답 04 ④

05 정답률 78% 중 2023 국가직 9급

행정행위의 취소와 철회에 대한 설명으로 옳지 않은 것은? (다툼이 있는 경우 판례에 의함)

① 행정기본법은 직권취소나 철회의 일반적 근거규정을 두고 있고, 직권취소나 철회는 개별법률의 근거가 없어도 가능하다.

② 행정행위의 철회사유는 행정행위가 성립되기 이전에 발생한 것으로서 행정행위의 효력을 존속시킬 수 없는 사유를 말한다.

③ 수익적 처분이 상대방의 허위 기타 부정한 방법으로 인하여 행하여졌다면 상대방은 그 처분이 그와 같은 사유로 인하여 취소될 것임을 예상할 수 있으므로, 이러한 경우까지 상대방의 신뢰를 보호하여야 하는 것은 아니다.

④ 수익적 행정처분을 직권취소할 때에는 이를 취소하여야 할 중대한 공익상 필요와 취소로 인하여 처분상대방이 입게 될 기득권과 법적 안정성에 대한 침해 정도 등 불이익을 비교·교량한 후 공익상 필요가 처분상대방이 입을 불이익을 정당화할 만큼 강한 경우에 한하여 취소할 수 있다.

관련기출

②

1. 처분의 취소사유는 원칙적으로 처분의 성립 당시에 존재하였던 하자를 말하고 철회사유는 처분이 성립된 이후에 새로이 발생한 것으로서 처분의 효력을 존속시킬 수 없는 사유를 말한다. (○, ×) 2023 소방간부, 2017 경행경채
2. 행정행위의 철회는 적법요건을 구비하여 완전히 효력을 발하고 있는 행정행위를 사후적으로 효력을 장래에 향해 소멸시키는 별개의 행정처분이다. (○, ×) 2022 군무원 9급
3. 행정행위의 철회는 장래에 향하여 원행정행위의 효력을 상실시키는 효력을 갖는다. (○, ×) 2022 소방간부
4. 철회는 적법요건을 구비하여 완전히 효력을 발하고 있는 행정행위를 사후적으로 그 행위의 효력의 전부 또는 일부를 장래에 향해 소멸시키는 행정처분이다. (○, ×) 2013 경행특채

1. ○ 2. ○ 3. ○ 4. ○

③

1. 수익적 행정처분에 하자가 있음을 이유로 처분청이 이를 취소하는 경우, 그 처분의 하자가 당사자의 사실은폐나 기타 사위의 방법에 의한 신청행위에 기인한 것이라면, 처분의 상대방은 그 처분에 의한 이익이 위법하게 취득되었음을 알아 그 취소가능성도 예상하고 있었다고 할 것이므로 행정청이 당사자의 신뢰이익을 고려하지 아니하였다고 하여도 재량권의 남용이 되지 아니한다. (○, ×) 2021 경행경채

1. ○

① ○

행정기본법 제정 이전에도 직권취소나 철회는 별도의 법적 근거가 없어도 가능하다는 것이 판례의 입장이었으며, 행정기본법은 직권취소나 철회의 일반적 근거규정을 두고 있다.

> **행정기본법 제18조【위법 또는 부당한 처분의 취소】** ① 행정청은 위법 또는 부당한 처분의 전부나 일부를 소급하여 취소할 수 있다. 다만, 당사자의 신뢰를 보호할 가치가 있는 등 정당한 사유가 있는 경우에는 장래를 향하여 취소할 수 있다.
>
> **제19조【적법한 처분의 철회】** ① 행정청은 적법한 처분이 다음 각 호의 어느 하나에 해당하는 경우에는 그 처분의 전부 또는 일부를 장래를 향하여 철회할 수 있다.
> 1. 법률에서 정한 철회사유에 해당하게 된 경우
> 2. 법령 등의 변경이나 사정변경으로 처분을 더 이상 존속시킬 필요가 없게 된 경우
> 3. 중대한 공익을 위하여 필요한 경우

1. 처분청은 별도의 법적 근거가 없더라도 처분을 직권으로 취소할 수 있다(대판 1995. 9. 15, 95누6311).
2. 처분청은 별도의 법적 근거가 없더라도 행정행위를 철회하거나 변경할 수 있다(대판1992. 1. 17, 91누3130 ; 대판 1995. 2. 28, 94누7713 ; 대판 1995. 6. 9, 95누1194).

② **빈출** ×

철회사유는 행정행위가 성립된 이후에 새로이 발생한 것이어야 한다.

행정행위의 취소는 일단 유효하게 성립한 행정행위를 그 행위에 위법 또는 부당한 하자가 있음을 이유로 소급하여 그 효력을 소멸시키는 별도의 행정처분이고, 행정행위의 철회는 적법요건을 구비하여 완전히 효력을 발하고 있는 행정행위를 사후적으로 그 행위의 효력의 전부 또는 일부를 장래에 향해 소멸시키는 행정처분이므로, 행정행위의 취소사유는 행정행위의 성립 당시에 존재하였던 하자를 말하고, 철회사유는 행정행위가 성립된 이후에 새로이 발생한 것으로서 행정행위의 효력을 존속시킬 수 없는 사유를 말한다(대판 2003. 5. 30, 2003다6422).

③ ○

수익적 행정처분의 하자가 당사자의 사실은폐나 기타 사위의 방법에 의한 신청행위에 기인한 것이라면 당사자는 처분에 의한 이익이 위법하게 취득되었음을 알아 취소가능성도 예상하고 있었다 할 것이므로, 그 자신이 처분에 관한 신뢰이익을 원용할 수 없음은 물론 행정청이 이를 고려하지 아니하였더라도 재량권의 남용이 되지 아니한다(대판 2014. 11. 27, 2013두16111).

④ ○

수익적 행정처분을 취소할 때에는 이를 취소하여야 할 중대한 공익상 필요와 취소로 인하여 처분상대방이 입게 될 기득권과 법적 안정성에 대한 침해 정도 등 불이익을 비교·교량한 후 공익상 필요가 처분상대방이 입을 불이익을 정당화할 만큼 강한 경우에 한하여 취소할 수 있다(대판 2020. 7. 23, 2019두31839).

정답 05 ②

06 중 2023 소방간부

처분의 취소와 철회에 관한 설명으로 옳지 않은 것은? (다툼이 있는 경우 판례에 의함)

□□□ ① 행정청은 위법 또는 부당한 처분의 전부나 일부를 소급하여 취소할 수 있으나 당사자의 신뢰를 보호할 가치가 있는 경우에는 장래를 향하여 취소할 수 있다.

□□□ ② 과세관청이 조세부과처분을 취소하면 해당 처분은 효력이 상실되지만 이후 이를 다시 취소하는 경우에는 그 조세부과처분의 효력은 당연히 회복된다.

□□□ ③ 처분의 취소사유는 원칙적으로 처분의 성립 당시에 존재하였던 하자를 말하고 철회사유는 처분이 성립된 이후에 새로이 발생한 것으로서 처분의 효력을 존속시킬 수 없는 사유를 말한다.

□□□ ④ 행정청이 종교단체에 대하여 기본재산전환인가를 함에 있어 인가조건을 부가하고 그 불이행시 인가를 취소할 수 있도록 하였다면 그 인가조건은 부관으로서 철회권의 유보에 해당한다.

□□□ ⑤ 수익적 처분에 대한 취소권 등의 행사는 기득권의 침해를 정당화할 만한 중대한 공익상의 필요 또는 제3자의 이익보호의 필요가 있는 때에 한하여 허용되며 이러한 법리는 쟁송취소에는 적용되지 않는다.

관련기출

④

1. 행정청이 종교단체에 대하여 기본재산전환인가를 하면서 인가조건을 부가하고 그 불이행시 인가를 취소할 수 있도록 한 경우, 인가조건의 의미는 철회권을 유보한 것이다. (○, ×) 2022 소방직 9급
2. 행정청이 종교단체에 대하여 기본재산전환인가를 함에 있어 인가조건을 부가하고 그 불이행시 인가를 취소할 수 있도록 한 경우, 그 부관은 철회권의 유보이다. (○, ×) 2022 소방간부, 2014 지방직 9급, 2011 국회직 8급

1. ○ 2. ○

① ○

행정기본법 제18조【위법 또는 부당한 처분의 취소】 ① 행정청은 위법 또는 부당한 처분의 전부나 일부를 소급하여 취소할 수 있다. 다만, 당사자의 신뢰를 보호할 가치가 있는 등 정당한 사유가 있는 경우에는 장래를 향하여 취소할 수 있다.

② ×

과세관청은 부과의 취소를 다시 취소함으로써 원부과처분을 소생시킬 수는 없고 납세의무자에게 종전의 과세대상에 대한 납부의무를 지우려면 다시 법률에서 정한 부과절차에 좇아 동일한 내용의 새로운 처분을 하는 수밖에 없다(대판 1995. 3. 10, 94누7027).

③ ○

행정행위의 취소사유는 행정행위의 성립 당시에 존재하였던 하자를 말하고, 철회사유는 행정행위가 성립된 이후에 새로이 발생한 것으로서 행정행위의 효력을 존속시킬 수 없는 사유를 말한다는 것이 판례의 입장이다(대판 2003. 5. 30, 2003다6422).

④ **빈출** ○

행정청이 종교단체에 대하여 기본재산전환인가를 함에 있어 인가조건을 부가하고 그 불이행시 인가를 취소할 수 있도록 한 경우, 인가조건의 의미는 철회권을 유보한 것이다(대판 2003. 5. 30, 2003다6422).

⑤ ○

수익적 행정처분에 대한 취소권 등의 행사는 기득권의 침해를 정당화할 만한 중대한 공익상의 필요 또는 제3자의 이익보호의 필요가 있는 때에 한하여 허용될 수 있다는 법리는, 처분청이 수익적 행정처분을 직권으로 취소 · 철회하는 경우에 적용되는 법리일 뿐 쟁송취소의 경우에는 적용되지 않는다는 것이 판례의 입장이다(대판 2019. 10. 17, 2018두104).

정답 06 ②

07 빈출 정답률 89% 하 2022 소방직 9급

행정행위의 취소와 철회에 대한 설명으로 옳지 않은 것은? (다툼이 있는 경우 판례에 의함)

① 과세관청은 과세처분의 취소를 다시 취소함으로써 이미 효력을 상실한 원부과처분을 소생시킬 수 없다.

② (구)영유아보육법상 어린이집 평가인증의 취소는 철회에 해당하므로, 평가인증의 효력을 과거로 소급하여 상실시키기 위해서는 특별한 사정이 없는 한 별도의 법적 근거가 필요하다.

③ 행정처분을 한 행정청은 처분의 성립에 하자가 있는 경우라도 별도의 법적 근거가 없으면 직권으로 이를 취소할 수 없다.

④ 세무조사가 과세자료의 수집 또는 신고내용의 정확성 검증이라는 본연의 목적이 아니라 부정한 목적을 위하여 행하여진 것이라면 이는 세무조사에 중대한 위법사유가 있는 경우에 해당하고, 이러한 세무조사에 의하여 수집된 과세자료를 기초로 한 과세처분 역시 위법하다.

관련기출

①

1. 조세부과처분이 취소되면 그 조세부과처분은 확정적으로 효력이 상실되므로 나중에 취소처분이 취소되어도 원 조세부과처분의 효력이 회복되지 않는다. (○, ×) 2023 지방직 · 서울시 7급
2. 과세관청이 조세부과처분을 취소하면 해당 처분은 효력이 상실되지만 이후 이를 다시 취소하는 경우에는 그 조세부과처분의 효력은 당연히 회복된다. (○, ×) 2023 소방간부
3. 과세관청은 과세처분의 취소처분이 당연무효의 하자가 없는 한 이를 다시 취소함으로써 원과세처분을 소생시킬 수 있으며 새로 이 법률에서 정한 절차에 따라 동일한 내용의 처분을 다시 할 필요는 없다. (○, ×) 2021 경행경채
4. 국세기본법상 상속세 부과처분의 취소에 하자가 있는 경우, 부과의 취소의 취소에 대하여는 법률이 명문으로 그 취소요건이나 그에 대한 불복절차에 대하여 따로 규정을 두고 있지 않더라도 과세관청은 부과의 취소를 다시 취소함으로써 원부과처분을 소생시킬 수 있다. (○, ×) 2018 지방직 9급

1. ○ 2. × 3. × 4. ×

②

1. 보건복지부장관이 어린이집에 대한 평가인증이 이루어진 이후에 새로이 발생한 사유를 들어 영유아보육법 제30조 제5항에 따라 평가인증을 철회하는 처분을 하면서도, 그 평가인증의 효력을 과거로 소급하여 상실시키기 위해서는, 특별한 사정이 없는 한 영유아보육법 제30조 제5항과는 별도의 법적 근거가 필요하다. (○, ×) 2020 지방직 · 서울시 7급

1. ○

① ○

과세관청이 부과의 취소를 다시 취소함으로써 원부과처분을 소생시킬 수 없다는 것이 판례의 입장이다(대판 1995. 3. 10, 94누7027).

② ○

철회의 효과가 소급하여 발생하기 위해서는 법률의 근거가 필요하다는 것이 판례의 입장이다.

> 영유아보육법 제30조 제5항 제3호에 따른 평가인증의 취소는 평가인증 당시에 존재하였던 하자가 아니라 그 이후에 새로이 발생한 사유로 평가인증의 효력을 소멸시키는 경우에 해당하므로, 법적 성격은 평가인증의 '철회'에 해당한다. 행정청이 평가인증이 이루어진 이후에 새로이 발생한 사유를 들어 영유아보육법 제30조 제5항에 따라 평가인증을 철회하는 처분을 하면서도, 평가인증의 효력을 과거로 소급하여 상실시키기 위해서는, 특별한 사정이 없는 한 영유아보육법 제30조 제5항과는 별도의 법적 근거가 필요하다(대판 2018. 6. 28, 2015두58195).

③ ×

판례는 처분청은 취소에 관한 별도의 법적 근거가 없더라도 행정행위를 취소할 수 있다고 본다. 한편, 최근 제정된 행정기본법에서는 행정청은 위법 또는 부당한 처분의 전부나 일부를 취소할 수 있다는 법적 근거를 마련해 두고 있다(동법 제18조).

④ 제25강 참조 ○

> 세무조사가 과세자료의 수집 또는 신고내용의 정확성 검증이라는 본연의 목적이 아니라 부정한 목적을 위하여 행하여진 것이라면 이는 세무조사에 중대한 위법사유가 있는 경우에 해당하고 이러한 세무조사에 의하여 수집된 과세자료를 기초로 한 과세처분 역시 위법하다(대판 2016. 12. 15, 2016두47659).

정답 07 ③

08 상 2021 변호사

甲은 「산업집적활성화 및 공장설립에 관한 법률」에 따른 공장설립승인을 받고자 관련 행정절차 일체를 행정사 乙에게 위임하였다. 乙은 관련 서류를 위조하여 공장설립승인을 신청하였고, 甲은 그러한 상황을 알지 못한 관할 A군수로부터 공장설립승인을 받았다. 공장이 설립된 이후 A군수는 관련 서류가 위조된 것을 발견하고 이를 이유로 공장설립승인을 취소하였다. 이에 관한 설명 중 옳은 것을 모두 고른 것은? (다툼이 있는 경우 판례에 의함)

□□□ ㉠ A군수의 공장설립승인 취소처분에 대한 취소소송에서 공장설립승인의 하자나 취소하여야 할 필요성에 관한 증명책임은 A군수에게 있다.

□□□ ㉡ 처분청은 행정처분에 하자가 있는 경우에 별도의 법적 근거가 없더라도 스스로 이를 취소할 수 있는데, 다만 수익적 행정처분의 경우에는 해당 법률에 취소에 관한 별도의 법적 근거가 요구된다.

□□□ ㉢ A군수의 공장설립승인 취소처분에 대하여 불가쟁력이 발생한 이후에는 A군수가 공장설립승인 취소처분을 다시 직권취소할 수 없다.

① ㉠ ② ㉠, ㉡
③ ㉠, ㉡, ㉢ ④ ㉠, ㉢
⑤ ㉡, ㉢

관련기출

㉠

1. 종전 행정처분에 하자가 있음을 전제로 직권으로 이를 취소하는 행정처분의 경우 하자나 취소해야 할 필요성에 관한 증명책임은 기존 이익과 권리를 침해하는 처분을 한 행정청에 있다. (○, ×) 2022 군무원 7급
2. 수익적 행정처분의 경우 상대방의 신뢰보호와 관련하여 직권취소가 제한되나 그 필요성에 대한 입증책임은 기존 이익과 권리를 침해하는 처분을 한 행정청에 있다. (○, ×) 2018 서울시 1회 7급
3. 일정한 행정처분으로 국민이 일정한 이익과 권리를 취득하였을 경우에 종전 행정처분에 하자가 있음을 전제로 직권으로 이를 취소하는 행정처분은 이미 취득한 국민의 기존 이익과 권리를 박탈하는 별개의 행정처분으로, 취소될 행정처분의 하자나 취소해야 할 필요성에 관한 증명책임은 기존 이익과 권리를 침해하는 처분을 한 행정청에 있다. (○, ×) 2016 경행경채

1. ○ 2. ○ 3. ○

㉠ 빈출 ○

국민에게 일정한 이득과 권리를 취득하게 한 종전 행정처분을 취소할 수 있는 경우 취소해야 할 필요성에 대한 증명책임의 소재는 행정청에게 있다.

일정한 행정처분으로 국민이 일정한 이익과 권리를 취득하였을 경우에 종전 행정처분을 취소하는 행정처분은 이미 취득한 국민의 기존 이익과 권리를 박탈하는 별개의 행정처분으로 취소될 행정처분에 하자 또는 취소해야 할 공공의 필요가 있어야 하고, 나아가 행정처분에 하자 등이 있다고 하더라도 취소해야 할 공익상 필요와 취소로 당사자가 입게 될 기득권과 신뢰보호 및 법률생활안정의 침해 등 불이익을 비교·교량한 후 공익상 필요가 당사자가 입을 불이익을 정당화할 만큼 강한 경우에 한하여 취소할 수 있는 것이며, 하자나 취소해야 할 필요성에 관한 증명책임은 기존 이익과 권리를 침해하는 처분을 한 행정청에 있다(대판 2012. 3. 29, 2011두23375).

㉡ ×

행정처분에 하자가 있는 경우 취소에 관한 별도의 법적 근거가 없어도 처분청은 직권으로 처분을 취소할 수 있다는 것이 판례의 입장이다(한편 최근 제정된 행정기본법에는 취소에 관한 법적 근거를 마련해두고 있다).
이는 수익적 행정처분의 경우에도 마찬가지이다. 다만 수익적 행정행위의 취소권행사는 비례의 원칙 등 행정법의 일반원칙에 따른 제한을 받을 뿐이다.

㉢ ×

불가쟁력이 생긴 행위가 당연히 불가변력을 발생시키는 것은 아니다. 따라서 불가쟁력이 발생한 행정행위도 불가변력이 발생하지 않는 한 처분청 등이 직권으로 취소·변경하는 것은 가능하다. A군수의 공장설립승인 취소처분에 대하여 불가쟁력이 발생한 이후라도 A군수는 공장설립승인 취소처분을 다시 직권취소할 수 있다.

정답 08 ①

09 빈출 정답률 86% 중 2021 지방직 · 서울시 9급

행정행위의 취소와 철회에 대한 설명으로 옳지 않은 것은? (다툼이 있는 경우 판례에 의함)

□□□ ① 과세관청은 과세처분의 취소를 다시 취소함으로써 이미 효력을 상실한 과세처분을 소생시킬 수 있다.

□□□ ② 행정청은 적법한 처분이 중대한 공익을 위하여 필요한 경우에는 그 처분을 장래를 향하여 철회할 수 있다.

□□□ ③ 수익적 행정행위의 철회는 특별한 다른 규정이 없는 한 행정절차법상의 절차에 따라 행해져야 한다.

□□□ ④ 처분청은 처분의 성립에 하자가 있는 경우 별도의 법적 근거가 없더라도 직권으로 이를 취소할 수 있다.

① ×

과세관청은 부과의 취소를 다시 취소함으로써 원부과처분을 소생시킬 수는 없고 납세의무자에게 종전의 과세대상에 대한 납부의무를 지우려면 다시 법률에서 정한 부과절차에 좇아 동일한 내용의 새로운 처분을 하는 수밖에 없다는 것이 판례의 입장이다(대판 1995. 3. 10, 94누7027).

② ○

> **행정기본법 제19조【적법한 처분의 철회】** ① 행정청은 적법한 처분이 다음 각 호의 어느 하나에 해당하는 경우에는 그 처분의 전부 또는 일부를 장래를 향하여 철회할 수 있다.
> 1. 법률에서 정한 철회사유에 해당하게 된 경우
> 2. 법령 등의 변경이나 사정변경으로 처분을 더 이상 존속시킬 필요가 없게 된 경우
> 3. 중대한 공익을 위하여 필요한 경우

③ ○

철회 역시 하나의 행정행위이므로 특별한 규정이 없는 한 일반 행정행위와 같은 절차에 따른다. 수익적 행정행위의 철회는 권익을 제한하는 처분이므로 사전통지절차(행정절차법 제21조)와 이유제시(동법 제23조) 등 행정절차법상의 절차를 거쳐야 한다.

④ ○

판례는 처분청은 취소에 관한 별도의 법적 근거가 없더라도 행정행위를 취소할 수 있다고 본다(대판 1995. 9. 15, 95누6311). 한편, 최근 제정된 행정기본법에서는 행정청은 위법 또는 부당한 처분의 전부나 일부를 취소할 수 있다는 법적 근거를 마련해 두고 있다(동법 제18조).

> **행정기본법 제18조【위법 또는 부당한 처분의 취소】** ① 행정청은 위법 또는 부당한 처분의 전부나 일부를 소급하여 취소할 수 있다. 다만, 당사자의 신뢰를 보호할 가치가 있는 등 정당한 사유가 있는 경우에는 장래를 향하여 취소할 수 있다.

정답 09 ①

10 **빈출** 정답률 79% ⓔ 2020 지방직 · 서울시 7급

행정행위의 직권취소 및 철회에 대한 설명으로 옳은 것만을 모두 고르면? (다툼이 있는 경우 판례에 의함)

□□□ ㉠ 과세관청은 세금부과처분을 취소한 처분에 취소 원인인 하자가 있다는 이유로 취소처분을 다시 취소함으로써 원부과처분을 소생시킬 수 있다.

□□□ ㉡ 행정처분을 한 행정청은 원래의 처분을 존속시킬 필요가 없게 된 사정변경이 생겼거나 중대한 공익상의 필요가 생긴 경우 이를 철회할 별도의 법적 근거가 없다 하더라도 별개의 행정행위로 이를 철회할 수 있다.

□□□ ㉢ 보건복지부장관이 어린이집에 대한 평가인증이 이루어진 이후에 새로이 발생한 사유를 들어 영유아보육법 제30조 제5항에 따라 평가인증을 철회하는 처분을 하면서도, 그 평가인증의 효력을 과거로 소급하여 상실시키기 위해서는, 특별한 사정이 없는 한 영유아보육법 제30조 제5항과는 별도의 법적 근거가 필요하다.

□□□ ㉣ 면허의 취소처분에는 그 근거가 되는 법령이나 취소권유보의 부관 등을 명시하여야 함은 물론 처분을 받은 자가 어떠한 위반사실에 대하여 당해 처분이 있었는지를 알 수 있을 정도로 사실을 적시할 것을 요하지만, 이와 같은 취소처분의 근거와 위반사실의 적시를 빠뜨린 하자는 피처분자가 처분 당시 그 취지를 알고 있었거나 그 후 알게 되었다면 그 하자는 치유될 수 있다.

① ㉠, ㉡　　② ㉠, ㉣

③ ㉡, ㉢　　④ ㉢, ㉣

㉠ ×

과세관청이 부과의 취소를 다시 취소함으로써 원부과처분을 소생시킬 수 없다는 것이 판례의 입장이다(대판 1995. 3. 10, 94누7027).

㉡ ○

행정행위를 한 처분청은 그 처분 당시에 그 행정처분에 별다른 하자가 없었고 또 그 처분 후에 이를 취소할 별도의 법적 근거가 없다 하더라도 원래의 처분을 그대로 존속시킬 필요가 없게 된 사정변경이 생겼거나 또는 중대한 공익상의 필요가 발생한 경우에는 별개의 행정행위로 이를 철회하거나 변경할 수 있다는 것이 판례의 입장이다(대판 1992. 1. 17, 91누3130 ; 대판 1995. 2. 28, 94누7713 ; 대판 1995. 6. 9, 95누1194). 한편, 최근 제정된 행정기본법에서는 일정한 사유가 있으면 행정청은 처분을 철회할 수 있다는 법적 근거를 마련해 두고 있다(동법 제19조).

㉢ ○

> 행정청이 평가인증이 이루어진 이후에 새로이 발생한 사유를 들어 영유아보육법 제30조 제5항에 따라 평가인증을 철회하는 처분을 하면서도, 평가인증의 효력을 과거로 소급하여 상실시키기 위해서는, 특별한 사정이 없는 한 영유아보육법 제30조 제5항과는 별도의 법적 근거가 필요하다(대판 2018. 6. 28, 2015두58195).

㉣ ×

> 면허의 취소처분에는 그 근거가 되는 법령이나 취소권 유보의 부관 등을 명시하여야 함은 물론 처분을 받은 자가 어떠한 위반사실에 대하여 당해 처분이 있었는지를 알 수 있을 정도로 사실을 적시할 것을 요하며, 이와 같은 취소처분의 근거와 위반사실의 적시를 빠뜨린 하자는 피처분자가 처분 당시 그 취지를 알고 있었다거나 그 후 알게 되었다 하여도 치유될 수 없다고 할 것인바 …… (대판 1990. 9. 11, 90누1786)

정답 10 ③

대표

11 **빈출** 정답률 82% 중 2019 국가직 7급

행정행위의 직권취소에 대한 설명으로 옳은 것은? (다툼이 있는 경우 판례에 의함)

□□□ ① 법률에서 직권취소에 대한 근거를 두고 있는 경우에는 이해관계인이 처분청에 대하여 위법을 이유로 행정행위의 취소를 요구할 신청권을 갖는다고 보아야 한다.

□□□ ② 행정행위를 한 행정청은 그 행정행위에 하자가 있는 경우에는 원칙적으로 별도의 법적 근거가 없더라도 스스로 그 행정행위를 직권으로 취소할 수 있다.

□□□ ③ 직권취소는 행정행위의 성립상의 하자를 이유로 하는 것이므로, 개별법에 특별한 규정이 없는 한 행정절차법에 따른 절차규정이 적용되지 않는다.

□□□ ④ 행정행위의 위법 여부에 대하여 취소소송이 이미 진행 중인 경우 처분청은 위법을 이유로 그 행정행위를 직권취소할 수 없다.

관련기출

①

1. 행정처분을 한 처분청은 그 처분에 하자가 있는 경우에는 원칙적으로 별도의 법적 근거가 없더라도 스스로 이를 직권으로 취소할 수 있고, 이러한 경우 이해관계인에게는 처분청에 대하여 그 취소를 요구할 신청권이 부여된 것으로 볼 수 있다. (○, ×) 2017 국가직 9급
2. 원래 행정처분을 한 처분청은 그 처분에 하자가 있는 경우에는 원칙적으로 별도의 법적 근거가 없더라도 스스로 이를 직권으로 취소할 수 있는 것이므로, 그와 같이 직권취소를 할 수 있다는 사정만으로도 이해관계인에게 처분청에 대하여 그 취소를 요구할 신청권이 부여된 것으로 볼 수 있다. (○, ×) 2016 경행경채
3. 행정청이 직권취소를 할 수 있다는 사정만으로 이해관계인인 제3자에게 행정청에 대한 직권취소청구권이 부여된 것으로 볼 수 없다. (○, ×) 2015 국회직 8급

1. × 2. × 3. ○

① **빈출** ×

> 행정청이 직권취소를 할 수 있다는 사정만으로 이해관계인인 제3자에게 행정청에 대한 직권취소청구권이 부여된 것으로 볼 수 없다.
>
> 산림법령에는 채석허가처분을 한 처분청이 산림을 복구한 자에 대하여 복구설계서승인 및 복구준공통보를 한 경우 그 취소신청과 관련하여 아무런 규정을 두고 있지 않고, 원래 행정처분을 한 처분청은 그 처분에 하자가 있는 경우에는 원칙적으로 별도의 법적 근거가 없더라도 스스로 이를 직권으로 취소할 수 있지만, 그와 같이 직권취소를 할 수 있다는 사정만으로 이해관계인에게 처분청에 대하여 그 취소를 요구할 신청권이 부여된 것으로 볼 수는 없다(대판 2006. 6. 30, 2004두701).

② ○

행정처분을 한 처분청은 그 행위에 하자가 있는 경우에는 원칙적으로 별도의 법적 근거가 없더라도 스스로 이를 직권으로 취소할 수 있다는 것이 판례의 입장이다(대판 1995. 9. 15, 95누6311).

③ ×

행정행위의 직권취소는 처음에 행해진 행정행위와 독립적인 행정행위, 즉 처분이므로 행정절차법상의 처분절차에 관한 규정이 적용되어야 한다. 특히 수익적 행정행위의 직권취소는 침익적 처분이므로 사전통지(행정절차법 제21조), 의견청취(동법 제22조) 등의 규정이 적용된다.

④ ×

처분에 대한 취소소송이 진행 중이라도 부과권자(처분청)는 처분을 직권취소할 수 있다는 것이 판례의 입장이다(대판 2006. 2. 10, 2003두5686).

정답 11 ②

12 중

2018 국회직 8급

행정행위의 직권취소 및 철회에 대한 설명으로 옳지 않은 것은? (다툼이 있는 경우 판례에 의함)

□□□ ① 수익적 행정행위의 철회는 법령에 명시적인 규정이 있거나 행정행위의 부관으로 그 철회권이 유보되어 있는 등의 경우가 아니라면, 원래의 행정행위를 존속시킬 필요가 없게 된 사정변경이 생겼거나 또는 중대한 공익상의 필요가 발생한 경우 등의 예외적인 경우에만 허용된다.

□□□ ② 행정행위의 처분권자는 취소사유가 있는 경우 별도의 법적 근거가 없더라도 직권취소를 할 수 있다.

□□□ ③ 행정청이 행한 공사중지명령의 상대방은 그 명령 이후에 그 원인사유가 소멸하였음을 들어 행정청에게 공사중지명령의 철회를 요구할 수 있는 조리상의 신청권이 없다.

□□□ ④ 외형상 하나의 행정처분이라 하더라도 가분성이 있거나 그 처분대상의 일부가 특정될 수 있다면 그 일부만의 취소도 가능하고 그 일부의 취소는 당해 취소부분에 관하여 효력이 생긴다.

□□□ ⑤ 직권취소는 처분의 성격을 가지므로, 이유제시절차 등의 행정절차법상 처분절차에 따라야 하며, 특히 수익적 행위의 직권취소는 상대방에게 침해적 효과를 발생시키므로 행정절차법에 따른 사전통지, 의견청취의 절차를 거쳐야 한다.

① ○

> 수익적 행정행위의 철회는 그 처분 당시 별다른 하자가 없었음에도 불구하고 사후적으로 그 효력을 상실케 하는 행정행위이므로, 법령에 명시적인 규정이 있거나 행정행위의 부관으로 그 철회권이 유보되어 있는 등의 경우가 아니라면, 원래의 행정행위를 존속시킬 필요가 없게 된 사정변경이 생겼거나 또는 중대한 공익상의 필요가 발생한 경우 등의 예외적인 경우에만 허용된다고 할 것이다(대판 2005. 4. 29, 2004두11954).

② ○

처분청은 별도의 법적 근거가 없더라도 처분을 직권으로 취소할 수 있다는 것이 판례의 입장이다(대판 1995. 9. 15, 95누6311).

③ ×

조리상의 신청권을 인정한 판례이다. 처분청은 별도의 법적 근거가 없어도 별개의 행정행위로 이를 철회 · 변경할 수 있지만, 처분청이 철회할 수 있다는 사정만으로는 처분의 상대방 등에게 그 철회 · 변경을 요구할 신청권이 인정되지 않는다는 판례(대판 1997. 9. 12, 96누6219)와 비교해 두어야 한다.

> 1. 행정청이 행한 공사중지명령의 상대방은 그 명령 이후에 그 원인사유가 소멸하였음을 들어 행정청에 대하여 공사중지명령의 철회를 요구할 수 있는 조리상의 신청권이 있다.
> 2. 행정청이 행한 공사중지명령의 상대방이 그 명령 이후에 그 원인사유가 소멸하였음을 들어 행정청에 대하여 공사중지명령의 철회를 신청하였으나 행정청이 이에 대하여 아무런 응답을 하지 않고 있는 경우, 그러한 행정청의 부작위는 그 자체로 위법하다(대판 2005. 4. 14, 2003두7590).

④ ○

> 외형상 하나의 행정처분이라 하더라도 가분성이 있거나 그 처분대상의 일부가 특정될 수 있다면 그 일부만의 취소도 가능하고 그 일부의 취소는 당해 취소부분에 관하여 효력이 생긴다(대판 2012. 3. 29, 2011두9263).

⑤ ○

행정행위의 직권취소는 독립적인 행정행위의 성격을 갖고 있기 때문에 행정절차법상의 처분절차에 따라 행하여져야 한다. 특히 수익적 행정행위의 직권취소의 경우는 상대방에게 부담적 효과를 발생시키기 때문에 원칙적으로 사전통지(행정절차법 제21조), 의견청취(동법 제22조)를 거쳐야 한다.

정답 12 ③

13

정답률 68% 중 | 2018 국가직 9급

행정청이 법률의 근거규정 없이도 할 수 있는 조치로 옳은 것만을 모두 고른 것은? (다툼이 있는 경우 판례에 의함)

> □□□ ㉠ 하자 있는 처분을 직권으로 취소하는 것
> □□□ ㉡ 재량권이 인정되는 영역에서 재량권행사의 기준이 되는 지침을 제정하는 것
> □□□ ㉢ 중대한 공익상의 필요가 발생하여 처분을 철회하는 것
> □□□ ㉣ 사정변경으로 인하여 처분에 부가되어 있는 부담의 목적을 달성할 수 없게 되어 부담의 내용을 변경하는 것

① ㉠, ㉡　② ㉢, ㉣
③ ㉠, ㉢, ㉣　④ ㉠, ㉡, ㉢, ㉣

④ ㉠㉡㉢㉣ 모두 행정청이 법률의 근거규정 없이도 할 수 있는 조치이다.

㉠ ○

처분청은 별도의 법적 근거가 없더라도 처분을 직권으로 취소할 수 있다는 것이 판례의 입장이다(대판 1995. 9. 15, 95누6311). 다만, 최근 제정된 행정기본법에서는 행정청은 위법 또는 부당한 처분의 전부나 일부를 취소할 수 있다는 법적 근거를 마련해 두고 있다(동법 제18조).

㉡ ○

재량권이 인정되는 영역에서 재량권행사의 기준이 되는 지침은 일종의 행정규칙으로서(이를 재량준칙이라고 함), 행정규칙을 제정하는 경우에는 법률의 근거가 필요 없다는 것이 일반적 견해이다.

㉢ ○

처분청은 별도의 법적 근거가 없더라도 행정행위를 철회하거나 변경할 수 있다는 것이 판례의 입장이다(대판 1992. 1. 17, 91누3130 ; 대판 1995. 2. 28, 94누7713 ; 대판 1995. 6. 9, 95누1194). 다만, 최근 제정된 행정기본법에서는 일정한 사유가 있으면 행정청은 처분을 철회할 수 있다는 법적 근거를 마련해 두고 있다(동법 제19조).

㉣ ○

> **행정기본법 제17조【부관】** ③ 행정청은 부관을 붙일 수 있는 처분이 다음 각 호의 어느 하나에 해당하는 경우에는 그 처분을 한 후에도 부관을 새로 붙이거나 종전의 부관을 변경할 수 있다.
> 3. 사정이 변경되어 부관을 새로 붙이거나 종전의 부관을 변경하지 아니하면 해당 처분의 목적을 달성할 수 없다고 인정되는 경우

정답 13 ④

14 ㊤ 2016 국회직 8급

<보기>에 대한 설명으로 옳지 않은 것은? (다툼이 있는 경우 판례에 의함)

보기

甲은 A구청장으로부터 식품위생법의 관련규정에 따라 적법하게 유흥접객업 영업허가를 받아 영업을 시작하였다. 영업을 시작한 지 1년이 지난 후에 甲의 영업장을 포함한 일부지역이 새로이 적법한 절차에 따라 학교환경위생정화구역으로 설정되었다. A구청장은 甲의 영업이 관할 학교환경위생정화위원회의 심의에 따라 금지되는 행위로 결정되었다는 이유로 청문을 거친 후에 甲의 영업허가를 취소하였다. 甲은 A구청장의 취소처분이 위법하다고 주장하면서 영업허가취소처분에 대하여 취소소송을 제기하였다.

□□□ ① 甲에 대한 영업허가를 철회하기 위하여서는 중대한 공익상의 필요가 있어야 한다.

□□□ ② A구청장은 甲에 대한 영업허가의 허가권자로서 이에 대한 철회권도 갖고 있다.

□□□ ③ A구청장은 甲의 영업허가를 철회함에 있어 그 근거가 되는 법령이나 취소권 유보의 부관 등을 명시하여야 하나, 피처분자가 처분 당시 그 취지를 알고 있었다거나 그 후 알게 된 경우에는 생략할 수 있다.

□□□ ④ A구청장의 甲에 대한 영업허가 취소는 처분시로 소급하여 효력을 소멸시키는 것이 아니라 장래효를 갖는다.

□□□ ⑤ 甲이 위 취소소송을 제기하여 기각판결을 받았다고 하더라도 A구청장은 위 영업허가 취소처분을 철회할 수 있다.

①② ○

처분청은 별도의 법적 근거가 없더라도 행정행위를 철회하거나 변경할 수 있다.

행정행위를 한 처분청은 그 처분 당시에 그 행정처분에 별다른 하자가 없었고 또 그 처분 후에 이를 취소할 별도의 법적 근거가 없다 하더라도 원래의 처분을 그대로 존속시킬 필요가 없게 된 사정변경이 생겼거나 또는 중대한 공익상의 필요가 발생한 경우에는 별개의 행정행위로 이를 철회하거나 변경할 수 있다(①②)(대판 1992. 1. 17, 91누3130 ; 대판 1995. 2. 28, 94누7713 ; 대판 1995. 6. 9, 95누1194).

③ ×

면허의 취소처분(편저자 주 : 강학상 철회에 해당하는 사안이다)에는 그 근거가 되는 법령이나 취소권 유보의 부관 등을 명시하여야 함은 물론 처분을 받은 자가 어떠한 위반사실에 대하여 당해 처분이 있었는지를 알 수 있을 정도로 사실을 적시할 것을 요하며, 이와 같은 취소처분의 근거와 위반사실의 적시를 빠뜨린 하자는 피처분자가 처분 당시 그 취지를 알고 있었다거나 그 후 알게 되었다 하여도 치유될 수 없다고 할 것인바 …… (대판 1990. 9. 11, 90누1786)

④ ○

사안의 취소는 영업허가 후에 발생한 사유를 원인으로 하는 것이므로 강학상 철회에 해당한다. 철회는 원칙적으로 장래를 향하여 행정행위의 효력을 소멸시킨다.

⑤ 제38강 참조 ○

청구기각판결은 처분청을 기속하는 이른바 기속력이 발생하지 않는다(기속력은 청구인용판결, 즉 원고승소판결에만 인정된다). 따라서 처분청은 청구기각판결에도 불구하고 처분을 직권취소할 수 있다.

정답 14 ③

❷ 행정행위의 철회

15 정답률 78% 중 2022 국가직 9급

다음 사례에 대한 설명으로 옳지 않은 것은? (다툼이 있는 경우 판례에 의함)

> 건축주 甲은 토지소유자 乙과 매매계약을 체결하고 乙로부터 토지사용승낙서를 받아 乙의 토지 위에 건축물을 건축하는 건축허가를 관할행정청인 A시장으로부터 받았다. 매매계약서에 의하면 甲이 잔금을 기일 내에 지급하지 못하면 즉시 매매계약이 해제될 수 있고 이 경우 토지사용승낙서는 효력을 잃으며 甲은 건축허가를 포기 · 철회하기로 甲과 乙이 약정하였다. 乙은 甲이 잔금을 기일 내에 지급하지 않자 甲과의 매매계약을 해제하였다.

□□□ ① 착공에 앞서 甲의 귀책사유로 해당 토지를 사용할 권리를 상실한 경우, 乙은 A시장에 대하여 건축허가의 철회를 신청할 수 있다.

□□□ ② 건축허가는 대물적 성질을 갖는 것이어서 행정청으로서는 그 허가를 할 때에 건축주 또는 토지소유자가 누구인지 등 인적 요소에 관하여는 형식적 심사만 한다.

□□□ ③ A시장은 건축허가 당시 별다른 하자가 없었고 철회의 법적 근거가 없으므로 건축허가를 철회할 수 없다.

□□□ ④ 철회권의 행사는 기득권의 침해를 정당화할 만한 중대한 공익상의 필요 또는 제3자의 이익을 보호할 필요가 있고, 공익상의 필요 등이 상대방이 입을 불이익을 정당화할 만큼 강한 경우에 한해 허용될 수 있다.

관련기출

①

1. 건축주가 토지소유자로부터 토지사용승낙서를 받아 그 토지 위에 건축물을 건축하는 건축허가를 받았다가 착공에 앞서 건축주의 귀책사유로 해당 토지를 사용할 권리를 상실한 경우, 토지소유자의 건축허가 철회신청을 거부한 행위는 항고소송의 대상이 된다. (○, ×) 2019 지방직 · 교육행정직 9급

1. ○

①②④ ○

③ ×

> 건축주가 토지소유자로부터 토지사용승낙서를 받아 토지 위에 건축물을 건축하는 대물적 성질의 건축허가를 받았다가 착공에 앞서 건축주의 귀책사유로 해당 토지를 사용할 권리를 상실한 경우, 토지소유자가 건축허가의 철회를 신청할 수 있으며, 따라서 토지소유자의 신청을 거부한 행위는 항고소송의 대상이 된다.
>
> (1) 건축허가는 대물적 성질을 갖는 것이어서 행정청으로서는 허가를 할 때에 건축주 또는 토지소유자가 누구인지 등 인적 요소에 관하여는 형식적 심사만 한다(②). 건축주가 토지소유자로부터 토지사용승낙서를 받아 그 토지 위에 건축물을 건축하는 대물적 성질의 건축허가를 받았다가 착공에 앞서 건축주의 귀책사유로 해당 토지를 사용할 권리를 상실한 경우, 건축허가의 존재로 말미암아 토지에 대한 소유권행사에 지장을 받을 수 있는 토지소유자로서는 건축허가의 철회를 신청할 수 있다고 보아야 한다(①). 따라서 토지소유자의 위와 같은 신청을 거부한 행위는 항고소송의 대상이 된다.
>
> (2) 행정행위를 한 처분청은 비록 처분 당시에 별다른 하자가 없었고, 처분 후에 이를 철회할 별도의 법적 근거가 없더라도 원래의 처분을 존속시킬 필요가 없게 된 사정변경이 생겼거나 중대한 공익상 필요가 발생한 경우에는 그 효력을 상실케 하는 별개의 행정행위로 이를 철회할 수 있다(③). 다만 수익적 행정행위를 취소 또는 철회하거나 중지시키는 경우에는 이미 부여된 국민의 기득권을 침해하는 것이 되므로, 비록 취소 등의 사유가 있다고 하더라도 그 취소권 등의 행사는 기득권의 침해를 정당화할 만한 중대한 공익상의 필요 또는 제3자의 이익을 보호할 필요가 있고, 이를 상대방이 받는 불이익과 비교 · 교량하여 볼 때 공익상의 필요 등이 상대방이 입을 불이익을 정당화할 만큼 강한 경우에 한하여 허용될 수 있다(④)(대판 2017. 3. 15, 2014두41190).

정답 15 ③

02 행정행위의 실효 기 375~377쪽 핵 T 35

16 정답률 32% 상 2016 국가직 9급

다음 사례 상황에 대한 설명으로 옳은 것은? (다툼이 있는 경우 판례에 의함)

> 甲은 식품위생법상 유흥주점 영업허가를 받아 영업을 하던 중 경기부진을 이유로 2015. 8. 3. 자진폐업하고 관련법령에 따라 폐업신고를 하였다. 이에 관할 시장은 자진폐업을 이유로 2015. 9. 10. 甲에 대한 위 영업허가를 취소하는 처분을 하였으나 이를 甲에게 통지하지 아니하였다.
>
> 이후 甲은 경기가 활성화되자 유흥주점 영업을 재개하려고 관할 시장에 2016. 2. 3. 재개업신고를 하였으나, 영업허가가 이미 취소되었다는 회신을 받았다. 허가취소 사실을 비로소 알게 된 甲은 2016. 3. 10.에 위 2015. 9. 10.자 영업허가취소처분의 취소를 구하는 소송을 제기하였다.

□□□ ① 甲에 대한 유흥주점 영업허가의 효력은 2015. 9. 10.자 영업허가취소처분에 의해서 소멸된다.

□□□ ② 위 2015. 9. 10.자 영업허가취소처분은 甲에게 통지되지 않아 효력이 발생하지 아니하였으므로 甲의 영업허가는 여전히 유효하다.

□□□ ③ 甲이 2015. 9. 10.자 영업허가취소처분에 대하여 제기한 위 취소소송은 부적법한 소송으로서 각하된다.

□□□ ④ 甲에 대한 유흥주점 영업허가는 2016. 2. 3. 행한 甲의 재개업신고를 통하여 다시 효력을 회복한다.

관련기출

③

1. 신청에 의한 허가처분을 받은 자가 그 영업을 폐업한 경우에는 그 허가도 당연히 실효된다고 할 것이고, 이 경우 허가행정청의 허가취소처분은 허가가 실효되었음을 확인하는 것에 불과하다. (○, ×) 2007 국가직 7급

1. ○

① ×

폐업은 처분의 실효사유에 해당하므로 허가처분을 자진폐업한 경우 처분의 효력은 실효된다. 따라서 영업허가의 효력은 2015. 8. 3.에 소멸하였으며 2015. 9. 10. 자 취소처분으로 허가의 효력이 소멸되는 것은 아니다. 2015. 9. 10.자 취소처분은 그 표현에도 불구하고 아무런 법적 효력이 발생하지 않는다.

② ×

폐업을 함으로써 영업허가의 효력은 이미 소멸하였으므로 그 후의 행정청의 통보 유무는 영업허가의 효력에 아무런 영향을 미치지 못한다.

③ **빈출** ○

> 신청에 의한 허가처분을 자진폐업한 경우 허가는 당연히 실효된다.
>
> 청량음료제조업허가는 신청에 의한 처분이고, 신청에 의한 허가처분을 받은 원고가 그 영업을 폐업한 경우에는 그 영업허가는 당연실효되고, 허가행정청의 허가취소처분은 허가의 실효됨을 확인하는 것에 불과하므로 원고는 그 허가취소처분의 취소를 구할 소의 이익이 없다(대판 1981. 7. 14, 80누593).

④ ×

자진폐업으로 인하여 허가의 효과가 실효된 후 재개업신청을 하는 경우, 이는 신규영업허가신청에 불과하므로, 재개업신고를 하였다 하여 원래의 영업허가의 효력을 다시 회복한다고 볼 수 없다.

> 종전의 영업을 자진폐업한 이상 행정행위는 실효되었으므로 이후에 다시 영업허가신청을 하는 것은 신규허가의 신청이다(대판 1985. 7. 9, 83누412).

정답 16 ③

제 18 강 확약 등

1회독	2회독	3회독
/	/	/

⊘정답률 공단기/소방단기 합격예측 풀서비스 통계 데이터 기준 기 기본서 핵 핵심집약

01 행정상의 확약 기 380~387쪽 핵 T 36

01 정답률 63% 중 2024 소방직 9급

행정절차법상 확약에 관한 설명으로 옳지 않은 것은?

① 법령 등에서 당사자가 신청할 수 있는 처분을 규정하고 있는 경우 행정청은 당사자의 신청에 따라 장래에 어떤 처분을 하거나 하지 아니할 것을 내용으로 하는 확약을 할 수 있다.

② 행정청은 다른 행정청과의 협의 등의 절차를 거쳐야 하는 처분에 대하여 확약을 하려는 경우에는 확약을 하기 전에 그 절차를 거쳐야 한다.

③ 확약을 한 후에 확약의 내용을 이행할 수 없을 정도로 사정이 변경된 경우, 행정청은 확약에 기속되지 아니한다.

④ 확약은 서면이나 말로 할 수 있으며, 확약이 말로 이루어지는 경우에는 상대방이 서면의 교부를 요구하면 직무수행에 특별한 지장이 없는 한 이를 교부하여야 한다.

① 정답률 16% ○

> **행정절차법 제40조의2【확약】** ① 법령 등에서 당사자가 신청할 수 있는 처분을 규정하고 있는 경우 행정청은 당사자의 신청에 따라 장래에 어떤 처분을 하거나 하지 아니할 것을 내용으로 하는 의사표시(이하 '확약'이라 한다)를 할 수 있다.

② 정답률 13% ○

> **행정절차법 제40조의2【확약】** ③ 행정청은 다른 행정청과의 협의 등의 절차를 거쳐야 하는 처분에 대하여 확약을 하려는 경우에는 확약을 하기 전에 그 절차를 거쳐야 한다.

③ 정답률 5% ○

> **행정절차법 제40조의2【확약】** ④ 행정청은 다음 각 호의 어느 하나에 해당하는 경우에는 확약에 기속되지 아니한다.
> 1. 확약을 한 후에 확약의 내용을 이행할 수 없을 정도로 법령 등이나 사정이 변경된 경우
> 2. 확약이 위법한 경우

④ 정답률 63% ×

> **행정절차법 제40조의2【확약】** ② 확약은 문서로 하여야 한다.

정답 01 ④

02 정답률 68% 중 2023 국가직 7급

확약에 대한 설명으로 옳지 않은 것은? (다툼이 있는 경우 판례에 의함)

□□□ ① 행정절차법상 법령 등에서 당사자가 신청할 수 있는 처분을 규정하고 있는 경우 행정청은 당사자의 신청에 따라 장래에 어떤 처분을 하거나 하지 아니할 것을 내용으로 하는 확약을 할 수 있으며, 문서 또는 말에 의한 확약도 가능하다.

□□□ ② 행정절차법상 행정청은 확약을 한 후에 확약의 내용을 이행할 수 없을 정도로 법령 등이나 사정이 변경된 경우에는 확약에 기속되지 아니하며, 그 확약을 이행할 수 없는 경우에는 지체 없이 당사자에게 그 사실을 통지하여야 한다.

□□□ ③ 행정청이 상대방에게 장차 어떤 처분을 하겠다고 확약을 하였더라도, 그 자체에서 상대방으로 하여금 언제까지 처분의 발령을 신청하도록 유효기간을 두었는데도 그 기간 내에 상대방의 신청이 없었다면, 그 확약은 행정청의 별다른 의사표시를 기다리지 않고 실효된다.

□□□ ④ 어업권면허에 선행하는 우선순위결정은 행정청이 우선권자로 결정된 자의 신청이 있으면 어업권면허처분을 하겠다는 것을 약속하는 행위로서 강학상 확약에 불과하고 행정처분은 아니다.

관련기출

③

1. 행정청의 확약 또는 공적인 의사표명 그 자체에서 처분의 발령을 신청하도록 유효기간을 두었을 경우 그 후에 사실적·법률적 상태가 변경되었더라도 직권취소나 철회로 효력이 소멸되고 당연히 실효되는 것은 아니다. (○, ×) 2023 군무원 7급
2. 행정청이 공적인 의사표명을 하였다면 이후 사실적·법률적 상태의 변경이 있더라도 행정청이 이를 취소하지 않는 한 여전히 공적인 의사표명은 유효하다. (○, ×) 2021 지방직·서울시 9급
3. 확약에는 공정력이나 불가쟁력과 같은 효력이 인정되는 것은 아니라고 하더라도, 일단 확약이 있은 후에 사실적·법률적 상태가 변경되었다고 하여 행정청의 별다른 의사표시 없이 확약이 실효된다고 할 수 없다. (○, ×) 2019 지방직 7급
4. 행정청의 공적 견해표명이 있은 후에 사실적·법률적 상태가 변경되었을 때, 그와 같은 공적 견해표명이 실효되기 위하여서는 행정청의 의사표시가 있어야 한다. (○, ×) 2017 국회직 8급

1. × 2. × 3. × 4. ×

① 정답률 68% ×

행정절차법에 따르면 확약은 문서로 하여야 한다.

> **행정절차법 제40조의2【확약】** ① 법령 등에서 당사자가 신청할 수 있는 처분을 규정하고 있는 경우 행정청은 당사자의 신청에 따라 장래에 어떤 처분을 하거나 하지 아니할 것을 내용으로 하는 의사표시(이하 '확약'이라 한다)를 할 수 있다.
> ② 확약은 문서로 하여야 한다.

② 정답률 16% ○

> **행정절차법 제40조의2【확약】** ④ 행정청은 다음 각 호의 어느 하나에 해당하는 경우에는 확약에 기속되지 아니한다.
> 1. 확약을 한 후에 확약의 내용을 이행할 수 없을 정도로 법령 등이나 사정이 변경된 경우
> 2. 확약이 위법한 경우
>
> ⑤ 행정청은 확약이 제4항 각 호의 어느 하나에 해당하여 확약을 이행할 수 없는 경우에는 지체 없이 당사자에게 그 사실을 통지하여야 한다.

③ **빈출** 정답률 5% ○

> 행정청의 확약 또는 공적인 의사표명이 있은 후 사실적·법률적 상태가 변경되었다면 확약은 행정청의 별다른 의사표시를 기다리지 않고 실효된다.
>
> 행정청이 상대방에게 장차 어떤 처분을 하겠다고 확약 또는 공적인 의사표명을 하였다고 하더라도, 그 자체에서 상대방으로 하여금 언제까지 처분의 발령을 신청하도록 유효기간을 두었는데도 그 기간 내에 상대방의 신청이 없었다거나 확약 또는 공적인 의사표명이 있은 후에 사실적·법률적 상태가 변경되었다면, 그와 같은 확약 또는 공적인 의사표명은 행정청의 별다른 의사표시를 기다리지 않고 실효된다(대판 1996. 8. 20, 95누10877).

④ **빈출** 정답률 9% ○

> 어업권면허처분에 선행하는 우선순위결정은 확약에 불과하고 행정처분이 아니므로 공정력, 불가쟁력과 같은 효력은 인정되지 아니한다.
>
> 어업권면허에 선행하는 우선순위결정은 행정청이 우선권자로 결정된 자의 신청이 있으면 어업권면허처분을 하겠다는 것을 약속하는 행위로서 강학상 확약에 불과하고 행정처분은 아니므로, 우선순위결정에 공정력이나 불가쟁력과 같은 효력은 인정되지 아니하며, 따라서 우선순위결정이 잘못되었다는 이유로 종전의 어업권면허처분이 취소되면 행정청은 종전의 우선순위결정을 무시하고 다시 우선순위를 결정한 다음 새로운 우선순위결정에 기하여 새로운 어업권면허를 할 수 있다(대판 1995. 1. 20, 94누6529).

정답 02 ①

03 중 2023 변호사

행정작용에 관한 설명으로 옳은 것은? (다툼이 있는 경우 판례에 의함)

□□□ ① 행정청이 당사자의 신청에 따라 장래에 어떤 처분을 하거나 하지 아니할 것을 내용으로 하는 의사표시인 확약을 했다면, 그 확약이 위법한 경우라도 행정청은 이에 기속된다.

□□□ ② 행정청이 어떤 처분을 하겠다는 확약을 하면서 그 자체에서 상대방에게 일정 기간까지 그 처분의 신청을 하도록 유효기간을 둔 경우, 그 기간 내에 상대방의 신청이 없거나 확약이 있은 후에 사실적 · 법률적 상태가 변경되었다면 그 확약은 행정청의 별다른 의사표시를 기다리지 않고 실효된다.

□□□ ③ 지방자치단체의 장이 「공유재산 및 물품관리법」에 근거하여 기부채납 및 사용 · 수익허가 방식으로 민간투자사업을 추진함에 있어, 사업시행자를 지정하기 위한 전(前)단계에서 공모제안을 받아 일정한 심사를 거쳐 우선협상대상자를 선정하는 행위는 항고소송의 대상이 되는 처분에 해당하지 않는다.

□□□ ④ 甲이 A시 소재 임야에 4층 이하의 공동주택을 건축하기 위하여 A시 시장 乙에게 「민원 처리에 관한 법률」상의 사전심사청구를 하였고, 乙이 이에 대해 사전심사결과(건축허가 내지 개발행위허가 불가) 통지를 하였다면, 甲은 이 통지를 항고소송으로 다툴 수 있다.

□□□ ⑤ 자동차운수사업 양도 · 양수인가신청에 대하여 행정청이 내인가를 한 후, 본인가신청이 있음에도 내인가를 취소한 경우에 내인가 취소행위를 본인가신청의 거부로 볼 것은 아니다.

관련기출

③

1. 「공유재산 및 물품관리법」에 근거하여 공모제안을 받아 이루어지는 민간투자사업 '우선협상대상자 선정행위'나 '우선협상대상자 지위배제행위'에서 '우선협상대상자 지위배제행위'만이 항고소송의 대상인 처분에 해당한다. (○, ×) 2022 국가직 9급
2. 지방자치단체의 장이 「공유재산 및 물품관리법」에 근거하여 기부채납 및 사용 · 수익허가방식으로 민간투자사업을 추진하는 과정에서 이미 선정된 우선협상대상자를 그 지위에서 배제하는 행위는 항고소송의 대상이 되는 행정처분에 해당한다. (○, ×) 2021 국회직 8급

1. × 2. ○

④

1. 구 「민원사무처리에 관한 법률」에서 정한 사전심사결과 통보는 항고소송의 대상이 되는 행정처분에 해당하지 않는다. (○, ×) 2019 지방직 · 교육행정직 9급

1. ○

① ×

행정절차법 제40조의2【확약】① 법령 등에서 당사자가 신청할 수 있는 처분을 규정하고 있는 경우 행정청은 당사자의 신청에 따라 장래에 어떤 처분을 하거나 하지 아니할 것을 내용으로 하는 의사표시(이하 '확약'이라 한다)를 할 수 있다.
② 확약은 문서로 하여야 한다.
③ 행정청은 다른 행정청과의 협의 등의 절차를 거쳐야 하는 처분에 대하여 확약을 하려는 경우에는 확약을 하기 전에 그 절차를 거쳐야 한다.
④ 행정청은 다음 각 호의 어느 하나에 해당하는 경우에는 확약에 기속되지 아니한다.
1. 확약을 한 후에 확약의 내용을 이행할 수 없을 정도로 법령등이나 사정이 변경된 경우
2. 확약이 위법한 경우

② ○

행정청이 상대방에게 장차 어떤 처분을 하겠다고 확약 또는 공적인 의사표명을 하였다고 하더라도, 그 자체에서 상대방으로 하여금 언제까지 처분의 발령을 신청하도록 유효기간을 두었는데도 그 기간 내에 상대방의 신청이 없었다거나 확약 또는 공적인 의사표명이 있은 후에 사실적 · 법률적 상태가 변경되었다면, 그와 같은 확약 또는 공적인 의사표명은 행정청의 별다른 의사표시를 기다리지 않고 실효된다는 것이 판례의 입장이다(대판 1996. 8. 20, 95누10877).

③ 제37강 참조 ×

지방자치단체의 장이 「공유재산 및 물품관리법」에 근거하여 기부채납 및 사용 · 수익허가 방식으로 민간투자사업을 추진하는 과정에서 사업시행자를 지정하기 위한 전 단계에서 공모제안을 받아 일정한 심사를 거쳐 우선협상대상자를 선정하는 행위와 이미 선정된 우선협상대상자를 그 지위에서 배제하는 행위는 항고소송의 대상이 되는 행정처분이다(대판 2020. 4. 29, 2017두31064).

④ ×

구 「민원사무처리에 관한 법률」(민원사무처리법) 제19조 제1항에서 정한 사전심사결과 통보는 항고소송의 대상이 되는 행정처분에 해당하지 않는다.
행정청은 사전심사결과 가능하다는 통보를 한 때에도 구 민원사무처리법 제19조 제3항에 의한 제약이 따르기는 하나 반드시 민원사항을 인용하는 처분을 해야 하는 것은 아닌 점, 행정청은 사전심사결과 불가능하다고 통보하였더라도 사전심사결과에 구애되지 않고 민원사항을 처리할 수 있으므로 불가능하다는 통보가 민원인의 권리 · 의무에 직접적 영향을 미친다고 볼 수 없다(대판 2014. 4. 24, 2013두7834).

⑤ **빈출** ×

자동차운송사업양도 · 양수인가신청에 대하여 행정청이 내인가를 한 후 그 본인가신청이 있음에도 내인가를 취소한 경우 내인가취소는 인가신청을 거부하는 처분이다.
위 내인가의 법적 성질이 행정행위의 일종으로 볼 수 있든 아니든 그것이 행정청의 상대방에 대한 의사표시임이 분명하고, 피고가 위 내인가를 취소함으로써 다시 본인가에 대하여 따로이 인가 여부의 처분을 한다는 사정이 보이지 않는다면 위 내인가취소를 인가신청을 거부하는 처분으로 보아야 할 것이다(대판 1991. 6. 28, 90누4402).

정답 03 ②

04 빈출 정답률 53% 상 2022 국가직 9급

다단계행정결정에 대한 설명으로 옳지 않은 것은? (다툼이 있는 경우 판례에 의함)

□□□ ① 「공유재산 및 물품관리법」에 근거하여 공모제안을 받아 이루어지는 민간투자사업 '우선협상대상자 선정행위'나 '우선협상대상자 지위배제행위'에서 '우선협상대상자 지위배제행위'만이 항고소송의 대상인 처분에 해당한다.

□□□ ② 구 원자력법상 원자로 및 관계시설의 부지사전승인처분 후 건설허가처분까지 내려진 경우, 선행처분은 후행처분에 흡수되어 건설허가처분만이 행정쟁송의 대상이 된다.

□□□ ③ 공정거래위원회가 부당한 공동행위를 한 사업자에게 과징금 부과처분을 한 뒤 다시 자진신고 등을 이유로 과징금 감면처분을 한 경우, 선행처분은 후행처분에 흡수되어 소멸하므로 선행처분의 취소를 구하는 소는 부적법하다.

□□□ ④ 자동차운송사업 양도 · 양수인가신청에 대하여 행정청이 내인가를 한 후 그 본인가신청이 있음에도 내인가를 취소한 경우, 다시 본인가에 대하여 별도로 인가 여부의 처분을 한다는 사정이 보이지 않는다면 내인가취소는 행정처분에 해당한다.

관련기출

②

1. 원자력안전법상 원자로 건설허가에 앞선 부지사전승인처분은 그 자체로서 건설부지를 확정하고 사전공사를 허용하는 독립된 행정처분이므로 나중에 건설허가처분이 있게 되더라도 이와 별개로 독립하여 취소소송으로 다툴 수 있다. (○, ×) 2024 소방간부
2. 원자로 및 관계시설의 부지사전승인처분은 그 자체로서 독립한 행정처분은 아니므로 이의 위법성을 직접 항고소송으로 다툴 수는 없고 후에 발령되는 건설허가처분에 대한 항고소송에서 다투어야 한다. (○, ×) 2017 국가직 9급
3. 구 원자력법상 원자로 및 관계시설의 부지사전승인처분은 그 자체로서 건설부지를 확정하고 사전공사를 허용하는 법률효과를 지닌 독립한 행정처분이다. (○, ×) 2019 서울시 2회 7급, 2017 국가직(하) 9급

1. × 2. × 3. ○

③

1. 공정거래위원회가 부당한 공동행위를 한 사업자들 중 자진신고자에 대하여 구 독점규제 및 공정거래에 관한 법령에 따라 과징금 부과처분(선행처분)을 한 뒤, 다시 자진신고자에 대한 사건을 분리하여 자진신고를 이유로 과징금 감면처분(후행처분)을 한 경우라도 선행처분의 취소를 구하는 소는 적법하다. (○, ×) 2021 국가직 9급
2. 가행정행위인 선행처분이 후행처분으로 흡수되어 소멸하는 경우에도 선행처분의 취소를 구하는 소는 가능하다. (○, ×) 2019 서울시 2회 7급
3. 공정거래위원회가 부당한 공동행위를 한 사업자에게 과징금 부과처분을 한 뒤 다시 자진신고 등을 이유로 과징금 감면처분을 하였다면, 선행 과징금 부과처분은 일종의 잠정적 처분으로서 후행 과징금 감면처분에 흡수되어 소멸한다. (○, ×) 2019 변호사

1. × 2. × 3. ○

① 제37강 참조 ×

지방자치단체의 장이 「공유재산 및 물품관리법」에 근거하여 기부채납 및 사용 · 수익허가방식으로 민간투자사업을 추진하는 과정에서 사업시행자를 지정하기 위한 전 단계에서 공모제안을 받아 일정한 심사를 거쳐 우선협상대상자를 선정하는 행위와 이미 선정된 우선협상대상자를 그 지위에서 배제하는 행위는 항고소송의 대상이 되는 행정처분이라는 것이 판례의 입장이다(대판 2020. 4. 29, 2017두31064).

② 빈출 ○

1. 원자력법(현 원자력안전법) 제11조 제3항 소정의 부지사전승인처분은 그 자체로서 독립한 행정처분이다.
2. 그러나 부지사전승인처분 후 건설허가처분이 있게 되면 부지사전승인처분은 건설허가처분에 흡수되어 독립된 존재가치를 상실함으로써 건설허가처분만이 소송의 대상이 된다.

   원자력법 제11조 제3항 소정의 부지사전승인제도는 …… 원자로 및 관계시설의 부지사전승인처분은 그 자체로서 건설부지를 확정하고 사전공사를 허용하는 법률효과를 지닌 독립한 행정처분이기는 하지만 …… 나중에 건설허가처분이 있게 되면 그 건설허가처분에 흡수되어 독립된 존재가치를 상실함으로써 그 건설허가처분만이 쟁송의 대상이 되는 것이므로, 부지사전승인처분의 취소를 구하는 소는 소의 이익을 잃게 된다고 할 것이다(따라서 부지사전승인처분의 위법성은 나중에 내려진 건설허가처분의 취소를 구하는 소송에서 이를 다투면 될 것이다)(대판 1998. 9. 4, 97누19588).

③ 빈출 ○

가행정행위에서 잠정적 처분 후 종국적 처분이 있게 되면 선행처분은 후행처분에 흡수되어 소멸하므로 이러한 경우에 잠정적 선행처분(가처분)을 다투는 소는 부적법하게 된다.

공정거래위원회가 부당한 공동행위를 한 사업자에게 과징금 부과처분(선행처분)을 한 뒤, 다시 자진신고 등을 이유로 과징금 감면처분(후행처분)을 한 경우, 선행처분의 취소를 구하는 소는 부적법하다.

공정거래위원회가 부당한 공동행위를 행한 사업자로서 구 「독점규제 및 공정거래에 관한 법률」 제22조의2에서 정한 자진신고자나 조사협조자에 대하여 과징금 부과처분(이하 '선행처분'이라 한다)을 한 뒤, 「독점규제 및 공정거래에 관한 법률 시행령」 제35조 제3항에 따라 다시 자진신고자 등에 대한 사건을 분리하여 자진신고 등을 이유로 한 과징금 감면처분(이하 '후행처분'이라 한다)을 하였다면, 후행처분은 자진신고 감면까지 포함하여 처분 상대방이 실제로 납부하여야 할 최종적인 과징금액을 결정하는 종국적 처분이고, 선행처분은 이러한 종국적 처분을 예정하고 있는 일종의 잠정적 처분으로서 후행처분이 있을 경우 선행처분은 후행처분에 흡수되어 소멸한다. 따라서 위와 같은 경우에 선행처분의 취소를 구하는 소는 이미 효력을 잃은 처분의 취소를 구하는 것으로 부적법하다(대판 2015. 2. 12, 2013두987).

④ ○

자동차운송사업양도 · 양수인가신청에 대하여 행정청이 내인가를 한 후 그 본인가신청이 있음에도 내인가를 취소한 경우 내인가취소는 인가신청을 거부하는 처분이라는 것이 판례의 입장이다(대판 1991. 6. 28, 90누4402).

정답 04 ①

05

정답률 54% 상 2018 국가직 7급

甲은 폐기물관리법에 따라 폐기물처리업의 허가를 받기 전에 행정청 乙에게 폐기물처리사업계획서를 작성하여 제출하였고, 乙은 그 사업계획서를 검토하여 적합통보를 하였다. 이에 대한 설명으로 옳지 않은 것은? (다툼이 있는 경우 판례에 의함)

□□□ ① 甲이 폐기물처리업허가를 받기 위해서는 용도지역을 변경하는 국토이용계획변경이 선행되어야 할 경우, 甲에게 국토이용계획변경을 신청할 권리가 인정된다.

□□□ ② 사업계획서 적합통보가 있는 경우 폐기물처리업의 허가단계에서는 나머지 허가요건만을 심사한다.

□□□ ③ 사업계획의 적합 여부는 乙의 재량에 속하고, 사업계획 적합 여부 통보를 위하여 필요한 기준을 정하는 것도 역시 乙의 재량에 속한다.

□□□ ④ 적합통보를 받은 甲은 폐기물처리업의 허가를 받기 전이라도 부분적으로 폐기물처리를 적법하게 할 수 있다.

관련기출

①

1. 국토이용계획변경신청을 거부하는 것이 실질적으로 해당 행정처분 자체를 거부하는 결과가 되는 경우에는 항고소송의 대상이 되는 행정처분에 해당한다. (○, ×) 2023 소방간부
2. 장래 일정한 기간 내에 관계 법령이 규정하는 시설 등을 갖추어 일정한 행정처분을 구하는 신청을 할 수 있는 법률상 지위에 있는 자의 국토이용계획변경신청을 거부하는 것이 실질적으로 당해 행정처분 자체를 거부하는 결과가 되는 경우에는 예외적으로 그 신청인에게 국토이용계획변경을 신청할 권리가 인정된다. (○, ×) 2022 소방간부, 2020 국가직 9급, 2019 서울시 1회 7급
3. 장래 일정한 기간 내에 관계법령이 규정하는 시설 등을 갖추어 일정한 행정처분을 구하는 신청을 할 수 있는 법률상 지위에 있는 자의 국토이용계획변경신청을 거부하는 것이 실질적으로 당해 행정처분 자체를 거부하는 결과가 되는 경우라도, 구 국토이용관리법상 주민이 국토이용계획의 변경에 대하여 신청을 할 수 있다는 규정이 없으므로 그 신청인에게 국토이용계획변경을 신청할 권리가 인정된다고 볼 수 없다. (○, ×) 2021 국가직 9급

1. ○ 2. ○ 3. ×

②

1. (폐기물처리)사업계획에 대한 적합통보가 있는 경우 사업의 허가단계에서는 나머지 허가요건만을 심사하면 된다. (○, ×) 2015 국가직 7급

1. ○

① ○

〔군수로부터 폐기물처리사업계획의 적정통보를 받은 원고가 폐기물처리업허가를 받기 위하여는 문제된 부동산에 대한 용도지역을 '농림지역 또는 준농림지역'에서 '준도시지역(시설용지지구)'으로 변경하는 국토이용계획변경이 선행되어야 하는데 피고가 용도지역 변경, 즉 국토이용계획변경을 거부하자 이를 다툰 사건에서 처분성을 인정하면서〕 일정한 행정처분을 구하는 신청을 할 수 있는 법률상 지위에 있는 자의 국토이용계획변경 신청을 거부하는 것이 실질적으로 당해 행정처분 자체를 거부하는 결과가 되는 경우에는 예외적으로 그 신청인에게 국토이용계획변경을 신청할 권리가 인정된다(대판 2003. 9. 23, 2001두10936).

② ○

폐기물관리법상의 사업계획에 대한 적정통보가 있는 경우 폐기물사업의 허가단계에서는 나머지 허가요건만을 심사한다(대판 1998. 4. 28, 97누21086).

③ ○

행정작용이 행정청의 재량에 맡겨진 경우 그 기준을 정하는 것도 행정청의 재량이라는 것이 판례의 입장이다.

당해 처분의 근거인 폐기물관리법 제26조 제1 · 2항과 같은 법 시행규칙 제17조 제1항 내지 제4항의 체제 또는 문언을 살펴보면 이들 규정들은 폐기물처리업허가를 받기 위한 최소한도의 요건을 규정해 두고는 있으나 사업계획 적정 여부에 대하여는 일률적으로 확정하여 규정하는 형식을 취하지 아니하여 그 사업의 적정 여부에 대하여 재량의 여지를 남겨 두고 있다 할 것이고, 이러한 경우 사업계획 적정 여부 통보를 위하여 필요한 기준을 정하는 것도 역시 행정청의 재량에 속하는 것이므로, 그 설정된 기준이 객관적으로 합리적이 아니라거나 타당하지 않다고 볼 만한 다른 특별한 사정이 없는 이상 행정청의 의사는 가능한 한 존중되어야 한다(대판 1998. 4. 28, 97누21086).

④ ×

예비결정(사전결정)이란 종국적인 행정결정을 하기 전에 사전적인 단계로서 여러 요건 중 하나 또는 일부에 대해 우선적으로 심사하여 내린 결정을 말하는 것으로 종국적인 결정을 유보한 상태에서 행하는 결정을 말한다. 예비결정은 그 자체만으로 상대방에게 어떠한 행위를 할 수 있게 하는 것은 아니다. 따라서 폐기물처리업 적정통보를 받았다 하더라도 폐기물처리업을 할 수 있는 것은 아니다. 이와 비교할 것으로 부분허가가 있다. 부분허가란 단계적 행정행위의 일부에 대하여 행하는 허가를 말하는 것으로서, 예컨대 원자력발전소와 같이 장기간이 소요되는 대형 시설물을 건설할 때 단계적으로 시설의 일부에 대하여 하는 허가를 말한다. 부분허가는 부분허가를 받게 되면 그 대상이 되는 행위를 적법하게 할 수 있다는 점에서 예비결정과 구별된다. 예컨대, 일부시설에 대한 건설허가를 받으면 일부시설에 대한 건설공사를 할 수도 있다.

정답 05 ④

02 행정계획

기 388~399쪽 핵 T 37

06

정답률 67% 중 2024 지방직 · 서울시 9급

행정계획에 대한 설명으로 옳지 않은 것은? (다툼이 있는 경우 판례에 의함)

① 후행 도시계획결정을 하는 행정청이 선행 도시계획의 결정 · 변경 등에 관한 권한을 가지고 있지 아니한 경우 선행 도시계획과 양립할 수 없는 내용이 포함된 후행 도시계획결정은 다른 특별한 사정이 없는 한 무효이다.

② 「도시 및 주거환경정비법」에 따라 인가 · 고시된 관리처분계획은 구속적 행정계획으로서 처분성이 인정된다.

③ 도시계획시설의 지정으로 말미암아 당해 토지의 이용가능성이 배제되거나 또는 토지소유자가 토지를 종래 허용된 용도대로도 사용할 수 없기 때문에 이로 인하여 현저한 재산적 손실이 발생하는 경우에는, 원칙적으로 국가나 지방자치단체는 이에 대한 보상을 해야 한다.

④ 도시계획시설결정의 장기미집행으로 인해 재산권이 침해된 경우, 도시계획시설결정의 실효를 주장할 수 있고, 이는 헌법상 재산권으로부터 당연히 직접 도출되는 권리이다.

관련기출

①

1. 도시계획의 결정 · 변경 등에 관한 권한을 가진 행정청은 이미 도시계획이 결정 · 고시된 지역에 대하여도 다른 내용의 도시계획을 결정 · 고시할 수 있고, 이때에 후행 도시계획에 선행 도시계획과 서로 양립할 수 없는 내용이 포함되어 있다면, 특별한 사정이 없는 한 선행 도시계획은 후행 도시계획과 같은 내용으로 변경된다. (○, ×) 2024 · 2021 국가직 9급
2. 도시계획의 결정 · 변경 등에 관한 권한을 가진 행정청은 이미 도시계획이 결정 · 고시된 지역에 대하여는 다른 내용의 도시계획을 결정 · 고시할 수 없다. (○, ×) 2024 해경간부
3. 후행 도시계획의 결정을 하는 행정청이 선행 도시계획의 결정 · 변경 등에 관한 권한을 가지고 있지 아니한 경우, 선행 도시계획과 양립할 수 없는 내용이 포함된 후행 도시계획결정은 무효이다. (○, ×) 2020 소방간부

1. ○ 2. × 3. ○

④

1. 장기미집행 도시계획시설결정의 실효제도는 헌법상 재산권으로부터 당연히 도출되는 권리이다. (○, ×) 2012 국회(속기 · 경위직) 9급
2. 장기미집행 도시계획시설결정의 실효는 헌법상 재산권으로부터 당연히 도출되는 것은 아니며, 법률의 근거가 필요하다. (○, ×) 2008 국회직 8급

1. × 2. ○

① **빈출** 정답률 12% ○

1. '권한 있는' 행정청이 수립한 후행 도시계획에 선행 도시계획과 서로 양립할 수 없는 내용이 포함되어 있다면 특별한 사정이 없는 한 선행 도시계획은 후행 도시계획과 같은 내용으로 변경된 것으로 볼 수 있다.
2. 후행 도시계획의 결정을 하는 행정청이 선행 도시계획의 결정 · 변경 등에 관한 '권한을 가지고 있지 아니한 경우' 선행 도시계획과 양립할 수 없는 내용이 포함된 후행 도시계획결정은 무효이다.

도시계획의 결정 · 변경 등에 관한 권한을 가진 행정청은 이미 도시계획이 결정 · 고시된 지역에 대하여도 다른 내용의 도시계획을 결정 · 고시할 수 있고, 이때에 후행 도시계획에 선행 도시계획과 서로 양립할 수 없는 내용이 포함되어 있다면, 특별한 사정이 없는 한 선행 도시계획은 후행 도시계획과 같은 내용으로 변경되는 것이나, 후행 도시계획의 결정을 하는 행정청이 선행 도시계획의 결정 · 변경 등에 관한 권한을 가지고 있지 아니한 경우에 선행 도시계획과 서로 양립할 수 없는 내용이 포함된 후행 도시계획결정을 하는 것은 아무런 권한 없이 선행 도시계획결정을 폐지하고, 양립할 수 없는 새로운 내용이 포함된 후행 도시계획결정을 하는 것으로서, 선행 도시계획결정의 폐지 부분은 권한 없는 자에 의하여 행해진 것으로서 무효이고, 같은 대상지역에 대하여 선행 도시계획결정이 적법하게 폐지되지 아니한 상태에서 그 위에 다시 한 후행 도시계획결정 역시 위법하고, 그 하자는 중대하고도 명백하여 다른 특별한 사정이 없는 한 무효라고 보아야 할 것이다(대판 2000. 9. 8, 99두11257).

② 정답률 10% ○

도시 및 주거환경정비법(이하 '도시정비법'이라 한다)에 따른 주택재건축정비사업조합(이하 '재건축조합'이라 한다)은 관할행정청의 감독 아래 도시정비법상의 주택재건축사업을 시행하는 공법인(도시정비법 제38조)으로서, 그 목적 범위 내에서 법령이 정하는 바에 따라 일정한 행정작용을 행하는 행정주체의 지위를 갖는다. 재건축조합이 행정주체의 지위에서 도시정비법 제74조에 따라 수립하는 관리처분계획은 정비사업의 시행 결과 조성되는 대지 또는 건축물의 권리귀속에 관한 사항과 조합원의 비용 분담에 관한 사항 등을 정함으로써 조합원의 재산상 권리 · 의무 등에 구체적이고 직접적인 영향을 미치게 되므로, 이는 구속적 행정계획으로서 재건축조합이 행하는 독립된 행정처분에 해당한다(대판 2022. 7. 14, 2022다206391).

③ 정답률 9% 제30강 참조 ○

도시계획시설의 지정으로 말미암아 당해 토지의 이용가능성이 배제되거나 또는 토지소유자가 토지를 종래 허용된 용도대로도 사용할 수 없기 때문에 이로 말미암아 현저한 재산적 손실이 발생하는 경우에는, 원칙적으로 사회적 제약의 범위를 넘는 수용적 효과를 인정하여 국가나 지방자치단체는 이에 대한 보상을 해야 한다(헌재 1999. 10. 21, 97헌바26).

④ **빈출** 정답률 67% ×

장기미집행 도시계획시설결정의 실효제도는 헌법상 재산권으로부터 당연히 도출되는 권리는 아니다.

장기미집행 도시계획시설결정의 실효제도는 도시계획시설부지로 하여금 도시계획시설결정으로 인한 사회적 제약으로부터 벗어나게 하는 것으로서 결과적으로 개인의 재산권이 더 보호되는 측면이 있는 것은 사실이나, 이와 같은 보호는 입법자가 새로운 제도를 마련함에 따라 얻게 되는 법률에 기한 권리일 뿐 헌법상 재산권으로부터 당연히 도출되는 권리는 아니다(헌재 2005. 9. 29, 2002헌바84 · 89, 2003헌마678 · 943 병합).

정답 06 ④

07 정답률 81% 중 2024 국가직 9급

행정계획에 대한 설명으로 옳지 않은 것은? (다툼이 있는 경우 판례에 의함)

□□□ ① 행정청은 구체적인 행정계획을 입안·결정할 때 비교적 광범위한 형성의 재량을 가진다.

□□□ ② 행정청이 행정계획을 입안·결정할 때 이익형량을 하였으나 정당성과 객관성이 결여된 경우에는 그 행정계획 결정은 위법하게 될 수 있다.

□□□ ③ 도시계획의 결정·변경 등에 관한 권한을 가진 행정청은 이미 도시계획이 결정·고시된 지역에 대하여도 다른 내용의 도시계획을 결정·고시할 수 있고, 이때에 후행 도시계획에 선행 도시계획과 서로 양립할 수 없는 내용이 포함되어 있다면, 특별한 사정이 없는 한 선행 도시계획은 후행 도시계획과 같은 내용으로 변경된다.

□□□ ④ 도시기본계획은 도시의 장기적 개발 방향과 미래상을 제시하는 도시계획 입안의 지침이 되는 장기적·종합적인 개발계획으로서 직접적인 구속력이 있으므로, 도시계획시설결정 대상면적이 도시기본계획에서 예정했던 것보다 증가할 경우 도시기본계획의 범위를 벗어나 위법하다.

관련기출

①

1. 관계법령에는 추상적인 행정목표와 절차만이 규정되어 있을 뿐 행정계획의 내용에 관하여는 별다른 규정을 두고 있지 아니하므로 행정주체는 구체적인 행정계획을 입안·결정함에 있어서 비교적 광범위한 형성의 자유를 가진다. (○, ×) 2022 군무원 9급, 2018 국가직 7급
2. 행정청은 구체적인 행정계획의 입안·결정에 관하여 광범위한 형성의 재량을 가진다. (○, ×) 2022 소방직 9급
3. 행정주체가 행정계획을 결정할 때 광범위한 형성의 자유가 인정되지 않는다. (○, ×) 2017 교육행정직 9급
4. 계획재량은 일반적인 행정재량과 비교하여 행정청에 폭넓은 재량권이 부여되고 있다는 것이 일반적인 견해이다. (○, ×) 2013 지방직(하) 7급

1. ○ 2. ○ 3. × 4. ○

②

1. 행정주체가 행정계획을 입안·결정하면서 이익형량을 전혀 행하지 않거나 이익형량의 고려대상에 마땅히 포함시켜야 할 사항을 빠뜨린 경우 또는 이익형량을 하였으나 정당성과 객관성이 결여된 경우에는 행정계획결정은 형량에 하자가 있어 위법하게 된다. (○, ×) 2023 군무원 9급, 2022 소방간부
2. 행정주체가 가지는 이와 같은 형성의 자유는 무제한적인 것이 아니라 그 행정계획에 관련되는 자들의 이익을 공익과 사익 사이에서는 물론이고 공익 상호 간과 사익 상호 간에도 정당하게 비교 교량하여야 한다는 제한이 있다. (○, ×) 2022 군무원 9급

1. ○ 2. ○

① **빈출** 정답률 3% ○

> 행정주체는 구체적인 행정계획을 입안·결정함에 있어서 비교적 광범위한 형성의 자유를 가진다.
>
> 행정계획이라 함은 행정에 관한 전문적·기술적 판단을 기초로 하여 도시의 건설·정비·개량 등과 같은 특정한 행정목표를 달성하기 위하여 서로 관련되는 행정수단을 종합·조정함으로써 장래의 일정한 시점에 있어서 일정한 질서를 실현하기 위한 활동기준으로 설정된 것으로서, 도시계획법 등 관계법령에는 추상적인 행정목표와 절차만이 규정되어 있을 뿐 행정계획의 내용에 대하여는 별다른 규정을 두고 있지 아니하므로 행정주체는 구체적인 행정계획을 입안·결정함에 있어서 비교적 광범위한 형성의 자유를 가진다(대판 2000. 3. 23, 98두2768).

② **빈출** 정답률 3% ○

> 행정주체가 가지는 이와 같은 형성의 자유는 무제한적인 것이 아니라 그 행정계획에 관련되는 자들의 이익을 공익과 사익 사이에서는 물론이고 공익 상호 간과 사익 상호 간에도 정당하게 비교·형량하여야 한다는 제한이 있는 것이고, 행정주체가 행정계획을 입안·결정함에 있어서 이익형량을 전혀 행하지 아니하거나, 이익형량의 고려대상에 마땅히 포함시켜야 할 사항을 누락한 경우 또는 이익형량을 하였으나 정당성과 객관성이 결여된 경우에는 그 행정계획결정은 형량에 하자가 있어 위법하다(대판 2006. 9. 8, 2003두5426).

③ 정답률 10% ○

'권한 있는' 행정청이 수립한 후행 도시계획에 선행 도시계획과 서로 양립할 수 없는 내용이 포함되어 있다면 특별한 사정이 없는 한 선행 도시계획은 후행 도시계획과 같은 내용으로 변경된 것으로 볼 수 있다는 것이 판례의 입장이다(대판 2000. 9. 8, 99두11257).

④ 정답률 81% ×

> 도시계획법 제11조 제1항에는, 시장 또는 군수는 그 관할 도시계획구역 안에서 시행할 도시계획을 도시기본계획의 내용에 적합하도록 입안하여야 한다고 규정하고 있으나, 도시기본계획이라는 것은 도시의 장기적 개발방향과 미래상을 제시하는 도시계획 입안의 지침이 되는 장기적·종합적인 개발계획으로서 직접적인 구속력은 없는 것이므로, 도시계획시설결정 대상면적이 도시기본계획에서 예정했던 것보다 증가하였다 하여 그것이 도시기본계획의 범위를 벗어나 위법한 것은 아니다(대판 1998. 11. 27, 96누13927).

정답 07 ④

08 중 2024 변호사

행정계획에 관한 설명 중 옳지 않은 것은? (다툼이 있는 경우 판례에 의함)

□□□ ① 행정주체가 행정계획을 입안 · 결정함에 있어서 이익형량의 고려대상에 마땅히 포함시켜야 할 사항을 누락한 경우 그 행정계획결정은 재량권을 일탈 · 남용한 것이다.

□□□ ② 구 도시계획법상 도시계획구역 내 토지 등을 소유하고 있는 주민으로서는 입안권자에게 도시계획입안을 요구할 수 있는 법규상 또는 조리상 신청권이 있다.

□□□ ③ 「산업입지 및 개발에 관한 법률」에 따른 산업단지개발계획상 산업단지 안의 토지소유자로서 산업단지개발계획에 적합한 시설을 설치하여 입주하려는 자는 산업단지지정권자에 대하여 산업단지개발계획의 변경을 요청할 수 있는 법규상 또는 조리상 신청권이 없다.

□□□ ④ 주택재건축정비사업조합이 「도시 및 주거환경정비법」에 따라 수립하는 관리처분계획은 구속적 행정계획에 해당한다.

□□□ ⑤ 구 국토이용관리법상 장래 일정한 기간 내에 관계 법령이 규정하는 시설 등을 갖추어 일정한 행정처분을 구하는 신청을 할 수 있는 법률상 지위에 있는 자의 국토이용계획변경신청을 거부하는 것이 실질적으로 당해 행정처분 자체를 거부하는 결과가 되는 경우 그 신청인에게 국토이용계획변경을 신청할 권리가 인정된다.

관련기출

①

1. 행정주체가 행정계획을 입안 · 결정함에 있어서 이익형량의 고려대상에 마땅히 포함시켜야 할 사항을 누락한 경우 그 행정계획결정은 재량권을 일탈 · 남용한 것으로서 위법하다. (○, ×) 2022 국가직 7급
2. 행정청이 행정계획을 입안 · 결정할 때 이익형량을 전혀 행하지 아니하였다면, 그 행정계획결정은 재량권을 일탈 · 남용한 것으로 위법하다. (○, ×) 2022 소방직 9급
3. 행정주체가 행정계획을 입안 · 결정하는 데에는 비록 광범위한 계획재량을 갖고 있지만 비례의 원칙에 어긋나게 된 경우에는 재량권을 일탈 · 남용한 위법한 처분이 된다. (○, ×) 2021 국회직 8급

1. ○ 2. ○ 3. ○

③

1. 산업단지개발계획상 산업단지 안의 토지소유자로서 산업단지개발계획에 적합한 시설을 설치하여 입주하려는 자는 산업단지지정권자 또는 그로부터 권한을 위임받은 기관에 대하여 산업단지개발계획의 변경을 요청할 수 있는 법규상 또는 조리상 신청권이 있다. (○, ×) 2021 지방직 · 서울시 7급

1. ○

① **빈출** ○

행정주체가 행정계획을 입안 · 결정함에 있어서 이익형량을 전혀 행하지 아니하거나 이익형량의 고려대상에 마땅히 포함시켜야 할 사항을 누락한 경우 또는 이익형량을 하였으나 정당성 · 객관성이 결여된 경우에는 그 행정계획결정은 재량권을 일탈 · 남용한 것으로서 위법하다(대판 1996. 11. 29, 96누8567).

② ○

도시계획입안제안과 관련하여서는 주민이 입안권자에게 "1. 도시계획시설의 설치 · 정비 또는 개량에 관한 사항, 2. 지구단위계획구역의 지정 및 변경과 지구단위계획의 수립 및 변경에 관한 사항"에 관하여 '도시계획도서와 계획설명서를 첨부'하여 도시계획의 입안을 제안할 수 있고, 위 입안제안을 받은 입안권자는 그 처리결과를 제안자에게 통보하도록 규정하고 있는 점 등과 헌법상 개인의 재산권보장의 취지에 비추어 보면, 도시계획구역 내 토지 등을 소유하고 있는 주민으로서는 입안권자에게 도시계획입안을 요구할 수 있는 법규상 또는 조리상의 신청권이 있다고 할 것이고, 이러한 신청에 대한 거부행위는 항고소송의 대상이 되는 행정처분에 해당한다(대판 2004. 4. 28, 2003두1806).

③ ×

산업단지개발계획상 산업단지 안의 토지소유자로서 산업단지개발계획에 적합한 시설을 설치하여 입주하려는 자에게 산업단지지정권자 또는 그로부터 권한을 위임받은 기관에 대하여 산업단지개발계획의 변경을 요청할 수 있는 법규상 또는 조리상 신청권이 있으며 따라서 이러한 신청에 대한 거부행위는 항고소송의 대상이 되는 행정처분에 해당한다(대판 2017. 8. 29, 2016두44186).

④ ○

도시 및 주거환경정비법(이하 '도시정비법'이라 한다)에 따른 주택재건축정비사업조합(이하 '재건축조합'이라 한다)은 관할행정청의 감독 아래 도시정비법상의 주택재건축사업을 시행하는 공법인(도시정비법 제38조)으로서, 그 목적 범위 내에서 법령이 정하는 바에 따라 일정한 행정작용을 행하는 행정주체의 지위를 갖는다. 재건축조합이 행정주체의 지위에서 도시정비법 제74조에 따라 수립하는 관리처분계획은 정비사업의 시행 결과 조성되는 대지 또는 건축물의 권리귀속에 관한 사항과 조합원의 비용 분담에 관한 사항 등을 정함으로써 조합원의 재산상 권리 · 의무 등에 구체적이고 직접적인 영향을 미치게 되므로, 이는 구속적 행정계획으로서 재건축조합이 행하는 독립된 행정처분에 해당한다(대판 2022. 7. 14, 2022다206391).

⑤ **빈출** ○

〔군수로부터 폐기물처리사업계획의 적정통보를 받은 원고가 폐기물처리업허가를 받기 위하여는 문제된 부동산에 대한 용도지역을 '농림지역 또는 준농림지역'에서 '준도시지역(시설용지지구)'으로 변경하는 국토이용계획변경이 선행되어야 하는데 피고가 용도지역 변경, 즉 국토이용계획변경을 거부하자 이를 다툰 사건에서 처분성을 인정하면서〕 일정한 행정처분을 구하는 신청을 할 수 있는 법률상 지위에 있는 자의 국토이용계획변경신청을 거부하는 것이 실질적으로 당해 행정처분 자체를 거부하는 결과가 되는 경우에는 예외적으로 그 신청인에게 국토이용계획변경을 신청할 권리가 인정된다(대판 2003. 9. 23, 2001두10936).

정답 08 ③

09

정답률 64% 하 2022 국가직 9급

행정작용에 대한 설명으로 옳은 것은? (다툼이 있는 경우 판례에 의함)

① 구체적인 계획을 입안함에 있어 지침이 되거나 특정 사업의 기본방향을 제시하는 내용의 행정계획은 항고소송의 대상인 행정처분에 해당하지 않는다.

② 공법상 계약이 법령위반 등의 내용상 하자가 있는 경우에도 그 하자가 중대 · 명백한 것이 아니면 취소할 수 있는 하자에 불과하고 이에 대한 다툼은 당사자소송에 의하여야 한다.

③ 지도, 권고, 조언 등의 행정지도는 법령의 근거를 요하고 항고소송의 대상이 된다.

④ 「국가를 당사자로 하는 계약에 관한 법률」에 따라 국가가 당사자가 되는 이른바 공공계약에 관한 법적 분쟁은 원칙적으로 행정법원의 관할 사항이다.

관련기출

①

1. '4대강 살리기 마스터플랜'은 행정처분에 해당한다. (○, ×)
2017 교육행정직 9급

1. ×

④

1. 「국가를 당사자로 하는 계약에 관한 법률」에 따라 국가가 당사자가 되는 이른바 공공계약은 그에 관한 법령에 특별한 정함이 없는 한 사법상 계약에 해당한다. (○, ×) 2023 지방직 · 서울시 7급
2. 국가가 사경제의 주체로서 상대방과 대등한 지위에서 체결하는 계약의 본질적인 내용은 사인 간의 계약과 다를 바가 없으므로 사적 자치와 계약자유의 원칙을 비롯한 사법의 원리가 원칙적으로 적용된다. (○, ×) 2023 소방직 9급
3. 국가를 당사자로 하는 계약이나 「공공기관의 운영에 관한 법률」의 적용대상인 공기업이 일방 당사자가 되는 모든 계약은 공법상 계약으로 본다. (○, ×) 2023 소방간부

1. ○ 2. ○ 3. ×

① ○

행정계획이 행정활동의 지침으로서만의 성격에 그치거나 행정조직 내부에서의 효력만을 가질 때에는 항고소송의 대상이 되는 처분에 해당하지 않는다.

> 국토해양부(현 국토교통부), 환경부, 문화체육관광부, 농림수산식품부(현 농림축산식품부)가 합동으로 2009. 6. 8. 발표한 '4대강 살리기 마스터플랜' 등은 행정기관 내부에서 사업의 기본방향을 제시하는 계획일 뿐 국민의 권리 · 의무에 직접 영향을 미치는 것이 아니어서, 행정처분에 해당하지 않는다(대결 2011. 4. 21, 2010무111 전합).

② 제19강 참조 ×

하자 있는 행정행위는 중대 · 명백설에 따르면 무효 또는 취소할 수 있는 행정행위가 된다. 이에 반해 하자 있는 공법상 계약은 무효가 될 뿐이다.

③ 제19강 참조 ×

행정지도는 이에 따를 것인지가 상대방의 임의적 결정에 달려 있는 비권력적 사실행위이므로 작용법적 근거가 필요 없으며 항고소송의 대상이 되는 처분성도 없다는 것이 통설의 입장이다.

> 세무당국이 특정회사에 대하여 원고의 주류거래를 일정기간 중지하여 줄 것을 요청한 행위는 항고소송의 대상이 될 수 없다(대판 1980. 10. 27, 80누395).

④ 제5강 참조 ×

사법상 계약에 해당하므로 민사소송의 대상이 될 뿐 행정소송의 대상이 되는 것은 아니므로 행정법원의 관할에 속하지 않는다.

> 「국가를 당사자로 하는 계약에 관한 법률」에 따라 국가가 당사자가 되는 이른바 공공계약은 사경제주체로서 상대방과 대등한 위치에서 체결하는 사법상 계약으로서 본질적인 내용은 사인 간의 계약과 다를 바가 없으므로, 그에 관한 법령에 특별한 정함이 있는 경우를 제외하고는 사적 자치와 계약자유의 원칙 등 사법의 원리가 그대로 적용된다(대판 2020. 5. 14, 2018다298409).

정답 09 ①

10 빈출 정답률 80% 중 2018 국가직 7급

행정계획에 대한 설명으로 옳지 않은 것은? (다툼이 있는 경우 판례에 의함)

□□□ ① 「국토의 계획 및 이용에 관한 법률」에 따른 도시기본계획은 일반국민에 대한 직접적인 구속력은 인정되지 않지만, 도시의 장기적 개발방향과 미래상을 제시하는 도시계획입안의 지침이 되기에 행정청에 대한 직접적인 구속력은 인정된다.

□□□ ② 관계법령에 추상적인 행정목표와 절차만이 규정되어 있을 뿐 행정계획의 내용에 관하여 별다른 규정을 두고 있지 아니하는 경우에, 행정주체는 구체적인 행정계획의 입안 · 결정에 관하여 비교적 광범위한 형성의 자유를 가진다.

□□□ ③ 비구속적 행정계획안이나 행정지침이라도 국민의 기본권에 직접적으로 영향을 끼치고, 앞으로 법령의 뒷받침에 의하여 그대로 실시될 것이 틀림없을 것으로 예상될 수 있을 때에는, 공권력행위로서 헌법소원의 대상이 될 수 있다.

□□□ ④ 행정주체가 행정계획을 입안 · 결정함에 있어서 행정계획에 관련되는 자들의 이익을 공익과 사익 사이에서는 물론이고 공익 상호 간과 사익 상호 간에도 정당하게 비교 · 교량하여야 한다.

① ×

1. 구 도시계획법(현 「국토의 계획 및 이용에 관한 법률」) 제10조의2 소정의 도시기본계획은 도시계획입안의 지침이 되는 것에 불과할 뿐 일반국민에 대한 직접적인 구속력은 없는 것이다(대판 2002. 10. 11, 2000두8226).
2. 구 도시계획법 제19조 제1항 및 지방자치단체의 도시계획조례에서 말하는 도시기본계획은 행정청에 대한 직접적 구속력은 없다(대판 2007. 4. 12, 2005두1893).

② ○

행정주체는 구체적인 행정계획을 입안 · 결정함에 있어서 비교적 광범위한 형성의 자유를 가진다.

도시계획법 등 관계법령에는 추상적인 행정목표와 절차만이 규정되어 있을 뿐 행정계획의 내용에 대하여는 별다른 규정을 두고 있지 아니하므로 행정주체는 구체적인 행정계획을 입안 · 결정함에 있어서 비교적 광범위한 형성의 자유를 가지는 한편 …… (대판 2000. 3. 23, 98두2768)

③ ○

비구속적 행정계획안이나 행정지침이라도 국민의 기본권에 직접적으로 영향을 끼치고, 앞으로 법령의 뒷받침에 의하여 그대로 실시될 것이 틀림없을 것으로 예상될 수 있을 때에는, 공권력행위로서 예외적으로 헌법소원의 대상이 될 수 있다는 것이 판례의 입장이다(헌재 2000. 6. 1, 99헌마538 등).

④ ○

행정주체가 가지는 이와 같은 형성의 자유는 무제한적인 것이 아니라 그 행정계획에 관련되는 자들의 이익을 공익과 사익 사이에서는 물론이고 공익 상호 간과 사익 상호 간에도 정당하게 비교 · 형량하여야 한다는 제한이 있는 것이고, 행정주체가 행정계획을 입안 · 결정함에 있어서 이익형량을 전혀 행하지 아니하거나, 이익형량의 고려대상에 마땅히 포함시켜야 할 사항을 누락한 경우 또는 이익형량을 하였으나 정당성과 객관성이 결여된 경우에는 그 행정계획결정은 형량에 하자가 있어 위법하다(대판 2006. 9. 8, 2003두5426).

정답 10 ①

제 19 강 공법상 계약 등

1회독	2회독	3회독
/	/	/

⊘정답률 공단기/소방단기 합격예측 풀서비스 통계 데이터 기준 기 기본서 핵 핵심집약

01 그 밖의 행정의 주요 행정형식 1

기 402~415쪽 핵 T 38~40

❶ 공법상 계약

01 중 2024 국회직 8급

공법상 계약에 대한 설명으로 옳지 않은 것은? (다툼이 있는 경우 판례에 의함)

□□□ ① 행정청은 공법상 계약의 상대방을 선정하고 계약내용을 정할 때 공법상 계약의 공공성과 제3자의 이해관계를 고려하여야 한다.

□□□ ② 「국유림의 경영 및 관리에 관한 법률」에 따른 국유임산물 매각계약은 공법상 계약이 아니라 사법상 계약에 해당한다.

□□□ ③ 중소기업 정보화지원사업에 따른 지원금 출연을 위하여 중소기업청장이 체결하는 협약은 공법상 계약에 해당한다.

□□□ ④ 구 「산업집적활성화 및 공장설립에 관한 법률」에 따른 산업단지 입주계약의 해지통보는 대등한 당사자의 지위에서 형성된 공법상 계약을 계약당사자의 지위에서 종료시키는 의사표시이므로 당사자소송의 대상이 된다.

□□□ ⑤ 공기업·준정부기관이 입찰을 거쳐 계약을 체결한 상대방에 대해 「공공기관의 운영에 관한 법률」 등에 따라 계약조건 위반을 이유로 입찰참가자격제한처분을 하기 위해서는 입찰공고와 계약서에 미리 계약조건과 그 계약조건을 위반할 경우 입찰참가자격제한을 받을 수 있다는 사실을 모두 명시해야 한다.

관련기출

①

1. 행정절차법에 의하면 행정청은 공법상 계약의 상대방을 선정하고 계약내용을 정할 때 공법상 계약의 공공성과 제3자의 이해관계를 고려하여야 한다. (○, ×) 2023 국회직 8급
2. 행정청은 공법상 계약의 상대방을 선정하고 계약내용을 정할 때 공법상 계약의 공공성만을 고려하여야 하고 제3자의 이해관계를 고려하여서는 아니 된다. (○, ×) 2023 행정사

🔒 1. × 2. ×

① **빈출** ○

행정기본법 제27조【공법상 계약의 체결】② 행정청은 공법상 계약의 상대방을 선정하고 계약내용을 정할 때 공법상 계약의 공공성과 제3자의 이해관계를 고려하여야 한다.

② ○

「국유림의 경영 및 관리에 관한 법률」에 따른 국유임산물 매각계약은 사법상 계약에 해당한다(대판 2020. 5. 14, 2018다298409).

③ **빈출** ○

(중소기업기술정보진흥원장이 甲주식회사와 중소기업 정보화지원사업 지원대상인 사업의 지원에 관한 협약을 체결하였는데, 협약이 甲회사에 책임이 있는 사업실패로 해지되었다는 이유로 협약에서 정한 대로 지급받은 정부지원금을 반환할 것을 통보한 사안에서) 중소기업 정보화지원사업에 따른 지원금 출연을 위하여 중소기업청장(현 중소벤처기업부장관)이 체결하는 협약은 공법상 대등한 당사자 사이의 의사표시의 합치로 성립하는 공법상 계약에 해당하는 점, …… 등을 종합하면, 중소기업 정보화지원사업을 위한 협약의 해지 및 그에 따른 환수통보는 공법상 계약에 따라 행정청이 대등한 당사자의 지위에서 하는 의사표시로 보아야 하고, 이를 행정청이 우월한 지위에서 행하는 공권력의 행사로서 행정처분에 해당한다고 볼 수는 없다(대판 2015. 8. 27, 2015두41449).

④ ×

산업단지관리공단이 구 「산업집적활성화 및 공장설립에 관한 법률」 제38조 제2항에 따른 입주변경계약의 취소는 항고소송의 대상이 되는 행정처분에 해당한다.

구 「산업집적활성화 및 공장설립에 관한 법률」 …… 규정들에서 알 수 있는 산업단지관리공단의 지위, 입주계약 및 변경계약의 효과, 입주계약 및 변경계약 체결 의무와 그 의무를 불이행한 경우의 형사적 내지 행정적 제재, 입주계약해지의 절차, 해지통보에 수반되는 법적 의무 및 그 의무를 불이행한 경우의 형사적 내지 행정적 제재 등을 종합적으로 고려하면, 입주변경계약 취소는 행정청인 관리권자로부터 관리업무를 위탁받은 산업단지관리공단이 우월적 지위에서 입주기업체들에게 일정한 법률상 효과를 발생하게 하는 것으로서 항고소송의 대상이 되는 행정처분에 해당한다(대판 2017. 6. 15, 2014두46843).

⑤ ○

공기업·준정부기관이 입찰을 거쳐 계약을 체결한 상대방에 대해 「공공기관의 운영에 관한 법률」 제39조 제2항 등에 따라 계약조건 위반을 이유로 입찰참가자격제한처분을 하기 위해서는 입찰공고와 계약서에 미리 계약조건과 그 계약조건을 위반할 경우 입찰참가자격제한을 받을 수 있다는 사실을 모두 명시해야 한다(대판 2021. 11. 11, 2021두43491).

정답 01 ④

02 빈출 정답률 73% 중 2024 국가직 9급

공법상 계약에 대한 설명으로 옳은 것만을 모두 고르면? (다툼이 있는 경우 판례에 의함)

□□□ ㉠ 행정청은 법령 등을 위반하지 아니하는 범위에서 행정목적을 달성하기 위하여 필요한 경우에는 공법상 법률관계에 관한 계약을 체결할 수 있고, 이 경우 계약의 목적 및 내용을 명확하게 적은 계약서를 작성하여야 한다.

□□□ ㉡ 계약직 공무원 채용계약해지의 의사표시를 하는 경우 징계해고 등에서와 같이 그 징계사유에 한하여 효력 유무를 판단하여야 하거나, 행정처분과 같이 행정절차법에 의하여 근거와 이유를 제시하여야 한다.

□□□ ㉢ 공익사업을 위한 토지 등의 취득 및 보상에 관한 법령에 의한 협의취득은 사법상의 법률행위이지만 당사자 사이의 자유로운 의사에 따라 채무불이행책임이나 매매대금 과부족금에 대한 지급의무를 약정할 수 있는 것은 아니다.

□□□ ㉣ 「지방자치단체를 당사자로 하는 계약에 관한 법률」에 따라 지방자치단체가 일방 당사자가 되는 이른바 공공계약이 사경제의 주체로서 상대방과 대등한 위치에서 체결하는 사법상의 계약에 해당하는 경우 그에 관한 법령에 특별한 정함이 있는 경우를 제외하고는 사적 자치와 계약자유의 원칙 등 사법의 원리가 그대로 적용된다.

① ㉠, ㉡ ② ㉠, ㉣
③ ㉠, ㉢, ㉣ ④ ㉡, ㉢, ㉣

관련기출

㉡

1. 계약직 공무원 채용계약해지의 의사표시는 행정절차법에 의하여 근거와 이유를 제시하여야 하는 것은 아니다. (○, ×)
2022 지방직 · 서울시 9급, 2022 소방간부

2. 계약직 공무원 채용계약해지의 의사표시는 항고소송의 대상이 되는 처분 등의 성격을 가진 것으로 행정처분과 같이 행정절차법에 의하여 근거와 이유를 제시하여야 한다. (○, ×) 2021 지방직 · 서울시 9급

3. 계약직 공무원 채용계약해지는 국가 또는 지방자치단체가 대등한 지위에서 행하는 의사표시로서 처분이 아니므로 행정절차법에 의하여 근거와 이유를 제시하여야 하는 것은 아니다. (○, ×) 2021 국가직 9급

4. 계약직 공무원 채용계약해지의 의사표시는 일정한 사유가 있을 때에 국가 또는 지방자치단체가 채용계약관계의 한쪽 당사자로서 대등한 지위에서 행하는 의사표시로 볼 수 없으므로, 행정절차법에 의하여 근거와 이유를 제시하여야 한다. (○, ×) 2021 국회직 8급

1. ○ 2. × 3. ○ 4. ×

㉠ ○

행정기본법 제27조【공법상 계약의 체결】① 행정청은 법령 등을 위반하지 아니하는 범위에서 행정목적을 달성하기 위하여 필요한 경우에는 공법상 법률관계에 관한 계약(이하 '공법상 계약'이라 한다)을 체결할 수 있다. 이 경우 계약의 목적 및 내용을 명확하게 적은 계약서를 작성하여야 한다.

㉡ 빈출 ×

공법상 계약의 해지는 처분이 아니므로 처분을 규율하고 있는 행정절차법 규정이 적용되지 않는다.

계약직 공무원에 대한 채용계약해지의 의사표시는 행정처분이 아니므로 행정처분과 같이 행정절차법에 의하여 근거와 이유를 제시하여야 하는 것은 아니다.

계약직 공무원에 관한 현행 법령의 규정에 비추어 볼 때, 계약직 공무원 채용계약해지의 의사표시는 일반공무원에 대한 징계처분과는 달라서 항고소송의 대상이 되는 처분 등의 성격을 가진 것으로 인정되지 아니하고, 일정한 사유가 있을 때에 국가 또는 지방자치단체가 채용계약 관계의 한쪽 당사자로서 대등한 지위에서 행하는 의사표시로 취급되는 것으로 이해되므로, 이를 징계해고 등에서와 같이 그 징계사유에 한하여 효력 유무를 판단하여야 하거나, 행정처분과 같이 행정절차법에 의하여 근거와 이유를 제시하여야 하는 것은 아니다(대판 2002. 11. 26, 2002두5948).

㉢ 빈출 제5강 참조 ×

「공익사업을 위한 토지 등의 취득 및 보상에 관한 법률」에 의한 협의취득은 사법(私法)상의 법률행위이다.

공익사업을 위한 토지 등의 취득 및 보상에 관한 법령에 의한 협의취득은 사법상의 법률행위이므로 당사자 사이의 자유로운 의사에 따라 채무불이행책임이나 매매대금 과부족금에 대한 지급의무를 약정할 수 있다(대판 2012. 2. 23, 2010다91206).

㉣ 빈출 ○

「지방자치단체를 당사자로 하는 계약에 관한 법률」에 따라 지방자치단체가 일방 당사자가 되는 이른바 '공공계약'이 사경제의 주체로서 상대방과 대등한 위치에서 체결하는 사법상 계약에 해당하는 경우 그에 관한 법령에 특별한 정함이 있는 경우를 제외하고는 사적 자치와 계약자유의 원칙 등 사법의 원리가 그대로 적용된다(대판 2018. 2. 13, 2014두11328).

정답 02 ②

03 정답률 78% 중 2023 지방직 · 서울시 7급

행정계약에 대한 설명으로 옳은 것만을 모두 고르면? (다툼이 있는 경우 판례에 의함)

> ㉠ 행정청은 법령 등을 위반하지 아니하는 범위에서 행정목적을 달성하기 위하여 필요한 경우에는 공법상 법률관계에 관한 계약을 체결할 수 있다.
>
> ㉡ 행정기본법에 따르면 신속히 처리할 필요가 있거나 사안이 경미한 경우에는 말 또는 서면으로 공법상 계약을 체결할 수 있다.
>
> ㉢ 중소기업기술정보진흥원장이 甲주식회사와 체결한 중소기업 정보화지원사업 지원대상인 사업의 지원에 관한 협약의 해지는 상대방의 권리 · 의무를 변경시키는 처분에 해당하므로 항고소송의 대상이 된다.
>
> ㉣ 「국가를 당사자로 하는 계약에 관한 법률」에 따라 국가가 당사자가 되는 이른바 공공계약은 그에 관한 법령에 특별한 정함이 없는 한 사법상 계약에 해당한다.

① ㉠, ㉡　　② ㉠, ㉣
③ ㉡, ㉢　　④ ㉢, ㉣

관련기출

㉢

1. 중소기업 정보화지원사업에 따른 지원금 출연을 위하여 중소기업청장이 체결하는 협약은 공법상 대등한 당사자 사이의 의사표시의 합치로 성립하는 공법상 계약에 해당한다. (○, ×) 2023 국회직 8급, 2021 지방직 · 서울시 7급
2. 중소기업기술정보진흥원장이 갑(甲) 주식회사와 중소기업 정보화지원사업 지원대상인 사업의 지원에 관한 협약을 체결하였는데, 협약이 갑(甲) 회사에 책임이 있는 사업실패로 해지되었다는 이유로 협약에서 정한 대로 지급받은 정부지원금을 반환할 것을 통보한 경우, 이에 대한 갑(甲) 주식회사의 불복은 당사자소송의 대상이다. (○, ×) 2022 서울시 지적 7급
3. 중소기업 정보화지원사업에 따른 지원금 출연을 위하여 중소기업청장이 체결하는 협약은 공법상 대등한 당사자 사이의 의사표시의 합치로 성립하는 공법상 계약에 해당하고 그 협약의 해지 및 그에 따른 환수통보는 공법상 계약에 따라 행정청이 대등한 당사자의 지위에서 하는 의사표시이다. (○, ×) 2022 국가직 7급
4. 중소기업기술정보진흥원장이 甲회사와 중소기업 정보화지원사업 지원대상인 사업의 지원에 관한 협약을 체결하였는데, 협약이 甲회사에 책임이 있는 사업실패로 해지되었다는 이유로 협약에서 정한 대로 지급받은 정부지원금을 반환할 것을 통보한 것은 행정처분에 해당하지 않는다. (○, ×) 2021 경행경채, 2018 국가직 9급

1. ○ 2. ○ 3. ○ 4. ○

㉠ ○

㉡ ×

> **행정기본법 제27조【공법상 계약의 체결】** ① 행정청은 법령 등을 위반하지 아니하는 범위에서 행정목적을 달성하기 위하여 필요한 경우에는 공법상 법률관계에 관한 계약(이하 '공법상 계약'이라 한다)을 체결할 수 있다(㉠). 이 경우 계약의 목적 및 내용을 명확하게 적은 계약서를 작성하여야 한다(㉡).

㉢ ×

중소기업기술정보진흥원장과 甲주식회사가 체결한 중소기업 정보화지원사업을 위한 협약의 해지 및 그에 따른 환수통보는 행정처분이 아니라 공법상 계약에 따라 행정청이 대등한 당사자의 지위에서 하는 의사표시로 보아야 하므로 이에 대한 분쟁은 당사자소송의 대상이 된다.

> (중소기업기술정보진흥원장이 甲주식회사와 중소기업 정보화지원사업 지원대상인 사업의 지원에 관한 협약을 체결하였는데, 협약이 甲회사에 책임이 있는 사업실패로 해지되었다는 이유로 협약에서 정한 대로 지급받은 정부지원금을 반환할 것을 통보한 사안에서) 중소기업 정보화지원사업에 따른 지원금 출연을 위하여 중소기업청장(현 중소벤처기업부장관)이 체결하는 협약은 공법상 대등한 당사자 사이의 의사표시의 합치로 성립하는 공법상 계약에 해당하는 점, …… 등을 종합하면, 중소기업 정보화지원사업을 위한 협약의 해지 및 그에 따른 환수통보는 공법상 계약에 따라 행정청이 대등한 당사자의 지위에서 하는 의사표시로 보아야 하고, 이를 행정청이 우월한 지위에서 행하는 공권력의 행사로서 행정처분에 해당한다고 볼 수는 없다(대판 2015. 8. 27, 2015두41449).

㉣ ○

> 「국가를 당사자로 하는 계약에 관한 법률」에 따라 국가가 당사자가 되는 이른바 공공계약은 사경제 주체로서 상대방과 대등한 위치에서 체결하는 사법상 계약으로서 본질적인 내용은 사인 간의 계약과 다를 바가 없으므로, 그에 관한 법령에 특별한 정함이 있는 경우를 제외하고는 사적 자치와 계약자유의 원칙 등 사법의 원리가 그대로 적용된다(대판 2020. 5. 14, 2018다298409).

정답 03 ②

04 ㊤ 2023 국회직 8급

행정절차법에 규정된 내용에 대한 설명으로 옳지 않은 것은?

□□□ ① 확약은 문서로 하여야 한다.

□□□ ② 행정청은 위반사실 등의 공표를 할 때에는 특별한 사정이 없는 한 미리 당사자에게 그 사실을 통지하고 의견제출의 기회를 주어야 한다.

□□□ ③ 행정청은 행정청이 수립하는 계획 중 국민의 권리·의무에 직접 영향을 미치는 계획을 수립하거나 변경·폐지할 때에는 관련된 여러 이익을 정당하게 형량하여야 한다.

□□□ ④ 행정청은 공법상 계약의 상대방을 선정하고 계약내용을 정할 때 공법상 계약의 공공성과 제3자의 이해관계를 고려하여야 한다.

□□□ ⑤ 행정기관은 행정지도의 상대방이 행정지도에 따르지 아니하였다는 것을 이유로 불이익한 조치를 하여서는 아니 된다.

① ○

행정절차법 제40조의2【확약】 ① 법령 등에서 당사자가 신청할 수 있는 처분을 규정하고 있는 경우 행정청은 당사자의 신청에 따라 장래에 어떤 처분을 하거나 하지 아니할 것을 내용으로 하는 의사표시(이하 '확약'이라 한다)를 할 수 있다.
② 확약은 문서로 하여야 한다.

② ○

행정절차법 제40조의3【위반사실 등의 공표】 ③ 행정청은 위반사실 등의 공표를 할 때에는 미리 당사자에게 그 사실을 통지하고 의견제출의 기회를 주어야 한다. 다만, 다음 각 호의 어느 하나에 해당하는 경우에는 그러하지 아니하다.
1. 공공의 안전 또는 복리를 위하여 긴급히 공표를 할 필요가 있는 경우
2. 해당 공표의 성질상 의견청취가 현저히 곤란하거나 명백히 불필요하다고 인정될 만한 타당한 이유가 있는 경우
3. 당사자가 의견진술의 기회를 포기한다는 뜻을 명백히 밝힌 경우

③ ○

행정절차법 제40조의4【행정계획】 행정청은 행정청이 수립하는 계획 중 국민의 권리·의무에 직접 영향을 미치는 계획을 수립하거나 변경·폐지할 때에는 관련된 여러 이익을 정당하게 형량하여야 한다.

④ ×

행정절차법이 아니라 행정기본법에 규정되어 있다. 행정절차법에는 공법상 계약에 관한 규정이 없다.

행정기본법 제27조【공법상 계약의 체결】 ② 행정청은 공법상 계약의 상대방을 선정하고 계약내용을 정할 때 공법상 계약의 공공성과 제3자의 이해관계를 고려하여야 한다.

⑤ **빈출** ○

행정절차법 제48조【행정지도의 원칙】 ② 행정기관은 행정지도의 상대방이 행정지도에 따르지 아니하였다는 것을 이유로 불이익한 조치를 하여서는 아니 된다.

정답 04 ④

05 ㊤ 2023 국회직 8급

공법상 계약에 대한 설명으로 옳은 것만을 <보기>에서 모두 고르면? (다툼이 있는 경우 판례에 의함)

보기

□□□ ㉠ 지방자치단체를 당사자로 하는 계약에 관하여는 그 계약의 성질이 사법상 계약인지 공법상 계약인지와 상관없이 원칙적으로 「지방자치단체를 당사자로 하는 계약에 관한 법률」의 규율이 적용된다고 보아야 한다.

□□□ ㉡ 중소기업 정보화지원사업에 따른 지원금 출연을 위하여 중소기업청장이 체결하는 협약은 공법상 대등한 당사자 사이의 의사표시의 합치로 성립하는 공법상 계약에 해당한다.

□□□ ㉢ 지방자치단체가 일방 당사자가 되는 이른바 '공공계약'이 사경제의 주체로서 상대방과 대등한 위치에서 체결하는 사법상 계약에 해당하는 경우 그에 관한 법령에 특별한 정함이 있는 경우를 제외하고는 사적 자치와 계약자유의 원칙 등 사법의 원리가 그대로 적용된다.

□□□ ㉣ 행정청은 법령 등을 위반하지 아니하는 범위에서 공법상 계약을 체결할 수 있으며, 이 경우 계약의 목적 및 내용을 명확하게 적은 계약서를 작성하여야 한다.

① ㉠, ㉡, ㉢ ② ㉠, ㉡, ㉣
③ ㉠, ㉢, ㉣ ④ ㉡, ㉢, ㉣
⑤ ㉠, ㉡, ㉢, ㉣

관련기출

㉢

1. 지방자치단체가 일방 당사자가 되는 이른바 '공공계약'이 사법상 계약에 해당하는 경우에도 법령에 특별한 규정이 없다면 사적자치와 계약자유의 원칙 등 사법의 원리가 그대로 적용되지 않는다. (○, ×) 2022 지방직 · 서울시 9급
2. 지방자치단체가 체결하는 이른바 '공공계약'이 사경제의 주체로서 상대방과 대등한 위치에서 체결하는 사법상 계약에 해당하는 경우, 그 계약에는 법령에 특별한 정함이 있는 경우 외에는 사적 자치와 계약자유의 원칙 등 사법의 원리가 그대로 적용된다. (○, ×) 2019 지방직 7급
3. 「지방자치단체를 당사자로 하는 계약에 관한 법률」에 따라 지방자치단체가 당사자가 되는 이른바 공공계약은 본질적인 내용이 사인 간의 계약과 다를 바가 없다. (○, ×) 2017 국가직 7급

1. × 2. ○ 3. ○

㉠ ○

「지방자치단체를 당사자로 하는 계약에 관한 법률」, 즉 지방계약법은 지방자치단체를 당사자로 하는 계약에 관한 기본적인 사항을 정함으로써 계약업무를 원활하게 수행할 수 있도록 함을 목적으로 하고(제1조), 지방자치단체가 계약상대자와 체결하는 수입 및 지출의 원인이 되는 계약 등에 대하여 적용하며(제2조), 지방자치단체를 당사자로 하는 계약에 관하여는 다른 법률에 특별한 규정이 있는 경우 외에는 이 법에서 정하는 바에 따른다고 규정하고 있다(제4조). 따라서 다른 법률에 특별한 규정이 있는 경우이거나 또는 지방계약법의 개별 규정의 규율내용이 매매, 도급 등과 같은 특정한 유형 · 내용의 계약을 규율대상으로 하고 있는 경우가 아닌 한, 지방자치단체를 당사자로 하는 계약에 관하여는 그 계약의 성질이 공법상 계약인지 사법상 계약인지와 상관없이 원칙적으로 지방계약법의 규율이 적용된다고 보아야 한다(대판 2020. 12. 10, 2019다234617).

㉡ ○

중소기업 정보화지원사업에 따른 지원금 출연을 위하여 중소기업청장(현 중소벤처기업부장관)이 체결하는 협약은 공법상 대등한 당사자 사이의 의사표시의 합치로 성립하는 공법상 계약에 해당한다는 것이 판례의 입장이다(대판 2015. 8. 27, 2015두41449).

㉢ ○

지방자치단체가 일방 당사자가 되는 이른바 '공공계약'이 사경제의 주체로서 상대방과 대등한 위치에서 체결하는 사법상 계약에 해당하는 경우 그에 관한 법령에 특별한 정함이 있는 경우를 제외하고는 사적 자치와 계약자유의 원칙 등 사법의 원리가 그대로 적용된다는 것이 판례의 입장이다(대판 2018. 2. 13, 2014두11328).

㉣ ○

행정기본법 제27조【공법상 계약의 체결】 ① 행정청은 법령 등을 위반하지 아니하는 범위에서 행정목적을 달성하기 위하여 필요한 경우에는 공법상 법률관계에 관한 계약(이하 '공법상 계약'이라 한다)을 체결할 수 있다. 이 경우 계약의 목적 및 내용을 명확하게 적은 계약서를 작성하여야 한다.

정답 05 ⑤

06 정답률 88% 중 2023 소방직 9급

행정상 계약에 관한 설명으로 옳지 않은 것은? (다툼이 있는 경우 판례에 의함)

□□□ ① 행정청은 법령 등을 위반하지 아니하는 범위에서 행정목적을 달성하기 위하여 필요한 경우에는 공법상 법률관계에 대한 계약을 체결할 수 있다.

□□□ ② 국가가 당사자가 되는 이른바 공공계약은 사경제주체로서 상대방과 대등한 위치에서 체결하는 사법상 계약이다.

□□□ ③ 국가와 사인 사이에 계약이 체결되었다면 법령에 따라 작성해야 하는 계약서가 따로 작성되지 않았다고 하더라도 효력이 있다.

□□□ ④ 「공공기관의 운영에 관한 법률」에 따른 입찰참가자격제한조치는 행정처분에 해당한다.

관련기출

②

1. 국가를 당사자로 하는 계약이나 「공공기관의 운영에 관한 법률」의 적용대상인 공기업이 일방 당사자가 되는 모든 계약은 공법상 계약으로 본다. (○, ×) 2023 소방간부
2. 「국가를 당사자로 하는 계약에 관한 법률」에 따라 국가가 당사자가 되는 이른바 공공계약에 관한 법적 분쟁은 원칙적으로 행정법원의 관할 사항이다. (○, ×) 2022 국가직 9급
3. 「국가를 당사자로 하는 계약에 관한 법률」상 국가가 당사자가 되는 공공계약은 국가가 사경제의 주체로서 상대방과 대등한 위치에서 체결하는 사법상의 계약에 해당한다. (○, ×) 2021 국회직 8급
4. 국가계약의 본질적인 내용은 사인 간의 계약과 다르므로 법령에 특정한 규정이 있는 경우에 한하여 사법의 규정 내지 법원리가 적용된다. (○, ×) 2019 사회복지직 9급

1. × 2. × 3. ○ 4. ×

① ○

> **행정기본법 제27조【공법상 계약의 체결】** ① 행정청은 법령 등을 위반하지 아니하는 범위에서 행정목적을 달성하기 위하여 필요한 경우에는 공법상 법률관계에 관한 계약(이하 '공법상 계약'이라 한다)을 체결할 수 있다. 이 경우 계약의 목적 및 내용을 명확하게 적은 계약서를 작성하여야 한다.

② **빈출** 제5강 참조 ○

> 국가를 당사자로 하는 계약이나 공공기관운영에 관한 법률의 적용대상인 공기업이 일방 당사자가 되는 계약(이하 편의상 '공공계약'이라 한다)은 국가 또는 공기업(이하 '국가 등'이라 한다)이 사경제주체로서 상대방과 대등한 위치에서 체결하는 사법상 계약으로서 본질적인 내용은 사인 간의 계약과 다를 바가 없으므로, 법령에 특별한 정함이 있는 경우를 제외하고는 서로 대등한 입장에서 당사자의 합의에 따라 계약을 체결하여야 하고 당사자는 계약의 내용을 신의성실의 원칙에 따라 이행하여야 하는 등(구 「국가를 당사자로 하는 계약에 관한 법률」(이하 '국가계약법'이라 한다) 제5조 제1항) 사적 자치와 계약자유의 원칙을 비롯한 사법의 원리가 원칙적으로 적용된다(대판 2017. 12. 21, 2012다74076 전합)

③ 제2강 참조 ×

> **「국가를 당사자로 하는 계약에 관한 법률」상의 요건과 절차를 거치지 않고 체결한 국가와 사인 간의 사법상 계약은 무효이다.**
>
> 구 「국가를 당사자로 하는 계약에 관한 법률」 제11조 규정 내용과 국가가 일방당사자가 되어 체결하는 계약의 내용을 명확히 하고 국가가 사인과 계약을 체결할 때 적법한 절차에 따를 것을 담보하려는 규정의 취지 등에 비추어 보면, 국가가 사인과 계약을 체결할 때에는 국가계약법령에 따른 계약서를 따로 작성하는 등 요건과 절차를 이행하여야 할 것이고, 설령 국가와 사인 사이에 계약이 체결되었더라도 이러한 법령상 요건과 절차를 거치지 아니한 계약은 효력이 없다(대판 2015. 1. 15, 2013다215133).

④ ○

판례는 「공공기관의 운영에 관한 법률」 제39조 제2 · 3항에 근거한 공기업 · 준정부 기관이 행하는 입찰참가자격제한처분을 처분으로 보고 있다(대판 2014. 11. 27, 2013두18964). 제37강 참조

정답 06 ③

07 **빈출** 정답률 56% 중 2022 지방직 · 서울시 9급

공법상 계약에 대한 설명으로 옳은 것은? (다툼이 있는 경우 판례에 의함)

□□□ ① 지방자치단체가 일방 당사자가 되는 이른바 '공공계약'이 사법상 계약에 해당하는 경우에도 법령에 특별한 규정이 없다면 사적 자치와 계약자유의 원칙 등 사법의 원리가 그대로 적용되지 않는다.

□□□ ② 국립의료원 부설주차장 위탁관리용역운영계약은 공법상 계약에 해당한다.

□□□ ③ 공법상 계약이더라도 한쪽 당사자가 다른 당사자를 상대로 계약의 이행을 청구하는 소송은 민사소송으로 제기하여야 한다.

□□□ ④ 지방자치단체가 A주식회사를 자원회수시설과 부대시설의 운영 · 유지관리 등을 위탁할 민간사업자로 선정하고 A주식회사와 체결한 위 시설에 관한 위 · 수탁운영협약은 사법상 계약에 해당한다.

관련기출

②

1. 국립의료원 부설주차장 위탁관리용역운영계약은 공법상 계약에 해당한다. (○, ×) 2018 교육행정직 9급, 2016 국가직 9급
2. 국립의료원 부설주차장에 관한 위탁관리용역운영계약의 실질은 국립의료원이 원고의 신청에 의하여 공권력을 가진 우월적 지위에서 행한 행정처분으로서 사법상의 계약으로 보기 어렵다고 할 것이다. (○, ×) 2016 경행경채
3. 국립의료원 부설주차장에 관한 위탁관리용역운영계약은 사법상의 계약으로 보기 어렵다 할 것이다. (○, ×) 2015 경행특채 1차

1. × 2. ○ 3. ○

① 제5강 참조 ×

지방자치단체가 일방 당사자가 되는 이른바 '공공계약'이 사경제의 주체로서 상대방과 대등한 위치에서 체결하는 사법상 계약에 해당하는 경우 그에 관한 법령에 특별한 정함이 있는 경우를 제외하고는 사적 자치와 계약자유의 원칙 등 사법의 원리가 그대로 적용된다는 것이 판례의 입장이다(대판 2018. 2. 13, 2014두11328).

② **빈출** 제5강 참조 ×

> 국립의료원 부설주차장에 관한 위탁관리용역운영계약은 계약이라는 용어에도 불구하고 행정재산의 사용허가로서 강학상 특허에 해당한다.
>
> 국립의료원 부설주차장에 관한 위탁관리용역운영계약의 실질은 행정재산인 위 부설주차장에 대한 국유재산법 제24조 제1항에 의한 사용 · 수익허가로서 이루어진 것임을 알 수 있으므로, 이는 위 국립의료원이 원고의 신청에 의하여 공권력을 가진 우월적 지위에서 행한 행정처분으로서 특정인에게 행정재산을 사용할 수 있는 권리를 설정하여 주는 강학상 특허에 해당한다 할 것이고 순전히 사경제주체로서 원고와 대등한 위치에서 행한 사법상의 계약으로 보기 어렵다고 할 것이다(대판 2006. 3. 9, 2004다31074).

③ ×

> 공법상 당사자소송이란 행정청의 처분 등을 원인으로 하는 법률관계에 관한 소송, 그 밖에 공법상의 법률관계에 관한 소송으로서 그 법률관계의 한쪽 당사자를 피고로 하는 소송을 말한다(행정소송법 제3조 제2호). 공법상 계약이란 공법적 효과의 발생을 목적으로 하여 대등한 당사자 사이의 의사표시의 합치로 성립하는 공법행위를 말한다. 공법상 계약의 한쪽 당사자가 다른 당사자를 상대로 효력을 다투거나 이행을 청구하는 소송은 공법상의 법률관계에 관한 분쟁이므로 분쟁의 실질이 공법상 권리 · 의무의 존부 · 범위에 관한 다툼이 아니라 손해배상액의 구체적인 산정방법 · 금액에 국한되는 등의 특별한 사정이 없는 한 공법상 당사자소송으로 제기하여야 한다(대판 2021. 2. 4, 2019다277133).

④ ○

> 지방자치단체가 사인과 체결한 시설(자원회수시설) 위탁운영협약은 사법상 계약에 해당한다.
>
> 甲 지방자치단체가 乙주식회사 등 4개 회사로 구성된 공동수급체를 자원회수시설과 부대시설의 운영 · 유지관리 등을 위탁할 민간사업자로 선정하고 乙회사 등의 공동수급체와 위 시설에 관한 위 · 수탁운영협약을 체결하였는데, 민간위탁 사무감사를 실시한 결과 乙회사 등이 위 협약에 근거하여 노무비와 복지후생비 등 비정산비용 명목으로 지급받은 금액 중 집행되지 않은 금액에 대하여 회수하기로 하고 乙회사에 이를 납부하라고 통보하자, 乙회사 등이 이를 납부한 후 회수통보의 무효확인 등을 구하는 소송을 제기한 사안에서, 위 협약은 甲 지방자치단체가 사인인 乙회사 등에 위 시설의 운영을 위탁하고 그 위탁운영비용을 지급하는 것을 내용으로 하는 용역계약으로서 상호 대등한 입장에서 당사자의 합의에 따라 체결한 사법상 계약에 해당한다(대판 2019. 10. 17, 2018두60588).

정답 07 ④

08 중 2022 국회직 8급

공법상 계약에 해당하는 것만을 <보기>에서 모두 고르면? (다툼이 있는 경우 판례에 의함)

보기

□□□ ㉠ 「사회기반시설에 대한 민간투자법」에 따라 지방자치단체와 유한회사 간 체결한 터널 민간투자사업 실시협약

□□□ ㉡ 구 중소기업기술혁신촉진법상의 중소기업 정보화지원사업에 따른 지원금 출연을 위하여 중소기업청장이 민간 주식회사와 체결하는 협약

□□□ ㉢ 도시계획사업의 시행자가 그 사업에 필요한 토지를 협의취득하는 행위

□□□ ㉣ 국유일반재산의 대부행위

① ㉠, ㉡ ② ㉠, ㉢
③ ㉡, ㉢ ④ ㉡, ㉣
⑤ ㉢, ㉣

관련기출

㉠

1. 민간투자사업 실시협약을 체결한 당사자가 공법상 당사자소송에 의하여 그 실시협약에 따른 재정지원금의 지급을 구하는 경우에, 수소법원은 주무관청이 재정지원금액을 산정한 절차 등에 위법이 있는지 여부를 심사할 수는 있지만 실시협약에 따른 적정한 재정지원금액이 얼마인지를 구체적으로 심리 · 판단할 수 없다. (○, ×) 2022 국가직 7급

1. ×

㉠ ○

「사회기반시설에 대한 민간투자법」에 따라 지방자치단체와 유한회사 간 체결한 터널 민간투자사업상 실시협약은 공법상 계약이다.

민간투자사업 실시협약을 체결한 당사자가 공법상 당사자소송에 의하여 그 실시협약에 따른 재정지원금의 지급을 구하는 경우에, 수소법원은 단순히 주무관청이 재정지원금액을 산정한 절차 등에 위법이 있는지 여부를 심사하는 데 그쳐서는 아니 되고, 실시협약에 따른 적정한 재정지원금액이 얼마인지를 구체적으로 심리 · 판단하여야 한다(대판 2019. 1. 31, 2017두46455).

㉡ ○

중소기업 정보화지원사업에 따른 지원금 출연을 위하여 중소기업청장(현 중소벤처기업부장관)이 체결하는 협약은 공법상 대등한 당사자 사이의 의사표시의 합치로 성립하는 공법상 계약에 해당한다는 것이 판례의 입장이다(대판 2015. 8. 27, 2015두41449).

㉢ ×

「공익사업을 위한 토지 등의 취득 및 보상에 관한 법률」에 의한 협의취득은 사법(私法)상의 법률행위라는 것이 판례의 입장이다(대판 2012. 2. 23, 2010다91206).

㉣ 제5강 참조 ×

'잡종재산'(현 '일반재산')인 국유림 대부행위는 사법관계라는 것이 판례의 입장이다(대판 1993. 12. 7, 91누11612).

정답 08 ①

09 정답률 63% 상 2021 지방직 · 서울시 7급

공법상 계약에 대한 설명으로 옳지 않은 것은? (다툼이 있는 경우 판례에 의함)

① 구 정부투자기관관리기본법의 적용대상인 정부투자기관이 일방 당사자가 되는 계약은 사법상의 계약으로서 그에 관한 법령에 특별한 정함이 있는 경우를 제외하고는 사적 자치의 원칙이 그대로 적용된다.

② 구 중소기업기술혁신촉진법상 중소기업 정보화지원사업에 따른 지원금 출연을 위하여 중소기업청장이 체결하는 협약은 공법상 대등한 당사자 사이의 의사표시의 합치로 성립하는 공법상 계약에 해당한다.

③ 행정청이 자신과 상대방 사이의 법률관계를 일방적인 의사표시로 종료시켰다면 그 의사표시는 공법상 계약관계의 일방 당사자로서 대등한 지위에서 행하는 의사표시가 아니라 공권력행사로서 행정처분에 해당한다.

④ 공법상 계약의 한쪽 당사자가 다른 당사자를 상대로 효력을 다투거나 이행을 청구하는 소송은 분쟁의 실질이 공법상 권리 · 의무의 존부 · 범위에 관한 다툼이 아니라 손해배상액의 구체적인 산정방법 · 금액에 국한되는 등의 특별한 사정이 없는 한 공법상 당사자소송으로 제기하여야 한다.

관련기출

③

1. 행정청이 자신과 상대방 사이의 법률관계를 일방적인 의사표시로 종료시켰다고 하더라도 곧바로 그 의사표시가 행정청으로서 공권력을 행사하여 행하는 행정처분이라고 단정할 수는 없고, 관계법령이 상대방의 법률관계에 관하여 구체적으로 어떻게 규정하고 있는지에 따라 개별적으로 판단하여야 한다. (O, ×) 2021 국가직 9급
2. 공법상 근무관계의 형성을 목적으로 하는 채용계약의 체결과정에서 행정청의 일방적인 의사표시로 계약이 성립하지 아니한 경우, 관계법령이 상대방의 법률관계에 관하여 구체적으로 어떻게 규정하고 있는지에 따라 의사표시가 항고소송의 대상이 되는 처분에 해당하는지 아니면 공법상 계약관계의 일방 당사자로서 대등한 지위에서 행하는 의사표시인지를 개별적으로 판단하여야 한다. (O, ×) 2019 국가직 7급

1. O 2. O

① 제5강 참조 O

구 정부투자기관관리기본법의 적용대상인 정부투자기관이 일방 당사자가 되는 계약은 정부투자기관이 사경제의 주체로서 상대방과 대등한 위치에서 체결하는 사법(私法)상의 계약으로서 본질적인 내용은 사인 간의 계약과 다를 바가 없으므로 그에 관한 법령에 특별한 정함이 있는 경우를 제외하고는 사적 자치와 계약자유의 원칙 등 사법의 원리가 그대로 적용된다(대판 2014. 12. 24, 2010다83182).

② **빈출** O

③ ×

1. 행정청이 자신과 상대방 사이의 법률관계를 일방적인 의사표시로 종료시켰다고 하더라도 곧바로 의사표시가 행정청으로서 공권력을 행사하여 행하는 행정처분이라고 단정할 수는 없고(③), 관계법령이 상대방의 법률관계에 관하여 구체적으로 어떻게 규정하고 있는지에 따라 의사표시가 항고소송의 대상이 되는 행정처분에 해당하는지 아니면 공법상 계약관계의 일방 당사자로서 대등한 지위에서 행하는 의사표시인지를 개별적으로 판단하여야 한다.
2. (중소기업기술정보진흥원장이 甲주식회사와 중소기업 정보화지원사업 지원대상인 사업의 지원에 관한 협약을 체결하였는데, 협약이 甲회사에 책임이 있는 사업실패로 해지되었다는 이유로 협약에서 정한 대로 지급받은 정부지원금을 반환할 것을 통보한 사안에서) 중소기업 정보화지원사업에 따른 지원금 출연을 위하여 중소기업청장(현 중소벤처기업부장관)이 체결하는 협약은 공법상 대등한 당사자 사이의 의사표시의 합치로 성립하는 공법상 계약에 해당(②)하는 점, …… 등을 종합하면, 중소기업 정보화지원사업을 위한 협약의 해지 및 그에 따른 환수통보는 공법상 계약에 따라 행정청이 대등한 당사자의 지위에서 하는 의사표시로 보아야 하고, 이를 행정청이 우월한 지위에서 행하는 공권력의 행사로서 행정처분에 해당한다고 볼 수는 없다(대판 2015. 8. 27, 2015두41449).

④ O

공법상 당사자소송이란 행정청의 처분 등을 원인으로 하는 법률관계에 관한 소송, 그 밖에 공법상의 법률관계에 관한 소송으로서 그 법률관계의 한쪽 당사자를 피고로 하는 소송을 말한다(행정소송법 제3조 제2호). 공법상 계약이란 공법적 효과의 발생을 목적으로 하여 대등한 당사자 사이의 의사표시의 합치로 성립하는 공법행위를 말한다. 공법상 계약의 한쪽 당사자가 다른 당사자를 상대로 효력을 다투거나 이행을 청구하는 소송은 공법상의 법률관계에 관한 분쟁이므로 분쟁의 실질이 공법상 권리 · 의무의 존부 · 범위에 관한 다툼이 아니라 손해배상액의 구체적인 산정방법 · 금액에 국한되는 등의 특별한 사정이 없는 한 공법상 당사자소송으로 제기하여야 한다(대판 2021. 2. 4, 2019다277133).

정답 09 ③

10 중 2021 경행경채

공법상 계약에 관한 설명 중 가장 적절하지 않은 것은? (다툼이 있는 경우 판례에 의함)

□□□ ① 지방자치단체가 자원회수시설과 부대시설의 운영·관리 등을 위탁하고 그 위탁운영비용을 지급하는 것을 내용으로 하는 용역계약을 사인과 체결한 경우, 이러한 위탁운영에 관한 협약의 법적 성질은 공법상 계약에 해당한다.

□□□ ② 「국가를 당사자로 하는 계약에 관한 법률」에 따라 국가가 당사자가 되는 이른바 공공계약은 사경제주체로서 상대방과 대등한 위치에서 체결하는 사법상 계약으로서 본질적인 내용은 사인 간의 계약과 다를 바가 없으므로, 그에 관한 법령에 특별한 정함이 있는 경우를 제외하고는 사적 자치와 계약자유의 원칙 등 사법의 원리가 그대로 적용된다.

□□□ ③ 중소기업기술정보진흥원장이 甲 회사와 중소기업 정보화지원사업 지원대상인 사업의 지원에 관한 협약을 체결하였는데, 협약이 甲 회사에 책임이 있는 사업실패로 해지되었다는 이유로 협약에서 정한 대로 지급받은 정부지원금을 반환할 것을 통보한 것은 행정처분에 해당하지 않는다.

□□□ ④ 국가 산하 중앙행정기관인 방위사업청과 개발협약을 체결한 상대방이 협약을 이행하는 과정에서 환율변동 등 외부적 요인으로 발생한 초과비용을 청구하는 소송은 행정소송에 해당한다.

① ×

> 지방자치단체가 사인과 체결한 시설(자원회수시설) 위탁운영협약은 사법상 계약에 해당한다.
>
> 甲 지방자치단체가 乙주식회사 등 4개 회사로 구성된 공동수급체를 자원회수시설과 부대시설의 운영·유지관리 등을 위탁할 민간사업자로 선정하고 乙회사 등의 공동수급체와 위 시설에 관한 위·수탁운영협약을 체결하였는데, 민간위탁 사무감사를 실시한 결과 乙회사 등이 위 협약에 근거하여 노무비와 복지후생비 등 비정산비용 명목으로 지급받은 금액 중 집행되지 않은 금액에 대하여 회수하기로 하고 乙회사에 이를 납부하라고 통보하자, 乙회사 등이 이를 납부한 후 회수통보의 무효확인 등을 구하는 소송을 제기한 사안에서, 위 협약은 甲 지방자치단체가 사인인 乙회사 등에 위 시설의 운영을 위탁하고 그 위탁운영비용을 지급하는 것을 내용으로 하는 용역계약으로서 상호 대등한 입장에서 당사자의 합의에 따라 체결한 사법상 계약에 해당한다(대판 2019. 10. 17, 2018두60588).

② ○

「국가를 당사자로 하는 계약에 관한 법률」에 따라 국가가 당사자가 되는 이른바 공공계약은 사경제주체로서 상대방과 대등한 위치에서 체결하는 사법상 계약으로서 본질적인 내용은 사인 간의 계약과 다를 바가 없으므로, 그에 관한 법령에 특별한 정함이 있는 경우를 제외하고는 사적 자치와 계약자유의 원칙 등 사법의 원리가 그대로 적용된다는 것이 판례의 입장이다(대판 2020. 5. 14, 2018다298409).

③ ○

> (중소기업기술정보진흥원장이 甲주식회사와 중소기업 정보화지원사업 지원대상인 사업의 지원에 관한 협약을 체결하였는데, 협약이 甲회사에 책임이 있는 사업실패로 해지되었다는 이유로 협약에서 정한 대로 지급받은 정부지원금을 반환할 것을 통보한 사안에서) 중소기업 정보화지원사업에 따른 지원금 출연을 위하여 중소기업청장(현 중소벤처기업부장관)이 체결하는 협약은 공법상 대등한 당사자 사이의 의사표시의 합치로 성립하는 공법상 계약에 해당하는 점, …… 등을 종합하면, 중소기업 정보화지원사업을 위한 협약의 해지 및 그에 따른 환수통보는 공법상 계약에 따라 행정청이 대등한 당사자의 지위에서 하는 의사표시로 보아야 하고, 이를 행정청이 우월한 지위에서 행하는 공권력의 행사로서 행정처분에 해당한다고 볼 수는 없다(대판 2015. 8. 27, 2015두41449).

④ ○

> KAI(한국항공우주산업)가 방위사업청과 체결한 '한국형 헬기 개발사업에 대한 물품·용역협약'은 공법상 계약이다.
>
> 국가연구개발사업규정에 근거하여 국가 산하 중앙행정기관의 장과 참여기업인 甲회사가 체결한 위 협약의 법률관계는 공법관계에 해당하므로 이에 관한 분쟁은 행정소송으로 제기하여야 한다(대판 2017. 11. 9, 2015다215526).

정답 10 ①

11 빈출 정답률 50% 중 2020 지방직 · 서울시 7급

공법상 계약에 대한 설명으로 옳은 것은? (다툼이 있는 경우 판례에 의함)

□□□ ① 지방자치단체가 사인과 체결한 자원회수시설에 대한 위탁운영협약은 사법상 계약에 해당하므로 그에 관한 다툼은 민사소송의 대상이 된다.

□□□ ② 구 「사회간접자본시설에 대한 민간투자법」에 근거한 서울 - 춘천 간 고속도로 민간투자시설사업의 사업시행자 지정은 공법상 계약에 해당한다.

□□□ ③ 과학기술기본법령상 사업협약의 해지통보는 대등 당사자의 지위에서 형성된 공법상 계약을 계약당사자의 지위에서 종료시키는 의사표시에 해당한다.

□□□ ④ A광역시립합창단원으로서 위촉기간이 만료되는 자들의 재위촉신청에 대하여 A광역시문화예술회관장이 실기와 근무성적에 대한 평정을 실시하여 재위촉을 하지 아니한 것은 항고소송의 대상이 되는 불합격처분에 해당한다.

관련기출

②

1. 「사회기반시설에 대한 민간투자법」상 민간투자사업의 사업시행자 지정은 공법상 계약이 아니라 행정처분에 해당한다. (○, ×) 2016 국가직 9급

1. ○

④

1. 시립합창단원의 위촉은 공법관계에 해당한다. (○, ×) 2019 소방직 9급
2. 광주광역시립합창단원으로서 위촉기간이 만료되는 자들의 재위촉 신청에 대하여 광주광역시문화예술회관장이 실기와 근무성적에 대한 평정을 실시하여 재위촉을 하지 아니한 것은 항고소송의 대상이 되는 불합격처분에 해당한다. (○, ×) 2016 경행경채
3. 광주광역시문화예술회관장의 단원 위촉은 광주광역시문화예술회관장이 행정청으로서 공권력을 행사하여 행하는 행정처분에 해당한다. (○, ×) 2012 지방직(하) 9급

1. ○ 2. × 3. ×

① ○

지방자치단체가 사인과 체결한 시설(자원회수시설) 위탁운영협약은 사법상 계약에 해당한다는 것이 판례의 입장이다(대판 2019. 10. 17, 2018두60588). 따라서 그에 관한 다툼은 민사소송의 대상이 된다(10 ① 해설 판례 참조).

② 제37강 참조 ×

> 「사회기반시설에 대한 민간투자법」상의 민간투자시설사업의 사업시행자 지정처분은 항고소송의 대상이 되는 행정처분이다(대판 2009. 4. 23, 2007두13159).

③ 제37강 참조 ×

> 과학기술기본법령상 사업협약의 해지통보는 단순히 대등 당사자의 지위에서 형성된 공법상 계약을 계약당사자의 지위에서 종료시키는 의사표시에 불과한 것이 아니라 행정청이 우월적 지위에서 연구개발비의 회수 및 관련자에 대한 국가연구개발사업 참여제한 등의 법률상 효과를 발생시키는 행정처분에 해당한다(대판 2014. 12. 11, 2012두28704).

④ **빈출** ×

> 시립합창단원에 대한 재위촉 거부는 항고소송의 대상인 처분에 해당하지 않는다.
>
> 광주광역시문화예술회관장의 단원 위촉은 광주광역시문화예술회관장이 행정청으로서 공권력을 행사하여 행하는 행정처분이 아니라 …… 공법상 근로계약에 해당한다고 보아야 할 것이므로, 광주광역시립합창단원으로서 위촉기간이 만료되는 자들의 재위촉 신청에 대하여 광주광역시문화예술회관장이 실기와 근무성적에 대한 평정을 실시하여 재위촉을 하지 아니한 것을 항고소송의 대상이 되는 불합격처분이라고 할 수는 없다(대판 2001. 12. 11, 2001두7794).

정답 11 ①

③ 행정지도

12 빈출 ⓖ 2024 국회직 8급

행정지도에 대한 설명으로 옳은 것만을 <보기>에서 모두 고르면? (다툼이 있는 경우 판례에 의함)

보기

ㄱ 행정지도가 강제성을 띠지 않은 비권력적 작용으로서 행정지도의 한계를 일탈하지 아니하였다면, 그로 인하여 상대방에게 어떤 손해가 발생하였다 하더라도 행정기관은 그에 대한 손해배상책임이 없다.

ㄴ 행정작용의 법적 성격이 행정지도의 일종이지만, 그에 따르지 않을 경우 일정한 불이익조치를 예정하고 있어 사실상 상대방에게 그에 따를 의무를 부과하는 것과 다를 바 없는 경우라면 헌법소원의 대상이 되는 공권력의 행사라고 볼 수 있다.

ㄷ 위법한 행정지도에 따라 사인의 신고행위가 허위신고행위에 이르렀다면 원칙적으로 그 사인의 행위는 위법성이 조각된다.

ㄹ 행정절차법상 행정지도는 문서뿐만 아니라, 말로써 하는 것도 허용된다.

ㅁ 행정지도는 사실행위에 불과하여 법적 구속력을 가지지 아니 하므로 행정절차법상의 비례원칙이 적용되지 아니한다.

① ㄱ, ㄷ ② ㄴ, ㄹ
③ ㄱ, ㄴ, ㄹ ④ ㄴ, ㄷ, ㅁ
⑤ ㄷ, ㄹ, ㅁ

관련기출

ㄴ

1. 단순한 행정지도의 한계를 넘어 규제적 · 구속적 성격을 상당히 강하게 갖는 경우에는 헌법소원의 대상이 되는 공권력의 행사라고 볼 수 있다. (○, ×) 2023 국회직 8급
2. 교육인적자원부장관(현 교육부장관)의 (구)공립대학 총장들에 대한 학칙시정요구는 고등교육법령에 따른 것으로, 그 법적 성격은 대학총장의 임의적인 협력을 통하여 사실상의 효과를 발생시키는 행정지도의 일종으로 헌법소원의 대상이 되는 공권력의 행사로 볼 수 없다. (○, ×) 2021 소방직 9급
3. 교육인적자원부장관(현 교육부장관)의 학칙시정요구는 대학총장의 임의적인 협력을 통하여 사실상의 효과를 발생시키는 행정지도의 일종이며, 설령 단순한 행정지도로서의 한계를 넘어 규제적 · 구속적 성격을 갖는다 하더라도 공권력의 행사로 볼 수 없다. (○, ×) 2018 경행경채

1. ○ 2. × 3. ×

ㄱ **빈출** ○

한계를 일탈한 위법한 행정지도로 인하여 상대방이 손해를 입은 경우 행정기관에게 손해를 배상할 책임이 있으나, 한계를 일탈하지 않은 행정지도로 인하여 상대방에게 손해가 발생한 경우라면 행정기관은 손해배상책임을 지지 않는다.

행정기관의 위법한 행정지도로 일정 기간 어업권을 행사하지 못하는 손해를 입은 자가 그 어업권을 타인에게 매도하여 매매대금 상당의 이득을 얻었더라도 그 이득은 손해배상책임의 원인이 되는 행위인 위법한 행정지도와 상당인과관계에 있다고 볼 수 없고, 행정기관이 배상하여야 할 손해는 위법한 행정지도로 피해자가 일정기간 어업권을 행사하지 못한 데 대한 것임에 반해 피해자가 얻은 이득은 어업권 자체의 매각대금이므로 위 이득이 위 손해의 범위에 대응하는 것이라고 볼 수도 없어, 피해자가 얻은 매매대금 상당의 이득을 행정기관이 배상하여야 할 손해액에서 공제할 수 없다(대판 2008. 9. 25, 2006다18228).

ㄴ **빈출** ○

1. 교육인적자원부장관(현 교육부장관)의 국 · 공립대학총장들에 대한 학칙시정요구는 헌법소원의 대상이 되는 공권력행사에 해당한다.
2. 행정지도가 단순한 행정지도의 한계를 넘어 규제적 · 구속적 성격을 상당히 강하게 갖는 것이라면 헌법소원의 대상이 되는 공권력의 행사라고 볼 수 있다.

교육인적자원부장관의 대학총장들에 대한 이 사건 학칙시정요구는 고등교육법 제6조 제2항, 동법 시행령 제4조 제3항에 따른 것으로서 그 법적 성격은 대학총장의 임의적인 협력을 통하여 사실상의 효과를 발생시키는 행정지도의 일종이지만, 그에 따르지 않을 경우 일정한 불이익조치를 예정하고 있어 사실상 상대방에게 그에 따를 의무를 부과하는 것과 다를 바 없으므로 단순한 행정지도의 한계를 넘어 규제적 · 구속적 성격을 상당히 강하게 갖는 것으로서 헌법소원의 대상이 되는 공권력의 행사라고 볼 수 있다(헌재 2003. 6. 26, 2002헌마337 · 2003헌마7 · 8 병합).

ㄷ **빈출** ×

위법한 행정지도에 따라 행한 사인의 행위가 범죄행위에 해당하는 경우 법령에 명시적으로 정함이 없는 한 위법성이 조각된다고 할 수 없다.

행정관청이 토지거래계약신고에 관하여 공시된 기준지가를 기준으로 매매가격을 신고하도록 행정지도하여 왔고 그 기준가격 이상으로 매매가격을 신고한 경우에는 거래신고서를 접수하지 않고 반려하는 것이 관행화되어 있다 하더라도 이는 법에 어긋나는 관행이라 할 것이므로 그와 같은 위법한 관행에 따라 허위신고행위에 이르렀다고 하여 그 범법행위가 사회상규에 위배되지 않는 정당한 행위라고는 볼 수 없다(대판 1992. 4. 24, 91도1609).

ㄹ ○

행정절차법 제49조【행정지도의 방식】 ① 행정지도를 하는 자는 그 상대방에게 그 행정지도의 취지 및 내용과 신분을 밝혀야 한다.
② 행정지도가 말로 이루어지는 경우에 상대방이 제1항의 사항을 적은 서면의 교부를 요구하면 그 행정지도를 하는 자는 직무수행에 특별한 지장이 없으면 이를 교부하여야 한다.

ㅁ ×

비례의 원칙은 모든 행정작용에 적용되며 행정절차법은 행정지도에 비례원칙이 적용됨을 규정하고 있다.

행정절차법 제48조【행정지도의 원칙】 ① 행정지도는 그 목적달성에 필요한 최소한도에 그쳐야 하며, 행정지도의 상대방의 의사에 반하여 부당하게 강요하여서는 아니 된다.

정답 12 ③

13 정답률 80% 중 2023 지방직 · 서울시 9급

행정지도에 대한 설명으로 옳지 않은 것은?

□□□ ① 행정기관은 행정지도의 상대방이 행정지도에 따르지 아니하였다는 것을 이유로 불이익한 조치를 하여서는 아니 된다.

□□□ ② 행정기관이 같은 행정목적을 실현하기 위하여 많은 상대방에게 행정지도를 하려는 경우에는 특별한 사정이 없으면 행정지도에 공통적인 내용이 되는 사항을 공표하여야 한다.

□□□ ③ 위법한 행정지도에 따라 행한 사인의 행위는 위법성이 조각되어 범법행위가 되지 않는다.

□□□ ④ 행정지도가 강제성을 띠지 않은 비권력적 작용으로서 행정지도의 한계를 일탈하지 아니하였다면, 그로 인하여 상대방에게 손해가 발생하였다 하더라도 행정기관은 손해배상책임이 없다.

관련기출

③

1. 행정관청이 토지거래계약신고에 관하여 공시된 기준지가를 기준으로 매매가격을 신고하도록 행정지도하여 왔고 그 기준가격 이상으로 매매가격을 신고한 경우에는 거래신고서를 접수하지 않고 반려하는 것이 관행화되어 있더라도 그와 같은 위법한 관행에 따라 허위신고행위에 이르렀다고 하여 그 범법행위가 사회상규에 위배되지 않는 정당한 행위라고 볼 수 없다. (○, ×) 2023 국회직 8급
2. 행정관청이 국토이용관리법 소정의 토지거래계약신고에 관하여 공시된 기준시가를 기준으로 매매가격을 신고하도록 행정지도를 하여 그에 따라 피고인이 허위신고를 한 것이라면 그 범법행위는 정당화된다. (○, ×) 2020 군무원 9급
3. 토지매매대금의 허위신고가 위법한 행정지도에 따른 것이라 하더라도 그 범법행위가 정당화되지는 않는다. (○, ×) 2018 교육행정직 9급
4. 위법한 행정지도에 따라 행한 사인의 행위는 법령에 명시적으로 정함이 없는 한 위법성이 조각된다고 할 수 없다. (○, ×) 2018 서울시 1회 7급, 2017 국가직 9급

1. ○ 2. × 3. ○ 4. ○

④

1. 행정지도가 그의 한계를 일탈하지 아니하였다면, 그로 인하여 상대방에게 어떤 손해가 발생하였다 하더라도 행정기관은 그에 대한 손해배상책임이 없다. (○, ×) 2021 군무원 9급
2. 행정지도의 한계 일탈로 인해 상대방에게 손해가 발생한 경우 행정기관은 손해배상책임이 없다. (○, ×) 2018 교육행정직 9급

1. ○ 2. ×

① ○

> **행정절차법 제48조【행정지도의 원칙】** ② 행정기관은 행정지도의 상대방이 행정지도에 따르지 아니하였다는 것을 이유로 불이익한 조치를 하여서는 아니 된다.

② ○

> **행정절차법 제51조【다수인을 대상으로 하는 행정지도】** 행정기관이 같은 행정목적을 실현하기 위하여 많은 상대방에게 행정지도를 하려는 경우에는 특별한 사정이 없으면 행정지도에 공통적인 내용이 되는 사항을 공표하여야 한다.

③ ×

위법한 행정지도에 따라 행한 사인의 행위가 범죄행위에 해당하는 경우 법령에 명시적으로 정함이 없는 한 위법성이 조각된다고 할 수 없다. 행정지도는 상대방의 임의적 협력을 기대하는 행위로서 행정지도에 따른 행위는 자발적인 행위로 볼 수 있기 때문이다.

> 행정관청이 토지거래계약신고에 관하여 공시된 기준지가를 기준으로 매매가격을 신고하도록 행정지도하여 왔고 그 기준가격 이상으로 매매가격을 신고한 경우에는 거래신고서를 접수하지 않고 반려하는 것이 관행화되어 있다 하더라도 이는 법에 어긋나는 관행이라 할 것이므로 그와 같은 위법한 관행에 따라 허위신고행위에 이르렀다고 하여 그 범법행위가 사회상규에 위배되지 않는 정당한 행위라고는 볼 수 없다(대판 1992. 4. 24, 91도1609).

④ ○

한계를 일탈한 위법한 행정지도로 인하여 상대방이 손해를 입은 경우 행정기관에게 손해를 배상할 책임이 있으나, 한계를 일탈하지 않은 행정지도로 인하여 상대방에게 손해가 발생한 경우라면 행정기관은 손해배상책임을 지지 않는다는 것이 판례의 입장이다(대판 2008. 9. 25, 2006다18228).

정답 13 ③

02 그 밖의 행정의 주요 행정형식 2

기 416~419쪽 핵 T 40

14 상

2023 지방직 · 서울시 9급

자동화된 행정결정에 대한 설명으로 옳지 않은 것은?

□□□ ① 자동화된 행정결정의 예로는 컴퓨터를 통한 중 · 고등학생의 학교배정, 신호등에 의한 교통신호 등이 있다.

□□□ ② 행정기본법상 자동적 처분은 항고소송의 대상이 된다.

□□□ ③ 행정기본법상 자동적 처분을 할 수 있는 '완전히 자동화된 시스템'에는 '인공지능 기술을 적용한 시스템'이 포함되지 않는다.

□□□ ④ 행정기본법은 재량행위에 대해서 자동적 처분을 허용하지 않고 있다.

관련기출

④

1. 행정청은 법률로 정하는 바에 따라 처분에 재량이 있는 경우에도 완전히 자동화된 시스템으로 처분을 할 수 있다. (O, ×) 2022 소방직 9급
2. 행정청은 처분에 재량이 있는 경우 법령이나 행정규칙이 정하는 바에 따라 완전히 자동화된 시스템으로 처분할 수 있다. (O, ×) 2021 지방직 · 서울시 7급

1. × 2. ×

① ○

자동화된 행정결정(행정의 자동결정)이란 일반적으로 행정과정에서 컴퓨터 등 전자처리정보를 투입하여 행정업무를 자동화하여 수행하는 것을 말한다. 이의 예로는 컴퓨터를 통한 학교배정, 신호등에 의한 교통신호 등을 들 수 있다.

② ○

행정기본법상 자동적 처분은 사람인 공무원의 인식 없이 완전히 자동화된 시스템으로 발급된다는 차이만 있을 뿐 통상의 행정행위와 마찬가지로 항고소송의 대상이 되는 처분이 된다.

③ ×

④ **빈출** ○

> **행정기본법 제20조【자동적 처분】** 행정청은 법률로 정하는 바에 따라 완전히 자동화된 시스템(인공지능기술을 적용한 시스템을 포함한다)(③)으로 처분을 할 수 있다. 다만, 처분에 재량이 있는 경우는 그러하지 아니하다(④).

정답 14 ③

2025
써니 행정법총론
기출문제집

Sunny

제 3 편

행정절차, 행정공개

제20강 행정절차법(총칙 등)

1회독	2회독	3회독
/	/	/

정답률 공단기/소방단기 합격예측 풀서비스 통계 데이터 기준 기 기본서 핵 핵심집약

01 행정절차법

기 424~435쪽 핵 T 41

01

빈출 정답률 76% 중 2024 지방직 · 서울시 9급

행정절차에 대한 설명으로 옳지 않은 것은? (다툼이 있는 경우 판례에 의함)

□□□ ① 행정절차법상 행정청은 처분을 할 때에 단순 · 반복적인 처분 또는 경미한 처분으로서 당사자가 그 이유를 명백히 알 수 있는 경우에는 처분 후 당사자가 요청하더라도 당사자에게 그 근거와 이유를 제시하지 않아도 된다.

□□□ ② 육군3사관학교의 사관생도에 대한 징계절차에서 징계심의대상자가 대리인으로 선임한 변호사가 징계위원회 심의에 출석하여 진술하려고 하였음에도, 징계권자나 그 소속 직원이 변호사가 징계위원회의 심의에 출석하는 것을 막은 후 내린 징계위원회의 징계의결에 따른 징계처분은 특별한 사정이 없는 한 위법하여 원칙적으로 취소되어야 한다.

□□□ ③ 공무원 인사관계법령에 의한 처분에 관한 사항 전부에 대하여 행정절차법의 적용이 배제되는 것이 아니라 성질상 행정절차를 거치기 곤란하거나 불필요하다고 인정되는 처분이나 행정절차에 준하는 절차를 거치도록 하고 있는 처분의 경우에만 행정절차법의 적용이 배제된다.

□□□ ④ 군인사법령에 의하여 진급예정자명단에 포함된 자에 대하여 행정절차법상 의견제출의 기회를 부여하지 아니한 채 진급선발을 취소한 처분은 위법하다.

관련기출

③

1. 행정절차법의 적용이 제외되는 공무원 인사관계법령에 의한 처분에 관한 사항이란 성질상 행정절차를 거치기 곤란하거나 불필요하다고 인정되는 처분이나 행정절차에 준하는 절차를 거치도록 하고 있는 처분에 관한 사항만을 말하는 것으로 보아야 한다. (○, ×) 2019 사회복지직 9급
2. 행정절차법령이 '공무원 인사관계법령에 의한 처분에 관한 사항'에 대하여 행정절차법의 적용이 배제되는 것으로 규정하고 있는 이상, '공무원 인사관계법령에 의한 처분에 관한 사항' 전부에 대해 행정절차법의 적용이 배제되는 것으로 보아야 한다. (○, ×) 2016 국가직 9급

1. ○ 2. ×

① 빈출 정답률 76% 제21강 참조 ×

행정절차법 제23조【처분의 이유제시】① 행정청은 처분을 할 때에는 다음 각 호의 어느 하나에 해당하는 경우를 제외하고는 당사자에게 그 근거와 이유를 제시하여야 한다.
1. 신청 내용을 모두 그대로 인정하는 처분인 경우
2. 단순 · 반복적인 처분 또는 경미한 처분으로서 당사자가 그 이유를 명백히 알 수 있는 경우
3. 긴급히 처분을 할 필요가 있는 경우

② 행정청은 제1항 제2호 및 제3호의 경우에 처분 후 당사자가 요청하는 경우에는 그 근거와 이유를 제시하여야 한다.

② 정답률 8% ○

육군3사관학교의 사관생도에 대한 징계절차에서 징계심의대상자가 대리인으로 선임한 변호사가 징계위원회 심의에 출석하여 진술하려고 하였음에도, 징계권자나 그 소속 직원이 변호사가 징계위원회의 심의에 출석하는 것을 막았다면 징계위원회 심의 · 의결의 절차적 정당성이 상실되어 그 징계의결에 따른 징계처분은 위법하여 원칙적으로 취소되어야 한다(대판 2018. 3. 13, 2016두33339).

③ 빈출 정답률 7% ○

공무원 인사관계법령에 의한 처분에 관한 사항 중 성질상 행정절차를 거치기 곤란하거나 불필요하다고 인정되는 처분이나 행정절차에 준하는 절차를 거치도록 하고 있는 처분의 경우에만 행정절차법의 적용이 배제된다.

행정과정에 대한 국민의 참여와 행정의 공정성, 투명성 및 신뢰성을 확보하고 국민의 권익을 보호함을 목적으로 하는 행정절차법의 입법목적과 행정절차법 제3조 제2항 제9호의 규정 내용 등에 비추어 보면, 공무원 인사관계법령에 의한 처분에 관한 사항 전부에 대하여 행정절차법의 적용이 배제되는 것이 아니라 성질상 행정절차를 거치기 곤란하거나 불필요하다고 인정되는 처분이나 행정절차에 준하는 절차를 거치도록 하고 있는 처분의 경우에만 행정절차법의 적용이 배제된다(대판 2007. 9. 21, 2006두20631).

④ 빈출 정답률 7% ○

군인사법령에 의하여 진급예정자명단에 포함된 자에 대하여 행정절차법상의 의견제출의 기회를 부여하지 아니한 채 진급선발을 취소하는 처분을 한 것은 절차상 하자가 있어 위법하다.

진급예정자 명단에 포함된 자의 진급선발을 취소하는 처분을 함에 있어 행정절차에 준하는 절차를 거치도록 하는 규정이 없을 뿐만 아니라 위 처분이 성질상 행정절차를 거치기 곤란하거나 불필요하다고 인정되는 처분이라고 보기도 어렵다고 할 것이어서 이 사건 처분이 행정절차법의 적용이 제외되는 경우에 해당한다고 할 수 없으며, 나아가 원고가 수사과정 및 징계과정에서 자신의 비위행위에 대한 해명기회를 가졌다는 사정만으로 이 사건 처분이 행정절차법 제21조 제4항 제3호, 제22조 제4항에 따라 원고에게 사전통지를 하지 않거나 의견제출의 기회를 주지 아니하여도 되는 예외적인 경우에 해당한다고 할 수 없으므로, 피고가 이 사건 처분을 함에 있어 원고에게 의견제출의 기회를 부여하지 아니한 이상, 이 사건 처분은 절차상 하자가 있어 위법하다고 할 것이다(대판 2007. 9. 21, 2006두20631).

정답 01 ①

02 정답률 84% 중 2023 군무원 9급

행정절차에 관한 설명으로 옳지 않은 것은? (다툼이 있는 경우 판례에 의함)

① 국가공무원법상 직위해제처분은 당해 행정작용의 성질상 행정절차를 거치기 곤란하거나 불필요하다고 인정되는 사항 또는 행정절차에 준하는 절차를 거친 사항에 해당하지 않으므로, 처분의 사전통지 및 의견청취 등에 관한 행정절차법의 규정이 적용되어야 한다.

② 군인사법령에 의하여 진급예정자명단에 포함된 자에 대하여 의견제출의 기회를 부여하지 아니한 채 진급선발을 취소하는 처분을 한 것은 절차상 하자가 있어 위법하다고 할 것이다.

③ 행정청이 침해적 행정처분을 하면서 당사자에게 행정절차법상의 사전통지를 하거나 의견제출의 기회를 주지 않았다면, 사전통지를 하지 않거나 의견제출의 기회를 주지 않아도 되는 예외적인 경우에 해당하지 않는 한, 그 처분은 위법하여 취소를 면할 수 없다.

④ 행정기관이 소속 공무원이나 하급행정기관에 대하여 세부적인 업무처리절차나 법령의 해석 · 적용 기준을 정해 주는 '행정규칙'은 상위법령의 구체적 위임이 있지 않는 한 조직내부에서만 효력을 가질 뿐 대외적으로 국민이나 법원을 구속하는 효력이 없다.

관련기출

①

1. 국가공무원법상 직위해제처분은 당해 행정작용의 성질상 행정절차를 거치기 곤란하거나 불필요하다고 인정되는 사항 또는 행정절차에 준하는 절차를 거친 사항에 해당하므로 처분의 사전통지 및 의견청취 등에 관한 행정절차법의 규정이 별도로 적용되지 않는다. (○, ×) 2023 소방간부
2. 국가공무원법상 직위해제처분을 할 경우 처분의 사전통지 및 의견청취 등에 관한 행정절차법의 규정이 적용된다. (○, ×) 2022 국가직 7급, 2022 지방직 · 서울시 9급

1. ○ 2. ×

②

1. 진급예정자 명단에 포함된 자가 수사과정 및 징계과정에서 자신의 비위행위에 대한 해명기회를 가졌다는 사정만으로 행정절차법상 '사전통지를 하지 않거나 의견제출의 기회를 주지 아니하여도 되는 예외적인 경우'에 해당한다고 할 수 없다. (○, ×) 2024 군무원 5급 변형
2. 공무원 인사관계 법령에 따른 처분에 관하여는 행정절차법 적용을 배제하고 있으므로, 군인사법령에 의하여 진급예정자명단에 포함된 자에 대하여 의견제출의 기회를 부여하지 아니하고 진급선발취소처분을 한 것이 절차상 하자가 있어 위법하다고 할 수 없다. (○, ×) 2024 국가직 9급

1. ○ 2. ×

① 빈출 ×

국가공무원법상 직위해제처분에는 처분의 사전통지 및 의견청취 등에 관한 행정절차법 규정이 적용되지 않는다.

국가공무원법상 직위해제처분은 구 행정절차법 제3조 제2항 제9호, 구 행정절차법 시행령 제2조 제3호에 의하여 당해 행정작용의 성질상 행정절차를 거치기 곤란하거나 불필요하다고 인정되는 사항 또는 행정절차에 준하는 절차를 거친 사항에 해당하므로, 처분의 사전통지 및 의견청취 등에 관한 행정절차법의 규정이 별도로 적용되지 않는다(대판 2014. 5. 16, 2012두26180).

② ○

군인사법령에 의하여 진급예정자명단에 포함된 자에 대하여 행정절차법상의 의견제출의 기회를 부여하지 아니한 채 진급선발을 취소하는 처분을 한 것은 절차상 하자가 있어 위법하다.

진급예정자 명단에 포함된 자의 진급선발을 취소하는 처분을 함에 있어 행정절차에 준하는 절차를 거치도록 하는 규정이 없을 뿐만 아니라 위 처분이 성질상 행정절차를 거치기 곤란하거나 불필요하다고 인정되는 처분이라고 보기도 어렵다고 할 것이어서 이 사건 처분이 행정절차법의 적용이 제외되는 경우에 해당한다고 할 수 없으며, 나아가 원고가 수사과정 및 징계과정에서 자신의 비위행위에 대한 해명기회를 가졌다는 사정만으로 이 사건 처분이 행정절차법 제21조 제4항 제3호, 제22조 제4항에 따라 원고에게 사전통지를 하지 않거나 의견제출의 기회를 주지 아니하여도 되는 예외적인 경우에 해당한다고 할 수 없으므로, 피고가 이 사건 처분을 함에 있어 원고에게 의견제출의 기회를 부여하지 아니한 이상, 이 사건 처분은 절차상 하자가 있어 위법하다고 할 것이다(대판 2007. 9. 21, 2006두20631).

③ 제21강 참조 ○

행정청이 침해적 행정처분을 하면서 당사자에게 행정절차법상의 사전통지를 하거나 의견제출의 기회를 주지 않았다면, 사전통지를 하지 않거나 의견제출의 기회를 주지 않아도 되는 예외적인 경우에 해당하지 않는 한, 그 처분은 위법하여 취소를 면할 수 없다(대판 2020. 7. 23, 2017두66602).

④ ○

상급행정기관이 소속 공무원이나 하급행정기관에 대하여 세부적인 업무처리절차나 법령의 해석 · 적용 기준을 정해 주는 '행정규칙'은 상위법령의 구체적 위임이 있지 않는 한 행정조직 내부에서만 효력을 가질 뿐 대외적으로 국민이나 법원을 구속하는 효력이 없다(대판 2019. 10. 31, 2013두20011).

정답 02 ①

03 중 2022 서울시 지적 7급

행정절차법상 행정청의 관할 및 협조에 대한 설명으로 가장 옳지 않은 것은? (다툼이 있는 경우 판례에 의함)

□□□ ① 행정응원에 드는 비용은 응원을 요청한 행정청이 부담하며, 그 부담금액 및 부담방법은 응원을 하는 행정청이 결정한다.

□□□ ② 행정청은 다른 행정청의 응원을 받아 처리하는 것이 보다 능률적이고 경제적인 경우 다른 행정청에 행정응원을 요청할 수 있다.

□□□ ③ 행정응원을 요청받은 행정청은 다른 행정청이 보다 능률적이거나 경제적으로 응원할 수 있는 명백한 이유가 있는 경우 응원을 거부할 수 있다.

□□□ ④ 행정청의 관할이 분명하지 아니한 경우에는 해당 행정청을 공통으로 감독하는 상급행정청이 그 관할을 결정하며, 공통으로 감독하는 상급행정청이 없는 경우에는 각 상급행정청이 협의하여 그 관할을 결정한다.

관련기출

①

1. 행정응원에 드는 비용은 응원을 하는 행정청이 부담한다. (○, ×) 2023 행정사
2. 행정청이 다른 행정청에 행정응원을 요청하는 경우 행정응원에 소요되는 비용은 응원을 요청한 행정청이 부담한다. (○, ×) 2011 국회(속기 · 경위직) 9급

1. × 2. ○

④

1. 행정청의 관할이 분명하지 아니한 경우이지만 공통으로 감독하는 상급행정청이 없는 경우에는 각 상급행정청이 협의하여 그 관할을 결정한다. (○, ×) 2023 행정사
2. 행정청의 관할이 분명하지 아니한 경우에는 해당 행정청을 공통으로 감독하는 상급 행정청이 그 관할을 결정한다. (○, ×) 2010 경북교행

1. ○ 2. ○

① **빈출** ×

②③ ○

> 행정절차법 제8조【행정응원】① 행정청은 다음 각 호의 어느 하나에 해당하는 경우에는 다른 행정청에 행정응원(行政應援)을 요청할 수 있다.
> 5. 다른 행정청의 응원을 받아 처리하는 것이 보다 능률적이고 경제적인 경우(②)
>
> ② 제1항에 따라 행정응원을 요청받은 행정청은 다음 각 호의 어느 하나에 해당하는 경우에는 응원을 거부할 수 있다.
> 1. 다른 행정청이 보다 능률적이거나 경제적으로 응원할 수 있는 명백한 이유가 있는 경우(③)
>
> ⑥ 행정응원에 드는 비용은 응원을 요청한 행정청이 부담하며, 그 부담금액 및 부담방법은 응원을 요청한 행정청과 응원을 하는 행정청이 협의하여 결정한다(①).

④ ○

> 행정절차법 제6조【관할】② 행정청의 관할이 분명하지 아니한 경우에는 해당 행정청을 공통으로 감독하는 상급행정청이 그 관할을 결정하며, 공통으로 감독하는 상급행정청이 없는 경우에는 각 상급행정청이 협의하여 그 관할을 결정한다.

정답 03 ①

04 빈출 정답률 66% 중 2020 지방직 · 서울시 7급

행정절차법의 적용대상이 되지 않는 것만을 모두 고르면? (다툼이 있는 경우 판례에 의함)

□□□ ㉠ 병역법에 따른 징집 · 소집
□□□ ㉡ 산업기능요원편입취소처분
□□□ ㉢ 국가공무원법상 직위해제처분
□□□ ㉣ 헌법재판소의 심판을 거쳐 행하는 사항
□□□ ㉤ 대통령의 한국방송공사 사장의 해임처분

① ㉠, ㉡, ㉢　② ㉠, ㉢, ㉣
③ ㉡, ㉣, ㉤　④ ㉢, ㉣, ㉤

관련기출

㉡

1. 병역법에 따라 지방병무청장이 산업기능요원에 대하여 산업기능요원 편입취소처분을 할 때에는 행정절차법에 따라 처분의 사전통지를 하고 의견제출의 기회를 부여하여야 한다. (○, ×) 2020 국가직 7급
2. 병역법에 의한 소집에 관한 사항에는 행정절차법이 적용되지 않으나 병역법상의 산업기능요원의 편입취소처분에 대해서는 행정절차법이 적용된다. (○, ×) 2020 국회직 8급

1. ○ 2. ○

㉤

1. 대통령에 의한 한국방송공사 사장의 해임에는 행정절차법이 적용된다. (○, ×) 2017 사회복지직 9급

1. ○

② 행정절차법의 적용대상이 아닌 것은 ㉠㉢㉣이다.

㉠㉣ ×

행정절차법 제3조【적용범위】② 이 법은 다음 각 호의 어느 하나에 해당하는 사항에 대하여는 적용하지 아니한다.
1. 국회 또는 지방의회의 의결을 거치거나 동의 또는 승인을 받아 행하는 사항
2. 법원 또는 군사법원의 재판에 의하거나 그 집행으로 행하는 사항
3. 헌법재판소의 심판을 거쳐 행하는 사항(㉣)
4. 각급 선거관리위원회의 의결을 거쳐 행하는 사항
5. 감사원이 감사위원회의의 결정을 거쳐 행하는 사항
6. 형사(刑事), 행형(行刑) 및 보안처분 관계법령에 따라 행하는 사항
7. 국가안전보장 · 국방 · 외교 또는 통일에 관한 사항 중 행정절차를 거칠 경우 국가의 중대한 이익을 현저히 해칠 우려가 있는 사항
8. 심사청구, 해양안전심판, 조세심판, 특허심판, 행정심판, 그 밖의 불복절차에 따른 사항
9. 병역법에 따른 징집 · 소집(㉠), 외국인의 출입국 · 난민인정 · 귀화, 공무원 인사관계법령에 따른 징계와 그 밖의 처분, 이해 조정을 목적으로 하는 법령에 따른 알선 · 조정 · 중재(仲裁) · 재정(裁定) 또는 그 밖의 처분 등 해당 행정작용의 성질상 행정절차를 거치기 곤란하거나 거칠 필요가 없다고 인정되는 사항과 행정절차에 준하는 절차를 거친 사항으로서 대통령령으로 정하는 사항

㉡ **빈출** ○

산업기능요원 편입취소처분은 행정절차법의 적용이 배제되는 사항인 행정절차법 제3조 제2항 제9호, 같은 법 시행령 제2조 제1호에서 규정하는 '병역법에 의한 소집에 관한 사항'에 해당하지 않는다(즉, 행정절차법이 적용된다).

지방병무청장이 병역법 제41조 제1항 제1호, 제40조 제2호의 규정에 따라 산업기능요원에 대하여 한 산업기능요원 편입취소처분은, 행정처분을 할 경우 '처분의 사전통지'와 '의견제출 기회의 부여'를 규정한 행정절차법 제21조 제1항, 제22조 제3항에서 말하는 '당사자의 권익을 제한하는 처분'에 해당하는 한편, 행정절차법의 적용이 배제되는 사항인 행정절차법 제3조 제2항 제9호, 같은 법 시행령 제2조 제1호에서 규정하는 '병역법에 의한 소집에 관한 사항'에는 해당하지 아니하므로, 행정절차법상의 '처분의 사전통지'와 '의견제출 기회의 부여' 등의 절차를 거쳐야 한다(대판 2002. 9. 6, 2002두554).

㉢ ×

국가공무원법상 직위해제처분에는 처분의 사전통지 및 의견청취 등에 관한 행정절차법 규정이 적용되지 않는다는 것이 판례의 입장이다(대판 2014. 5. 16, 2012두26180).

㉤ ○

대통령의 한국방송공사 사장의 해임절차에 관하여 방송법이나 관련법령에도 별도의 규정을 두지 않고 있고, 행정절차법의 입법목적과 행정절차법 제3조 제2항 제9호와 관련 시행령의 규정내용 등에 비추어 보면, 이 사건 해임처분이 행정절차법과 그 시행령에서 열거적으로 규정한 예외사유에 해당한다고 볼 수 없으므로 이 사건 해임처분에도 행정절차법이 적용된다고 할 것이다(대판 2012. 2. 23, 2011두5001).

정답 04 ②

05 정답률 65% 중 2019 소방직 9급

행정절차법의 적용이 배제되는 경우가 아닌 것은? (다툼이 있는 경우 판례에 의함)

□□□ ① 헌법재판소의 심판을 거쳐 행하는 사항
□□□ ② 지방의회의 의결을 거치거나 동의 또는 승인을 받아 행하는 사항
□□□ ③ 감사원이 감사위원회의의 결정을 거쳐 행하는 사항
□□□ ④ 육군3사관학교의 사관생도에 대한 퇴학처분

①②③ ○

행정절차법 제3조【적용범위】 ① 처분, 신고, 확약, 위반사실 등의 공표, 행정계획, 행정상 입법예고, 행정예고 및 행정지도의 절차(이하 '행정절차'라 한다)에 관하여 다른 법률에 특별한 규정이 있는 경우를 제외하고는 이 법에서 정하는 바에 따른다.
② 이 법은 다음 각 호의 어느 하나에 해당하는 사항에 대하여는 적용하지 아니한다.
1. 국회 또는 지방의회의 의결을 거치거나 동의 또는 승인을 받아 행하는 사항(②)
2. 법원 또는 군사법원의 재판에 의하거나 그 집행으로 행하는 사항
3. 헌법재판소의 심판을 거쳐 행하는 사항(①)
4. 각급 선거관리위원회의 의결을 거쳐 행하는 사항
5. 감사원이 감사위원회의의 결정을 거쳐 행하는 사항(③) (6.~9. 생략)

④ ×

육군3사관학교의 사관생도에 대한 퇴학처분에 행정절차법의 적용이 배제되는 것은 아니다.

행정절차법의 입법목적에 비추어 보면, 행정절차법의 적용이 제외되는 공무원 인사관계법령에 의한 처분에 관한 사항이란 성질상 행정절차를 거치기 곤란하거나 불필요하다고 인정되는 처분이나 행정절차에 준하는 절차를 거치도록 하고 있는 처분에 관한 사항만을 말하는 것으로 보아야 한다. 이러한 법리는 '공무원 인사관계법령에 의한 처분'에 해당하는 육군3사관학교 생도에 대한 퇴학처분에도 마찬가지로 적용된다. 그리고 행정절차법 시행령 제2조 제8호는 '학교 · 연수원 등에서 교육 · 훈련의 목적을 달성하기 위하여 학생 · 연수생들을 대상으로 하는 사항'을 행정절차법의 적용이 제외되는 경우로 규정하고 있으나, 이는 교육과정과 내용의 구체적 결정, 과제의 부과, 성적의 평가, 공식적 징계에 이르지 아니한 질책 · 훈계 등과 같이 교육 · 훈련의 목적을 직접 달성하기 위하여 행하는 사항을 말하는 것으로 보아야 하고, 생도에 대한 퇴학처분과 같이 신분을 박탈하는 징계처분은 여기에 해당한다고 볼 수 없다(대판 2018. 3. 13, 2016두33339).

정답 05 ④

관련기출

④
1. 행정절차법 시행령 제2조 제8호는 '학교 · 연수원 등에서 교육 · 훈련의 목적을 달성하기 위하여 학생 · 연수생들을 대상으로 하는 사항'을 행정절차법이 적용되지 않는 경우로 규정하고 있으나 생도의 퇴학처분과 같이 신분을 박탈하는 징계처분은 여기에 해당한다고 할 수 없다. (○, ×)
2020 국회직 8급

1. ○

06 빈출 중 2019 사회복지직 9급

행정절차법에 관한 설명으로 옳지 않은 것은? (다툼이 있는 경우 판례에 따름)

□□□ ① 징계심의대상자가 선임한 변호사가 징계위원회에 출석하여 징계심의대상자를 위하여 필요한 의견을 진술하는 것은 방어권 행사의 본질적 내용에 해당하므로, 행정청은 특별한 사정이 없는 한 이를 거부할 수 없다.

□□□ ② 행정절차법의 적용이 제외되는 공무원 인사관계법령에 의한 처분에 관한 사항이란 성질상 행정절차를 거치기 곤란하거나 불필요하다고 인정되는 처분이나 행정절차에 준하는 절차를 거치도록 하고 있는 처분에 관한 사항만을 말하는 것으로 보아야 한다.

□□□ ③ 국가공무원법상 직위해제처분은 성질상 행정절차를 거치기 곤란하거나 불필요하다고 인정되는 사항 또는 행정절차에 준하는 절차를 거친 사항에 해당하지 않으므로, 처분의 사전통지 및 의견청취 등에 관한 행정절차법의 규정이 적용된다.

□□□ ④ 민원사무를 처리하는 행정기관이 민원조정위원회를 개최하면서 민원인에게 그 회의일정 등을 사전에 통지하여야 함에도 불구하고 그러하지 아니한 경우에 이러한 사정만으로 곧바로 그 민원사항에 대한 행정기관의 장의 거부처분이 위법하다고 볼 수는 없다.

관련기출

①

1. 징계와 같은 불이익처분절차에서 징계심의대상자에게 변호사를 통한 방어권의 행사를 보장하는 것이 필요하고, 징계심의대상자가 선임한 변호사가 징계위원회에 출석하여 징계심의대상자를 위하여 필요한 의견을 진술하는 것은 방어권 행사의 본질적 내용에 해당하므로, 행정청은 특별한 사정이 없는 한 이를 거부할 수 없다. (○, ×) 2021 경행경채
2. 공무원에 대한 징계절차에서 징계심의대상자가 대리인으로 선임한 변호사가 징계위원회 심의에 출석하여 진술하려고 하였음에도 불구하고 징계권자나 그 소속직원이 변호사가 심의에 출석하는 것을 막았다면 징계위원회의 심의·의결의 절차적 정당성이 상실되어 그 징계의결에 따른 징계처분은 위법하며 원칙적으로 취소되어야 한다. (○, ×) 2022 지방직 7급

1. ○ 2. ○

④

1. 민원사무를 처리하는 행정기관이 민원1회방문처리제를 시행하는 절차의 일환으로 민원사항의 심의·조정 등을 위한 민원조정위원회를 개최하면서 사전통지의 흠결로 민원인에게 의견진술의 기회를 주지 아니한 결과 민원조정위원회의 심의과정에서 고려대상에 마땅히 포함시켜야 할 사항을 누락하는 등 재량권의 불행사 또는 해태로 볼 수 있는 구체적 사정이 있다면, 그 거부처분은 재량권을 일탈·남용한 것으로서 위법하다. (○, ×) 2018 경행경채
2. 판례는 민원사무를 처리하는 행정기관이 민원1회방문처리제를 시행하는 절차의 일환으로 민원사항의 심의, 조정 등을 위한 민원조정위원회를 개최하면서 민원인에게 회의일정 등을 사전에 통지하지 아니하였다면 취소사유가 존재한다는 입장이다. (○, ×) 2017 국회직 8급

1. ○ 2. ×

① ○

> 행정청은 징계와 같은 불이익처분절차에서 징계심의대상자가 선임한 변호사가 징계위원회에 출석하여 징계심의대상자를 위하여 필요한 의견을 진술하는 것을 원칙적으로 거부할 수 없다.
>
> 행정절차법 제12조 제1항 제3호, 제2항, 제11조 제4항 본문에 따르면, 당사자 등은 변호사를 대리인으로 선임할 수 있고, 대리인으로 선임된 변호사는 당사자 등을 위하여 행정절차에 관한 모든 행위를 할 수 있다고 규정되어 있다. 위와 같은 행정절차법령의 규정과 취지, 헌법상 법치국가원리와 적법절차원칙에 비추어 징계와 같은 불이익처분절차에서 징계심의대상자에게 변호사를 통한 방어권의 행사를 보장하는 것이 필요하고, 징계심의대상자가 선임한 변호사가 징계위원회에 출석하여 징계심의대상자를 위하여 필요한 의견을 진술하는 것은 방어권 행사의 본질적 내용에 해당하므로, 행정청은 특별한 사정이 없는 한 이를 거부할 수 없다(대판 2018. 3. 13, 2016두33339).

② ○

공무원 인사관계법령에 의한 처분에 관한 사항 중 성질상 행정절차를 거치기 곤란하거나 불필요하다고 인정되는 처분이나 행정절차에 준하는 절차를 거치도록 하고 있는 처분의 경우에만 행정절차법의 적용이 배제된다는 것이 판례의 입장이다.

③ ×

국가공무원법상 직위해제처분에는 처분의 사전통지 및 의견청취 등에 관한 행정절차법 규정이 적용되지 않는다는 것이 판례의 입장이다(대판 2014. 5. 16, 2012두26180).

④ 빈출 ○

> 민원사무를 처리하는 행정기관이 민원1회방문처리제를 시행하는 절차의 일환으로 민원사항의 심의·조정 등을 위한 민원조정위원회를 개최하면서 민원인에게 회의일정 등을 사전에 통지하지 아니하였다 하더라도, 이러한 사정만으로 곧바로 민원사항에 대한 행정기관의 장의 거부처분에 취소사유에 이를 정도의 흠이 존재한다고 보기는 어렵다. 다만, 행정기관의 장의 거부처분이 재량행위인 경우에, 위와 같은 사전통지의 흠결로 민원인에게 의견진술의 기회를 주지 아니한 결과 민원조정위원회의 심의과정에서 고려대상에 마땅히 포함시켜야 할 사항을 누락하는 등 재량권의 불행사 또는 해태로 볼 수 있는 구체적 사정이 있다면, 거부처분은 재량권을 일탈·남용한 것으로서 위법하다(대판 2015. 8. 27, 2013두1560).

정답 06 ③

07 정답률 82% 중 2018 소방직 9급

행정절차법상 행정상 입법예고를 하지 않아도 되는 사유에 해당하지 않는 것은?

□□□ ① 법령 등을 제정 · 개정 또는 폐지하려는 경우

□□□ ② 상위법령 등의 단순한 집행을 위한 경우

□□□ ③ 입법내용이 국민의 권리 · 의무 또는 일상생활과 관련이 없는 경우

□□□ ④ 신속한 국민의 권리 보호 또는 예측 곤란한 특별한 사정의 발생 등으로 입법이 긴급을 요하는 경우

① ×

②③④ ○

행정절차법 제41조【행정상 입법예고】 ① 법령 등을 제정 · 개정 또는 폐지(이하 '입법'이라 한다)하려는 경우에는 해당 입법안을 마련한 행정청은 이를 예고하여야 한다. 다만, 다음 각 호의 어느 하나에 해당하는 경우에는 예고를 하지 아니할 수 있다.

1. 신속한 국민의 권리 보호 또는 예측 곤란한 특별한 사정의 발생 등으로 입법이 긴급을 요하는 경우(④)
2. 상위법령 등의 단순한 집행을 위한 경우(②)
3. 입법내용이 국민의 권리 · 의무 또는 일상생활과 관련이 없는 경우(③)
4. 단순한 표현 · 자구를 변경하는 경우 등 입법내용의 성질상 예고의 필요가 없거나 곤란하다고 판단되는 경우
5. 예고함이 공공의 안전 또는 복리를 현저히 해칠 우려가 있는 경우

정답 07 ①

08 상

2017 지방직(하) 9급 변형

다음은 행정절차법상 기간과 관련된 규정을 정리한 것이다. ㉠~㉣에 들어갈 기간을 바르게 나열한 것은?

- 행정청은 공청회를 개최하려는 경우에는 공청회 개최 (㉠)일 전까지 제목, 일시 및 장소 등을 당사자 등에게 통지하고 관보, 공보, 인터넷 홈페이지 또는 일간신문 등에 공고하는 등의 방법으로 널리 알려야 한다.
- 입법예고기간은 예고할 때 정하되, 특별한 사정이 없으면 (㉡)일[자치법규는 (㉢)일] 이상으로 한다.
- 행정예고기간은 예고내용의 성격 등을 고려하여 정하되, (㉣)일 이상으로 한다.

	㉠	㉡	㉢	㉣
①	10	40	30	30
②	14	30	20	20
③	14	40	20	20
④	15	30	20	30

㉠ **빈출** 14
㉡ 40
㉢ 20
㉣ 20

행정절차법 제38조【공청회 개최의 알림】행정청은 공청회를 개최하려는 경우에는 공청회 개최 14일 전까지 다음 각 호의 사항을 당사자 등에게 통지하고 관보, 공보, 인터넷 홈페이지 또는 일간신문 등에 공고하는 등의 방법으로 널리 알려야 한다. 다만, 공청회 개최를 알린 후 예정대로 개최하지 못하여 새로 일시 및 장소 등을 정한 경우에는 공청회 개최 7일 전까지 알려야 한다.

1. 제목
2. 일시 및 장소
3. 주요 내용
4. 발표자에 관한 사항
5. 발표신청 방법 및 신청기한
6. 정보통신망을 통한 의견제출
7. 그 밖에 공청회 개최에 필요한 사항

제43조【예고기간】입법예고기간은 예고할 때 정하되, 특별한 사정이 없으면 40일(자치법규는 20일) 이상으로 한다.

제46조【행정예고】③ 행정예고기간은 예고내용의 성격 등을 고려하여 정하되, 20일 이상으로 한다.

정답 08 ③

제 21 강 행정절차법(처분 등)

1회독	2회독	3회독
/	/	/

정답률 공단기/소방단기 합격예측 풀서비스 통계 데이터 기준 기 기본서 핵 핵심집약

01 처분절차

기 438~459쪽 핵 T 42

01 빈출 정답률 79% 중 2024 국가직 9급

행정절차에 대한 설명으로 옳지 않은 것은? (다툼이 있는 경우 판례에 의함)

□□□ ① 청문은 당사자가 공개를 신청하거나 청문 주재자가 필요하다고 인정하는 경우 공개할 수 있다. 다만, 공익 또는 제3자의 정당한 이익을 현저히 해칠 우려가 있는 경우에는 공개하여서는 아니 된다.

□□□ ② 일반적으로 당사자가 근거규정 등을 명시하여 신청하는 인 · 허가 등을 거부하는 처분을 함에 있어 당사자가 그 근거를 알 수 있을 정도로 상당한 이유를 제시한 경우에는 당해 처분의 근거 및 이유를 구체적 조항 및 내용까지 명시하지 않았더라도 그로 말미암아 그 처분이 위법한 것이 된다고 할 수 없다.

□□□ ③ 공무원 인사관계법령에 따른 처분에 관하여는 행정절차법 적용을 배제하고 있으므로, 군인사법령에 의하여 진급예정자명단에 포함된 자에 대하여 의견제출의 기회를 부여하지 아니하고 진급선발취소처분을 한 것이 절차상 하자가 있어 위법하다고 할 수 없다.

□□□ ④ 과세의 절차 내지 형식에 위법이 있어 과세처분을 취소하는 판결이 확정되었을 때는 그 확정판결의 기판력은 거기에 적시된 절차 내지 형식의 위법사유에 한하여 미치는 것이므로 과세관청은 그 위법사유를 보완하여 다시 새로운 과세처분을 할 수 있다.

① 정답률 4% ○

행정절차법 제30조【청문의 공개】 청문은 당사자가 공개를 신청하거나 청문 주재자가 필요하다고 인정하는 경우 공개할 수 있다. 다만, 공익 또는 제3자의 정당한 이익을 현저히 해칠 우려가 있는 경우에는 공개하여서는 아니 된다.

② 빈출 정답률 6% ○

1. 일반적으로 당사자가 근거규정 등을 명시하여 신청하는 인 · 허가 등을 거부하는 처분을 함에 있어 당사자가 그 근거를 알 수 있을 정도로 상당한 이유를 제시한 경우에는 당해 처분의 근거 및 이유를 구체적으로 명시하지 않았더라도 처분이 위법하다고 할 수 없다.
2. 행정청이 토지형질변경허가신청을 불허하는 근거규정으로 '도시계획법 시행령 제20조'를 명시하지 아니하고 '도시계획법'이라고만 기재하였으나, 신청인이 자신의 신청이 개발제한구역의 지정목적에 현저히 지장을 초래하는 것이라는 이유로 구 도시계획법 시행령 제20조 제1항 제2호에 따라 불허된 것임을 알 수 있었던 경우, 그 불허처분이 위법하지 아니하다(대판 2002. 5. 17, 2000두8912).

③ 빈출 정답률 79% ×

1. 군인사법령에 의하여 진급예정자명단에 포함된 자에 대하여 행정절차법상의 의견제출의 기회를 부여하지 아니한 채 진급선발을 취소하는 처분을 한 것은 절차상 하자가 있어 위법하다.
2. 공무원 인사관계법령에 의한 처분에 관한 사항 중 성질상 행정절차를 거치기 곤란하거나 불필요하다고 인정되는 처분이나 행정절차에 준하는 절차를 거치도록 하고 있는 처분의 경우에만 행정절차법의 적용이 배제된다(대판 2007. 9. 21, 2006두20631).

④ 빈출 정답률 9% 제39강 참조 ○

절차상의 하자를 이유로 과세처분을 취소하는 판결이 확정된 경우, 그 위법사유를 보완하여 새로운 조세부과처분을 하는 것은 확정판결의 기속력에 위반되지 않는다.

과세의 절차 내지 형식에 위법이 있어 과세처분을 취소하는 판결이 확정되었을 때는 그 확정판결의 기판력은 거기에 적시된 절차 내지 형식의 위법사유에 한하여 미치는 것이므로 과세관청은 그 위법사유를 보완하여 다시 새로운 과세처분을 할 수 있고 그 새로운 과세처분은 확정판결에 의하여 취소된 종전의 과세처분과는 별개의 처분이라 할 것이어서 확정판결의 기판력(편저자 주 : 기속력)에 저촉되는 것이 아니다(대판 1987. 2. 10, 86누91).

정답 01 ③

02 ⓢ 2024 변호사

행정절차에 관한 설명 중 옳은 것은? (다툼이 있는 경우 판례에 의함)

□□□ ① 국가공무원법상 직위해제처분은 '공무원 인사관계 법령에 따른 징계와 그 밖의 처분'에 해당하지만, 당해 행정작용의 성질상 행정절차를 거치기 곤란하거나 불필요하다고 인정되는 사항 또는 행정절차에 준하는 절차를 거친 사항이라 볼 수 없으므로 행정절차법의 규정이 적용된다.

□□□ ② 행정청이 행정절차법 제20조 제1항의 처분기준 사전공표의무를 위반하여 미리 공표하지 아니한 기준을 적용하여 처분을 하였다면, 그러한 사정만으로 곧바로 해당 처분에 취소사유가 존재한다.

□□□ ③ 도로법에 따라 도로구역을 변경하는 처분은 당사자에게 의무를 부과하거나 권익을 제한하게 되므로 행정절차법상 사전통지의 대상이 된다.

□□□ ④ 행정절차는 그 자체가 독립적으로 의미를 가지는 것이라기보다는 행정의 공정성과 적정성을 보장하는 공법적 수단으로서의 의미가 크므로, 관련 행정처분의 성립이나 무효 · 취소 여부 등을 따지지 않은 채 주민들이 일시적으로 행정절차에 참여할 권리를 침해받았다는 사정만으로 곧바로 국가나 지방자치단체가 주민들에게 정신적 손해에 대한 배상의무를 부담한다고 단정할 수 없다.

□□□ ⑤ 상대방 있는 행정처분은 의사표시에 관한 일반 법리에 따라 상대방에게 고지되어야 효력이 발생함이 원칙이나, 상대방 있는 행정처분이 상대방에게 고지되지 아니한 경우라도 상대방이 다른 경로를 통해 행정처분의 내용을 알게 되었다면 행정처분의 효력이 발생한다고 볼 수 있다.

관련기출

②

1. 행정청이 행정절차법 제20조 제1항의 처분기준 사전공표의무를 위반하여 미리 공표하지 아니한 기준을 적용하여 처분을 하였다면, 그러한 사정만으로 곧바로 해당 처분의 취소사유에 이를 정도의 흠이 존재한다고 볼 수는 있을 것이나 그 하자가 중대 · 명백하여 해당 처분의 무효사유에 이를 정도의 흠이 존재한다고는 볼 수 없다. (○, ×) 2023 서울시 연구사
2. 행정청이 처분기준 사전공표의무를 위반하여 미리 공표하지 아니한 기준을 적용하여 처분을 하였다고 하더라도, 그러한 사정만으로 곧바로 해당 처분에 취소사유에 이를 정도의 흠이 존재한다고 볼 수는 없다. (○, ×) 2023 국가직 7급

🔒 1. × 2. ○

① ×

국가공무원법상 직위해제처분에는 처분의 사전통지 및 의견청취 등에 관한 행정절차법 규정이 적용되지 않는다는 것이 판례의 입장이다(대판 2014. 5. 16, 2012두26180).

② **빈출** ×

행정청이 행정절차법 제20조 제1항에 따라 정하여 공표한 처분기준은, 그것이 해당 처분의 근거법령에서 구체적 위임을 받아 제정 · 공포되었다는 특별한 사정이 없는 한, 원칙적으로 대외적 구속력이 없는 행정 규칙에 해당하는 것으로 보아야 한다. 행정청이 행정절차법 제20조 제1항의 처분기준 사전공표의무를 위반하여 미리 공표하지 아니한 기준을 적용하여 처분하였다고 하더라도, 그러한 사정만으로 곧바로 해당 처분에 취소사유에 이를 정도의 흠이 존재한다고 볼 수는 없다. 다만 해당 처분에 적용한 기준이 상위법령의 규정이나 신뢰보호의 원칙 등과 같은 법의 일반원칙을 위반하였거나 객관적으로 합리성이 없다고 볼 수 있는 구체적인 사정이 있다면 해당 처분은 위법하다고 평가할 수 있다(대판 2020. 12. 24, 2018두45633).

③ **빈출** ×

도로구역변경결정은 행정절차법 제21조 제1항의 사전통지나 제22조 제3항의 의견청취의 대상이 되는 처분이 아니다.

행정절차법 제2조 제4호가 행정절차법의 당사자를 행정청의 처분에 대하여 직접 그 상대가 되는 당사자로 규정하고, 도로법 제25조 제3항이 도로구역을 결정하거나 변경할 경우 이를 고시에 의하도록 하면서, 그 도면을 일반인이 열람할 수 있도록 한 점 등을 종합하여 보면, 도로구역을 변경한 처분은 행정절차법 제21조 제1항의 사전통지나 제22조 제3항의 의견청취의 대상이 되는 처분은 아니라고 할 것이다(대판 2008. 6. 12, 2007두1767).

④ 제28강 참조 ○

1. 법령에서 주민들의 행정절차참여에 관하여 정하는 것은 어디까지나 주민들에게 자신의 의사와 이익을 반영할 기회를 보장하고 행정의 공정성, 투명성과 신뢰성을 확보하며 국민의 권익을 보호하기 위한 것일 뿐, 행정절차에 참여할 권리 그 자체가 사적 권리로서의 성질을 가지는 것은 아니다.
2. 이와 같이 행정절차는 그 자체가 독립적으로 의미를 가지는 것이라기보다는 행정의 공정성과 적정성을 보장하는 공법적 수단으로서의 의미가 크므로, 관련 행정처분의 성립이나 무효 · 취소 여부 등을 따지지 않은 채 주민들이 일시적으로 행정절차에 참여할 권리를 침해받았다는 사정만으로 곧바로 국가나 지방자치단체가 주민들에게 정신적 손해에 대한 배상의무를 부담한다고 단정할 수 없다(대판 2021. 7. 29, 2015다221668).

⑤ 제15강 참조 ×

1. 상대방 있는 행정처분은 상대방에게 고지되어야 원칙적으로 효력이 발생한다.
2. 상대방 있는 행정처분이 상대방에게 고지되지 않았으나 상대방이 다른 경로를 통해 행정처분의 내용을 알게 된 경우라도, 행정처분의 효력이 발생하는 것은 아니다.

   상대방 있는 행정처분은 특별한 규정이 없는 한 의사표시에 관한 일반 법리에 따라 상대방에게 고지되어야 효력이 발생하고, 상대방 있는 행정처분이 상대방에게 고지되지 아니한 경우에는 상대방이 다른 경로를 통해 행정처분의 내용을 알게 되었다고 하더라도 행정처분의 효력이 발생한다고 볼 수 없다. 피고가 인터넷 홈페이지에 이 사건 처분의 결정 내용을 게시한 것만으로는 행정절차법 제14조에서 정한 바에 따라 송달이 이루어졌다고 볼 수 없고, 원고가 그 홈페이지에 접속하여 결정 내용을 확인하여 알게 되었다고 하더라도 마찬가지이다(대판 2019. 8. 9, 2019두38656).

정답 02 ④

03 정답률 51% 중 2023 지방직 · 서울시 7급

행정절차법상 행정절차에 대한 설명으로 옳지 않은 것은? (다툼이 있는 경우 판례에 의함)

□□□ ① 공무원연금법상 퇴직연금의 환수결정은 당사자에게 의무를 과하는 처분이기는 하지만 퇴직연금의 환수결정에 앞서 당사자에게 의견진술의 기회를 주지 아니하여도 행정절차법에 어긋나지 아니한다.

□□□ ② 행정청이 처분을 하면서 당사자에게 그 처분에 관하여 행정심판 및 행정소송을 제기할 수 있는지 여부, 그 밖에 불복을 할 수 있는지 여부, 청구절차 및 청구기간 그 밖에 필요한 사항을 고지하지 않았다면 그 처분은 위법하다.

□□□ ③ 행정청이 미리 공표한 처분의 처리기간을 지나 처분을 하였더라도 이를 처분을 취소할 절차상 하자로 볼 수 없다.

□□□ ④ 행정청이 당사자와 협약을 체결하면서 관계법령 및 행정절차법에 규정된 청문 등 의견청취절차를 배제하는 조항을 둔 경우, 이를 청문실시의 배제사유로 인정하는 법령상의 규정이 없다면 청문을 실시하지 않은 것은 절차적 하자를 구성한다.

관련기출

①

1. 관련법령에 따라 당연히 환수금액이 정하여지는 퇴직연금의 환수결정에 앞서 의견진술의 기회를 주지 아니하였다면 그 처분은 의견제출의 기회를 주지 않은 것으로서 위법하여 무효이다. (○, ×) 2023 서울시 지적 7급
2. 공무원의 퇴직연금의 환수결정은 당사자에게 의무를 과하는 처분이기는 하나, 관련법령에 따라 당연히 환수금액이 정하여지는 것이므로 당사자에게 의견진술의 기회를 주지 아니하여도 행정절차법 제22조 제3항에 어긋나지 아니한다. (○, ×) 2023 국회직 9급
3. 퇴직연금의 환수결정은 당사자에게 의무를 과하는 처분이므로 퇴직연금의 환수결정에 앞서 당사자에게 의견진술의 기회를 주지 아니하면 절차의 하자가 있는 위법한 처분이 된다. (○, ×) 2022 국회직 8급
4. 퇴직연금의 환수결정은 당사자에게 의무를 과하는 처분으로서 퇴직연금 환수 결정에 앞서 당사자에게 의견진술의 기회를 주어야 한다. (○, ×) 2022 소방간부

1. × 2. ○ 3. × 4. ×

③

1. 처분의 처리기간에 관한 규정은 강행규정이므로 행정청이 처리기간이 지나 처분을 하였다면 이는 처분을 취소할 절차상 하자로 볼 수 있다. (○, ×) 2023 국가직 7급

1. ×

① **빈출** 정답률 24% ○

법령상 확정된 의무부과의 경우는 의견진술의 기회를 주지 아니하여도 행정절차법 위반이 아니라는 것이 판례의 입장이다.

> 퇴직연금의 환수결정은 관련법령에 따라 당연히 환수금액이 정하여지는 것이므로, 당사자에게 의견진술의 기회를 주지 아니하여도 무방하다.
>
> 지급정지 사유기간 중 퇴직연금 수급자에게 지급된 퇴직연금의 환수결정은 당사자에게 의무를 과하는 처분이기는 하나, 관련법령에 따라 당연히 환수금액이 정하여지는 것이므로, 퇴직연금의 환수결정에 앞서 당사자에게 의견진술의 기회를 주지 아니하여도 행정절차법 제22조 제3항이나 신의칙에 어긋나지 아니한다(대판 2000. 11. 28, 99두5443).

② 정답률 51% ×

판례는 행정절차법 제26조에 따른 고지를 하지 않은 경우에도 그것만으로 처분을 취소해야 할 절차상 하자가 있다고 보기 어렵다고 판시한 바 있다.

> 피고가 이 사건 처분을 하면서 원고에게 행정절차법 제26조에 정한 바에 따라 행정심판 및 행정소송을 제기할 수 있는지 여부, 청구절차 및 청구기간을 알렸다고 인정할 증거는 없으나, 원고가 제소기간 내에 이 사건 소를 제기하여 이 사건 처분의 적법 여부를 다투고 있는 이상 그 사정만으로는 이 사건 처분을 취소해야 할 정도의 절차상 하자가 있다고 보기 어렵다(대판 2016. 10 .27, 2016두41811).

행정절차법 제26조【고지】 행정청이 처분을 할 때에는 당사자에게 그 처분에 관하여 행정심판 및 행정소송을 제기할 수 있는지 여부, 그 밖에 불복을 할 수 있는지 여부, 청구절차 및 청구기간, 그 밖에 필요한 사항을 알려야 한다.

③ 정답률 17% ○

> 행정절차법이나 「민원처리에 관한 법률」상 처분 · 민원의 처리기간에 관한 규정은 강행규정이 아니며, 행정청이 처리기간을 지나 처분을 한 경우 및 「민원처리에 관한 법률 시행령」 제23조에 따른 민원처리진행상황 통지를 하지 않은 경우, 처분을 취소할 절차상 하자로 볼 수 없다.
>
> 처분이나 민원의 처리기간을 정하는 것은 신청에 따른 사무를 가능한 한 조속히 처리하도록 하기 위한 것이다. 처리기간에 관한 규정은 훈시규정에 불과할 뿐 강행규정이라고 볼 수 없다. 행정청이 처리기간이 지나 처분을 하였더라도 이를 처분을 취소할 절차상 하자로 볼 수 없다(대판 2019. 12. 13, 2018두41907).

④ **빈출** 정답률 6% ○

> 행정청이 당사자와 사이에 도시계획사업의 시행과 관련한 협약을 체결하면서 관계법령 및 행정절차법에 규정된 청문의 실시 등 의견청취절차를 배제하는 조항을 둔 경우, 청문의 실시에 관한 규정의 적용이 배제되거나 청문을 실시하지 않아도 되는 예외적인 경우에 해당한다고 할 수 없다(대판 2004. 7. 8, 2002두8350).

정답 03 ②

04 **빈출** 정답률 67% 중 2023 국가직 7급

행정절차법상 행정절차에 대한 설명으로 옳지 않은 것은? (다툼이 있는 경우 판례에 의함)

① 행정청이 처분기준 사전공표의무를 위반하여 미리 공표하지 아니한 기준을 적용하여 처분을 하였다고 하더라도, 그러한 사정만으로 곧바로 해당 처분에 취소사유에 이를 정도의 흠이 존재한다고 볼 수는 없다.

② 처분의 처리기간에 관한 규정은 강행규정이므로 행정청이 처리기간이 지나 처분을 하였다면 이는 처분을 취소할 절차상 하자로 볼 수 있다.

③ 행정청은 위반사실 등의 공표를 할 때에는 특별한 사정이 없는 한 미리 당사자에게 그 사실을 통지하고 의견제출의 기회를 주어야 하며, 의견제출의 기회를 받은 당사자는 공표 전에 관할행정청에 서면이나 말 또는 정보통신망을 이용하여 의견을 제출할 수 있다.

④ 다수의 당사자 등이 공동으로 행정절차에 관한 행위를 할 때에는 대표자를 선정할 수 있고, 다수의 대표자가 있는 경우 그중 1인에 대한 행정청의 행위는 모든 당사자 등에게 효력이 있지만, 행정청의 통지는 대표자 모두에게 하여야 그 효력이 있다.

관련기출

④

1. 다수의 대표자가 있는 경우 그중 1인에 대한 행정청의 행위는 모든 당사자 등에게 효력이 있다. 다만, 행정청의 통지는 대표자 1인에게 하여도 그 효력이 있다. (O, ×) 2020 군무원 9급
2. 다수의 대표자가 있는 경우 그중 1인에 대한 행정청의 통지는 모든 당사자 등에게 효력이 있다. (O, ×) 2018 서울시 2회 7급

1. × 2. ×

① 정답률 12% O

행정청이 행정절차법 제20조 제1항에 따라 정하여 공표한 처분기준은, 그것이 해당 처분의 근거법령에서 구체적 위임을 받아 제정·공표되었다는 특별한 사정이 없는 한, 원칙적으로 대외적 구속력이 없는 행정 규칙에 해당하는 것으로 보아야 한다. 행정청이 행정절차법 제20조 제1항의 처분기준 사전공표의무를 위반하여 미리 공표하지 아니한 기준을 적용하여 처분하였다고 하더라도, 그러한 사정만으로 곧바로 해당 처분에 취소사유에 이를 정도의 흠이 존재한다고 볼 수는 없다. 다만 해당 처분에 적용한 기준이 상위법령의 규정이나 신뢰보호의 원칙 등과 같은 법의 일반원칙을 위반하였거나 객관적으로 합리성이 없다고 볼 수 있는 구체적인 사정이 있다면 해당 처분은 위법하다고 평가할 수 있다(대판 2020. 12. 24, 2018두45633).

② 정답률 67% ×

처분이나 민원의 처리기간에 관한 규정은 훈시규정에 불과할 뿐 강행규정이라고 볼 수 없다. 행정청이 처리기간이 지나 처분을 하였더라도 이를 처분을 취소할 절차상 하자로 볼 수 없다(대판 2019. 12. 13, 2018두41907).

③ 정답률 4% O

행정절차법 제40조의3【위반사실 등의 공표】 ① 행정청은 법령에 따른 의무를 위반한 자의 성명·법인명, 위반사실, 의무위반을 이유로 한 처분사실 등(이하 '위반사실 등'이라 한다)을 법률로 정하는 바에 따라 일반에게 공표할 수 있다.
③ 행정청은 위반사실 등의 공표를 할 때에는 미리 당사자에게 그 사실을 통지하고 의견제출의 기회를 주어야 한다. 다만, 다음 각 호의 어느 하나에 해당하는 경우에는 그러하지 아니하다.
1. 공공의 안전 또는 복리를 위하여 긴급히 공표를 할 필요가 있는 경우
2. 해당 공표의 성질상 의견청취가 현저히 곤란하거나 명백히 불필요하다고 인정될 만한 타당한 이유가 있는 경우
3. 당사자가 의견진술의 기회를 포기한다는 뜻을 명백히 밝힌 경우

④ 제3항에 따라 의견제출의 기회를 받은 당사자는 공표 전에 관할 행정청에 서면이나 말 또는 정보통신망을 이용하여 의견을 제출할 수 있다.

④ 정답률 2% O

행정절차법 제11조【대표자】 ① 다수의 당사자 등이 공동으로 행정절차에 관한 행위를 할 때에는 대표자를 선정할 수 있다.
⑥ 다수의 대표자가 있는 경우 그중 1인에 대한 행정청의 행위는 모든 당사자 등에게 효력이 있다. 다만, 행정청의 통지는 대표자 모두에게 하여야 그 효력이 있다.

정답 04 ②

05 중 2023 국회직 9급

행정처분의 이유제시에 대한 설명으로 옳은 것은? (다툼이 있는 경우 판례에 의함)

□□□ ① 행정청은 침익적 행정처분의 경우에만 이유를 제시하여야 하고 수익적 행정처분의 경우에는 이유제시를 하지 않아도 무방하다.

□□□ ② 교육부장관이 어떤 후보자를 상대적으로 총장 임용에 더 적합하다고 판단하여 임용제청하는 경우, 임용제청 행위 자체로서 행정절차법상 이유제시의무를 다한 것이라 할 수 없다.

□□□ ③ 행정청은 당사자가 신청 내용을 모두 그대로 인정하는 처분인 경우 처분 후 당사자가 요청하는 경우에는 그 근거와 이유를 제시하여야 한다.

□□□ ④ 세액산출 근거가 기재되지 아니한 납세고지서에 의한 과세처분을 한 경우에는 늦어도 과세처분에 대한 불복 여부의 결정 및 불복신청에 편의를 줄 수 있는 상당한 기간 내에 보정행위를 하여야 그 하자가 치유된다.

□□□ ⑤ 면허의 취소처분의 경우 그 처분을 받은 자가 어떠한 위반 사실에 대하여 당해 처분이 있었는지를 알 수 있을 정도로 사실을 적시할 것을 요하지만, 처분의 상대방이 처분 당시 그 취지를 알고 있었다거나 그 후 알게 되었다면 그 하자는 치유된다.

관련기출

①

1. 신청내용을 모두 그대로 인정하는 처분인 경우 이유제시의무가 면제되지만 처분 후 당사자가 요청하는 경우에는 그 근거와 이유를 제시하여야 한다. (○, ×) 2012 국가직 9급

1. ×

②

1. 교육부장관이 부적격사유가 없는 후보자들 사이에서 어떤 후보자를 상대적으로 더욱 적합하다고 판단하여 국립대학교의 총장으로 임용제청을 하였다면, 그러한 임용제청행위 자체로서 이유제시의무를 다한 것이다. (○, ×) 2022 지방직 · 서울시 9급
2. 교육부장관이 관련법령에 따른 부적격사유가 없는 A와 B 총장후보자 가운데 A후보자가 상대적으로 더욱 적합하다고 판단하여 대통령에게 총장으로 A후보자를 임용제청한 경우, 교육부장관은 B후보자에게 개별 심사항목이나 총장 임용 적격성에 대한 정성적 평가결과를 구체적으로 밝힐 의무가 있다. (○, ×) 2021 변호사

1. ○ 2. ×

⑤

1. 영업허가의 철회 당시 상대방이 그 취지를 알고 있었다거나 그 후 알게 되었다는 사정은 이유제시의 생략 사유가 아니다. (○, ×) 2022 소방간부
2. 취소처분의 근거와 위반사실의 적시를 빠뜨린 하자는 피처분자가 처분 당시 그 취지를 알고 있었거나 그 후 알게 되었다면 그 하자는 치유될 수 있다. (○, ×) 2020 지방직 · 서울시 7급 변형

1. ○ 2. ×

① **빈출** ×

행정처분의 이유제시는 침해적 처분뿐만 아니라 수익적 처분에도 요구되는 공통절차이다. 예컨대 5층건축허가신청에 대해 3층건축허가를 발급하는 것과 같은 수정허가의 경우에는 이유제시를 하여야 한다.

> **행정절차법 제23조【처분의 이유제시】** ① 행정청은 처분을 할 때에는 다음 각 호의 어느 하나에 해당하는 경우를 제외하고는 당사자에게 그 근거와 이유를 제시하여야 한다.
> 1. 신청 내용을 모두 그대로 인정하는 처분인 경우
> 2. 단순 · 반복적인 처분 또는 경미한 처분으로서 당사자가 그 이유를 명백히 알 수 있는 경우
> 3. 긴급히 처분을 할 필요가 있는 경우
>
> ② 행정청은 제1항 제2호 및 제3호의 경우에 처분 후 당사자가 요청하는 경우에는 그 근거와 이유를 제시하여야 한다(③).

② ×

> 교육부장관이 어떤 후보자를 총장 임용에 부적격하다고 판단하여 배제하고 다른 후보자를 임용제청하는 경우라면 배제한 후보자에게 연구윤리 위반, 선거부정, 그 밖의 비위행위 등과 같은 부적격사유가 있다는 점을 구체적으로 제시할 의무가 있다. 그러나 부적격사유가 없는 후보자들 사이에서 어떤 후보자를 상대적으로 더욱 적합하다고 판단하여 임용제청하는 경우라면, 이는 후보자의 경력, 인격, 능력, 대학운영계획 등 여러 요소를 종합적으로 고려하여 총장 임용의 적격성을 정성적으로 평가하는 것으로 그 판단 결과를 수치화하거나 이유제시를 하기 어려울 수 있다. 이 경우에는 교육부장관이 어떤 후보자를 총장으로 임용제청하는 행위 자체에 그가 총장으로 더욱 적합하다는 정성적 평가 결과가 당연히 포함되어 있는 것으로, 이로써 행정절차법상 이유제시의무를 다한 것이라고 보아야 한다. 여기에서 나아가 교육부장관에게 개별 심사항목이나 고려요소에 대한 평가 결과를 더 자세히 밝힐 의무까지는 없다(대판 2018. 6. 15, 2016두57564).

③ ×

신청 내용을 모두 그대로 인정하는 처분인 경우, 처분 후 당사자가 요청하는 경우에도 이유제시 의무가 없다. ① 해설 조문 참조

④ 제16강 참조 ○

> 세액산출근거가 누락된 납세고지서에 의한 과세처분의 하자의 치유를 허용하려면 늦어도 과세처분에 대한 불복여부의 결정 및 불복신청에 편의를 줄 수 있는 상당한 기간 내에 하여야 한다고 할 것이므로 위 과세처분에 대한 전심절차가 모두 끝나고 상고심의 계류 중에 세액산출근거의 통지가 있었다고 하여 이로써 위 과세처분의 하자가 치유되었다고는 볼 수 없다(대판 1984. 4. 10, 83누393).

⑤ ×

> 면허를 취소처분하는 경우 처분의 근거와 위반사실을 적시해야 하며, 이를 빠뜨린 경우 위법하다(행정절차법이 제정되기 이전의 판례).
>
> 면허의 취소처분에는 그 근거가 되는 법령이나 취소권 유보의 부관 등을 명시하여야 함은 물론 처분을 받은 자가 어떠한 위반사실에 대하여 당해 처분이 있었는지를 알 수 있을 정도로 사실을 적시할 것을 요하며, 이와 같은 취소처분의 근거와 위반사실의 적시를 빠뜨린 하자는 피처분자가 처분 당시 그 취지를 알고 있었다거나 그 후 알게 되었다 하여도 치유될 수 없다고 할 것인바 …… (대판 1990. 9. 11, 90누1786)

정답 05 ④

06 빈출 중 2023 국회직 9급

행정절차에 대한 설명으로 옳지 않은 것은? (다툼이 있는 경우 판례에 의함)

① 행정청은 처분 후 1년 이내에 청문 · 공청회 또는 의견제출을 위하여 제출받은 서류나 그 밖의 물건을 반환하여야 한다.

② 국가공무원법상 직위해제처분은 당해 행정작용의 성질상 행정절차를 거치기 곤란하거나 불필요하다고 인정되는 사항에 해당하므로, 처분의 사전통지 및 의견청취 등에 관한 행정절차법의 규정이 별도로 적용되지 않는다.

③ 소방서 담당공무원이 소방시설보완명령을 구두로 고지한 것은 당연무효인 행정처분이므로 이러한 시정보완명령을 위반하였음을 이유로 행정형벌을 부과할 수는 없다.

④ 공무원의 퇴직연금의 환수결정은 당사자에게 의무를 과하는 처분이기는 하나, 관련법령에 따라 당연히 환수금액이 정하여지는 것이므로 당사자에게 의견진술의 기회를 주지 아니하여도 행정절차법 제22조 제3항에 어긋나지 아니한다.

⑤ 온라인공청회를 실시하는 경우에는 누구든지 정보통신망을 이용하여 의견을 제출하거나 제출된 의견 등에 대한 토론에 참여할 수 있다.

① ×

> **행정절차법 제22조【의견청취】** ⑥ 행정청은 처분 후 1년 이내에 당사자 등이 요청하는 경우에는 청문 · 공청회 또는 의견제출을 위하여 제출받은 서류나 그 밖의 물건을 반환하여야 한다.

② ○

국가공무원법상 직위해제처분에는 처분의 사전통지 및 의견청취 등에 관한 행정절차법 규정이 적용되지 않는다는 것이 판례의 입장이다(대판 2014. 5. 16, 2012두26180).

③ ○

> 행정청의 처분의 방식을 규정한 행정절차법 제24조를 위반하여 행해진 행정청의 처분은 그 하자가 중대하고 명백하여 원칙적으로 무효이다.
>
> 집합건물 중 일부 구분건물의 소유자인 피고인이 관할 소방서장으로부터 소방시설 불량사항에 관한 시정보완명령을 받고도 따르지 아니하였다는 내용으로 기소된 사안에서, 담당 소방공무원이 피고인에게 행정처분인 위 시정보완명령을 구두로 고지한 것은 행정절차법 제24조에 위반한 것으로 그 하자가 중대하고 명백하여 위 시정보완명령은 당연 무효라고 할 것이고, 무효인 위 시정보완명령에 따른 피고인의 의무위반이 생기지 아니하는 이상 피고인에게 위 시정보완명령에 위반하였음을 이유로 「소방시설 설치유지 및 안전관리에 관리에 관한 법률」 제48조의2 제1호에 따른 행정형벌을 부과할 수 없다(대판 2011. 11. 10, 2011도11109).

④ ○

퇴직연금의 환수결정은 관련법령에 따라 당연히 환수금액이 정하여지는 것이므로, 당사자에게 의견진술의 기회를 주지 아니하여도 무방하다는 것이 판례의 입장이다(대판 2000. 11. 28, 99두5443).

⑤ ○

> **행정절차법 제38조의2【온라인공청회】** ④ 온라인공청회를 실시하는 경우에는 누구든지 정보통신망을 이용하여 의견을 제출하거나 제출된 의견 등에 대한 토론에 참여할 수 있다.

정답 06 ①

07 중 2023 군무원 7급

행정절차법상 청문과 사전통지에 관한 설명으로 옳은 것은? (다툼이 있는 경우 판례에 의함)

□□□ ① 행정청은 거부처분을 할 경우에는 상대방에게 원칙적으로 사전통지를 하여야 한다.

□□□ ② 행정청은 영업자지위승계의 신고의 수리를 하기 전에 양수인에게 사전통지를 해야 한다.

□□□ ③ 행정청이 침익적 처분을 하면서 청문을 하지 않았다면 행정절차법상 예외적인 경우에 해당하지 않는 한 그 처분은 원칙적으로 무효에 해당한다.

□□□ ④ 행정청은 다수 국민의 이해가 상충되는 처분이나 다수 국민에게 불편이나 부담을 주는 처분을 하려는 경우에는 청문주재자를 2명 이상으로 선정할 수 있다.

관련기출

①

1. 침익적 행정처분은 물론 수익적 행정처분의 신청에 대한 거부처분도 특별한 사정이 없는 한 사전통지와 의견제출절차의 대상이 된다. (O, ×) 2023 소방간부
2. 신청에 대한 거부처분은 당사자의 권익을 제한하는 처분에 해당하므로 처분의 사전통지의 대상이 된다. (O, ×) 2022 군무원 7급
3. 신청에 따른 처분이 이루어지지 아니한 경우에는 아직 당사자에게 권익이 부과되지 아니하였으므로 특별한 사정이 없는 한 신청에 대한 거부처분은 직접 당사자의 권익을 제한하는 것은 아니어서 처분의 사전통지대상이 된다고 할 수 없다. (O, ×) 2021 지방직 · 서울시 7급, 2018 경행경채

1. × 2. × 3. O

②

1. 식품위생법상 허가영업자의 지위승계신고수리처분을 하는 경우 행정절차법 규정 소정의 당사자에 해당하는 종전의 영업자에게 행정절차를 실시하여야 한다. (O, ×) 2022 지방직 · 서울시 9급
2. 식품위생법상의 영업자지위승계신고를 수리하는 경우, 영업시설을 인수하여 영업자의 지위를 승계한 자에 대하여 사전통지를 하고, 그에게 의견제출의 기회를 주어야 한다. (O, ×) 2021 국가직 7급
3. 행정청이 (구)식품위생법 규정에 의하여 영업자지위승계신고를 수리하는 처분은 종전의 영업자의 권익을 제한하는 처분에 해당하므로, 행정청은 이를 처리함에 있어 종전의 영업자에 대하여 처분의 사전통지, 의견청취 등 행정절차법상의 처분절차를 거쳐야 한다. (O, ×) 2021 소방직 9급

1. O 2. × 3. O

③

1. 행정청이 침익적 처분을 함에 있어 행정절차법상 예외에 속하는 경우가 아닌 한 당사자에게 사전통지를 하지 않고 의견제출절차를 거치지 않았다면 독립적 취소사유가 된다. (O, ×) 2023 소방간부
2. 침익적 행정처분을 하면서 사전통지 및 의견제출의 기회를 주지 않았다면, 사전통지 및 의견제출절차를 생략해야 할 예외적 사유가 없는 한, 그 처분은 위법하여 취소되어야 한다. (O, ×) 2020 국회직 8급
3. 행정청이 침해적 행정처분을 함에 있어서 당사자에게 의견제출의 기회를 주지 아니하였다면, 의견제출의 기회를 주지 아니하여도 되는 예외적인 경우에 해당하지 않는 한 그 처분은 위법하다. (O, ×) 2007 국가직 7급

1. O 2. O 3. O

① **빈출** ×

판례는 수익적 처분이 행해지기 전에는 아직 당사자에게 권익이 부여되지 않았으므로 수익적 행정행위의 신청에 대한 거부처분은 당사자의 권익을 침해하는 처분이 아니라고 보아 사전통지의 대상이 아니라고 한다(한편, 거부처분의 경우에도 이유제시는 원칙적으로 하여야 한다는 점과 구별해서 정리하기 바란다).

> 특별한 사정이 없는 한 거부처분은 직접 당사자의 권익을 제한하는 것은 아니어서 신청에 대한 거부처분은 처분의 사전통지대상이 된다고 할 수 없다.
>
> 행정절차법 제21조 제1항은 행정청은 당사자에게 의무를 과하거나 권익을 제한하는 처분을 하는 경우에는 미리 처분의 제목, 당사자의 성명 또는 명칭과 주소, 처분하고자 하는 원인이 되는 사실과 처분의 내용 및 법적 근거, 그에 대하여 의견을 제출할 수 있다는 뜻과 의견을 제출하지 아니하는 경우의 처리방법, 의견제출기관의 명칭과 주소, 의견제출기한 등을 당사자 등에게 통지하도록 하고 있는바, 신청에 따른 처분이 이루어지지 아니한 경우에는 아직 당사자에게 권익이 부과되지 아니하였으므로 특별한 사정이 없는 한 신청에 대한 거부처분이라고 하더라도 직접 당사자의 권익을 제한하는 것은 아니어서 신청에 대한 거부처분을 여기에서 말하는 '당사자의 권익을 제한하는 처분'에 해당한다고 할 수 없는 것이어서 처분의 사전통지대상이 된다고 할 수 없다(대판 2003. 11. 28, 2003두674).

② **빈출** ×

영업자지위승계신고의 수리처분은 종전 영업자의 권익을 제한하는 처분이므로 '양수인'이 아니라 종전 영업자인 '양도인'에게 사전통지 등의 절차를 거쳐야 한다.

> 영업자지위승계신고를 수리하는 처분은 종전 영업자의 권익을 제한하는 처분으로서 종전 영업자에 대해 행정절차법 제21 · 22조 규정의 행정절차를 실시하고 처분을 하여야 한다.
>
> 그 영업자의 지위를 승계한 자가 관계 행정청에 이를 신고하여 행정청이 이를 수리하는 경우에는 종전의 영업자에 대한 영업허가 등은 그 효력을 잃는다 할 것인데, 위 규정들을 종합하면 위 행정청이 구 식품위생법 규정에 의하여 영업자지위승계신고를 수리하는 처분은 종전의 영업자의 권익을 제한하는 처분이라 할 것이고 따라서 종전의 영업자는 그 처분에 직접 그 상대가 되는 자에 해당한다고 봄이 상당하므로, 행정청으로서는 위 신고를 수리하는 처분을 함에 있어서 행정절차법 규정 소정의 당사자에 해당하는 종전의 영업자에 대하여 위 규정 소정의 행정절차를 실시하고 처분을 하여야 한다(대판 2003. 2. 14, 2001두7015).

③ **빈출** ×

무효가 아니라 취소사유에 해당한다.

> 행정청이 침해적 행정처분을 함에 있어서 당사자에게 위와 같은 사전통지를 하거나 의견제출의 기회를 주지 아니하였다면 사전통지를 하지 않거나 의견제출의 기회를 주지 아니하여도 되는 예외적인 경우에 해당하지 아니하는 한 그 처분은 위법하여 취소를 면할 수 없다(대판 2004. 5. 28, 2004두1254).

④ O

> **행정절차법 제28조【청문 주재자】** ② 행정청은 다음 각 호의 어느 하나에 해당하는 처분을 하려는 경우에는 청문 주재자를 2명 이상으로 선정할 수 있다. 이 경우 선정된 청문 주재자 중 1명이 청문 주재자를 대표한다.
> 1. 다수 국민의 이해가 상충되는 처분
> 2. 다수 국민에게 불편이나 부담을 주는 처분
> 3. 그 밖에 전문적이고 공정한 청문을 위하여 행정청이 청문 주재자를 2명 이상으로 선정할 필요가 있다고 인정하는 처분

정답 07 ④

08 정답률 72% 중 2023 국가직 9급

행정절차법상 송달과 처분절차에 대한 설명으로 옳지 않은 것은?

□□□ ① 처분기준의 설정 · 공표의 규정은 침익적 처분뿐만 아니라 수익적 처분의 경우에도 적용된다.

□□□ ② 정보통신망을 이용하여 전자문서로 송달하는 경우에는 송달받을 자가 지정한 컴퓨터 등에 입력된 때에 도달된 것으로 본다.

□□□ ③ 공청회가 개최는 되었으나 정상적으로 진행되지 못하고 무산된 횟수가 2회인 경우 온라인공청회를 단독으로 개최할 수 있다.

□□□ ④ 송달이 불가능한 경우에는 송달받을 자가 알기 쉽도록 관보, 공보, 게시판, 일간신문 중 하나 이상에 공고하고 인터넷에도 공고하여야 한다.

관련기출

②

1. 정보통신망을 이용한 송달의 경우 전자문서가 송달받을 자가 지정한 컴퓨터 등에 입력된 때에 도달된 것으로 본다. (○, ×) 2020 국회직 8급
2. 정보통신망을 이용하여 전자문서로 송달하는 경우에는 송달받은 자가 지정한 컴퓨터에서 확인한 때에 도달된 것으로 본다. (○, ×) 2008 국가직 9급

1. ○ 2. ×

④

1. 행정절차법은 행정행위 상대방에 대한 송달받을 자의 주소 등을 통상적인 방법으로 확인할 수 없는 경우에 한하여, 공고의 방법에 의한 송달이 가능하도록 규정하고 있다. (○, ×) 2021 소방직 9급
2. 송달받을 자의 주소 등을 통상의 방법으로 확인할 수 없을 때에는 공시송달 절차에 의해 송달할 수 있다. (○, ×) 2020 국회직 8급
3. 송달이 불가능한 경우에는 송달받을 자가 알기 쉽도록 관보 · 공보 · 게시판 · 일간신문 · 인터넷 중 하나 이상에 공고하여야 한다. (○, ×) 2008 국가직 9급

1. × 2. ○ 3. ×

① ○

행정절차법상 처분기준의 설정 · 공표, 이유제시, 처분의 방식 등은 침해적 처분과 수익적 처분에 공통적으로 적용되는 규정이다.

> **행정절차법 제20조【처분기준의 설정 · 공표】** ① 행정청은 필요한 처분기준을 해당 처분의 성질에 비추어 되도록 구체적으로 정하여 공표하여야 한다. 처분기준을 변경하는 경우에도 또한 같다.

② ○

> **행정절차법 제14조【송달】** ③ 정보통신망을 이용한 송달은 송달받을 자가 동의하는 경우에만 한다. 이 경우 송달받을 자는 송달받을 전자우편주소 등을 지정하여야 한다.
>
> **제15조【송달의 효력 발생】** ① 송달은 다른 법령 등에 특별한 규정이 있는 경우를 제외하고는 해당 문서가 송달받을 자에게 도달됨으로써 그 효력이 발생한다.
> ② 제14조 제3항에 따라 정보통신망을 이용하여 전자문서로 송달하는 경우에는 송달받을 자가 지정한 컴퓨터 등에 입력된 때에 도달된 것으로 본다.

③ ×

2회가 아니라 3회 이상인 경우이다.

> **행정절차법 제38조의2【온라인공청회】** ① 행정청은 제38조에 따른 공청회와 병행하여서만 정보통신망을 이용한 공청회(이하 '온라인공청회'라 한다)를 실시할 수 있다.
> ② 제1항에도 불구하고 다음 각 호의 어느 하나에 해당하는 경우에는 온라인공청회를 단독으로 개최할 수 있다.
> 1. 국민의 생명 · 신체 · 재산의 보호 등 국민의 안전 또는 권익보호 등의 이유로 제38조에 따른 공청회를 개최하기 어려운 경우
> 2. 제38조에 따른 공청회가 행정청이 책임질 수 없는 사유로 개최되지 못하거나 개최는 되었으나 정상적으로 진행되지 못하고 무산된 횟수가 3회 이상인 경우
> 3. 행정청이 널리 의견을 수렴하기 위하여 온라인공청회를 단독으로 개최할 필요가 있다고 인정하는 경우. 다만, 제22조 제2항 제1호 또는 제3호에 따라 공청회를 실시하는 경우는 제외한다.

④ ○

> **행정절차법 제14조【송달】** ④ 다음 각 호의 어느 하나에 해당하는 경우에는 송달받을 자가 알기 쉽도록 관보, 공보, 게시판, 일간신문 중 하나 이상에 공고하고 인터넷에도 공고하여야 한다.
> 1. 송달받을 자의 주소 등을 통상적인 방법으로 확인할 수 없는 경우
> 2. 송달이 불가능한 경우

정답 08 ③

09 정답률 84% 중 2023 소방직 9급

행정절차에 관한 설명으로 옳지 않은 것은? (다툼이 있는 경우 판례에 의함)

① 고시의 방법으로 불특정 다수인을 상대로 의무를 부과하거나 권익을 제한하는 처분의 경우도 그 상대방에게 의견제출의 기회를 주어야 한다.

② 정보통신망을 이용하여 전자문서로 송달하는 경우에는 송달받을 자가 지정한 컴퓨터 등에 입력된 때에 도달된 것으로 본다.

③ 과세처분에 대한 전심절차가 모두 끝나고 상고심의 계류 중에 세액산출근거의 통지가 있었다고 하여 이로써 과세처분의 하자가 치유되었다고는 볼 수 없다.

④ 행정청이 허가를 거부하는 처분을 함에 있어 당사자가 그 근거를 알 수 있을 정도로 상당한 이유를 제시하였다면, 구체적 조항 및 내용까지 명시하지 않았더라도 그로 말미암아 그 처분이 위법하게 되지는 않는다.

관련기출

①

1. '고시'의 방법으로 불특정 다수인을 상대로 의무를 부과하거나 권익을 제한하는 처분은 성질상 의견제출의 기회를 주어야 하는 상대방을 특정할 수 없으므로, 이와 같은 처분에 있어서까지 그 상대방에게 의견제출의 기회를 주어야 하는 것은 아니다. (○, ×) 2022 지방직 7급
2. 고시 등에 의한 불특정 다수를 상대로 한 권익제한이나 의무부과의 경우 사전통지 대상이 아니다. (○, ×) 2022 군무원 9급
3. 보건복지부장관은 국민건강보험법령상 요양급여의 상대가치 점수 변경 또는 조정 고시에 의한 처분을 하는 경우 상대방에게 의견제출의 기회를 주어야 한다. (○, ×) 2022 소방간부
4. 고시의 방법으로 불특정 다수인을 상대로 권익을 제한하는 처분을 할 경우 당사자는 물론 제3자에게도 의견제출의 기회를 주어야 한다. (○, ×) 2020 지방직 · 서울시 9급
5. 행정청이 '고시'의 방법으로 불특정 다수인을 상대로 의무를 부과하거나 권익을 제한하는 처분을 한 경우에도 상대방에게 의견제출의 기회를 주어야 한다. (○, ×) 2019 서울시 2회 7급

1. ○ **2.** ○ **3.** × **4.** × **5.** ×

③

1. 세액산출근거가 누락된 납세고지서(현 납부고지서)에 의한 과세처분에 대하여 상고심 계류 중 세액산출근거의 통지가 행하여지면 당해 과세처분의 하자는 치유된다. (○, ×) 2017 국가직(하) 7급

1. ×

① **빈출** ×

'고시'의 방법으로 불특정 다수인을 상대로 의무를 부과하거나 권익을 제한하는 처분은 성질상 의견제출의 기회를 주어야 하는 상대방을 특정할 수 없으므로, 그 상대방에게 의견제출의 기회를 주어야 하는 것은 아니다.

> '고시'의 방법으로 불특정 다수인을 상대로 의무를 부과하거나 권익을 제한하는 처분은 성질상 의견제출의 기회를 주어야 하는 상대방을 특정할 수 없으므로, 이와 같은 처분에 있어서까지 구 행정절차법 제22조 제3항에 의하여 그 상대방에게 의견제출의 기회를 주어야 한다고 해석할 것은 아니다(대판 2014. 10. 27, 2012두7745).

② ○

> **행정절차법 제14조【송달】** ③ 정보통신망을 이용한 송달은 송달받을 자가 동의하는 경우에만 한다. 이 경우 송달받을 자는 송달받을 전자우편주소 등을 지정하여야 한다.
>
> **제15조【송달의 효력 발생】** ① 송달은 다른 법령 등에 특별한 규정이 있는 경우를 제외하고는 해당 문서가 송달받을 자에게 도달됨으로써 그 효력이 발생한다.
>
> ② 제14조 제3항에 따라 정보통신망을 이용하여 전자문서로 송달하는 경우에는 송달받을 자가 지정한 컴퓨터 등에 입력된 때에 도달된 것으로 본다.

③ ○

이유제시의 하자치유는 쟁송제기 전에만 가능하다는 것이 판례의 입장이다(대판 1984. 4. 10, 83누393). 제16강 참조

> 과세처분에 대한 전심절차가 모두 끝나고 상고심의 계류 중에 세액산출근거의 통지가 있었다고 하여 이로써 위 과세처분의 하자가 치유되었다고는 볼 수 없다(대판 1984. 4. 10, 83누393).

④ ○

일반적으로 당사자가 근거규정 등을 명시하여 신청하는 인 · 허가 등을 거부하는 처분을 함에 있어 당사자가 그 근거를 알 수 있을 정도로 상당한 이유를 제시한 경우에는 당해 처분의 근거 및 이유를 구체적으로 명시하지 않았더라도 처분이 위법하다고 할 수 없다는 것이 판례의 입장이다(대판 2002. 5. 17, 2000두8912).

정답 09 ①

10 ㊤ 2023 변호사

다음 사례에 관한 설명으로 옳은 것을 모두 고른 것은? (다툼이 있는 경우 판례에 의함)

> 문화체육관광부장관 甲은 A국과의 관광 협상 결과에 따른 세부사항을 시행하기 위하여 「전담여행사 업무 시행지침」(이하 '이 사건 지침'이라 함)을 제정하였다. 甲은 이 사건 지침에 근거하여 2013. 5.경 재심사를 통해 전담여행사 지위를 갱신하는 갱신기준('종전 처분기준')을 정하여 이를 공표하였다. 甲은 2016. 3. 23. 무자격 가이드 고용으로 감점을 받은 경우 전담여행사 지위를 갱신하지 않기로 하는 내용의 '변경된 처분기준'을 마련하였으나 이를 공표하지 않았다. 한편, 전담여행사 지정을 받은 乙은 2015. 1.경 무자격 가이드를 고용하였고 이를 이유로 2016. 4. 2. '변경된 처분기준'에 따라 재지정 탈락기준을 상회하는 감점을 받았다. 이를 근거로 甲은 2016. 11. 4. 乙에 대한 전담여행사 지정을 취소하였다(이하 '이 사건 처분'이라 함).

□□□ ㉠ 이미 공표된 '종전 처분기준'을 다시 변경하는 경우에도 공공의 안전 또는 복리를 현저히 해치는 등 예외적인 사유에 해당하지 않는 한, '변경된 처분기준'을 다시 공표하여야 한다.

□□□ ㉡ '변경된 처분기준'은 근거법령에서 구체적 위임을 받아 제정·공포되었다는 특별한 사정이 없는 한, 원칙적으로 대외적 구속력이 없는 행정규칙에 해당한다.

□□□ ㉢ 甲이 '변경된 처분기준'을 미리 공표하지 않은 채 갱신심사에 적용하였다면 그 자체로 '이 사건 처분'에 취소사유에 해당하는 흠이 있다고 볼 수 있다.

□□□ ㉣ 사전에 공표한 갱신기준을 심사대상기간이 이미 경과하였거나 상당부분 경과한 시점에서 처분상대방의 갱신 여부를 좌우할 정도로 중대하게 변경하는 것은 특별한 사정이 없는 한 허용되지 않는다.

① ㉠　　② ㉠, ㉡
③ ㉡, ㉣　　④ ㉢, ㉣
⑤ ㉠, ㉡, ㉣

⑤ ㉠㉡㉣이 옳은 설명이다.

㉠ ○

> **행정절차법 제20조【처분기준의 설정·공표】** ① 행정청은 필요한 처분기준을 해당 처분의 성질에 비추어 되도록 구체적으로 정하여 공표하여야 한다. 처분기준을 변경하는 경우에도 또한 같다.
> ③ 제1항에 따른 처분기준을 공표하는 것이 해당 처분의 성질상 현저히 곤란하거나 공공의 안전 또는 복리를 현저히 해치는 것으로 인정될 만한 상당한 이유가 있는 경우에는 처분기준을 공표하지 아니할 수 있다.

㉡ ○

㉢ ×

> 행정청이 행정절차법 제20조 제1항에 따라 정하여 공표한 처분기준은, 그것이 해당 처분의 근거법령에서 구체적 위임을 받아 제정·공포되었다는 특별한 사정이 없는 한, 원칙적으로 대외적 구속력이 없는 행정규칙에 해당하는 것으로 보아야 한다(㉡). 행정청이 행정절차법 제20조 제1항의 처분기준 사전공표의무를 위반하여 미리 공표하지 아니한 기준을 적용하여 처분하였다고 하더라도, 그러한 사정만으로 곧바로 해당 처분에 취소사유에 이를 정도의 흠이 존재한다고 볼 수는 없다(㉢). 다만 해당 처분에 적용한 기준이 상위법령의 규정이나 신뢰보호의 원칙 등과 같은 법의 일반원칙을 위반하였거나 객관적으로 합리성이 없다고 볼 수 있는 구체적인 사정이 있다면 해당 처분은 위법하다고 평가할 수 있다(대판 2020. 12. 24, 2018두45633).

㉣ ○

> 사전에 공표한 심사기준 중 경미한 사항을 변경하거나 다소 불명확하고 추상적이었던 부분을 명확하게 하거나 구체화하는 정도를 뛰어넘어, 심사대상기간이 이미 경과하였거나 상당 부분 경과한 시점에서 처분상대방의 갱신 여부를 좌우할 정도로 중대하게 변경하는 것은 갱신제의 본질과 사전에 공표된 심사기준에 따라 공정한 심사가 이루어져야 한다는 요청에 정면으로 위배되는 것이므로, 갱신제 자체를 폐지하거나 갱신상대방의 수를 종전보다 대폭 감축할 수밖에 없도록 만드는 중대한 공익상 필요가 인정되거나 관계법령이 제·개정되었다는 등의 특별한 사정이 없는 한, 허용되지 않는다(대판 2020. 12. 24, 2018두45633).

정답 10 ⑤

11 중 2022 국회직 8급

행정절차법상 의견청취에 대한 설명으로 옳지 않은 것은? (다툼이 있는 경우 판례에 의함)

□□□ ① 허가영업의 양도에 따른 영업자지위승계신고를 수리하는 처분을 할 경우에는 행정청은 종전의 영업자에 대하여 의견청취절차를 거친 후 처분을 하여야 한다.

□□□ ② 퇴직연금의 환수결정은 당사자에게 의무를 과하는 처분이므로 퇴직연금의 환수결정에 앞서 당사자에게 의견진술의 기회를 주지 아니하면 절차의 하자가 있는 위법한 처분이 된다.

□□□ ③ 행정청이 당사자와 도시계획사업의 시행과 관련한 협약을 체결하면서 관계법령 및 행정절차법에 규정된 청문의 실시 등 의견청취절차를 배제하는 조항을 두었다고 하더라도, 이러한 협약의 체결로 청문의 실시에 관한 규정의 적용을 배제할 수 있다고 볼 만한 법령상의 규정이 없는 한, 청문의 실시에 관한 규정의 적용이 배제된다거나 청문을 실시하지 않아도 되는 예외적인 경우에 해당한다고 할 수 없다.

□□□ ④ 청문에서 당사자 등이 의견서를 제출한 경우에는 그 내용을 출석하여 진술한 것으로 본다.

□□□ ⑤ 청문 주재자는 당사자 등의 전부 또는 일부가 정당한 사유 없이 청문기일에 출석하지 아니하거나 의견서를 제출하지 아니한 경우에는 이들에게 다시 의견진술 및 증거제출의 기회를 주지 아니하고 청문을 마칠 수 있다.

관련기출

③

1. 행정청이 당사자와의 합의를 통해 청문의 실시 등 의견청취절차를 배제하더라도 해당 합의로 인해 청문의 실시에 관한 규정의 적용을 배제할 수 있다고 볼 만한 법령상의 규정이 없는 한 청문을 실시하지 않아도 되는 예외적인 경우에 해당한다고 할 수 없다. (○, ×) 2023 소방간부
2. 행정청이 당사자와 도시계획사업의 시행과 관련한 협약을 체결하면서 관계법령 및 행정절차법에 규정된 청문의 실시 등 의견청취절차를 배제하는 조항을 두었다면, 이는 청문을 실시하지 않아도 되는 예외적인 경우에 해당한다. (○, ×) 2022 지방직 7급
3. 행정청이 당사자와 사이에 도시계획사업의 시행과 관련한 협약을 체결하면서 관련법령상 요구되는 청문절차를 배제하는 조항을 두었다면, 이는 청문을 실시하지 않아도 되는 예외적인 경우에 해당한다. (○, ×) 2020 국가직 9급

1. ○ 2. × 3. ×

⑤

1. 청문 주재자는 당사자 등의 전부 또는 일부가 정당한 사유 없이 청문기일에 출석하지 아니한 경우라도 이들에게 다시 의견진술 및 증거제출의 기회를 주지 아니하고는 청문을 마칠 수 없다. (○, ×) 2015 국가직 9급

1. ×

① ○

영업자지위승계신고를 수리하는 처분은 종전 영업자의 권익을 제한하는 처분으로서 종전 영업자에 대해 행정절차법 제21 · 22조 규정의 행정절차를 실시하고 처분을 하여야 한다는 것이 판례의 입장이다(대판 2003. 2. 14, 2001두7015).

② ×

퇴직연금의 환수결정은 관련법령에 따라 당연히 환수금액이 정하여지는 것이므로, 당사자에게 의견진술의 기회를 주지 아니하여도 무방하다는 것이 판례의 입장이다(대판 2000. 11. 28, 99두5443).

③ ○

행정청이 당사자와 사이에 도시계획사업의 시행과 관련한 협약을 체결하면서 관계법령 및 행정절차법에 규정된 청문의 실시 등 의견청취절차를 배제하는 조항을 둔 경우, 청문의 실시에 관한 규정의 적용이 배제되거나 청문을 실시하지 않아도 되는 예외적인 경우에 해당한다고 할 수 없다는 것이 판례의 입장이다(대판 2004. 7. 8, 2002두8350).

④ ○

> **행정절차법 제31조【청문의 진행】** ③ 당사자 등이 의견서를 제출한 경우에는 그 내용을 출석하여 진술한 것으로 본다.

⑤ ○

> **행정절차법 제35조【청문의 종결】** ② 청문 주재자는 당사자 등의 전부 또는 일부가 정당한 사유 없이 청문기일에 출석하지 아니하거나 제31조 제3항에 따른 의견서를 제출하지 아니한 경우에는 이들에게 다시 의견진술 및 증거제출의 기회를 주지 아니하고 청문을 마칠 수 있다.
> ③ 청문 주재자는 당사자 등의 전부 또는 일부가 정당한 사유로 청문기일에 출석하지 못하거나 제31조 제3항에 따른 의견서를 제출하지 못한 경우에는 10일 이상의 기간을 정하여 이들에게 의견진술 및 증거제출을 요구하여야 하며, 해당 기간이 지났을 때에 청문을 마칠 수 있다.

정답 11 ②

12 정답률 60% 중 2022 국가직 9급

행정절차법상 처분의 사전통지 및 의견제출절차에 대한 설명으로 옳지 않은 것은? (다툼이 있는 경우 판례에 의함)

□□□ ① 법령 등에서 요구된 자격이 없거나 없어지게 되면 반드시 일정한 처분을 하여야 하는 경우에 그 자격이 없거나 없어지게 된 사실이 법원의 재판에 의하여 객관적으로 증명된 경우에는 사전통지를 생략할 수 있다.

□□□ ② 행정청의 처분으로 의무가 부과되거나 권익이 제한되는 경우라도 당사자가 의견진술의 기회를 포기한다는 뜻을 명백히 표시한 경우에는 의견청취를 생략할 수 있다.

□□□ ③ 별정직 공무원인 대통령기록관장에 대한 직권면직처분에는 처분의 사전통지 및 의견청취 등에 관한 행정절차법 규정이 적용되지 않는다.

□□□ ④ 대통령이 한국방송공사 사장을 해임하면서 사전통지절차를 거치지 않은 경우에는 그 해임처분은 위법하다.

관련기출

③

1. 임기가 정해진 별정직 공무원인 대통령기록관장을 직권면직하면서 당사자에게 사전통지를 하지 않고 의견제출의 기회를 주지 않았다고 하여 행정절차법을 위반하였다고 볼 것은 아니다. (○, ×) 2021 경행경채
2. 공무원 인사관계법령에 따른 징계는 모두 행정절차법의 적용이 배제되는 것이 아니라 성질상 행정절차를 거치기 곤란하거나 불필요하다고 인정되는 처분이나 행정절차에 준하는 절차를 거치도록 하고 있는 처분의 경우에만 그 적용이 배제된다. (○, ×) 2019 국회직 8급

1. × 2. ○

④

1. 공기업 사장에 대한 해임처분과정에서 처분내용을 사전에 통지받지 못했고 해임처분시 법적 근거 및 구체적 해임사유를 제시받지 못하였다면, 그 해임처분은 위법하지만 당연무효는 아니다. (○, ×) 2017 국가직 7급
2. 행정청이 침해적 행정처분을 하면서 당사자에게 행정절차법상의 사전통지를 하지 않거나 의견제출의 기회를 주지 아니한 경우, 그 처분은 당연무효이다. (○, ×) 2016 사회복지직 9급

1. ○ 2. ×

① ○

> **행정절차법 제21조【처분의 사전통지】** ① 행정청은 당사자에게 의무를 부과하거나 권익을 제한하는 처분을 하는 경우에는 미리 다음 각 호의 사항을 당사자 등에게 통지하여야 한다. (각 호 생략)
> ④ 다음 각 호의 어느 하나에 해당하는 경우에는 제1항에 따른 통지를 하지 아니할 수 있다.
> 1. 공공의 안전 또는 복리를 위하여 긴급히 처분을 할 필요가 있는 경우
> 2. 법령 등에서 요구된 자격이 없거나 없어지게 되면 반드시 일정한 처분을 하여야 하는 경우에 그 자격이 없거나 없어지게 된 사실이 법원의 재판 등에 의하여 객관적으로 증명된 경우
> 3. 해당 처분의 성질상 의견청취가 현저히 곤란하거나 명백히 불필요하다고 인정될 만한 상당한 이유가 있는 경우

② ○

> **행정절차법 제22조【의견청취】** ④ 제1항부터 제3항까지의 규정에도 불구하고 제21조 제4항 각 호의 어느 하나에 해당하는 경우와 당사자가 의견진술의 기회를 포기한다는 뜻을 명백히 표시한 경우에는 의견청취를 하지 아니할 수 있다.

③ **빈출** ×

직권면직처분에는 처분의 사전통지 및 의견청취 등에 관한 행정절차법 규정이 적용된다.

> (행정안전부장관이 「대통령기록물 관리에 관한 법률」에서 5년 임기의 별정직 공무원으로 규정한 대통령기록관장으로 임용된 원고를 직권면직한 사건에서) 사전통지를 하지 않고 의견제출의 기회를 주지 아니한 별정직 공무원에 대한 직권면직처분은 행정절차법 제21조 제1항, 제22조 제3항을 위반한 절차상 하자가 있어 위법하다.
> 공무원 인사관계법령에 의한 처분에 관한 사항이라 하더라도 전부에 대하여 행정절차법의 적용이 배제되는 것이 아니라, 성질상 행정절차를 거치기 곤란하거나 불필요하다고 인정되는 처분이나 행정절차에 준하는 절차를 거치도록 하고 있는 처분의 경우에만 행정절차법의 적용이 배제되는 것으로 보아야 하고, 이러한 법리는 '공무원 인사관계법령에 의한 처분'에 해당하는 별정직 공무원에 대한 직권면직처분의 경우에도 마찬가지로 적용된다(대판 2013. 1. 16, 2011두30687).

④ **빈출** ○

> 대통령이 甲을 한국방송공사 사장직에서 해임한 사안에서 …… 해임처분 과정에서 상대방인 甲이 처분내용을 사전에 통지받거나 그에 대한 의견제출기회 등을 받지 못했고 해임처분시 법적 근거 및 구체적 해임사유를 제시받지 못하였으므로 해임처분이 행정절차법에 위배되어 위법하지만, 절차나 처분형식의 하자가 중대하고 명백하다고 볼 수 없어 역시 당연무효가 아닌 취소사유에 해당한다(대판 2012. 2. 23, 2011두5001).

정답 12 ③

13 정답률 65% 중 2021 국가직 7급

행정절차에 대한 설명으로 옳은 것은? (다툼이 있는 경우에는 판례에 의함)

□□□ ① 도로법상 도로구역을 변경할 경우, 이를 고시하고 그 도면을 일반인이 열람할 수 있도록 하고 있는바, 도로구역을 변경한 처분은 행정절차법상 사전통지나 의견청취의 대상이 되는 처분이 아니다.

□□□ ② 군인사법에 따라 당해 직무를 수행할 능력이 없다고 인정하여 장교를 보직해임하는 경우, 처분의 근거와 이유제시 등에 관하여 행정절차법의 규정이 적용된다.

□□□ ③ 특별한 사정이 없는 한, 신청에 대한 거부처분은 사전통지 및 의견제출의 대상이 된다.

□□□ ④ 식품위생법상의 영업자지위승계신고를 수리하는 경우, 영업시설을 인수하여 영업자의 지위를 승계한 자에 대하여 사전통지를 하고, 그에게 의견제출의 기회를 주어야 한다.

관련기출

①

1. 도로법에 의한 도로구역변경고시는 의견청취의 대상이 되는 처분이다. (O, ×) 2022 소방간부
2. 도로법상 도로구역의 결정 · 변경고시는 행정처분으로서 행정절차법 제21조 제1항의 사전통지나 제22조 제3항의 의견청취의 절차를 거쳐야 한다. (O, ×) 2017 사회복지직 9급
3. 도로법 제25조 제3항에 의한 도로구역변경고시의 경우는 행정절차법상 사전통지나 의견청취의 대상이 되는 처분에 해당한다. (O, ×) 2014 지방직 9급

1. × 2. × 3. ×

②

1. 구 군인사법상 보직해임처분에는 처분의 근거와 이유제시 등에 관한 구 행정절차법의 규정이 별도로 적용되지 아니한다. (O, ×) 2019 국회직 8급

1. O

① O

도로구역변경결정은 행정절차법 제21조 제1항의 사전통지나 제22조 제3항의 의견청취의 대상이 되는 처분이 아니다.

행정절차법 제2조 제4호가 행정절차법의 당사자를 행정청의 처분에 대하여 직접 그 상대가 되는 당사자로 규정하고, 도로법 제25조 제3항이 도로구역을 결정하거나 변경할 경우 이를 고시에 의하도록 하면서, 그 도면을 일반인이 열람할 수 있도록 한 점 등을 종합하여 보면, 도로구역을 변경한 처분은 행정절차법 제21조 제1항의 사전통지나 제22조 제3항의 의견청취의 대상이 되는 처분은 아니라고 할 것이다(대판 2008. 6. 12, 2007두1767).

② ×

구 군인사법상 보직해임처분은 구 행정절차법 제3조 제2항 제9호, 구 행정절차법 시행령 제2조 제3호에 따라 처분의 근거와 이유제시 등에 관한 구 행정절차법의 규정이 적용되지 아니한다.

구 군인사법상 보직해임처분은 구 행정절차법 제3조 제2항 제9호, 같은 법 시행령 제2조 제3호에 의하여 당해 행정작용의 성질상 행정절차를 거치기 곤란하거나 불필요하다고 인정되는 사항 또는 행정절차에 준하는 절차를 거친 사항에 해당하므로, 처분의 근거와 이유제시 등에 관한 구 행정절차법의 규정이 별도로 적용되지 아니한다고 봄이 상당하다(대판 2014. 10. 15, 2012두5756).

③ ×

거부처분은 직접 당사자의 권익을 제한하는 것은 아니어서 신청에 대한 거부처분은 처분의 사전통지대상이 된다고 할 수 없다는 것이 판례의 입장이다(대판 2003. 11. 28, 2003두674).

④ ×

영업자의 지위를 승계한 자에 대하여 사전통지를 하고, 그에게 의견제출의 기회를 주어야 하는 것이 아니라 종전 영업자에 대하여 사전통지를 하고, 의견제출의 기회를 주어야 한다.

영업자지위승계신고를 수리하는 처분은 종전 영업자의 권익을 제한하는 처분으로서 종전 영업자에 대해 행정절차법 제21 · 22조 규정의 행정절차를 실시하고 처분을 하여야 한다(대판 2003. 2. 14, 2001두7015).

정답 13 ①

14 **빈출** 정답률 74% 중 2021 지방직 · 서울시 9급

행정절차에 대한 설명으로 옳은 것은? (다툼이 있는 경우 판례에 의함)

① 국가공무원법상 직위해제처분은 공무원의 인사상 불이익을 주는 처분이므로 행정절차법상 사전통지 및 의견청취절차를 거쳐야 한다.

② 처분 당시 당사자가 어떠한 근거와 이유로 처분이 이루어진 것인지를 충분히 알 수 있어서 그에 불복하여 행정구제절차로 나아가는 데에 별다른 지장이 없었던 것으로 인정되는 경우에도 처분서에 처분의 근거와 이유가 구체적으로 명시되어 있지 않았다면 그 처분은 위법하다.

③ 세액산출근거가 기재되지 아니한 납세고지서에 의한 부과처분은 그 후 부과된 세금을 자진납부하였다거나 또는 조세채권의 소멸시효기간이 만료되었다 하여 하자가 치유되는 것이라고는 할 수 없다.

④ 당사자 등은 청문조서의 내용을 열람 · 확인할 수 있을 뿐, 그 청문조서에 이의가 있더라도 정정을 요구할 수는 없다.

관련기출

②

1. 처분 당시 당사자가 어떠한 근거와 이유로 처분이 이루어진 것인지 충분히 알 수 있어서 그에 불복하여 행정구제절차로 나아가는 데에 별다른 지장이 없었던 것으로 인정되는 경우에도 처분서에 처분의 근거와 이유가 구체적으로 명시되어 있지 않았다면, 그 처분은 위법한 것으로 된다. (O, ×)

2016 국회직 8급

1. ×

① ×

국가공무원법상 직위해제처분에는 처분의 사전통지 및 의견청취 등에 관한 행정절차법 규정이 적용되지 않는다는 것이 판례의 입장이다(대판 2014. 5. 16, 2012두26180).

② ×

처분서에 기재된 내용, 관계법령과 해당 처분에 이르기까지 전체적인 과정 등을 종합적으로 고려하여, 처분 당시 당사자가 어떠한 근거와 이유로 처분이 이루어진 것인지를 충분히 알 수 있어서 그에 불복하여 행정구제절차로 나아가는 데 별다른 지장이 없었던 것으로 인정되는 경우에는 처분서에 처분의 근거와 이유가 구체적으로 명시되어 있지 않았더라도 이를 처분을 취소하여야 할 절차상 하자로 볼 수 없다(편저자 주 : 위법하지 않다)(대판 2019. 12. 13, 2018두41907).

③ ○

납세의무자가 부과된 세금을 자진납부하였다 하여 세액산출근거가 누락된 납세고지서(현 납부고지서)에 의한 부과처분의 하자가 치유되는 것은 아니다.

세액산출근거가 기재되지 아니한 납세고지서에 의한 부과처분은 강행법규에 위반하여 취소대상이 된다 할 것이므로 이와 같은 하자는 납세의무자가 전심절차에서 이를 주장하지 아니하였거나, 그 후 부과된 세금을 자진납부하였다거나, 또는 조세채권의 소멸시효기간이 만료되었다 하여 치유되는 것이라고는 할 수 없다(대판 1985. 4. 9, 84누431).

④ ×

행정절차법 제34조【청문조서】 ② 당사자 등은 청문조서의 내용을 열람 · 확인할 수 있으며, 이의가 있을 때에는 그 정정을 요구할 수 있다.

정답 14 ③

15 **빈출** 정답률 83% 중 2020 국가직 7급

행정절차법상 행정절차에 대한 설명으로 옳지 않은 것은? (다툼이 있는 경우 판례에 의함)

□□□ ① 행정청이 처분절차를 준수하였는지는 취소소송의 본안에서 고려할 요소이지, 소송요건 심사단계에서 고려할 요소가 아니다.

□□□ ② 신청인이 신청에 앞서 행정청의 허가업무 담당자에게 한 신청서의 내용에 대한 검토요청은 다른 특별한 사정이 없는 한 명시적이고 확정적인 신청의 의사표시로 보기 어렵다.

□□□ ③ 병역법에 따라 지방병무청장이 산업기능요원에 대하여 산업기능요원 편입취소처분을 할 때에는 행정절차법에 따라 처분의 사전통지를 하고 의견제출의 기회를 부여하여야 한다.

□□□ ④ 행정청은 행정처분의 상대방에 대한 청문통지서가 반송되었거나, 행정처분의 상대방이 청문일시에 불출석하였다는 이유로 청문절차를 생략하고 침해적 행정처분을 할 수 있다.

관련기출

②

1. 신청인이 신청에 앞서 행정청의 허가업무 담당자에게 신청서의 내용에 대한 검토를 요청한 것만으로는 다른 특별한 사정이 없는 한 명시적이고 확정적인 신청의 의사표시가 있었다고 하기 어렵다. (○, ×) 2021 지방직 · 서울시 7급, 2016 국가직 7급
2. 허가처분의 신청인이 신청에 앞서 행정청의 허가업무 담당자에게 신청서의 내용에 대한 검토를 요청한 것은 다른 특별한 사정이 없는 한 신청의 의사표시로 볼 수 없다. (○, ×) 2016 지방직 7급

1. ○ 2. ○

④

1. 행정처분의 상대방에 대한 청문통지서가 반송되었거나 행정처분의 상대방이 청문일시에 불출석하였다는 이유만으로 행정청이 관계법령상 그 실시가 요구되는 청문을 실시하지 아니하고 한 침해적 행정처분은 위법하다. (○, ×) 2023 지방직 · 서울시 9급
2. 구 공중위생법상 유기장업허가취소처분을 함에 있어서 두 차례에 걸쳐 발송한 청문통지서가 모두 반송되어 온 경우, 처분의 상대방이 청문일시에 불출석하였다는 이유로 청문을 거치지 않고 한 침해적 행정처분은 적법하다. (○, ×) 2019 지방직 · 교육행정직 9급
3. 행정처분의 상대방이 청문일시에 불출석하였다는 이유로 청문을 실시하지 않은 침해적 행정처분은 적법하다. (○, ×) 2017 교육행정직 9급

1. ○ 2. × 3. ×

① 제39강 참조 ○

행정청이 처분절차를 준수하였는지는 소송요건이 아니라 처분의 '위법성'과 관련된 것이므로 본안심리의 대상이 된다.

> 어떠한 처분에 법령상 근거가 있는지, 행정절차법에서 정한 처분절차를 준수하였는지는 본안에서 당해 처분이 적법한가를 판단하는 단계에서 고려할 요소이지, 소송요건 심사단계에서 고려할 요소가 아니다(대판 2016. 8. 30, 2015두60617).

② **빈출** ○

신청에 의한 처분(수익적 처분)의 절차에서 신청에 앞서 행정청의 허가업무 담당자에게 신청서의 내용에 대한 검토를 요청한 것만으로는 신청이 있었다고 볼 수 없다는 것이 판례의 입장이다.

> 행정청에 대한 신청의 의사표시의 방법에서, 신청인이 신청에 앞서 행정청의 허가업무 담당자에게 신청서의 내용에 대한 검토를 요청한 것만으로는 다른 특별한 사정이 없는 한 명시적이고 확정적인 신청의 의사표시가 있었다고 하기 어렵다(대판 2004. 9. 24, 2003두13236).

③ ○

> 지방병무청장이 병역법 제41조 제1항 제1호, 제40조 제2호의 규정에 따라 산업기능요원에 대하여 한 산업기능요원 편입취소처분은, 행정처분을 할 경우 '처분의 사전통지'와 '의견제출 기회의 부여'를 규정한 행정절차법 제21조 제1항, 제22조 제3항에서 말하는 '당사자의 권익을 제한하는 처분'에 해당하는 한편, 행정절차법의 적용이 배제되는 사항인 행정절차법 제3조 제2항 제9호, 같은 법 시행령 제2조 제1호에서 규정하는 '병역법에 의한 소집에 관한 사항'에는 해당하지 아니하므로, 행정절차법상의 '처분의 사전통지'와 '의견제출 기회의 부여' 등의 절차를 거쳐야 한다(대판 2002. 9. 6, 2002두554).

④ ×

> 행정처분의 상대방이 통지된 청문일시에 불출석하였다는 이유만으로 행정청이 관계법령상 그 실시가 요구되는 청문을 실시하지 아니한 채 침해적 행정처분을 할 수는 없을 것이므로, 행정처분의 상대방에 대한 청문통지서가 반송되었다거나, 행정처분의 상대방이 청문일시에 불출석하였다는 이유로 청문을 실시하지 아니하고 한 침해적 행정처분은 위법하다(대판 2001. 4. 13, 2000두3337).

정답 15 ④

16 빈출 정답률 65% 중 2019 지방직 · 교육행정직 9급

행정절차에 대한 설명으로 옳은 것은? (다툼이 있는 경우 판례에 의함)

□□□ ① 공정거래위원회의 시정조치 및 과징금납부명령에 행정절차법 소정의 의견청취절차 생략사유가 존재하면 공정거래위원회는 행정절차법을 적용하여 의견청취절차를 생략할 수 있다.

□□□ ② 묘지공원과 화장장의 후보지를 선정하는 과정에서 추모공원건립추진협의회가 후보지 주민들의 의견을 청취하기 위하여 그 명의로 개최한 공청회는 행정절차법에서 정한 절차를 준수하여야 하는 것은 아니다.

□□□ ③ 구 공중위생법상 유기장업허가취소처분을 함에 있어서 두 차례에 걸쳐 발송한 청문통지서가 모두 반송되어 온 경우, 처분의 상대방이 청문일시에 불출석하였다는 이유로 청문을 거치지 않고 한 침해적 행정처분은 적법하다.

□□□ ④ 구 광업법에 근거하여 처분청이 광업용 토지수용을 위한 사업인정을 하면서 토지소유자와 토지에 관한 권리를 가진 자의 의견을 들은 경우 처분청은 그 의견에 기속된다.

관련기출

①

1. 대법원에 따르면 행정절차법 적용이 제외되는 의결 · 결정에 대해서는 행정절차법을 적용하여 의견청취절차를 생략할 수는 없다. (○, ×) 2017 서울시 9급
2. 공정거래위원회의 시정조치 및 과징금납부명령에 행정절차법 소정의 의견청취절차 생략사유가 존재한다면, 공정거래위원회는 행정절차법을 적용하여 의견청취절차를 생략할 수 있다. (○, ×) 2016 국가직 7급

1. ○ 2. ×

②

1. 지방자치단체와 민간단체 등이 공동발족한 추모공원건립추진협의회가 시립화장장 후보지 선정을 위해 개최하는 공청회는 행정청이 도시계획시설결정을 하면서 개최한 공청회가 아니므로 행정절차법에서 정한 절차를 준수하여야 하는 것은 아니다. (○, ×) 2021 경행경채
2. 대법원은 묘지공원과 화장장의 후보지를 선정하는 과정에서 서울특별시, 비영리법인, 일반기업 등이 공동발족한 협의체인 추모공원건립추진협의회가 후보지 주민들의 의견을 청취하기 위하여 그 명의로 개최한 공청회에 대해 행정절차법에서 정한 절차를 준수하여야 한다고 보았다. (○, ×) 2013 국회직 8급

1. ○ 2. ×

④

1. 행정청은 청문절차에서 개진된 의견에 기속되지 않는다. (○, ×) 2007 국가직 7급

1. ○

① **빈출** ×

공정거래위원회의 의결 · 결정을 거쳐 행하는 사항은 행정절차법이 적용되지 않으므로 행정절차법상의 의견청취절차 생략사유도 적용되지 않는다는 것이 판례의 취지이다. 앞서 본 직위해제처분에 관한 판례와 같이 행정절차법의 적용범위에 관한 문제는 자주 출제되므로 행정절차법의 적용제외에 관한 행정절차법 제3조 제2항의 내용과 관련판례는 정리해 둘 필요가 있다.

> 공정거래위원회의 시정조치 및 과징금납부명령에 행정절차법 소정의 의견청취절차 생략사유가 존재하는 경우, 공정거래위원회가 행정절차법을 적용하여 의견청취절차를 생략할 수는 없다.
>
> 행정절차법 제3조 제2항, 같은 법 시행령 제2조 제6호에 의하면 공정거래위원회의 의결 · 결정을 거쳐 행하는 사항에는 행정절차법의 적용이 제외되게 되어 있으므로, 설사 공정거래위원회의 시정조치 및 과징금납부명령에 행정절차법 소정의 의견청취절차 생략사유가 존재한다고 하더라도, 공정거래위원회는 행정절차법을 적용하여 의견청취절차를 생략할 수는 없다(대판 2001. 5. 8, 2000두10212).

② ○

> 묘지공원과 화장장의 후보지를 선정하는 과정에서 추모공원건립추진협의회가 후보지 주민들의 의견을 청취하기 위하여 그 명의로 개최한 공청회는 행정절차법에서 정한 절차를 준수하여야 하는 것은 아니다.
>
> 묘지공원과 화장장의 후보지를 선정하는 과정에서 서울특별시, 비영리법인, 일반기업 등이 공동발족한 협의체인 추모공원건립추진협의회가 후보지 주민들의 의견을 청취하기 위하여 그 명의로 개최한 공청회는 행정청이 도시계획시설결정을 하면서 개최한 공청회가 아니므로, 위 공청회의 개최에 관하여 행정절차법에서 정한 절차를 준수하여야 하는 것은 아니다(대판 2007. 4. 12, 2005두1893).

③ ×

행정처분의 상대방에 대한 청문통지서가 반송되었다거나, 행정처분의 상대방이 청문일시에 불출석하였다는 이유로 청문을 실시하지 아니하고 한 침해적 행정처분은 위법하다는 것이 판례의 입장이다(대판 2001. 4. 13, 2000두3337).

④ ×

행정청은 처분을 할 때에 청문 주재자로부터 제출받은 청문조서, 청문 주재자의 의견서, 그 밖의 관계서류 등을 충분히 검토하고 상당한 이유가 있다고 인정하는 경우에는 청문결과를 반영하여야 하지만(행정절차법 제35조의2), 청문절차에서 나타난 사인의 의견에 구속되는 것은 아니다. 왜냐하면 만약 관계행정청이 사인의 의견에 구속된다면 행정처분의 최종결정을 사인이 하는 것과 같은 결과가 되기 때문이다.

> 광업용 토지수용을 위한 사업인정 여부를 결정함에 있어 처분청이 그 의견에 기속되는 것은 아니다.
>
> 광업법 제88조 제2항에서 처분청이 같은 법조 제1항의 규정에 의하여 광업용 토지수용을 위한 사업인정을 하고자 할 때에 토지소유자와 토지에 관한 권리를 가진 자의 의견을 들어야 한다고 한 것은 그 사업인정 여부를 결정함에 있어서 소유자나 기타 권리자가 의견을 반영할 기회를 주어 이를 참작하도록 하고자 하는 데 있을 뿐, 처분청이 그 의견에 기속되는 것은 아니다(대판 1995. 12. 22, 95누30).

정답 16 ②

17 정답률 76% 중 2019 국가직 9급

행정절차법상 사전통지와 의견제출에 대한 판례의 입장으로 옳은 것은?

□□□ ① 항만시설 사용허가신청에 대하여 거부처분을 하는 경우, 사전에 통지하여 의견제출기회를 주어야 한다.

□□□ ② 용도를 무단변경한 건물의 원상복구를 명하는 시정명령 및 계고처분을 하는 경우, 사전에 통지할 필요가 없다.

□□□ ③ 고시의 방법으로 불특정 다수인을 상대로 권익을 제한하는 처분을 하는 경우, 상대방에게 사전에 통지하여 의견제출기회를 주어야 한다.

□□□ ④ 공매를 통하여 체육시설을 인수한 자의 체육시설업자 지위승계신고를 수리하는 경우, 종전 체육시설업자에게 사전에 통지하여 의견제출기회를 주어야 한다.

관련기출

②

1. 현장조사에서 처분상대방이 위반사실을 시인하였다면 행정청은 처분의 사전통지절차를 하지 않아도 된다. (○, ×) 2022 군무원 7급
2. 무단으로 용도변경된 건물에 대해 건물주에게 시정명령이 있을 것과 불이행시 이행강제금이 부과될 것이라는 점을 설명한 후, 다음 날 시정명령을 한 경우는 행정절차법상 처분의 사전통지 혹은 의견제출의 기회를 부여할 사항에 해당한다. (○, ×) 2018 서울시 9급
3. 처분상대방이 이미 행정청에 위반사실을 시인하였다는 사정은 사전통지의 예외가 적용되는 '의견청취가 현저히 곤란하거나 명백히 불필요하다고 인정될 만한 상당한 이유가 있는 경우'에 해당한다. (○, ×) 2017 국가직 7급

1. × 2. ○ 3. ×

④

1. 행정청이 구 「체육시설의 설치 · 이용에 관한 법률」의 규정에 의하여 체육시설업자 지위승계신고를 수리하는 처분을 하는 경우, 종전 체육시설업자에 대하여 행정절차법상 사전통지 등 절차를 거칠 필요는 없다. (○, ×) 2017 지방직(하) 9급
2. 행정청이 구 관광진흥법의 규정에 의하여 유원시설업자 지위승계신고를 수리하는 처분을 하는 경우, 종전 유원시설업자에 대하여는 행정절차법상 처분의 사전통지절차를 거칠 필요가 없다. (○, ×) 2014 지방직 9급

1. × 2. ×

① ×

항만시설 사용허가신청에 대한 거부처분과 관련하여 신청에 대한 거부처분은 원칙적으로 구 행정절차법 제22조 제3항에서 말하는 '당사자의 권익을 제한하는 처분'에 해당하지 않으며 처분의 사전통지대상이나 의견청취대상이 되지 않는다는 것이 판례의 입장이다(대판 2017. 11. 23, 2014두1628).

② **빈출** ×

시정명령은 당사자에게 의무를 부과하는 처분으로서 사전통지의 대상이 된다.

> 1. 행정청이 침해적 행정처분을 하면서 당사자에게 사전통지를 하거나 의견제출의 기회를 주지 아니하였다면, 사전통지나 의견제출의 예외적인 경우에 해당하지 아니하는 한, 처분은 위법하여 취소를 면할 수 없다.
> 2. 무단으로 용도변경된 건물에 대해 건물주에게 시정명령이 있을 것과 불이행시 이행강제금이 부과될 것이라는 점을 설명한 후, 다음 날 시정명령을 한 경우 비록 현장조사에서 원고가 위반사실을 시인하였다거나 위반경위를 진술하였더라도 그것만으로는 행정절차법 제21조 제4항 제3호가 정한 '의견청취가 현저히 곤란하거나 명백히 불필요하다고 인정될 만한 상당한 이유가 있는 경우'로서 처분의 사전통지를 하지 아니하여도 되는 경우에 해당한다고 볼 수도 없다(대판 2016. 10. 27, 2016두41811).

③ ×

'고시'의 방법으로 불특정 다수인을 상대로 의무를 부과하거나 권익을 제한하는 처분은 성질상 의견제출의 기회를 주어야 하는 상대방을 특정할 수 없으므로, 이와 같은 처분에 있어서까지 구 행정절차법 제22조 제3항에 의하여 그 상대방에게 의견제출의 기회를 주어야 한다고 해석할 것은 아니라는 것이 판례의 입장이다(대판 2014. 10. 27, 2012두7745).

④ ○

판례는 영업자지위승계신고의 수리와 관련하여 이러한 수리처분은 종전 영업자의 권익을 제한하는 처분이므로 종전 영업자에게 사전통지 등의 절차를 거쳐야 한다고 본다. 이 지문과 관련하여, 앞서 배운 ㉠ 지위승계신고는 수리를 요하는 신고이며, ㉡ 이에 대한 행정청의 수리 또는 수리거부는 항고소송의 대상이 되는 처분이라는 점, ㉢ 수리의 대상이 되는 양도 · 양수계약이 무효라면 수리를 하였더라도 수리는 당연무효라는 점(이상 제9강 참조), ㉣ 지위승계신고의 수리로 영업의 양도가 있는 경우에 제재사유의 승계도 인정하는 것이 판례의 입장이라는 점(제13강 참조)도 정리해 두도록 하자.

> 행정청이 구 관광진흥법 또는 구 「체육시설의 설치 · 이용에 관한 법률」의 규정에 의하여 유원시설업자 또는 체육시설업자 지위승계신고를 수리하는 처분을 하는 경우, 종전 유원시설업자 또는 체육시설업자에 대하여 행정절차법 제21조 제1항 등에서 정한 처분의 사전통지 등 절차를 거쳐야 한다(대판 2012. 12. 13, 2011두29144).

정답 17 ④

18 정답률 61% 중 2018 지방직 7급

행정절차법상 행정절차에 대한 설명으로 옳은 것은? (다툼이 있는 경우 판례에 의함)

□□□ ① 청문은 행정청이 어떠한 처분을 하기 전에 당사자 등의 의견을 직접 듣는 절차일 뿐, 증거를 조사하는 절차는 아니다.

□□□ ② 국가공무원법상 직위해제처분에는 처분의 사전통지 및 의견청취 등에 관한 행정절차법의 규정이 별도로 적용되지 않는다.

□□□ ③ 행정절차법은 당사자에게 의무를 부과하거나 당사자의 권익을 제한하는 처분을 하는 경우에 대해서만 그 근거와 이유를 제시하도록 규정하고 있다.

□□□ ④ 법령에 의해 당연히 퇴직연금 환수금액이 결정되는 경우에도 퇴직연금의 환수결정은 당사자에게 의무를 과하는 처분이기 때문에, 퇴직연금의 환수결정에 앞서 당사자에게 의견진술의 기회를 주어야 한다.

① ×

> **행정절차법 제2조【정의】** 이 법에서 사용하는 용어의 뜻은 다음과 같다.
> 5. '청문'이란 행정청이 어떠한 처분을 하기 전에 당사자 등의 의견을 직접 듣고 증거를 조사하는 절차를 말한다.

② ○

국가공무원법상 직위해제처분에는 처분의 사전통지 및 의견청취 등에 관한 행정절차법 규정이 적용되지 않는다는 것이 판례의 입장이다(대판 2014. 5. 16, 2012두26180).

③ ×

행정절차법은 당사자에게 의무를 부과하거나 당사자의 권익을 제한하는 처분을 하는 경우에는 처분의 사전통지를 하도록 규정하고 있다. 한편, 처분의 사전통지와 달리 처분의 이유제시에 대해서는 당사자에게 의무를 부과하거나 당사자의 권익을 제한하는 처분뿐만 아니라 원칙적으로 모든 처분에 대해서 그 근거와 이유를 제시하도록 규정하고 있다. 행정절차법상 이유제시와 사전통지를 구별하기 바란다.

> **행정절차법 제21조【처분의 사전통지】** ① 행정청은 당사자에게 의무를 부과하거나 권익을 제한하는 처분을 하는 경우에는 미리 다음 각 호의 사항을 당사자 등에게 통지하여야 한다.
>
> **제23조【처분의 이유제시】** ① 행정청은 처분을 할 때에는 다음 각 호의 어느 하나에 해당하는 경우를 제외하고는 당사자에게 그 근거와 이유를 제시하여야 한다.
> 1. 신청내용을 모두 그대로 인정하는 처분인 경우
> 2. 단순 · 반복적인 처분 또는 경미한 처분으로서 당사자가 그 이유를 명백히 알 수 있는 경우
> 3. 긴급히 처분을 할 필요가 있는 경우

④ ×

퇴직연금의 환수결정은 당사자에게 의무를 과하는 처분이기는 하나, 관련법령에 따라 당연히 환수금액이 정하여지는 것이므로, 퇴직연금의 환수결정에 앞서 당사자에게 의견진술의 기회를 주지 아니하여도 행정절차법 제22조 제3항이나 신의칙에 어긋나지 아니한다는 것이 판례의 입장이다(대판 2000. 11. 28, 99두5443).

정답 18 ②

19 정답률 47% 중 2018 서울시 9급 변형

행정절차법상 처분절차에 대한 설명으로 가장 옳지 않은 것은?

□□□ ① 행정청이 법인이나 조합 등의 설립허가 취소처분을 할 때에는 당사자 등의 신청이 있어야 청문을 한다.

□□□ ② 행정청에 처분을 구하는 신청을 전자문서로 하는 경우에는 행정청의 컴퓨터 등에 입력된 때에 신청한 것으로 본다.

□□□ ③ 행정청이 공공의 안전 또는 복리를 위하여 긴급히 처분을 할 필요가 있는 경우에는 의견청취를 하지 아니할 수 있다.

□□□ ④ 처분의 전제가 되는 사실이 법원의 재판 등에 의하여 객관적으로 증명된 경우에는 행정청이 당사자에게 의무를 부과하거나 권익을 제한하는 처분을 하는 경우에도 사전통지를 하지 아니할 수 있다.

관련기출

④

1. 법령 등에서 요구된 자격이 없거나 없어지게 되면 반드시 일정한 처분을 하여야 하는 경우에 그 자격이 없거나 없어지게 된 사실이 법원의 재판에 의하여 객관적으로 증명된 경우에는 사전통지를 생략할 수 있다. (○, ×)
2022 국가직 9급
2. 법령에서 요구된 자격이 없어지게 되면 반드시 일정한 처분을 하여야 하는 경우에 그 자격이 없어지게 된 사실이 법원의 재판에 의하여 객관적으로 증명된 경우에는 행정청의 사전통지의무가 면제될 수 있다. (○, ×)
2015 국가직 7급

1. ○ 2. ○

① ×

법인이나 조합 등의 설립허가취소처분을 할 때에는 신청이 없어도 청문을 해야 한다.

> **행정절차법 제22조【의견청취】** ① 행정청이 처분을 할 때 다음 각 호의 어느 하나에 해당하는 경우에는 청문을 한다.
> 1. 다른 법령 등에서 청문을 하도록 규정하고 있는 경우
> 2. 행정청이 필요하다고 인정하는 경우
> 3. 다음 각 목의 처분을 하는 경우
>   가. 인·허가 등의 취소
>   나. 신분·자격의 박탈
>   다. 법인이나 조합 등의 설립허가의 취소

② ○

> **행정절차법 제17조【처분의 신청】** ① 행정청에 처분을 구하는 신청은 문서로 하여야 한다. 다만, 다른 법령 등에 특별한 규정이 있는 경우와 행정청이 미리 다른 방법을 정하여 공시한 경우에는 그러하지 아니하다.
> ② 제1항에 따라 처분을 신청할 때 전자문서로 하는 경우에는 행정청의 컴퓨터 등에 입력된 때에 신청한 것으로 본다.

③④ ○

> **행정절차법 제22조【의견청취】** ④ 제1항부터 제3항까지의 규정에도 불구하고 제21조 제4항 각 호의 어느 하나에 해당하는 경우와 당사자가 의견진술의 기회를 포기한다는 뜻을 명백히 표시한 경우에는 의견청취를 하지 아니할 수 있다(③).
>
> **제21조【처분의 사전통지】** ④ 다음 각 호의 어느 하나에 해당하는 경우에는 제1항에 따른 통지를 하지 아니할 수 있다.
> 1. 공공의 안전 또는 복리를 위하여 긴급히 처분을 할 필요가 있는 경우(③)
> 2. 법령 등에서 요구된 자격이 없거나 없어지게 되면 반드시 일정한 처분을 하여야 하는 경우에 그 자격이 없거나 없어지게 된 사실이 법원의 재판 등에 의하여 객관적으로 증명된 경우(④)
> 3. 해당 처분의 성질상 의견청취가 현저히 곤란하거나 명백히 불필요하다고 인정될 만한 상당한 이유가 있는 경우

1. 행정청이 침해적 행정처분을 하면서 당사자에게 행정절차법상의 사전통지를 하거나 의견제출의 기회를 주지 않았다면, 사전통지를 하지 않거나 의견제출의 기회를 주지 않아도 되는 예외적인 경우에 해당하지 않는 한, 그 처분은 위법하여 취소를 면할 수 없다.
2. 행정절차법 시행령 제13조 제2호에서 정한 "법원의 재판 또는 준사법적 절차를 거치는 행정기관의 결정 등에 따라 처분의 전제가 되는 사실이 객관적으로 증명되어 처분에 따른 의견청취가 불필요하다고 인정되는 경우"란 의견청취가 행정청의 처분 여부나 그 수위 결정에 영향을 미치지 못하는 경우를 의미한다.
3. 처분의 전제가 되는 '일부' 사실만 증명된 경우이거나 의견청취에 따라 행정청의 처분 여부나 처분 수위가 달라질 수 있는 경우, 위 예외사유에 해당하지 않는다.
4. 관할 시장이 甲에게 구 폐기물관리법 제48조 제1호에 따라 토지에 장기보관 중인 폐기물을 처리할 것을 명령하는 1차, 2차 조치명령을 각각 하였고, 甲이 위 각 조치명령을 불이행하였다고 하여 구 폐기물관리법 위반죄로 유죄판결이 각각 선고·확정되었는데, 이후 관할 시장이 폐기물 방치 실태를 확인하고 별도의 사전통지와 의견청취절차를 밟지 않은 채 甲에게 폐기물 처리에 관한 3차 조치명령을 한 사안에서, 3차 조치명령은 재량행위로서 행정절차법 시행령 제13조 제2호에서 정한 사전통지, 의견청취의 예외사유에 해당하지 않는다(대판 2020. 7. 23, 2017두66602).

정답 19 ①

20 정답률 72% 중 2018 서울시 9급

행정절차법상 처분의 사전통지 혹은 의견제출의 기회를 부여할 사항이 아닌 것은?

□□□ ① 공무원시보임용이 무효임을 이유로 정규임용을 취소하는 경우

□□□ ② 공사중지명령을 하기 전에 사전통지를 하게 되면 많은 액수의 보상금을 기대하여 공사를 강행할 우려가 있는 경우

□□□ ③ 수익적 처분을 바라는 신청에 대한 거부처분

□□□ ④ 무단으로 용도변경된 건물에 대해 건물주에게 시정명령이 있을 것과 불이행시 이행강제금이 부과될 것이라는 점을 설명한 후, 다음 날 시정명령을 한 경우

관련기출

②

1. 건축법의 공사중지명령에 대한 사전통지를 하고 의견제출의 기회를 준다면 많은 액수의 손실보상금을 기대하여 공사를 강행할 우려가 있다는 사정은 사전통지 및 의견제출절차의 예외사유에 해당하지 아니한다. (○, ×)
2010 지방직 7급

1. ○

① ○

정규임용처분을 취소하는 처분은 성질상 행정절차를 거치는 것이 불필요하여 행정절차법의 적용이 배제되는 경우에 해당하지 않으므로, 그 처분을 하면서 사전통지를 하거나 의견제출의 기회를 부여하지 않은 것은 위법하다(대판 2009. 1. 30, 2008두16155).

② ○

건축법상의 공사중지명령에 대한 사전통지를 하고 의견제출의 기회를 준다면 많은 액수의 손실보상금을 기대하여 공사를 강행할 우려가 있다는 사정은 사전통지를 하지 않아도 되는 예외사유에 해당하지 않는다(대판 2004. 5. 28, 2004두1254).

③ ×

거부처분은 사전통지의 대상이 아니라는 것이 판례의 입장이다(대판 2003. 11. 28, 2003두674).

④ ○

무단으로 용도변경된 건물에 대해 건물주에게 시정명령이 있을 것과 불이행시 이행강제금이 부과될 것이라는 점을 설명했더라도 바로 다음 날 시정명령을 내렸다면, 의견제출에 필요한 상당한 기간을 고려하여 정한 의견제출기한을 부여했다고 볼 수 없고, 이것은 사전통지나 의견제출의 예외적인 경우에 해당하지도 않으므로 당해 시정명령은 위법하여 취소를 면할 수 없다는 것이 판례의 입장이다(17 ② 해설 참조).

정답 20 ③

21 정답률 82% 중 2018 서울시 2회 7급 변형

행정절차에 대한 설명으로 가장 옳지 않은 것은? (다툼이 있는 경우 판례에 따름)

□□□ ① 귀속재산을 불하받은 자가 사망한 후에 불하처분 취소처분을 수불하자의 상속인에게 송달한 때에는 그 상속인에 대하여 다시 그 불하처분을 취소한다는 새로운 행정처분을 한 것으로 본다.

□□□ ② 당사자가 근거규정 등을 명시하여 신청하는 인·허가 등을 거부하는 처분의 경우 당사자가 처분의 근거를 알 수 있을 정도로 상당한 이유를 제시할 뿐 그 구체적 조항 및 내용까지 명시하지 않으면, 해당 처분은 위법하다.

□□□ ③ 경미한 처분으로서 당사자가 그 이유를 명백히 알 수 있는 경우에는 당사자에게 그 근거와 이유를 제시하지 아니할 수 있다.

□□□ ④ 납세자가 아닌 제3자의 재산을 대상으로 한 압류처분은 당연무효이다.

관련기출

②

1. 행정청이 허가를 거부하는 처분을 함에 있어 당사자가 그 근거를 알 수 있을 정도로 상당한 이유를 제시하였다면, 구체적 조항 및 내용까지 명시하지 않았더라도 그로 말미암아 그 처분이 위법하게 되지는 않는다. (○, ×) 2023 소방직 9급
2. 당사자가 근거규정 등을 명시하여 신청하는 인·허가 등을 거부하는 처분을 함에 있어 당사자가 그 근거를 알 수 있을 정도로 상당한 이유를 제시한 경우에는 당해 처분의 근거 및 이유를 구체적 조항 및 내용까지 명시하지 않았더라도 그로 말미암아 그 처분이 위법한 것이 된다고 할 수 없다. (○, ×) 2022 국가직 7급, 2016 국가직 7급
3. 행정청이 허가를 거부하는 처분을 하면서 처분의 근거와 이유를 구체적으로 명시하지 않은 이상, 당사자가 그 근거를 알 수 있을 정도로 이유를 제시하였다 하더라도 그 처분은 위법하다. (○, ×) 2021 변호사
4. 행정청이 토지형질변경허가신청을 불허하는 근거규정으로 '도시계획법 시행령 제20조'를 명시하지 아니하고 '도시계획법'이라고만 기재하였으나, 신청인이 자신의 신청이 개발제한구역의 지정목적에 현저히 지장을 초래하는 것이라는 이유로 구 도시계획법 시행령 제20조 제1항 제2호에 따라 불허된 것임을 알 수 있었던 경우에는 그 불허처분이 위법하지 않다. (○, ×) 2017 지방직 7급

1. ○ 2. ○ 3. × 4. ○

③

1. 행정청이 당사자의 신청내용을 모두 그대로 인정하는 처분을 할 때 당사자에게 그 근거와 이유를 제시하여야 한다. (○, ×) 2024 군무원 5급
2. 행정절차법상 행정청은 처분을 할 때에 단순·반복적인 처분 또는 경미한 처분으로서 당사자가 그 이유를 명백히 알 수 있는 경우에는 처분 후 당사자가 요청하더라도 당사자에게 그 근거와 이유를 제시하지 않아도 된다. (○, ×) 2024 지방직·서울시 9급
3. 단순·반복적인 처분 또는 경미한 처분으로서 당사자가 그 이유를 명백히 알 수 있는 경우라 하더라도 처분 후 당사자가 요청하는 경우에는 행정청은 그 근거와 이유를 제시하여야 한다. (○, ×) 2018 국가직 9급
4. 행정청은 긴급히 처분을 할 필요가 있는 경우 당사자에게 처분의 근거와 이유를 제시하지 않아도 되지만, 처분 후에는 당사자의 요청이 없어도 그 근거와 이유를 제시하여야 한다. (○, ×) 2017 서울시 7급

1. × 2. × 3. ○ 4. ×

① ○

사망한 귀속재산 수불하자에 대하여 한 그 불하처분의 취소처분을 그 상속인에게 송달한 경우 송달시에 그 상속인에 대하여 다시 그 불하처분을 취소한다는 새로운 행정처분을 한 것이다.

귀속재산을 불하받은 자가 사망한 후에 그 수불하자에 대하여 한 그 불하처분은 사망자에 대한 행정처분이므로 무효이지만, 그 취소처분을 수불하자의 상속인에게 송달한 때에는 그 송달시에 그 상속인에 대하여 다시 그 불하처분을 취소한다는 새로운 행정처분을 한 것이라고 할 것이다(대판 1969. 1. 21, 68누190).

② ×

1. 일반적으로 당사자가 근거규정 등을 명시하여 신청하는 인·허가 등을 거부하는 처분을 함에 있어 당사자가 그 근거를 알 수 있을 정도로 상당한 이유를 제시한 경우에는 당해 처분의 근거 및 이유를 구체적으로 명시하지 않았더라도 처분이 위법하다고 할 수 없다.
2. 행정청이 토지형질변경허가신청을 불허하는 근거규정으로 '도시계획법 시행령 제20조'를 명시하지 아니하고 '도시계획법'이라고만 기재하였으나, 신청인이 자신의 신청이 개발제한구역의 지정목적에 현저히 지장을 초래하는 것이라는 이유로 구 도시계획법 시행령 제20조 제1항 제2호에 따라 불허된 것임을 알 수 있었던 경우, 그 불허처분이 위법하지 아니하다(대판 2002. 5. 17, 2000두8912).

③ ○

행정절차법 제23조【처분의 이유제시】 ① 행정청은 처분을 할 때에는 다음 각 호의 어느 하나에 해당하는 경우를 제외하고는 당사자에게 그 근거와 이유를 제시하여야 한다.
1. 신청내용을 모두 그대로 인정하는 처분인 경우
2. 단순·반복적인 처분 또는 경미한 처분으로서 당사자가 그 이유를 명백히 알 수 있는 경우
3. 긴급히 처분을 할 필요가 있는 경우

② 행정청은 제1항 제2호 및 제3호의 경우에 처분 후 당사자가 요청하는 경우에는 그 근거와 이유를 제시하여야 한다.

④ ○

납세자가 아닌 제3자의 재산을 대상으로 한 압류처분은 당연무효이다.

체납처분(현 강제징수)으로서 압류의 요건을 규정한 국세징수법 제24조(현 제31조) 각 항의 규정을 보면 어느 경우에나 압류의 대상을 납세자의 재산에 국한하고 있으므로, 납세자가 아닌 제3자의 재산을 대상으로 한 압류처분은 그 처분의 내용이 법률상 실현될 수 없는 것이어서 당연무효이다(대판 2012. 4. 12, 2010두4612).

정답 21 ②

제 22 강 정보공개법과 개인정보보호법

1회독	2회독	3회독
/	/	/

정답률 공단기/소방단기 합격예측 풀서비스 통계 데이터 기준 기 기본서 핵 핵심집약

01 정보공개법

기 466~489쪽 핵 T 43

01 **빈출** 정답률 82% 중 2024 지방직 · 서울시 9급

「공공기관의 정보공개에 관한 법률」상 정보공개청구에 대한 설명으로 옳지 않은 것은? (다툼이 있는 경우 판례에 의함)

□□□ ① 정보의 공개를 청구하는 자는 정보공개청구서에 청구대상정보를 기재함에 있어서 사회일반인의 관점에서 청구대상정보의 내용과 범위를 확정할 수 있을 정도로 특정함을 요한다.

□□□ ② 공공기관이 공개청구의 대상이 된 정보를 공개는 하되, 청구인이 신청한 공개방법 이외의 방법으로 공개하기로 하는 결정을 하였다면, 이는 정보공개청구 중 정보공개방법에 관한 부분에 대하여 일부 거부처분을 한 것이고, 청구인은 그에 대하여 항고소송으로 다툴 수 있다.

□□□ ③ 유아교육법에 따른 사립유치원은 공공기관의 정보공개에 관한 법령상 공공기관에 해당하지 않는다.

□□□ ④ 행정청이 정보를 공개하는 경우에 그 정보의 원본이 더럽혀지거나 파손될 우려가 있거나 그 밖에 상당한 이유가 있다고 인정할 때에는 그 정보의 사본 · 복제물을 공개할 수 있다.

관련기출

①

1. 정보공개청구서에 청구대상정보를 기재함에 있어서는 사회일반인의 관점에서 청구대상정보의 내용과 범위를 확정할 수 있을 정도로 특정함을 요하는데, 공개를 청구한 정보의 내용이 '대한주택공사의 특정 공공택지에 관한 수용가, 택지조성원가, 분양가, 건설원가 등 및 관련 자료 일체'인 경우, '관련 자료 일체' 부분은 그 내용과 범위가 정보공개청구 대상정보로서 특정되었다고 보기 어렵다. (O, ×) 2023 군무원 5급
2. 정보의 공개를 청구하는 자가 청구대상정보를 기재함에 있어서는 사회일반인의 관점에서 청구대상정보의 내용과 범위를 확정할 수 있을 정도로 특정하여야 한다. (O, ×) 2019 지방직 7급

1. O 2. O

① 정답률 6% O

(아파트 택지조성원가, 분양원가 등 정보공개청구사건에서 공개를 청구한 정보의 내용 중 '관련 자료 일체'부분은 그 내용과 범위가 정보공개청구 대상정보로서 특정되지 않았다고 하면서) 「공공기관의 정보공개에 관한 법률」에 따른 정보공개청구시 청구대상정보를 기재함에 있어서는 사회일반인의 관점에서 청구대상정보의 내용과 범위를 확정할 수 있을 정도로 특정함을 요한다(대판 2007. 6. 1, 2007두2555).

② **빈출** 정답률 7% O

1. 정보공개 청구인에게 특정한 정보공개방법을 지정하여 청구할 수 있는 법령상 신청권이 있다.
2. 공공기관이 공개청구의 대상이 된 정보를 청구인이 신청한 공개방법 이외의 방법으로 공개하기로 하는 결정을 한 경우, 정보공개방법에 관한 부분에 대하여 일부 거부처분을 한 것이며 이에 대하여 항고소송으로 다툴 수 있다.

   따라서 공공기관이 공개청구의 대상이 된 정보를 공개는 하되, 청구인이 신청한 공개방법 이외의 방법으로 공개하기로 하는 결정을 하였다면, 이는 정보공개청구 중 정보공개방법에 관한 부분에 대하여 일부 거부처분을 한 것이고, 청구인은 그에 대하여 항고소송으로 다툴 수 있다(대판 2016. 11. 10, 2016두44674).

③ 정답률 82% ×

유아교육법에 따른 사립유치원도 정보공개법상의 공공기관에 해당한다.

「공공기관의 정보공개에 관한 법률」 제2조【정의】 이 법에서 사용하는 용어의 뜻은 다음과 같다.
3. '공공기관'이란 다음 각 목의 기관을 말한다.
   마. 그 밖에 대통령령으로 정하는 기관

「공공기관의 정보공개에 관한 법률 시행령」 제2조【공공기관의 범위】 「공공기관의 정보공개에 관한 법률」(이하 '법'이라 한다) 제2조 제3호 마목에서 '대통령령으로 정하는 기관'이란 다음 각 호의 기관 또는 단체를 말한다.
1. 유아교육법, 초 · 중등교육법, 고등교육법에 따른 각급 학교 또는 그 밖의 다른 법률에 따라 설치된 학교

④ 정답률 2% O

「공공기관의 정보공개에 관한 법률」 제13조【정보공개 여부 결정의 통지】 ④ 공공기관은 제1항에 따라 정보를 공개하는 경우에 그 정보의 원본이 더럽혀지거나 파손될 우려가 있거나 그 밖에 상당한 이유가 있다고 인정할 때에는 그 정보의 사본 · 복제물을 공개할 수 있다.

정답 01 ③

02 정답률 63% 중 2024 소방직 9급

「공공기관의 정보공개에 관한 법률」에 관한 설명으로 옳은 것은? (다툼이 있는 경우 판례에 의함)

□□□ ① 대법원은 정보공개청구권의 헌법적 근거를 헌법 제21조 표현의 자유에서 도출하고 있다.

□□□ ② 모든 국민은 정보의 공개를 청구할 권리를 가지나, 외국인은 정보공개를 청구할 수 없다.

□□□ ③ 사법시험 제2차 시험의 답안지 열람은 사법시험업무의 수행에 현저한 지장을 초래한다고 볼 수 있으므로 비공개사유에 해당한다.

□□□ ④ 청구인이 정보공개와 관련한 공공기관의 결정에 대하여 불복이 있거나 정보공개 청구 후 30일이 경과하도록 정보공개결정이 없는 때에는 행정소송법에서 정하는 바에 따라 행정소송을 제기할 수 있다.

관련기출

②

1. 국내에 사무소를 두고 있는 외국법인 또는 외국단체는 학술 · 연구를 위한 목적으로만 정보공개를 청구할 수 있다. (○, ×) 2023 군무원 9급
2. 국내에 일정한 주소를 두고 거주하는 외국인은 정보공개청구권을 가진다. (○, ×) 2022 군무원 7급
3. 국내에 학술 · 연구를 위하여 일시적으로 체류하는 외국인은 정보공개를 청구할 권리가 없다. (○, ×) 2021 행정사
4. 외국인은 국내에 주소를 두고 거주하는 경우에도, 정보공개청구권이 인정되지 않는다. (○, ×) 2015 교육행정직 9급

1. × 2. ○ 3. × 4. ×

③

1. 사법시험 답안지는 비공개대상정보가 아니다. (○, ×) 2023 군무원 7급
2. 사법시험 응시자가 자신의 제2차 시험 답안지에 대한 열람청구를 한 경우 그 답안지는 정보공개의 대상이 된다. (○, ×) 2015 사회복지직 9급
3. 사법시험 제2차 시험의 답안지와 시험문항에 대한 채점위원별 채점결과는 비공개정보에 해당한다. (○, ×) 2013 국가직 9급

1. ○ 2. ○ 3. ×

① 정답률 63% ○

개인의 정보공개청구권은 헌법상 표현의 자유로부터 도출될 수 있다.

국민의 알권리, 특히 국가정보에 대한 접근의 권리는 우리 헌법상 기본적으로 표현의 자유와 관련하여 인정되는 것으로, 그 권리의 내용에는 자신의 권익보호와 직접 관련이 있는 정보의 공개를 청구할 수 있는 이른바 개별적 정보공개청구권이 포함된다(대판 1999. 9. 21, 98두3426).

② **빈출** 정답률 4% ×

「공공기관의 정보공개에 관한 법률」 제5조【정보공개청구권자】 ① 모든 국민은 정보의 공개를 청구할 권리를 가진다.
② 외국인의 정보공개 청구에 관하여는 대통령령으로 정한다.

「공공기관의 정보공개에 관한 법률 시행령」 제3조【외국인의 정보공개 청구】 법 제5조 제2항에 따라 정보공개를 청구할 수 있는 외국인은 다음 각 호의 어느 하나에 해당하는 자로 한다.
1. 국내에 일정한 주소를 두고 거주하거나 학술 · 연구를 위하여 일시적으로 체류하는 사람
2. 국내에 사무소를 두고 있는 법인 또는 단체

③ **빈출** 정답률 8% ×

사법시험 제2차 시험의 답안지 열람은 시험문항에 대한 채점위원별 채점결과의 열람과 달리 사법시험업무의 수행에 현저한 지장을 초래한다고 볼 수 없다(공개대상)(대판 2003. 3. 14, 2000두6114).

④ 정답률 23% ×

「공공기관의 정보공개에 관한 법률」 제20조【행정소송】 ① 청구인이 정보공개와 관련한 공공기관의 결정에 대하여 불복이 있거나 정보공개 청구 후 20일이 경과하도록 정보공개결정이 없는 때에는 행정소송법에서 정하는 바에 따라 행정소송을 제기할 수 있다.

정답 02 ①

03 정답률 83% 중 2024 국가직 9급

정보공개에 대한 설명으로 옳지 않은 것은? (다툼이 있는 경우 판례에 의함)

□□□ ① 구 「학교폭력예방 및 대책에 관한 법률」에 따른 학교폭력대책자치위원회의 회의록은 「공공기관의 정보공개에 관한 법률」 소정의 '공개될 경우 업무의 공정한 수행에 현저한 지장을 초래한다고 인정할 만한 상당한 이유가 있는 정보'에 해당한다.

□□□ ② 정보공개를 청구하는 자가 공공기관에 대해 정보의 사본 또는 출력물의 교부방법으로 공개방법을 선택하여 정보공개청구를 한 경우, 공개청구를 받은 공공기관은 「공공기관의 정보공개에 관한 법률」에서 규정한 정보의 사본 또는 복제물의 교부를 제한할 수 있는 사유에 해당하지 않는 한 그 공개방법을 선택할 재량권이 없다.

□□□ ③ '2002학년도부터 2005학년도까지의 대학수학능력시험 원데이터'는 연구목적으로 그 정보의 공개를 청구하는 경우 「공공기관의 정보공개에 관한 법률」 소정의 비공개대상정보에 해당한다.

□□□ ④ 「공공기관의 정보공개에 관한 법률」상 '공개하는 것이 공익 또는 개인의 권리구제를 위하여 필요하다고 인정되는 정보'에 해당하는지 여부는 비공개에 의하여 보호되는 개인의 사생활의 비밀 등 이익과 공개에 의하여 보호되는 국정운영의 투명성 확보 등의 공익 또는 개인의 권리구제 등 이익을 비교·교량하여 구체적 사안에 따라 신중히 판단하여야 한다.

관련기출

①

1. 학교폭력대책자치위원회의 회의록은 「공공기관의 정보공개에 관한 법률」 제9조 제1항 제1호의 '다른 법률 또는 법률이 위임한 명령에 의하여 비밀 또는 비공개사항으로 규정된 정보'에 해당하지 않는다. (○, ×) 2019 소방직 9급
2. '학교폭력대책자치위원회 회의록'은 「공공기관의 정보공개에 관한 법률」 제9조 제1항 제1호의 비공개대상정보에 해당한다. (○, ×) 2015 경행특채 2차

1. × 2. ○

②

1. (甲은 행정청 A가 보유·관리하는 정보 중 乙과 관련이 있는 정보를 사본 교부의 방법으로 공개하여 줄 것을 청구하였다) A는 甲이 청구한 사본 교부의 방법이 아닌 열람의 방법으로 정보를 공개할 수 있는 재량을 가진다. (○, ×) 2017 국가직(하) 9급
2. 정보공개법 제13조 제2항에서 규정한 정보의 사본 또는 복제물의 교부를 제한할 수 있는 사유에 해당하지 아니하는 한 정보공개청구자가 선택한 공개방법에 따라 공개하여야 하므로 공공기관은 정보공개방법을 선택할 재량권이 없다. (○, ×) 2017 국회직 8급

1. × 2. ○

③

1. '2002학년도부터 2005학년도까지의 대학수학능력시험 원데이터'는 연구목적으로 그 정보의 공개를 청구하는 경우라도 공개로 인하여 초래될 부작용이 공개로 얻을 수 있는 이익보다 더 클 것이므로, 그 공개로 대학수학능력시험 업무의 공정한 수행이 객관적으로 현저하게 지장을 받을 것이라는 개연성이 있어 비공개대상정보에 해당한다. (○, ×) 2016 사회복지직 9급

1. ×

① **빈출** 정답률 5% ○

'학교폭력대책자치위원회 회의록'은 「공공기관의 정보공개에 관한 법률」 제9조 제1항 제1호 및 제5호의 비공개대상정보에 해당한다(비공개대상).

학교폭력대책자치위원회가 피해학생의 보호를 위한 조치, 가해학생에 대한 조치, 학교폭력과 관련된 분쟁의 조정 등에 관하여 심의한 결과를 기재한 회의록은 정보공개법 제9조 제1항 제5호의 '공개될 경우 업무의 공정한 수행에 현저한 지장을 초래한다고 인정할 만한 상당한 이유가 있는 정보'에 해당한다(대판 2010. 6. 10, 2010두2913).

② **빈출** 정답률 8% ○

정보공개를 청구하는 자가 공공기관에 대해 정보의 사본 또는 출력물의 교부방법으로 공개방법을 선택하여 정보공개청구를 한 경우, 공개청구를 받은 공공기관은 그 공개방법을 선택할 재량권이 없다.

정보공개를 청구하는 자가 공공기관에 대해 정보의 사본 또는 출력물의 교부의 방법으로 공개방법을 선택하여 정보공개청구를 한 경우에 공개청구를 받은 공공기관으로서는 정보공개법 제8조(현 제13조) 제2항에서 규정한 정보의 사본 또는 복제물의 교부를 제한할 수 있는 사유에 해당하지 않는 한 정보공개청구자가 선택한 공개방법에 따라 정보를 공개하여야 하므로 그 공개방법을 선택할 재량권이 없다고 해석함이 상당하다(대판 2003. 12. 12, 2003두8050).

③ 정답률 83% ×

'2002년도 및 2003년도 국가수준 학업성취도평가자료'는 「공공기관의 정보공개에 관한 법률」 제9조 제1항 제5호에서 정한 비공개대상정보에 해당하는 부분이 있으나, '2002학년도부터 2005학년도까지의 대학수학능력시험 원데이터'는 연구목적으로 그 정보의 공개를 청구하는 경우, 공개로 인하여 초래될 부작용이 공개로 얻을 수 있는 이익보다 더 클 것이라고 단정하기 어려우므로 그 공개로 대학수학능력시험 업무의 공정한 수행이 객관적으로 현저하게 지장을 받을 것이라는 고도의 개연성이 존재한다고 볼 수 없어 위 조항의 비공개대상정보에 해당하지 않는다(대판 2010. 2. 25, 2007두9877).

④ 정답률 2% ○

「공공기관의 정보공개에 관한 법률」(이하 '법'이라 한다) 제9조 제1항 제6호는 비공개대상정보의 하나로 '당해 정보에 포함되어 있는 이름·주민등록번호 등 개인에 관한 사항으로서 공개될 경우 개인의 사생활의 비밀 또는 자유를 침해할 우려가 있다고 인정되는 정보'를 규정하면서, 같은 호 단서 (다)목으로 '공공기관이 작성하거나 취득한 정보로서 공개하는 것이 공익 또는 개인의 권리구제를 위하여 필요하다고 인정되는 정보'는 제외된다고 규정하고 있다. 그런데 여기에서 '공개하는 것이 공익 또는 개인의 권리구제를 위하여 필요하다고 인정되는 정보'에 해당하는지 여부는 비공개에 의하여 보호되는 개인의 사생활의 비밀 등 이익과 공개에 의하여 보호되는 국정운영의 투명성 확보 등의 공익 또는 개인의 권리구제 등 이익을 비교·교량하여 구체적 사안에 따라 신중히 판단하여야 한다(대판 2009. 10. 29, 2009두14224).

정답 03 ③

04 빈출 ⓢ 2024 소방간부

정보공개에 관한 설명으로 옳지 않은 것은? (다툼이 있는 경우 판례에 의함)

□□□ ① 모든 국민은 정보공개청구권을 가지며, 여기서 국민에는 자연인뿐만 아니라 권리능력 없는 사단과 재단도 포함된다.

□□□ ② 국내에 일정한 주소를 두고 있지 않은 외국인이 학술대회 발표를 위해 1주일간 체류하는 경우에는 정보공개청구권자가 될 수 없다.

□□□ ③ 정보공개법령상 공개의 대상이 되는 정보는 공공기관이 직무상 작성 또는 취득하여 관리하고 있는 문서(전자문서 포함) 및 전자매체를 비롯한 모든 형태의 매체 등에 기록된 사항을 말한다.

□□□ ④ 정보공개청구는 정보공개를 구하는 자가 공개를 구하는 정보를 행정기관이 보유 · 관리하고 있을 상당한 개연성이 있다는 점을 입증함으로써 족하다 할 것이지만, 공공기관이 그 정보를 보유 · 관리하고 있지 아니한 경우에는 특별한 사정이 없는 한 정보공개거부처분의 취소를 구할 법률상의 이익이 없다.

□□□ ⑤ 한국방송공사(KBS)는 정보공개의무가 있는 「공공기관의 정보공개에 관한 법률」 제2조 제3호의 '공공기관'에 해당한다.

관련기출

①

1. 자연인은 물론 법인도 정보공개청구를 할 수 있으나 지방자치단체는 정보공개청구를 할 수 없다. (○, ×) 2023 군무원 7급
2. 정보공개청구권자인 국민에는 자연인은 물론 법인, 권리능력 없는 사단 · 재단도 포함되고, 법인, 권리능력 없는 사단 · 재단 등의 경우에는 설립목적을 불문한다. (○, ×) 2023 소방직 9급
3. 「공공기관의 정보공개에 관한 법률」 제5조 제1항의 국민에는 자연인은 물론 법인을 포함하지만 권리능력 없는 사단이나 재단은 이에 해당하지 아니한다. (○, ×) 2023 소방간부
4. 정보공개를 청구할 수 있는 권리를 가진 자에는 자연인 이외에 법인, 권리능력 없는 사단 및 재단이 포함되며, 법인, 권리능력 없는 사단 및 재단의 경우 정보공개청구 남용방지를 위해 법률상 이익의 존부 판단에 설립목적을 고려하여야 한다. (○, ×) 2022 서울시 7급

1. ○ 2. ○ 3. × 4. ×

③

1. '정보'란 공공기관이 직무상 작성 또는 취득하여 관리하고 있는 문서(전자문서를 포함한다) 및 전자매체를 비롯한 모든 매체 등에 기록된 사항을 말한다. (○, ×) 2022 군무원 7급, 2011 지방직 9급 변형
2. 「공공기관의 정보공개에 관한 법률」에서 정한 공개대상정보는 정보 그 자체가 아닌 제2조 제1호에서 예시하고 있는 매체 등에 기록된 사항을 의미한다. (○, ×) 2022 소방간부

1. ○ 2. ○

① **빈출** ○

모든 국민은 정보의 공개를 청구할 권리를 가진다(정보공개법 제5조 제1항). 여기서 국민에는 자연인뿐만 아니라 법인, 법인격 없는(권리능력 없는) 사단 · 재단도 포함된다. 다만, 지방자치단체와 같은 행정주체는 원칙적으로 기본권의 보호주체이지 스스로 기본권을 누릴 수 없다. 따라서 정보공개청구권의 주체가 되지 못한다.

> (환경운동연합이, 행정청이 주최한 간담회 등 각종 행사관련지출 자료에 포함된 행사참석자정보 등의 공개를 청구한 것에 대해 정보공개를 청구할 능력이 있다고 판시하면서) 정보공개청구권을 가지는 국민에는 자연인, 법인, 법인격 없는 사단 등이 모두 포함되며 법인, 법인격 없는 사단 등의 경우에는 설립목적을 불문한다(대판 2003. 12. 12, 2003두8050).

② ×

> 「공공기관의 정보공개에 관한 법률」 제5조 【정보공개청구권자】 ② 외국인의 정보공개청구에 관하여는 대통령령으로 정한다.
> 「공공기관의 정보공개에 관한 법률 시행령」 제3조 【외국인의 정보공개 청구】 법 제5조 제2항에 따라 정보공개를 청구할 수 있는 외국인은 다음 각 호의 어느 하나에 해당하는 자로 한다.
> 1. 국내에 일정한 주소를 두고 거주하거나 학술 · 연구를 위하여 일시적으로 체류하는 사람
> 2. 국내에 사무소를 두고 있는 법인 또는 단체

③ ○

> 「공공기관의 정보공개에 관한 법률」 제2조 【정의】 이 법에서 사용하는 용어의 뜻은 다음과 같다.
> 1. '정보'란 공공기관이 직무상 작성 또는 취득하여 관리하고 있는 문서(전자문서를 포함한다. 이하 같다) 및 전자매체를 비롯한 모든 형태의 매체 등에 기록된 사항을 말한다.

> 「공공기관의 정보공개에 관한 법률」에서 말하는 공개대상정보는 정보 그 자체가 아닌 정보공개법 제2조 제1호에서 예시하고 있는 매체 등에 기록된 사항을 의미한다(대판 2013. 1. 24, 2010두18918).

④ **빈출** ○

> 1. 공개를 구하는 정보를 공공기관이 보유 · 관리하고 있을 상당한 개연성이 있다는 점에 대하여 원칙적으로 공개청구자에게 증명책임이 있다(대판 2004. 12. 9, 2003두12707).
> 2. 공공기관이 공개를 구하는 정보의 폐기 등으로 인해 보유 · 관리하고 있지 아니한 경우, 정보공개거부처분의 취소를 구할 법률상 이익이 없다(대판 2003. 4. 25, 2000두7087).

⑤ **빈출** ○

> 한국방송공사(KBS)는 정보공개의무가 있는 공공기관에 해당한다.
> 방송법이라는 특별법에 의하여 설립 · 운영되는 한국방송공사(KBS)는 「공공기관의 정보공개에 관한 법률 시행령」 제2조 제4호의 '특별법에 의하여 설립된 특수법인'으로서 정보공개의무가 있는 「공공기관의 정보 공개에 관한 법률」 제2조 제3호의 '공공기관'에 해당한다(대판 2010. 12. 23, 2008두13101).

정답 04 ②

05 빈출 중 2024 변호사

「공공기관의 정보공개에 관한 법률」(이하 '정보공개법'이라 한다)에 따른 정보공개에 관한 설명 중 옳지 않은 것은? (다툼이 있는 경우 판례에 의함)

□□□ ① 사립대학교에 대한 국비 지원이 한정적 · 일시적 · 국부적이라는 점을 고려하더라도, 정보공개법 시행령에서 정보공개의무를 지는 공공기관의 하나로 사립대학교를 들고 있는 것이 헌법이 정한 대학의 자율성 보장 이념 등에 반하거나 모법인 정보공개법의 위임범위를 벗어나는 것이라고 볼 수 없다.

□□□ ② 청구인이 정보공개거부처분의 취소를 구하는 소송에서 공공기관이 청구정보를 증거 등으로 법원에 제출하여 법원을 통하여 그 사본을 청구인에게 교부 또는 송달되게 하여 결과적으로 청구인에게 정보를 공개하는 셈이 되었다면 이는 정보공개법에 의한 공개라고 볼 수 있다.

□□□ ③ 자신과 관련된 정보공개가 청구된 사실을 통지받은 제3자는 그 통지를 받은 날부터 3일 이내에 해당 공공기관에 대하여 이를 공개하지 아니할 것을 요청할 수 있고, 이러한 비공개 요청에도 불구하고 공공기관이 공개 결정을 할 때에는 공개결정이유와 공개실시일을 분명히 밝혀 지체 없이 문서로 통지하여야 한다

□□□ ④ 청구인에게는 특정한 공개방법을 지정하여 정보공개를 청구할 수 있는 법령상 신청권이 있으므로, 공공기관이 청구인이 신청한 공개방법 이외의 방법으로 공개하기로 하는 결정을 하였다면, 이는 정보공개청구 중 정보공개방법에 관한 부분에 대하여 일부 거부처분을 한 것이고, 청구인은 그에 대하여 항고소송으로 다툴 수 있다.

□□□ ⑤ 정보공개를 청구하여 정보공개 여부에 대한 결정의 통지를 받은 자가 정당한 사유 없이 해당 정보의 공개를 다시 청구하는 경우, 정보공개청구를 받은 공공기관은 정보공개청구대상정보의 성격, 종전 청구와의 내용적 유사성 · 관련성, 종전 청구와 동일한 답변을 할 수밖에 없는 사정 등을 종합적으로 고려하여 해당 청구를 종결처리할 수 있고, 종결처리사실을 청구인에게 알려야 한다.

① 빈출 ○

구 「공공기관의 정보공개에 관한 법률 시행령」 제2조 제1호가 정보공개의무를 지는 공공기관의 하나로 사립대학교를 들고 있는 것이 모법의 위임범위를 벗어났다거나 사립대학교가 국비의 지원을 받는 범위 내에서만 공공기관의 성격을 가진다고 볼 수 없다(사립대학교는 정보공개법상의 공공기관이다).

정보공개의 목적, 교육의 공공성 및 공 · 사립학교의 동질성, 사립대학교에 대한 국가의 재정지원 및 보조 등 여러 사정을 고려해 보면, 사립대학교에 대한 국비 지원이 한정적 · 일시적 · 국부적이라는 점을 고려하더라도, 구 「공공기관의 정보공개에 관한 법률 시행령」 제2조 제1호가 정보공개의무를 지는 공공기관의 하나로 사립대학교를 들고 있는 것이 모법의 위임범위를 벗어났다거나 사립대학교가 국비의 지원을 받는 범위 내에서만 공공기관의 성격을 가진다고 볼 수 없다(사립대학교는 정보공개법상의 공공기관이다)(대판 2006. 8. 24, 2004두2783).

② 빈출 ×

청구인이 정보공개거부처분의 취소를 구하는 소송에서 공공기관이 청구정보를 증거 등으로 법원에 제출하여 법원을 통하여 그 사본을 청구인에게 교부 또는 송달되게 하여 결과적으로 청구인에게 정보를 공개하는 셈이 되었다고 하더라도, 이러한 우회적인 방법은 정보공개법이 예정하고 있지 아니한 방법으로서 정보공개법에 의한 공개라고 볼 수는 없으므로, 당해 정보의 비공개결정의 취소를 구할 소의 이익은 소멸되지 않는다(대판 2016. 12. 15, 2012두11409 · 11416 병합).

③ ○

「공공기관의 정보공개에 관한 법률」 제21조 【제3자의 비공개 요청 등】 ① 제11조 제3항에 따라 공개 청구된 사실을 통지받은 제3자는 그 통지를 받은 날부터 3일 이내에 해당 공공기관에 대하여 자신과 관련된 정보를 공개하지 아니할 것을 요청할 수 있다.
② 제1항에 따른 비공개 요청에도 불구하고 공공기관이 공개 결정을 할 때에는 공개 결정 이유와 공개 실시일을 분명히 밝혀 지체 없이 문서로 통지하여야 하며, 제3자는 해당 공공기관에 문서로 이의신청을 하거나 행정심판 또는 행정소송을 제기할 수 있다. 이 경우 이의신청은 통지를 받은 날부터 7일 이내에 하여야 한다.

④ ○

1. 정보공개 청구인에게 특정한 정보공개방법을 지정하여 청구할 수 있는 법령상 신청권이 있다.
2. 공공기관이 공개청구의 대상이 된 정보를 청구인이 신청한 공개방법 이외의 방법으로 공개하기로 하는 결정을 한 경우, 정보공개방법에 관한 부분에 대하여 일부 거부처분을 한 것이며 이에 대하여 항고소송으로 다툴 수 있다(대판 2016. 11. 10, 2016두44674).

⑤ ○

「공공기관의 정보공개에 관한 법률」 제11조의2 【반복 청구 등의 처리】 ① 공공기관은 제11조에도 불구하고 제10조 제1항 및 제2항에 따른 정보공개청구가 다음 각 호의 어느 하나에 해당하는 경우에는 정보공개청구 대상정보의 성격, 종전 청구와의 내용적 유사성 · 관련성, 종전 청구와 동일한 답변을 할 수밖에 없는 사정 등을 종합적으로 고려하여 해당 청구를 종결처리할 수 있다. 이 경우 종결처리사실을 청구인에게 알려야 한다.
1. 정보공개를 청구하여 정보공개 여부에 대한 결정의 통지를 받은 자가 정당한 사유 없이 해당 정보의 공개를 다시 청구하는 경우
2. 정보공개청구가 제11조 제5항에 따라 민원으로 처리되었으나 다시 같은 청구를 하는 경우

정답 05 ②

06 빈출 정답률 74% 중 2023 지방직·서울시 7급

「공공기관의 정보공개에 관한 법률」(이하 '정보공개법'이라 함)에 대한 설명으로 옳지 않은 것은? (다툼이 있는 경우 판례에 의함)

□□□ ① 도시공원위원회의 회의관련자료 및 회의록은 시장 등의 결정의 대외적 공표행위가 있은 후에는 이를 의사결정과정이나 내부검토과정에 있는 사항이라고 할 수 없고 위 위원회의 회의관련자료 및 회의록을 공개하더라도 업무의 공정한 수행에 지장을 초래할 염려가 없으므로 공개대상이 된다.

□□□ ② 전자적 형태로 보유·관리되는 정보의 경우에 그 정보가 청구인이 구하는 대로 되어 있지 않더라도 공개청구를 받은 공공기관이 공개청구대상정보의 기초자료를 검색하여 청구인이 구하는 대로 편집할 수 있으며, 그 작업이 당해 기관의 업무수행에 별다른 지장을 초래하지 않는다면 그 공공기관이 공개청구대상정보를 보유·관리하고 있는 것으로 볼 수 있다.

□□□ ③ 정보공개법에서 공개대상의 예외로 규정하고 있는 '다른 법률 또는 법률에서 위임한 명령(국회규칙·대법원규칙·헌법재판소규칙·중앙선거관리위원회규칙·대통령령 및 조례로 한정함)에 따라 비밀이나 비공개사항으로 규정된 정보'의 해석에 있어서 '법률에서 위임한 명령'은 정보의 공개에 관하여 법률의 구체적인 위임 아래 제정된 법규명령(위임명령)을 의미한다.

□□□ ④ 정보공개청구인이 정보공개와 관련한 공공기관의 비공개결정 또는 부분공개결정에 대하여 불복하는 경우에는 정보공개법상 이의신청절차를 거친 후에야 비로소 행정심판을 청구할 수 있다.

관련기출

②

1. 공개청구를 받은 공공기관이 공개청구대상정보의 기초자료를 전자적 형태로 보유·관리하고 있고, 당해 기관에서 통상 사용되는 컴퓨터 하드웨어 및 소프트웨어와 기술적 전문지식을 사용하여 그 기초자료를 검색하여 청구인이 구하는 대로 편집할 수 있으며, 그러한 작업이 당해 기관의 컴퓨터 시스템 운용에 별다른 지장을 초래하지 아니한다면, 그 공공기관이 공개청구대상정보를 보유·관리하고 있는 것으로 볼 수 있다. (○, ×) 2021 경행경채
2. 정보공개제도는 공공기관이 보유·관리하는 정보를 그 상태대로 공개하는 제도이므로, 전자적 형태로 보유·관리하는 정보를 검색·편집하여야 하는 경우는 새로운 정보의 생산으로서 정보공개의 대상이 아니다. (○, ×) 2021 국회직 8급

1. ○ 2. ×

① 정답률 14% ○

지방자치단체의 도시공원에 관한 조례에서 규정된 도시공원위원회의 심의사항에 관하여 위 위원회의 심의를 거친 후 시장이나 구청장이 위 사항들에 대한 결정을 대외적으로 공표하기 전에 위 위원회의 회의관련자료 및 회의록이 공개된다면 업무의 공정한 수행에 현저한 지장을 초래한다고 할 것이므로, 위 위원회의 심의 후 그 심의사항들에 대한 시장 등의 결정의 대외적 공표행위가 있기 전까지는 위 위원회의 회의관련자료 및 회의록은 (구)「공공기관의 정보공개에 관한 법률」 제7조 제1항 제5호에서 규정하는 비공개대상정보에 해당한다고 할 것이고, 다만 시장 등의 결정의 대외적 공표행위가 있은 후에는 이를 의사결정과정이나 내부검토과정에 있는 사항이라고 할 수 없고 위 위원회의 회의관련자료 및 회의록을 공개하더라도 업무의 공정한 수행에 지장을 초래할 염려가 없으므로, 시장 등의 결정의 대외적 공표행위가 있은 후에는 위 위원회의 회의관련자료 및 회의록은 같은 법 제7조 제2항에 의하여 공개대상이 된다고 할 것인바, 지방자치단체의 도시공원에 관한 조례안에서 공개시기 등에 관한 아무런 제한 규정 없이 위 위원회의 회의관련자료 및 회의록은 공개하여야 한다고 규정하였다면 이는 같은 법 제7조 제1항 제5호에 위반된다고 할 것이다(대판 2000. 5. 30, 99추85).

② 정답률 4% ○

(대학수학능력시험 수험생의 원점수정보에 관한 공개청구를 행정청이 거부한 사안에서) 공공기관에 의하여 전자적 형태로 보유·관리되는 정보가 정보공개청구인이 구하는 대로 되어 있지 않더라도, 청구인이 구하는 대로 편집이 가능하며 그러한 작업이 당해 기관의 업무수행에 큰 지장을 초래하지 아니한다면 공공기관이 공개청구대상정보를 보유·관리하고 있는 것으로 볼 수 있다(대판 2010. 2. 11, 2009두6001).

③ 빈출 정답률 5% ○

법률이 위임한 명령은 정보의 공개에 관하여 법률의 구체적인 위임 아래 제정된 법규명령(위임명령)을 의미한다.

「공공기관의 정보공개에 관한 법률」 제1·3조, 헌법 제37조의 각 취지와 행정입법으로는 법률이 구체적으로 범위를 정하여 위임한 범위 안에서만 국민의 자유와 권리에 관련된 규율을 정할 수 있는 점 등을 고려할 때, (구) 「공공기관의 정보공개에 관한 법률」 제7조 제1항 제1호 소정의 '법률에 의한 명령'은 법률의 위임규정에 의하여 제정된 대통령령, 총리령, 부령 전부를 의미한다기보다는 정보의 공개에 관하여 법률의 구체적인 위임 아래 제정된 법규명령(위임명령)을 의미한다(대판 2003. 12. 11, 2003두8395).

④ 정답률 74% ×

이의신청절차는 임의적 절차에 불과하다.

「공공기관의 정보공개에 관한 법률」 제19조 【행정심판】 ② 청구인은 제18조에 따른 이의신청절차를 거치지 아니하고 행정심판을 청구할 수 있다.

정답 06 ④

07 정답률 83% 중 2023 국가직 7급

「공공기관의 정보공개에 관한 법률」상 정보공개에 대한 설명으로 옳지 않은 것은? (다툼이 있는 경우 판례에 의함)

□□□ ① 지방자치단체는 그 소관 사무에 관하여 법령의 범위에서 정보공개에 관한 조례를 정할 수 있다.

□□□ ② 정보공개청구인은 공공기관의 비공개결정에 불복하는 행정심판을 청구하려면 「공공기관의 정보공개에 관한 법률」에서 정하는 이의신청 절차를 거쳐야 한다.

□□□ ③ 정보공개거부처분 취소소송에서 공개청구의 취지에 어긋나지 아니하는 범위 안에서 공개를 거부한 정보가 비공개대상정보에 해당하는 부분과 공개가 가능한 부분으로 분리될 수 있다고 인정되면 법원은 공개가 가능한 부분을 특정하고 판결의 주문에 공개가 가능한 정보에 관한 부분만을 취소한다고 표시해야 한다.

□□□ ④ 공공기관이 공개청구의 대상이 된 정보를 청구인이 신청한 공개방법 이외의 방법으로 공개하는 결정을 하였다면, 이는 정보공개청구 중 정보공개방법에 관한 부분에 대하여 일부 거부처분을 한 것이므로 청구인은 그에 대하여 항고소송으로 다툴 수 있다.

관련기출

④

1. 청구인에게는 특정한 공개방법을 지정하여 정보공개를 청구할 수 있는 법령상 신청권이 있으므로, 공공기관이 청구인이 신청한 공개방법 이외의 방법으로 공개하기로 하는 결정을 하였다면, 이는 정보공개 청구 중 정보공개방법에 관한 부분에 대하여 일부 거부처분을 한 것이고, 청구인은 그에 대하여 항고소송으로 다툴 수 있다. (○, ×) 2024 변호사
2. 공공기관이 공개청구의 대상이 된 정보를 공개는 하되, 청구인이 신청한 공개방법 이외의 방법으로 공개하기로 하는 결정을 하였다면, 이는 정보공개청구 중 정보공개방법에 관한 부분만을 달리한 것이므로 일부 거부처분이라 할 수 없다. (○, ×) 2022 지방직 7급
3. 정보공개청구에 대하여 행정청이 전부공개 결정을 하는 경우에는, 청구인이 지정한 정보공개방법에 의하지 않았다고 하더라도 청구인은 이를 다툴 수 없다. (○, ×) 2022 국가직 7급
4. 공공기관이 공개청구의 대상이 된 정보를 공개는 하되, 청구인이 신청한 공개방법 이외의 방법으로 공개하기로 하는 결정을 한 경우 이는 정보공개방법만을 달리한 것이므로 일부 거부처분이라 할 수 없다. (○, ×) 2020 지방직 · 서울시 9급

1. ○ 2. × 3. × 4. ×

① 정답률 5% ○

「공공기관의 정보공개에 관한 법률」 제4조 【적용범위】 ② 지방자치단체는 그 소관 사무에 관하여 법령의 범위에서 정보공개에 관한 조례를 정할 수 있다.

② 정답률 83% ×

「공공기관의 정보공개에 관한 법률」 제18조 【이의신청】 ① 청구인이 정보공개와 관련한 공공기관의 비공개결정 또는 부분공개결정에 대하여 불복이 있거나 정보공개 청구 후 20일이 경과하도록 정보공개결정이 없는 때에는 공공기관으로부터 정보공개 여부의 결정 통지를 받은 날 또는 정보공개 청구 후 20일이 경과한 날부터 30일 이내에 해당 공공기관에 문서로 이의신청을 할 수 있다.

제19조 【행정심판】 ② 청구인은 제18조에 따른 이의신청 절차를 거치지 아니하고 행정심판을 청구할 수 있다.

③ **빈출** 정답률 5% ○

법원이 행정청의 정보공개거부처분의 위법 여부를 심리한 결과 공개를 거부한 정보에 비공개대상정보에 해당하는 부분과 공개가 가능한 부분이 혼합되어 있고 공개청구의 취지에 어긋나지 아니하는 범위 안에서 두 부분을 분리할 수 있음을 인정할 수 있을 때에는, 위 정보 중 공개가 가능한 부분을 특정하고 판결의 주문에 행정청의 위 거부처분 중 공개가 가능한 정보에 관한 부분만을 취소한다고 표시하여야 한다(대판 2003. 3. 11, 2001두6425).

④ 정답률 6% ○

1. 정보공개 청구인에게 특정한 정보공개방법을 지정하여 청구할 수 있는 법령상 신청권이 있다.
2. 공공기관이 공개청구의 대상이 된 정보를 청구인이 신청한 공개방법 이외의 방법으로 공개하기로 하는 결정을 한 경우, 정보공개방법에 관한 부분에 대하여 일부 거부처분을 한 것이며 이에 대하여 항고소송으로 다툴 수 있다.

   공공기관이 공개청구의 대상이 된 정보를 공개는 하되, 청구인이 신청한 공개방법 이외의 방법으로 공개하기로 하는 결정을 하였다면, 이는 정보공개청구 중 정보공개방법에 관한 부분에 대하여 일부 거부처분을 한 것이고, 청구인은 그에 대하여 항고소송으로 다툴 수 있다(대판 2016. 11. 10, 2016두44674).1

정답 07 ②

08 정답률 85% 중 2023 지방직 · 서울시 9급

「공공기관의 정보공개에 관한 법률」상 정보공개에 대한 설명으로 옳은 것만을 모두 고르면?

□□□ ㉠ 모든 국민은 정보의 공개를 청구할 권리를 가진다.

□□□ ㉡ 법무부령인 검찰보존사무규칙은 행정기관 내부의 사무처리준칙인 행정규칙이지만, 검찰보존사무규칙상의 열람·등사의 제한은 「공공기관의 정보공개에 관한 법률」 제9조 제1항 제1호의 '다른 법률 또는 법률에 의한 명령에 의하여 비공개사항으로 규정된 경우'에 해당한다.

□□□ ㉢ 해당 정보를 취득 또는 활용할 의사가 전혀 없이 정보공개제도를 이용하여 사회통념상 용인될 수 없는 부당한 이득을 얻으려 하거나, 오로지 공공기관의 담당공무원을 괴롭힐 목적으로 정보공개청구를 하는 경우 권리남용에 해당함이 명백하므로 정보공개청구권의 행사가 허용되지 아니한다.

□□□ ㉣ 청구인이 정보공개와 관련한 공공기관의 결정에 대하여 불복이 있거나 정보공개청구 후 10일이 경과하도록 정보공개 결정이 없는 때에는 행정심판법에서 정하는 바에 따라 행정심판을 청구할 수 있다.

① ㉠, ㉡ ② ㉠, ㉢
③ ㉡, ㉣ ④ ㉢, ㉣

관련기출

㉡

1. 법무부령인 검찰보존사무규칙에서 불기소사건기록 등의 열람·등사 등을 제한하는 것은 「공공기관의 정보공개에 관한 법률」에 따른 '다른 법률 또는 명령에 의하여 비공개사항으로 규정된 경우'에 해당되어 적법하다. (O, ×) 2017 지방직(하) 9급
2. 법무부령으로 제정된 검찰보존사무규칙상의 기록의 열람·등사의 제한규정은 구 「공공기관의 정보공개에 관한 법률」 제9조 제1항 제1호의 '다른 법률 또는 법률에 의한 명령에 의하여 비공개사항으로 규정된 경우'에 해당한다. (O, ×) 2014 지방직 9급
3. 검찰보존사무규칙은 행정기관 내부의 사무처리준칙으로서 검찰보존사무규칙상의 열람·등사의 제한은 「공공기관의 정보공개에 관한 법률」 제9조 제1항 제1호의 '다른 법률 또는 법률에 의한 명령에 의하여 비공개사항으로 규정된 경우'에 해당한다. (O, ×) 2013 국회직 8급

1. × 2. × 3. ×

② ㉠㉢이 옳은 설명이다.

㉠ **빈출** ○

「공공기관의 정보공개에 관한 법률」 제5조 【정보공개 청구권자】 ① 모든 국민은 정보의 공개를 청구할 권리를 가진다.

㉡ **빈출** ×

(형식은 법무부령인) 검찰보존사무규칙의 법적 성질은 행정규칙으로서 그 규칙에서 불기소사건기록 등의 열람·등사를 제한하는 것은 구 「공공기관의 정보공개에 관한 법률」 제7조 제1항 제1호의 '다른 법률 또는 법률에 의한 명령에 의하여 비공개사항으로 규정된 경우'에 해당하지 않는다(대판 2004. 9. 23, 2003두1370).

㉢ **빈출** ○

국민의 정보공개청구가 권리의 남용에 해당하는 것이 명백한 경우, 정보공개청구권의 행사를 허용해야 하는 것은 아니다.

국민의 정보공개청구는 정보공개법 제9조에 정한 비공개대상정보에 해당하지 아니하는 한 원칙적으로 폭넓게 허용되어야 하지만, 실제로는 해당 정보를 취득 또는 활용할 의사가 전혀 없이 정보공개제도를 이용하여 사회통념상 용인될 수 없는 부당한 이득을 얻으려 하거나, 오로지 공공기관의 담당공무원을 괴롭힐 목적으로 정보공개청구를 하는 경우처럼 권리의 남용에 해당하는 것이 명백한 경우에는 정보공개청구권의 행사를 허용하지 아니하는 것이 옳다(대판 2014. 12. 24, 2014두9349).

㉣ ×

「공공기관의 정보공개에 관한 법률」 제19조 【행정심판】 ① 청구인이 정보공개와 관련한 공공기관의 결정에 대하여 불복이 있거나 정보공개청구 후 20일이 경과하도록 정보공개 결정이 없는 때에는 행정심판법에서 정하는 바에 따라 행정심판을 청구할 수 있다. 이 경우 국가기관 및 지방자치단체 외의 공공기관의 결정에 대한 감독행정기관은 관계 중앙행정기관의 장 또는 지방자치단체의 장으로 한다.

정답 08 ②

09 정답률 84% 중 2023 소방직 9급

「공공기관의 정보공개에 관한 법률」에 관한 설명으로 옳지 않은 것은? (다툼이 있는 경우 판례에 의함)

① 국민의 정보공개청구가 오로지 공공기관의 담당공무원을 괴롭힐 목적으로 정보공개청구를 하는 경우처럼 권리의 남용에 해당하는 것이 명백한 경우에는 정보공개청구권의 행사가 허용되지 아니한다.

② 정보공개청구권자인 국민에는 자연인은 물론 법인, 권리능력 없는 사단 · 재단도 포함되고, 법인, 권리능력 없는 사단 · 재단 등의 경우에는 설립목적을 불문한다.

③ 공개청구의 대상이 되는 정보란 공공기관이 직무상 작성 또는 취득하여 현재 보유 · 관리하고 있는 문서에 한정되며, 그 문서가 반드시 원본일 필요는 없다.

④ '진행 중인 재판에 관련된 정보'에 해당한다는 사유로 정보공개청구를 거부하기 위하여는 그 정보가 진행 중인 재판에 관련된 일체의 정보일 뿐만 아니라, 진행 중인 재판의 소송기록 그 자체에 포함된 내용의 정보에 해당하여야 한다.

관련기출

④
1. 「공공기관의 정보공개에 관한 법률」 제9조 제1항 제4호의 '진행 중인 재판에 관련된 정보'에 해당한다는 사유로 정보공개를 거부하려면 그 정보가 진행 중인 재판의 소송기록 자체에 포함된 내용이어야만 한다. (○, ×) 2023 소방간부
2. 비공개대상정보로 '진행 중인 재판에 관련된 정보'는 재판에 관련된 일체의 정보가 그에 해당하는 것은 아니고, 진행 중인 재판의 심리 또는 재판결과에 구체적으로 영향을 미칠 위험이 있는 정보에 한정된다. (○, ×) 2021 지방직 · 서울시 7급
3. 「공공기관의 정보공개에 관한 법률」 제9조 제1항 제4호의 '진행 중인 재판에 관련된 정보'에 해당한다는 사유로 정보공개를 거부하기 위해서는 그 정보가 진행 중인 재판의 소송기록 그 자체에 포함된 내용이어야 한다. (○, ×) 2017 국가직 7급
4. 법원 이외의 공공기관이 「공공기관의 정보공개에 관한 법률」 제9조 제1항 제4호에서 정한 '진행 중인 재판에 관련된 정보'에 해당한다는 사유로 정보공개를 거부하기 위하여는 반드시 그 정보가 진행 중인 재판의 소송기록 자체에 포함된 내용일 필요는 없다. (○, ×) 2013 국회직 8급

1. × 2. ○ 3. × 4. ○

① ○

> 국민의 정보공개청구가 권리의 남용에 해당하는 것이 명백한 경우, 정보공개청구권의 행사를 허용해야 하는 것은 아니다.
> 국민의 정보공개청구는 정보공개법 제9조에 정한 비공개대상정보에 해당하지 아니하는 한 원칙적으로 폭넓게 허용되어야 하지만, 실제로는 해당 정보를 취득 또는 활용할 의사가 전혀 없이 정보공개제도를 이용하여 사회통념상 용인될 수 없는 부당한 이득을 얻으려 하거나, 오로지 공공기관의 담당공무원을 괴롭힐 목적으로 정보공개청구를 하는 경우처럼 권리의 남용에 해당하는 것이 명백한 경우에는 정보공개청구권의 행사를 허용하지 아니하는 것이 옳다(대판 2014. 12. 24, 2014두9349).

② ○
정보공개청구권을 가지는 국민에는 자연인, 법인, 법인격 없는 사단 등이 모두 포함되며 법인, 법인격 없는 사단 등의 경우에는 설립목적을 불문한다는 것이 판례의 입장이다(대판 2003. 12. 12, 2003두8050).

③ ○
「공공기관의 정보공개에 관한 법률」상 공개청구의 대상이 되는 정보란 공공기관이 직무상 작성 또는 취득하여 현재 보유 · 관리하고 있는 문서에 한정되는 것이기는 하나, 그 문서가 반드시 원본일 필요는 없다는 것이 판례의 입장이다(대판 2006. 5. 25, 2006두3049).

④ **빈출** ×

> 1. '진행 중인 재판에 관련된 정보'에 해당한다는 사유로 정보공개를 거부하기 위하여는 반드시 그 정보가 진행 중인 재판의 소송기록 자체에 포함된 내용일 필요는 없다.
> 2. '진행 중인 재판에 관련된 정보'란 재판에 관련된 일체의 정보가 그에 해당하는 것은 아니고 진행 중인 재판의 심리 또는 재판결과에 구체적으로 영향을 미칠 위험이 있는 정보에 한정된다고 보는 것이 타당하다(대판 2011. 11. 24, 2009두19021).

> **「공공기관의 정보공개에 관한 법률」 제9조【비공개대상정보】** ① 공공기관이 보유 · 관리하는 정보는 공개대상이 된다. 다만, 다음 각 호의 어느 하나에 해당하는 정보는 공개하지 아니할 수 있다.
> 4. 진행 중인 재판에 관련된 정보와 범죄의 예방, 수사, 공소의 제기 및 유지, 형의 집행, 교정(矯正), 보안처분에 관한 사항으로서 공개될 경우 그 직무수행을 현저히 곤란하게 하거나 형사피고인의 공정한 재판을 받을 권리를 침해한다고 인정할 만한 상당한 이유가 있는 정보

정답 09 ④

10 중 2023 소방간부

정보공개에 관한 설명으로 옳은 것은? (다툼이 있는 경우 판례에 의함)

□□□ ① 「공공기관의 정보공개에 관한 법률」 제9조 제1항 제4호의 '진행 중인 재판에 관련된 정보'에 해당한다는 사유로 정보공개를 거부하려면 그 정보가 진행 중인 재판의 소송기록 자체에 포함된 내용이어야만 한다.

□□□ ② 「공공기관의 정보공개에 관한 법률」 제9조 제1항 제6호 본문 규정에 따라 비공개대상이 되는 정보는 성명 · 주민등록번호 등 개인식별정보에 한정된다.

□□□ ③ 「공공기관의 정보공개에 관한 법률」 제9조 제1항 제5호의 '공개될 경우 업무의 공정한 수행에 현저한 지장을 초래한다고 인정할 만한 상당한 이유가 있는 경우'란 공개될 경우 업무의 공정한 수행이 객관적으로 현저하게 지장을 받을 것이라는 고도의 개연성이 존재하는 경우를 의미한다.

□□□ ④ 「공공기관의 정보공개에 관한 법률」 제5조 제1항의 국민에는 자연인은 물론 법인을 포함하지만 권리능력 없는 사단이나 재단은 이에 해당하지 아니한다.

□□□ ⑤ 공공기관은 「공공기관의 정보공개에 관한 법률」상 개별적 비공개사유에 해당하는 경우 이에 대한 주장이나 입증 없이 개괄적인 사유의 제시만으로 그 공개를 거부할 수 있다.

관련기출

②

1. 국민의 알권리를 두텁게 보호하기 위해 「공공기관의 정보공개에 관한 법률」 제9조 제1항 제6호 본문의 규정에 따라 비공개대상이 되는 정보는 이름 · 주민등록번호 등 '개인식별정보'로 한정된다. (○, ×) 2020 지방직 · 서울시 9급
2. 「공공기관의 정보공개에 관한 법률」 제9조 제1항 제6호 소정의 '당해 정보에 포함되어 있는 이름, 주민등록번호 등 개인에 대한 사항으로서 공개될 경우 개인의 사생활의 비밀 또는 자유를 침해할 우려가 있다고 인정되는 정보'의 의미와 범위는 구법과 마찬가지로 개인식별정보에 제한된다고 해석해야 한다. (○, ×) 2013 국회직 8급

1. × 2. ×

⑤

1. 공공기관이 정보공개를 거부하는 경우에는 어느 부분이 어떠한 법익 또는 기본권과 충돌되어 비공개사유에 해당하는지를 주장 · 증명하여야 하고, 그에 이르지 아니한 채 개괄적인 사유만을 들어 공개를 거부하는 것은 허용되지 아니한다. (○, ×) 2022 지방직 · 서울시 9급
2. 공공기관이 정보공개를 거부할 때에는 개괄적인 사유만을 들 수 없고 어느 부분이 어떠한 법익 또는 기본권과 충돌하여 비공개사유에 해당하는지를 밝혀야 하나, 정보공개법 제9조 제1항 몇 호에서 정하고 있는 비공개사유에 해당하는지 주장 · 입증할 필요까지는 없다. (○, ×) 2022 국회직 8급
3. 정보공개를 요구받은 공공기관이 법률에서 정한 비공개사유에 해당하는지를 주장 · 증명하지 아니한 채 개괄적인 사유만을 들어 공개를 거부하는 것은 허용되지 아니한다. (○, ×) 2021 지방직 · 서울시 7급

1. ○ 2. × 3. ○

① ×

1. '진행 중인 재판에 관련된 정보'에 해당한다는 사유로 정보공개를 거부하기 위하여는 반드시 그 정보가 진행 중인 재판의 소송기록 자체에 포함된 내용일 필요는 없다.
2. '진행 중인 재판에 관련된 정보'란 재판에 관련된 일체의 정보가 그에 해당하는 것은 아니고 진행 중인 재판의 심리 또는 재판결과에 구체적으로 영향을 미칠 위험이 있는 정보에 한정된다고 보는 것이 타당하다(대판 2011. 11. 24, 2009두19021).

② ×

「공공기관의 정보공개에 관한 법률」 제9조 제1항 제6호 본문에서 정한 '당해 정보에 포함되어 있는 이름 · 주민등록번호 등 개인에 관한 사항으로서 공개될 경우 개인의 사생활의 비밀 또는 자유를 침해할 우려가 있다고 인정되는 정보'는 이름 · 주민등록번호 등 정보 형식이나 유형을 기준으로 비공개대상정보에 해당하는지를 판단하는 '개인식별정보'뿐만 아니라 그 외에 정보의 내용을 구체적으로 살펴 '개인에 관한 사항의 공개로 개인의 내밀한 내용의 비밀 등이 알려지게 되고, 그 결과 인격적 · 정신적 내면생활에 지장을 초래하거나 자유로운 사생활을 영위할 수 없게 될 위험성이 있는 정보'도 포함된다고 새겨야 한다(대판 2012. 6. 18, 2011두2361 전합).

③ ○

「공공기관의 정보공개에 관한 법률」(이하 '정보공개법'이라 한다) 제9조 제1항 제5호에서 비공개대상정보로 규정하고 있는 '감사 · 감독 · 검사 · 시험 · 규제 · 입찰계약 · 기술개발 · 인사관리 · 의사결정과정 또는 내부검토과정에 있는 사항 등으로서 공개될 경우 업무의 공정한 수행에 현저한 지장을 초래한다고 인정할 만한 상당한 이유가 있는 정보'란 정보공개법 제1조의 정보공개제도의 목적 및 정보공개법 제9조 제1항 제5호에 따른 비공개대상정보의 입법 취지에 비추어 볼 때, 공개될 경우 업무의 공정한 수행이 객관적으로 현저하게 지장을 받을 것이라는 고도의 개연성이 존재하는 경우를 말한다(대판 2012. 10. 11, 2010두18758).

④ ×

정보공개청구권을 가지는 국민에는 자연인, 법인, 법인격 없는 사단 등이 모두 포함되며 법인, 법인격 없는 사단 등의 경우에는 설립목적을 불문한다는 것이 판례의 입장이다(대판 2003. 12. 12, 2003두8050).

⑤ **빈출** ×

정보공개를 요구받은 공공기관은 법률 제 몇 호의 비공개사유에 해당하는지를 주장 · 입증하여야 하며, 개괄적 사유만을 들어 공개를 거부할 수 없다.
만일 정보공개를 거부하는 경우라 할지라도 대상이 된 정보의 내용을 구체적으로 확인 · 검토하여 어느 부분이 어떠한 법익 또는 기본권과 충돌되어 정보공개법 제7조(현 제9조) 제1항 몇 호에서 정하고 있는 비공개사유에 해당하는지를 주장 · 입증하여야만 할 것이며, 그에 이르지 아니한 채 개괄적인 사유만을 들어 공개를 거부하는 것은 허용되지 아니한다(대판 2003. 12. 11, 2001두8827).

정답 10 ③

11 정답률 83% 중 2022 국가직 7급

정보공개에 대한 판례의 입장으로 옳지 않은 것은?

□□□ ① 정보공개청구권자의 권리구제 가능성은 정보의 공개 여부 결정에 영향을 미치지 못한다.

□□□ ② 정보공개청구에 대하여 행정청이 전부공개 결정을 하는 경우에는, 청구인이 지정한 정보공개방법에 의하지 않았다고 하더라도 청구인은 이를 다툴 수 없다.

□□□ ③ 정보공개거부처분 취소소송에서 행정기관이 청구정보를 증거 등으로 법원에 제출하여 결과적으로 청구인에게 정보를 공개하는 결과가 되었다고 하더라도, 당해 정보의 비공개결정의 취소를 구할 소의 이익은 소멸되지 않는다.

□□□ ④ 형사소송법은 형사재판확정기록의 공개 여부 등에 대하여 「공공기관의 정보공개에 관한 법률」과 달리 규정하고 있으므로, 형사재판확정기록의 공개에 관하여는 「공공기관의 정보공개에 관한 법률」에 의한 공개청구가 허용되지 아니한다.

관련기출

③

1. 정보비공개결정 취소소송에서 원고인 청구인이 소송과정에서 공공기관이 법원에 제출한 정보의 사본을 송달받은 경우, 그 정보의 비공개결정의 취소를 구할 소의 이익이 소멸한다. (○, ×) 2023 국회직 8급
2. 정보공개거부처분의 취소를 구하는 소송에서 공공기관이 청구정보를 증거 등으로 법원에 제출하여 법원을 통하여 그 사본을 청구인에게 교부 또는 송달되게 하여 결과적으로 청구인에게 정보를 공개하는 셈이 되었다면, 당해 정보의 비공개결정의 취소를 구할 소의 이익은 소멸된다. (○, ×) 2022 지방직 7급, 2018 국가직 7급
3. 정보공개거부처분의 취소를 구하는 소송에서 공공기관이 청구정보를 증거 등으로 법원에 제출하여 법원을 통하여 그 사본을 청구인에게 교부 또는 송달되게 하여 청구인에게 정보를 공개하는 셈이 되었다면, 이러한 우회적인 방법에 의한 공개는 「공공기관의 정보공개에 관한 법률」에 의한 공개라고 볼 수 있다. (○, ×) 2020 국가직 9급

1. × 2. × 3. ×

④

1. 형사소송법이 형사재판확정기록의 공개 여부나 공개범위, 불복절차 등에 대하여 규정하고 있는 것은 정보공개법 제4조 제1항에서 정한 '정보의 공개에 관하여 다른 법률에 특별한 규정이 있는 경우'에 해당한다고 볼 수 없으므로, 형사재판확정기록의 공개에 관하여는 정보공개법에 의한 공개청구가 허용된다. (○, ×) 2021 국회직 8급
2. 형사재판확정기록의 공개에 관하여는 형사소송법의 규정이 적용되므로 「공공기관의 정보공개에 관한 법률」에 의한 공개청구는 허용되지 아니한다. (○, ×) 2019 지방직 7급

1. × 2. ○

① 빈출 ○

정보공개청구권자의 권리구제 가능성 등이 정보의 공개 여부 결정에 영향을 미치는 것은 아니다.

「공공기관의 정보공개에 관한 법률」은 국민의 알권리를 보장하고 국정에 대한 국민의 참여와 국정운영의 투명성을 확보함을 목적으로 하고(제1조), 공공기관이 보유·관리하는 정보는 국민의 알권리 보장 등을 위하여 적극적으로 공개하여야 한다는 정보공개의 원칙을 선언하고 있으며(제3조), 모든 국민은 정보의 공개를 청구할 권리를 가진다고 하면서(제5조 제1항) 비공개대상정보에 해당하지 않는 한 공공기관이 보유·관리하는 정보는 공개대상이 된다고 규정하고 있을 뿐(제9조 제1항) 정보공개청구권자가 공개를 청구하는 정보와 어떤 관련성을 가질 것을 요구하거나 정보공개청구의 목적에 특별한 제한을 두고 있지 아니하므로 정보공개청구권자의 권리구제 가능성 등은 정보의 공개 여부 결정에 아무런 영향을 미치지 못한다(대판 2017. 9. 7, 2017두44558).

② ×

공공기관이 공개청구의 대상이 된 정보를 공개는 하되, 청구인이 신청한 공개방법 이외의 방법으로 공개하기로 하는 결정을 하였다면, 이는 정보공개청구 중 정보공개방법에 관한 부분에 대하여 일부 거부처분을 한 것이고, 청구인은 그에 대하여 항고소송으로 다툴 수 있다는 것이 판례의 입장이다(대판 2016. 11. 10, 2016두44674).

③ ○

청구인이 정보공개거부처분의 취소를 구하는 소송에서 공공기관이 청구정보를 증거 등으로 법원에 제출하여 법원을 통하여 그 사본을 청구인에게 교부 또는 송달되게 하여 결과적으로 청구인에게 정보를 공개하는 셈이 되었다고 하더라도, 이러한 우회적인 방법은 정보공개법이 예정하고 있지 아니한 방법으로서 정보공개법에 의한 공개라고 볼 수는 없으므로, 당해 정보의 비공개결정의 취소를 구할 소의 이익은 소멸되지 않는다(대판 2016. 12. 15, 2012두11409 · 11416 병합).

④ 빈출 ○

정보의 공개에 관하여는 다른 법률에 특별한 규정이 있는 경우에는 정보공개법의 적용이 배제되는바 형사소송법 제59조의2는 구 「공공기관의 정보공개에 관한 법률」 제4조 제1항에서 정한 '정보의 공개에 관하여 다른 법률에 특별한 규정이 있는 경우'에 해당한다.

형사소송법 제59조의2의 내용 · 취지 등을 고려하면, 형사소송법 제59조의2는 형사재판확정기록의 공개 여부나 공개 범위, 불복절차 등에 대하여 정보공개법과 달리 규정하고 있는 것으로 정보공개법 제4조 제1항에서 정한 '정보의 공개에 관하여 다른 법률에 특별한 규정이 있는 경우'에 해당한다. 따라서 형사재판확정기록의 공개에 관하여는 정보공개법에 의한 공개청구가 허용되지 아니한다(대판 2016. 12. 15, 2013두20882).

정답 11 ②

12 빈출 정답률 84% 중 2022 지방직 · 서울시 9급

「공공기관의 정보공개에 관한 법률」상 정보공개에 대한 설명으로 옳지 않은 것은? (다툼이 있는 경우 판례에 의함)

□□□ ① 정보공개청구권자의 권리구제 가능성은 정보의 공개 여부 결정에 아무런 영향을 미치지 못한다.

□□□ ② 학교환경위생구역 내 금지행위 해제결정에 관한 학교환경위생정화위원회의 회의록에 기재된 발언내용에 대한 해당 발언자의 인적사항 부분에 관한 정보는 비공개대상에 해당하지 아니한다.

□□□ ③ 공공기관이 정보공개를 거부하는 경우에는 어느 부분이 어떠한 법익 또는 기본권과 충돌되어 비공개사유에 해당하는지를 주장 · 증명하여야 하고, 그에 이르지 아니한 채 개괄적인 사유만을 들어 공개를 거부하는 것은 허용되지 아니한다.

□□□ ④ 공개를 구하는 정보를 공공기관이 한때 보유 · 관리하였으나 후에 그 정보가 담긴 문서 등이 폐기되어 존재하지 않게 된 것이라면 그 정보를 더 이상 보유 · 관리하고 있지 아니하다는 점에 대한 증명책임은 공공기관에게 있다.

관련기출

①

1. 「공공기관의 정보공개에 관한 법률」은 정보공개청구권자가 공개를 청구하는 정보와 어떤 관련성을 가질 것을 요구하거나 정보공개청구의 목적에 특별한 제한을 두고 있지 아니하므로 정보공개청구권자의 권리구제 가능성 등은 정보의 공개 여부 결정에 아무런 영향을 미치지 못한다. (○, ×) 2020 국가직 9급

1. ○

④

1. 정보공개를 청구하는 자가 공개를 구하는 정보를 행정기관이 보유 · 관리하고 있을 상당한 개연성이 있다는 점을 입증하여야 한다. (○, ×) 2020 지방직 · 서울시 7급
2. 공개청구된 정보를 공공기관이 한때 보유 · 관리하였으나 후에 그 정보가 담긴 문서가 정당하게 폐기되어 존재하지 않게 된 경우, 정보 보유 · 관리 여부의 입증책임은 정보공개청구자에게 있다. (○, ×) 2019 국가직 7급
3. 공공기관이 정보를 한때 보유 · 관리하였으나 후에 그 정보를 더 이상 보유 · 관리하고 있지 아니하다는 점에 대한 증명책임의 소재는 정보공개청구권자에게 있다. (○, ×) 2017 국가직(하) 7급

1. ○ 2. × 3. ×

① ○

「공공기관의 정보공개에 관한 법률」은 정보공개청구권자가 공개를 청구하는 정보와 어떤 관련성을 가질 것을 요구하거나 정보공개청구의 목적에 특별한 제한을 두고 있지 아니하므로 정보공개청구권자의 권리구제 가능성 등은 정보의 공개 여부 결정에 아무런 영향을 미치지 못한다는 것이 판례의 입장이다(대판 2017. 9. 7, 2017두44558).

② ×

학교환경위생구역 내 금지행위(모텔)해제결정에 관한 학교환경위생정화위원회의 회의록에 기재된 발언 내용에서 해당 발언자의 인적사항 부분에 관한 정보는 의사결정에 있는 사항에 준하는 사항으로서 비공개대상정보에 포함될 수 있다.

「공공기관의 정보공개에 관한 법률」상 비공개대상정보의 입법취지에 비추어 살펴보면, 같은 법 제7조 제1항 제5호(편저자 주 : 개정 전의 조문내용이고 현재는 제9조 제1항에 해당)의 '감사 · 감독 · 검사 · 시험 · 규제 · 입찰계약 · 기술개발 · 인사관리 · 의사결정 과정 또는 내부검토 과정에 있는 사항'은 비공개대상정보를 예시적으로 열거한 것이라고 할 것이므로 의사결정 과정에 제공된 회의 관련 자료나 의사결정 과정이 기록된 회의록 등은 의사가 결정되거나 의사가 집행된 경우에는 더 이상 의사결정 과정에 있는 사항 그 자체라고는 할 수 없으나, 의사결정 과정에 있는 사항에 준하는 사항으로서 비공개대상정보에 포함될 수 있다(대판 2003. 8. 22, 2002두12946).

③ ○

정보공개를 요구받은 공공기관은 법률 제 몇 호의 비공개사유에 해당하는지를 주장 · 입증하여야 하며, 개괄적 사유만을 들어 공개를 거부할 수 없다는 것이 판례의 입장이다(대판 2003. 12. 11, 2001두8827).

④ ○

1. 공개를 구하는 정보를 공공기관이 보유 · 관리하고 있을 상당한 개연성이 있다는 점에 대하여 원칙적으로 공개청구자에게 증명책임이 있다.
2. 그러나 공개를 구하는 정보를 공공기관이 한 때 보유 · 관리하였으나 후에 그 정보가 담긴 문서 등이 폐기되어 존재하지 않게 된 것이라면 그 정보를 더 이상 보유 · 관리하고 있지 아니하다는 점에 대한 증명책임은 공공기관에게 있다(대판 2004. 12. 9, 2003두12707).

정답 12 ②

13 빈출 정답률 69% 상 2022 소방직 9급

신문사 기자 갑(甲)은 A광역시가 보유 · 관리하고 있던 시의원 을(乙)과 관련이 있는 정보를 사본 교부의 방법으로 공개하여 줄 것을 청구하였다. 이에 대한 설명으로 옳지 않은 것은? (다툼이 있는 경우 판례에 의함)

① 정보공개청구권자가 선택한 공개방법에 따라 정보를 공개하여야 하므로, 원칙적으로 A광역시는 사본 교부가 아닌 열람의 방법으로는 공개할 수 없다.

② 을(乙)의 비공개 요청이 있는 경우 A광역시는 공개를 하여서는 아니 되고, 만일 공개하였다면 을(乙)에 대하여 손해배상책임을 지게 된다.

③ 을(乙)의 의견을 듣고 A광역시가 공개를 거부하였다면, 갑(甲)과 을(乙) 사이에 아무런 법률상 이해관계가 없다고 할지라도 갑(甲)은 A광역시의 거부에 대하여 항고소송으로 다툴 수 있다.

④ A광역시가 「공공기관의 정보공개에 관한 법률」상 비공개대상정보임을 이유로 비공개결정을 한 경우, A광역시는 당초 처분의 근거로 삼은 사유와 기본적 사실관계가 동일성이 있다고 인정되는 한도 내에서만 항고소송에서 다른 공개거부사유를 추가하거나 변경할 수 있다.

관련기출

②

1. (甲은 행정청 A가 보유 · 관리하는 정보 중 乙과 관련이 있는 정보를 사본 교부의 방법으로 공개하여 줄 것을 청구하였다) A가 정보의 주체인 乙로부터 의견을 들은 결과, 乙이 정보의 비공개를 요청한 경우에는 A는 정보를 공개할 수 없다. (○, ×) 2017 국가직(하) 9급
2. 공개청구된 사실을 통지받은 제3자가 당해 공공기관에 공개하지 아니할 것을 요청하는 때에는 공공기관은 비공개결정을 하여야 한다. (○, ×) 2012 지방직 9급
3. 공공기관은 공개청구된 공개대상정보의 전부 또는 일부가 제3자와 관련이 있다고 인정할 때에는 그 사실을 지체 없이 통지하여야 하며, 이 경우 제3자로부터 비공개요청이 있는 때에는 당해 정보를 공개하여서는 아니 된다. (○, ×) 2009 국가직 7급

1. × 2. × 3. ×

① **빈출** ○

정보공개를 청구하는 자가 공공기관에 대해 공개방법을 선택하여 정보공개청구를 한 경우, 공공기관은 그 공개방법을 선택할 재량권이 없으므로 A광역시는 사본 교부가 아닌 열람의 방법으로는 공개할 수 없다.

> 정보공개를 청구하는 자가 공공기관에 대해 정보의 사본 또는 출력물의 교부방법으로 공개방법을 선택하여 정보공개청구를 한 경우, 공개청구를 받은 공공기관은 그 공개방법을 선택할 재량권이 없다(대판 2003. 12. 12, 2003두8050).

② **빈출** ×

제3자가 비공개를 요청하였다고 하여 정보의 비공개사유에 해당하는 것은 아니므로 을(乙)의 비공개 요청이 있는 경우라도 A광역시는 공개를 할 수 있다.

> 공공기관이 보유 · 관리하고 있는 정보가 제3자와 관련이 있는 경우, 제3자가 비공개를 요청하였다고 하여 「공공기관의 정보공개에 관한 법률」상 정보의 비공개사유에 해당하는 것은 아니다(대판 2008. 9. 25, 2008두8680).

③ ○

소송을 제기하기 위해서는 원고적격이 있어야 하는데 정보공개청구권 자체가 법률상 보호되는 구체적 권리이므로 정보공개를 청구했다가 공개거부처분을 받은 자는 개인적 이해관계와 상관없이 공개거부로 권리를 침해받으므로 당연히 공개거부를 다툴 원고적격을 가진다. 따라서 갑(甲)은 A광역시의 거부에 대하여 항고소송으로 다툴 수 있다.

> 정보공개를 청구하였다가 거부처분을 받은 것 자체가 법률상 이익의 침해에 해당한다(대판 2004. 8. 20, 2003두8302).

④ 제39강 참조 ○

> 행정처분의 취소를 구하는 항고소송에서 처분청은 당초 처분의 근거로 삼은 사유와 기본적 사실관계가 동일성이 있다고 인정되는 한도 내에서만 다른 사유를 추가 또는 변경할 수 있다(대판 2014. 5. 16, 2013두26118).

정답 13 ②

14 중 2022 소방간부

정보공개제도에 관한 설명으로 옳지 않은 것은? (다툼이 있는 경우 판례에 의함)

□□□ ① 정보공개청구권은 헌법 제21조에 의하여 보장되는 알권리에 근거하여 인정되고, 알권리는 자유권적 성질과 청구권적 성질을 함께 가진다.

□□□ ② 「공공기관의 정보공개에 관한 법률」 제4조 제1항에서 '정보공개에 관하여 다른 법률에 특별한 규정이 있는 경우'에 해당한다고 하여 정보공개법의 적용을 배제하기 위해서는, 특별한 규정이 '법률'이어야 하고, 정보공개의 대상 및 범위, 정보공개의 절차 등의 내용에서 정보공개법과 달리 규정하고 있는 것이어야 한다.

□□□ ③ 「공공기관의 정보공개에 관한 법률」에서 정한 공개대상정보는 정보 그 자체가 아닌 제2조 제1호에서 예시하고 있는 매체 등에 기록된 사항을 의미한다.

□□□ ④ 사립대학교는 국비의 지원을 받는 범위 내에서만 공공기관의 성격을 가지므로 정보가 그에 해당하지 않는 경우 공개청구의 대상이 되지 아니한다.

□□□ ⑤ 정보의 공개방법 및 절차에 비추어 당해 정보에서 비공개대상정보에 관련된 기술 등을 제외 혹은 삭제하고 나머지 정보만을 공개하는 것이 가능하고 나머지 부분의 정보만으로도 공개가치가 있는 경우 정보의 부분공개가 허용된다.

관련기출

①

1. 국민의 알권리, 즉 정보에의 접근 · 수집 · 처리의 자유는 자유권적 성질과 청구권적 성질을 공유하는 것으로서, 헌법 제21조에 의하여 직접 보장되는 권리이다. (○, ×) 2020 지방직 · 서울시 7급
2. 정보에의 접근 · 수집 · 처리의 자유는 자유권적 성질과 청구권적 성질을 공유하는 것으로서 헌법 제21조에 의하여 직접 보장되는 권리이다. (○, ×) 2017 국가직 7급
3. 판례는 「공공기관의 정보공개에 관한 법률」과 같은 실정법의 근거가 없는 경우에는 정보공개청구권이 인정되기 어렵다고 보고 있다. (○, ×) 2010 지방직 9급

1. ○ 2. ○ 3. ×

⑤

1. 정보의 부분 공개가 허용되는 경우란 당해 정보에서 비공개대상정보에 관련된 기술 등을 제외 혹은 삭제하고 나머지 정보만 공개하는 것이 가능하고 나머지 부분의 정보만으로도 공개의 가치가 있는 경우를 의미한다. (○, ×) 2024 국가직 9급

1. ○

① **빈출** ○

1. 헌법 제21조는 언론 · 출판의 자유, 즉 표현의 자유를 규정하고 있는데 이 자유는 전통적으로 사상 또는 의견의 자유로운 표명(발표의 자유)과 그것을 전파할 자유(전달의 자유)를 의미하는 것으로서 사상 또는 의견의 자유로운 표명은 자유로운 의사의 형성을 전제로 한다. 자유로운 의사의 형성은 정보에의 접근이 충분히 보장됨으로써 비로소 가능한 것이며, 그러한 의미에서 정보에의 접근 · 수집 · 처리의 자유, 즉 '알권리'는 표현의 자유와 표리일체의 관계에 있으며 자유권적 성질과 청구권적 성질을 공유하는 것이다. 자유권적 성질은 일반적으로 정보에 접근하고 수집 · 처리함에 있어서 국가권력의 방해를 받지 아니한다는 것을 말하며, 청구권적 성질은 의사 형성이나 여론 형성에 필요한 정보를 적극적으로 수집하고 수집을 방해하는 방해제거를 청구할 수 있다는 것을 의미하는바 이는 정보수집권 또는 정보공개청구권으로 나타난다(헌재 1991. 5. 13, 90헌마133).
2. 국민의 '알권리', 즉 정보에의 접근 · 수집 · 처리의 자유는 자유권적 성질과 청구권적 성질을 공유하는 것으로서 헌법 제21조에 의하여 직접 보장되는 권리이다(대판 2009. 12. 10, 2009두12785).

② ○

구 「공공기관의 정보공개에 관한 법률」(이하 '정보공개법'이라고 한다) 제4조 제1항은 "정보의 공개에 관하여는 다른 법률에 특별한 규정이 있는 경우를 제외하고는 이 법이 정하는 바에 의한다."라고 규정하고 있다. 여기서 '정보공개에 관하여 다른 법률에 특별한 규정이 있는 경우'에 해당한다고 하여 정보공개법의 적용을 배제하기 위해서는, 특별한 규정이 '법률'이어야 하고, 나아가 내용이 정보공개의 대상 및 범위, 정보공개의 절차, 비공개대상정보 등에 관하여 정보공개법과 달리 규정하고 있는 것이어야 한다(대판 2016. 12. 15, 2013두20882).

③ ○

「공공기관의 정보공개에 관한 법률」 제2조【정의】 이 법에서 사용하는 용어의 뜻은 다음과 같다.
1. '정보'란 공공기관이 직무상 작성 또는 취득하여 관리하고 있는 문서(전자문서를 포함한다. 이하 같다) 및 전자매체를 비롯한 모든 형태의 매체 등에 기록된 사항을 말한다.

「공공기관의 정보공개에 관한 법률」에서 말하는 공개대상정보는 정보 그 자체가 아닌 정보공개법 제2조 제1호에서 예시하고 있는 매체 등에 기록된 사항을 의미한다(대판 2013. 1. 24, 2010두18918).

④ ×

사립대학교가 국비의 지원을 받는 범위 내에서만 공공기관의 성격을 가진다고 볼 수 없다는 것이 판례의 입장이다(사립대학교는 정보공개법상의 공공기관이다)(대판 2006. 8. 24, 2004두2783).

⑤ ○

공개청구의 취지에 어긋나지 아니하는 범위 안에서 비공개대상정보에 해당하는 부분과 공개가 가능한 부분을 분리할 수 있다고 함은, 이 두 부분이 물리적으로 분리 가능한 경우를 의미하는 것이 아니고 당해 정보의 공개방법 및 절차에 비추어 당해 정보에서 비공개대상정보에 관련된 기술 등을 제외 내지 삭제하고 그 나머지 정보만을 공개하는 것이 가능하고 나머지 부분의 정보만으로도 공개의 가치가 있는 경우를 의미한다고 해석하여야 한다(대판 2004. 12. 9, 2003두12707).

정답 14 ④

15 빈출 정답률 88% 중 2021 국가직 7급

행정정보의 공개에 대한 설명으로 옳지 않은 것은? (다툼이 있는 경우 판례에 의함)

□□□ ① 공개청구의 대상이 되는 정보가 인터넷 등을 통하여 공개되어 인터넷 검색 등을 통하여 쉽게 알 수 있는 경우에는 비공개결정이 정당화될 수 있다.

□□□ ② 정보의 공개에 관하여 법률의 구체적인 위임이 없는 교육공무원승진규정상 근무성적평정결과를 공개하지 않는다는 규정을 근거로 정보공개청구를 거부할 수 없다.

□□□ ③ 의사결정과정에 제공된 회의관련자료나 의사결정과정이 기록된 회의록은 의사가 결정되거나 의사가 집행된 경우에도 비공개대상정보에 포함될 수 있다.

□□□ ④ 공공기관이 정보를 보유·관리하고 있지 아니한 경우에는 특별한 사정이 없는 한 정보공개거부처분의 취소를 구할 법률상의 이익이 없다.

관련기출

②

1. 교육공무원의 근무성적평정결과를 공개하지 아니한다고 규정하고 있는 교육공무원승진규정을 근거로 정보공개청구를 거부하는 것은 위법하다. (○, ×) 2020 국가직 7급
2. 교육공무원에 대한 근무성적평정의 결과는 대법원 판례에 의할 때 비공개대상정보에 해당한다. (○, ×) 2010 국가직 9급
3. 교육공무원의 근무성적평정의 결과를 공개하지 아니한다고 규정하고 있는 교육공무원승진규정 제26조를 근거로 정보공개청구를 거부하는 것은 타당하지 않다. (○, ×) 2008 지방직 7급

1. ○ 2. × 3. ○

④

1. 정보공개가 신청된 정보를 공공기관이 보유·관리하고 있지 아니한 경우에는 특별한 사정이 없는 한 정보공개거부처분의 취소를 구할 법률상의 이익이 없다. (○, ×) 2021 국가직 9급
2. 공공기관이 그 정보를 보유·관리하고 있지 아니한 경우에는 특별한 사정이 없는 한 정보공개를 구하는 자에게 정보공개거부처분의 취소를 구할 법률상의 이익이 없다. (○, ×) 2016 국가직 7급

1. ○ 2. ○

① ×

공개청구의 대상이 되는 정보가 이미 다른 사람에게 공개되어 널리 알려져 있다거나 인터넷이나 관보 등을 통하여 공개되어 인터넷 검색이나 도서관에서의 열람 등을 통하여 쉽게 알 수 있다고 하여 소의 이익이 없다고 볼 수 없고 비공개결정이 정당화될 수도 없다(대판 2008. 11. 27, 2005두15694).

② 빈출 ○

교육공무원의 근무성적평정의 결과를 공개하지 아니한다고 규정하고 있는 교육공무원승진규정 제26조를 근거로 정보공개청구를 거부하는 것은 위법이다(공개대상).

교육공무원법 제13·14조의 위임에 따라 제정된 교육공무원승진규정은 정보공개에 관한 사항에 관하여 구체적인 법률의 위임에 따라 제정된 명령이라고 할 수 없고, 따라서 교육공무원승진규정 제26조에서 근무성적평정의 결과를 공개하지 아니한다고 규정하고 있다고 하더라도 위 교육공무원승진규정은 「공공기관의 정보공개에 관한 법률」 제9조 제1항 제1호에서 말하는 법률이 위임한 명령에 해당하지 아니하므로 위 규정을 근거로 정보공개청구를 거부하는 것은 잘못이다(대판 2006. 10. 26, 2006두11910).

교육공무원법 제13조【승진】 교육공무원의 승진임용은 같은 종류의 직무에 종사하는 바로 아래 직급의 사람 중에서 대통령령으로 정하는 바에 따라 경력평정, 재교육성적, 근무성적, 그 밖에 실제 증명되는 능력에 의하여 한다.

구 교육공무원승진규정(대통령령) 제26조【평정결과의 비공개】 근무성적평정의 결과는 이를 공개하지 아니한다.

③ ○

의사결정과정에 제공된 회의관련자료나 의사결정과정이 기록된 회의록 등은 의사가 결정되거나 의사가 집행된 경우에는 더 이상 의사결정과정에 있는 사항 그 자체라고는 할 수 없으나, 의사결정과정에 있는 사항에 준하는 사항으로서 비공개대상정보에 포함될 수 있다는 것이 판례의 입장이다(대판 2003. 8. 22, 2002두12946).

④ 빈출 ○

공공기관이 공개를 구하는 정보의 폐기 등으로 인해 보유·관리하고 있지 아니한 경우, 정보공개거부처분의 취소를 구할 법률상 이익이 없다(대판 2003. 4. 25, 2000두7087).

정답 15 ①

16 빈출 정답률 74% 중 2020 국가직 7급

「공공기관의 정보공개에 관한 법률」상 정보공개에 대한 설명으로 옳지 않은 것은? (다툼이 있는 경우 판례에 의함)

□□□ ① 정보공개청구권자에는 자연인은 물론 법인, 권리능력 없는 사단 · 재단도 포함되며, 법인, 권리능력 없는 사단 · 재단의 경우에는 설립목적을 불문한다.

□□□ ② 공개청구된 정보가 수사의견서인 경우 수사의 방법 및 절차 등이 공개되더라도 수사기관의 직무수행을 현저히 곤란하게 하지 않는 때에는 비공개대상정보에 해당하지 않는다.

□□□ ③ 외국 또는 외국기관으로부터 비공개를 전제로 입수한 정보는 비공개를 전제로 하였다는 이유만으로 비공개대상정보에 해당한다.

□□□ ④ 교육공무원의 근무성적평정결과를 공개하지 아니한다고 규정하고 있는 교육공무원승진규정을 근거로 정보공개청구를 거부하는 것은 위법하다.

관련기출

③

1. 외국기관으로부터 비공개를 전제로 정보를 입수하였다는 이유만으로, 이를 공개할 경우 업무의 공정한 수행에 현저한 지장을 받을 것이라 단정할 수 없다. (○, ×) 2019 서울시 2회 7급

1. ○

① ○

(환경운동연합이, 행정청이 주최한 간담회 등 각종 행사 관련 지출자료에 포함된 행사참석자정보 등의 공개를 청구한 것에 대해 정보공개를 청구할 능력이 있다고 판시하면서) 정보공개청구권을 가지는 국민에는 자연인, 법인, 법인격 없는 사단 등이 모두 포함되며 법인, 법인격 없는 사단 등의 경우에는 설립목적을 불문한다(대판 2003. 12. 12, 2003두8050).

② ○

「공공기관의 정보공개에 관한 법률」(이하 '정보공개법'이라 한다) 제9조 제1항 제4호는 '수사'에 관한 사항으로서 공개될 경우 그 직무수행을 현저히 곤란하게 한다고 인정할 만한 상당한 이유가 있는 정보를 비공개대상정보의 하나로 규정하고 있다. 그 취지는 수사의 방법 및 절차 등이 공개되어 수사기관의 직무수행에 현저한 곤란을 초래할 위험을 막고자 하는 것으로서, 수사기록 중의 의견서, 보고문서, 메모, 법률검토, 내사자료 등(이하 '의견서 등'이라 한다)이 이에 해당한다고 할 수 있으나, 공개청구대상인 정보가 의견서 등에 해당한다고 하여 곧바로 정보공개법 제9조 제1항 제4호에 규정된 비공개대상정보라고 볼 것은 아니고, 의견서 등의 실질적인 내용을 구체적으로 살펴 수사의 방법 및 절차 등이 공개됨으로써 수사기관의 직무수행을 현저히 곤란하게 한다고 인정할 만한 상당한 이유가 있어야만 위 비공개대상정보에 해당한다고 봄이 타당하다(대판 2012. 7. 12, 2010두7048).

③ ×

외국 또는 외국기관으로부터 비공개를 전제로 정보를 입수하였다는 이유만으로 이를 공개할 경우 업무의 공정한 수행에 현저한 지장을 받을 것이라고 단정할 수는 없다. 다만 위와 같은 사정은 정보제공자와의 관계, 정보제공자의 의사, 정보의 취득경위, 정보의 내용 등과 함께 업무의 공정한 수행에 현저한 지장이 있는지를 판단할 때 고려하여야 할 형량요소이다(대판 2018. 9. 28, 2017두69892).

④ ○

교육공무원의 근무성적평정의 결과를 공개하지 아니한다고 규정하고 있는 교육공무원승진규정 제26조를 근거로 정보공개청구를 거부하는 것은 위법이라는 것이 판례의 입장이다(대판 2006. 10. 26, 2006두11910).

정답 16 ③

17 정답률 71% 중 2019 지방직 · 교육행정직 9급

정보공개에 대한 판례의 입장으로 옳은 것은?

□□□ ① 지방자치단체의 업무추진비 세부항목별 집행내역 및 그에 관한 증빙서류에 포함된 개인에 관한 정보는 「공공기관의 정보공개에 관한 법률」 소정의 '공개하는 것이 공익을 위하여 필요하다고 인정되는 정보'에 해당하여 공개대상이 된다.

□□□ ② 학교환경위생구역 내 금지행위(숙박시설) 해제결정에 관한 학교환경위생정화위원회의 회의록에 기재된 발언내용에 대한 해당 발언자의 인적사항 부분에 관한 정보는 「공공기관의 정보공개에 관한 법률」 소정의 비공개대상정보에 해당하지 않는다.

□□□ ③ 보안관찰법 소정의 보안관찰 관련 통계자료는 「공공기관의 정보공개에 관한 법률」 소정의 비공개대상정보에 해당하지 않는다.

□□□ ④ 학교폭력대책자치위원회가 피해학생의 보호를 위한 조치, 가해학생에 대한 조치, 학교폭력과 관련된 분쟁의 조정 등에 관하여 심의한 결과를 기재한 회의록은 「공공기관의 정보공개에 관한 법률」 소정의 비공개대상정보에 해당한다.

관련기출

③

1. 보안관찰법 소정의 보안관찰 관련 통계자료는 「공공기관의 정보공개에 관한 법률」상의 공개대상정보에 해당한다. (○, ×) 2015 지방직 9급
2. 보안관찰법상 보안관찰 관련 통계자료는 대법원 판례에 의할 때 비공개대상 정보에 해당한다. (○, ×) 2010 국가직 9급
3. 보안관찰 관련 통계자료는 「공공기관의 정보공개에 관한 법률」 제9조 제1항 제2호 소정의 공개될 경우 국가안전보장 · 국방 · 통일 · 외교관계 등 국가의 중대한 이익을 해할 우려가 있는 정보, 또는 제3호 소정의 공개될 경우 국민의 생명 · 신체 및 재산의 보호, 기타 공공의 안전과 이익을 현저히 해할 우려가 있다고 인정되는 정보에 해당한다. (○, ×) 2008 국가직 7급

1. × 2. ○ 3. ○

① ×

지방자치단체의 업무추진비 세부항목별 집행내역 및 그에 관한 증빙서류에 포함된 개인에 관한 정보는 '공개하는 것이 공익을 위하여 필요하다고 인정되는 정보'에 해당하지 않는다(사생활 보호를 고려한 판례이다 - 비공개대상).

비공개에 의하여 보호되는 개인의 사생활 보호 등의 이익과 공개에 의하여 보호되는 국정운영의 투명성 확보 등의 공익을 비교 · 교량하여 구체적 사안에 따라 신중히 판단하여야 할 것인바, …… '공개하는 것이 공익을 위하여 필요하다고 인정되는 정보'에 해당하지 않는다고 봄이 상당하다(대판 2003. 3. 11, 2001두6425).

② ×

학교환경위생구역 내 금지행위(모텔) 해제결정에 관한 학교환경위생정화위원회의 회의록에 기재된 발언내용에서 해당 발언자의 인적사항 부분에 관한 정보는 비공개대상정보에 포함될 수 있다는 것이 판례의 입장이다(대판 2003. 8. 22, 2002두12946).

③ **빈출** ×

보안관찰법 소정의 보안관찰처분 관련 통계자료는 공개될 경우 국가의 중대한 이익을 해할 우려가 있는 정보 등에 해당한다(비공개대상)(대판 2004. 3. 18, 2001두8254 전합).

④ ○

학교폭력대책자치위원회가 피해학생의 보호를 위한 조치, 가해학생에 대한 조치, 학교폭력과 관련된 분쟁의 조정 등에 관하여 심의한 결과를 기재한 회의록은 정보공개법 제9조 제1항 제5호의 '공개될 경우 업무의 공정한 수행에 현저한 지장을 초래한다고 인정할 만한 상당한 이유가 있는 정보'에 해당하여 비공개대상정보라는 것이 판례의 입장이다(대판 2010. 6. 10, 2010두2913).

정답 17 ④

18 ⓢ

2010 지방직 9급

공공기관이 보유 · 관리하는 정보는 공개하는 것이 원칙이나, 다른 법률 또는 법률이 위임한 명령에 의하여 비밀 또는 비공개사항으로 규정된 정보는 공개하지 아니할 수 있다. 이에 관한 판례의 입장으로 옳은 것은?

□□□ ① 여기서의 법률이 위임한 명령이란 법률의 위임에 의하여 제정된 대통령령, 총리령, 부령 전부를 의미하는 것이 아니라 정보의 공개에 관하여 법률의 구체적 위임에 의하여 제정된 법규명령을 의미한다.

□□□ ② 교육공무원법의 위임에 따라 제정된 교육공무원승진규정은 정보공개에 관한 사항에 관하여 구체적인 법률의 위임에 의하여 제정된 법규명령이라고 할 수 있다.

□□□ ③ 교육공무원승진규정이 근무성적평정결과를 공개하지 아니한다고 규정하고 있는 경우 동 규정을 근거로 정보공개청구를 거부할 수 있다.

□□□ ④ 감사원장의 감사결과가 군사2급비밀에 해당한다고 하여 「공공기관의 정보공개에 관한 법률」 제9조 제1항 제1호에 의하여 공개하지 아니할 수는 없다.

관련기출

①

1. 「공공기관의 정보공개에 관한 법률」 제9조 제1항 제1호의 '법률에서 위임한 명령'은 법률의 위임규정에 의하여 제정된 대통령령, 총리령, 부령 전부를 의미한다. (○, ×) 2018 국회직 8급

1. ×

① ○

현행 정보공개법상 위임명령에는 총리령, 부령은 포함되지 않는다. 그러나 아래 판례가 나올 당시에는 총리령, 부령이 모두 포함되어 있었다. 따라서 관련기출 1.에서 틀린 부분은 총리령, 부령 부분이 아니라 법률의 위임규정에 의하여 제정된 대통령령, 총리령, 부령 '전부를 의미한다'는 부분이다. 즉, 판례에 따르면 대통령령, 총리령, 부령 전부를 의미한다기보다는 정보의 공개에 관하여 법률의 구체적인 위임 아래 제정된 법규명령(위임명령)을 의미한다고 본다.

> **법률이 위임한 명령은 정보의 공개에 관하여 법률의 구체적인 위임 아래 제정된 법규명령(위임명령)을 의미한다.**
>
> 「공공기관의 정보공개에 관한 법률」 제1 · 3조, 헌법 제37조의 각 취지와 행정입법으로는 법률이 구체적으로 범위를 정하여 위임한 범위 안에서만 국민의 자유와 권리에 관련된 규율을 정할 수 있는 점 등을 고려할 때, (구)「공공기관의 정보공개에 관한 법률」 제7조(현 제9조) 제1항 제1호 소정의 '법률에 의한 명령'은 법률의 위임규정에 의하여 제정된 대통령령, 총리령, 부령 전부를 의미한다기보다는 정보의 공개에 관하여 법률의 구체적인 위임 아래 제정된 법규명령(위임명령)을 의미한다(대판 2003. 12. 11, 2003두8395).

②③ ×

> 교육공무원의 근무성적평정의 결과를 공개하지 아니한다고 규정하고 있는 교육공무원승진규정 제26조를 근거로 정보공개청구를 거부하는 것은 위법이다(공개대상).
>
> 교육공무원법 제13 · 14조의 위임에 따라 제정된 교육공무원승진규정은 정보공개에 관한 사항에 관하여 구체적인 법률의 위임에 따라 제정된 명령이라고 할 수 없고(②), 따라서 교육공무원승진규정 제26조에서 근무성적평정의 결과를 공개하지 아니한다고 규정하고 있다고 하더라도 위 교육공무원승진규정은 「공공기관의 정보공개에 관한 법률」 제9조 제1항 제1호에서 말하는 법률이 위임한 명령에 해당하지 아니하므로 위 규정을 근거로 정보공개청구를 거부하는 것은 잘못이다(③)(대판 2006. 10. 26, 2006두11910).

④ ×

> 국방부의 한국형 다목적 헬기(KMH) 도입사업에 대한 감사원장의 감사결과 보고서가 군사2급비밀에 해당하는 이상 정보공개법 제9조 제1항 제1호에 의하여 공개하지 아니할 수 있다(비공개대상)(대판 2006. 11. 10, 2006두9351).

정답 18 ①

2025
써니 행정법총론
기출문제집

Sunny

제 4 편

행정의 실효성 확보수단

제23강 행정의 실효성 확보수단의 개설

1회독	2회독	3회독
/	/	/

✓정답률 공단기/소방단기 합격예측 풀서비스 통계 데이터 기준 기 기본서 핵 핵심집약

01 새로운 행정의 실효성 확보수단

기 496~509쪽 핵 T 44

01 정답률 70% 상 2024 군무원 7급

다음 중 행정기본법상 제재처분에 대한 설명으로 가장 적절하지 않은 것은? (다툼이 있는 경우 판례에 의함)

□□□ ① 제재처분의 근거가 되는 법률에는 제재처분의 주체, 사유, 유형 및 상한을 명확하게 규정하여야 한다.

□□□ ② 행정청은 법령 등의 위반행위가 종료된 날부터 5년이 지나면 해당 위반행위에 대하여 인 · 허가의 정지 · 취소 · 철회, 등록말소, 영업소 폐쇄와 정지를 갈음하는 과징금 부과의 제재처분을 할 수 없다.

□□□ ③ 선지 ②에 있어서 다른 법률에서 5년 기간보다 짧은 기간을 규정하고 있으면 그 법률에서 정하는 바에 따르고, 다른 법률에서 긴 기간을 규정하고 있으면 5년으로 한다.

□□□ ④ 정당한 사유 없이 행정청의 조사 · 출입 · 검사를 기피 · 방해 · 거부하여 제척기간이 지난 경우에는 행정청은 법령 등의 위반행위가 종료된 날부터 5년이 지난 후에도 해당 위반행위에 대하여 인 · 허가의 정지 · 취소 · 철회, 등록말소, 영업소 폐쇄와 정지를 갈음하는 과징금 부과의 제재처분을 할 수 있다.

① ○

> **행정기본법 제22조【제재처분의 기준】** ① 제재처분의 근거가 되는 법률에는 제재처분의 주체, 사유, 유형 및 상한을 명확하게 규정하여야 한다. 이 경우 제재처분의 유형 및 상한을 정할 때에는 해당 위반행위의 특수성 및 유사한 위반행위와의 형평성 등을 종합적으로 고려하여야 한다.

②④ ○

③ ×

다른 법률에서 긴 기간을 규정하고 있는 경우에는 그 법률에서 정하는 바에 따른다.

> **행정기본법 제23조【제재처분의 제척기간】** ① 행정청은 법령 등의 위반행위가 종료된 날부터 5년이 지나면 해당 위반행위에 대하여 **제재처분**(인 · 허가의 정지 · 취소 · 철회, 등록말소, 영업소 폐쇄와 정지를 갈음하는 과징금 부과를 말한다. 이하 이 조에서 같다)을 **할 수 없다**(②).
> ② 다음 각 호의 어느 하나에 해당하는 경우에는 **제1항을 적용하지 아니한다.**
> 1. **거짓이나 그 밖의 부정한 방법**으로 인 · 허가를 받거나 신고를 한 경우
> 2. 당사자가 인 · 허가나 신고의 **위법성을 알고 있었거나 중대한 과실로 알지 못한 경우**
> 3. **정당한 사유 없이 행정청의 조사 · 출입 · 검사를 기피 · 방해 · 거부하여 제척기간이 지난 경우**(④)
> 4. 제재처분을 하지 아니하면 국민의 안전 · 생명 또는 환경을 심각하게 해치거나 해칠 우려가 있는 경우
>
> ④ 다른 법률에서 제1항 및 제3항의 기간보다 **짧거나 긴 기간을 규정하고 있으면 그 법률에서 정하는 바에 따른다**(③).

정답 01 ③

02 정답률 79% 중 2024 소방직 9급

행정절차법상 위반사실 등의 공표에 관한 설명으로 옳지 않은 것은?

□□□ ① 행정청은 위반사실 등의 공표를 하기 전에 당사자가 공표와 관련된 의무의 이행, 원상회복, 손해배상 등의 조치를 마친 경우에는 위반사실 등의 공표를 하지 아니할 수 있다.

□□□ ② 위반사실 등의 공표에 관하여 당사자가 의견진술의 기회를 포기한다는 뜻을 명백히 밝힌 경우라도 행정청은 미리 당사자에게 그 사실을 통지하고 의견제출의 기회를 주어야 한다.

□□□ ③ 행정청은 공표된 내용이 사실과 다른 것으로 밝혀지거나 공표에 포함된 처분이 취소된 경우라도 당사자가 원하지 아니하면 정정한 내용을 공표하지 아니할 수 있다.

□□□ ④ 위반사실 등의 공표에 관하여 의견제출의 기회를 받은 당사자는 공표 전에 관할행정청에 서면이나 말 또는 정보통신망을 이용하여 의견을 제출할 수 있다.

① 정답률 6% ○

행정절차법 제40조의3【위반사실 등의 공표】 ⑦ 행정청은 위반사실 등의 공표를 하기 전에 당사자가 공표와 관련된 의무의 이행, 원상회복, 손해배상 등의 조치를 마친 경우에는 위반사실 등의 공표를 하지 아니할 수 있다.

② 정답률 79% ×

행정절차법 제40조의3【위반사실 등의 공표】 ③ 행정청은 위반사실 등의 공표를 할 때에는 미리 당사자에게 그 사실을 통지하고 의견제출의 기회를 주어야 한다. 다만, 다음 각 호의 어느 하나에 해당하는 경우에는 그러하지 아니하다.

1. 공공의 안전 또는 복리를 위하여 긴급히 공표를 할 필요가 있는 경우
2. 해당 공표의 성질상 의견청취가 현저히 곤란하거나 명백히 불필요하다고 인정될 만한 타당한 이유가 있는 경우
3. 당사자가 의견진술의 기회를 포기한다는 뜻을 명백히 밝힌 경우

③ 정답률 11% ○

행정절차법 제40조의3【위반사실 등의 공표】 ⑧ 행정청은 공표된 내용이 사실과 다른 것으로 밝혀지거나 공표에 포함된 처분이 취소된 경우에는 그 내용을 정정하여, 정정한 내용을 지체 없이 해당 공표와 같은 방법으로 공표된 기간 이상 공표하여야 한다. 다만, 당사자가 원하지 아니하면 공표하지 아니할 수 있다.

④ 정답률 2% ○

행정절차법 제40조의3【위반사실 등의 공표】 ④ 제3항에 따라 의견제출의 기회를 받은 당사자는 공표 전에 관할행정청에 서면이나 말 또는 정보통신망을 이용하여 의견을 제출할 수 있다.

정답 02 ②

03 정답률 67% 중 2024 소방직 9급

행정상 제재처분에 관한 설명으로 옳은 것은? (다툼이 있는 경우 판례에 의함)

□□□ ① 행정법규위반에 대하여 가하는 제재조치는 원칙적으로 위반자에게 고의나 과실이 있어야 부과될 수 있다.

□□□ ② 행정청은 법령 등의 위반행위가 종료된 날부터 3년이 지나면 해당 위반행위에 대하여 제재처분(인·허가의 정지·취소·철회, 등록말소, 영업소 폐쇄와 정지를 갈음하는 과징금 부과를 말한다)을 할 수 없다.

□□□ ③ 법령 등을 위반한 행위의 성립과 이에 대한 제재처분은 법령 등에 특별한 규정이 있는 경우를 제외하고는 원칙적으로 제재처분 당시의 법령 등에 따른다.

□□□ ④ 여러 처분사유에 관하여 하나의 제재처분을 하였을 때 그중 일부가 인정되지 않는다고 하더라도 나머지 처분사유들만으로도 처분의 정당성이 인정되는 경우에는 그 처분을 위법하다고 보아 취소하여서는 아니된다.

관련기출

①

1. 행정법규 위반에 대한 영업정지 처분은 행정목적의 달성을 위하여 행정법규 위반이라는 객관적 사실에 착안하여 가하는 제재이므로, 반드시 현실적인 행위자가 아니라도 법령상 책임자로 규정된 자에게 부과되고, 특별한 사정이 없는 한 위반자에게 고의나 과실이 없더라도 부과할 수 있다. (○, ×)
2022 국가직 7급
2. 행정법규위반에 대한 제재조치는 법령상의 책임자로 규정된 자가 아닌 현실적 행위자에게 부과 되어야 하고, 특별한 사정이 없는 한 위반자에게 고의나 과실이 있어야 부과할 수 있다. (○, ×) 2022 소방간부
3. 행정법규위반에 대한 제재조치는 행정목적의 달성을 위하여 행정법규위반이라는 객관적 사실에 착안하여 가하는 제재이므로, 반드시 현실적인 행위자가 아니라도 법령상 책임자로 규정된 자에게 부과되며, 그러한 제재조치의 위반자에게 고의나 과실이 있어야 부과할 수 있다. (○, ×)
2020 군무원 9급

1. ○ 2. × 3. ×

① **빈출** 정답률 8% ×

행정법규위반에 대한 제재처분은 행정목적의 달성을 위하여 행정법규위반이라는 객관적 사실에 착안하여 가하는 제재이므로, 반드시 현실적인 행위자가 아니라도 법령상 책임자로 규정된 자에게 부과되고, 특별한 사정이 없는 한 위반자에게 고의나 과실이 없더라도 부과할 수 있다(대판 2017. 5. 11, 2014두8773).

② 정답률 3% ×

행정기본법 제23조【제재처분의 제척기간】 ① 행정청은 법령 등의 위반행위가 종료된 날부터 5년이 지나면 해당 위반행위에 대하여 제재처분(인·허가의 정지·취소·철회, 등록말소, 영업소 폐쇄와 정지를 갈음하는 과징금 부과를 말한다. 이하 이 조에서 같다)을 할 수 없다.

③ 정답률 19% ×

행정기본법 제14조【법적용의 기준】 ③ 법령 등을 위반한 행위의 성립과 이에 대한 제재처분은 법령 등에 특별한 규정이 있는 경우를 제외하고는 법령 등을 위반한 행위 당시의 법령 등에 따른다. 다만, 법령 등을 위반한 행위 후 법령 등의 변경에 의하여 그 행위가 법령 등을 위반한 행위에 해당하지 아니하거나 제재처분기준이 가벼워진 경우로서 해당 법령 등에 특별한 규정이 없는 경우에는 변경된 법령 등을 적용한다.

④ 정답률 67% ○

여러 처분사유에 관하여 하나의 제재처분을 하였을 때 그중 일부가 인정되지 않는다고 하더라도 나머지 처분 사유들만으로도 처분의 정당성이 인정되는 경우에는 그 처분을 위법하다고 보아 취소하여서는 아니 된다(대판 2020. 5. 14, 2019두63515).

정답 03 ④

04 정답률 74% 중 2023 국가직 7급

행정상 의무이행 확보수단에 대한 설명으로 옳은 것은? (다툼이 있는 경우 판례에 의함)

□□□ ① 병무청장이 구 병역법에 따라 병역의무 기피자의 인적사항 등을 인터넷 홈페이지에 게시하는 등의 방법으로 공개한 경우 병무청장의 공개결정은 항고소송의 대상이 되는 행정처분이 아니다.

□□□ ② 「부동산 실권리자명의 등기에 관한 법률」 제5조에 의하여 부과된 과징금 채무는 대체적 급부가 가능한 의무이므로 과징금을 부과받은 자가 사망한 경우 그 상속인에게 포괄승계된다.

□□□ ③ 가산세는 세법에서 규정하는 의무의 성실한 이행을 확보하기 위하여 세법에 따라 산출한 본세액에 가산하여 징수하는 조세로서, 본세에 감면사유가 인정된다면 가산세도 감면대상에 포함된다.

□□□ ④ 가산세는 납세자가 정당한 이유 없이 법에 규정된 신고, 납세 등 각종 의무를 위반한 경우에 개별 세법이 정하는 바에 따라 부과되는 행정상의 제재로서 납세자의 고의·과실 또한 중요한 고려요소가 된다.

관련기출

①

1. 병무청장이 병역법에 따라 병역의무 기피자의 인적사항 등을 인터넷 홈페이지에 게시하는 등의 방법으로 공개한 경우 병무청장의 공개결정은 항고소송의 대상이 되는 행정처분이다. (○, ×) 2023 국가직 9급, 2021 행정사

1. ○

②

1. 「부동산 실권리자명의 등기에 관한 법률」상 실권리자명의 등기의무에 위반하여 부과된 과징금채무는 대체적 급부가 가능한 의무이므로 과징금을 부과받은 자가 사망한 경우 그 상속인에게 포괄승계된다. (○, ×) 2014 사회복지직 9급
2. 대법원 판례는 부과된 과징금채무는 일신전속적 의무이므로 위 과징금을 부과받은 자가 사망한 경우 그 상속인에게 승계되지 않는다고 한다. (○, ×) 2011 경북교행

1. ○ 2. ×

④

1. 세법상 가산세는 행정상 제재로서 납세자의 고의·과실은 고려되지 않으므로 설령 납세자에게 그 의무해태를 탓할 수 없는 정당한 사유가 있는 경우라도 이를 부과할 수 있다. (○, ×) 2022 소방간부
2. 법인세법상 가산세는 형벌이 아니므로 행위자의 고의 또는 과실·책임능력·책임조건 등을 고려하지 아니하며, 조세의 부과절차에 따라 과징할 수 있다. (○, ×) 2021 지방직·서울시 7급
3. 세법상 가산세는 납세의무자가 정당한 이유 없이 법에 규정된 신고, 납세 등 각종 의무를 위반한 경우에 법이 정하는 바에 따라 부과하는 행정상의 제재로서, 그 의무를 게을리한 점을 탓할 수 없는 정당한 사유가 있는 경우에는 부과할 수 없다. (○, ×) 2021 경행경채

1. × 2. ○ 3. ○

① **빈출** 정답률 6% ×

병무청장이 병역법 제81조의2 제1항에 따라 병역의무 기피자의 인적사항 등을 인터넷 홈페이지에 게시하는 등의 방법으로 공개한 경우 병무청장의 공개결정을 항고소송의 대상이 되는 행정처분으로 보아야 한다(대판 2019. 6. 27, 2018두49130).

② 정답률 74% ○

과징금채무는 상속인에게 포괄승계된다.

「부동산 실권리자명의 등기에 관한 법률」 제5조에 의하여 부과된 과징금 채무는 대체적 급부가 가능한 의무이므로 위 과징금을 부과받은 자가 사망한 경우 그 상속인에게 포괄승계된다(대판 1999. 5. 14, 99두35).

③ 정답률 11% ×

가산세는 세법에서 규정하는 의무의 성실한 이행을 확보하기 위하여 세법에 따라 산출한 본세액에 가산하여 징수하는 독립된 조세로서, 본세에 감면사유가 인정된다고 하여 가산세도 감면대상에 포함되는 것이 아니고, 반면에 그 의무를 이행하지 아니한 데 대한 정당한 사유가 있는 경우에는 본세 납세의무가 있더라도 가산세는 부과하지 않는다(대법원 2018. 11. 29, 2015두56120).

④ **빈출** 정답률 6% ×

세법상 가산세는 과세권의 행사 및 조세채권의 실현을 용이하게 하기 위하여 납세자가 정당한 이유 없이 법에 규정된 신고, 납세 등 각종 의무를 위반한 경우에 개별 세법이 정하는 바에 따라 부과되는 행정상의 제재로서 납세자의 고의·과실은 고려되지 않는 것이고, 다만 납세의무자가 그 의무를 알지 못한 것이 무리가 아니었다거나 그 의무의 이행을 당사자에게 기대하는 것이 무리라고 하는 사정이 있을 때 등 그 의무해태를 탓할 수 없는 정당한 사유가 있는 경우에는 이를 부과할 수 없다(대판 2003. 9. 5, 2001두403).

유사판례

구 법인세법 제76조 제9항은 납세자의 고의과실을 묻지 아니하나, 가산세는 형벌이 아니므로 행위자의 고의 또는 과실·책임능력·책임조건 등을 고려하지 아니하고 가산세 과세요건의 충족 여부만을 확인하여 조세의 부과절차에 따라 과징할 수 있다(헌재 2006. 7. 27, 2004헌가13).

정답 04 ②

05 중 2023 국회직 9급

과징금에 대한 설명으로 옳지 않은 것은? (다툼이 있는 경우 판례에 의함)

□□□ ① 과징금 부과처분은 행정목적의 달성을 위하여 행정법규위반이라는 객관적 사실에 착안하여 가하는 제재이므로 반드시 현실적인 행위자가 아니라도 법령상 책임자로 규정된 자에게 부과되고 원칙적으로 위반자의 고의 · 과실을 요하지 아니한다.

□□□ ② 과징금은 법령 등에 따른 의무를 위반한 자에 대하여 그 위반행위에 대한 제재로서 부과 · 징수하는 금전을 말하며, 국가형벌권 행사로서의 '처벌'에 해당한다.

□□□ ③ 「독점규제 및 공정거래에 관한 법률」 제22조에 의한 과징금은 법 위반행위에 따르는 불법적인 경제적 이익을 박탈하기 위한 부당이득환수의 성격과 함께 위법행위에 대한 제재로서의 성격을 가지는 것이다.

□□□ ④ 과징금의 근거가 되는 법률에는 과징금에 관한 부과 · 징수주체, 부과사유, 상한액, 가산금을 징수하려는 경우 그 사항, 과징금 또는 가산금 체납시 강제징수를 하려는 경우 그 사항을 명확하게 규정하여야 한다.

□□□ ⑤ 과징금은 한꺼번에 납부하는 것을 원칙으로 하지만 과징금을 부과받은 자가 사업 여건의 악화로 사업이 중대한 위기에 처한 경우로 과징금 전액을 한꺼번에 내기 어렵다고 인정될 때에는 그 납부기한을 연기하거나 분할 납부하게 할 수 있다.

관련기출

①

1. 과징금 부과처분은 원칙적으로 위반자의 고의 · 과실을 요하지 아니하나, 위반자의 의무해태를 탓할 수 없는 정당한 사유가 있는 등의 특별한 사정이 있는 경우에는 이를 부과할 수 없다. (O, ×) 2022 지방직 7급
2. 「여객자동차 운수사업법」상 과징금 부과처분은 원칙적으로 위반자의 고의 · 과실을 요하지 않는다. (O, ×) 2020 국가직 9급
3. 구 「여객자동차 운수사업법」상 과징금 부과처분은 원칙적으로 위반자의 고의 · 과실을 요하지 아니하나, 위반자의 의무해태를 탓할 수 없는 정당한 사유가 있는 등의 특별한 사정이 있는 경우에는 이를 부과할 수 없다. (O, ×) 2020 국가직 7급

1. O 2. O 3. O

① **빈출** O

과징금은 현실적인 행위자가 아닌 법령상 책임자에게 부과할 수 있으며 다만, 위반자의 의무해태를 탓할 수 없는 정당한 사유가 있는 경우에는 과징금을 부과할 수 없다.

(구 「여객자동차 운수사업법」 제88조 제1항의) 과징금 부과처분은 제재적 행정처분으로서 여객자동차 운수사업에 관한 질서를 확립하고 여객의 원활한 운송과 여객자동차 운수사업의 종합적인 발달을 도모하여 공공복리를 증진한다는 행정목적의 달성을 위하여 행정법규위반이라는 객관적 사실에 착안하여 가하는 제재이므로 반드시 현실적인 행위자가 아니라도 법령상 책임자로 규정된 자에게 부과되고 원칙적으로 위반자의 고의 · 과실을 요하지 아니하나, 위반자의 의무해태를 탓할 수 없는 정당한 사유가 있는 등의 특별한 사정이 있는 경우에는 이를 부과할 수 없다(대판 2014. 10. 15, 2013두5005).

② ×

1. 과징금은 부당내부거래 억제라는 행정목적을 실현하기 위하여 그 위반행위에 대하여 가하는 행정상 제재금의 기본적 성격에 부당이득환수적 요소가 부가된 것으로 이를 두고 국가형벌권행사로서의 처벌에 해당한다고 할 수는 없다.
2. 과징금과 형사처벌을 병과하더라도 이중처벌금지원칙에 위반된다고 볼 수 없다(헌재 2003. 7. 24, 2001헌가25).

③ O

「독점규제 및 공정거래에 관한 법률」(이하 '공정거래법'이라 한다) 제22조에 의한 과징금은 법 위반행위에 따르는 불법적인 경제적 이익을 박탈하기 위한 부당이득환수의 성격과 함께 위법행위에 대한 제재로서의 성격을 가지는 것이다(대판 2017. 4. 27, 2016두33360).

④ O

행정기본법 제28조【과징금의 기준】 ① 행정청은 법령 등에 따른 의무를 위반한 자에 대하여 법률로 정하는 바에 따라 그 위반행위에 대한 제재로서 과징금을 부과할 수 있다.
② 과징금의 근거가 되는 법률에는 과징금에 관한 다음 각 호의 사항을 명확하게 규정하여야 한다.
1. 부과 · 징수주체
2. 부과사유
3. 상한액
4. 가산금을 징수하려는 경우 그 사항
5. 과징금 또는 가산금 체납시 강제징수를 하려는 경우 그 사항

⑤ O

행정기본법 제29조【과징금의 납부기한 연기 및 분할 납부】 과징금은 한꺼번에 납부하는 것을 원칙으로 한다. 다만, 행정청은 과징금을 부과받은 자가 다음 각 호의 어느 하나에 해당하는 사유로 과징금 전액을 한꺼번에 내기 어렵다고 인정될 때에는 그 납부기한을 연기하거나 분할 납부하게 할 수 있으며, 이 경우 필요하다고 인정하면 담보를 제공하게 할 수 있다.
1. 재해 등으로 재산에 현저한 손실을 입은 경우
2. 사업 여건의 악화로 사업이 중대한 위기에 처한 경우
3. 과징금을 한꺼번에 내면 자금 사정에 현저한 어려움이 예상되는 경우
4. 그 밖에 제1호부터 제3호까지에 준하는 경우로서 대통령령으로 정하는 사유가 있는 경우

정답 05 ②

06 정답률 66% 중 2023 국가직 9급

행정기본법상 제재처분의 제척기간인 5년이 지나면 제재처분을 할 수 없는 경우는?

□□□ ① 제재처분을 하지 아니하면 국민의 안전 · 생명 또는 환경을 심각하게 해치거나 해칠 우려가 있는 경우

□□□ ② 거짓이나 그 밖의 부정한 방법으로 인 · 허가를 받거나 신고를 한 경우

□□□ ③ 정당한 사유 없이 행정청의 조사 · 출입 · 검사를 기피 · 방해 · 거부하여 제척기간이 지난 경우

□□□ ④ 당사자가 인 · 허가나 신고의 위법성을 경과실로 알지 못한 경우

①②③ 할 수 있음
④ 할 수 없음
당사자가 인 · 허가나 신고의 위법성을 경과실로 알지 못한 경우에는 제재처분의 제척기간인 5년이 지나면 제재처분을 할 수 없다.

> **행정기본법 제23조【제재처분의 제척기간】** ① 행정청은 법령 등의 위반행위가 종료된 날부터 5년이 지나면 해당 위반행위에 대하여 제재처분(인 · 허가의 정지 · 취소 · 철회, 등록말소, 영업소 폐쇄와 정지를 갈음하는 과징금 부과를 말한다. 이하 이 조에서 같다)을 할 수 없다.
> ② 다음 각 호의 어느 하나에 해당하는 경우에는 제1항을 적용하지 아니한다.
> 1. 거짓이나 그 밖의 부정한 방법으로 인 · 허가를 받거나 신고를 한 경우(②)
> 2. 당사자가 인 · 허가나 신고의 위법성을 알고 있었거나 **중대한 과실**로 알지 못한 경우(④)
> 3. 정당한 사유 없이 행정청의 조사 · 출입 · 검사를 기피 · 방해 · 거부하여 제척기간이 지난 경우(③)
> 4. 제재처분을 하지 아니하면 국민의 안전 · 생명 또는 환경을 심각하게 해치거나 해칠 우려가 있는 경우(①)

정답 06 ④

07 정답률 57% 상 2022 지방직 7급

과징금에 대한 설명으로 옳지 않은 것은? (다툼이 있는 경우 판례에 의함)

□□□ ① 과징금의 근거가 되는 법률에는 과징금의 상한액을 명확하게 규정하여야 한다.

□□□ ② 행정기본법 제28조 제1항에 과징금 부과의 법적 근거를 마련하였으므로 행정청은 직접 이 규정에 근거하여 과징금을 부과할 수 있다.

□□□ ③ 영업정지처분에 갈음하는 과징금이 규정되어 있는 경우 과징금을 부과할 것인지 영업정지처분을 내릴 것인지는 통상 행정청의 재량에 속한다.

□□□ ④ 과징금 부과처분은 원칙적으로 위반자의 고의 · 과실을 요하지 아니하나, 위반자의 의무해태를 탓할 수 없는 정당한 사유가 있는 등의 특별한 사정이 있는 경우에는 이를 부과할 수 없다.

관련기출

③

1. 영업정지에 갈음하여 부과되는 이른바 변형된 과징금의 부과 여부는 통상 행정청의 재량행위이다. (○, ×) 2022 국가직 9급

1. ○

① ○

> 행정기본법 제28조【과징금의 기준】① 행정청은 법령 등에 따른 의무를 위반한 자에 대하여 법률로 정하는 바에 따라 그 위반행위에 대한 제재로서 과징금을 부과할 수 있다.
> ② 과징금의 근거가 되는 법률에는 과징금에 관한 다음 각 호의 사항을 명확하게 규정하여야 한다.
> 1. 부과 · 징수주체
> 2. 부과사유
> 3. 상한액
> 4. 가산금을 징수하려는 경우 그 사항
> 5. 과징금 또는 가산금 체납시 강제징수를 하려는 경우 그 사항

② ×

과징금은 재산권의 직접적인 침해를 가져오는 것이므로 법치행정의 원리상 법률의 구체적 근거가 있는 경우에만 부과할 수 있다. 행정기본법은 과징금 부과의 통일적 원칙과 기준을 제시한 일반조항일 뿐이므로 개별법상의 구체적 근거없이 행정기본법 제28조 제1항만으로 과징금을 부과할 수 없다(위 ① 해설 조문 참조).

③ ○

영업정지처분에 갈음하는 과징금이 규정되어 있는 경우 과징금을 부과할 것인지, 아니면 영업정지처분을 할 것인지는 통상 행정청의 재량에 속한다.

> 자동차운수사업면허조건 등을 위반한 사업자에 대하여 행정청이 행정제재수단으로 사업정지를 명할 것인지, 과징금을 부과할 것인지, 과징금을 부과하기로 한다면 그 금액은 얼마로 할 것인지에 관하여 재량권이 부여되었다 할 것이므로 과징금 부과처분이 법이 정한 한도액을 초과하여 위법할 경우 법원으로서는 그 전부를 취소할 수밖에 없고, 그 한도액을 초과한 부분이나 법원이 적정하다고 인정되는 부분을 초과한 부분만을 취소할 수 없다(대판 1998. 4. 10, 98두2270 ; 대판 2017. 1. 12, 2015두2352).

④ ○

과징금은 현실적인 행위자가 아닌 법령상 책임자에게 부과할 수 있으며 원칙적으로 위반자의 고의 · 과실을 요하지 아니하나, 위반자의 의무해태를 탓할 수 없는 정당한 사유가 있는 경우에는 부과할 수 없다는 것이 판례의 입장이다(대판 2014. 10. 15, 2013두5005).

정답 07 ②

08 정답률 78% 중 2022 국가직 7급

제재처분에 대한 설명으로 옳지 않은 것은? (다툼이 있는 경우 판례에 의함)

① 일정한 법규위반 사실이 행정처분의 전제사실이자 형사법규의 위반사실이 되는 경우, 형사판결이 확정되기 전에 그 위반사실을 이유로 제재처분을 하였다면 절차적 위반에 해당한다.

② 행정청이 여러 개의 위반행위에 대하여 하나의 제재처분을 하였으나, 위반행위별로 제재처분의 내용을 구분하는 것이 가능하고 여러 개의 위반행위 중 일부의 위반행위에 대한 제재처분 부분만이 위법하다면, 법원은 제재처분 전부를 취소하여서는 아니 된다.

③ 법령위반 행위가 2022년 3월 23일 있은 후 법령이 개정되어 그 위반행위에 대한 제재처분 기준이 감경된 경우, 특별한 규정이 없다면 해당 제재처분에 대해서는 개정된 법령을 적용한다.

④ 행정법규위반에 대한 영업정지처분은 행정목적의 달성을 위하여 행정법규 위반이라는 객관적 사실에 착안하여 가하는 제재이므로, 반드시 현실적인 행위자가 아니라도 법령상 책임자로 규정된 자에게 부과되고, 특별한 사정이 없는 한 위반자에게 고의나 과실이 없더라도 부과할 수 있다.

관련기출

①

1. 법규가 예외적으로 형사소추 선행 원칙을 규정하고 있지 않은 이상 형사판결 확정에 앞서 일정한 위반사실을 들어 행정처분을 하였다고 하여 절차적 위반이 있다고 할 수 없다. (○, ×) 2020 군무원 9급

1. ○

②

1. 행정청이 여러 개의 위반행위에 대하여 하나의 제재처분을 하였으나, 위반행위별로 제재처분의 내용을 구분하는 것이 가능하고 여러 개의 위반행위 중 일부의 위반행위에 대한 제재처분 부분만이 위법하다면, 법원은 제재처분 중 위법성이 인정되는 부분만 취소하여야 하고 제재처분 전부를 취소하여서는 아니 된다. (○, ×) 2022 군무원 7급

1. ○

① ×

형사처벌과 행정처분절차는 별개이므로 형사판결이 확정되기 전에도 제재처분을 할 수 있다.

> 행정처분과 형벌은 각각 그 권력적 기초, 대상, 목적이 다르다. 일정한 법규위반사실이 행정처분의 전제사실이자 형사법규의 위반사실이 되는 경우에 동일한 행위에 관하여 독립적으로 행정처분이나 형벌을 부과하거나 이를 병과할 수 있다. 법규가 예외적으로 형사소추 선행 원칙을 규정하고 있지 않은 이상 형사판결 확정에 앞서 일정한 위반사실을 들어 행정처분을 하였다고 하여 절차적 위반이 있다고 할 수 없다(대판 2017. 6. 19, 2015두59808).

② 제39강 참조 ○

> 행정청이 여러 개의 위반행위에 대하여 하나의 제재처분을 하였으나, 위반행위별로 제재처분의 내용을 구분하는 것이 가능하고 여러 개의 위반행위 중 일부의 위반행위에 대한 제재처분 부분만이 위법하다면, 법원은 그 제재처분 중 위법성이 인정되는 부분만 취소하여야 하고 그 제재처분 전부를 취소하여서는 아니 된다(대판 2020. 5. 14, 2019두63515).

③ ○

법령위반 행위 후 법령개정으로 제재처분의 기준이 가벼워진 경우에 해당하므로 개정된 법령을 적용한다.

> **행정기본법 제14조【법적용의 기준】** ③ 법령 등을 위반한 행위의 성립과 이에 대한 제재처분은 법령 등에 특별한 규정이 있는 경우를 제외하고는 법령 등을 위반한 행위 당시의 법령 등에 따른다. 다만, 법령 등을 위반한 행위 후 법령 등의 변경에 의하여 그 행위가 법령 등을 위반한 행위에 해당하지 아니하거나 제재처분기준이 가벼워진 경우로서 해당 법령 등에 특별한 규정이 없는 경우에는 변경된 법령 등을 적용한다.

④ ○

행정법규위반에 대한 제재처분은 행정목적의 달성을 위하여 행정법규위반이라는 객관적 사실에 착안하여 가하는 제재이므로, 반드시 현실적인 행위자가 아니라도 법령상 책임자로 규정된 자에게 부과되고, 특별한 사정이 없는 한 위반자에게 고의나 과실이 없더라도 부과할 수 있다는 것이 판례의 입장이다(대판 2017. 5. 11, 2014두8773).

정답 08 ①

09 정답률 77% 중 2022 지방직 · 서울시 9급

여객자동차 운송사업을 하는 甲은 관련법규 위반을 이유로 사업 정지처분에 갈음하는 과징금 부과처분을 받았다. 이에 대한 설명으로 옳지 않은 것은? (다툼이 있는 경우 판례에 의함)

□□□ ① 甲이 현실적인 위반행위자가 아닌 법령상 책임자인 경우에도 甲에게 과징금을 부과할 수 있다.

□□□ ② 甲에게 고의 · 과실이 없는 경우에는 과징금을 부과할 수 없다.

□□□ ③ 과징금 부과처분에 대해 甲은 취소소송을 제기하여 다툴 수 있다.

□□□ ④ 甲에게 부과된 과징금이 법이 정한 한도액을 초과하여 위법한 경우, 법원은 그 초과부분에 대하여 일부취소할 수 없고 그 전부를 취소하여야 한다.

① ○

② ×

과징금은 현실적인 행위자가 아닌 법령상 책임자에게 부과할 수 있으며 원칙적으로 위반자의 고의 · 과실을 요하지 아니하나, 위반자의 의무해태를 탓할 수 없는 정당한 사유가 있는 경우에는 부과할 수 없다.

(구 「여객자동차 운수사업법」 제88조 제1항의) 과징금 부과처분은 제재적 행정처분으로서 여객자동차 운수사업에 관한 질서를 확립하고 여객의 원활한 운송과 여객자동차 운수사업의 종합적인 발달을 도모하여 공공복리를 증진한다는 행정목적의 달성을 위하여 행정법규위반이라는 객관적 사실에 착안하여 가하는 제재이므로 반드시 현실적인 행위자가 아니라도 법령상 책임자로 규정된 자에게 부과되고(①) 원칙적으로 위반자의 고의 · 과실을 요하지 아니하나(②), 위반자의 의무해태를 탓할 수 없는 정당한 사유가 있는 등의 특별한 사정이 있는 경우에는 이를 부과할 수 없다(대판 2014. 10. 15, 2013두5005).

③ ○

과징금부과행위는 침익적 행정행위로서 행정소송의 대상이 되는 처분에 해당한다. 행정질서벌인 과태료부과는 항고소송의 대상이 되지 않는 점과 구별하기 바란다.

④ 제39강 참조 ○

자동차운수사업 면허조건 등을 위반한 사업자에 대하여 행정청이 행정제재수단으로 사업정지를 명할 것인지, 과징금을 부과할 것인지, 과징금을 부과하기로 한다면 그 금액은 얼마로 할 것인지에 관하여 재량권이 부여되었다 할 것이므로 과징금 부과처분이 법이 정한 한도액을 초과하여 위법할 경우 법원으로서는 그 전부를 취소할 수밖에 없고, 그 한도액을 초과한 부분이나 법원이 적정하다고 인정되는 부분을 초과한 부분만을 취소할 수 없다(대판 1998. 4. 10, 98두2270 ; 대판 2017. 1. 12, 2015두2352).

정답 09 ②

10 중 2022 국회직 8급

병무청장이 하는 병역의무 기피자의 인적사항 공개에 대한 설명으로 옳은 것만을 <보기>에서 모두 고르면? (다툼이 있는 경우 판례에 의함)

보기

□□□ ㉠ 병무청장이 하는 병역의무 기피자의 인적사항 공개는 특정인을 병역의무 기피자로 판단하여 그 사실을 일반 대중에게 공표함으로써 그의 명예를 훼손하고 그에게 수치심을 느끼게 하여 병역의무이행을 간접적으로 강제하려는 조치로서 공권력의 행사에 해당한다.

□□□ ㉡ 관할 지방병무청장이 1차로 공개대상자 공개결정을 하고, 그에 따라 병무청장이 같은 내용으로 최종적 공개결정을 하였더라도, 공개대상자는 관할 지방병무청장의 공개대상자 결정을 별도로 다툴 소의 이익이 있다.

□□□ ㉢ 병무청장의 인적사항 공개처분이 취소되면 병무청장은 취소판결의 기속력에 따라 위법한 결과를 제거하는 조치를 할 의무가 있다.

① ㉠ ② ㉢
③ ㉠, ㉡ ④ ㉠, ㉢
⑤ ㉡, ㉢

관련기출

㉡

1. 병역법에 따라 관할 지방병무청장이 1차로 병역의무 기피자 인적사항 공개대상자 결정을 하고 그에 따라 병무청장이 같은 내용으로 최종적 공개결정을 하였더라도, 해당 공개 대상자는 관할 지방병무청장의 공개 대상자 결정을 다툴 수 있다. (○, ×) 2022 국가직 7급

1. ×

④ ㉠㉢이 옳은 설명이다.

㉠㉢ ○

㉡ ×

병무청장이 병역법 제81조의2 제1항에 따라 병역의무 기피자의 인적사항 등을 인터넷 홈페이지에 게시하는 등의 방법으로 공개한 경우 병무청장의 공개결정을 항고소송의 대상이 되는 행정처분으로 보아야 한다.

그 구체적인 이유는 다음과 같다.

(1) 병무청장이 하는 병역의무 기피자의 인적사항 등 공개는, 특정인을 병역의무 기피자로 판단하여 그 사실을 일반 대중에게 공표함으로써 그의 명예를 훼손하고 그에게 수치심을 느끼게 하여 병역의무 이행을 간접적으로 강제하려는 조치로서 병역법에 근거하여 이루어지는 공권력의 행사에 해당한다(㉠).

(2) 병무청장이 하는 병역의무 기피자의 인적사항 등 공개조치에는 특정인을 병역의무 기피자로 판단하여 그에게 불이익을 가한다는 행정결정이 전제되어 있고, 공개라는 사실행위는 행정결정의 집행행위라고 보아야 한다. 병무청장이 그러한 행정결정을 공개대상자에게 미리 통보하지 않은 것이 적절한지는 본안에서 해당 처분이 적법한가를 판단하는 단계에서 고려할 요소이며, 병무청장이 그러한 행정결정을 공개대상자에게 미리 통보하지 않았다거나 처분서를 작성·교부하지 않았다는 점만으로 항고소송의 대상적격을 부정하여서는 아니 된다.

(3) 병무청 인터넷 홈페이지에 공개대상자의 인적사항 등이 게시되는 경우 그의 명예가 훼손되므로, 공개대상자는 자신에 대한 공개결정이 병역법령에서 정한 요건과 절차를 준수한 것인지를 다툴 법률상 이익이 있다. 병무청장이 인터넷 홈페이지 등에 게시하는 사실행위를 함으로써 공개대상자의 인적사항 등이 이미 공개되었더라도, 재판에서 병무청장의 공개결정이 위법함이 확인되어 취소판결이 선고되는 경우, 병무청장은 취소판결의 기속력에 따라 위법한 결과를 제거하는 조치를 할 의무가 있으므로(㉢) 공개대상자의 실효적 권리구제를 위해 병무청장의 공개결정을 행정처분으로 인정할 필요성이 있다. 만약 병무청장의 공개결정을 항고소송의 대상이 되는 처분으로 보지 않는다면 국가배상청구 외에는 침해된 권리 또는 법률상 이익을 구제받을 적절한 방법이 없다.

(4) 관할 지방병무청장의 공개대상자 결정의 경우 상대방에게 통보하는 등 외부에 표시하는 절차가 관계법령에 규정되어 있지 않아, 행정실무상으로도 상대방에게 통보되지 않는 경우가 많다. 또한 관할 지방병무청장이 위원회의 심의를 거쳐 공개대상자를 1차로 결정하기는 하지만, 병무청장에게 최종적으로 공개 여부를 결정할 권한이 있으므로, 관할 지방병무청장의 공개대상자 결정은 병무청장의 최종적인 결정에 앞서 이루어지는 행정기관 내부의 중간적 결정에 불과하다. 가까운 시일 내에 최종적인 결정과 외부적인 표시가 예정되어 있는 상황에서, 외부에 표시되지 않은 행정기관 내부의 결정을 항고소송의 대상인 처분으로 보아야 할 필요성은 크지 않다. 관할 지방병무청장이 1차로 공개대상자 결정을 하고, 그에 따라 병무청장이 같은 내용으로 최종적 공개결정을 하였다면, 공개대상자는 병무청장의 최종적 공개결정만을 다투는 것으로 충분하고, 관할 지방병무청장의 공개대상자 결정을 별도로 다툴 소의 이익은 없어진다(㉡)(대판 2019. 6. 27, 2018두49130).

정답 10 ④

11 정답률 58% 중 2022 국가직 9급

과징금 부과처분에 대한 설명으로 옳지 않은 것은? (다툼이 있는 경우 판례에 의함)

□□□ ① 「독점규제 및 공정거래에 관한 법률」상의 과징금은 법이 규정한 범위 내에서 그 부과처분 당시까지 부과관청이 확인한 사실을 기초로 일의적으로 확정되어야 할 것이지, 추후에 부과금 산정기준이 되는 새로운 자료가 나왔다고 하여 새로운 부과처분을 할 수 있는 것은 아니다.

□□□ ② 영업정지에 갈음하여 부과되는 이른바 변형된 과징금의 부과 여부는 통상 행정청의 재량행위이다.

□□□ ③ 과징금은 행정상 제재금이고 범죄에 대한 국가형벌권의 실행이 아니므로 행정법규위반에 대해 벌금 이외에 과징금을 부과하는 것은 이중처벌금지의 원칙에 위반되지 않는다.

□□□ ④ 「부동산 실권리자명의 등기에 관한 법률」상 명의신탁자에 대한 과징금의 부과 여부는 행정청의 재량행위이다.

① ○

> 과징금은 법이 규정한 범위 내에서 그 부과처분 당시까지 부과관청이 확인한 사실을 기초로 일의적으로 확정되어야 할 것이고, 그렇지 아니하고 부과관청이 과징금을 부과하면서 추후에 부과금 산정기준이 되는 새로운 자료가 나올 경우에는 과징금액이 변경될 수도 있다고 유보한다든지, 실제로 추후에 새로운 자료가 나왔다고 하여 새로운 부과처분을 할 수는 없다할 것인바, 왜냐하면 과징금의 부과와 같이 재산권의 직접적인 침해를 가져오는 처분을 변경하려면 법령에 그 요건 및 절차가 명백히 규정되어 있어야 할 것인데, 위와 같은 변경처분에 대한 법령상의 근거규정이 없고, 이를 인정하여야 할 합리적인 이유 또한 찾아 볼 수 없기 때문이다(대판 1999. 5. 28, 99두1571).

② ○

영업정지처분에 갈음하는 과징금이 규정되어 있는 경우 과징금을 부과할 것인지, 아니면 영업정지처분을 할 것인지는 통상 행정청의 재량에 속한다(07 ③ 해설 판례 참조).

③ ○

과징금은 범죄에 대한 국가의 형벌권 실행으로서의 처벌이 아니므로, 행정법규위반에 대해 행정형벌을 부과하고 별도로 과징금을 부과하는 것은 이중처벌금지에 위반되지 않는다는 것이 판례의 입장이다(헌재 2003. 7. 24, 2001헌가25).

④ ×

과징금부과행위는 일반적으로 재량행위이나, 기속행위인 경우도 있는데, 「부동산 실권리자명의 등기에 관한 법률」 및 시행령상 명의신탁자에 대한 과징금 부과처분은 기속행위에 해당한다.

> 「부동산 실권리자명의 등기에 관한 법률」 및 시행령상 명의신탁자에 대한 과징금 부과처분의 법적 성질은 기속행위이다.
>
> 부동산 실권리자명의 등기에 관한 법률 제3조 제1항, 제5조 제1항, 같은 법 시행령 제3조 제1항의 규정을 종합하면, 명의신탁자에 대하여 과징금을 부과할 것인지 여부는 기속행위에 해당하므로, 명의신탁이 조세를 포탈하거나 법령에 의한 제한을 회피할 목적이 아닌 경우에 한하여 그 과징금을 일정한 범위 내에서 감경할 수 있을 뿐이지 그에 대하여 과징금 부과처분을 하지 않거나 과징금을 전액 감면할 수 있는 것은 아니다(대판 2007. 7. 12, 2005두17287).

정답 11 ④

제24강 행정상 강제집행(대집행 등)

1회독	2회독	3회독
/	/	/

⊘정답률 공단기/소방단기 합격예측 풀서비스 통계 데이터 기준 기 기본서 핵 핵심집약

01 일반론

기 512~513쪽 핵 T 45

01 빈출 정답률 81% 중 2024 군무원 9급

다음 중 행정의 실효성 확보수단에 대한 설명으로 가장 적절한 것은? (다툼이 있는 경우 판례에 의함)

□□□ ① 구 「공유재산 및 물품관리법」에 따라 지방자치단체장은 행정대집행의 방법으로 공유재산에 설치한 시설물을 철거할 수 있고, 이러한 행정대집행의 절차가 인정되는 경우에는 민사소송의 방법으로 시설물의 철거를 구하는 것은 허용되지 아니한다.

□□□ ② 법령에 의해 대집행권한을 위탁받은 한국토지공사(현 한국토지주택공사)가 국가배상법 제2조에서 말하는 공무원에 해당한다.

□□□ ③ 이행강제금은 대체적 작위의무의 위반에 대하여 부과될 수 없다.

□□□ ④ 국세징수법상 공매통지 자체는 원칙적으로 그 공매통지 자체를 항고소송의 대상으로 삼아 그 취소 등을 구할 수 있다.

관련기출

①

1. 정당한 사유 없이 공유재산에 시설물을 설치한 경우 행정청은 행정대집행의 방법을 통해 해당 시설물을 철거할 수 있고, 이 경우에는 민사소송의 방법으로 시설물 철거를 할 수 없다. (○, ×) 2022 서울시 7급
2. 「공유재산 및 물품관리법」 제83조에 따라 지방자치단체장이 행정대집행의 방법으로 공유재산에 설치한 시설물을 철거할 수 있는 경우, 민사소송의 방법으로도 시설물의 철거를 구하는 것이 허용된다. (○, ×) 2017 지방직(하) 9급

1. ○ 2. ×

① 빈출 정답률 81% ○

대집행이 가능한 경우에는 대집행을 하여야 하고 민사상 강제집행수단을 사용할 수는 없다.

> 「공유재산 및 물품관리법」 제83조 제1항은 "지방자치단체의 장은 정당한 사유 없이 공유재산을 점유하거나 공유재산에 시설물을 설치한 경우에는 원상복구 또는 시설물의 철거 등을 명하거나 이에 필요한 조치를 할 수 있다."라고 규정하고, 제2항은 "제1항에 따른 명령을 받은 자가 그 명령을 이행하지 아니할 때에는 '행정대집행법'에 따라 원상복구 또는 시설물의 철거 등을 하고 그 비용을 징수할 수 있다."라고 규정하고 있다. 위 규정에 따라 지방자치단체장은 행정대집행의 방법으로 공유재산에 설치한 시설물을 철거할 수 있고, 이러한 행정대집행의 절차가 인정되는 경우에는 민사소송의 방법으로 시설물의 철거를 구하는 것은 허용되지 아니한다(대판 2017. 4. 13, 2013다207941).

② 빈출 정답률 7% 제28강 참조 ×

> 법령에 의해 대집행권한을 위탁받은 한국토지공사(현 한국토지주택공사)는 국가배상법 제2조에서 말하는 공무원이 아니라 행정주체에 해당한다.
>
> 한국토지공사법 제22조 제6호 및 같은 법 시행령 제40조의3 제1항의 규정에 의하여 본래 시 · 도지사나 시장 · 군수 또는 구청장의 업무에 속하는 대집행권한을 한국토지공사에게 위탁하도록 되어 있는바, 한국토지공사는 이러한 법령의 위탁에 의하여 대집행을 수권받은 자로서 공무인 대집행을 실시함에 따르는 권리 · 의무 및 책임이 귀속되는 행정주체의 지위에 있다고 볼 것이지 지방자치단체 등의 기관으로서 국가배상법 제2조 소정의 공무원에 해당한다고 볼 것은 아니다(대판 2010. 1. 28, 2007다82950 · 82967).

③ 빈출 정답률 6% ×

> 1. 이행강제금은 대체적 작위의무의 위반에 대하여도 부과될 수 있다.
> 2. 행정청은 대집행과 이행강제금을 선택적으로 활용할 수 있다고 할 것이며, 이처럼 그 합리적인 재량에 의해 선택하여 활용하는 이상 중첩적인 제재에 해당한다고 볼 수 없다(헌재 2004. 2. 26, 2001헌바80 · 84 · 102 · 103, 2002헌바26 병합).

④ 빈출 정답률 4% ×

공매는 항고소송의 대상이 되는 처분에 해당하나, 공매통지는 항고소송의 대상이 되는 처분이 아니라는 것이 판례의 입장이다.

> 국세징수법상 공매통지 자체는 원칙적으로 항고소송의 대상이 되는 행정처분이 아니다.
>
> 체납자 등에 대한 공매통지는 국가의 강제력에 의하여 진행되는 공매에서 체납자 등의 권리 내지 재산상의 이익을 보호하기 위하여 법률로 규정한 절차적 요건이라고 보아야 하며, 공매처분을 하면서 체납자 등에게 공매통지를 하지 않았거나 공매통지를 하였더라도 그것이 적법하지 아니한 경우에는 절차상의 흠이 있어 그 공매처분이 위법하게 되는 것이지만, 공매통지 자체가 그 상대방인 체납자 등의 법적 지위나 권리 · 의무에 직접적인 영향을 주는 행정처분에 해당한다고 할 것은 아니므로 다른 특별한 사정이 없는 한 체납자 등은 공매통지의 결여나 위법을 들어 공매처분의 취소 등을 구할 수 있는 것이지 공매통지 자체를 항고소송의 대상으로 삼아 그 취소 등을 구할 수는 없다(대판 2011. 3. 24, 2010두25527).

정답 01 ①

02 **빈출** 정답률 85% 중 2024 지방직 · 서울시 9급

행정의 실효성 확보수단에 대한 설명으로 옳지 않은 것은? (다툼이 있는 경우 판례에 의함)

□□□ ① 행정법상의 질서벌인 과태료의 부과처분과 형사처벌을 병과하는 것은 일사부재리의 원칙에 반하지 않는다는 것이 대법원의 입장이다.

□□□ ② 계고서라는 명칭의 1장의 문서로서 일정기간 내에 위법건축물의 자진철거를 명함과 동시에 그 소정 기한 내에 자진철거를 하지 아니할 때에는 대집행할 뜻을 미리 계고한 경우라면 건축법에 의한 철거명령과 행정대집행법에 의한 계고처분의 요건이 충족된 것은 아니다.

□□□ ③ 직접강제는 행정대집행이나 이행강제금 부과의 방법으로는 행정상 의무이행을 확보할 수 없거나 그 실현이 불가능한 경우에 실시하여야 한다.

□□□ ④ 과세관청이 체납처분으로서 행하는 공매는 우월한 공권력의 행사로서 행정소송의 대상이 되는 공법상의 행정처분이며 공매에 의하여 재산을 매수한 자는 그 공매처분이 취소된 경우에 그 취소처분의 위법을 주장하여 행정소송을 제기할 법률상 이익이 있다.

관련기출

②

1. 위법건축물 철거명령과 대집행한다는 계고처분은 각각 별도의 처분서에 의하여야만 한다. (○, ×) 2020 국회직 8급
2. 철거명령에서 주어진 일정기간이 자진철거에 필요한 상당한 기간이라고 하여도 그 기간 속에는 계고시에 필요한 '상당한 이행기간'이 포함되어 있다고 볼 수 없다. (○, ×) 2019 지방직 · 교육행정직 9급
3. 1장의 문서로 위법건축물의 자진철거를 명함과 동시에 소정 기한 내에 철거의무를 이행하지 않을 시 대집행할 것을 계고할 수 있다. (○, ×) 2016 사회복지직 9급

1. × 2. × 3. ○

④

1. 과세관청이 체납처분(현 강제징수)으로서 행하는 공매는 우월한 공권력의 행사로서 행정소송의 대상이 되는 공법상의 행정처분이며 공매에 의하여 재산을 매수한 자는 그 공매처분이 취소된 경우에 그 취소처분의 취소를 구할 법률상 이익이 있다. (○, ×) 2021 국회직 8급
2. 공매에 의하여 재산을 매수한 자는 그 공매처분이 취소된 경우에 그 취소처분의 위법을 주장하여 행정소송을 제기할 법률상 이익이 있다. (○, ×) 2016 국가직 7급
3. 과세관청이 체납처분(현 강제징수)으로서 행하는 공매는 우월한 공권력의 행사로서 행정소송의 대상이 되는 행정처분이나, 공매에 의하여 재산을 매수한 자는 그 공매처분이 취소된 경우에 그 취소처분의 위법을 주장하여 행정소송을 제기할 법률상 이익이 없다. (○, ×) 2016 지방직 9급

1. ○ 2. ○ 3. ×

① 정답률 4% 제26강 참조 ○

(10일간 임시운행허가를 받은 자가 그 기간이 경과한 다음에도 자동차등록원부에 등록하지 아니한 채 무등록차량을 운행한 자에 대한 과태료의 제재 후 형사처벌을 하는 것이 일사부재리의 원칙에 위반하는 것이 아니라고 판시하면서) 과태료와 형사처벌은 성질이나 목적을 달리하는 별개의 것이므로 행정법상의 질서벌인 과태료를 납부한 후 형사처벌을 한다고 하여 일사부재리의 원칙에 위반되는 것이라고 할 수 없다(대판 1996. 4. 12, 96도158).

② **빈출** 정답률 85% ×

계고서라는 명칭의 1장의 문서로써, 일정기간 내에 위법건축물의 자진철거를 명함과 동시에 그 소정 기한 내에 자진철거를 하지 아니할 때에는 대집행할 뜻을 미리 계고한 경우라도 철거명령 및 계고처분은 적법하다.

계고서라는 명칭의 1장의 문서로써 일정기간 내에 위법건축물의 자진철거를 명함과 동시에 그 소정 기한 내에 자진철거를 하지 아니할 때에는 대집행할 뜻을 미리 계고한 경우라도 위 건축법에 의한 철거명령과 행정대집행법에 의한 계고처분은 독립하여 있는 것으로서 각 그 요건이 충족되었다고 볼 것이고, 이 경우 철거명령에서 주어진 일정기간이 자진철거에 필요한 상당한 기간이라면 그 기간 속에는 계고시에 필요한 '상당한 이행기간'도 포함되어 있다고 보아야 할 것이다(대판 1992. 6. 12, 91누13564).

③ 정답률 4% ○

직접강제는 직접 상대방의 신체나 재산에 실력행사를 하는 강제집행 수단이다. 따라서 상대방 입장에서 권익침해가 큰 수단이므로 제한적으로만 허용된다.

행정기본법 제32조【직접강제】 ① 직접강제는 행정대집행이나 이행강제금 부과의 방법으로는 행정상 의무이행을 확보할 수 없거나 그 실현이 불가능한 경우에 실시하여야 한다.

④ **빈출** 정답률 5% ○

공매는 공법상 행정처분으로서 공매에 의하여 재산을 매수한 자는 그 공매처분이 취소된 경우 그 취소처분의 위법을 주장하여 행정소송을 제기할 법률상의 이익이 있다.

과세관청이 체납처분으로서 행하는 공매는 우월한 공권력의 행사로서 행정소송의 대상이 되는 공법상의 행정처분이며 …… (대판 1984. 9. 25, 84누201)

정답 02 ②

03 빈출 정답률 87% 중 2023 지방직 · 서울시 7급

행정상 강제집행에 대한 설명으로 옳은 것만을 모두 고르면? (다툼이 있는 경우 판례에 의함)

□□□ ㉠ 이행강제금은 행정상 간접적인 강제집행수단이다.
□□□ ㉡ 행정청은 의무자가 행정상 의무를 이행할 때까지 이행강제금을 반복하여 부과할 수 없다.
□□□ ㉢ 토지 · 건물의 명도의무는 대체적 작위의무가 아니므로 대집행의 대상이 아니다.
□□□ ㉣ 부작위의무도 대체적 작위의무로 전환하는 규정을 두고 있는 경우에는 대체적 작위의무로 전환한 후에 대집행의 대상이 될 수 있다.

① ㉠, ㉢ ② ㉠, ㉡, ㉣
③ ㉠, ㉢, ㉣ ④ ㉠, ㉡, ㉢, ㉣

관련기출

㉢

1. 토지의 명도의무는 특별한 사정이 없는 한 행정대집행법에 의한 대집행의 대상이 될 수 있다. (○, ×) 2024 소방직 9급
2. 불법시설물의 철거는 대집행이 가능하지만, 점유를 이전하는 것은 비대체적인 것으로 행정대집행법에 의한 대집행의 대상이 되는 것은 아니다. (○, ×) 2022 서울시 7급
3. 토지 · 건물 등의 인도의무는 비대체적 작위의무이므로 행정대집행법상 대집행대상이 될 수 없다. (○, ×) 2021 군무원 9급
4. 도시공원시설 점유자의 퇴거 및 명도의무는 행정대집행법에 의한 대집행의 대상이 아니다. (○, ×) 2021 지방직 · 서울시 9급, 2015 국회직 8급

1. × 2. ○ 3. ○ 4. ○

㉣

1. 법령에서 정한 부작위의무 자체에서 의무 위반으로 인해 형성된 현상을 제거할 작위의무가 바로 도출되는 것은 아니다. (○, ×) 2024 해경승진
2. 법령이 일정한 행위를 금지하고 있는 경우, 그 금지규정으로부터 위반결과의 시정을 명하는 행정청의 처분권한은 당연히 도출되므로 행정청은 그 금지규정에 근거하여 시정을 명하고 행정대집행에 나아갈 수 있다. (○, ×) 2022 지방직 7급
3. 부작위의무 위반행위에 대하여 대체적 작위의무로 전환하는 규정을 두고 있지 아니하더라도 그 금지규정으로부터 그 위반결과의 시정을 명하는 원상복구명령을 할 수 있는 권한이 도출될 수 있다. (○, ×) 2019 서울시 2회 7급

1. ○ 2. × 3. ×

㉠ ○

심리적 압박을 주는 것으로 간접적인 강제집행수단이다.

> 이행강제금은 행정법상의 부작위의무 또는 비대체적 작위의무를 이행하지 않은 경우에 '일정한 기한까지 의무를 이행하지 않을 때에는 일정한 금전적 부담을 과할 뜻'을 미리 '계고'함으로써 의무자에게 **심리적 압박을 주어** 장래를 향하여 의무의 이행을 확보하려는 **간접적인 행정상 강제집행수단이고**, …… (대판 2015. 6. 24, 2011두2170).

㉡ ×

> **행정기본법 제31조【이행강제금의 부과】** ⑤ 행정청은 의무자가 행정상 의무를 이행할 때까지 이행강제금을 반복하여 부과할 수 있다. 다만, 의무자가 의무를 이행하면 새로운 이행강제금의 부과를 즉시 중지하되, 이미 부과한 이행강제금은 징수하여야 한다.

㉢ 빈출 ○

토지 · 건물의 점유이전의무는 토지 · 건물을 점유하고 있는 사람의 퇴거를 필요로 하는데, 이는 대체적 작위의무라고 할 수 없으므로 대집행의 대상이 될 수 없다.

> 도시공원시설 점유자의 퇴거 및 명도의무는 대체적 작위의무가 아니므로 대집행의 대상이 되지 않는다.
> 도시공원시설인 매점의 관리청이 그 공동점유자 중의 1인에 대하여 소정의 기간 내에 위 매점으로부터 퇴거하고 이에 부수하여 그 판매시설물 및 상품을 반출하지 아니할 경우 이를 대집행하겠다는 내용의 계고처분의 목적이 된 의무는 그 주된 목적이 매점의 원형을 보존하기 위하여 원고가 설치한 불법시설물을 철거하고자 하는 것이 아니라, 매점에 대한 원고의 점유를 배제하고 그 점유이전을 받는 데 있다고 할 것인데, 이러한 의무는 그것을 강제적으로 실현함에 있어 직접적인 실력행사가 필요한 것이지 대체적 작위의무에 해당하는 것은 아니어서 직접강제의 방법에 의하는 것은 별론으로 하고 행정대집행법에 의한 대집행의 대상이 되는 것은 아니다(대판 1998. 10. 23, 97누157).

㉣ 빈출 ○

부작위의무(금지의무)도 그 자체로는 대집행의 대상이 되지 않지만 작위의무로 전환된 후에는 그 불이행시 대집행을 할 수 있다.

> 1. 부작위의무로부터 그 의무를 위반함으로써 생긴 결과를 시정하기 위한 작위의무를 당연히 끌어낼 수는 없으며, 또 위 금지규정으로부터 작위의무, 즉 위반결과의 시정을 명하는 권한이 당연히 추론(推論)되는 것도 아니다.
> 대집행계고처분을 하기 위하여는 법령에 의하여 직접 명령되거나 법령에 근거한 행정청의 명령에 의한 의무자의 대체적 작위의무위반행위가 있어야 한다. 따라서 단순한 부작위의무의 위반, 즉 관계법령에 정하고 있는 절대적 금지나 허가를 유보한 상대적 금지를 위반한 경우에는 당해 법령에서 그 위반자에 대하여 위반에 의하여 생긴 유형적 결과의 시정을 명하는 행정처분의 권한을 인정하는 규정을 두고 있지 아니한 이상, 법치주의의 원리에 비추어 볼 때 위와 같은 부작위의무로부터 그 의무를 위반함으로써 생긴 결과를 시정하기 위한 작위의무를 당연히 끌어낼 수는 없으며, 또 위 금지규정(특히 허가를 유보한 상대적 금지규정)으로부터 작위의무, 즉 위반결과의 시정을 명하는 권한이 당연히 추론(推論)되는 것도 아니다.
> 2. 부작위의무 위반의 경우 작위의무를 끌어내기 위해서는(작위의무로 전환하기 위해서는) 별도의 명문규정이 있어야 한다(대판 1996. 6. 28, 96누4374).

정답 03 ③

04 빈출 정답률 69% 중 2021 국가직 7급

행정의 실효성 확보수단에 대한 설명으로 옳은 것만을 모두 고른 것은? (다툼이 있는 경우 판례에 의함)

> □□□ ㉠ 위반결과의 시정을 명하는 권한은 금지규정으로부터 당연히 추론되는 것은 아니다.
> □□□ ㉡ 양벌규정에 의해 영업주를 처벌하는 경우, 금지위반행위자인 종업원을 처벌할 수 없는 경우에도 영업주만 따로 처벌할 수 있다.
> □□□ ㉢ 농지법상 이행강제금 부과처분은 행정소송의 대상이다.
> □□□ ㉣ 행정상 의무위반행위자에 대하여 과징금을 부과하기 위해서는 원칙적으로 위반자의 고의 또는 과실이 있어야 한다.

① ㉠　　② ㉠, ㉡
③ ㉢, ㉣　　④ ㉠, ㉡, ㉢, ㉣

관련기출

㉢
1. 행정청이 농지법상 이행강제금 부과처분을 하면서 관할행정법원에 행정소송을 할 수 있다고 잘못 안내하였다면 그 잘못된 안내로 행정법원의 항고소송 재판관할이 생긴다고 볼 수 있다. (○, ×) 2023 국회직 9급
2. 이행강제금 부과처분에 대해 비송사건절차법에 의한 특별한 불복절차가 마련되어 있는 경우 이행강제금 부과처분은 항고소송의 대상이 되는 행정처분이 아니다. (○, ×) 2020 경행경채
3. 농지법상 이행강제금 부과처분은 항고소송의 대상이 되는 처분에 해당하므로 이에 불복하는 경우 항고소송을 제기할 수 있다. (○, ×) 2020 국가직 7급

1. × 2. ○ 3. ×

② ㉠㉡이 옳은 설명이다.

㉠ ○
위반결과의 시정을 명하는 권한은 금지규정(부작위의무를 명하는 규정)으로부터 당연히 도출되는 것은 아니다. 부작위의무 위반의 경우 작위의무를 끌어내기 위해서는(작위의무로 전환하기 위해서는) 별도의 명문규정이 있어야 한다는 것이 판례의 입장이다(대판 1996. 6. 28, 96누4374).

㉡ 제26강 참조 ○

> 양벌규정에 의해 영업주를 처벌함에 있어서 종업원의 범죄성립이나 처벌을 요하지는 않는다.
> 양벌규정에 의한 영업주의 처벌은 금지위반행위자인 종업원의 처벌에 종속하는 것이 아니라 독립하여 그 자신의 종업원에 대한 선임 · 감독상의 과실로 인하여 처벌되는 것이므로 종업원의 범죄성립이나 처벌이 영업주 처벌의 전제조건이 될 필요는 없다(대판 2006. 2. 24, 2005도7673).

㉢ ×

> 농지법 제62조(현 제63조) 제1항에 따른 이행강제금 부과처분에 불복하는 경우에는 비송사건절차법에 따른 재판절차가 적용되어야 하고, 행정소송법상 항고소송의 대상은 될 수 없다. 농지법 제62조 제6항, 제7항이 위와 같이 이행강제금 부과처분에 대한 불복절차를 분명하게 규정하고 있으므로, 이와 다른 불복절차를 허용할 수는 없다. 설령 피고가 이행강제금 부과처분을 하면서 재결청에 행정심판을 청구하거나 관할 행정법원에 행정소송을 할 수 있다고 잘못 안내하거나 경기도행정심판위원회가 각하재결이 아닌 기각재결을 하면서 관할법원에 행정소송을 할 수 있다고 잘못 안내하였다고 하더라도, 그러한 잘못된 안내로 행정법원의 항고소송 재판관할이 생긴다고 볼 수도 없다(대판 2019. 4. 11, 2018두42955).

> **농지법 제63조【이행강제금】** ⑥ 제1항에 따른 이행강제금 부과처분에 불복하는 자는 그 처분을 고지받은 날부터 30일 이내에 시장 · 군수 또는 구청장에게 이의를 제기할 수 있다.
> ⑦ 제1항에 따른 이행강제금 부과처분을 받은 자가 제6항에 따른 이의를 제기하면 시장 · 군수 또는 구청장은 지체 없이 관할 법원에 그 사실을 통보하여야 하며, 그 통보를 받은 관할 법원은 비송사건절차법에 따른 과태료 재판에 준하여 재판을 한다.

㉣ 제23강 참조 ×
과징금 부과처분은 행정법규위반이라는 객관적 사실에 착안하여 가하는 제재이므로 반드시 현실적인 행위자가 아니라도 법령상 책임자로 규정된 자에게 부과되고 원칙적으로 위반자의 고의 · 과실을 요하지 아니하나, 위반자의 의무해태를 탓할 수 없는 정당한 사유가 있는 등의 특별한 사정이 있는 경우에는 이를 부과할 수 없다는 것이 판례의 입장이다(대판 2014. 10. 15, 2013두5005).

정답 04 ②

05 빈출 정답률 60% 중 2021 군무원 9급

행정의 실효성 확보수단에 대한 설명으로 옳지 않은 것은? (단, 다툼이 있는 경우 판례에 의함)

① 계고서라는 명칭의 1장의 문서로서 일정기간 내에 위법건축물의 자진철거를 명함과 동시에 그 소정 기한 내에 자진철거를 하지 아니할 때에는 대집행할 뜻을 미리 계고한 경우라도 건축법에 의한 철거명령과 행정대집행법에 의한 계고처분은 독립하여 있는 것으로서 각 그 요건이 충족되었다고 볼 것이다.

② 이행강제금은 행정상 간접적인 강제집행수단의 하나로서, 과거의 일정한 법률위반행위에 대한 제재인 형벌이 아니라 장래의 의무이행 확보를 위한 강제수단일 뿐이어서, 범죄에 대하여 국가가 형벌권을 실행하는 과벌에 해당하지 아니한다.

③ 세무조사결정은 납세의무자의 권리 · 의무에 직접 영향을 미치는 공권력의 행사에 따른 행정작용으로 보기 어려우므로 항고소송의 대상이 될 수 없다.

④ 토지 · 건물 등의 인도의무는 비대체적 작위의무이므로 행정대집행법상 대집행대상이 될 수 없다.

관련기출

③

1. 세무조사결정은 납세자의 권리 · 의무에 직접 영향을 미치는 공권력의 행사에 따른 행정작용으로서 항고소송의 대상이 된다. (○, ×) 2024 지방직 · 서울시 9급
2. 부과처분을 위한 과세관청의 질문조사권이 행해지는 세무조사결정이 있는 경우 그 세무조사결정은 납세의무자의 권리 · 의무에 직접 영향을 미치지 아니하므로 항고소송의 대상이 되지 않는다. (○, ×) 2024 소방간부
3. 부과처분을 위한 과세관청의 질문조사권이 행하여지는 세무조사의 경우 납세자 또는 그 납세자와 거래가 있다고 인정되는 자 등은 세무공무원의 과세자료 수집을 위한 질문에 대답하고 검사를 수인하여야 할 법적 의무를 부담한다. (○, ×) 2023 소방간부
4. 과세관청의 질문조사권이 행해지는 세무조사결정은 납세의무자의 권리 · 의무에 직접 영향을 미치는 공권력의 행사에 따른 행정작용으로서 항고소송의 대상이 된다. (○, ×) 2022 국가직 7급

1. ○ 2. × 3. ○ 4. ○

① ○

> 계고서라는 명칭의 1장의 문서로써, 일정기간 내에 위법건축물의 자진철거를 명함과 동시에 그 소정 기한 내에 자진철거를 하지 아니할 때에는 대집행할 뜻을 미리 계고한 경우라도 철거명령 및 계고처분은 적법하다.
>
> 계고서라는 명칭의 1장의 문서로써 일정기간 내에 위법건축물의 자진철거를 명함과 동시에 그 소정 기한 내에 자진철거를 하지 아니할 때에는 대집행할 뜻을 미리 계고한 경우라도 위 건축법에 의한 철거명령과 행정대집행법에 의한 계고처분은 독립하여 있는 것으로서 각 그 요건이 충족되었다고 볼 것이고, 이 경우 철거명령에서 주어진 일정기간이 자진철거에 필요한 상당한 기간이라면 그 기간 속에는 계고시에 필요한 '상당한 이행기간'도 포함되어 있다고 보아야 할 것이다(대판 1992. 6. 12, 91누13564).

② ○

> 건축법상 이행강제금은 일정한 기한까지 의무를 이행하지 않을 때에는 일정한 금전적 부담을 과할 뜻을 미리 계고함으로써 의무자에게 심리적 압박을 주어 장래에 그 의무를 이행하게 하려는 행정상 간접적인 강제집행수단의 하나로서 과거의 일정한 법률위반행위에 대한 제재로서의 형벌이 아니라 장래의 의무이행의 확보를 위한 강제수단일 뿐이어서 범죄에 대하여 국가가 형벌권을 실행한다고 하는 과벌에 해당하지 아니하므로, 헌법 제13조 제1항이 금지하는 이중처벌금지의 원칙이 적용될 여지가 없다(헌재 2011. 10. 25, 2009헌바140).

③ 제28강 참조 ×

> 세무조사결정은 항고소송의 대상이 되는 행정처분에 해당한다.
>
> 부과처분을 위한 과세관청의 질문조사권이 행해지는 세무조사결정이 있는 경우 납세의무자는 세무공무원의 과세자료 수집을 위한 질문에 대답하고 검사를 수인하여야 할 법적 의무를 부담하게 되는 점, …… 납세의무자로 하여금 개개의 과태료 처분에 대하여 불복하거나 조사 종료 후의 과세처분에 대하여만 다툴 수 있도록 하는 것보다는 그에 앞서 세무조사결정에 대하여 다툼으로써 분쟁을 조기에 근본적으로 해결할 수 있는 점 등을 종합하면, 세무조사결정은 납세의무자의 권리 · 의무에 직접 영향을 미치는 공권력의 행사에 따른 행정작용으로서 항고소송의 대상이 된다(대판 2011. 3. 10, 2009두23617 · 23624).

④ ○

토지 · 건물의 점유이전의무는 토지 · 건물을 점유하고 있는 사람의 퇴거를 필요로 하는데, 이는 대체적 작위의무라고 할 수 없으므로(즉, 비대체적 작위의무이므로) 대집행의 대상이 될 수 없다는 것이 판례의 입장이다(대판 1998. 10. 23, 97누157).

정답 05 ③

06 정답률 68% 상 2019 국가직 7급

행정의 실효성 확보수단에 대한 판례의 입장으로 옳지 않은 것은?

① 행정청이 행정대집행의 방법으로 건물철거의무의 이행을 실현할 수 있는 경우에는 건물철거 대집행 과정에서 부수적으로 건물의 점유자들에 대한 퇴거조치를 할 수 있고, 점유자들이 적법한 행정대집행을 위력을 행사하여 방해하는 경우 경찰관직무집행법에 근거한 위험발생 방지조치 차원에서 경찰의 도움을 받을 수도 있다.

② 대집행계고를 하기 위하여는 법령에 의하여 직접 명령되거나 법령에 근거한 행정청의 명령에 의한 의무자의 대체적 작위의무 위반행위가 있어야 하는데, 단순한 부작위의무 위반의 경우에는 당해 법령에서 그 위반자에게 위반에 의해 생긴 유형적 결과의 시정을 명하는 행정처분권한을 인정하는 규정을 두고 있지 않은 이상, 이와 같은 부작위의무로부터 그 의무를 위반함으로써 생긴 결과를 시정하기 위한 작위의무를 당연히 끌어낼 수는 없다.

③ 사용자가 이행하여야 할 행정법상 의무의 내용을 초과하는 것을 '불이행 내용'으로 기재한 이행강제금 부과예고서에 의하여 이행강제금 부과예고를 한 다음 이를 이행하지 않았다는 이유로 이행강제금을 부과하였다면, 초과한 정도가 근소하다는 등의 특별한 사정이 없는 한 이행강제금 부과예고는 위법하며, 이에 터잡은 이행강제금 부과처분 역시 위법하다.

④ 체납자 등에 대한 공매처분을 하면서 체납자 등에게 공매통지를 하지 않았거나 공매통지를 하였더라도 그것이 적법하지 않은 경우 절차상의 흠이 있어 그 공매처분이 위법하게 되는 것인바, 공매통지는 상대방인 체납자 등의 법적 지위나 권리 · 의무에 직접적인 영향을 주는 행정처분으로서 항고소송의 대상이 된다.

관련기출

③

1. 사용자가 이행하여야 할 행정법상 의무의 내용을 초과하는 것을 '불이행 내용'으로 기재한 이행강제금 부과예고서에 의하여 이행강제금 부과예고를 한 다음 이를 이행하지 않았다는 이유로 이행강제금을 부과하였다면, 초과한 정도가 근소하다는 등의 특별한 사정이 없는 한 이행강제금 부과예고는 이행강제금제도의 취지에 반하는 것으로서 위법하고, 이에 터잡은 이행강제금 부과처분 역시 위법하다. (○, ×) 2017 지방직(하) 9급

1. ○

① ○

행정청이 행정대집행의 방법으로 건물철거의무의 이행을 실현할 수 있는 경우에는 건물철거 대집행 과정에서 부수적으로 건물의 점유자들에 대한 퇴거조치를 할 수 있고, 점유자들이 적법한 행정대집행을 위력을 행사하여 방해하는 경우 형법상 공무집행방해죄가 성립하므로, 필요한 경우에는 경찰관직무집행법에 근거한 위험발생 방지조치 또는 형법상 공무집행방해죄의 범행방지 내지 현행범체포의 차원에서 경찰의 도움을 받을 수도 있다(대판 2017. 4. 28, 2016다213916).

② ○

대집행계고처분을 하기 위하여는 법령에 의하여 직접 명령되거나 법령에 근거한 행정청의 명령에 의한 의무자의 대체적 작위의무 위반행위가 있어야 한다. 따라서 단순한 부작위의무의 위반, 즉 관계법령에 정하고 있는 절대적 금지나 허가를 유보한 상대적 금지를 위반한 경우에는 당해 법령에서 그 위반자에 대하여 위반에 의하여 생긴 유형적 결과의 시정을 명하는 행정처분의 권한을 인정하는 규정을 두고 있지 아니한 이상, 법치주의의 원리에 비추어 볼 때 위와 같은 부작위의무로부터 그 의무를 위반함으로써 생긴 결과를 시정하기 위한 작위의무를 당연히 끌어낼 수는 없으며, 또 위 금지규정(특히 허가를 유보한 상대적 금지규정)으로부터 작위의무, 즉 위반결과의 시정을 명하는 권한이 당연히 추론(推論)되는 것도 아니다(대판 1996. 6. 28, 96누4374).

③ ○

이행강제금은 행정법상의 부작위의무 또는 비대체적 작위의무를 이행하지 않은 경우에 '일정한 기한까지 의무를 이행하지 않을 때에는 일정한 금전적 부담을 과할 뜻'을 미리 '계고'함으로써 의무자에게 심리적 압박을 주어 장래를 향하여 의무의 이행을 확보하려는 간접적인 행정상 강제집행수단이고, 노동위원회가 근로기준법 제33조에 따라 이행강제금을 부과하는 경우 그 30일 전까지 하여야 하는 이행강제금 부과예고는 이러한 '계고'에 해당한다. 따라서 사용자가 이행하여야 할 행정법상 의무의 내용을 초과하는 것을 '불이행 내용'으로 기재한 이행강제금 부과예고서에 의하여 이행강제금 부과예고를 한 다음 이를 이행하지 않았다는 이유로 이행강제금을 부과하였다면, 초과한 정도가 근소하다는 등의 특별한 사정이 없는 한 이행강제금 부과예고는 이행강제금제도의 취지에 반하는 것으로서 위법하고, 이에 터잡은 이행강제금 부과처분 역시 위법하다(대판 2015. 6. 24, 2011두2170).

④ ×

체납자 등에 대한 공매통지는 공매의 절차적 요건에 해당하므로, 체납자 등에게 공매통지를 하지 않았거나 적법하지 않은 공매통지를 한 경우 그 공매처분은 위법하게 된다는 것은 맞는 내용이다. 다만, 공매통지 자체는 상대방인 체납자 등의 법적 지위나 권리 · 의무에 직접적인 영향을 주는 행정처분은 아니어서 원칙적으로 항고소송의 대상이 되지 않는다는 것이 판례의 입장이다(대판 2011. 3. 24, 2010두25527).

정답 06 ④

02 대집행

기 514~525쪽 핵 T 45

07

정답률 85% 중 2024 군무원 9급

다음 중 행정상 대집행에 대한 판례의 설명으로 가장 적절하지 않은 것은?

□□□ ① 하천유수인용허가신청이 불허되었음을 이유로 하천유수인용행위를 중단할 것과 이를 불이행할 경우 행정대집행법에 의하여 대집행을 하겠다는 내용의 계고처분은 대집행의 대상이 될 수 없는 부작위의무에 대한 것으로서 그 자체로 위법하다.

□□□ ② 피수용자 등이 사업시행자에 대하여 부담하는 수용대상 토지의 인도의무는 행정대집행법에 의한 대집행의 대상이 될 수 있다.

□□□ ③ 대집행의 실행이 완료된 경우에는 행위가 위법한 것이라는 이유로 손해배상이나 원상회복 등을 청구하는 것은 별론으로 하고 처분의 취소를 구할 법률상 이익은 없다.

□□□ ④ 계고서라는 명칭의 1장의 문서로서 일정기간 내에 위법건축물의 자진철거를 명함과 동시에 그 소정 기한 내에 자진철거를 하지 아니할 때에는 대집행할 뜻을 미리 계고한 경우라도 건축법에 의한 철거명령과 행정대집행법에 의한 계고처분은 독립하여 있는 것으로서 각 그 요건이 충족되었다고 볼 것이다.

관련기출

①

1. (행정대집행법 제2조의 행정대집행요건상) 대체적, 비대체적 의무 모두 해당되지만 부작위의무가 아니어야 한다. (○, ×) 2018 서울시 1회 7급
2. 대집행의 대상은 대체적 작위의무이며, 부작위의무위반의 경우에는 그것을 대체적 작위의무로 전환하는 규정을 두고 있지 아니하는 한 대집행의 대상이 되지 아니한다. (○, ×) 2014 국가직 7급
3. 영업정지기간 중 영업의 계속의 경우 행정대집행을 할 수 있다. (○, ×) 2013 서울시 7급

1. × 2. ○ 3. ×

②

1. 「공익사업을 위한 토지 등의 취득 및 보상에 관한 법률」상 토지소유자가 수용 또는 사용의 개시일까지 토지를 사업시행자에게 인도하여야 할 의무는 행정대집행법에 의한 대집행의 대상이 되지 않는다. (○, ×) 2024 변호사
2. 토지의 명도의무를 이행하지 않을 경우 직접강제 또는 대집행을 통해 이를 실현할 수 있다. (○, ×) 2020 국회직 8급
3. 퇴거의무 및 점유인도의무의 불이행은 행정대집행의 대상이 되지 않는다. (○, ×) 2018 국가직 9급
4. 「공익사업을 위한 토지 등의 취득 및 보상에 관한 법률」상의 수용대상 토지의 명도의무는 강제적으로 실현할 필요가 인정되므로 대체적 작위의무에 해당한다. (○, ×) 2017 사회복지직 9급

1. ○ 2. × 3. ○ 4. ×

① **빈출** 정답률 7% ○

부작위의무는 대집행의 대상이 되지 않는다.

> 하천유수인용행위를 중단할 것과 이를 불이행할 경우 행정대집행법에 의하여 대집행하겠다는 내용의 이 사건 계고처분은 부작위의무에 대한 대집행계고처분으로서 위법하다(대판 1998. 10. 2, 96누5445).

② **빈출** 정답률 85% ×

토지의 인도의무와 같은 비대체적인 의무는 행정대집행법상의 대집행 대상이 되지 않는다.

> 구 토지수용법상 피수용자 등이 기업자에 대하여 부담하는 수용대상 토지의 인도의무는 행정대집행법에 의한 대집행의 대상이 되지 않는다.
>
> 피수용자 등이 기업자에 대하여 부담하는 수용대상 토지의 인도의무에 관한 구 토지수용법 제63조, 제64조, 제77조 규정에서의 '인도'에는 명도도 포함되는 것으로 보아야 하고, 이러한 명도의무는 그것을 강제적으로 실현하면서 직접적인 실력행사가 필요한 것이지 대체적 작위의무라고 볼 수 없으므로 특별한 사정이 없는 한 행정대집행법에 의한 대집행의 대상이 될 수 있는 것이 아니다(대판 2005. 8. 19, 2004다2809).

③ **빈출** 정답률 3% ○

> 행정대집행이 실행완료된 경우 대집행계고처분의 취소를 구할 법률상 이익은 없다.
>
> 대집행계고처분 취소소송의 변론종결 전에 대집행영장에 의한 통지절차를 거쳐 사실행위로서 대집행의 실행이 완료된 경우에는 행위가 위법한 것이라는 이유로 손해배상이나 원상회복 등을 청구하는 것은 별론으로 하고 처분의 취소를 구할 법률상 이익은 없다(대판 1995. 7. 28, 95누2623 ; 대판 1993. 6. 8, 93누6164).

④ 정답률 2% ○

> 계고서라는 명칭의 1장의 문서로써, 일정기간 내에 위법건축물의 자진철거를 명함과 동시에 그 소정 기한 내에 자진철거를 하지 아니할 때에는 대집행할 뜻을 미리 계고한 경우라도 철거명령 및 계고처분은 적법하다.
>
> 계고서라는 명칭의 1장의 문서로써 일정기간 내에 위법건축물의 자진철거를 명함과 동시에 그 소정 기한 내에 자진철거를 하지 아니할 때에는 대집행할 뜻을 미리 계고한 경우라도 위 건축법에 의한 철거명령과 행정대집행법에 의한 계고처분은 독립하여 있는 것으로서 각 그 요건이 충족되었다고 볼 것이고, 이 경우 철거명령에서 주어진 일정기간이 자진철거에 필요한 상당한 기간이라면 그 기간 속에는 계고시에 필요한 '상당한 이행기간'도 포함되어 있다고 보아야 할 것이다(대판 1992. 6. 12, 91누13564).

정답 07 ②

08 정답률 77% 상 2024 지방직·서울시 9급

행정대집행에 대한 설명으로 옳지 않은 것은? (다툼이 있는 경우 판례에 의함)

□□□ ① 관계법령상 행정대집행의 절차가 인정되어 행정청이 행정대집행의 방법으로 건물의 철거 등 대체적 작위의무의 이행을 실현할 수 있는 경우에는 따로 민사소송의 방법으로 그 의무의 이행을 구할 수 없다.

□□□ ② 「공익사업을 위한 토지 등의 취득 및 보상에 관한 법률」에 따른 토지 등의 협의취득은 사법상 계약에 해당하므로, 협의취득시 부담한 의무는 행정대집행의 대상이 되지 않는다.

□□□ ③ 행정대집행법에 따르면 대집행에 요한 비용을 징수하였을 때에는 그 징수금은 사무비의 소속에 따라 국고 또는 지방자치단체의 수입으로 한다.

□□□ ④ 자기완결적 신고에 해당하는 대문설치신고가 형식적 하자가 없는 적법한 요건을 갖춘 신고임에도 불구하고 관할행정청이 수리를 거부한 후 당해 대문의 철거명령을 하였더라도, 후행행위인 대문철거 대집행계고처분이 당연무효가 되는 것은 아니다.

관련기출

②

1. 공익사업을 위해 토지를 협의 매도한 종전 토지소유자가 토지 위의 건물을 철거하겠다는 약정을 하였다고 하더라도 이러한 약정 불이행시 대집행의 대상이 되지 아니한다. (○, ×) 2024 해경승진
2. 「공익사업을 위한 토지 등의 취득 및 보상에 관한 법률」에 의한 협의취득시 건물소유자가 매매대상 건물에 대한 철거의무를 부담하겠다는 취지의 약정을 하였다 하더라도, 이러한 철거의무는 행정대집행법에 의한 대집행의 대상이 될 수 없다. (○, ×) 2023 변호사
3. 구 「공공용지의 취득 및 손실보상에 관한 특례법」에 의한 협의취득시 건물소유자가 협의취득대상 건물에 대한 철거의무를 부담하겠다는 취지의 약정을 하였다고 하더라도 이러한 철거의무는 공법상의 의무가 될 수 없고, 대집행을 허용하는 별도의 규정이 없는 한 대집행의 대상이 될 수 없다. (○, ×) 2022 국회직 8급

1. ○ 2. ○ 3. ○

① 정답률 6% ○

관계법령상 행정대집행의 절차가 인정되어 행정청이 행정대집행의 방법으로 건물의 철거 등 대체적 작위의무의 이행을 실현할 수 있는 경우에는 따로 민사소송의 방법으로 그 의무의 이행을 구할 수 없다. 한편, 건물의 점유자가 철거의무자일 때에는 건물철거의무에 퇴거의무도 포함되어 있는 것이어서 별도로 퇴거를 명하는 집행권원이 필요하지 않다. 또한, 행정청이 건물소유자들을 상대로 건물철거 대집행을 실시하기에 앞서, 건물소유자들을 건물에서 퇴거시키기 위해 별도로 퇴거를 구하는 민사소송은 부적법하다(대판 2017. 4. 28, 2016다213916).

② **빈출** 정답률 9% ○

대집행의 대상이 되는 의무는 공법상 의무이므로 사법(私法)상 의무는 대집행의 대상이 되지 않는다. 그런데 협의취득은 사법상 계약이므로 협의취득시 건물을 철거하겠다는 약정을 하였다고 하더라도 이는 사법상의 의무에 불과하다. 따라서 약정을 불이행하였다고 하더라도 대집행의 대상이 되지 아니한다.

1. 구 「공공용지의 취득 및 손실보상에 관한 특례법」에 의한 협의취득시 건물소유자가 매매대상7 건물에 대한 철거의무를 부담하겠다는 취지의 약정을 한 경우, 그 철거의무는 사법상 의무이므로 행정대집행법에 의한 대집행의 대상이 되지 않는다.
2. 구 「공공용지의 취득 및 손실보상에 관한 특례법」에 의한 협의취득시 건물소유자가 협의취득대상 건물에 대하여 약정한 철거의무의 강제적 이행을 행정대집행법상 대집행의 방법으로 실현할 수는 없다(대판 2006. 10. 13, 2006두7096).

③ 정답률 7% ○

행정대집행법 제6조【비용징수】 ③ 대집행에 요한 비용을 징수하였을 때에는 그 징수금은 사무비의 소속에 따라 국고 또는 지방자치단체의 수입으로 한다.

④ 정답률 77% 제16강 참조 ×

적법한 건축물에 대한 철거명령은 당연무효이고, 그 후행행위인 대집행 계고처분 역시 당연무효이다.

원고의 이 사건 대문설치신고는 형식적 하자가 없는 적법한 요건을 갖춘 신고라고 할 것이어서 피고의 신고증 교부 또는 수리처분 등 별단의 조처를 기다릴 필요가 없이 그 신고의 효력이 발생하였다고 할 것이어서 이 사건 대문은 적법한 것임에도 피고가 원고에 대하여 명한 이 사건 대문의 철거명령은 그 하자가 중대하고 명백하여 당연무효라고 할 것이고, 그 후행행위인 이 사건 계고처분 역시 당연무효라고 할 것이다(대판 1999. 4. 27, 97누6780).

정답 08 ④

09 빈출 중 2023 소방승진

행정대집행에 관한 설명으로 옳지 않은 것은? (다툼이 있는 경우 판례에 의함)

□□□ ① 관계법령을 위반하여 장례식장 영업을 하고 있는 자의 장례식장 사용중지의무는 대집행의 대상이 아니다.

□□□ ② 토지나 건물의 인도의무는 사람이 그 신체로 토지나 건물을 점유하여 인도를 거부하는 때에는 신체에 대한 직접강제를 필요로 하고, 대집행에는 포함되지 않는다.

□□□ ③ 대집행계고처분을 함에 있어 대집행할 행위의 내용 및 범위가 대집행계고서에 의해서만 특정되어야 한다.

□□□ ④ 대집행절차를 이루는 계고 · 대집행영장에 의한 통지 · 실행 · 비용납부명령은 상호 결합하여 대집행이라는 효과를 완성시키기 때문에 선행행위의 하자는 후행행위에 승계된다.

관련기출

③

1. 대집행계고시 대집행할 행위의 내용 및 범위는 반드시 대집행계고서에 의해서만 특정되어야 하는 것은 아니다. (○, ×) 2020 국가직 7급
2. 행정청이 계고를 함에 있어 의무자가 스스로 이행하지 아니하는 경우 대집행의 내용과 범위가 구체적으로 특정되어야 하며, 대집행의 내용과 범위는 반드시 대집행계고서에 의해서만 특정되어야 한다. (○, ×) 2020 지방직 · 서울시 9급
3. 대집행시에 대집행계고서에 대집행의 대상물 등 대집행 내용이 특정되지 않으면 다른 문서나 기타 사정을 종합하여 특정될 수 있다 하더라도 그 대집행은 위법하다. (○, ×) 2018 국회직 8급

1. ○ 2. × 3. ×

① ○

대집행의 대상이 될 수 있는 의무는 작위의무에 한하므로 부작위의무(장례식장 등 시설 사용중지의무)를 위반한 경우에는 원칙적으로 대집행의 대상이 되지 않는다.

> 관계법령을 위반하여 장례식장 영업을 하고 있는 자의 장례식장 사용중지의무는 부작위의무로서 행정대집행법 제2조의 규정에 의한 대집행의 대상이 되지 않는다
>
> 관계법령에 위반한 것이라는 이유로 장례식장의 사용을 중지할 것과 이를 불이행할 경우 행정대집행법에 의하여 대집행하겠다는 내용의 이 사건 처분은, 이 사건 처분에 따른 '장례식장 사용중지의무'가 원고 이외의 '타인이 대신'할 수도 없고, 타인이 대신하여 '행할 수 있는 행위'라고도 할 수 없는 비대체적 부작위의무에 대한 것이므로, 그 자체로 위법함이 명백하다(대판 2005. 9. 28, 2005두7464).

② ○

토지나 건물의 인도 · 명도의무는 토지 · 건물을 점유하고 있는 사람의 퇴거를 필요로 하는데, 이는 대체적 작위의무가 아니므로 대집행의 대상이 될 수 없다.

> 도시공원시설 점유자의 퇴거 및 명도의무는 대체적 작위의무가 아니므로 대집행의 대상이 되지 않는다.
>
> 도시공원시설인 매점의 관리청이 그 공동점유자 중의 1인에 대하여 소정의 기간 내에 위 매점으로부터 퇴거하고 이에 부수하여 그 판매시설물 및 상품을 반출하지 아니할 경우 이를 대집행하겠다는 내용의 계고처분의 목적이 된 의무는 그 주된 목적이 매점의 원형을 보존하기 위하여 원고가 설치한 불법시설물을 철거하고자 하는 것이 아니라, 매점에 대한 원고의 점유를 배제하고 그 점유이전을 받는 데 있다고 할 것인데, 이러한 의무는 그것을 강제적으로 실현함에 있어 직접적인 실력행사가 필요한 것이지 대체적 작위의무에 해당하는 것은 아니어서 직접강제의 방법에 의하는 것은 별론으로 하고 행정대집행법에 의한 대집행의 대상이 되는 것은 아니다(대판 1998. 10. 23, 97누157).

③ **빈출** ×

행정청이 대집행의 계고를 함에 있어서는 의무자가 이행해야 할 행위와 의무불이행시 대집행할 행위의 내용과 범위가 구체적으로 특정되어야 한다. 다만, 특정 여부는 반드시 대집행계고서만으로 판단할 것은 아니고 그 처분 전후에 송달된 문서나 기타 사정을 종합하여 이를 특정할 수 있으면 족하다는 것이 판례의 입장이다.

> 대집행계고를 함에 있어 대집행할 행위의 내용 · 범위가 반드시 대집행계고서에 의하여만 특정될 필요는 없고 계고예고서, 기타 사정 등을 통해 알 수 있으면 족하다.
>
> 행정청이 행정대집행법 제3조 제1항에 의한 대집행계고를 함에 있어서는 의무자가 스스로 이행하지 아니하는 경우에 대집행할 행위의 내용 및 범위가 구체적으로 특정되어야 하나, 그 행위의 내용 및 범위는 반드시 대집행계고서에 의하여서만 특정되어야 하는 것이 아니고, 계고처분 전후에 송달된 문서나 기타 사정을 종합하여 행위의 내용이 특정되거나 실제 건물의 위치, 구조, 평수 등을 계고서의 표시와 대조 · 검토하여 대집행의무자가 그 이행의무의 범위를 알 수 있을 정도로 하면 족하다(대판 1996. 10. 11, 96누8086).

④ ○

대집행의 각 단계 행위(계고 ⇨ 통지 ⇨ 실행 ⇨ 비용납부명령)는 하자의 승계가 긍정된다. 따라서 후행처분에 대한 취소소송에서 선행처분의 위법성을 다툴 수 있다.

정답 09 ③

10 중 2023 군무원 7급 변형

행정대집행법상 대집행에 관한 설명으로 옳지 않은 것은? (다툼이 있는 경우 판례에 의함)

□□□ ① 대집행 계고처분의 취소소송의 사실심변론종결 전에 대집행영장에 의한 통지절차를 거쳐 대집행 실행이 완료된 경우 계고처분에 대한 취소소송의 법률상 이익이 인정된다.

□□□ ② 법령에 의해 대집행권한을 한국토지공사에 위탁한 경우 한국토지공사는 행정주체의 지위에 있고, 국가배상법 제2조에서 정한 공무원에 해당한다고 볼 수 없다.

□□□ ③ 대집행은 대체적 작위의무의 불이행을 요건으로 하므로, 도시공원시설 점유자의 퇴거의무는 대집행의 대상이 되는 대체적 작위의무에 해당하지 않는다.

□□□ ④ 행정청이 건물철거 대집행과정에서 부수적으로 건물의 점유자에 대한 퇴거조치를 할 수 있다.

관련기출

①

1. 대집행계고처분 취소소송의 변론종결 전에 사실행위로서 대집행의 실행이 완료된 경우에는 손해배상이나 원상회복 등을 청구하는 것은 별론으로 하고 대집행계고처분의 취소를 구할 법률상 이익은 없다. (○, ×) 2021 국회직 8급
2. 건물철거대집행계고처분취소 소송계속 중 건물철거대집행의 계고처분에 이어 대집행의 실행으로 건물에 대한 철거가 이미 사실행위로서 완료된 경우에는 원고로서는 계고처분의 취소를 구할 소의 이익이 없게 된다. (○, ×) 2020 군무원 9급
3. 대집행계고처분 취소소송의 변론이 종결되기 전에 대집행영장에 의한 통지절차를 거쳐 사실행위로서 대집행의 실행이 완료된 경우에는 계고처분의 취소를 구할 법률상의 이익이 없다. (○, ×) 2019 지방직 · 교육행정직 9급

1. ○ 2. ○ 3. ○

②

1. 본래 시 · 도지사나 시장 · 군수 또는 구청장의 업무에 속하는 대집행권한을 한국토지주택공사에게 위탁한 경우 한국토지주택공사는 이러한 위탁에 의하여 대집행을 수권받은 자로서 공무인 대집행을 실시함에 따르는 권리 · 의무 및 책임이 귀속되는 행정주체의 지위에 있다. (○, ×) 2022 국회직 8급
2. 법령의 위탁에 의해 지방자치단체로부터 대집행을 수권받은 구 한국토지공사는 지방자치단체의 기관으로서 국가배상법 제2조 소정의 공무원에 해당한다. (○, ×) 2019 지방직 · 교육행정직 9급
3. 시 · 도지사 등의 업무에 속하는 대집행권한을 위탁받은 한국토지공사가 대집행을 실시하는 과정에서 국민에게 손해가 발생할 경우 한국토지공사는 공무수탁사인에 해당하므로, 국가배상법 제2조의 공무원과 같은 지위를 갖게 된다. (○, ×) 2019 서울시 1회 7급

1. ○ 2. × 3. ×

④

1. 행정청이 행정대집행의 방법으로 건물철거의무의 이행을 실현할 수 있는 경우에 건물철거 대집행 과정에서 부수적으로 건물의 점유자들에 대한 퇴거조치를 할 수 없다. (○, ×) 2023 국회직 8급
2. 행정청은 퇴거를 명하는 집행권원이 없더라도 건물철거 대집행과정에서 부수적으로 철거의무자인 건물의 점유자들에 대해 퇴거조치를 할 수 있다. (○, ×) 2022 지방직 · 서울시 9급
3. 건물철거의무에 퇴거의무도 포함되어 있어 건물철거 대집행과정에서 부수적으로 건물의 점유자들에 대한 퇴거조치를 할 수 있다. (○, ×) 2020 소방직 9급

1. × 2. ○ 3. ○

① ×

행정대집행이 실행완료된 경우 대집행계고처분의 취소를 구할 법률상 이익은 없다는 것이 판례의 입장이다(대판 1995. 7. 28, 95누2623 ; 대판 1993. 6. 8, 93누6164).

② 제28강 참조 ○

> 법령에 의해 대집행권한을 위탁받은 한국토지공사(현 한국토지주택공사)는 국가배상법 제2조에서 말하는 공무원이 아니라 행정주체에 해당한다는 것이다.
>
> 한국토지공사는 이러한 법령의 위탁에 의하여 대집행을 수권받은 자로서 공무인 대집행을 실시함에 따르는 권리 · 의무 및 책임이 귀속되는 행정주체의 지위에 있다고 볼 것이지 지방자치단체 등의 기관으로서 국가배상법 제2조 소정의 공무원에 해당한다고 볼 것은 아니다(대판 2010. 1. 28, 2007다82950 · 82967).

③ ○

> 도시공원시설 점유자의 퇴거 및 명도의무는 대체적 작위의무가 아니므로 대집행의 대상이 되지 않는다.
>
> 도시공원시설인 매점의 관리청이 그 공동점유자 중의 1인에 대하여 소정의 기간 내에 위 매점으로부터 퇴거하고 이에 부수하여 그 판매시설물 및 상품을 반출하지 아니할 경우 이를 대집행하겠다는 내용의 계고처분의 목적이 된 의무는그 주된 목적이 매점의 원형을 보존하기 위하여 원고가 설치한 불법시설물을 철거하고자 하는 것이 아니라, 매점에 대한 원고의 점유를 배제하고 그 점유이전을 받는 데 있다고 할 것인데, 이러한 의무는 그것을 강제적으로 실현함에 있어 직접적인 실력행사가 필요한 것이지 대체적 작위의무에 해당하는 것은 아니어서 직접강제의 방법에 의하는 것은 별론으로 하고 행정대집행법에 의한 대집행의 대상이 되는 것은 아니다(대판 1998. 10. 23, 97누157).

④ **빈출** ○

> 행정청이 행정대집행의 방법으로 건물철거의무의 이행을 실현할 수 있는 경우에는 건물철거 대집행과정에서 부수적으로 건물의 점유자들에 대한 퇴거조치를 할 수 있고, 점유자들이 적법한 행정대집행을 위력을 행사하여 방해하는 경우 형법상 공무집행방해죄가 성립하므로, 필요한 경우에는 경찰관직무집행법에 근거한 위험발생 방지조치 또는 형법상 공무집행방해죄의 범행방지 내지 현행범체포의 차원에서 경찰의 도움을 받을 수도 있다(대판 2017. 4. 28, 2016다213916).

정답 10 ①

11 중 2023 소방간부

행정대집행에 관한 설명으로 옳지 않은 것은? (다툼이 있는 경우 판례에 의함)

□□□ ① 토지나 건물의 인도 · 명도의무는 대집행의 대상이 될 수 없다.

□□□ ② 대집행은 대체적 작위의무에 대하여 행사할 수 있는 것이 원칙이지만 부작위의무의 위반에 대하여도 가능하다.

□□□ ③ 대집행비용납부명령의 취소를 청구하는 소송에서 선행처분인 계고처분이 위법한 것이기 때문에 그 계고처분을 전제로 행하여진 대집행비용납부명령의 효력을 다툴 수 있다.

□□□ ④ 계고를 함에 있어서 그 행위의 내용과 범위는 반드시 시정명령서나 대집행계고서에 의하여서만 특정되어야 하는 것은 아니고, 그 처분 전후에 송달된 문서나 기타 사정을 종합하여 이를 특정할 수 있으면 족하다.

□□□ ⑤ 「공익사업을 위한 토지 등이 취득 및 보상에 관한 법률」에 의한 협의취득시 건물소유자가 협의취득 대상 건물에 대하여 약정을 하고서 불이행한 경우, 그 건물의 강제철거에 대해서는 행정대집행법이 적용되지 아니한다.

관련기출

③

1. 대집행절차를 이루는 계고 · 대집행영장에 의한 통지 · 실행 · 비용납부명령은 상호 결합하여 대집행이라는 효과를 완성시키기 때문에 선행행위의 하자는 후행행위에 승계된다. (○, ×) 2023 소방승진
2. 대집행계고처분과 비용납부명령은 하자의 승계가 인정된다. (○, ×) 2022 군무원 7급
3. 계고처분과 대집행비용납부명령은 그 목적을 달리하여 별개의 법률효과를 발생시키는 처분이므로 이미 불가쟁력이 발생한 계고처분에 존재하는 하자를 이유로 아무런 하자가 없는 대집행비용납부명령의 효력을 다툴 수 없다. (○, ×) 2022 소방간부
4. 행정대집행에 있어 대집행계고, 대집행영장에 의한 통지, 대집행실행, 비용징수의 일련의 절차 중 대집행계고와 대집행영장에 의한 통지 간에는 하자의 승계가 인정되나, 대집행계고와 비용징수 간에는 하자의 승계가 인정되지 않는다. (○, ×) 2017 국가직(하) 7급
5. 대집행에 있어서 선행처분인 계고처분이 하자가 있는 위법한 처분이라면 후행처분인 대집행영장발부통보처분의 취소를 청구하는 소송에서 청구원인으로 선행처분인 계고처분이 위법한 것이기 때문에 그 계고처분을 전제로 행하여진 대집행영장발부통보처분도 위법한 것이라는 주장을 할 수 있다. (○, ×) 2017 경행경채

1. ○ 2. ○ 3. × 4. × 5. ○

① ○
토지나 건물의 인도 · 명도의무는 토지 · 건물을 점유하고 있는 사람의 퇴거를 필요로 하는데, 이는 대체적 작위의무가 아니므로 대집행의 대상이 될 수 없다는 것이 판례의 입장이다(대판 1998. 10. 23, 97누157).

② ×
대집행의 대상이 될 수 있는 의무는 작위의무에 한하므로 부작위의무를 위반한 경우에는 원칙적으로 대집행의 대상이 되지 않는다는 것이 판례의 입장이다(대판 2005. 9. 28, 2005두7464).

③ **빈출** ○
대집행의 각 단계 행위(계고 ⇨ 통지 ⇨ 실행 ⇨ 비용납부명령)는 하자의 승계가 긍정된다.

> 계고처분과 대집행비용납부명령은 하자가 승계된다.
>
> 계고처분이 위법하다면 후행처분인 비용납부명령 그 자체에는 아무런 하자가 없다고 하더라도 비용납부명령의 취소를 구하는 소송에서 선행행위인 계고처분이 위법하므로 후행처분인 비용납부명령도 위법하다는 것을 주장할 수 있다(대판 1993. 11. 9, 93누14271).

④ ○
행정청이 대집행의 계고를 함에 있어서는 의무자가 이행해야 할 행위와 의무불이행시 대집행할 행위의 내용과 범위가 구체적으로 특정되어야 한다. 다만, 특정 여부는 반드시 대집행계고서만으로 판단할 것은 아니고 그 처분 전후에 송달된 문서나 기타 사정을 종합하여 이를 특정할 수 있으면 족하다는 것이 판례의 입장이다(대판 1996. 10. 11, 96누8086).

⑤ ○
구 「공공용지의 취득 및 손실보상에 관한 특례법」에 의한 협의취득시 건물소유자가 매매대상 건물에 대한 철거의무를 부담하겠다는 취지의 약정을 한 경우, 그 철거의무는 사법상 의무이므로 행정대집행법에 의한 대집행의 대상이 되지 않는다는 것이 판례의 입장이다(대판 2006. 10. 13, 2006두7096).

정답 11 ②

12 중 2022 서울시 지적 7급 변형

다음 중 가장 옳지 않은 것은? (다툼이 있는 경우 판례에 의함)

① 정당한 사유 없이 공유재산에 시설물을 설치한 경우 행정청은 행정대집행의 방법을 통해 해당 시설물을 철거할 수 있고, 이 경우에는 민사소송의 방법으로 시설물 철거를 할 수 없다.

② 불법시설물의 철거는 대집행이 가능하지만, 점유를 이전하는 것은 비대체적인 것으로 행정대집행법에 의한 대집행의 대상이 되는 것은 아니다.

③ 행정소송법에 따르면 처분 등의 효과가 처분 등의 집행, 그 밖의 사유로 인하여 소멸된 후에도 처분의 취소를 구할 법률상 이익이 인정될 수 있다.

④ 위법한 대집행이 완료되었더라도 미리 그 행정처분의 취소판결이 있어야만, 그 행정처분의 위법을 이유로 한 손해배상청구를 할 수 있다.

① ○

대집행이 가능한 경우에는 대집행을 하여야 하고 민사상 강제집행수단을 사용할 수는 없다. 그런데 「공유재산 및 물품관리법」은 정당한 사유 없이 공유재산에 시설물을 설치한 경우 대집행을 할 수 있다는 명문규정을 두고 있다. 따라서 민사소송으로 시설물의 철거를 구할 수 없다.

> 「공유재산 및 물품관리법」 제83조 제1항은 "지방자치단체의 장은 정당한 사유 없이 공유재산을 점유하거나 공유재산에 시설물을 설치한 경우에는 원상복구 또는 시설물의 철거 등을 명하거나 이에 필요한 조치를 할 수 있다."라고 규정하고, 제2항은 "제1항에 따른 명령을 받은 자가 그 명령을 이행하지 아니할 때에는 '행정대집행법'에 따라 원상복구 또는 시설물의 철거 등을 하고 그 비용을 징수할 수 있다."라고 규정하고 있다. 위 규정에 따라 지방자치단체장은 행정대집행의 방법으로 공유재산에 설치한 시설물을 철거할 수 있고, 이러한 행정대집행의 절차가 인정되는 경우에는 민사소송의 방법으로 시설물의 철거를 구하는 것은 허용되지 아니한다(대판 2017. 4. 13, 2013다207941).

② ○

대집행의 대상이 되는 의무는 대체적인 (작위)의무에 한정된다. 불법시설물의 철거의무는 대체적인 (작위)의무이므로 대집행의 대상이 되지만, 토지 · 건물의 점유이전의무는 토지 · 건물을 점유하고 있는 사람의 퇴거를 필요로 하는데, 이는 대체적 작위의무라고 할 수 없으므로 대집행의 대상이 될 수 없다.

③ ○

처분의 효력이 소멸한 경우에는 통상 취소소송을 제기할 소의 이익이 없다. 그러나 비록 처분의 효력기간의 경과 등으로 그 행정처분의 효력이 상실된 경우에도 당해 처분을 취소할 현실적 이익이 있는 경우, 즉 그 처분이 외형상 잔존함으로 인하여 어떠한 법률상 이익이 침해되고 있다고 볼 만한 특별한 사정이 있는 경우 등에는 그 처분의 취소를 구할 소의 이익이 있다는 것이 판례의 입장이다(제36강 참조).

> **행정소송법 제12조【원고적격】** 취소소송은 처분 등의 취소를 구할 법률상 이익이 있는 자가 제기할 수 있다. 처분 등의 효과가 기간의 경과, 처분 등의 집행 그 밖의 사유로 인하여 소멸된 뒤에도 그 처분 등의 취소로 인하여 회복되는 법률상 이익이 있는 자의 경우에는 또한 같다.

④ 제15강 참조 ×

행정처분의 취소판결이 있어야만 그 행정처분이 위법임을 이유로 손해배상청구를 할 수 있는 것은 아니라는 것이 판례의 입장이다(대판 1972. 4. 28, 72다337).

정답 12 ④

13 중 2022 국회직 8급

행정대집행에 대한 설명으로 옳지 않은 것은? (다툼이 있는 경우 판례에 의함)

① 행정대집행법에 따른 행정대집행에서 건물의 점유자가 철거의무자일 때에는 건물철거의무에 퇴거의무도 포함되어 있는 것이어서 별도로 퇴거를 명하는 집행권원이 필요하지 않다.

② 법률에 의해서뿐만 아니라 법률의 위임을 받은 조례에 의해 직접 부과된 대체적 작위의무도 대집행의 대상이 된다.

③ 부작위의무 위반행위에 대하여 대체적 작위의무로 전환하는 규정이 없는 경우, 부작위의무 위반결과의 시정을 명하는 원상복구명령은 무효이고, 원상복구명령의 실효성 확보를 위한 대집행의 계고처분 역시 무효로 봄이 타당하다.

④ 구 「공공용지의 취득 및 손실보상에 관한 특례법」에 의한 협의취득시 건물소유자가 협의취득대상 건물에 대한 철거의무를 부담하겠다는 취지의 약정을 하였다고 하더라도 이러한 철거의무는 공법상의 의무가 될 수 없고, 대집행을 허용하는 별도의 규정이 없는 한 대집행의 대상이 될 수 없다.

⑤ 건물의 소유자에게 위법건축물을 일정기간까지 철거할 것을 명함과 아울러 불이행하면 대집행한다는 내용의 계고처분을 고지한 후, 이에 불응하자 다시 제2차 계고서로 일정기간까지의 철거를 촉구하고 불이행하면 대집행한다는 뜻을 고지하였다면, 행정대집행법상 건물철거의무는 제2차 계고처분으로 인하여 발생한다.

① ○

건물의 점유자가 철거의무자일 때에는 건물철거의무에 퇴거의무도 포함되어 있는 것이어서 별도로 퇴거를 명하는 집행권원이 필요하지 않다는 것이 판례의 입장이다(대판 2017. 4. 28, 2016다213916).

② ○

행정대집행법 제2조【대집행과 그 비용징수】 법률(법률의 위임에 의한 명령, 지방자치단체의 조례를 포함한다. 이하 같다)에 의하여 직접 명령되었거나 또는 법률에 의거한 행정청의 명령에 의한 행위로서 타인이 대신하여 행할 수 있는 행위를 의무자가 이행하지 아니하는 경우 다른 수단으로써 그 이행을 확보하기 곤란하고 또한 그 불이행을 방치함이 심히 공익을 해할 것으로 인정될 때에는 당해 행정청은 스스로 의무자가 하여야 할 행위를 하거나 또는 제3자로 하여금 이를 하게 하여 그 비용을 의무자로부터 징수할 수 있다.

③ ○

부작위의무 위반의 경우 작위의무를 끌어내기 위해서는(작위의무로 전환하기 위해서는) 별도의 명문규정이 있어야 한다.

구 주택건설촉진법 제38조 제2항은 공동주택 및 부대시설 · 복리시설의 소유자 · 입주자 · 사용자 등을 부대시설 등에 대하여 도지사의 허가를 받지 않고 사업계획에 따른 용도 이외의 용도에 사용하는 행위 등을 금지하고, 그 위반행위에 대하여 위 주택건설촉진법 제52조의2 제1호에서 1천만원 이하의 벌금에 처하도록 하는 벌칙규정만을 두고 있을 뿐, 구 건축법 제69조(현 제79조) 등과 같은 부작위의무위반행위에 대하여 대체적 작위의무로 전환하는 규정을 두고 있지 아니하므로 위 금지규정으로부터 그 위반결과의 시정을 명하는 원상복구명령을 할 수 있는 권한이 도출되는 것은 아니다. 결국 행정청의 원고에 대한 원상복구명령은 권한 없는 자의 처분으로 무효라고 할 것이고, 위 원상복구명령이 당연무효인 이상 후행처분인 계고처분의 효력에 당연히 영향을 미쳐 그 계고처분 역시 무효로 된다(대판 1996. 6. 28, 96누4374).

④ ○

구 「공공용지의 취득 및 손실보상에 관한 특례법」에 의한 협의취득시 건물소유자가 협의취득대상 건물에 대하여 약정한 철거의무의 강제적 이행을 행정대집행법상 대집행의 방법으로 실현할 수는 없다는 것이 판례의 입장이다(대판 2006. 10. 13, 2006두7096).

⑤ ×

계고처분 자체도 행정소송의 대상이 되나, 2차 · 3차의 계고처분은 새로운 철거의무를 부과한 것이 아니고, 다만 대집행기한의 연기통지에 불과하므로 행정처분이 아니라는 것이 판례의 입장이다(대판 1994. 10. 28, 94누5144).

정답 13 ⑤

14 **빈출** 정답률 73% 중 2022 지방직 · 서울시 9급

행정상 강제집행에 대한 설명으로 옳은 것만을 모두 고르면? (다툼이 있는 경우 판례에 의함)

> ㉠ 행정청은 퇴거를 명하는 집행권원이 없더라도 건물철거 대집행과정에서 부수적으로 철거의무자인 건물의 점유자들에 대해 퇴거조치를 할 수 있다.
>
> ㉡ 권원 없이 국유재산에 설치한 시설물에 대하여 관리청이 행정대집행을 통해 철거를 하지 않는 경우 그 국유재산에 대하여 사용청구권을 가진 자는 국가를 대위하여 민사소송으로 그 시설물의 철거를 구할 수 있다.
>
> ㉢ 공유 일반재산의 대부료 지급은 사법상 법률관계이므로 행정상 강제집행절차가 인정되더라도 따로 민사소송으로 대부료의 지급을 구하는 것이 허용된다.
>
> ㉣ 관계법령에 위반하여 장례식장 영업을 하고 있는 자에게 부과된 장례식장 사용중지의무는 공법상 의무로서 행정대집행의 대상이 된다.

① ㉠, ㉡ ② ㉠, ㉣
③ ㉡, ㉢ ④ ㉢, ㉣

① ㉠㉡이 옳은 설명이다.

㉠ ○

행정청이 행정대집행의 방법으로 건물철거의무의 이행을 실현할 수 있는 경우에는 건물철거 대집행과정에서 부수적으로 건물의 점유자들에 대한 퇴거조치를 할 수 있다는 것이 판례의 입장이다(대판 2017. 4. 28, 2016다213916).

㉡ ○

> 1. 아무런 권원 없이 국유재산에 설치한 시설물에 대하여 행정청이 행정대집행을 할 수 있음에도 민사소송의 방법으로 그 시설물의 철거를 구하는 것은 허용되지 않는다.
> 2. 아무런 권원 없이 국유재산에 설치한 시설물에 대하여 행정청이 행정대집행을 실시하지 않는 경우, 그 국유재산에 대한 사용청구권을 가지고 있는 자가 국가를 대위하여 민사소송으로 그 시설물의 철거를 구할 수 있다(대판 2009. 6. 11, 2009다1122).

㉢ ×

> 공유 일반재산의 대부료와 연체료를 납부기한까지 내지 아니한 경우에도 「공유재산 및 물품관리법」 제97조 제2항에 의하여 지방세체납처분의 예에 따라 이를 징수할 수 있다. 이와 같이 공유 일반재산의 대부료의 징수에 관하여도 지방세체납처분의 예에 따른 간이하고 경제적인 특별한 구제절차가 마련되어 있으므로, 특별한 사정이 없는 한 민사소송으로 공유 일반재산의 대부료의 지급을 구하는 것은 허용되지 아니한다(대판 2017. 4. 13, 2013다207941).

㉣ ×

관계법령을 위반하여 장례식장 영업을 하고 있는 자의 장례식장 사용중지의무는 부작위의무로서 행정대집행법 제2조의 규정에 의한 대집행의 대상이 되지 않는다는 것이 판례의 입장이다(대판 2005. 9. 28, 2005두7464).

정답 14 ①

15 **빈출** 정답률 56% 중 2020 국가직 9급

행정대집행법상 대집행에 대한 설명으로 옳지 않은 것은? (다툼이 있는 경우 판례에 의함)

□□□ ① 「공익사업을 위한 토지 등의 취득 및 보상에 관한 법률」상의 협의취득시에 매매대상 건물에 대한 철거의무를 부담하겠다는 취지의 약정을 건물소유자가 하였다고 하더라도, 그 철거의무는 대집행의 대상이 되지 않는다.

□□□ ② 공유수면에 설치한 건물을 철거하여 공유수면을 원상회복하여야 할 의무는 대체적 작위의무에 해당하므로 행정대집행의 대상이 된다.

□□□ ③ 행정청이 건물철거의무를 행정대집행의 방법으로 실현하는 과정에서, 건물을 점유하고 있는 철거의무자들에 대하여 제기한 건물퇴거를 구하는 소송은 적법하다.

□□□ ④ 철거대상건물의 점유자들이 적법한 행정대집행을 위력을 행사하여 방해하는 경우, 행정청은 필요하다면 경찰관직무집행법에 근거한 위험발생 방지조치 차원에서 경찰의 도움을 받을 수 있다.

관련기출

④

1. 행정청이 행정대집행의 방법으로 건물철거의무의 이행을 실현할 수 있는 경우에는 건물철거대집행 과정에서 부수적으로 건물의 점유자들에 대한 퇴거조치를 할 수 있고, 점유자들이 적법한 행정대집행을 위력을 행사하여 방해하는 경우 경찰관직무집행법에 근거한 위험발생 방지조치 차원에서 경찰의 도움을 받을 수도 있다. (○, ×) 2019 국가직 7급
2. 적법한 행정대집행을 건물의 점유자들이 위력을 행사하여 방해하는 경우에 행정청은 경찰관직무집행법에 근거한 위험발생 방지조치 또는 형법상 공무집행방해죄의 범행방지 내지 현행범 체포의 차원에서 경찰의 도움을 받을 수도 있다. (○, ×) 2019 사회복지직 9급
3. 행정대집행법상 적법한 행정대집행을 점유자들이 위력을 행사하여 방해하는 경우, 행정대집행법상의 근거가 없으므로 대집행을 하는 행정청은 경찰의 도움을 받을 수 없다. (○, ×) 2019 지방직 7급

1. ○ 2. ○ 3. ×

① ○

대집행의 대상이 되는 의무는 공법상 의무이므로 사법(私法)상 의무는 대집행의 대상이 되지 않는다. 그런데 협의취득은 사법상 계약이므로 협의취득시 건물을 철거하겠다는 약정을 하였다고 하더라도 이는 사법상의 의무에 불과하다. 따라서 약정을 불이행하였다고 하더라도 대집행의 대상이 되지 아니한다는 것이 판례의 입장이다(대판 2006. 10. 13, 2006두7096).

② ○

> 피고들이 이 사건 건물을 철거하여 이 사건 공유수면을 원상회복하여야 할 의무는 대체적 작위의무에 해당하므로 행정대집행의 대상이 된다(대판 2017. 4. 28, 2016다213916).

③ ×

④ ○

> 1. 관계법령상 행정대집행의 절차가 인정되어 행정청이 행정대집행의 방법으로 건물의 철거 등 대체적 작위의무의 이행을 실현할 수 있는 경우에는 따로 민사소송의 방법으로 그 의무의 이행을 구할 수 없다. 한편, 건물의 점유자가 철거의무자일 때에는 건물철거의무에 퇴거의무도 포함되어 있는 것이어서 별도로 퇴거를 명하는 집행권원이 필요하지 않다. 또한, 행정청이 건물소유자들을 상대로 건물철거 대집행을 실시하기에 앞서, 건물소유자들을 건물에서 퇴거시키기 위해 별도로 퇴거를 구하는 민사소송은 부적법하다(③).
> 2. 행정청이 행정대집행의 방법으로 건물철거의무의 이행을 실현할 수 있는 경우에는 건물철거 대집행 과정에서 부수적으로 건물의 점유자들에 대한 퇴거조치를 할 수 있고, 점유자들이 적법한 행정대집행을 위력을 행사하여 방해하는 경우 형법상 공무집행방해죄가 성립하므로, 필요한 경우에는 경찰관직무집행법에 근거한 위험발생 방지조치 또는 형법상 공무집행방해죄의 범행방지 내지 현행범체포의 차원에서 경찰의 도움을 받을 수도 있다(④)(대판 2017. 4. 28, 2016다213916).

정답 15 ③

16 빈출 정답률 45% 상 2019 지방직 7급

행정청이 별도의 법령상의 근거 없이도 할 수 있는 행위를 모두 고르면? (다툼이 있는 경우 판례에 의함)

□□□ ㉠ 수익적 행정처분인 재량행위를 하면서 침익적 성격의 부관을 부가하는 행위
□□□ ㉡ 부관인 부담의 불이행을 이유로 수익적 행정행위를 철회하는 행위
□□□ ㉢ 부작위의무를 위반함으로써 생긴 결과를 시정하기 위한 작위의무를 명하는 행위
□□□ ㉣ 철거명령의 위반을 이유로 행정대집행을 하면서 철거의무자인 점유자에 대해 퇴거명령을 하는 행위

① ㉠, ㉡ ② ㉡, ㉢
③ ㉢, ㉣ ④ ㉠, ㉡, ㉣

④ ㉠㉡㉣이 별도의 법령상 근거 없이도 할 수 있는 행위이다.

㉠ 제14강 참조 ○

수익적 행정처분에 있어서는 법령에 특별한 근거규정이 없다고 하더라도 그 부관으로서 부담을 붙일 수 있다는 것이 판례의 입장이다(대판 2009. 2. 12, 2005다65500).

㉡ 제17강 참조 ○

처분청은 별도의 법적 근거가 없더라도 행정행위를 철회하거나 변경할 수 있다는 것이 판례의 입장이다. 따라서 부담의 불이행을 이유로 수익적 행정행위를 철회하는 것은 법령의 근거 없이도 할 수 있다. 다만 철회를 함으로써 달성되는 공익 등과 상대방의 불이익 등의 이익형량을 하여야 하는 등 철회권 제한의 법리가 적용된다.

㉢ ×

부작위의무로부터 그 의무를 위반함으로써 생긴 결과를 시정하기 위한 작위의무를 당연히 끌어낼 수는 없으며, 작위의무를 끌어내기 위해서는(작위의무로 전환하기 위해서는) 별도의 명문규정이 있어야 한다는 것이 판례의 입장이다(대판 1996. 6. 28, 96누4374).

㉣ ○

> 관계법령상 행정대집행의 절차가 인정되어 행정청이 행정대집행의 방법으로 건물의 철거 등 대체적 작위의무의 이행을 실현할 수 있는 경우에는 따로 민사소송의 방법으로 그 의무의 이행을 구할 수 없다. 한편, 건물의 점유자가 철거의무자일 때에는 건물철거의무에 퇴거의무도 포함되어 있는 것이어서 별도로 퇴거를 명하는 집행권원이 필요하지 않다(대판 2017. 4. 28, 2016다213916).

정답 16 ④

03 이행강제금(집행벌) 기 526~532쪽 핵 T 46

17 하 2024 군무원 7급

다음 중 행정기본법상 이행강제금에 대한 설명으로 가장 적절하지 않은 것은?

① 행정청은 이행강제금을 부과하기 전에 미리 의무자에게 적절한 이행기간을 정하여 그 기한까지 행정상 의무를 이행하지 아니하면 이행강제금을 부과한다는 뜻을 문서로 계고(戒告)하여야 한다.

② 행정청은 의무자가 계고에서 정한 기한까지 행정상 의무를 이행하지 아니한 경우 이행강제금의 부과 금액 · 사유 · 시기를 문서로 명확하게 적어 의무자에게 통지하여야 한다.

③ 행정청은 의무자가 행정상 의무를 이행할 때까지 이행강제금을 반복하여 부과할 수 있다.

④ 의무자가 의무를 이행하면 새로운 이행강제금의 부과를 즉시 중지하고, 이미 부과한 이행강제금은 징수하지 아니한다.

①②③ ○
④ ×

행정기본법 제31조【이행강제금의 부과】③ 행정청은 이행강제금을 부과하기 전에 미리 의무자에게 적절한 이행기간을 정하여 그 기한까지 행정상 의무를 이행하지 아니하면 이행강제금을 부과한다는 뜻을 문서로 계고(戒告)하여야 한다(①).
④ 행정청은 의무자가 제3항에 따른 계고에서 정한 기한까지 행정상 의무를 이행하지 아니한 경우 이행강제금의 부과 금액 · 사유 · 시기를 문서로 명확하게 적어 의무자에게 통지하여야 한다(②).
⑤ 행정청은 의무자가 행정상 의무를 이행할 때까지 이행강제금을 반복하여 부과할 수 있다(③). 다만, 의무자가 의무를 이행하면 새로운 이행강제금의 부과를 즉시 중지하되, 이미 부과한 이행강제금은 징수하여야 한다(④).

정답 17 ④

18 빈출 정답률 85% 중 2024 소방직 9급

이행강제금에 관한 설명으로 옳은 것은? (다툼이 있는 경우 판례에 의함)

□□□ ① 이행강제금은 부작위의무나 비대체적 작위의무에 대한 강제집행수단이므로 대체적 작위의무의 위반에 대하여는 부과될 수 없다.

□□□ ② 이행강제금과 행정벌을 병과하는 것은 헌법에서 금지하는 이중처벌에 해당한다.

□□□ ③ 이행강제금 납부의무는 일신전속적인 성질을 가지므로 상속인 등에게 승계되지 않는다.

□□□ ④ 농지법상 이행강제금 부과처분은 행정소송법상 항고소송의 대상이 된다.

관련기출

①

1. 이행강제금은 부작위의무나 비대체적 작위의무에 대한 강제집행수단으로 이해되어 왔으나, 이는 이행강제금제도의 본질에서 오는 제약은 아니며, 이행강제금은 대체적 작위의무의 위반에 대하여도 부과될 수 있다. (○, ×) 2024 소방간부
2. 이행강제금은 대체적 작위의무의 위반에 대하여도 부과될 수 있으며, 건축법상 위법건축물에 대한 이행강제수단으로 행정대집행과 이행강제금을 합리적인 재량에 의해 선택적으로 활용하는 이상 이는 중첩적인 제재에 해당하지 않는다. (○, ×) 2023 국가직 7급
3. 전통적으로 행정대집행은 대체적 작위의무에 대한 강제집행수단으로, 이행강제금은 부작위의무나 비대체적 작위의무에 대한 강제집행수단으로 이해되어 왔으나, 이는 이행강제금제도의 본질에서 오는 제약은 아니며, 이행강제금은 대체적 작위의무의 위반에 대하여도 부과될 수 있다. (○, ×) 2021 국회직 8급
4. 이행강제금은 간접적인 행정상 강제집행수단이며, 대체적 작위의무 위반에 대하여도 부과될 수 있다. (○, ×) 2020 군무원 7급

1. ○ 2. ○ 3. ○ 4. ○

②

1. 건축법상 시정명령 위반에 따른 이행강제금의 부과와 건축행위에 대한 형사처벌은 그 처벌 내지 제재대상이 되는 기본적 사실관계가 다르므로 이중처벌에 해당하지 않는다. (○, ×) 2020 국회직 8급
2. 형사처벌과 이행강제금은 병과될 수 있다. (○, ×) 2020 지방직 · 서울시 9급
3. 형사처벌과 이행강제금의 병과는 이중처벌에 해당하지 않는다. (○, ×) 2017 교육행정직 9급
4. 건축법상 이행강제금은 일정한 기한까지 의무를 이행하지 않을 때에는 일정한 금전적 부담을 과할 뜻을 미리 계고함으로써 의무자에게 심리적 압박을 주어 장래에 그 의무를 이행하게 하려는 행정상 간접적인 강제집행수단의 하나로서 반복적으로 부과되더라도 헌법상 이중처벌금지의 원칙이 적용될 여지가 없다. (○, ×) 2016 지방직 9급

1. ○ 2. ○ 3. ○ 4. ○

③

1. 건축법상의 위반행위에 대하여 건축주 등에 대하여 부과되는 이행강제금 납부의무는 상속인 기타의 사람에게 승계될 수 없는 일신전속적인 성질의 것이므로 이미 사망한 사람에게 이행강제금을 부과하는 내용의 처분이나 결정은 당연무효이다. (○, ×) 2024 군무원 7급
2. 이행강제금 납무의무는 상속인 기타의 사람에게 승계될 수 없는 일신전속적인 성질의 것이므로 이미 사망한 사람에게 이행강제금을 부과하는 내용의 처분이나 결정은 당연무효이다. (○, ×) 2024 해경간부, 2023 국가직 7급
3. 구 건축법상 이행강제금은 일신전속적인 성질의 것이므로 이행강제금을 부과받은 사람이 재판절차가 개시된 이후에 사망한 경우, 절차가 종료된다. (○, ×) 2015 국회직 8급

1. ○ 2. ○ 3. ○

① 정답률 4% ×

1. 이행강제금은 대체적 작위의무의 위반에 대하여도 부과될 수 있다.
2. 행정청은 대집행과 이행강제금을 선택적으로 활용할 수 있다고 할 것이며, 이처럼 그 합리적인 재량에 의해 선택하여 활용하는 이상 중첩적인 제재에 해당한다고 볼 수 없다(헌재 2004. 2. 26, 2001헌바80 · 84 · 102 · 103, 2002헌바26 병합).

② 빈출 정답률 5% ×

이행강제금(집행벌)과 행정벌은 목적에서 차이가 있으므로 양자를 병과하더라도 헌법에서 금지하는 이중처벌이 아니다.

건축법 제78조에 의한 무허가건축행위에 대한 형사처벌과 건축법 제83조 제1항에 의한 시정명령위반에 대한 이행강제금의 부과는 그 처벌 내지 제재대상이 되는 기본적 사실관계로서의 행위를 달리하며, 또한 그 보호법익과 목적에서도 차이가 있으므로 헌법 제13조 제1항이 금지하는 이중처벌에 해당한다고 할 수 없다(헌재 2004. 2. 26, 2001헌바80 · 84 · 102 · 103, 2002헌바26 병합).

③ 정답률 85% ○

1. 건축법상의 이행강제금은 간접강제의 일종으로서 그 이행강제금 납부의무는 상속인에게 승계될 수 없는 일신전속적인 성질의 것이므로 이미 사망한 사람에게 이행강제금을 부과하는 내용의 처분이나 결정은 당연무효이다.
2. 건축법상 이행강제금은 일신전속적인 성질의 것이므로 이행강제금을 부과받은 사람이 재판절차가 개시된 이후에 사망한 경우, 재판절차는 종료된다(대결 2006. 12. 8, 2006마470).

④ 정답률 4% ×

농지법 제62조(현 제63조) 제1항에 따른 이행강제금 부과처분에 불복하는 경우에는 비송사건절차법에 따른 재판절차가 적용되어야 하고, 행정소송법상 항고소송의 대상은 될 수 없다는 것이 판례의 입장이다(대판 2019. 4. 11, 2018두42955).

정답 18 ③

19 중 2024 변호사

행정대집행과 이행강제금에 관한 설명 중 옳은 것을 모두 고른 것은? (다툼이 있는 경우 판례에 의함)

□□□ ㉠ 법률에 이행강제수단으로 대집행과 이행강제금이 인정되고 있는 경우 행정청은 대집행과 이행강제금을 선택적으로 활용할 수 있으며, 합리적인 재량에 의해 선택하여 활용하는 이상 중첩적인 제재에 해당한다고 볼 수 없다.

□□□ ㉡ 건축법상 허가권자는 시정기간 내에 시정명령을 이행하지 아니한 건축주 등에 대하여 시정명령의 이행에 필요한 상당한 이행기한을 정하여 그 기한까지 시정명령을 이행하지 아니하면 이행강제금을 부과한다.

□□□ ㉢ 행정청은 의무자가 행정상 의무를 이행할 때까지 이행강제금을 반복하여 부과할 수 있으나, 의무자가 의무를 이행하면 새로운 이행강제금의 부과를 즉시 중지하여야 하며, 이미 부과된 이행강제금도 징수할 수 없다.

□□□ ㉣ 「공익사업을 위한 토지 등의 취득 및 보상에 관한 법률」상 토지소유자가 수용 또는 사용의 개시일까지 토지를 사업시행자에게 인도하여야 할 의무는 행정대집행법에 의한 대집행의 대상이 되지 않는다.

① ㉠, ㉡ ② ㉠, ㉢
③ ㉠, ㉡, ㉢ ④ ㉠, ㉡, ㉣
⑤ ㉡, ㉢, ㉣

㉠ ○

1. 이행강제금은 대체적 작위의무의 위반에 대하여도 부과될 수 있다.
2. 행정청은 대집행과 이행강제금을 선택적으로 활용할 수 있다고 할 것이며, 이처럼 그 합리적인 재량에 의해 선택하여 활용하는 이상 중첩적인 제재에 해당한다고 볼 수 없다(헌재 2004. 2. 26, 2001헌바80 · 84 · 102 · 103, 2002헌바26 병합).

㉡ ○

건축법 제80조【이행강제금】 ① 허가권자는 제79조 제1항에 따라 시정명령을 받은 후 시정기간 내에 시정명령을 이행하지 아니한 건축주 등에 대하여는 그 시정명령의 이행에 필요한 상당한 이행기한을 정하여 그 기한까지 시정명령을 이행하지 아니하면 다음 각 호의 이행강제금을 부과한다. (단서 생략)

㉢ ×

건축법 제80조【이행강제금】 ⑥ 허가권자는 제79조 제1항에 따라 시정명령을 받은 자가 이를 이행하면 새로운 이행강제금의 부과를 즉시 중지하되, 이미 부과된 이행강제금은 징수하여야 한다.

㉣ ○

토지의 인도의무와 같은 비대체적인 작위의무는 행정대집행법상의 대집행 대상이 되지 않는다.

구 토지수용법상 피수용자 등이 기업자에 대하여 부담하는 수용대상 토지의 인도의무는 행정대집행법에 의한 대집행의 대상이 되지 않는다(대판 2005. 8. 19, 2004다2809).

정답 19 ④

20 빈출 정답률 88% 중 2023 국가직 7급

이행강제금에 대한 설명으로 옳지 않은 것은? (다툼이 있는 경우 판례에 의함)

□□□ ① 이행강제금 납부의무는 상속인 기타의 사람에게 승계될 수 없는 일신전속적인 성질의 것이므로 이미 사망한 사람에게 이행강제금을 부과하는 내용의 처분이나 결정은 당연무효이다.

□□□ ② 이행강제금은 대체적 작위의무의 위반에 대하여도 부과될 수 있으며, 건축법상 위법건축물에 대한 이행강제수단으로 행정대집행과 이행강제금을 합리적인 재량에 의해 선택적으로 활용하는 이상 이는 중첩적인 제재에 해당하지 않는다.

□□□ ③ 건축법상 시정명령을 받은 의무자가 이행강제금이 부과되기 전에 그 의무를 이행하였더라도 그 시정명령에서 정한 기간을 지나서 이행한 경우라면 행정청은 이행강제금을 부과할 수 있다.

□□□ ④ 건축주 등이 건축법상 시정명령을 장기간 이행하지 아니하였더라도, 그 기간 중에는 시정명령의 이행 기회가 제공되지 아니하였다가 뒤늦게 시정명령의 이행 기회가 제공된 경우라면, 행정청은 시정명령의 이행 기회 제공을 전제로 한 1회분의 이행강제금만을 부과할 수 있고 시정명령의 이행 기회가 제공되지 아니한 과거의 기간에 대한 이행강제금까지 한꺼번에 부과할 수는 없다.

관련기출

④

1. 장기간 시정명령을 이행하지 아니하였더라도, 그 기간 중에는 시정명령의 이행기회가 제공되지 아니하였다가 뒤늦게 시정명령의 이행기회가 제공된 경우라면, 시정명령의 이행기회 제공을 전제로 한 1회분의 이행강제금만을 부과할 수 있고, 시정명령의 이행기회가 제공되지 아니한 과거의 기간에 대한 이행강제금까지 한꺼번에 부과할 수는 없으며 이를 위반하여 이루어진 이행강제금 부과처분은 무효이다. (○, ×) 2022 국회직 8급
2. 비록 건축주 등이 장기간 시정명령을 이행하지 아니하였더라도, 그 기간 중에는 시정명령의 이행기회가 제공되지 아니하였다가 뒤늦게 시정명령의 이행기회가 제공된 경우라면, 시정명령의 이행기회가 제공되지 아니한 과거의 기간에 대한 이행강제금까지 한꺼번에 부과할 수 있다. (○, ×) 2020 군무원 9급
3. 건축주 등이 장기간 시정명령을 이행하지 아니하였으나 그 기간 중에 시정명령의 이행기회가 제공되지 아니하였다가 뒤늦게 이행기회가 제공된 경우, 이행기회가 제공되지 아니한 과거의 기간에 대한 이행강제금까지 한꺼번에 부과하였다면 그러한 이행강제금 부과처분은 하자가 중대·명백하여 당연무효이다. (○, ×) 2019 국가직 7급

1. ○ 2. × 3. ○

① 정답률 4% ○

건축법상의 이행강제금은 간접강제의 일종으로서 그 이행강제금 납부의무는 상속인에게 승계될 수 없는 일신전속적인 성질의 것이므로 이미 사망한 사람에게 이행강제금을 부과하는 내용의 처분이나 결정은 당연무효라는 것이 판례의 입장이다(대결 2006. 12. 8, 2006마470).

② 정답률 3% ○

1. 이행강제금은 대체적 작위의무의 위반에 대하여도 부과될 수 있다.
2. 행정청은 대집행과 이행강제금을 선택적으로 활용할 수 있다고 할 것이며, 이처럼 그 합리적인 재량에 의해 선택하여 활용하는 이상 중첩적인 제재에 해당한다고 볼 수 없다.

전통적으로 행정대집행은 대체적 작위 의무에 대한 강제집행수단으로, 이행강제금은 부작위의무나 비대체적 작위의무에 대한 강제집행수단으로 이해되어 왔으나, 이는 이행강제금제도의 본질에서 오는 제약은 아니며, 이행강제금은 대체적 작위의무의 위반에 대하여도 부과될 수 있다. 현행 건축법상 위법건축물에 대한 이행강제수단으로 대집행과 이행강제금(제83조 제1항)이 인정되고 있는데, 양 제도는 각각의 장단점이 있으므로 행정청은 개별사건에 있어서 위반내용, 위반자의 시정의지 등을 감안하여 대집행과 이행강제금을 선택적으로 활용할 수 있으며, 이처럼 그 합리적인 재량에 의해 선택하여 활용하는 이상, 중첩적인 제재에 해당한다고 볼 수 없다(헌재 2004. 2. 26, 2001헌바80·84·102·103, 2002헌바26 병합).

③ 정답률 88% ×

건축법상의 이행강제금은 시정명령의 불이행이라는 과거의 위반행위에 대한 제재가 아니라, 의무자에게 시정명령을 받은 의무의 이행을 명하고 그 이행기간 안에 의무를 이행하지 않으면 이행강제금이 부과된다는 사실을 고지함으로써 의무자에게 심리적 압박을 주어 의무의 이행을 간접적으로 강제하는 행정상의 간접강제수단에 해당한다. 이러한 이행강제금의 본질상 시정명령을 받은 의무자가 이행강제금이 부과되기 전에 그 의무를 이행한 경우에는 비록 시정명령에서 정한 기간을 지나서 이행한 경우라도 이행강제금을 부과할 수 없다(대판 2014. 12. 11, 2013두15750).

④ 빈출 정답률 3% ○

1. 건축주 등이 장기간 시정명령을 이행하지 아니하였으나 그 기간 중에 시정명령의 이행기회가 제공되지 아니하였다가 뒤늦게 이행 기회가 제공된 경우, 이행기회가 제공되지 아니한 과거의 기간에 대한 이행강제금까지 한꺼번에 부과할 수는 없다.
2. 이를 위반하여 이루어진 이행강제금 부과처분의 하자는 중대하고 명백하다.

비록 건축주 등이 장기간 시정명령을 이행하지 아니하였더라도, 그 기간 중에는 시정명령의 이행기회가 제공되지 아니하였다가 뒤늦게 시정명령의 이행기회가 제공된 경우라면, 시정명령의 이행기회 제공을 전제로 한 1회분의 이행강제금만을 부과할 수 있고, 시정명령의 이행기회가 제공되지 아니한 과거의 기간에 대한 이행강제금까지 한꺼번에 부과할 수는 없다. 그리고 이를 위반하여 이루어진 이행강제금 부과처분은 과거의 위반행위에 대한 제재가 아니라 행정상의 간접강제수단이라는 이행강제금의 본질에 반하여 구 건축법 제80조 제1·4항 등 법규의 중요한 부분을 위반한 것으로서, 그러한 하자는 중대할 뿐만 아니라 객관적으로도 명백하다고 할 것이다(대판 2016. 7. 14, 2015두46598).

정답 20 ③

21 중

2023 국회직 9급

이행강제금에 대한 설명으로 옳지 않은 것은? (다툼이 있는 경우 판례에 의함)

① 건축법상 이행강제금은 시정명령의 불이행이라는 과거의 위반행위에 대한 제재가 아니라 의무자에게 심리적 압박을 주어 시정명령에 따른 의무의 이행을 간접적으로 강제하는 행정상의 간접강제수단에 해당한다.

② 건축법상의 이행강제금 납부의무는 상속인 기타의 사람에게 승계될 수 없는 일신전속적인 성질의 것이다.

③ 이행강제금은 과거의 일정한 법률위반행위에 대한 제재로서의 형벌이 아니라 장래의 의무이행의 확보를 위한 강제수단일 뿐이어서 이중처벌금지의 원칙이 적용될 여지가 없다.

④ 이행강제금은 부작위의무나 비대체적 작위의무에 대한 강제집행수단으로 이해되어 왔으나 이행강제금은 대체적 작위의무의 위반에 대하여도 부과될 수 있다.

⑤ 행정청이 농지법상 이행강제금 부과처분을 하면서 관할 행정법원에 행정소송을 할 수 있다고 잘못 안내하였다면 그 잘못된 안내로 행정법원의 항고소송 재판관할이 생긴다고 볼 수 있다.

① ○

건축법상의 이행강제금은 시정명령의 불이행이라는 과거의 위반행위에 대한 제재가 아니라, 의무자에게 시정명령을 받은 의무의 이행을 명하고 그 이행기간 안에 의무를 이행하지 않으면 이행강제금이 부과된다는 사실을 고지함으로써 의무자에게 심리적 압박을 주어 의무의 이행을 간접적으로 강제하는 행정상의 간접강제수단에 해당한다(대판 2018. 1. 25, 2015두35116).

② ○

건축법상의 이행강제금은 간접강제의 일종으로서 그 이행강제금 납부의무는 상속인에게 승계될 수 없는 일신전속적인 성질의 것이므로 이미 사망한 사람에게 이행강제금을 부과하는 내용의 처분이나 결정은 당연무효라는 것이 판례의 입장이다(대결 2006. 12. 8, 2006마470).

③ ○

건축법상 이행강제금은 일정한 기한까지 의무를 이행하지 않을 때에는 일정한 금전적 부담을 과할 뜻을 미리 계고함으로써 의무자에게 심리적 압박을 주어 장래에 그 의무를 이행하게 하려는 행정상 간접적인 강제집행수단의 하나로서 과거의 일정한 법률위반행위에 대한 제재로서의 형벌이 아니라 장래의 의무이행의 확보를 위한 강제수단일 뿐이어서 범죄에 대하여 국가가 형벌권을 실행한다고 하는 과벌에 해당하지 아니하므로, 헌법 제13조 제1항이 금지하는 이중처벌금지의 원칙이 적용될 여지가 없다(헌재 2011. 10. 25, 2009헌바140).

④ ○

전통적으로 행정대집행은 대체적 작위 의무에 대한 강제집행수단으로, 이행강제금은 부작위의무나 비대체적 작위의무에 대한 강제집행수단으로 이해되어 왔으나, 이는 이행강제금제도의 본질에서 오는 제약은 아니며, 이행강제금은 대체적 작위의무의 위반에 대하여도 부과될 수 있다(헌재 2004. 2. 26, 2001헌바80 · 84 · 102 · 103, 2002헌바26 병합).

⑤ ×

구 농지법 제62조(현 제63조) 제1항에 따른 이행강제금 부과처분에 불복하는 경우에는 비송사건절차법에 따른 재판절차가 적용되어야 하고, 행정소송법상 항고소송의 대상은 될 수 없다. 농지법 제62조 제6항, 제7항이 위와 같이 이행강제금 부과처분에 대한 불복절차를 분명하게 규정하고 있으므로, 이와 다른 불복절차를 허용할 수는 없다. 설령 피고가 이행강제금 부과처분을 하면서 재결청에 행정심판을 청구하거나 관할 행정법원에 행정소송을 할 수 있다고 잘못 안내하거나 경기도행정심판위원회가 각하재결이 아닌 기각재결을 하면서 관할법원에 행정소송을 할 수 있다고 잘못 안내하였다고 하더라도, 그러한 잘못된 안내로 행정법원의 항고소송 재판관할이 생긴다고 볼 수도 없다(대판 2019. 4. 11, 2018두42955).

정답 21 ⑤

22 정답률 68% 중 2021 지방직 · 서울시 7급

이행강제금에 대한 설명으로 옳지 않은 것은? (다툼이 있는 경우 판례에 의함)

□□□ ① 건축법상 이행강제금은 시정명령의 불이행이라는 과거의 위반행위에 대한 제재가 아니라 시정명령을 이행하지 않고 있는 건축주 등에 대하여 다시 상당한 이행기한을 부여하고 기한 안에 시정명령을 이행하지 않으면 이행강제금이 부과된다는 사실을 고지함으로써 의무자에게 심리적 압박을 주어 시정명령에 따른 의무의 이행을 간접적으로 강제하는 수단의 성질을 가진다.

□□□ ② 건축법상 행정청은 의무자가 행정상 의무를 이행할 때까지 이행강제금을 반복하여 부과할 수 있으나, 의무자가 의무를 이행하면 새로운 이행강제금의 부과를 즉시 중지하여야 하고 이미 부과한 이행강제금은 징수하지 아니한다.

□□□ ③ 농지법에 따른 이행강제금을 부과할 때에는 그때마다 이행강제금을 부과 · 징수한다는 뜻을 미리 문서로 알려야 하고, 이와 같은 절차를 거치지 아니한 채 이행강제금을 부과하는 것은 이행강제금 제도의 취지에 반하는 것으로써 위법하다.

□□□ ④ 건축법상 이행강제금은 위반행위에 대하여 시정명령을 받은 후 시정기간 내에 당해 시정명령을 이행하지 아니한 건축주 등에 대하여 부과하는 것으로서 그 이행강제금 납부의무는 상속인 기타의 사람에게 승계될 수 없는 일신전속적인 성질의 것이므로 이미 사망한 사람에게 이행강제금을 부과하는 내용의 처분이나 결정은 당연무효이다.

관련기출

①

1. 건축법상 시정명령을 받은 의무자가 이행강제금이 부과되기 전에 그 의무를 이행한 경우에는 비록 시정명령에서 정한 기간을 지나서 이행한 경우라도 이행강제금을 부과할 수 없다. (○, ×) 2020 국가직 9급
2. 이행강제금은 과거의 의무불이행에 대한 제재의 기능을 지니고 있으므로, 이행강제금이 부과되기 전에 의무를 이행한 경우에도 시정명령에서 정한 기간을 지나서 이행한 경우라면 이행강제금을 부과할 수 있다. (○, ×) 2019 지방직 · 교육행정직 9급
3. 건축법상의 이행강제금과 관련하여, 시정명령을 받은 의무자가 시정명령에서 정한 기간을 지나서 시정명령을 이행한 경우, 이행강제금이 부과되기 전에 그 이행이 있었다 하더라도 시정명령상의 기간을 준수하지 않은 이상 이행강제금을 부과하는 것은 정당하다. (○, ×) 2018 국가직 7급

1. ○ 2. × 3. ×

① **빈출** ○

건축법상의 이행강제금은 시정명령의 불이행이라는 과거의 위반행위에 대한 제재가 아니라, 의무자에게 시정명령을 받은 의무의 이행을 명하고 그 이행기간 안에 의무를 이행하지 않으면 이행강제금이 부과된다는 사실을 고지함으로써 의무자에게 심리적 압박을 주어 의무의 이행을 간접적으로 강제하는 행정상의 간접강제수단에 해당한다. 이러한 이행강제금의 본질상 시정명령을 받은 의무자가 이행강제금이 부과되기 전에 그 의무를 이행한 경우에는 비록 시정명령에서 정한 기간을 지나서 이행한 경우라도 이행강제금을 부과할 수 없다(대판 2018. 1. 25, 2015두35116).

② ×

건축법 제80조【이행강제금】 ⑤ 허가권자는 최초의 시정명령이 있었던 날을 기준으로 하여 1년에 2회 이내의 범위에서 해당 지방자치단체의 조례로 정하는 횟수만큼 그 시정명령이 이행될 때까지 반복하여 제1항 및 제2항에 따른 이행강제금을 부과 · 징수할 수 있다.
⑥ 허가권자는 제79조 제1항에 따라 시정명령을 받은 자가 이를 이행하면 새로운 이행강제금의 부과를 즉시 중지하되, 이미 부과된 이행강제금은 징수하여야 한다.

③ ○

이행강제금은 행정법상의 부작위의무 또는 비대체적 작위의무를 이행하지 않은 경우에 '일정한 기한까지 의무를 이행하지 않을 때에는 일정한 금전적 부담을 과할 뜻'을 미리 알림으로써 의무자에게 심리적 압박을 주어 장래를 향하여 그 의무의 이행을 확보하려는 간접적인 행정상 강제집행수단이므로, 농지법 제62조 제1항에 따른 이행강제금을 부과할 때에는 그때마다 이행강제금을 부과 · 징수한다는 뜻을 미리 문서로 알려야 하고, 이와 같은 절차를 거치지 아니한 채 이행강제금을 부과하는 것은 이행강제금 제도의 취지에 반하는 것으로서 위법하다(대결 2018. 11. 2, 2018마5608).

④ ○

건축법상의 이행강제금은 간접강제의 일종으로서 그 이행강제금 납부의무는 상속인에게 승계될 수 없는 일신전속적인 성질의 것이므로 이미 사망한 사람에게 이행강제금을 부과하는 내용의 처분이나 결정은 당연무효라는 것이 판례의 입장이다(대결 2006. 12. 8, 2006마470).

정답 22 ②

05 행정상 강제징수

기 535~539쪽 핵 T 47

23

정답률 64% 중 2017 국가직 9급

국세징수법상 강제징수절차에 대한 판례의 입장으로 옳지 않은 것은?

□□□ ① 세무공무원이 국세의 징수를 위해 납세자의 재산을 압류하는 경우 그 재산의 가액이 징수할 국세액을 초과한다면 당해 압류처분은 무효이다.

□□□ ② 국세를 납부기한까지 납부하지 아니하면 과세권자의 가산금 확정절차 없이 국세징수법 제21조에 의하여 가산금이 당연히 발생하고 그 액수도 확정된다.

□□□ ③ 조세부과처분의 근거규정이 위헌으로 선언된 경우, 그에 기한 조세부과처분이 위헌결정 전에 이루어졌다 하더라도 위헌결정 이후에 조세채권의 집행을 위해 새로이 착수된 체납처분은 당연무효이다.

□□□ ④ 공매통지가 적법하지 아니하다면 특별한 사정이 없는 한, 공매통지를 직접 항고소송의 대상으로 삼아 다툴 수 없고 통지 후에 이루어진 공매처분에 대하여 다투어야 한다.

관련기출

④

1. 국세징수법상의 공매통지는 그 상대방인 체납자 등의 법적 지위나 권리 · 의무에 직접적인 영향을 주는 행정처분이므로 공매통지 자체를 취소소송의 대상으로 삼을 수 있다. (○, ×) 2022 국회직 8급
2. 체납자 등에 대한 공매통지는 국가의 강제력에 의하여 진행되는 공매에서 체납자 등의 권리 내지 재산상의 이익을 보호하기 위하여 법률로 규정한 절차적 요건이라고 보아야 하며, 공매처분을 하면서 체납자 등에게 공매통지를 하지 않았거나 공매통지를 하였더라도 그것이 적법하지 아니한 경우에는 절차상의 흠이 있어 그 공매처분이 위법하게 되는 것이므로 위법한 공매통지에 대해서는 처분성이 인정된다. (○, ×) 2021 국회직 8급
3. 국세징수법상 공매통지에 하자가 있는 경우, 다른 특별한 사정이 없는 한 체납자는 공매통지 자체를 항고소송의 대상으로 삼아 그 취소 등을 구할 수 있다. (○, ×) 2020 국가직 9급

1. × 2. × 3. ×

① ×

> 압류재산이 징수할 국세액을 초과하는 경우 위 압류처분의 효력은 당연무효가 아니다.
>
> 세무공무원이 국세의 징수를 위해 납세자의 재산을 압류하는 경우 그 재산의 가액이 징수할 국세액을 초과한다 하여 위 압류가 당연무효의 처분이라고는 할 수 없다(대판 1986. 11. 11, 86누479).

② ○

> (구)국세징수법상 가산금 또는 중가산금의 고지는 항고소송의 대상이 되는 처분이 아니다.
>
> (구)국세징수법 제21 · 22조가 규정하는 가산금 또는 중가산금은 국세를 납부기한까지 납부하지 아니하면 과세청의 확정절차 없이도 법률규정에 의하여 당연히 발생하는 것이므로 가산금 또는 중가산금의 고지가 항고소송의 대상이 되는 처분이라고 볼 수 없다(대판 2005. 6. 10, 2005다15482).

③ ○

> 과세처분 이후 조세 부과의 근거가 되었던 법률규정에 대하여 위헌결정이 내려진 경우, 그 조세채권의 집행을 위한 체납처분(현 강제징수)은 당연무효가 된다(대판 2012. 2. 16, 2010두10907 전합).

④ ○

공매하기로 한 결정(공매결정)과 공매의 통지는 내부행위 또는 사실행위로서 처분이 아니라는 것이 학설과 판례의 태도이다.

> 국세징수법상 공매통지 자체는 원칙적으로 항고소송의 대상이 되는 행정처분이 아니다.
>
> 체납자 등은 공매통지의 결여나 위법을 들어 공매처분의 취소 등을 구할 수 있는 것이지 공매통지 자체를 항고소송의 대상으로 삼아 그 취소 등을 구할 수는 없다(대판 2011. 3. 24, 2010두25527).

정답 23 ①

24 중 2015 사회복지직 9급 변형

행정상 강제징수에 대한 설명으로 옳지 않은 것은?

□□□ ① 국세징수법은 행정상 강제징수에 관한 사실상 일반법의 지위를 갖는다.

□□□ ② 국세징수법에 의한 강제징수절차는 독촉과 강제징수로, 강제징수는 다시 재산압류, 압류재산의 매각, 청산의 단계로 이루어진다.

□□□ ③ 판례에 의하면, 압류는 체납국세의 징수를 실현하기 위하여 체납자의 재산을 보전하는 강제행위로서 항고소송의 대상이 되는 처분이다.

□□□ ④ 독촉과 강제징수에 대하여 불복이 있는 자는 바로 취소소송을 제기할 수 있다.

① ○

국세징수법은 국세의 징수에 관한 법률이기는 하지만 다른 개별법상 금전급부 의무를 불이행하는 경우 국세징수법의 예에 의하도록 하고 있으므로 국세징수법은 행정상 강제징수에 관하여 실질적으로 일반법적 지위를 가진다.

② ○

국세징수법상의 강제징수절차는 독촉 및 강제징수로 나누어지며, 강제징수는 다시 재산의 압류, 압류재산의 매각, 청산의 3단계로 나누어진다.

③ ○

압류란 의무자의 재산에 대해 사실상 처분(파괴 등) 및 법률상 처분(매매 · 증여 등)을 금지하고 재산을 확보하는 권력적 사실행위로서 행정처분에 해당한다.

> 압류처분은 행정처분으로서 이에 기하여 이루어진 집행방법인 압류등기와는 구별되므로 압류등기의 말소를 구하는 것을 압류처분 자체의 무효를 구하는 것으로 볼 수 없고, 또한 압류등기가 말소된다고 하여도 압류처분이 외형적으로 효력이 있는 것처럼 존재하는 이상 그 불안과 위험을 제거할 필요가 있다고 할 것이므로, 압류처분에 기한 압류등기가 경료되어 있는 경우에도 압류처분의 무효확인을 구할 이익이 있다고 할 것이다(대판 2003. 5. 16, 2002두3669).

④ ×

독촉, 압류, 공매처분 등 강제징수에 대해 불복이 있는 자는 행정쟁송을 제기할 수 있다. 그런데 소송을 제기하기 전에 심사청구 또는 심판청구 중 하나의 절차를 반드시 거치도록 하는 예외적 행정심판전치주의를 규정하고 있으므로 바로 취소소송을 제기할 수는 없다. 다만 심사청구와 심판청구는 둘 중 하나를 선택하여 청구하여야 하며 중복하여 청구할 수는 없다.

정답 24 ④

제 25 강 행정상 즉시강제와 행정조사

1회독	2회독	3회독
/	/	/

⊘정답률 공단기/소방단기 합격예측 풀서비스 통계 데이터 기준 기 기본서 핵 핵심집약

01 행정상 즉시강제 기 542~547쪽 핵 T 48

01 정답률 66% 상 2022 국가직 9급

행정상 즉시강제에 대한 설명으로 옳은 것만을 모두 고르면?

□□□ ㉠ 항고소송의 대상이 되는 처분의 성질을 갖는다.
□□□ ㉡ 과거의 의무위반에 대하여 가해지는 제재이다.
□□□ ㉢ 목전에 급박한 장해를 예방하기 위한 경우에는 예외적으로 법률의 근거가 없이도 발동될 수 있다는 것이 일반적인 견해이다.
□□□ ㉣ 강제건강진단과 예방접종은 대인적 강제수단에 해당한다.
□□□ ㉤ 위법한 즉시강제작용으로 손해를 입은 자는 국가나 지방자치단체를 상대로 국가배상법이 정한 바에 따라 손해배상을 청구할 수 있다.

① ㉡, ㉢ ② ㉠, ㉡, ㉤
③ ㉠, ㉣, ㉤ ④ ㉢, ㉣, ㉤

③ ㉠㉣㉤이 옳은 설명이다.

㉠ ○
행정상 즉시강제는 권력적 사실행위로서 항고소송의 대상이 되는 처분에 해당한다.

㉡ ×
과거의 의무위반에 대하여 가해지는 제재는 행정벌이다. 즉시강제는 현재의 급박한 행정상의 장해를 제거하기 위해 행해지는 강제작용이다.

㉢ ×
행정상 즉시강제는 전형적인 침해적 작용이므로 엄격한 실정법적 근거를 요한다고 봄이 통설 · 판례의 입장이며 행정기본법도 법률의 근거가 필요하다는 입장이다.

> 행정상 즉시강제는 엄격한 실정법상의 근거를 필요로 할 뿐만 아니라, 그 발동에 있어서는 법규의 범위 안에서도 다시 행정상의 장해가 목전에 급박하고, 다른 수단으로는 행정목적을 달성할 수 없는 경우이어야 하며, 이러한 경우에도 그 행사는 필요 최소한도에 그쳐야 함을 내용으로 하는 조리상의 한계에 기속된다(헌재 2002. 10. 31, 2000헌가12).

> 행정기본법 제30조【행정상 강제】① 행정청은 행정목적을 달성하기 위하여 필요한 경우에는 법률로 정하는 바에 따라 필요한 최소한의 범위에서 다음 각 호의 어느 하나에 해당하는 조치를 할 수 있다.
> 5. 즉시강제 : 현재의 급박한 행정상의 장해를 제거하기 위한 경우로서 다음 각 목의 어느 하나에 해당하는 경우에 행정청이 곧바로 국민의 신체 또는 재산에 실력을 행사하여 행정목적을 달성하는 것

㉣ ○
즉시강제 중에서 대인적 강제란 사람의 신체에 실력을 가하여 행정상 필요한 상태를 실현하는 작용이다. 「감염병의 예방 및 관리에 관한 법률」상의 강제건강진단 및 예방접종 등은 대표적인 대인적 즉시강제의 예이다.

㉤ ○
위법한 즉시강제로 손해를 입은 자는 국가배상법이 정하는 바에 따라 손해배상을 청구할 수 있다.

정답 01 ③

대표

02 빈출 정답률 71% 중 2021 국가직 9급

행정상 즉시강제에 대한 설명으로 옳지 않은 것은? (다툼이 있는 경우 판례에 의함)

□□□ ① 행정상 즉시강제는 국민의 권리침해를 필연적으로 수반하므로, 이에 대해서는 항상 영장주의가 적용된다.

□□□ ② 행정상 즉시강제는 직접강제와는 달리 행정상 강제집행에 해당하지 않는다.

□□□ ③ 구 「음반 · 비디오물 및 게임물에 관한 법률」상 불법게임물에 대한 수거 및 폐기조치는 행정상 즉시강제에 해당한다.

□□□ ④ 다른 수단으로는 행정목적을 달성할 수 없는 경우에만 허용되며, 이 경우에도 최소한으로만 실시하여야 한다.

관련기출

①

1. 사전영장주의원칙은 인신보호를 위한 헌법상의 기속원리이기 때문에 인신의 자유를 제한하는 행정상 즉시강제에서도 존중되어야 하고, 다만 사전영장주의를 고수하다가는 도저히 그 목적을 달성할 수 없는 지극히 예외적인 경우에만 형사절차에서와 같은 예외가 인정된다. (○, ×) 2019 경행경채 2차
2. (대법원에 따르면) 행정상 즉시강제에서 그 목적을 달성할 수 없는 지극히 예외적인 경우에만 헌법상 사전영장주의원칙의 예외가 인정된다. (○, ×) 2019 소방직 9급
3. 즉시강제에서 영장주의가 적용되는가의 여부에 대하여 판례는 국민의 권익보호를 위하여 예외 없이 영장주의가 적용되어야 한다는 영장필요설의 입장을 취하고 있다. (○, ×) 2013 경행특채
4. 불법게임물을 발견한 경우 관계공무원으로 하여금 영장 없이 이를 수거하여 폐기하게 할 수 있도록 규정한 구 「음반 · 비디오물 및 게임물에 관한 법률」의 조항은 급박한 상황에 대처하기 위해 행정상 즉시강제를 행할 불가피성과 정당성이 인정되지 않으므로 헌법상 영장주의에 위배된다. (○, ×) 2017 국가직(하) 9급
5. 구 「음반 · 비디오물 및 게임물에 관한 법률」상 등급분류를 받지 아니한 게임물을 발견한 경우 관계행정청이 관계공무원으로 하여금 이를 수거 · 폐기하게 할 수 있도록 한 규정은 헌법상 영장주의와 피해 최소성의 요건을 위배하는 과도한 입법으로 헌법에 위반된다. (○, ×) 2014 지방직 9급

1. ○ 2. ○ 3. × 4. × 5. ×

① 빈출 ×

항상 영장주의가 적용된다는 것은 대법원 · 헌법재판소 어느 견해에 의하더라도 옳지 않다. 절충설(통설)과 대법원에 따르면, 헌법상 영장주의는 형사사법권뿐 아니라 행정상 즉시강제에도 적용되어야 하나, 즉시강제 중에서 행정목적의 달성을 위해 불가피하다고 인정할 만한 합리적인 이유가 있는 특별한 경우에 한하여 영장주의가 적용되지 않는다고 본다. 한편 헌법재판소는 급박성을 본질로 하는 즉시강제에는 원칙적으로 영장주의가 적용되지 않는다는 입장이다.

> 1. 사전영장주의는 행정상 즉시강제를 포함한 인신의 자유를 제한하는 모든 국가작용의 영역에서 존중되어야 하나 사전영장주의를 고수하다가는 도저히 그 목적을 달성할 수 없는 지극히 예외적인 경우에만 형사절차에서와 같은 예외가 인정된다고 할 것이다(대판 1995. 6. 30, 93추83). – 대법원
> 2. 관계행정청이 등급분류를 받지 아니하거나 등급분류를 받은 게임물과 다른 내용의 게임물을 발견한 경우 관계공무원으로 하여금 이를 수거 · 폐기하게 할 수 있도록 한 구 「음반 · 비디오물 및 게임물에 관한 법률」의 조항은 급박한 상황에 대처하기 위한 것으로서 그 불가피성과 정당성이 충분히 인정되는 경우이므로, 이 사건 법률조항이 비록 영장 없는 수거를 인정한다고 하더라도 이를 두고 헌법상 영장주의에 위배되는 것으로는 볼 수 없다. – 헌법재판소
>
> 행정상 즉시강제는 상대방의 임의이행을 기다릴 시간적 여유가 없을 때 하명 없이 바로 실력을 행사하는 것으로서, 그 본질상 급박성을 요건으로 하고 있어 법관의 영장을 기다려서는 그 목적을 달성할 수 없다고 할 것이므로, 원칙적으로 영장주의가 적용되지 않는다고 보아야 할 것이다(헌재 2002. 10. 31, 2000헌가12).

② ○

행정상 강제집행은 의무의 존재 및 그의 불이행을 전제로 한다는 점에서, 이것을 전제로 하지 않고 급박한 경우에 즉시 행하여지는 행정상 즉시강제와 구별된다. 행정상 강제집행의 종류로는 대집행 · 강제징수 · 직접강제 · 이행강제금(집행벌)이 있고 즉시강제는 포함되지 않는다.

③ ○

구 「음반 · 비디오물 및 게임물에 관한 법률」상 불법게임물의 수거 · 삭제 · 폐기는 즉시강제에 해당한다.

> 불법게임물은 불법현장에서 이를 즉시 수거하지 않으면 증거인멸의 가능성이 있고, 그 사행성으로 인한 폐해를 막기 어려우며, 대량으로 복제되어 유통될 가능성이 있어, 불법게임물에 대하여 관계당사자에게 수거 · 폐기를 명하고 그 불이행을 기다려 직접강제 등 행정상의 강제집행으로 나아가는 원칙적인 방법으로는 목적달성이 곤란하다고 할 수 있으므로, 이 사건 법률조항의 설정은 위와 같은 급박한 상황에 대처하기 위한 것으로서 그 불가피성과 정당성이 인정된다. …… 또한 이 사건 법률조항이 불법게임물의 수거 · 폐기에 관한 행정상 즉시강제를 허용함으로써 게임제공업주 등이 입게 되는 불이익보다는 이를 허용함으로써 보호되는 공익이 더 크다고 볼 수 있으므로, 법익의 균형성의 원칙에 위배되는 것도 아니다(헌재 2002. 10. 31, 2000헌가12).

④ ○

> 행정기본법 제33조【즉시강제】 ① 즉시강제는 다른 수단으로는 행정목적을 달성할 수 없는 경우에만 허용되며, 이 경우에도 최소한으로만 실시하여야 한다.

정답 02 ①

03 빈출 정답률 32% 상 2020 소방직 9급

행정강제수단에 대한 설명으로 옳지 않은 것은? (다툼이 있는 경우 판례에 의함)

□□□ ① 행정기관은 법령 등에서 행정조사를 규정하고 있는 경우에 한하여 행정조사를 실시할 수 있지만 조사대상자의 자발적인 협조를 얻어 실시하는 경우에는 그러하지 아니하다.

□□□ ② 화재진압작업을 위해서 화재발생현장에 불법주차차량을 제거하는 것은 급박성을 이유로 법적 근거가 없더라도 최후수단으로서 실행이 가능하다.

□□□ ③ 해가 지기 전에 대집행을 착수한 경우에는 야간에 대집행실행이 가능하다.

□□□ ④ 건축법상 이행강제금 납부의 최초 독촉은 항고소송의 대상이 되는 행정처분에 해당한다는 것이 판례의 태도이다.

관련기출

③

1. 해가 지기 전에 대집행에 착수한 경우라고 할지라도 해가 진 후에는 대집행을 할 수 없다. (○, ×) 2019 서울시 9급

1. ×

① ○

행정조사기본법 제5조【행정조사의 근거】 행정기관은 법령 등에서 행정조사를 규정하고 있는 경우에 한하여 행정조사를 실시할 수 있다. 다만, 조사대상자의 자발적인 협조를 얻어 실시하는 행정조사의 경우에는 그러하지 아니하다.

② ×

화재진압작업을 위해서 화재발생현장에 불법주차차량을 제거하는 것은 소방기본법에 의한 강제처분으로서 즉시강제 중 대물적 강제에 해당한다. 법치주의가 확립된 오늘날에는 행정상 즉시강제는 전형적인 침해적 작용이므로 엄격한 실정법적 근거를 요한다고 봄이 통설이다.

③ ○

행정대집행법 제4조【대집행의 실행 등】 ① 행정청(제2조에 따라 대집행을 실행하는 제3자를 포함한다. 이하 이 조에서 같다)은 해가 뜨기 전이나 해가 진 후에는 대집행을 하여서는 아니 된다. 다만, 다음 각 호의 어느 하나에 해당하는 경우에는 그러하지 아니하다.

1. 의무자가 동의한 경우
2. 해가 지기 전에 대집행을 착수한 경우
3. 해가 뜬 후부터 해가 지기 전까지 대집행을 하는 경우에는 대집행의 목적달성이 불가능한 경우
4. 그 밖에 비상시 또는 위험이 절박한 경우

④ ○

건축법상 이행강제금 납부의 최초 독촉은 항고소송의 대상이 되는 행정처분에 해당한다(대판 2009. 12. 24, 2009두14507).

정답 03 ②

02 행정조사

기 548~557쪽 핵 T 49

04

정답률 72% 중 2024 지방직 · 서울시 9급

행정조사에 대한 설명으로 옳지 않은 것은? (다툼이 있는 경우 판례에 의함)

□□□ ① 우편물 통관검사절차에서 이루어지는 우편물의 개봉, 시료채취, 성분분석 등의 검사는 수출입물품에 대한 적정한 통관 등을 목적으로 한 행정조사의 성격을 가지는 것으로서 압수 · 수색영장 없이도 이러한 검사를 진행할 수 있다.

□□□ ② 세무조사결정은 납세자의 권리 · 의무에 직접 영향을 미치는 공권력의 행사에 따른 행정작용으로서 항고소송의 대상이 된다.

□□□ ③ 행정조사기본법에 따르면 조사대상자의 자발적인 협조에 따라 실시하는 행정조사에 대하여 조사대상자가 조사에 응할 것인지에 대한 응답을 하지 아니하는 경우에는 법령 등에 특별한 규정이 없는 한 그 조사를 거부한 것으로 본다.

□□□ ④ 행정조사기본법상 행정조사를 실시하기 전에 관련 사항을 미리 통지하는 경우 증거인멸 등으로 행정조사의 목적을 달성할 수 없다고 판단되는 때에는, 행정기관의 장은 행정조사 종료 후 지체 없이 행정조사의 목적 등을 조사대상자에게 구두로 통지할 수 있다.

관련기출

①

1. 우편물 통관검사절차에서 이루어지는 우편물의 개봉, 시료채취, 성분분석 등의 검사를 함에 있어 이에 대한 압수 · 수색영장 없이 이루어진 것이라도 특별한 사정이 없는 한 위법하다고 볼 수 없다. (○, ×) 2024 소방간부
2. 관세법 등에 따라 우편물 통관검사절차에서 이루어지는 우편물의 개봉, 시료채취, 성분분석 등의 검사는 행정조사의 성격을 가지는 것이 아니라 수사기관의 강제처분에 해당한다. (○, ×) 2023 경찰간부
3. 우편물 통관검사절차에서 이루어지는 우편물의 개봉, 시료채취, 성분분석 등의 검사는 행정조사의 성격을 가지는 것으로서 수사기관의 강제처분이라고 볼 수 있으므로, 압수 · 수색영장 없이 우편물의 개봉, 시료채취, 성분분석 등 검사가 진행되었다면 특별한 사정이 없는 한 위법하다. (○, ×) 2022 소방간부

1. ○ 2. × 3. ×

③

1. 행정기관의 장이 조사대상자의 자발적인 협조를 얻어 행정조사를 실시하고자 하는 경우 조사대상자는 문서 · 전화 · 구두 등의 방법으로 당해 행정조사를 거부할 수 있다. (○, ×) 2018 국가직 7급
2. 자발적인 협조에 따라 실시하는 행정조사에 대하여 조사대상자가 조사에 응할 것인지에 대한 응답을 하지 아니하는 경우에는 법령 등에 특별한 규정이 없는 한 그 조사에 동의한 것으로 본다. (○, ×) 2017 서울시 9급, 2009 국회직 8급

1. ○ 2. ×

① **빈출** 정답률 7% ○

우편물 통관검사절차에서 압수 · 수색영장 없이 진행된 우편물의 개봉, 시료채취, 성분분석 등 검사는 원칙적으로 적법하다.

우편물 통관검사절차에서 이루어지는 우편물의 개봉, 시료채취, 성분분석 등의 검사는 수출입물품에 대한 적정한 통관 등을 목적으로 한 행정조사의 성격을 가지는 것으로서 수사기관의 강제처분이라고 할 수 없으므로, 압수 · 수색영장 없이 우편물의 개봉, 시료채취, 성분분석 등 검사가 진행되었다 하더라도 특별한 사정이 없는 한 위법하다고 볼 수 없다(대판 2013. 9. 26, 2013도7718).

② 정답률 9% ○

세무조사결정은 항고소송의 대상이 되는 행정처분에 해당한다.

부과처분을 위한 과세관청의 질문조사권이 행해지는 세무조사결정이 있는 경우 납세의무자는 세무공무원의 과세자료 수집을 위한 질문에 대답하고 검사를 수인하여야 할 법적 의무를 부담하게 되는 점, …… 등을 종합하면, 세무조사결정은 납세의무자의 권리 · 의무에 직접 영향을 미치는 공권력의 행사에 따른 행정작용으로서 항고소송의 대상이 된다(대판 2011. 3. 10, 2009두23617 · 23624).

③ **빈출** 정답률 10% ○

행정조사기본법 제20조【자발적인 협조에 따라 실시하는 행정조사】 ① 행정기관의 장이 제5조 단서에 따라 조사대상자의 자발적인 협조를 얻어 행정조사를 실시하고자 하는 경우 조사대상자는 문서 · 전화 · 구두 등의 방법으로 당해 행정조사를 거부할 수 있다.
② 제1항에 따른 행정조사에 대하여 조사대상자가 조사에 응할 것인지에 대한 응답을 하지 아니하는 경우에는 법령 등에 특별한 규정이 없는 한 그 조사를 거부한 것으로 본다.

④ 정답률 72% ×

행정조사의 종료 후가 아니라 행정조사의 개시와 동시에 통지할 수 있다.

행정조사기본법 제17조【조사의 사전통지】 ① 행정조사를 실시하고자 하는 행정기관의 장은 제9조에 따른 출석요구서, 제10조에 따른 보고요구서 · 자료제출요구서 및 제11조에 따른 현장출입조사서(이하 '출석요구서 등'이라 한다)를 조사개시 7일 전까지 조사대상자에게 서면으로 통지하여야 한다. 다만, 다음 각 호의 어느 하나에 해당하는 경우에는 행정조사의 개시와 동시에 출석요구서 등을 조사대상자에게 제시하거나 행정조사의 목적 등을 조사대상자에게 구두로 통지할 수 있다.
1. 행정조사를 실시하기 전에 관련 사항을 미리 통지하는 때에는 증거인멸 등으로 행정조사의 목적을 달성할 수 없다고 판단되는 경우
2. 통계법 제3조 제2호에 따른 지정통계의 작성을 위하여 조사하는 경우
3. 제5조 단서에 따라 조사대상자의 자발적인 협조를 얻어 실시하는 행정조사의 경우

정답 04 ④

05 정답률 87% 중 2023 국가직 9급

행정조사기본법상 행정조사에 대한 설명으로 옳지 않은 것은?

□□□ ① 행정기관의 장은 조사원이 조사목적의 달성을 위하여 한 시료채취로 조사대상자에게 손실을 입힌 때에는 그 손실을 보상하여야 한다.

□□□ ② 개별법령 등에서 행정조사를 규정하고 있지 않더라도, 행정기관은 조사대상자가 자발적으로 협조하는 경우에는 행정조사를 실시할 수 있다.

□□□ ③ 행정기관의 장은 조사대상자의 신상이나 사업비밀 등이 유출될 우려가 있으므로 인터넷 등 정보통신망을 통하여 조사대상자로 하여금 자료의 제출 등을 하게 할 수 없다.

□□□ ④ 행정기관의 장은 당해 행정기관 내의 2 이상의 부서가 동일하거나 유사한 업무분야에 대하여 동일한 조사대상자에게 행정조사를 실시하는 경우에는 공동조사를 하여야 한다.

관련기출

①

1. 시료채취로 조사대상자에게 손실을 입힌 경우 그 손실보상에 관한 명문규정이 있다. (○, ×) 2018 소방직 9급
2. 조사원이 조사목적의 달성을 위하여 시료채취를 하는 경우 이로 인하여 조사대상자에게 손실을 입힌 때에는 법령이 정하는 절차와 방법에 따라 그 손실을 보상하여야 한다. (○, ×) 2008 지방직(하) 7급

1. ○ 2. ○

②

1. 행정조사는 조사대상자의 자발적 협조를 얻어서 실시하는 경우에는 개별법령의 근거규정이 없어도 할 수 있다. (○, ×) 2020 소방직 9급
2. 행정조사기본법에 따르면, 행정기관은 법령 등에서 행정조사를 규정하고 있는 경우에 한하여 행정조사를 실시할 수 있지만 조사대상자가 자발적으로 협조하는 경우에는 법령 등에서 행정조사를 규정하고 있지 않더라도 행정조사를 실시할 수 있다. (○, ×) 2018 국가직 9급
3. 조사대상자의 자발적 협조가 있을지라도 법령 등에서 행정조사를 규정하고 있어야 실시가 가능하다. (○, ×) 2017 서울시 9급

1. ○ 2. ○ 3. ×

④

1. 당해 행정기관 내의 2 이상의 부서가 동일하거나 유사한 업무분야에 대하여 동일한 조사대상자에게 행정조사를 실시하는 경우에는 공동조사를 할 수 있다. (○, ×) 2021 국회직 8급
2. (행정조사기본법상) 행정기관의 장은 당해 행정기관 내의 2 이상의 부서가 동일하거나 유사한 업무분야에 대하여 동일한 조사대상자에게 행정조사를 실시하는 경우에는 공동조사를 할 수 있다. (○, ×) 2017 경행경채
3. 행정조사는 조사목적을 달성하는 데 필요한 최소한의 범위 안에서 실시하여야 하며, 행정기관 내의 2 이상의 부서가 동일하거나 유사한 업무분야에 대하여 동일한 조사대상자에게 행정조사를 실시하는 경우 행정기관의 장은 공동조사를 실시하여야 한다. (○, ×) 2014 국회직 8급

1. × 2. × 3. ○

① ○

행정조사기본법 제12조【시료채취】 ① 조사원이 조사목적의 달성을 위하여 시료채취를 하는 경우에는 그 시료의 소유자 및 관리자의 정상적인 경제활동을 방해하지 아니하는 범위 안에서 최소한도로 하여야 한다.
② 행정기관의 장은 제1항에 따른 시료채취로 조사대상자에게 손실을 입힌 때에는 대통령령으로 정하는 절차와 방법에 따라 그 손실을 보상하여야 한다.

② **빈출** ○

행정조사기본법 제5조【행정조사의 근거】 행정기관은 법령 등에서 행정조사를 규정하고 있는 경우에 한하여 행정조사를 실시할 수 있다. 다만, 조사대상자의 자발적인 협조를 얻어 실시하는 행정조사의 경우에는 그러하지 아니하다.

③ ×

행정조사기본법 제28조【정보통신수단을 통한 행정조사】 ① 행정기관의 장은 인터넷 등 정보통신망을 통하여 조사대상자로 하여금 자료의 제출 등을 하게 할 수 있다.

④ **빈출** ○

행정조사기본법 제14조【공동조사】 ① 행정기관의 장은 다음 각 호의 어느 하나에 해당하는 행정조사를 하는 경우에는 공동조사를 하여야 한다.
1. 당해 행정기관 내의 2 이상의 부서가 동일하거나 유사한 업무분야에 대하여 동일한 조사대상자에게 행정조사를 실시하는 경우
2. 서로 다른 행정기관이 대통령령으로 정하는 분야에 대하여 동일한 조사대상자에게 행정조사를 실시하는 경우

정답 05 ③

06 정답률 71% 중 2022 국가직 7급

행정조사에 대한 설명으로 옳지 않은 것은? (다툼이 있는 경우 판례에 의함)

□□□ ① 세무조사에 중대한 위법사유가 있는 경우 이러한 세무조사에 의하여 수집된 과세자료를 기초로 한 과세처분 역시 위법하다.

□□□ ② 과세관청의 질문조사권이 행해지는 세무조사결정은 납세의무자의 권리 · 의무에 직접 영향을 미치는 공권력의 행사에 따른 행정작용으로서 항고소송의 대상이 된다.

□□□ ③ 행정조사기본법 제4조(행정조사의 기본원칙)는 조세 · 보안처분에 관한 사항에 대하여 적용하지 아니한다.

□□□ ④ 행정기관의 장은 법령 등에 특별한 규정이 있는 경우를 제외하고는 행정조사의 결과를 확정한 날부터 7일 이내에 그 결과를 조사대상자에게 통지하여야 한다.

① ○

세무조사가 과세자료의 수집 또는 신고내용의 정확성 검증이라는 본연의 목적이 아니라 부정한 목적을 위하여 행하여진 것이라면 이는 세무조사에 중대한 위법사유가 있는 경우에 해당하고 이러한 세무조사에 의하여 수집된 과세자료를 기초로 한 과세처분 역시 위법하다는 것이 판례의 입장이다(대판 2016. 12. 15, 2016두47659).

② ○

부과처분을 위한 과세관청의 질문조사권이 행해지는 세무조사결정은 납세의무자의 권리 · 의무에 직접 영향을 미치는 공권력의 행사에 따른 행정작용으로서 항고소송의 대상이 된다는 것이 판례의 입장이다(대판 2011. 3. 10, 2009두23617 · 23624).

③ ×

조세에 관한 사항도 행정조사기본법상 행정조사의 기본원칙에 관한 제4조는 적용된다(동법 제3조 제3항).

> **행정조사기본법 제3조【적용범위】** ② 다음 각 호의 어느 하나에 해당하는 사항에 대하여는 이 법을 적용하지 아니한다.
> 5. 조세 · 형사 · 행형 및 보안처분에 관한 사항
> ③ 제2항에도 불구하고 제4조(행정조사의 기본원칙), 제5조(행정조사의 근거) 및 제28조(정보통신수단을 통한 행정조사)는 제2항 각 호의 사항에 대하여 적용한다.

④ ○

> **행정조사기본법 제24조【조사결과의 통지】** 행정기관의 장은 법령 등에 특별한 규정이 있는 경우를 제외하고는 행정조사의 결과를 확정한 날부터 7일 이내에 그 결과를 조사대상자에게 통지하여야 한다.

정답 06 ③

07 빈출 정답률 61% 중 2021 군무원 9급

행정조사기본법상 행정조사의 기본원칙에 대한 설명으로 옳지 않은 것은? (단, 다툼이 있는 경우 판례에 의함)

□□□ ① 행정조사는 조사목적을 달성하는 데 필요한 최소한의 범위 안에서 실시하여야 하며, 다른 목적 등을 위하여 조사권을 남용하여서는 아니 된다.

□□□ ② 행정기관은 유사하거나 동일한 사안에 대하여는 공동조사 등을 실시함으로써 행정조사가 중복되지 아니하도록 하여야 한다.

□□□ ③ 행정조사는 법령 등의 위반에 대한 처벌에 중점을 두되 법령 등을 준수하도록 유도하여야 한다.

□□□ ④ 행정기관은 행정조사를 통하여 알게 된 정보를 다른 법률에 따라 내부에서 이용하거나 다른 기관에 제공하는 경우를 제외하고는 원래의 조사목적 이외의 용도로 이용하거나 타인에게 제공하여서는 아니 된다.

①②④ ○

③ ×

행정조사기본법 제4조【행정조사의 기본원칙】 ① 행정조사는 조사목적을 달성하는 데 필요한 최소한의 범위 안에서 실시하여야 하며, 다른 목적 등을 위하여 조사권을 남용하여서는 아니 된다(①).
② 행정기관은 조사목적에 적합하도록 조사대상자를 선정하여 행정조사를 실시하여야 한다.
③ 행정기관은 유사하거나 동일한 사안에 대하여는 공동조사 등을 실시함으로써 행정조사가 중복되지 아니하도록 하여야 한다(②).
④ 행정조사는 법령 등의 위반에 대한 처벌보다는 법령 등을 준수하도록 유도하는 데 중점을 두어야 한다(③).
⑤ 다른 법률에 따르지 아니하고는 행정조사의 대상자 또는 행정조사의 내용을 공표하거나 직무상 알게 된 비밀을 누설하여서는 아니 된다.
⑥ 행정기관은 행정조사를 통하여 알게 된 정보를 다른 법률에 따라 내부에서 이용하거나 다른 기관에 제공하는 경우를 제외하고는 원래의 조사목적 이외의 용도로 이용하거나 타인에게 제공하여서는 아니 된다(④).

정답 07 ③

08 빈출 정답률 93% 하 2020 소방직 9급

행정조사에 대한 설명으로 옳지 않은 것은?

□□□ ① 행정조사는 법령 등의 준수를 유도하기보다는 법령 등의 위반에 대한 처벌에 중점을 두어야 한다.

□□□ ② 행정조사는 조사대상자의 자발적 협조를 얻어서 실시하는 경우에는 개별법령의 근거규정이 없어도 할 수 있다.

□□□ ③ 행정기관의 장은 법령 등에서 규정하고 있는 조사사항을 조사대상자로 하여금 스스로 신고하도록 하는 자율신고제도를 운영할 수 있다.

□□□ ④ 조사원이 조사목적을 달성하기 위하여 시료채취를 하는 경우에는 그 시료의 소유자 및 관리자의 정상적인 경제활동을 방해하지 아니하는 범위 안에서 최소한도로 하여야 한다.

관련기출

③

1. 행정기관의 장은 법령 등에서 규정하고 있는 조사사항을 조사대상자로 하여금 스스로 신고하도록 하는 제도를 운영할 의무가 있다. (○, ×)

2017 국회직 8급

1. ×

① ×

행정조사기본법 제4조【행정조사의 기본원칙】 ④ 행정조사는 법령 등의 위반에 대한 처벌보다는 법령 등을 준수하도록 유도하는 데 중점을 두어야 한다.

② ○

행정조사기본법 제5조【행정조사의 근거】 행정기관은 법령 등에서 행정조사를 규정하고 있는 경우에 한하여 행정조사를 실시할 수 있다. 다만, 조사대상자의 자발적인 협조를 얻어 실시하는 행정조사의 경우에는 그러하지 아니하다.

③ ○

행정조사기본법 제25조【자율신고제도】 ① 행정기관의 장은 법령 등에서 규정하고 있는 조사사항을 조사대상자로 하여금 스스로 신고하도록 하는 제도를 운영할 수 있다.

④ ○

행정조사기본법 제12조【시료채취】 ① 조사원이 조사목적의 달성을 위하여 시료채취를 하는 경우에는 그 시료의 소유자 및 관리자의 정상적인 경제활동을 방해하지 아니하는 범위 안에서 최소한도로 하여야 한다.

정답 08 ①

09 정답률 78% 하 2019 지방직 7급

행정조사에 대한 설명으로 옳지 않은 것은? (다툼이 있는 경우 판례에 의함)

□□□ ① 조세부과처분을 위한 과세관청의 세무조사결정은 사실행위로서 납세의무자의 권리·의무에 직접 영향을 미치는 것은 아니므로 항고소송의 대상이 되지 아니한다.

□□□ ② 부가가치세 부과처분이 종전의 부가가치세 경정조사와 같은 세목 및 같은 과세기간에 대하여 중복하여 실시한 위법한 세무조사에 기초하여 이루어진 경우 그 과세처분은 위법하다.

□□□ ③ 행정조사기본법에 의하면 행정기관은 행정조사를 통하여 알게 된 정보를 다른 법률에 따라 내부에서 이용하거나 다른 기관에 제공하는 경우를 제외하고는 원래의 조사목적 이외의 용도로 이용하거나 타인에게 제공하여서는 아니 된다.

□□□ ④ 행정조사기본법에 의하면 조사대상자의 자발적인 협조를 얻어 실시하는 행정조사의 경우에는 법령 등의 근거 없이도 행할 수 있으며, 이러한 행정조사에 대하여 조사대상자가 조사에 응할 것인지에 대한 응답을 하지 아니하는 경우에는 법령 등에 특별한 규정이 없는 한 그 조사를 거부한 것으로 본다.

관련기출

②

1. 위법한 세무조사에 의하여 수집된 과세자료를 기초로 한 과세처분은 위법하다. (○, ×) 2021 지방직 · 서울시 7급
2. 위법한 세무조사를 통하여 수집된 과세자료에 기초하여 과세처분을 하였더라도 그러한 사정만으로 그 과세처분이 위법하게 되는 것은 아니다. (○, ×) 2016 국가직 9급
3. 위법한 중복세무조사에 기초하여 이루어진 과세처분은 위법한 처분이다. (○, ×) 2015 지방직 7급

1. ○ 2. × 3. ○

③

1. 행정기관은 행정조사를 통하여 알게 된 정보를 임의로 다른 국가기관에 제공할 수 있다. (○, ×) 2008 지방직 9급

1. ×

① ×

세무조사결정은 납세의무자의 권리·의무에 직접 영향을 미치는 공권력의 행사에 따른 행정작용으로서 항고소송의 대상이 된다는 것이 판례의 입장이다(대판 2011. 3. 10, 2009두23617 · 23624).

② **빈출** ○

> 위법한 세무조사에 기초하여 이루어진 부가가치세 부과처분은 위법하다.
> 납세자에 대한 부가가치세 부과처분이, 종전의 부가가치세 경정조사와 같은 세목 및 같은 과세기간에 대하여 중복하여 실시된 위법한 세무조사에 기초하여 이루어진 것이어서 위법하다(대판 2006. 6. 2, 2004두12070).

③ ○

> **행정조사기본법 제4조【행정조사의 기본원칙】** ⑥ 행정기관은 행정조사를 통하여 알게 된 정보를 다른 법률에 따라 내부에서 이용하거나 다른 기관에 제공하는 경우를 제외하고는 원래의 조사목적 이외의 용도로 이용하거나 타인에게 제공하여서는 아니 된다.

④ ○

> **행정조사기본법 제5조【행정조사의 근거】** 행정기관은 법령 등에서 행정조사를 규정하고 있는 경우에 한하여 행정조사를 실시할 수 있다. 다만, 조사대상자의 자발적인 협조를 얻어 실시하는 행정조사의 경우에는 그러하지 아니하다.
>
> **제20조【자발적인 협조에 따라 실시하는 행정조사】** ① 행정기관의 장이 제5조 단서에 따라 조사대상자의 자발적인 협조를 얻어 행정조사를 실시하고자 하는 경우 조사대상자는 문서·전화·구두 등의 방법으로 당해 행정조사를 거부할 수 있다.
> ② 제1항에 따른 행정조사에 대하여 조사대상자가 조사에 응할 것인지에 대한 응답을 하지 아니하는 경우에는 법령 등에 특별한 규정이 없는 한 그 조사를 거부한 것으로 본다.

정답 09 ①

제26강 행정벌(행정형벌, 행정질서벌)

1회독	2회독	3회독
/	/	/

정답률 공단기/소방단기 합격예측 풀서비스 통계 데이터 기준 기 기본서 핵 핵심집약

01 행정벌

기 560~562쪽 핵 T 50

01 빈출 정답률 86% 중 2024 군무원 9급

다음 중 행정벌에 대한 설명으로 가장 적절하지 않은 것은? (다툼이 있는 경우 판례에 의함)

① 양벌규정에 의한 영업주의 처벌은 독립하여 그 자신의 종업원에 대한 선임·감독상의 과실로 인하여 처벌되는 것이므로 종업원의 범죄성립이나 처벌이 영업주 처벌의 전제조건이 될 필요는 없다.

② 구 도로교통법에서 규정하는 경찰서장의 통고처분은 행정소송의 대상이 되는 행정처분이다.

③ 구 관세법상 통고처분을 할 것인지의 여부는 관세청장 또는 세관장의 재량에 맡겨져 있다.

④ 지방자치단체가 그 고유의 자치사무를 처리하는 경우 지방자치단체는 국가기관과는 별도의 독립한 공법인으로서 양벌규정에 의한 처벌대상이 되는 법인에 해당한다.

관련기출

①

1. (양벌규정과 관련하여) 종업원의 범죄성립이나 처벌이 영업주 처벌의 전제조건이 되는 것은 아니다. (○, ×) 2022 국가직 9급
2. 양벌규정에 의해 영업주를 처벌하는 경우, 금지위반행위자인 종업원을 처벌할 수 없는 경우에도 영업주만 따로 처벌할 수 있다. (○, ×) 2021 국가직 7급
3. 양벌규정에 의한 영업주의 처벌은 금지위반행위자인 종업원의 처벌에 종속되는 것이므로 영업주만 따로 처벌할 수는 없다. (○, ×) 2022 지방직·서울시 9급
4. 양벌규정에 의한 영업주의 처벌은 금지위반행위자인 종업원의 처벌에 종속되는 것이다. (○, ×) 2020 소방직 9급
5. (사업주 甲에게 고용된 종업원 乙이 영업행위 중 행정법규를 위반한 경우) 甲의 처벌을 규정한 양벌규정이 있는 경우에도 乙이 처벌을 받지 않는 경우에는 甲만 처벌할 수 없다. (○, ×) 2018 지방직 9급

1. ○ 2. ○ 3. × 4. × 5. ×

① 빈출 정답률 4% ○

> 양벌규정에 의해 영업주를 처벌함에 있어서 종업원의 범죄성립이나 처벌을 요하지는 않는다.
>
> 양벌규정에 의한 영업주의 처벌은 금지위반행위자인 종업원의 처벌에 종속하는 것이 아니라 독립하여 그 자신의 종업원에 대한 선임·감독상의 과실로 인하여 처벌되는 것이므로 종업원의 범죄성립이나 처벌이 영업주 처벌의 전제조건이 될 필요는 없다(대판 2006. 2. 24, 2005도7673).

② 빈출 정답률 86% ×

통고처분에 대해 불복이 있는 경우 통고처분에 따른 범칙금을 납부하지 않으면 통고처분은 그 효력을 상실하며 행정청의 즉결심판의 청구 또는 고발에 의한 정식의 형사소송절차가 개시되는 것으로 특별규정을 두고 있다. 따라서 통고처분은 항고소송의 대상인 처분이 아니라는 것이 통설과 판례의 입장이다.

> 도로교통법상 통고처분의 취소를 구하는 행정소송은 허용되지 않는다.
>
> 도로교통법 제118조에서 규정하는 경찰서장의 통고처분은 행정소송의 대상이 되는 행정처분이 아니므로 그 처분의 취소를 구하는 소송은 부적법하고, 도로교통법상의 통고처분을 받은 자가 그 처분에 대하여 이의가 있는 경우에는 통고처분에 따른 범칙금의 납부를 이행하지 아니함으로써 경찰서장의 즉결심판청구에 의하여 법원의 심판을 받을 수 있게 될 뿐이다(대판 1995. 6. 29, 95누4674).

③ 빈출 정답률 4% ○

> 1. 관세법상 통고처분을 할 것인지의 여부는 관세청장 또는 세관장의 재량에 맡겨져 있다.
> 2. 따라서 관세청장 또는 세관장이 관세범에 대하여 통고처분을 하지 아니한 채 고발하였다는 것만으로는 그 고발 및 이에 기한 공소의 제기가 부적법하게 되는 것은 아니다(대판 2007. 5. 11, 2006도1993).

④ 빈출 정답률 3% ○

> 1. 국가가 본래 그의 사무의 일부를 지방자치단체의 장에게 위임하여 그 사무를 처리하게 하는 기관위임사무의 경우에는 지방자치단체는 국가기관의 일부로 볼 수 있는 것이지만, 지방자치단체가 그 고유의 자치사무를 처리하는 경우에는 지방자치단체는 국가기관의 일부가 아니라 국가기관과는 별도의 독립한 공법인이므로, 지방자치단체 소속 공무원이 지방자치단체 고유의 자치사무를 수행하던 중 도로법 제81조 내지 제85조의 규정에 의한 위반행위를 한 경우에는 지방자치단체는 도로법 제86조의 양벌규정에 따라 처벌대상이 되는 법인에 해당한다.
> 2. 지방자치단체 소속 공무원이 압축트럭 청소차를 운전하여 고속도로를 운행하던 중 제한축중을 초과 적재 운행함으로써 도로관리청의 차량운행제한을 위반한 사안에서, 해당 지방자치단체는 도로법 제86조의 양벌규정에 따른 처벌대상이 된다(대판 2005. 11. 10, 2004도2657).

정답 01 ②

02 중 2012 지방직(하) 7급

행정벌에 대한 설명으로 옳은 것은? (다툼이 있는 경우 판례에 의함)

□□□ ① 통고처분을 할 것인지의 여부는 권한행정청의 재량에 속하지 않는다.

□□□ ② 행정질서벌은 형사벌과 그 성격을 같이하므로 행정질서벌을 받고 난 후 형사처벌을 받는 것은 일사부재리의 원칙에 반한다.

□□□ ③ 지방자치단체는 그 고유의 자치사무를 처리하는 경우 양벌규정에 의한 처벌대상이 되는 법인에 해당하지 아니한다.

□□□ ④ 헌법재판소는 행정형벌과 행정질서벌의 구별을 기본적으로 입법자가 제반 사정을 고려하여 결정할 입법재량으로 본다.

관련기출

①

1. 관세청장 또는 세관장이 관세범에 대하여 통고처분을 하지 않은 채 고발하였다는 것만으로는 그 고발 및 이에 기한 공소의 제기가 부적법한 것은 아니다. (○, ×) 2018 경행경채 3차
2. 법률에 따라 통고처분을 할 수 있으면 행정청은 통고처분을 하여야 하며, 통고처분 이외의 조치를 취할 재량은 없다. (○, ×) 2015 지방직 9급
3. 판례에 의하면 통고처분을 할 것인지의 여부는 권한행정청의 재량에 속한다. (○, ×) 2014 경행특채 2차

1. ○ 2. × 3. ○

②

1. 행정법상의 질서벌인 과태료의 부과처분과 형사처벌을 병과하는 것은 일사부재리의 원칙에 반하지 않는다는 것이 대법원의 입장이다. (○, ×) 2024 지방직 · 서울시 9급
2. 신규등록신청을 위한 임시운행허가를 받고 그 기간이 끝났음에도 자동차등록원부에 등록하지 않은 채 허가기간의 범위를 넘어 운행한 차량소유자가 관련 법조항에 의한 과태료를 부과받아 납부하였다 하더라도 그 차량소유자에 대해 형사처벌을 하는 것은 일사부재리원칙에 위반하는 것이 아니다. (○, ×) 2018 경행경채
3. 과태료처분을 받고 이를 납부한 후에 형사처벌을 한다고 하여 일사부재리원칙에 반하지 않는다는 것이 대법원의 입장이다. (○, ×) 2015 사회복지직 9급
4. 대법원은 과태료 부과처분과 형사처벌은 그 성질이나 목적을 달리하는 별개의 것이므로 과태료를 납부한 후에 형사처벌을 한다고 하여 일사부재리의 원칙에 반한다고 볼 수 없다고 하고 있다. (○, ×) 2013 지방직(하) 7급

1. ○ 2. ○ 3. ○ 4. ○

① ×

예컨대 관세법상 통고처분을 할 것인지는 권한행정청의 재량에 속한다.

1. 관세법상 통고처분을 할 것인지의 여부는 관세청장 또는 세관장의 재량에 맡겨져 있다.
2. 따라서 관세청장 또는 세관장이 관세범에 대하여 통고처분을 하지 아니한 채 고발하였다는 것만으로는 그 고발 및 이에 기한 공소의 제기가 부적법하게 되는 것은 아니다(대판 2007. 5. 11, 2006도1993).

② **빈출** ×

(10일간 임시운행허가를 받은 자가 그 기간이 경과한 다음에도 자동차등록원부에 등록하지 아니한 채 무등록차량을 운행한 자에 대한 과태료의 제재 후 형사처벌을 하는 것이 일사부재리의 원칙에 위반하는 것이 아니라고 판시하면서) 과태료와 형사처벌은 성질이나 목적을 달리하는 별개의 것이므로 행정법상의 질서벌인 과태료를 납부한 후 형사처벌을 한다고 하여 일사부재리의 원칙에 위반되는 것이라고 할 수 없다.

행정법상의 질서벌인 과태료의 부과처분과 형사처벌은 그 성질이나 목적을 달리하는 별개의 것이므로 행정법상의 질서벌인 과태료를 납부한 후에 형사처벌을 한다고 하여 이를 일사부재리의 원칙에 반하는 것이라고 할 수는 없으며, 자동차의 임시운행허가를 받은 자가 그 허가목적 및 기간의 범위 안에서 운행하지 아니한 경우에 과태료를 부과하는 것은 …… 만일 임시운행허가기간을 넘어 운행한 자가 등록된 차량에 관하여 그러한 행위를 한 경우라면 과태료의 제재만을 받게 되겠지만, 무등록차량에 관하여 그러한 행위를 한 경우라면 과태료와 별도로 형사처벌의 대상이 된다(대판 1996. 4. 12, 96도158).

③ ×

지방자치단체가 그 고유의 자치사무를 처리하는 경우 지방자치단체는 국가기관의 일부가 아니라 국가기관과는 별도의 독립한 공법인으로서 양벌규정에 의한 처벌대상이 되는 법인에 해당한다(대판 2009. 6. 11, 2008도6530).

④ ○

어떠한 위반행위에 대해 행정형벌을 과할 것인가, 행정질서벌을 과할 것인가는 기본적으로 입법재량에 속하는 문제이다.

어떤 행정법규 위반행위에 대하여 이를 단지 간접적으로 행정상의 질서에 장해를 줄 위험성이 있음에 불과한 경우로 보아 행정질서벌인 과태료를 과할 것인가 아니면 직접적으로 행정목적과 공익을 침해한 행위로 보아 행정형벌을 과할 것인가, 그리고 행정형벌을 과할 경우 그 법정형의 형종과 형량을 어떻게 정할 것인가는 당해 위반행위가 위의 어느 경우에 해당하는가에 대한 법적 판단을 그르친 것이 아닌 한 그 처벌내용은 기본적으로 입법권자가 제반 사정을 고려하여 결정할 입법재량에 속하는 문제라고 할 수 있다(헌재 1994. 4. 28, 91헌바14).

정답 02 ④

02 행정형벌의 특수성

기 563~571쪽 핵 T 51

03

빈출 정답률 78% 중 2022 소방직 9급

행정벌에 대한 설명으로 옳지 않은 것은? (다툼이 있는 경우 판례에 의함)

□□□ ① 지방자치단체 소속 공무원이 지방자치단체 고유의 자치사무를 처리하면서 위반행위를 한 경우 지방자치단체도 양벌규정에 따라 처벌대상이 되는 법인에 해당한다.

□□□ ② 지방국세청장이 조세범칙행위에 대하여 고발을 한 후에 동일한 조세범칙행위에 대하여 통고처분을 하는 경우, 이러한 통고처분은 법적 권한 소멸 후 이루어진 것으로 특별한 사정이 없는 한 효력이 없고 조세범칙행위자가 이를 이행하였더라도 일사부재리의 원칙이 적용될 수 없다.

□□□ ③ 경찰서장이 범칙행위에 대하여 통고처분을 하더라도 통고처분에서 정한 납부기간까지는 검사가 공소를 제기할 수 있다.

□□□ ④ 하나의 행위가 둘 이상의 질서위반행위에 해당하는 경우에는 각 질서위반행위에 대하여 정한 과태료 중 가장 중한 과태료를 부과한다.

관련기출

②

1. 지방국세청장이 조세범칙행위에 대하여 고발을 한 후에 동일한 조세범칙행위에 대하여 통고처분을 하여 조세범칙행위자가 이를 이행하였다면 고발에 따른 형사절차의 이행은 일사부재리의 원칙에 반하여 위법하다. (○, ×) 2020 군무원 9급
2. 지방국세청장이 조세범칙행위에 대하여 형사고발을 한 후에 동일한 조세범칙행위에 대하여 한 통고처분은 특별한 사정이 없는 한 위법하지만 무효는 아니다. (○, ×) 2018 지방직 7급

1. × 2. ×

③

1. 경찰서장이 경범죄처벌법상 범칙행위에 대하여 통고처분을 하였는데 통고처분에서 정한 범칙금 납부기간이 지나지 아니한 경우, 경찰서장이 즉결심판을 청구하거나 검사가 동일한 범칙행위에 대하여 공소를 제기할 수 없다. (○, ×) 2023 국회직 8급
2. 경찰서장이 범칙행위에 대하여 경범죄처벌법상 통고처분을 하였다면, 통고처분에서 정한 범칙금 납부기간까지는 원칙적으로 경찰서장은 즉결심판을 청구할 수 없지만 검사는 동일한 범칙행위에 대하여 공소를 제기할 수 있다. (○, ×) 2022 소방간부
3. 경찰서장이 범칙행위에 대하여 통고처분을 한 이상, 통고처분에서 정한 범칙금 납부기간까지는 원칙적으로 경찰서장은 즉결심판을 청구할 수 없고, 검사도 동일한 범칙행위에 대하여 공소를 제기할 수 없다. (○, ×) 2021 지방직 · 서울시 9급

1. ○ 2. × 3. ○

① ○

지방자치단체가 자치사무를 처리하는 경우에는 양벌규정에 따라 처벌대상이 되는 법인에 해당한다. 지방자치단체 소속 공무원이 국가의 기관위임사무를 처리하는 경우에는 양벌규정의 적용대상이 되지 않는다는 판례와 구별하기 바란다.

> 1. 지방자치단체 소속 공무원이 지방자치단체 고유의 자치사무를 처리하면서 위반행위를 한 경우 지방자치단체도 양벌규정에 따라 처벌대상이 되는 법인에 해당한다.
> 2. (지방자치단체 소속 공무원이 지정항만순찰 등의 업무를 위해 관할관청의 승인 없이 개조한 승합차를 운행함으로써 구 자동차관리법을 위반한 사안에서 해당 지방자치단체는 양벌규정에 따른 처벌대상이 될 수 없다고 판시하면서) 지방자치단체 소속 공무원이 기관위임사무를 처리하면서 위반행위를 한 경우 해당 지방자치단체는 양벌규정에 따른 처벌대상이 될 수 없다(대판 2009. 6. 11, 2008도6530).

② ○

통고처분을 받은 자가 통고된 내용에 따라 이행한 경우에는 확정판결과 동일한 효력이 발생하여 처벌절차는 종료되고 일사부재리의 원칙이 적용되어 다시 형사소추를 할 수 없다. 그러나 통고처분이 애초에 무효라면 그 통고처분을 이행하였다고 하여도 확정판결과 동일한 효력이 발생할 수 없으므로 동일한 범칙행위에 대해 형사소추가 가능하다. 지방국세청장이 조세범칙행위에 대하여 형사고발을 하였다면 고발에 의해 형사절차로 이행되므로 더 이상 통고처분을 할 수 없게 되고 고발 후의 통고처분은 무권한자의 행위로서 무효가 된다. 따라서 그 무효인 통고처분을 이행했다고 하여 확정판결과 동일한 효력이 부여될 수 없으므로 이미 개시된 형사절차가 일사부재리원칙에 반하게 되는 것은 아니다.

> 지방국세청장 또는 세무서장이 조세범칙행위에 대하여 고발을 한 후에 동일한 조세범칙행위에 대하여 통고처분을 하였더라도, 이는 법적 권한 소멸 후에 이루어진 것으로서 특별한 사정이 없는 한 효력이 없고, 조세범칙행위자가 이러한 통고처분을 이행하였더라도 조세범처벌절차법 제15조 제3항에서 정한 일사부재리의 원칙이 적용될 수 없다(대판 2016. 9. 28, 2014도10748).

③ 빈출 ×

> 경찰서장이 범칙행위에 대하여 통고처분을 한 이상, 범칙자의 위와 같은 절차적 지위를 보장하기 위하여 통고처분에서 정한 범칙금 **납부기간까지는** 원칙적으로 경찰서장은 **즉결심판을 청구할 수 없고**, 검사도 동일한 범칙행위에 대하여 **공소를 제기할 수 없다**(대판 2020. 4. 29, 2017도13409).

④ ○

> 질서위반행위규제법 제13조 【수개의 질서위반행위의 처리】 ① 하나의 행위가 2 이상의 질서위반행위에 해당하는 경우에는 각 질서위반행위에 대하여 정한 과태료 중 가장 중한 과태료를 부과한다.

정답 03 ③

04 정답률 67% 중 2019 국가직 9급

행정벌에 대한 설명으로 옳지 않은 것은? (다툼이 있는 경우 판례에 의함)

□□□ ① 과실범을 처벌한다는 명문의 규정이 없더라도 행정형벌법규의 해석에 의하여 과실행위도 처벌한다는 뜻이 도출되는 경우에는 과실범도 처벌될 수 있다.

□□□ ② 통고처분에 따른 범칙금을 납부한 후에 동일한 사건에 대하여 다시 형사처벌을 하는 것이 일사부재리의 원칙에 반하는 것은 아니다.

□□□ ③ 과태료는 행정질서벌에 해당할 뿐 형벌이라고 할 수 없어 죄형법정주의의 규율대상에 해당하지 아니한다.

□□□ ④ 과태료를 부과하는 근거법령이 개정되어 행위시의 법률에 의하면 과태료 부과대상이었지만 재판시의 법률에 의하면 부과대상이 아니게 된 때에는 특별한 사정이 없는 한 과태료를 부과할 수 없다.

관련기출

①

1. 명문의 규정이 없더라도 관련 행정형벌법규의 해석에 따라 과실행위도 처벌한다는 뜻이 명확한 경우에는 과실행위를 처벌할 수 있다. (○, ×) 2017 국가직 7급
2. 행정벌에 대하여 명문규정이 없는 경우에도 법령의 입법목적이나 제반 관계규정의 취지 등을 고려하여 과실범을 처벌할 수 있다는 것이 대법원의 입장이다. (○, ×) 2017 서울시 7급
3. 구 대기환경보전법에 따라 배출허용기준을 초과하는 배출가스를 배출하는 자동차를 운행하는 행위를 처벌하는 규정은 과실범의 경우에 적용하지 아니한다. (○, ×) 2014 국가직 9급

1. ○ 2. ○ 3. ×

④

1. 질서위반행위의 과태료 부과의 근거법률이 개정되어 행위시 법률에 의하면 과태료 부과대상이었지만 재판시 법률에 의하면 과태료 부과대상이 아니게 된 때에는 개정법률 부칙에서 종전법률 시행 당시에 행해진 질서위반행위에 행위시 법률을 적용하도록 특별한 규정을 두지 않은 이상 재판시 법률을 적용하여야 하므로 과태료를 부과하지 못한다. (○, ×) 2023 국회직 8급

1. ○

① **빈출** ○

형법 제14조는 "과실행위는 법률에 특별한 규정이 있는 경우에 한하여 처벌한다."라고 규정하고 있다. 행정형벌에도 과실범을 처벌하는 명문의 규정이 있는 경우에는 처벌할 수 있으며, 한걸음 더 나아가 **명문의 규정이 없더라도 행정형벌법규의 해석에 의해 과실행위를 처벌한다는 뜻이 도출되는 경우**에는 과실행위도 **처벌할 수 있다**는 것이 통설 · 판례의 입장이다.

> 1. 행정범의 경우에는 과실행위를 벌한다는 명문의 규정이 없는 경우에도 그 법률규정 중에 과실행위를 벌한다는 명백한 취지를 알 수 있는 경우에는 과실행위에 행정형벌을 부과할 수 있다.
> 2. 구 대기환경보전법의 입법목적이나 관계규정의 취지 등을 고려하면 구 대기환경보전법에 따라 배출허용기준을 초과하는 배출가스를 배출하는 자동차를 운행하는 행위를 처벌하는 규정은 과실범의 경우에도 적용한다(대판 1993. 9. 10, 92도1136).

② ×

통고처분을 받은 자가 통고된 내용에 따라 이행한 경우에는 확정판결과 동일한 효력이 발생하여 처벌절차는 종료되고 일사부재리의 원칙이 적용되어 다시 형사소추를 할 수 없다.

> 도로교통법 제119조 제3항은 그 법 제118조에 의하여 범칙금 납부통고서를 받은 사람이 그 범칙금을 납부한 경우 그 범칙행위에 대하여 다시 벌받지 아니한다고 규정하고 있는바, 이는 범칙금의 납부에 확정재판의 효력에 준하는 효력을 인정하는 취지로 해석하여야 한다(대판 2002. 11. 22, 2001도849).

③ ○

헌법재판소에 따르면 죄형법정주의는 '범죄와 **형벌**'을 법률로 규정하도록 하는 원칙이므로 행정형벌은 죄형법정주의의 규율대상이지만, 행정질서벌인 과태료 부과는 죄형법정주의의 규율대상이 아니다.

> 죄형법정주의는 무엇이 범죄이며 그에 대한 형벌이 어떠한 것인가는 국민의 대표로 구성된 입법부가 제정한 법률로써 정하여야 한다는 원칙인데, 부동산등기특별조치법 제11조 제1항 본문 중 제2조 제1항에 관한 부분이 정하고 있는 과태료는 행정상의 질서유지를 위한 행정질서벌에 해당할 뿐 형벌이라고 할 수 없어 죄형법정주의의 규율대상에 해당하지 아니한다(헌재 1998. 5. 28, 96헌바83).

④ ○

> 질서위반행위에 대하여 과태료를 부과하는 근거법령이 개정되어 행위시의 법률에 의하면 과태료 부과대상이었지만 재판시의 법률에 의하면 부과대상이 아니게 된 때에는 개정법률의 부칙 등에서 행위시의 법률을 적용하도록 명시하는 등 특별한 사정이 없는 한 재판시의 법률을 적용하여야 하므로 과태료를 부과할 수 없다(대결 2017. 4. 7, 2016마1626).

> **질서위반행위규제법 제3조【법 적용의 시간적 범위】** ② 질서위반행위 후 법률이 변경되어 그 행위가 질서위반행위에 해당하지 아니하게 되거나 과태료가 변경되기 전의 법률보다 가볍게 된 때에는 법률에 특별한 규정이 없는 한 변경된 법률을 적용한다.

정답 04 ②

05 빈출 정답률 82% 중 2019 서울시 9급

행정벌에 대한 설명으로 가장 옳지 않은 것은? (다툼이 있는 경우 판례에 따름)

□□□ ① 법인의 독자적인 책임에 관한 규정이 없이 단순히 종업원이 업무에 관한 범죄행위를 하였다는 이유만으로 법인에게 형사처벌을 과하는 것은 책임주의원칙에 반한다.

□□□ ② 죄형법정주의원칙 등 형벌법규의 해석 원리는 행정형벌에 관한 규정을 해석할 때에도 적용되어야 한다.

□□□ ③ 양벌규정에 의해 영업주가 처벌되기 위해서는 종업원의 범죄가 성립하거나 처벌이 이루어져야 함이 전제조건이 되어야 한다.

□□□ ④ 지방자치단체 소속 공무원이 자치사무를 수행하던 중 법위반행위를 한 경우 지방자치단체는 같은 법의 양벌규정에 따라 처벌되는 법인에 해당한다.

관련기출

①

1. 종업원 등의 범죄에 대해 법인에게 어떠한 잘못이 있는지를 전혀 묻지 않고, 곧바로 그 종업원 등을 고용한 법인에게도 종업원 등에 대한 처벌조항에 규정된 벌금형을 과하도록 규정하는 것은 책임주의에 반한다. (○, ×) 2017 국가직 9급
2. 헌법재판소는 종업원 등의 범죄행위와 관련하여 선임·감독상의 주의의무를 다하여 아무런 잘못이 없는 영업주도 처벌하도록 규정하고 있는 양벌규정을 법치국가의 원리 및 죄형법정주의로부터 도출되는 형벌에 관한 책임원칙에 반하므로 위헌이라고 본다. (○, ×) 2012 국회직 8급

1. ○ 2. ○

④

1. 지방자치단체 소속 공무원이 지방자치단체 고유의 자치사무를 수행하던 중 구 도로법에 위반하는 행위를 한 경우 지방자치단체는 구 도로법상 양벌규정에 따라 처벌대상이 되는 법인에 해당한다. (○, ×) 2023 지방직·서울시 9급
2. 지방자치단체가 자치사무를 처리하는 경우 당해 지방자치단체는 국가기관과는 별도의 독립한 공법인으로 볼 수 있지만, 양벌규정에 따라 처벌대상이 되는 법인에 해당하지는 않는다. (○, ×) 2023 서울시 지적 7급
3. 지방자치단체 소속 공무원이 지방자치단체 고유의 자치사무를 처리하면서 위반행위를 한 경우 지방자치단체도 양벌규정에 따라 처벌대상이 되는 법인에 해당한다. (○, ×) 2022 소방직 9급, 2020 국가직 7급
4. 지방자치단체가 그 고유의 자치사무를 처리하는 경우 지방자치단체는 양벌규정에 의한 처벌대상이 되지 않는다. (○, ×) 2019 국가직 7급

1. ○ 2. × 3. ○ 4. ×

① 빈출 ○

이 사건 심판대상 법률조항들에 의할 경우, 법인이 종업원 등의 위반행위와 관련하여 선임·감독상의 주의의무를 다하여 아무런 잘못이 없는 경우까지도 법인에게 형벌을 부과될 수밖에 없게 되며 …… 단순히 법인이 고용한 종업원 등이 업무에 관하여 범죄행위를 하였다는 이유만으로 법인에 대하여 형사처벌을 과하고 있는바, 이는 다른 사람의 범죄에 대하여 그 책임 유무를 묻지 않고 형벌을 부과함으로써 법치국가의 원리 및 죄형법정주의로부터 도출되는 책임주의원칙에 반한다(헌재 2010. 9. 30, 2010헌가10).

② ○

행정형벌도 형벌이므로 행정형벌을 부과하는 경우에도 죄형법정주의의 원칙이 적용된다는 것이 판례의 입장이다. 따라서 죄형법정주의원칙 등 형벌법규의 해석 원리는 행정형벌에 관한 규정을 해석할 때에도 적용되어야 한다.

③ ×

양벌규정에 의해 영업주를 처벌함에 있어서 종업원의 범죄성립이나 처벌을 요하지는 않는다.

양벌규정에 의한 영업주의 처벌은 금지위반행위자인 종업원의 처벌에 종속하는 것이 아니라 독립하여 그 자신의 종업원에 대한 선임·감독상의 과실로 인하여 처벌되는 것이므로 종업원의 범죄성립이나 처벌이 영업주 처벌의 전제조건이 될 필요는 없다(대판 2006. 2. 24, 2005도7673).

④ ○

1. 지방자치단체 소속 공무원이 지방자치단체 고유의 자치사무를 처리하면서 위반행위를 한 경우 지방자치단체도 양벌규정에 따라 처벌대상이 되는 법인에 해당한다.
2. (지방자치단체 소속 공무원이 지정항만순찰 등의 업무를 위해 관할관청의 승인 없이 개조한 승합차를 운행함으로써 구 자동차관리법을 위반한 사안에서 해당 지방자치단체는 양벌규정에 따른 처벌대상이 될 수 없다고 판시하면서) 지방자치단체 소속 공무원이 기관위임사무를 처리하면서 위반행위를 한 경우 해당 지방자치단체는 양벌규정에 따른 처벌대상이 될 수 없다(대판 2009. 6. 11, 2008도6530).

정답 05 ③

06 정답률 69% 중 2019 국가직 7급

행정벌에 대한 설명으로 옳은 것은? (다툼이 있는 경우 판례에 의함)

□□□ ① 지방자치단체가 그 고유의 자치사무를 처리하는 경우 지방자치단체는 양벌규정에 의한 처벌대상이 되지 않는다.

□□□ ② 관세법상 통고처분은 상대방의 임의의 승복을 그 발효요건으로 하기 때문에 그 자체만으로는 통고이행을 강제하거나 상대방에게 아무런 권리 · 의무를 형성하지 않는다.

□□□ ③ 질서위반행위 후 법률이 변경되어 그 행위가 질서위반행위에 해당하지 아니하게 된 때에는 법률에 특별한 규정이 없는 한 변경되기 전의 법률을 적용한다.

□□□ ④ 스스로 심신장애 상태를 일으켜 질서위반행위를 한 자에 대하여는 과태료를 감경한다.

관련기출

②

1. 통고처분은 상대방의 임의의 승복을 그 발효요건으로 하기 때문에 그 자체만으로는 통고이행을 강제하거나 상대방에게 아무런 권리 · 의무를 형성하지 않으므로 행정심판이나 행정소송의 대상으로서의 처분성을 인정할 수 없다. (○, ×) 2023 지방직 · 서울시 9급
2. 통고처분에 대하여 이의가 있으면 통고내용을 이행하지 않음으로써 고발되어 형사재판절차에서 통고처분의 위법 · 부당함을 다툴 수 있으므로 행정소송의 대상으로서의 처분성이 인정되지 않는다. (○, ×) 2023 소방직 9급

1. ○ 2. ○

① ×

지방자치단체 소속 공무원이 지방자치단체 고유의 자치사무를 처리하면서 위반행위를 한 경우 지방자치단체도 양벌규정에 따라 처벌대상이 되는 법인에 해당한다는 것이 판례의 입장이다(대판 2009. 6. 11, 2008도6530).

② ○

통고처분은 상대방의 임의의 승복을 그 발효요건으로 하기 때문에 그 자체만으로는 통고이행을 강제하거나 상대방에게 아무런 권리 · 의무를 형성하지 않으므로 행정심판이나 행정소송의 대상으로서의 처분성을 부여할 수 없고, 통고처분에 대하여 이의가 있으면 통고내용을 이행하지 않음으로써 고발되어 형사재판절차에서 통고처분의 위법 · 부당함을 얼마든지 다툴 수 있기 때문에 관세법 제38조 제3항 제2호가 법관에 의한 재판받을 권리를 침해한다든가 적법절차의 원칙에 저촉된다고 볼 수 없다(헌재 1998. 5. 28, 96헌바4).

③ ×

질서위반행위규제법 제3조【법 적용의 시간적 범위】 ② 질서위반행위 후 법률이 변경되어 그 행위가 질서위반행위에 해당하지 아니하게 되거나 과태료가 변경되기 전의 법률보다 가볍게 된 때에는 법률에 특별한 규정이 없는 한 변경된 법률을 적용한다.

④ ×

질서위반행위규제법 제10조【심신장애】 ① 심신(心神)장애로 인하여 행위의 옳고 그름을 판단할 능력이 없거나 그 판단에 따른 행위를 할 능력이 없는 자의 질서위반행위는 과태료를 부과하지 아니한다.
② 심신장애로 인하여 제1항에 따른 능력이 미약한 자의 질서위반행위는 과태료를 감경한다.
③ 스스로 심신장애 상태를 일으켜 질서위반행위를 한 자에 대하여는 제1항 및 제2항을 적용하지 아니한다.

정답 06 ②

07 정답률 61% 중 2017 국가직 7급

행정벌에 대한 설명으로 옳지 않은 것은? (다툼이 있는 경우 판례에 의함)

□□□ ① 명문의 규정이 없더라도 관련 행정형벌법규의 해석에 따라 과실행위도 처벌한다는 뜻이 명확한 경우에는 과실행위를 처벌할 수 있다.

□□□ ② 영업주에 대한 양벌규정이 존재하는 경우, 영업주의 처벌은 금지위반행위자인 종업원의 범죄성립이나 처벌을 전제로 하지 않는다.

□□□ ③ 통고처분에 의해 범칙금을 납부한 경우, 그 납부의 효력에 따라 다시 벌받지 아니하게 되는 행위사실은 범칙금 통고의 이유에 기재된 당해 범칙행위 자체에 한정될 뿐, 그 범칙행위와 동일성이 인정되는 범칙행위에는 미치지 않는다.

□□□ ④ 질서위반행위규제법에 의하면 행정청은 질서위반행위가 종료된 날부터 5년이 경과한 경우에는 해당 질서위반행위에 대하여 과태료를 부과할 수 없다.

① ○

행정범의 경우에는 과실행위를 벌한다는 명문의 규정이 없는 경우에도 그 법률규정 중에 과실행위를 벌한다는 명백한 취지를 알 수 있는 경우에는 과실행위에 행정형벌을 부과할 수 있다는 것이 판례의 입장이다(대판 1993. 9. 10, 92도1136).

② ○

양벌규정에 의한 영업주의 처벌은 금지위반행위자인 종업원의 처벌에 종속하는 것이 아니라 독립하여 그 자신의 종업원에 대한 선임 · 감독상의 과실로 인하여 처벌되는 것이므로 종업원의 범죄성립이나 처벌이 영업주 처벌의 전제조건이 될 필요는 없다는 것이 판례의 입장이다(대판 2006. 2. 24, 2005도7673).

③ ×

1. 도로교통법 제119조 제3항은 그 법 제118조에 의하여 범칙금 납부통고서를 받은 사람이 그 범칙금을 납부한 경우 그 범칙행위에 대하여 다시 벌받지 아니한다고 규정하고 있는바, 이는 범칙금의 납부에 확정재판의 효력에 준하는 효력을 인정하는 취지로 해석하여야 한다.
2. 범칙금의 통고 및 납부 등에 관한 규정들의 내용과 취지 등에 비추어 볼 때, 범칙자가 경찰서장으로부터 범칙행위를 하였음을 이유로 범칙금의 통고를 받고 납부기간 내에 그 범칙금을 납부한 경우 범칙금의 납부에 확정판결에 준하는 효력이 인정됨에 따라 다시 벌받지 아니하게 되는 행위사실은 범칙금 통고의 이유에 기재된 당해 범칙행위 자체 및 그 범칙행위와 동일성이 인정되는 범칙행위에 한정된다고 해석함이 상당하다.
3. 범칙행위와 같은 일시, 장소에서 이루어진 행위라 하더라도 범칙행위의 동일성을 벗어난 형사범죄행위에 대하여는 범칙금의 납부에 따라 확정판결의 효력에 준하는 효력이 미치지 아니한다(대판 2002. 11. 22, 2001도849).

④ ○

질서위반행위규제법 제19조【과태료 부과의 제척기간】 ① 행정청은 질서위반행위가 종료된 날(다수인이 질서위반행위에 가담한 경우에는 최종행위가 종료된 날을 말한다)부터 5년이 경과한 경우에는 해당 질서위반행위에 대하여 과태료를 부과할 수 없다.

정답 07 ③

08 정답률 60% 중 2017 국가직 9급

행정벌에 대한 설명으로 옳은 것은? (다툼이 있는 경우 판례에 의함)

□□□ ① 종업원 등의 범죄에 대해 법인에게 어떠한 잘못이 있는지를 전혀 묻지 않고, 곧바로 그 종업원 등을 고용한 법인에게도 종업원 등에 대한 처벌조항에 규정된 벌금형을 과하도록 규정하는 것은 책임주의에 반한다.

□□□ ② 행정벌과 이행강제금은 장래에 의무의 이행을 강제하기 위한 제재로서 직접적으로 행정작용의 실효성을 확보하기 위한 수단이라는 점에서는 동일하다.

□□□ ③ 질서위반행위규제법상 개인의 대리인이 업무에 관하여 그 개인에게 부과된 법률상의 의무를 위반한 때에는 행위자인 대리인에게 과태료를 부과한다.

□□□ ④ 일반형사소송절차에 앞선 절차로서의 통고처분은 그 자체로 상대방에게 금전납부의무를 부과하는 행위로서 항고소송의 대상이 된다.

관련기출

④

1. 도로교통법상의 통고처분을 받은 자가 그 처분에 대하여 이의가 있는 경우에는 통고처분에 따른 범칙금의 납부를 이행하지 아니함으로써 경찰서장의 즉결심판청구에 의하여 법원의 심판을 받을 수 있게 된다. (○, ×) 2024 군무원 5급
2. 통고처분은 법정기간 내에 납부하지 않는 것을 해제조건으로 하는 행정처분이므로 행정소송의 대상이 된다. (○, ×) 2022 지방직 · 서울시 9급
3. 도로교통법에 따른 경찰서장의 통고처분은 행정소송의 대상이 되는 행정처분이다. (○, ×) 2021 지방직 · 서울시 7급, 2020 소방직 9급
4. 조세범처벌절차법에 의하여 범칙자에 대한 세무관서의 통고처분은 행정소송의 대상이다. (○, ×) 2020 군무원 7급
5. 도로교통법상 범칙금 통고처분은 항고소송의 대상이 되는 행정처분에 해당하지 않는다. (○, ×) 2020 지방직 · 서울시 9급

1. ○ 2. × 3. × 4. × 5. ○

① ○

이 사건 심판대상 법률조항들에 의할 경우, 법인이 종업원 등의 위반행위와 관련하여 선임 · 감독상의 주의의무를 다하여 아무런 잘못이 없는 경우까지도 법인에게 형벌을 부과될 수밖에 없게 되며 …… 단순히 법인이 고용한 종업원 등이 업무에 관하여 범죄행위를 하였다는 이유만으로 법인에 대하여 형사처벌을 과하고 있는바, 이는 다른 사람의 범죄에 대하여 그 책임 유무를 묻지 않고 형벌을 부과하는 것이므로 헌법상 법치국가의 원리 및 죄형법정주의로부터 도출되는 책임주의원칙에 반한다고 할 것이다(헌재 2010. 9. 30, 2010헌가10).

② ×

일반적으로 이행강제금은 작위의무, 부작위의무를 강제하기 위하여 일정기한까지 의무를 이행하지 않으면 금전적 부담을 과한다는 뜻을 미리 계고하여 의무자에게 심리적 압박을 가함으로써 장래를 향해 상대방의 의무이행을 간접적으로 강제하는 수단이다. 이행강제금은 장래를 향해 의무의 이행을 실현시키는 행정상 강제집행의 수단 중의 하나로 행정법상의 의무이행을 강제하는 것을 목적으로 한다. 이 점에서 과거의 의무위반에 대하여 제재를 가함을 직접적 목적으로 하는 행정벌과는 구별된다. 다만, 이행강제금과 행정벌은 그의 존재가 그 대상자에 대해 법을 위반하면 이행강제금이나 행정벌이 부과될 수 있다는 심리적 압박을 가함으로써 위반행위에 나아가지 않게 하는 효과를 가져온다는 점에서 행정의 실효성 확보수단 중 간접적 수단에 해당한다는 공통점은 있다.

③ ×

질서위반행위규제법 제11조【법인의 처리 등】① 법인의 대표자, 법인 또는 개인의 대리인 · 사용인 및 그 밖의 종업원이 업무에 관하여 법인 또는 그 개인에게 부과된 법률상의 의무를 위반한 때에는 법인 또는 그 개인에게 과태료를 부과한다.

④ ×

통고처분은 취소소송의 대상이 되는 행정처분이 아니다.

도로교통법상 통고처분의 취소를 구하는 행정소송은 허용되지 않는다.
도로교통법 제118조에서 규정하는 경찰서장의 통고처분은 행정소송의 대상이 되는 행정처분이 아니므로 그 처분의 취소를 구하는 소송은 부적법하고, 도로교통법상의 통고처분을 받은 자가 그 처분에 대하여 이의가 있는 경우에는 통고처분에 따른 범칙금의 납부를 이행하지 아니함으로써 경찰서장의 즉결심판청구에 의하여 법원의 심판을 받을 수 있게 될 뿐이다(대판 1995. 6. 29, 95누4674).

유사판례
조세범처벌절차법에 의하여 범칙자에 대한 세무관서의 통고처분은 행정소송의 대상이 아니다(대판 1980. 10. 14, 80누380).

정답 08 ①

03 행정질서벌의 특수성 기 572~579쪽 핵 T 52

09 빈출 정답률 87% 중 2024 군무원 9급

다음 중 질서위반행위규제법에 대한 설명으로 가장 적절하지 않은 것은?

□□□ ① 고의 또는 과실이 없는 질서위반행위는 과태료를 부과하지 아니한다.

□□□ ② 하나의 행위가 2 이상의 질서위반행위에 해당하는 경우에는 각 질서위반행위에 대하여 정한 과태료를 각각 부과한다.

□□□ ③ 과태료는 행정청의 과태료 부과처분이나 법원의 과태료 재판이 확정된 후 5년간 징수하지 아니하거나 집행하지 아니하면 시효로 인하여 소멸한다.

□□□ ④ 과태료 부과에 불복하는 당사자는 과태료 부과통지를 받은 날부터 60일 이내에 해당 행정청에 서면으로 이의제기를 할 수 있고, 이의제기가 있는 경우에는 행정청의 과태료 부과처분은 그 효력을 상실한다.

관련기출

①

1. 고의 또는 과실이 없는 질서위반행위라고 하더라도 과태료를 부과할 수 있다. (○, ×) 2023 지방직 · 서울시 9급
2. 고의 또는 과실이 없는 질서위반행위는 그에 대한 정당한 이유가 있는 때에 한하여 과태료를 부과하지 아니한다. (○, ×) 2022 국회직 8급
3. 과태료는 행정질서유지를 위한 의무위반이라는 객관적 사실에 대하여 과하는 제재이므로 과태료 부과에는 고의 · 과실을 요하지 않는다. (○, ×) 2017 서울시 9급
4. 질서위반행위규제법상 과태료는 행정형벌이 아니므로 고의 또는 과실과 무관하게 부과할 수 있다. (○, ×) 2016 지방직 7급

1. × 2. × 3. × 4. ×

②

1. 하나의 행위가 둘 이상의 질서위반행위에 해당하는 경우에는 각 질서위반행위에 대하여 정한 과태료 중 가장 중한 과태료를 부과한다. (○, ×) 2023 국가직 9급, 2022 소방직 9급
2. 하나의 행위가 2 이상의 질서위반행위에 해당하는 경우에는 각 질서위반행위에 대하여 정한 과태료를 합산하여 과태료를 부과한다. (○, ×) 2017 경행경채

1. ○ 2. ×

③

1. 과태료는 행정청의 과태료 부과처분이나 법원의 과태료 재판이 확정된 후 3년간 징수하지 아니하거나 집행하지 아니하면 시효로 인하여 소멸한다. (○, ×) 2022 해경간부
2. 행정청에 의해 부과된 과태료는 질서위반행위가 종료된 날(다수인이 질서위반행위에 가담한 경우에는 최종행위가 종료된 날을 말한다)부터 5년간 징수하지 아니하거나 집행하지 아니하면 시효로 인하여 소멸한다. (○, ×) 2020 국가직 9급

1. × 2. ×

① **빈출** 정답률 7% ○

> 질서위반행위규제법 제7조【고의 또는 과실】 고의 또는 과실이 없는 질서위반행위는 과태료를 부과하지 아니한다

② **빈출** 정답률 87% ×

> 질서위반행위규제법 제13조【수개의 질서위반행위의 처리】 ① 하나의 행위가 2 이상의 질서위반행위에 해당하는 경우에는 각 질서위반행위에 대하여 정한 과태료 중 가장 중한 과태료를 부과한다.

③ **빈출** 정답률 3% ○

> 질서위반행위규제법 제15조【과태료의 시효】 ① 과태료는 행정청의 과태료 부과처분이나 법원의 과태료 재판이 확정된 후 5년간 징수하지 아니하거나 집행하지 아니하면 시효로 인하여 소멸한다.

④ **빈출** 정답률 2% ○

> 질서위반행위규제법 제20조【이의제기】 ① 행정청의 과태료 부과에 불복하는 당사자는 제17조 제1항에 따른 과태료 부과통지를 받은 날부터 60일 이내에 해당 행정청에 서면으로 이의제기를 할 수 있다.
> ② 제1항에 따른 이의제기가 있는 경우에는 행정청의 과태료 부과처분은 그 효력을 상실한다.

정답 09 ②

10 중 2024 소방간부 변형

행정벌에 관한 설명으로 옳지 않은 것은? (다툼이 있는 경우 판례에 의함)

□□□ ① 행정질서벌은 형벌이 아니므로 형법총칙이 적용되지 않기 때문에, 질서위반행위규제법에서도 고의나 과실을 질서위반행위의 성립요건으로 하지 않고 있다.

□□□ ② 행정청의 과태료 처분이나 법원의 과태료 재판이 확정된 후 법률이 변경되어 그 행위가 질서위반행위에 해당하지 아니하게 된 때에는 변경된 법률에 특별한 규정이 없는 한 과태료의 징수 또는 집행을 면제한다.

□□□ ③ 통고처분은 행정청에 의해 부과되기는 하나 항고소송의 대상이 되는 행정처분이 아니므로 그에 대한 불복절차는 행정쟁송으로 할 수 없다.

□□□ ④ 당사자의 이의제기가 있으면 행정청의 과태료 부과처분은 그 효력을 상실한다.

□□□ ⑤ 특별한 사정이 없는 이상 경찰서장은 범칙행위에 대한 형사소추를 위하여 이미 한 통고처분을 임의로 취소할 수 없다.

관련기출

②

1. 행정청의 과태료 처분이나 법원의 과태료 재판이 확정된 후 법률이 변경되어 그 행위가 질서위반행위에 해당하지 아니하게 되거나 과태료가 변경되기 전의 법률보다 가볍게 된 때에는 변경된 법률에 특별한 규정이 없는 한 과태료의 징수 또는 집행을 면제한다. (○, ×) 2021 경행경채
2. 질서위반행위 후 법률이 변경되어 그 행위가 질서위반행위에 해당하지 아니하게 되거나 과태료가 변경되기 전의 법률보다 가볍게 된 때에는 법률에 특별한 규정이 없는 한 변경된 법률을 적용한다. (○, ×) 2016 경행경채, 2011 국회직 8급
3. 행정청의 과태료 처분이나 법원의 과태료 재판이 확정된 후 법률이 변경되어 그 행위가 질서위반행위에 해당하지 아니하게 되더라도 변경된 법률에 특별한 규정이 없는 한 과태료의 징수 또는 집행은 면제되지 않는다. (○, ×) 2013 국가직 9급

1. × 2. ○ 3. ×

④

1. 행정청의 과태료 부과에 불복하는 당사자는 과태료 부과통지를 받은 날부터 60일 이내에 해당 행정청에 서면으로 이의제기를 할 수 있다. (○, ×) 2023 지방직 · 서울시 9급
2. 행정청의 과태료 부과에 대해 서면으로 이의가 제기된 경우 과태료 부과처분은 그 효력을 상실한다. (○, ×) 2022 지방직 · 서울시 9급
3. 행정청의 과태료 부과에 대한 이의제기는 과태료 부과처분의 효력에 영향을 주지 아니한다. (○, ×) 2019 지방직 · 교육행정직 9급

1. ○ 2. ○ 3. ×

① ×

질서위반행위규제법 제7조【고의 또는 과실】 고의 또는 과실이 없는 질서위반행위는 과태료를 부과하지 아니한다.

② **빈출** ○

질서위반행위규제법 제3조【법 적용의 시간적 범위】 ② 질서위반행위 후 법률이 변경되어 그 행위가 질서위반행위에 해당하지 아니하게 되거나 과태료가 변경되기 전의 법률보다 가볍게 된 때에는 법률에 특별한 규정이 없는 한 변경된 법률을 적용한다.
③ 행정청의 과태료 처분이나 법원의 과태료 재판이 확정된 후 법률이 변경되어 그 행위가 질서위반행위에 해당하지 아니하게 된 때에는 변경된 법률에 특별한 규정이 없는 한 과태료의 징수 또는 집행을 면제한다.

③ ○

판례는 통고처분을 행정소송의 대상이 되는 행정처분이 아니라고 보고 있다.

도로교통법상 통고처분의 취소를 구하는 행정소송은 허용되지 않는다.
도로교통법 제118조에서 규정하는 경찰서장의 통고처분은 행정소송의 대상이 되는 행정처분이 아니므로 그 처분의 취소를 구하는 소송은 부적법하고, 도로교통법상의 통고처분을 받은 자가 그 처분에 대하여 이의가 있는 경우에는 통고처분에 따른 범칙금의 납부를 이행하지 아니함으로써 경찰서장의 즉결심판청구에 의하여 법원의 심판을 받을 수 있게 될 뿐이다(대판 1995. 6. 29, 95누4674).

④ ○

질서위반행위규제법 제20조【이의제기】 ① 행정청의 과태료 부과에 불복하는 당사자는 제17조 제1항에 따른 과태료 부과통지를 받은 날부터 60일 이내에 해당 행정청에 서면으로 이의제기를 할 수 있다.
② 제1항에 따른 이의제기가 있는 경우에는 행정청의 과태료 부과처분은 그 효력을 상실한다.

⑤ ○

경찰서장이 범칙행위에 대하여 통고처분을 한 이상, 범칙자의 위와 같은 절차적 지위를 보장하기 위하여 통고처분에서 정한 범칙금 납부기간까지는 원칙적으로 경찰서장은 즉결심판을 청구할 수 없고, 검사도 동일한 범칙행위에 대하여 공소를 제기할 수 없다. 또한 범칙자가 범칙금 납부기간이 지나도록 범칙금을 납부하지 아니하였다면 경찰서장이 즉결심판을 청구하여야 하고, 검사는 동일한 범칙행위에 대하여 공소를 제기할 수 없다. 나아가 특별한 사정이 없는 이상 **경찰서장은 범칙행위에 대한 형사소추를 위하여 이미 한 통고처분을 임의로 취소할 수 없다**(대판 2021. 4. 1, 2020도15194).

정답 10 ①

11 정답률 70% 중 2023 지방직 · 서울시 7급

질서위반행위규제법에 대한 설명으로 옳지 않은 것은? (다툼이 있는 경우 판례에 의함)

□□□ ① 행정청의 과태료 처분이 확정된 후 법률이 변경되어 그 행위가 질서위반행위에 해당하지 아니하게 된 때에는 변경된 법률에 특별한 규정이 없는 한 과태료의 징수를 면제한다.

□□□ ② 심신(心神)장애로 인하여 행위의 옳고 그름을 판단할 능력이 없거나 그 판단에 따른 행위를 할 능력이 없는 자의 질서위반행위는 과태료를 부과하지 아니한다.

□□□ ③ 행정청은 질서위반행위가 종료된 날(다수인이 질서위반행위에 가담한 경우에는 최종행위가 종료된 날을 말함)부터 5년이 경과한 경우에는 해당 질서위반행위에 대하여 과태료를 부과할 수 없다.

□□□ ④ 행정청의 과태료 부과에 불복하는 당사자는 과태료 부과통지를 받은 날부터 90일 이내에 관할법원에 취소소송을 제기할 수 있다.

관련기출

④

1. 과태료의 부과 여부 및 그 당부는 최종적으로 질서위반행위규제법의 절차에 의하여 판단되어야 한다고 할 것이므로, 그 과태료 부과처분은 행정청을 피고로 하는 항고소송의 대상이 되는 처분이라고 볼 수 없다. (○, ×)

   2023 소방직 9급

2. 「서울특별시 수도조례」 및 「서울특별시 하수도 사용조례」에 근거한 과태료 부과처분은 행정소송의 대상이 되는 행정처분이라고 볼 수 있다. (○, ×)

   2022 소방간부

1. ○ 2. ×

① 정답률 11% ○

질서위반행위규제법 제3조【법 적용의 시간적 범위】 ③ 행정청의 과태료 처분이나 법원의 과태료 재판이 확정된 후 법률이 변경되어 그 행위가 질서위반행위에 해당하지 아니하게 된 때에는 변경된 법률에 특별한 규정이 없는 한 과태료의 징수 또는 집행을 면제한다.

② 정답률 11% ○

질서위반행위규제법 제10조【심신장애】 ① **심신장애**로 인하여 행위의 옳고 그름을 판단할 능력이 없거나 그 판단에 따른 행위를 할 능력이 없는 자의 질서위반행위는 과태료를 부과하지 아니한다.
② **심신장애**로 인하여 제1항에 따른 **능력이 미약한 자**의 질서위반행위는 **과태료를 감경한다.**

③ **빈출** 정답률 7% ○

질서위반행위규제법 제19조【과태료 부과의 제척기간】 ① 행정청은 질서위반행위가 종료된 날(다수인이 질서위반행위에 가담한 경우에는 최종행위가 종료된 날을 말한다)부터 5년이 경과한 경우에는 해당 질서위반행위에 대하여 과태료를 부과할 수 없다.

④ 정답률 70% ×

과태료 부과처분은 행정소송의 대상이 되는 행정처분으로 볼 수 없다는 것이 판례의 입장이다.

1. 과태료 부과는 행정소송의 대상이 되는 행정처분이라고 볼 수 없다.
   「옥외광고물 등 관리법」 제20조 제1 · 3 · 4항 등의 규정에 의하면 「옥외광고물 등 관리법」에 의하여 부과된 과태료 처분의 당부는 최종적으로 비송사건절차법에 의한 절차에 의하여만 판단되어야 한다고 보아야 할 것이므로 위와 같은 과태료 처분은 행정소송의 대상이 되는 행정처분이라고 볼 수 없다(대판 1993. 11. 23, 93누16833).
2. 수도조례 및 하수도사용조례에 기한 과태료의 부과 여부 및 그 당부는 최종적으로 질서위반행위규제법에 의한 절차에 의하여 판단되어야 한다고 할 것이므로, 그 과태료 부과처분은 행정청을 피고로 하는 행정소송의 대상이 되는 행정처분이라고 볼 수 없다(대판 2012. 10. 11, 2011두19369).

정답 11 ④

12 정답률 74% 중 2023 국가직 7급

행정벌에 대한 설명으로 옳지 않은 것은? (다툼이 있는 경우 판례에 의함)

□□□ ① 양벌규정에 의한 영업주의 처벌은 그 자신의 종업원에 대한 선임·감독상의 과실로 인하여 처벌되는 것이므로 종업원의 범죄성립이나 처벌이 영업주 처벌의 전제조건이 될 필요는 없다.

□□□ ② 질서위반행위를 한 자가 자신의 책임 없는 사유로 위반행위에 이르렀다고 주장하는 경우 법원은 그 내용을 살펴 행위자에게 고의나 과실이 있는지를 따져보아야 한다.

□□□ ③ 지방국세청장 또는 세무서장이 조세범처벌절차법에 따라 통고처분을 거치지 아니하고 즉시 고발하였다면 이로써 조세범칙사건에 대한 조사 및 처분 절차는 종료되고 형사사건 절차로 이행되어 지방국세청장 또는 세무서장으로서는 동일한 조세범칙행위에 대하여 더 이상 통고처분을 할 권한이 없다.

□□□ ④ 질서위반행위규제법상 과태료 사건은 다른 법령에 특별한 규정이 있는 경우를 제외하고는 행정청의 주소지의 지방법원 또는 그 지원의 관할로 한다.

관련기출

②

1. 질서위반행위를 한 자가 자신의 책임 없는 사유로 위반행위에 이르렀다고 주장하는 경우, 법원은 그 내용을 살펴 행위자에게 고의나 과실이 있는지를 따져보아야 한다. (○, ×) 2016 국가직 7급

1. ○

③

1. 지방국세청장 또는 세무서장이 조세범처벌절차법에 따라 통고처분을 거치지 아니하고 즉시 고발하였다면 이를 시정하기 위하여 동일한 조세범칙행위에 대하여 다시 통고처분을 할 수 있다. (○, ×) 2024 군무원 5급
2. 지방국세청장이 조세범칙행위에 대하여 고발을 한 후에 동일한 조세범칙행위에 대하여 통고처분을 하는 경우, 이러한 통고처분은 법적 권한 소멸 후 이루어진 것으로 특별한 사정이 없는 한 효력이 없고 조세범칙행위자가 이를 이행하였더라도 일사부재리의 원칙이 적용될 수 없다. (○, ×) 2022 소방직 9급
3. 지방국세청장이 조세범칙행위에 대하여 고발을 한 후에 동일한 조세범칙행위에 대하여 통고처분을 하여 조세범칙행위자가 이를 이행하였다면 고발에 따른 형사절차의 이행은 일사부재리의 원칙에 반하여 위법하다. (○, ×) 2020 군무원 9급
4. 지방국세청장이 조세범칙행위에 대하여 형사고발을 한 후에 동일한 조세범칙행위에 대하여 한 통고처분은 특별한 사정이 없는 한 위법하지만 무효는 아니다. (○, ×) 2018 지방직 7급

1. × 2. ○ 3. × 4. ×

④

1. 과태료 사건은 다른 법령에 특별한 규정이 있는 경우를 제외하고는 과태료 부과관청의 소재지의 지방법원 또는 그 지원의 관할로 한다. (○, ×) 2020 국가직 9급
2. 과태료 사건은 다른 법령에 특별한 규정이 있는 경우를 제외하고는 당사자의 주소지의 지방법원 또는 그 지원의 관할로 한다. (○, ×) 2019 서울시 9급

1. × 2. ○

① 정답률 7% ○

양벌규정에 의해 영업주를 처벌함에 있어서 종업원의 범죄성립이나 처벌을 요하지는 않는다.

양벌규정에 의한 영업주의 처벌은 금지위반행위자인 종업원의 처벌에 종속하는 것이 아니라 독립하여 그 자신의 종업원에 대한 선임·감독상의 과실로 인하여 처벌되는 것이므로 종업원의 범죄성립이나 처벌이 영업주 처벌의 전제조건이 될 필요는 없다(대판 2006. 2. 24, 2005도7673).

② 정답률 9% ○

질서위반행위규제법은 과태료의 부과대상인 질서위반행위에 대하여도 책임주의 원칙을 채택하여 제7조에서 "고의 또는 과실이 없는 질서위반행위는 과태료를 부과하지 아니한다."고 규정하고 있으므로, 질서위반행위를 한 자가 자신의 책임 없는 사유로 위반행위에 이르렀다고 주장하는 경우 법원으로서는 그 내용을 살펴 행위자에게 고의나 과실이 있는지를 따져보아야 한다(대결 2011. 7. 14, 2011마364).

③ 정답률 8% ○

통고처분과 고발의 법적 성질 및 효과 등을 조세범칙사건의 처리 절차에 관한 조세범처벌절차법 관련 규정들의 내용과 취지에 비추어 보면, 지방국세청장 또는 세무서장이 조세범처벌절차법 제17조 제1항에 따라 통고처분을 거치지 아니하고 즉시 고발하였다면 이로써 조세범칙사건에 대한 조사 및 처분 절차는 종료되고 형사사건 절차로 이행되어 지방국세청장 또는 세무서장으로서는 동일한 조세범칙행위에 대하여 더 이상 통고처분을 할 권한이 없다. 따라서 지방국세청장 또는 세무서장이 조세범칙행위에 대하여 고발을 한 후에 동일한 조세범칙행위에 대하여 통고처분을 하였더라도, 이는 법적 권한 소멸 후에 이루어진 것으로서 특별한 사정이 없는 한 효력이 없고, 조세범칙행위자가 이러한 통고처분을 이행하였더라도 조세범처벌절차법 제15조 제3항에서 정한 일사부재리의 원칙이 적용될 수 없다(대판 2016. 9. 28, 2014도10748).

④ 정답률 74% ×

행정청이 아니라 당사자의 주소지의 지방법원 또는 그 지원의 관할이다.

질서위반행위규제법 제25조【관할법원】 과태료 사건은 다른 법령에 특별한 규정이 있는 경우를 제외하고는 당사자의 주소지의 지방법원 또는 그 지원의 관할로 한다.

제2조【정의】 이 법에서 사용하는 용어의 뜻은 다음과 같다.

3. '당사자'란 질서위반행위를 한 자연인 또는 법인(법인이 아닌 사단 또는 재단으로서 대표자 또는 관리인이 있는 것을 포함한다. 이하 같다)을 말한다.

정답 12 ④

13 빈출 ㊦ 2022 군무원 7급

다음 중 질서위반행위규제법에 대한 설명으로 가장 옳지 않은 것은?

□□□ ① 행정청의 과태료 처분이나 법원의 과태료 재판이 확정된 후 법률이 변경되어 그 행위가 질서위반행위에 해당하지 아니하게 된 때에는 변경된 법률에 특별한 규정이 없는 한 과태료의 징수 또는 집행을 면제한다.

□□□ ② 법률에 따르지 아니하고는 어떤 행위도 질서위반행위로 과태료를 부과하지 아니한다.

□□□ ③ 신분에 의하여 성립하는 질서위반행위에 신분이 없는 자가 가담한 때에 신분이 없는 자에 대하여는 질서위반행위가 성립하지 아니한다.

□□□ ④ 신분에 의하여 과태료를 감경 또는 가중하거나 과태료를 부과하지 아니하는 때에는 그 신분의 효과는 신분이 없는 자에게는 미치지 아니한다.

관련기출

③

1. 신분에 의하여 성립하는 질서위반행위에 신분이 없는 자가 가담한 때에는 신분이 없는 자에 대하여도 질서위반행위가 성립한다. (○, ×)
2023 국가직 9급, 2018 지방직 7급
2. 신분에 의하여 성립하는 질서위반행위에 신분이 없는 자가 가담한 때에는 신분이 없는 자에 대하여는 질서위반행위가 성립하지 않는다. (○, ×)
2018 소방직 9급, 2015 지방직 9급

1. ○ 2. ×

④

1. 신분에 의하여 과태료를 감경 또는 가중하거나 과태료를 부과하지 아니하는 때에는 그 신분의 효과는 신분이 없는 자에게는 미치지 아니한다. (○, ×)
2022 국회직 8급, 2021 국가직 7급

1. ○

① ○

질서위반행위규제법 제3조【법적용의 시간적 범위】② 질서위반행위 후 법률이 변경되어 그 행위가 질서위반행위에 해당하지 아니하게 되거나 과태료가 변경되기 전의 법률보다 가볍게 된 때에는 법률에 특별한 규정이 없는 한 변경된 법률을 적용한다.
③ 행정청의 과태료 처분이나 법원의 과태료 재판이 확정된 후 법률이 변경되어 그 행위가 질서위반행위에 해당하지 아니하게 된 때에는 변경된 법률에 특별한 규정이 없는 한 과태료의 징수 또는 집행을 면제한다.

② ○

질서위반행위규제법 제6조【질서위반행위 법정주의】법률에 따르지 아니하고는 어떤 행위도 질서위반행위로 과태료를 부과하지 아니한다.

③ **빈출** ×

④ ○

질서위반행위규제법 제12조【다수인의 질서위반행위 가담】② 신분에 의하여 성립하는 질서위반행위에 신분이 없는 자가 가담한 때에는 신분이 없는 자에 대하여도 질서위반행위가 성립한다(③).
③ 신분에 의하여 과태료를 감경 또는 가중하거나 과태료를 부과하지 아니하는 때에는 그 신분의 효과는 신분이 없는 자에게는 미치지 아니한다(④).

정답 13 ③

14 빈출 ⓗ 2020 군무원 7급

행정벌에 대한 설명으로 옳지 않은 것은? (다툼이 있는 경우 판례에 의함)

□□□ ① 조세범처벌절차법에 의하여 범칙자에 대한 세무관서의 통고처분은 행정소송의 대상이다.

□□□ ② 고의 또는 과실이 없는 질서위반행위는 과태료를 부과하지 아니한다.

□□□ ③ 자신의 행위가 위법하지 아니한 것으로 오인하고 행한 질서위반행위는 그 오인에 정당한 이유가 있는 때에 한하여 과태료를 부과하지 아니한다.

□□□ ④ 행정청은 당사자가 납부기한까지 과태료를 납부하지 아니한 때에는 납부기한을 경과한 날부터 체납된 과태료에 대하여 100분의 3에 상당하는 가산금을 징수한다.

관련기출

④

1. 질서위반행위규제법에 의한 과태료 부과처분은 처분의 상대방이 이의제기하지 않은 채 납부기간까지 과태료를 납부하지 않으면 도로교통법상 통고처분과 마찬가지로 그 효력을 상실한다. (○, ×) 2018 국가직 7급
2. 행정청은 당사자가 납부기한까지 과태료를 납부하지 아니한 때에는 납부기한을 경과한 날부터 체납된 과태료에 대하여 100분의 3에 상당하는 가산금을 징수한다. (○, ×) 2017 경행경채
3. 행정청은 당사자가 납부기한까지 과태료를 납부하지 아니한 때에는 납부기한을 경과한 날부터 체납된 과태료에 대하여 100분의 5에 상당하는 가산금을 징수한다. (○, ×) 2015 서울시 7급

1. × 2. ○ 3. ×

① ×

조세범처벌절차법에 의하여 범칙자에 대한 세무관서의 통고처분은 행정소송의 대상이 아니라는 것이 판례의 입장이다(대판 1980. 10. 14, 80누380).

② ○

> **질서위반행위규제법 제7조【고의 또는 과실】** 고의 또는 과실이 없는 질서위반행위는 과태료를 부과하지 아니한다.

③ ○

> **질서위반행위규제법 제8조【위법성의 착오】** 자신의 행위가 위법하지 아니한 것으로 오인하고 행한 질서위반행위는 그 오인에 정당한 이유가 있는 때에 한하여 과태료를 부과하지 아니한다.

④ **빈출** ○

> **질서위반행위규제법 제24조【가산금 징수 및 체납처분 등】** ① 행정청은 당사자가 납부기한까지 과태료를 납부하지 아니한 때에는 납부기한을 경과한 날부터 체납된 과태료에 대하여 100분의 3에 상당하는 가산금을 징수한다.

정답 14 ①

15 빈출 정답률 19% 상 2020 국가직 9급

질서위반행위규제법의 내용으로 옳은 것만을 모두 고르면?

□□□ ㉠ 행정청이 질서위반행위에 대하여 과태료를 부과하고자 하는 때에는 미리 당사자에게 대통령령으로 정하는 사항을 통지하고, 10일 이상의 기간을 정하여 의견을 제출할 기회를 주어야 한다.
□□□ ㉡ 행정청에 의해 부과된 과태료는 질서위반행위가 종료된 날(다수인이 질서위반행위에 가담한 경우에는 최종행위가 종료된 날을 말한다)부터 5년간 징수하지 아니하거나 집행하지 아니하면 시효로 인하여 소멸한다.
□□□ ㉢ 과태료 사건은 다른 법령에 특별한 규정이 있는 경우를 제외하고는 과태료 부과관청의 소재지의 지방법원 또는 그 지원의 관할로 한다.
□□□ ㉣ 다른 법률에 특별한 규정이 없는 경우, 14세가 되지 아니한 자의 질서위반행위는 과태료를 부과하지 아니한다.

① ㉠, ㉣ ② ㉡, ㉣
③ ㉠, ㉡, ㉢ ④ ㉠, ㉢, ㉣

관련기출

㉢
1. 과태료 사건은 다른 법령에 특별한 규정이 있는 경우를 제외하고는 당사자의 주소지의 지방법원 또는 그 지원의 관할로 한다. (O, ×) 2019 서울시 9급
2. 과태료 사건은 다른 법령에 특별한 규정이 있는 경우를 제외하고는 과태료를 부과한 행정청의 소재지를 관할하는 행정법원의 관할로 한다. (O, ×) 2015 서울시 9급

1. O 2. ×

① ㉠㉣이 옳은 내용이다.

㉠ O

질서위반행위규제법 제16조【사전통지 및 의견제출 등】① 행정청이 질서위반행위에 대하여 과태료를 부과하고자 하는 때에는 미리 당사자(제11조 제2항에 따른 고용주 등을 포함한다. 이하 같다)에게 대통령령으로 정하는 사항을 통지하고, 10일 이상의 기간을 정하여 의견을 제출할 기회를 주어야 한다. 이 경우 지정된 기일까지 의견제출이 없는 경우에는 의견이 없는 것으로 본다.

㉡ ×

질서위반행위규제법 제15조【과태료의 시효】① 과태료는 행정청의 과태료 부과처분이나 법원의 과태료 재판이 확정된 후 5년간 징수하지 아니하거나 집행하지 아니하면 시효로 인하여 소멸한다.
제19조【과태료 부과의 제척기간】① 행정청은 질서위반행위가 종료된 날(다수인이 질서위반행위에 가담한 경우에는 최종행위가 종료된 날을 말한다)부터 5년이 경과한 경우에는 해당 질서위반행위에 대하여 과태료를 부과할 수 없다.

㉢ 빈출 ×

질서위반행위규제법 제25조【관할법원】과태료 사건은 다른 법령에 특별한 규정이 있는 경우를 제외하고는 당사자의 주소지의 지방법원 또는 그 지원의 관할로 한다.

㉣ O

질서위반행위규제법 제9조【책임연령】14세가 되지 아니한 자의 질서위반행위는 과태료를 부과하지 아니한다. 다만, 다른 법률에 특별한 규정이 있는 경우에는 그러하지 아니하다.

정답 15 ①

16 정답률 70% 중 2019 서울시 9급

질서위반행위규제법에 관한 설명으로 가장 옳은 것은?

□□□ ① 민법상의 의무를 위반하여 과태료를 부과하는 행위는 질서위반행위규제법상 질서위반행위에 해당한다.

□□□ ② 하나의 행위가 2 이상의 질서위반행위에 해당하는 경우에는 각 질서위반행위에 대하여 정한 과태료를 합산하여 부과한다.

□□□ ③ 과태료는 행정청의 과태료 부과처분이나 법원의 과태료 재판이 확정된 후 3년간 징수하지 아니하거나 집행하지 아니하면 시효로 인하여 소멸한다.

□□□ ④ 과태료 사건은 다른 법령에 특별한 규정이 있는 경우를 제외하고는 당사자의 주소지의 지방법원 또는 그 지원의 관할로 한다.

관련기출

①

1. 질서위반행위란 '법률(조례를 포함한다)상의 의무를 위반하여 과태료를 부과하는 행위'를 말하고, 이에는 대통령령으로 정하는 법률에 따른 징계사유에 해당하여 과태료를 부과하는 행위가 포함된다. (O, ×) 2009 국가직 7급

1. ×

① ×

질서위반행위규제법 제2조【정의】 이 법에서 사용하는 용어의 뜻은 다음과 같다.

1. '질서위반행위'란 법률(지방자치단체의 조례를 포함한다. 이하 같다)상의 의무를 위반하여 과태료를 부과하는 행위를 말한다. 다만, 다음 각 목의 어느 하나에 해당하는 행위를 제외한다.
   가. 대통령령으로 정하는 **사법(私法)상 · 소송법상** 의무를 위반하여 과태료를 부과하는 행위
   나. 대통령령으로 정하는 법률에 따른 **징계**사유에 해당하여 과태료를 부과하는 행위

② ×

질서위반행위규제법 제13조【수개의 질서위반행위의 처리】 ① 하나의 행위가 2 이상의 질서위반행위에 해당하는 경우에는 각 질서위반행위에 대하여 정한 과태료 중 가장 중한 과태료를 부과한다.

③ ×

질서위반행위규제법 제15조【과태료의 시효】 ① 과태료는 행정청의 과태료 부과처분이나 법원의 과태료 재판이 확정된 후 5년간 징수하지 아니하거나 집행하지 아니하면 시효로 인하여 소멸한다.

④ ○

질서위반행위규제법 제25조【관할법원】 과태료 사건은 다른 법령에 특별한 규정이 있는 경우를 제외하고는 당사자의 주소지의 지방법원 또는 그 지원의 관할로 한다.

정답 16 ④

17 정답률 83% 중 2017 서울시 9급

질서위반행위와 과태료 처분에 관한 설명으로 옳은 것은?

□□□ ① 과태료의 부과 · 징수, 재판 및 집행 등의 절차에 관하여 질서위반행위규제법과 타 법률이 달리 규정하고 있는 경우에는 후자를 따른다.

□□□ ② 하나의 행위가 2 이상의 질서위반행위에 해당하는 경우에는 각 질서위반행위에 대하여 정한 과태료 중 가장 중한 과태료를 부과하는 것이 원칙이다.

□□□ ③ 과태료는 행정질서유지를 위한 의무위반이라는 객관적 사실에 대하여 과하는 제재이므로 과태료 부과에는 고의 · 과실을 요하지 않는다.

□□□ ④ 과태료에는 소멸시효가 없으므로 행정청의 과태료 처분이나 법원의 과태료 재판이 확정된 이상 일정한 시간이 지나더라도 그 처벌을 면할 수는 없다.

관련기출

①

1. 과태료의 부과 · 징수, 재판 및 집행 등의 절차에 관한 다른 법률의 규정 중 이 법(질서위반행위규제법)의 규정에 저촉되는 것은 다른 법률이 정하는 바에 따른다. (○, ×) 2017 경행경채
2. 과태료의 부과 · 징수의 절차에 관해 질서위반행위규제법의 규정에 저촉되는 다른 법률의 규정이 있는 경우에는 그 다른 법률의 규정이 정하는 바에 따른다. (○, ×) 2017 국회직 8급
3. 과태료의 부과 · 징수, 재판 및 집행 등의 절차에 대해 다른 법률에서 이 법(질서위반행위규제법)과 달리 정하고 있는 경우에는 그 법률이 우선한다. (○, ×) 2015 서울시 7급

1. × 2. × 3. ×

① **빈출** ×

질서위반행위규제법 제5조【다른 법률과의 관계】과태료의 부과 · 징수, 재판 및 집행 등의 절차에 관한 다른 법률의 규정 중 이 법의 규정에 저촉되는 것은 이 법(편저자 주 : 질서위반행위규제법)으로 정하는 바에 따른다.

② ○

질서위반행위규제법 제13조【수개의 질서위반행위의 처리】① 하나의 행위가 2 이상의 질서위반행위에 해당하는 경우에는 각 질서위반행위에 대하여 정한 과태료 중 가장 중한 과태료를 부과한다.

② 제1항의 경우를 제외하고 2 이상의 질서위반행위가 경합하는 경우에는 각 질서위반행위에 대하여 정한 과태료를 각각 부과한다. 다만, 다른 법령(지방자치단체의 조례를 포함한다. 이하 같다)에 특별한 규정이 있는 경우에는 그 법령으로 정하는 바에 따른다.

③ ×

질서위반행위규제법 제7조【고의 또는 과실】고의 또는 과실이 없는 질서위반행위는 과태료를 부과하지 아니한다.

④ ×

질서위반행위규제법 제15조【과태료의 시효】① 과태료는 행정청의 과태료 부과처분이나 법원의 과태료 재판이 확정된 후 5년간 징수하지 아니하거나 집행하지 아니하면 시효로 인하여 소멸한다.

정답 17 ②

18 중 2017 교육행정직 9급

질서위반행위규제법상 과태료에 관한 내용으로 옳지 않은 것은?

□□□ ① 2인 이상이 질서위반행위에 가담한 때에는 각자가 질서위반행위를 한 것으로 본다.

□□□ ② 법률에 따르지 아니하고는 어떤 행위도 질서위반행위로 과태료를 부과하지 아니한다.

□□□ ③ 당사자는 과태료 재판에 대하여 즉시항고할 수 있으나 이 경우의 항고는 집행정지의 효력이 없다.

□□□ ④ 과태료는 행정청의 과태료 부과처분이 확정된 후 5년간 징수하지 아니하면 시효로 인하여 소멸한다.

관련기출

①

1. 2인 이상이 질서위반행위에 가담한 때에는 각자가 질서위반행위를 한 것으로 본다. (○, ×) 2014 사회복지직 9급, 2009 지방직 9급

1. ○

① ○

질서위반행위규제법 제12조 【다수인의 질서위반행위 가담】 ① 2인 이상이 질서위반행위에 가담한 때에는 각자가 질서위반행위를 한 것으로 본다.

② ○

질서위반행위규제법 제6조 【질서위반행위 법정주의】 법률에 따르지 아니하고는 어떤 행위도 질서위반행위로 과태료를 부과하지 아니한다.

③ ×

질서위반행위규제법 제38조 【항고】 ① 당사자와 검사는 과태료 재판에 대하여 즉시항고를 할 수 있다. 이 경우 항고는 집행정지의 효력이 있다.

④ ○

질서위반행위규제법 제15조 【과태료의 시효】 ① 과태료는 행정청의 과태료 부과처분이나 법원의 과태료 재판이 확정된 후 5년간 징수하지 아니하거나 집행하지 아니하면 시효로 인하여 소멸한다.

정답 18 ③

19 상

2012 국회직 8급

행정법에 관한 설명으로 옳지 않은 것은? (다툼이 있는 경우 판례에 따름)

□□□ ① 과태료의 부과요건 · 절차 등에 관해 질서위반행위규제법의 규정과 다른 법률규정이 있으면 그 규정을 우선 적용한다.

□□□ ② 과태료의 고액 · 상습체납자는 검사의 청구에 따라 법원의 결정으로써 30일의 범위 내에서 납부가 있을 때까지 감치될 수 있다.

□□□ ③ 헌법재판소는 종업원 등의 범죄행위와 관련하여 선임 · 감독상의 주의의무를 다하여 아무런 잘못이 없는 영업주도 처벌하도록 규정하고 있는 양벌규정을 법치국가의 원리 및 죄형법정주의로부터 도출되는 형벌에 관한 책임원칙에 반하므로 위헌이라고 본다.

□□□ ④ 국가가 그의 사무의 일부를 지방자치단체의 장에게 위임하여 처리하게 하는 기관위임사무의 경우 지방자치단체는 양벌규정에 의한 처벌대상이 되는 법인에 해당한다고 볼 수 없다.

□□□ ⑤ 건축법에 의한 무허가 건축행위에 대한 형사처벌과 건축법 관련 조항에 따른 이행강제금의 부과는 그 처벌 내지 제재대상이 되는 기본적 사실관계로서의 행위를 달리하며 또한 그 보호법익과 목적에서도 차이가 있으므로 이중처벌에 해당한다고 할 수 없다.

① ×

질서위반행위규제법의 규정과 다른 법률의 규정이 있으면 질서위반행위규제법으로 정하는 바에 따라야 한다.

> **질서위반행위규제법 제5조【다른 법률과의 관계】** 과태료의 부과 · 징수, 재판 및 집행 등의 절차에 관한 다른 법률의 규정 중 이 법의 규정에 저촉되는 것은 이 법으로 정하는 바에 따른다.

② ○

> **질서위반행위규제법 제54조【고액 · 상습체납자에 대한 제재】** ① 법원은 검사의 청구에 따라 결정으로 30일의 범위 이내에서 과태료의 납부가 있을 때까지 다음 각 호의 사유에 모두 해당하는 경우 체납자(법인인 경우에는 대표자를 말한다. 이하 이 조에서 같다)를 감치(監置)에 처할 수 있다.

③ ○

헌법재판소는 양벌규정을 규정하고 있는 법률이 그 해석상 종업원의 선임 · 감독상의 주의의무를 다하여 아무런 잘못이 없는 경우까지도 법인에 형벌을 부과하도록 한다면, 이는 법치국가의 원리 및 죄형법정주의로부터 도출되는 책임주의 원칙에 반하여 헌법에 위반된다고 판시하였다(헌재 2010. 9. 30, 2010헌가10).

④ ○

> 1. 국가가 본래 그의 사무의 일부를 지방자치단체의 장에게 위임하여 처리하게 하는 기관위임사무의 경우 지방자치단체는 국가기관의 일부로 볼 수 있다.
> 2. (지방자치단체 소속 공무원이 지정항만순찰 등의 업무를 위해 관할관청의 승인 없이 개조한 승합차를 운행함으로써 구 자동차관리법을 위반한 사안에서 해당 지방자치단체는 양벌규정에 따른 처벌대상이 될 수 없다고 판시하면서) **지방자치단체 소속 공무원이 기관위임사무를 처리하면서 위반행위를 한 경우 해당 지방자치단체는 양벌규정에 따른 처벌대상이 될 수 없다**(대판 2009. 6. 11, 2008도6530).

⑤ ○

이행강제금(집행벌)과 행정벌은 목적에서 차이가 있으므로 양자를 병과하더라도 헌법에서 금지하는 이중처벌이 아니라는 것이 판례의 입장이다(헌재 2004. 2. 26, 2001헌바80 · 84 · 102 · 103, 2002헌바26 병합).

정답 19 ①

2025
써니 행정법총론
기출문제집

Sunny

제 5 편

행정구제 1 (행정상 손해전보)

제28강 행정상 손해배상 1 (국가배상법 제2조 등)

1회독	2회독	3회독
/	/	/

정답률 공단기/소방단기 합격예측 풀서비스 통계 데이터 기준 기 기본서 핵 핵심집약

01 공무원의 직무행위로 인한 손해배상책임의 요건

기 588~607쪽 핵 T 54

01 빈출 정답률 83% 중 2024 지방직 · 서울시 9급

위법한 직무집행행위로 인한 손해배상책임에 대한 설명으로 옳지 않은 것은? (다툼이 있는 경우 판례에 의함)

□□□ ① 국가배상법상 '공무원'이라 함은 널리 공무를 위탁받아 실질적으로 공무에 종사하고 있는 일체의 자를 가리키는 것으로서, 단지 공무의 위탁이 일시적인 사항에 관한 활동을 위한 것은 포함되지 않는다.

□□□ ② 국가배상법이 정한 배상청구의 요건인 '공무원의 직무'에는 권력적 작용만이 아니라 행정지도와 같은 비권력적 공행정작용도 포함된다.

□□□ ③ 어떠한 행정처분이 후에 항고소송에서 위법한 것으로서 취소되었다고 하더라도 그로써 곧 당해 행정처분이 공무원의 고의 또는 과실에 의한 불법행위를 구성한다고 단정할 수는 없다.

□□□ ④ 헌법상 과잉금지의 원칙 내지 비례의 원칙을 위반하여 국민의 기본권을 침해한 국가작용은 국가배상책임에 있어 법령을 위반한 가해행위가 된다.

관련기출

①

1. 국가배상법 제2조 소정의 '공무원'이라 함은 국가공무원법이나 지방공무원법에 의하여 공무원으로서의 신분을 가진 자에 국한하지 않고, 널리 공무를 위탁받아 실질적으로 공무에 종사하고 있는 일체의 자를 가리키는 것으로서, 공무의 위탁이 일시적이고 한정적인 사항에 관한 활동을 위한 것이어도 달리 볼 것은 아니다. (○, ×) 2022 서울시 지적 7급
2. '공무원'에는 공무를 위탁받아 실질적으로 공무에 종사하고 있는 자가 포함되나, 공무의 위탁이 일시적이고 한정적인 사항에 관한 활동을 위한 것인 경우 그러한 활동을 하는 자는 포함되지 않는다. (○, ×) 2022 지방직 7급
3. 사인이 지방자치단체로부터 공무를 위탁받아 공무에 종사하는 경우 공무의 위탁이 일시적이고 한정적인 사항에 관한 활동이라면 국가배상법상 공무원에 해당하지 아니한다. (○, ×) 2014 지방직 9급
4. 공무를 위탁받아 실질적으로 공무에 종사하고 있는 자는 공무의 위탁이 일시적이고 한정적이라고 할지라도 공무원이 될 수 있다. (○, ×) 2009 국가직 9급

1. ○ 2. × 3. × 4. ○

① 빈출 정답률 83% ×

일시적 사항에 관한 활동을 위한 것도 포함된다.

> 국가배상법 제2조 소정의 '공무원'이라 함은 국가공무원법이나 지방공무원법에 의하여 공무원으로서의 신분을 가진 자에 국한하지 않고, 널리 공무를 위탁받아 실질적으로 공무에 종사하고 있는 일체의 자를 가리키는 것으로서, 공무의 위탁이 일시적이고 한정적인 사항에 관한 활동을 위한 것이어도 달리 볼 것은 아니다(대판 2001. 1. 5, 98다39060).

② 빈출 정답률 8% ○

> 국가배상법이 정한 배상청구의 요건인 공무원의 직무에는 권력적 작용만이 아니라 행정지도와 같은 비권력적 작용도 포함되며, 단지 행정주체가 사경제주체로서 하는 활동만이 제외된다(대판 1998. 7. 10, 96다38971).

③ 빈출 정답률 4% ○

어떠한 처분이 취소소송에서 취소되었다 하더라도 그 판결의 기판력은 처분이 위법하다는 점에 미치는 것일 뿐 그것만으로 공무원의 고의 또는 과실을 인정할 수는 없다는 것이 판례의 입장이다.

> 어떠한 행정처분이 후에 항고소송에서 취소된 사실만으로 당해 행정처분이 곧바로 공무원의 고의 또는 과실로 인한 것으로서 불법행위를 구성한다고 단정할 수 없다(대판 2000. 5. 12, 99다70600).

④ 정답률 4% ○

> 헌법상 과잉금지의 원칙 내지 비례의 원칙을 위반하여 국민의 기본권을 침해한 국가작용은 국가배상책임에 있어 법령을 위반한 가해행위가 된다(대판 2022. 9. 29, 2018다224408).

정답 01 ①

02 빈출 중 2024 국회직 8급

국가배상책임에 대한 설명으로 <보기>에서 옳은 것(○)과 옳지 않은 것(×)을 올바르게 조합한 것은? (다툼이 있는 경우 판례에 의함)

보기

□□□ ㉠ 국가배상책임의 요건으로서 법령 위반은 엄격한 의미의 법령 위반뿐 아니라 인권존중, 권력남용금지, 신의성실과 같이 공무원으로서 마땅히 지켜야 할 준칙이나 규범을 지키지 않고 위반한 경우를 포함한다.

□□□ ㉡ 공무원이 법령에 따라 직무수행에 관한 의무를 부여받았어도 그것이 직접 국민 개개인의 이익을 위한 것이 아니라 전체적으로 공공일반의 이익을 도모하기 위한 것이라면 그 의무를 위반하여 국민에게 손해를 가하여도 국가 또는 지방자치단체는 배상책임을 부담하지 아니한다.

□□□ ㉢ 공법인이 국가나 지방자치단체의 행정작용을 대신하여 공익사업을 시행하면서 행정절차를 진행하는 과정상 주민들의 절차적 권리를 보장하지 않은 위법이 있는 경우, 절차상 위법의 시정으로도 주민들에게 정신적 고통이 남아 있다고 볼 특별한 사정이 있어도 정신적 손해의 배상을 구하는 것은 불가능하다.

□□□ ㉣ 국가배상법 제5조 제1항의 공공의 영조물은 국가 또는 지방자치단체가 소유권 등 권한에 기하여 관리하고 있는 경우뿐만 아니라 사실상의 관리를 하고 있는 경우도 포함된다.

① ㉠(×), ㉡(×), ㉢(○), ㉣(○)
② ㉠(×), ㉡(○), ㉢(○), ㉣(×)
③ ㉠(○), ㉡(×), ㉢(×), ㉣(×)
④ ㉠(○), ㉡(○), ㉢(×), ㉣(○)
⑤ ㉠(○), ㉡(○), ㉢(○), ㉣(○)

관련기출

㉢

1. 행정절차는 그 자체가 독립적으로 의미를 가지는 것이라기보다는 행정의 공정성과 적정성을 보장하는 공법적 수단으로서의 의미가 크므로, 관련 행정처분의 성립이나 무효·취소 여부 등을 따지지 않은 채 주민들이 일시적으로 행정절차에 참여할 권리를 침해받았다는 사정만으로 곧바로 국가나 지방자치단체가 주민들에게 정신적 손해에 대한 배상의무를 부담한다고 단정할 수 없다. (○, ×) 2024 변호사

1. ○

㉠ 빈출 ○

국가배상책임에 있어서 '법령 위반'은 엄격한 의미의 법령 위반뿐 아니라 인권존중, 권력남용금지, 신의성실과 같이 공무원으로서 마땅히 지켜야 할 준칙이나 규범을 지키지 아니하고 위반한 경우를 포함하여 널리 그 행위가 객관적인 정당성을 결여하고 있음을 뜻한다(대판 2008. 6. 12, 2007다64365).

㉡ 빈출 ○

공무원이 직무를 수행하면서 근거되는 법령의 규정에 따라 구체적으로 의무를 부여받았어도 그것이 국민의 이익과는 관계없이 순전히 행정기관 내부의 질서를 유지하기 위한 것이거나, 또는 국민의 이익과 관련된 것이라도 직접 국민 개개인의 이익을 위한 것이 아니라 전체적으로 공공일반의 이익을 도모하기 위한 것이라면 그 의무를 위반하여 국민에게 손해를 가하여도 국가 또는 지방자치단체는 배상책임을 부담하지 아니한다(대판 2015. 5. 28, 2013다41431).

㉢ ×

1. 행정절차는 그 자체가 독립적으로 의미를 가지는 것이라기보다는 행정의 공정성과 적정성을 보장하는 공법적 수단으로서의 의미가 크므로, 관련 행정처분의 성립이나 무효·취소 여부 등을 따지지 않은 채 주민들이 일시적으로 **행정절차에 참여할 권리를 침해받았다는 사정만으로 곧바로 국가나 지방자치단체가 주민들에게 정신적 손해에 대한 배상의무를 부담한다고 단정할 수 없다.** 이와 같은 행정절차상 권리의 성격이나 내용 등에 비추어 볼 때, 국가나 지방자치단체가 행정절차를 진행하는 과정에서 주민들의 의견제출 등 절차적 권리를 보장하지 않은 위법이 있다고 하더라도 그 후 **이를 시정하여 절차를 다시 진행한 경우, 종국적으로 행정처분단계까지 이르지 않거나 처분을 직권으로 취소하거나 철회한 경우, 행정소송을 통하여 처분이 취소되거나 처분의 무효를 확인하는 판결이 확정된 경우** 등에는 주민들이 절차적 권리의 행사를 통하여 환경권이나 재산권 등 사적 이익을 보호하려던 목적이 실질적으로 달성된 것이므로 **특별한 사정이 없는 한 절차적 권리침해로 인한 정신적 고통에 대한 배상은 인정되지 않는다.** 다만 이러한 조치로도 주민들의 절차적 권리침해로 인한 정신적 고통이 여전히 남아 있다고 볼 특별한 사정이 있는 경우에 국가나 지방자치단체는 그 정신적 고통으로 인한 손해를 배상할 책임이 있다. 이때 특별한 사정이 있다는 사실에 대한 주장·증명책임은 이를 청구하는 주민들에게 있고, 특별한 사정이 있는지는 주민들에게 행정절차참여권을 보장하는 취지, 행정절차참여권이 침해된 경위와 정도, 해당 행정절차 대상사업의 시행경과 등을 종합적으로 고려해서 판단해야 한다.
2. 원고는 지방자치단체가 설치·운영하는 폐기물매립장 인근에 거주하는 주민으로서, 지방자치단체가 폐기물매립장을 설치하면서 관련법령에서 정한 입지선정위원회 구성 등 주민의견수렴절차를 거치지 않은 채 관련서류를 위조하여 폐기물매립장을 설치하였고 그 폐기물매립장을 부실하게 운영하여 원고의 행정절차참여권, 환경권 등을 침해하였음을 이유로 손해배상을 청구한 사안에서, 주민들의 행정절차참여권 침해를 이유로 한 손해배상의 경우 행정절차를 이행하지 않았다는 사실만으로 곧바로 손해배상이 인정되는 것은 아니고, 관련 행정처분이 취소되는 등의 조치로도 주민들의 정신적 고통이 남아 있다고 볼 특별한 사정이 있는 경우에만 손해배상책임이 인정되는 것이다(대판 2021. 7. 29, 2015다221668).

㉣ 제26강 참조 ○

1. '공공의 영조물'이라 함은 국가 또는 지방자치단체에 의하여 특정 공공의 목적에 공여된 유체물 내지 물적 설비를 말한다.
2. 또한 이러한 영조물에는 국가 또는 지방자치단체가 소유권, 임차권, 그 밖의 권한에 기하여 관리하고 있는 경우뿐만 아니라 사실상의 관리를 하고 있는 경우도 포함된다(대판 1998. 10. 23, 98다17381).

정답 02 ④

03 빈출 정답률 80% 중 2024 국가직 9급

국가배상에 대한 설명으로 옳은 것은? (다툼이 있는 경우 판례에 의함)

□□□ ① 국가배상청구의 요건인 '공무원의 직무'에는 행정주체가 사경제주체로서 하는 작용도 포함된다.

□□□ ② 청구기간 내에 헌법소원이 적법하게 제기되었음에도 헌법재판소 재판관이 청구기간을 오인하여 각하결정을 한 경우, 이에 대한 불복절차 내지 시정절차가 없는 때에는 국가배상책임을 인정할 수 있다.

□□□ ③ 군 복무 중 사망한 군인 등의 유족인 원고가 국가배상법에 따른 손해배상금을 지급받은 경우, 국가는 군인연금법 소정의 사망보상금을 지급함에 있어 원고가 받은 손해배상금 상당 금액을 공제할 수 없다.

□□□ ④ 외국인이 피해자인 경우 해당 국가와 상호보증이 없더라도 국가배상법이 적용된다.

관련기출

②

1. 헌법재판소 재판관이 청구기간 내에 제기된 헌법소원심판청구사건에서 청구기간을 오인하여 각하결정을 한 경우, 이에 대한 불복절차 내지 시정절차가 없는 때에는 배상책임의 요건이 충족되는 한 국가배상책임을 인정할 수 있다. (○, ×) 2023 지방직 · 서울시 9급, 2022 소방간부
2. 재판에 대하여 따로 불복절차 또는 시정절차가 마련되어 있는 경우에는, 불복에 의한 시정을 구할 수 없었던 것 자체가 공무원의 귀책사유로 인한 것이라는 등의 특별한 사정이 없는 한, 스스로 시정을 구하지 아니한 결과 권리 내지 이익을 회복하지 못한 사람은 원칙적으로 국가배상에 의한 권리구제를 받을 수 없다. (○, ×) 2023 변호사
3. 재판작용에 대한 국가배상의 경우, 재판에 대하여 불복절차 내지 시정절차 자체가 없는 경우에는 부당한 재판으로 인하여 불이익 내지 손해를 입은 사람은 국가배상책임의 요건이 충족된다면 국가배상을 청구할 수 있다. (○, ×) 2021 국가직 7급
4. 헌법재판소 재판관이 잘못된 각하결정을 하여 청구인으로 하여금 본안판단을 받을 기회를 상실하게 하였더라도, 본안판단에서 어차피 청구가 기각되었을 것이라는 사정이 있다면 국가배상책임이 인정되지 않는다. (○, ×) 2018 지방직 7급

1. ○ 2. ○ 3. ○ 4. ×

③

1. 군 복무 중 사망한 군인 등의 유족이 국가배상법에 따른 손해배상금을 지급받은 경우 그 손해배상금 상당 금액에 대해서는 군인연금법에서 정한 사망보상금을 지급받을 수 없다. (○, ×) 2023 지방직 · 서울시 9급

1. ○

① 정답률 4% ×

국가배상법이 정한 배상청구의 요건인 공무원의 직무에는 권력적 작용만이 아니라 행정지도와 같은 비권력적 작용도 포함되며, 단지 행정주체가 사경제주체로서 하는 활동만이 제외된다(대판 1998. 7. 10, 96다38971).

② 빈출 정답률 80% ○

1. 재판에 대해 불복절차 또는 시정절차가 마련되어 있는 경우에는 특별한 사정이 없는 한 불복절차를 통해 재판의 잘못을 시정할 수 있으므로 국가배상청구권이 부정된다.
2. 헌법재판관이 청구기간 내에 제기된 헌법소원심판청구사건에서 청구기간을 오인하여 각하결정을 한 경우, 이에 대한 불복절차 내지 시정절차가 없는 때에는 국가배상책임이 인정된다.
3. 헌법재판소 재판관의 위법한 직무집행의 결과 잘못된 각하결정을 함으로써 청구인으로 하여금 본안판단을 받을 기회를 상실하게 한 이상, 설령 본안판단을 하였더라도 어차피 청구가 기각되었을 것이라는 사정이 있다고 하더라도, 청구인의 합리적인 기대를 침해한 것이고 그 침해로 인한 정신상 고통에 대하여는 위자료를 지급할 의무가 있다.

재판에 대하여 따로 불복절차 또는 시정절차가 마련되어 있는 경우에는 재판의 결과로 불이익 내지 손해를 입었다고 여기는 사람은 그 절차에 따라 자신의 권리 내지 이익을 회복하도록 함이 법이 예정하는 바이므로, 불복에 의한 시정을 구할 수 없었던 것 자체가 법관이나 다른 공무원의 귀책사유로 인한 것이라거나 그와 같은 시정을 구할 수 없었던 부득이한 사정이 있었다는 등의 특별한 사정이 없는 한, 스스로 그와 같은 시정을 구하지 아니한 결과 권리 내지 이익을 회복하지 못한 사람은 원칙적으로 국가배상에 의한 권리구제를 받을 수 없다고 봄이 상당하다고 하겠으나, 재판에 대하여 불복절차 내지 시정절차 자체가 없는 경우에는 부당한 재판으로 인하여 불이익 내지 손해를 입은 사람은 국가배상 이외의 방법으로는 자신의 권리 내지 이익을 회복할 방법이 없으므로, 이와 같은 경우에는 배상책임의 요건이 충족되는 한 국가배상책임을 인정하지 않을 수 없다(대판 2003. 7. 11, 99다24218).

③ 정답률 11% 제29강 참조 ×

군 복무 중 사망한 군인 등의 유족이 국가배상법에 따른 손해배상금을 지급받은 경우, 군인연금법 제31조에서 정한 사망보상금을 지급받을 수 없다.

원심은, 직무집행과 관련하여 공상을 입은 군인 등이 국가배상법에 따른 손해배상금을 지급받았더라도 「보훈보상대상자 지원에 관한 법률」에 따른 보훈급여금을 지급하여야 한다는 대법원 2017. 2. 3. 선고 2015두60075 판결의 법리가 이 사건에 적용됨을 전제로 하여, 군 복무 중 사망한 망인의 유족인 원고가 국가배상법에 따른 손해배상금을 받았다 하더라도 이러한 사유는 원고가 군인연금법 제31조가 정한 사망보상금을 지급받는 데 장애가 되지 않는다고 판단하였다. 그러나 다른 법령에 따라 지급받은 급여와의 조정에 관한 조항을 두고 있지 아니한 「보훈보상대상자 지원에 관한 법률」과 달리, 군인연금법 제41조 제1항은 "다른 법령에 따라 국가나 지방자치단체의 부담으로 이 법에 따른 급여와 같은 종류의 급여를 받은 사람에게는 그 급여금에 상당하는 금액에 대하여는 이 법에 따른 급여를 지급하지 아니한다."라고 명시적으로 규정하고 있다. 나아가 군인연금법이 정하고 있는 급여 중 사망보상금(군인연금법 제31조)은 일실손해의 보전을 위한 것으로 불법행위로 인한 소극적 손해배상과 같은 종류의 급여라고 봄이 타당하다. 따라서 피고에게 군인연금법 제41조 제1항에 따라 원고가 받은 손해배상금 상당 금액에 대하여는 사망보상금을 지급할 의무가 존재하지 아니한다(대판 2018. 7. 20, 2018두36691).

④ 빈출 정답률 3% ×

국가배상법 제7조【외국인에 대한 책임】이 법은 외국인이 피해자인 경우에는 해당 국가와 상호보증이 있을 때에만 적용한다.

정답 03 ②

04 중 2023 행정사

국가배상에 관한 설명으로 옳지 않은 것은? (다툼이 있으면 판례에 따름)

□□□ ① 인사업무담당 공무원이 다른 공무원의 공무원증을 위조한 행위는 직무집행행위에 해당한다.

□□□ ② 행정처분이 후에 항고소송에서 취소되면 그 기판력에 의하여 당해 행정처분은 공무원의 고의 · 과실 여부와 관계없이 곧바로 불법행위를 구성한다.

□□□ ③ 생명 · 신체의 침해로 인한 국가배상을 받을 권리는 양도하지 못한다.

□□□ ④ 경찰관이 범죄수사를 함에 있어 법규상 또는 조리상의 한계를 위반하였다면 이는 법령을 위반한 경우에 해당한다.

□□□ ⑤ 영조물 설치 · 관리상의 하자는 공공의 목적에 공여된 영조물이 그 용도에 따라 통상 갖추어야 할 안전성을 갖추지 못한 상태에 있음을 말한다.

관련기출

①

1. 공무원증 발급업무를 담당하는 공무원이 대출을 받을 목적으로 다른 공무원의 공무원증을 위조하는 행위는 국가배상법 제2조 제1항의 직무집행관련성이 인정되지 않는다. (○, ×) 2021 소방직 9급
2. 인사업무담당 공무원이 다른 공무원의 공무원증 등을 위조한 행위는 실질적으로 직무행위에 속하지 아니한다 할지라도 외관상으로는 국가배상법상의 직무집행에 해당한다. (○, ×) 2018 지방직 7급
3. 인사업무담당 공무원이 다른 공무원의 공무원증 등을 위조한 행위는 국가배상법 제2조 제1항 소정의 '공무원이 직무를 집행하면서 행한 행위'로 인정되지 않는다. (○, ×) 2015 지방직 7급

1. × 2. ○ 3. ×

②

1. 어떠한 행정처분이 위법하다고 할지라도 그 자체만으로 곧바로 그 행정처분이 공무원의 고의 또는 과실로 인한 불법행위를 구성한다고 단정할 수는 없고, 공무원의 고의 또는 과실의 유무에 대하여는 별도의 판단을 요한다. (○, ×) 2022 소방간부
2. 어떠한 행정처분이 항고소송에서 취소되었을지라도 그 기판력에 의하여 당해 행정처분이 곧바로 공무원의 고의 또는 과실로 인한 것으로서 국가배상책임이 성립한다고 단정할 수는 없다. (○, ×) 2019 국가직 7급

1. ○ 2. ○

③

1. 생명 · 신체의 침해로 인한 국가배상을 받을 권리는 양도는 가능하지만, 압류는 하지 못한다. (○, ×) 2021 소방직 9급, 2011 국가직 7급
2. 생명 · 신체의 침해로 인한 국가배상을 받을 권리는 양도하거나 압류하지 못한다. (○, ×) 2013 국가직 9급
3. 국가배상법상 생명 · 신체의 침해로 인한 국가배상을 받을 권리는 압류하지 못하나 양도할 수는 있다. (○, ×) 2013 경행특채

1. × 2. ○ 3. ×

① **빈출** ○

직무집행의 의미와 관련하여 이른바 통설 및 판례인 외형설에 따르면 다른 공무원의 공무원증 등을 위조하는 행위는 비록 그것이 실질적으로는 직무행위에 속하지 아니한다 할지라도 적어도 외관상으로는 공무원증과 재직증명서를 발급하는 행위로서 직무집행으로 보여진다는 것이 판례의 입장이다.

> 인사업무담당 공무원이 다른 공무원의 공무원증 등을 위조한 행위에 대하여 실질적으로는 직무행위에 속하지 아니한다 할지라도 외관상으로 국가배상법 제2조 제1항의 직무집행 관련성이 인정된다.
>
> 울산세관의 통관지원과에서 인사업무를 담당하면서 울산세관 공무원들의 공무원증 및 재직증명서 발급업무를 하는 공무원인 ○○○이 울산세관의 다른 공무원의 공무원증 등을 위조하는 행위는 비록 그것이 실질적으로는 직무행위에 속하지 아니한다 할지라도 적어도 외관상으로는 공무원증과 재직증명서를 발급하는 행위로서 직무집행으로 보여지므로 결국 소외인의 공무원증 등 위조행위는 국가배상법 제2조 제1항 소정의 공무원이 직무를 집행함에 당하여 한 행위로 인정되고 …… (대판 2005. 1. 14, 2004다26805)

② ×

> 1. 어떠한 행정처분이 후에 항고소송에서 취소된 사실만으로 당해 행정처분이 곧바로 공무원의 고의 또는 과실로 인한 것으로서 불법행위를 구성한다고 단정할 수 없다(대판 2000. 5. 12, 99다70600).
> 2. 어떠한 행정처분이 위법하다고 할지라도 그 자체만으로 곧바로 그 행정처분이 공무원의 고의 또는 과실로 인한 불법행위를 구성한다고 단정할 수는 없고, 공무원의 고의 또는 과실의 유무에 대하여는 별도의 판단을 요한다(대판 2004. 6. 11, 2002다31018).

③ 제29강 참조 ○

> **국가배상법 제4조【양도 등 금지】** 생명 · 신체의 침해로 인한 국가배상을 받을 권리는 양도하거나 압류하지 못한다.

④ ○

> 수사기관이 범죄수사를 하면서 지켜야 할 법규상 또는 조리상의 한계를 위반하였다면 이는 법령을 위반한 경우에 해당한다(대판 2020. 4. 29, 2015다224797).

⑤ 제29강 참조 ○

> 국가배상법 제5조에서 말하는 영조물의 설치 · 관리의 하자란 영조물이 그 용도에 따라 통상 갖추어야 할 안전성을 갖추지 못한 상태에 있음을 말하는 것으로서, 이와 같은 안전성의 구비 여부는 당해 영조물의 구조, 본래의 용법, 장소적 환경 및 이용 상황 등의 여러 사정을 종합적으로 고려하여 구체적 · 개별적으로 판단하여야 한다(대판 2000. 1. 14, 99다24201).

정답 04 ②

05 정답률 81% 중 2023 소방직 9급

국가배상책임의 요건에 관한 설명으로 옳지 않은 것은? (다툼이 있는 경우 판례에 의함)

□□□ ① 국가배상법이 정한 손해배상청구의 요건인 '공무원의 직무'에는 국가나 지방자치단체의 권력적 작용뿐만 아니라 비권력적 작용도 포함되지만 단순한 사경제의 주체로서 하는 작용은 포함되지 않는다.

□□□ ② 공무원에게 부과된 직무상 의무의 내용이 전적으로 또는 부수적으로 사회구성원 개인의 안전과 이익을 보호하기 위하여 설정된 것이라면, 그와 같은 의무를 위반함으로 인하여 피해자가 입은 손해에 대하여는 상당인과관계가 인정되는 범위 내에서 배상책임이 성립한다.

□□□ ③ 항고소송에서 위법한 것으로서 취소된 행정처분이 객관적 정당성을 상실하였다고 인정될 정도에 이른 것이 아닌 경우, 당해 행정처분은 공무원의 고의 또는 과실에 의한 불법행위를 구성하게 된다.

□□□ ④ 공무원 개인이 지는 손해배상책임에서 중과실이란 공무원에게 통상 요구되는 정도의 상당한 주의를 하지 않더라도 약간의 주의를 한다면 손쉽게 위법·유해한 결과를 예견할 수 있는 경우임에도 만연히 이를 간과한 경우와 같이, 거의 고의에 가까운 현저한 주의를 결여한 상태를 의미한다.

관련기출

③

1. 행정처분의 담당공무원이 주관적 주의의무를 결하여 그 행정처분이 주관적 정당성을 상실하였다고 인정될 정도에 이른 경우에 국가배상법 제2조의 요건을 충족하였다고 봄이 상당하다. (○, ×) 2020 지방직·서울시 7급

1. ×

④

1. 공무원의 중과실이란 공무원에게 통상 요구되는 정도의 상당한 주의를 하지 않더라도 약간의 주의를 한다면 손쉽게 위법·유해한 결과를 예견할 수 있는 경우임에도 만연히 이를 간과한 경우와 같이, 거의 고의에 가까운 현저한 주의를 결여한 상태를 의미한다. (○, ×) 2022 서울시 7급

1. ○

① ○

국가배상법이 정한 배상청구의 요건인 공무원의 직무에는 권력적 작용만이 아니라 행정지도와 같은 비권력적 작용도 포함되며, 단지 행정주체가 사경제주체로서 하는 활동만이 제외된다는 것이 판례의 입장이다(대판 1998. 7. 10, 96다38971).

② ○

공무원에게 부과된 직무상 의무의 내용이 단순히 공공일반의 이익을 위한 것이거나 행정기관 내부의 질서를 규율하기 위한 것이 아니고 전적으로 또는 부수적으로 사회구성원 개인의 안전과 이익을 보호하기 위하여 설정된 것이라면, 공무원이 그와 같은 직무상 의무를 위반함으로 인하여 피해자가 입은 손해에 대하여는 상당인과관계가 인정되는 범위 내에서 국가가 배상책임을 진다(대판 2021. 6. 10. 2017다286874).

③ ×

그 행정처분의 담당공무원이 보통 일반의 공무원을 표준으로 하여 볼 때 객관적 주의의무를 결하여 그 행정처분이 객관적 정당성을 상실하였다고 인정될 정도에 이른 경우에 국가배상법 제2조 소정의 국가배상책임의 요건을 충족하였다고 봄이 상당할 것이며 …… (대판 2003. 12. 11, 2001다65236)

④ ○

국가배상법 제2조 제1항 본문 및 제2항에 따르면, 공무원이 공무를 수행하는 과정에서 위법행위로 타인에게 손해를 가한 경우에 국가 등이 손해배상책임을 지는 외에 그 개인은 고의 또는 중과실이 있는 경우에는 손해배상책임을 지지만 경과실만 있는 경우에는 책임을 면한다고 해석된다. …… 여기에서 공무원의 **중과실**이란 공무원에게 통상 요구되는 정도의 상당한 주의를 하지 않더라도 약간의 주의를 한다면 손쉽게 위법·유해한 결과를 예견할 수 있는 경우임에도 만연히 이를 간과한 경우와 같이, **거의 고의에 가까운 현저한 주의를 결여한 상태를 의미**한다(대판 2021. 11. 11, 2018다288631).

정답 05 ③

06 정답률 85% 중 2022 지방직 7급

국가배상법 제2조의 국가배상책임이 인정되기 위한 요건에 대한 설명으로 옳지 않은 것은? (다툼이 있는 경우 판례에 의함)

□□□ ① 공무원의 부작위가 공무원으로서 마땅히 지켜야 할 준칙이나 규범을 위반한 경우를 포함하여 널리 객관적인 정당성이 없는 경우, 그 부작위는 '법령을 위반'하는 경우에 해당한다.

□□□ ② 상급행정기관이 소속 공무원이나 하급행정기관에 대하여 업무처리지침이나 법령의 해석 · 적용 기준을 정해 주는 행정규칙을 위반한 공무원의 조치가 있다고 해서 그러한 사정만으로 곧바로 그 조치의 위법성이 인정되는 것은 아니다.

□□□ ③ '공무원'에는 공무를 위탁받아 실질적으로 공무에 종사하고 있는 자가 포함되나, 공무의 위탁이 일시적이고 한정적인 사항에 관한 활동을 위한 것인 경우 그러한 활동을 하는 자는 포함되지 않는다.

□□□ ④ 공무원에게 부과된 직무상 의무의 내용이 전적으로 또는 부수적으로라도 사회구성원 개인의 안전과 이익을 보호하기 위하여 설정된 것이어야 직무상 의무 위반과 피해자가 입은 손해 사이에 상당인과관계가 인정될 수 있다.

관련기출

④

1. 공무원에게 부과된 직무상 의무가 단순히 공공일반의 이익만을 위한 경우라면 그러한 직무상 의무 위반에 대해서는 국가배상책임이 인정되지 않는다. (○, ×) 2022 지방직 · 서울시 9급
2. 공무원이 직무를 수행하면서 그 근거가 되는 법령의 규정에 따라 구체적으로 의무를 부여받았어도 그것이 국민의 이익과 관계없이 순전히 행정기관 내부의 질서를 유지하기 위한 것이라면 그 의무에 위반하여 국민에게 손해를 가하여도 국가 등은 배상책임을 부담하지 않는다. (○, ×) 2022 국가직 9급
3. 공무원에게 부과된 직무상 의무의 내용이 전적으로 또는 부수적으로 사회구성원 개인의 안전과 이익을 보호하기 위하여 설정된 것이라면, 공무원이 그와 같은 직무상 의무를 위반함으로써 피해자가 입은 손해에 대해서는 상당인과관계가 인정되는 범위에서 국가가 배상책임을 진다. (○, ×) 2022 소방직 9급

1. ○ 2. ○ 3. ○

① ○

공무원의 부작위로 인한 국가배상책임을 인정하기 위해서는 공무원의 작위로 인한 국가배상책임을 인정하는 경우와 마찬가지로 '공무원이 직무를 집행하면서 고의 또는 과실로 법령을 위반하여 타인에게 손해를 입힌 때'라는 국가배상법 제2조 제1항의 요건이 충족되어야 한다. 여기서 '법령 위반'이란 엄격하게 형식적 의미의 법령에 명시적으로 공무원의 작위의무가 규정되어 있는데도 이를 위반하는 경우만을 의미하는 것은 아니고, 인권존중 · 권력남용금지 · 신의성실과 같이 공무원으로서 마땅히 지켜야 할 준칙이나 규범을 지키지 않고 위반한 경우를 포함하여 널리 객관적인 정당성이 없는 행위를 한 경우를 포함한다(대판 2020. 5. 28, 2017다211559).

② ○

상급행정기관이 소속 공무원이나 하급행정기관에 대하여 업무처리지침이나 법령의 해석 · 적용 기준을 정해 주는 '행정규칙'은 일반적으로 행정조직 내부에서만 효력을 가질 뿐 대외적으로 국민이나 법원을 구속하는 효력이 없다. 공무원의 조치가 행정규칙을 위반하였다고 해서 그러한 사정만으로 곧바로 위법하게 되는 것은 아니고, 공무원의 조치가 행정규칙을 따른 것이라고 해서 적법성이 보장되는 것도 아니다. 공무원의 조치가 적법한지는 행정규칙에 적합한지 여부가 아니라 상위법령의 규정과 입법 목적 등에 적합한지 여부에 따라 판단해야 한다(대판 2020. 5. 28, 2017다211559).

③ ×

국가배상법 제2조 소정의 '공무원'이라 함은 국가공무원법이나 지방공무원법에 의하여 공무원으로서의 신분을 가진 자에 국한하지 않고, 널리 공무를 위탁받아 실질적으로 공무에 종사하고 있는 일체의 자를 가리키는 것으로서, 공무의 위탁이 일시적이고 한정적인 사항에 관한 활동을 위한 것이어도 달리 볼 것은 아니다(대판 2001. 1. 5, 98다39060).

④ **빈출** ○

공무원에게 직무상 의무를 부과한 법령의 보호목적이 사회구성원 개인의 이익과 안전을 보호하기 위한 것이 아니고 단순히 공공일반의 이익이나 행정기관 내부의 질서를 규율하기 위한 것이라면, 가사 공무원이 그 직무상 의무를 위반한 것을 계기로 하여 제3자가 손해를 입었다 하더라도 공무원이 직무상 의무를 위반한 행위와 제3자가 입은 손해 사이에는 법리상 상당인과관계가 있다고 할 수 없다(대판 2001. 4. 13, 2000다34891).

정답 06 ③

07 빈출 정답률 80% 중 2022 지방직·서울시 9급

국가배상제도에 대한 설명으로 옳은 것은? (다툼이 있는 경우 판례에 의함)

□□□ ① 공무원에게 부과된 직무상 의무가 단순히 공공일반의 이익만을 위한 경우라면 그러한 직무상 의무위반에 대해서는 국가배상책임이 인정되지 않는다.

□□□ ② 국가의 비권력적 작용은 국가배상청구의 요건인 직무에 포함되지 않는다.

□□□ ③ 경과실로 불법행위를 한 공무원이 피해자에게 손해를 배상하였다면 이는 타인의 채무를 변제한 경우에 해당하므로 피해자는 공무원에게 이를 반환할 의무가 있다.

□□□ ④ 지방자치단체가 권원 없이 사실상 관리하고 있는 도로는 국가배상책임의 대상이 되는 영조물에 해당하지 않는다.

관련기출

①

1. 국가배상책임에 있어서 국가는 직무상의 의무위반과 피해자가 입은 손해 사이에 상당인과관계가 인정되는 범위 내에서만 배상책임을 지는 것이고, 이 경우 상당인과관계가 인정되기 위해서는 공무원에게 부과된 직무상 의무의 내용이 전적으로 또는 부수적으로 사회구성원 개인의 안전과 이익을 보호하기 위하여 설정된 것이어야 한다. (○, ×) 2021 지방직·서울시 9급
2. 공무원에게 부과된 직무상 의무의 내용이 순전히 행정기관 내부의 질서를 유지하기 위한 것이거나 전체적으로 공공일반의 이익을 도모하기 위한 것인 경우, 국가 또는 지방자치단체가 배상책임을 부담하지 아니한다. (○, ×) 2019 서울시 2회 7급
3. 공무원이 직무를 수행하면서 그 근거법령에 따라 구체적으로 의무를 부여받았어도 그것이 국민 개개인의 이익을 위한 것이 아니라 전체적으로 공공일반의 이익을 도모하기 위한 것이라면 그 의무에 위반하여 국민에게 손해를 가하여도 국가 또는 지방자치단체는 배상책임을 지지 않는다. (○, ×) 2019 국가직 7급
4. 공무원의 직무상 의무위반과 피해자가 입은 손해 사이에는 상당인과관계가 요구된다. (○, ×) 2017 교육행정직 9급

1. ○ 2. ○ 3. ○ 4. ○

① **빈출** ○

공무원의 행위로 인한 국가배상책임이 성립하기 위해서는 직무행위와 손해 사이에 상당인과관계가 있어야 한다. 그런데 공무원에게 직무상 의무를 부과한 법령의 보호목적이 단순히 공공일반의 이익을 위한 것이라면 상당인과관계가 부정되어 국가배상책임이 인정되지 않는다.

> 공무원에게 직무상 의무를 부과한 법령의 보호목적이 사회구성원 개인의 이익과 안전을 보호하기 위한 것이 아니고 단순히 공공일반의 이익이나 행정기관 내부의 질서를 규율하기 위한 것이라면, 가사 공무원이 그 직무상 의무를 위반한 것을 계기로 하여 제3자가 손해를 입었다 하더라도 공무원이 직무상 의무를 위반한 행위와 제3자가 입은 손해 사이에는 법리상 **상당인과관계**가 있다고 할 수 없다(대판 2001. 4. 13, 2000다34891).

② ×

국가배상법이 정한 배상청구의 요건인 공무원의 직무에는 권력적 작용만이 아니라 행정지도와 같은 비권력적 작용도 포함되며, 단지 행정주체가 사경제주체로서 하는 활동만이 제외된다는 것이 판례의 입장이다(대판 1998. 7. 10, 96다38971).

③ ×

> 공무원이 직무수행 중 불법행위로 타인에게 손해를 입힌 경우에 국가 등이 국가배상책임을 부담하는 외에 공무원 개인도 고의 또는 중과실이 있는 경우에는 불법행위로 인한 손해배상책임을 지고, 공무원에게 경과실이 있을 뿐인 경우에는 공무원 개인은 손해배상책임을 부담하지 아니한다. 이처럼 경과실이 있는 공무원이 피해자에 대하여 손해배상책임을 부담하지 아니함에도 피해자에게 손해를 배상하였다면 그것은 채무자 아닌 사람이 타인의 채무를 변제한 경우에 해당하고, 이는 민법 제469조의 '제3자의 변제' 또는 민법 제744조의 '도의관념에 적합한 비채변제'에 해당하여 피해자는 공무원에 대하여 이를 반환할 의무가 없고, 그에 따라 피해자의 국가에 대한 손해배상청구권이 소멸하여 국가는 자신의 출연 없이 채무를 면하게 되므로, 피해자에게 손해를 직접 배상한 경과실이 있는 공무원은 특별한 사정이 없는 한 국가에 대하여 국가의 피해자에 대한 손해배상책임의 범위 내에서 공무원이 변제한 금액에 관하여 구상권을 취득한다고 봄이 타당하다(대판 2014. 8. 20, 2012다54478).

④ 제29강 참조 ×

> 1. '공공의 영조물'이라 함은 국가 또는 지방자치단체에 의하여 특정 공공의 목적에 공여된 유체물 내지 물적 설비를 말한다.
> 2. 또한 이러한 영조물에는 국가 또는 지방자치단체가 소유권, 임차권, 그 밖의 권한에 기하여 관리하고 있는 경우뿐만 아니라 사실상의 관리를 하고 있는 경우도 포함된다(대판 1998. 10. 23, 98다17381).

정답 07 ①

08 정답률 72% 중 2021 지방직 · 서울시 7급

국가배상에 대한 설명으로 옳지 않은 것은? (다툼이 있는 경우 판례에 의함)

① 공무원이 고의 또는 과실로 그에게 부과된 직무상 의무를 위반하였을 경우라고 하더라도 국가는 그러한 직무상의 의무위반과 피해자가 입은 손해 사이에 상당인과관계가 인정되는 범위 내에서만 배상책임을 진다.

② 공무원의 부작위로 인한 국가배상책임을 인정할 것인지 여부가 문제되는 경우에 관련 공무원에 대하여 작위의무를 명하는 형식적 법률의 규정이 없는 경우에는 국가배상책임이 인정되지 않는다.

③ 국가배상법 제5조 소정의 공공의 영조물이란 공유나 사유임을 불문하고 행정주체에 의하여 특정 공공의 목적에 공여된 유체물 또는 물적 설비를 의미한다.

④ 설치공사 중인 옹벽은 아직 완성되지 아니하여 일반 공중의 이용에 제공되지 않고 있었던 이상 공공의 영조물에 해당한다고 할 수 없다.

관련기출

②

1. 부작위로 인한 손해에 대한 국가배상청구는 공무원의 작위의무를 명시한 형식적 의미의 법령에 위배된 경우에 한한다. (○, ×) 2017 사회복지직 9급
2. '법령에 위반하여'라 함은 엄격하게 형식적 의미의 법령에 명시적으로 공무원의 작위의무가 정하여져 있음에도 이를 위반하는 경우만을 의미한다. (○, ×) 2013 지방직(하) 7급
3. 공무원의 부작위로 인한 국가배상책임이 인정되기 위해서는 형식적 의미의 법률에 의한 공무원의 작위의무가 존재하여야 한다. (○, ×) 2013 서울시 7급
4. 법령에 명시적으로 공무원의 작위의무가 규정되어 있지 않은 경우라 할지라도 공무원의 부작위로 인한 국가배상책임을 인정할 수 있다. (○, ×) 2012 국가직 9급

1. × 2. × 3. × 4. ○

① ○

공무원이 고의 또는 과실로 그에게 부과된 직무상 의무를 위반하였을 경우라고 하더라도 국가는 그러한 직무상의 의무위반과 피해자가 입은 손해 사이에 상당인과관계가 인정되는 범위 내에서만 배상책임을 지는 것이고, 이 경우 상당인과관계가 인정되기 위하여는 공무원에게 부과된 직무상 의무의 내용이 단순히 공공일반의 이익을 위한 것이거나 행정기관 내부의 질서를 규율하기 위한 것이 아니고 전적으로 또는 부수적으로 사회구성원 개인의 안전과 이익을 보호하기 위하여 설정된 것이어야 한다(대판 2010. 9. 9, 2008다77795).

② **빈출** ×

판례는 국민의 생명과 재산을 보호해야 한다는 국가의 임무에 비추어 사람의 생명, 신체 및 재산 등 중요한 법익에 급박하고 현저한 위험이 존재하는 등 일정한 경우, 작위의무를 명하는 형식적 법률규정이 없는 경우라도 위험방지의 작위의무를 인정하고 있다.

작위의무를 명하는 형식적 법률규정이 없는 경우라도 일정한 경우 작위의무를 인정할 수 있다.

(국가배상법 제2조 제1항의) '법령에 위반하여'라고 하는 것은 엄격하게 형식적 의미의 법령에 명시적으로 공무원의 작위의무가 규정되어 있는데도 이를 위반하는 경우만을 의미하는 것은 아니고, 국민의 생명, 신체, 재산 등에 대하여 절박하고 중대한 위험상태가 발생하였거나 발생할 우려가 있어서 국민의 생명, 신체, 재산 등을 보호하는 것을 본래적 사명으로 하는 국가가 초법규적, 일차적으로 그 위험배제에 나서지 아니하면 국민의 생명, 신체, 재산 등을 보호할 수 없는 경우에는 형식적 의미의 법령에 근거가 없더라도 국가나 관련 공무원에 대하여 그러한 위험을 배제할 작위의무를 인정할 수 있다(대판 2004. 6. 25, 2003다69652).

③ 제29강 참조 ○

사(私)소유물이라도 국가 또는 지방자치단체가 관리하는 공물인 한, 국가배상법 제5조의 영조물에 해당한다.

'공공의 영조물'이라 함은 국가 또는 지방자치단체에 의하여 특정 공공의 목적에 공여된 유체물 내지 물적 설비를 말한다(대판 1998. 10. 23, 98다17381).

④ ○

사안의 경우 완성되지도 않았고(형체적 요소의 결여) 공중의 이용에 제공되지 않고 있었던 이상(공용지정의 의사표시 없음) 공물로서 성립되지 않았다. 공물이 되기 위해서는 형체적 요소와 공용지정(공용개시)의 의사표시가 있어야 한다. 제29강 참조

(지방자치단체가 비탈사면인 언덕에 대하여 현장조사를 한 결과 붕괴의 위험이 있음을 발견하고 이를 붕괴위험지구로 지정하여 관리하여 오다가 붕괴를 예방하기 위하여 언덕에 옹벽을 설치하기로 하고 소외 회사에게 옹벽시설공사를 도급주어 소외 회사가 공사를 시행하다가 깊이 3m의 구덩이를 파게 되었는데, 피해자가 공사현장 주변을 지나가다가 흙이 무너져 내리면서 위 구덩이에 추락하여 상해를 입게 된 사안에서) 위 사고 당시 설치하고 있던 옹벽은 소외 회사가 공사를 도급받아 공사 중에 있었을 뿐만 아니라 아직 완성도 되지 아니하여 일반공중의 이용에 제공되지 않고 있었던 이상 국가배상법 제5조 제1항 소정의 영조물에 해당한다고 할 수 없다(대판 1998. 10. 23, 98다17381).

정답 08 ②

09 빈출 정답률 80% 중 2021 국가직 7급

국가배상법에 대한 설명으로 옳지 않은 것은? (다툼이 있는 경우 판례에 의함)

□□□ ① 공무원들의 공무원증 발급업무를 하는 공무원이 다른 공무원의 공무원증을 위조하는 행위는 국가배상법상의 직무집행에 해당하지 않는다.

□□□ ② 국가의 철도운행사업과 관련하여 발생한 사고로 인한 손해배상청구의 경우 그 사고에 공무원이 간여하였다고 하더라도 국가배상법이 아니라 민법이 적용되어야 하지만, 철도시설물의 설치 또는 관리의 하자로 인한 손해배상청구의 경우에는 국가배상법이 적용된다.

□□□ ③ 재판작용에 대한 국가배상의 경우, 재판에 대하여 불복절차 내지 시정절차 자체가 없는 경우에는 부당한 재판으로 인하여 불이익 내지 손해를 입은 사람은 국가배상책임의 요건이 충족된다면 국가배상을 청구할 수 있다.

□□□ ④ 영업허가취소처분이 나중에 행정심판에 의하여 재량권을 일탈한 위법한 처분이 되었더라도 그 처분이 당시 시행되던 공중위생법시행규칙에 정하여진 행정처분의 기준에 따른 것이라면 그 영업허가취소처분을 한 공무원에게 그와 같은 위법한 처분을 한 데 있어 어떤 직무집행상의 과실이 있다고 할 수 없다.

관련기출

②

1. 국가의 철도운행사업은 사경제적 작용이라 할지라도 공공의 영조물인 철도시설물의 설치 또는 관리의 하자로 인한 불법행위를 원인으로 하여 국가에 대하여 손해배상청구를 하는 경우에는 국가배상법이 적용된다. (○, ×) 2021 국회직 8급
2. 국가의 철도운행사업은 국가가 공권력의 행사로서 하는 것이 아니고 사경제적 작용이라 할 것이므로, 이로 인한 사고에 공무원이 간여하였다고 하더라도 국가배상법을 적용할 것이 아니고 일반 민법의 규정에 따라야 한다. (○, ×) 2020 경행경채

1. ○ 2. ○

④

1. 영업허가취소처분이 나중에 행정심판에 의하여 재량권을 일탈한 위법한 처분임이 판명되어 취소되었다면, 그 처분이 당시 시행되던 「공중위생법 시행규칙」에 정하여진 행정처분의 기준에 따른 것이라고 하더라도 그 영업허가취소처분을 한 행정청의 공무원에게는 직무집행상의 과실이 인정된다. (○, ×) 2023 국회직 8급
2. 공무원이 재량준칙에 따라 행정처분을 하였는데 결과적으로 그 처분이 재량을 일탈 · 남용하여 위법하게 된 때에는 그에게 직무집행상의 과실이 인정된다. (○, ×) 2018 경행경채 3차

1. × 2. ×

① ×

인사업무 담당공무원이 다른 공무원의 공무원증 등을 위조한 행위에 대하여 실질적으로는 직무행위에 속하지 아니한다 할지라도 외관상으로 국가배상법 제2조 제1항의 직무집행관련성이 인정된다는 것이 판례의 입장이다(대판 2005. 1. 14, 2004다26805).

② 빈출 ○

철도운행사업은 사경제작용으로서 국가배상법 제2조상의 직무행위에 해당하지 않으므로 철도운행사업과 관련한 손해배상청구의 경우 국가배상법이 아닌 민법이 적용된다. 이에 반해 철도시설물은 국가배상법 제5조상 영조물에 해당하므로 철도시설물의 설치 · 관리의 하자로 인한 손해배상청구를 하는 경우에는 국가배상법이 적용된다. 철도운행사업과 철도시설물을 구별하기 바란다.

> 1. 철도운행사업은 사경제적 작용이므로 이로 인한 사고에 공무원이 간여하였다고 하더라도 국가배상법이 아닌 민법이 적용된다.
> 2. 공공의 영조물인 철도시설물의 설치 · 관리의 하자로 인한 불법행위를 원인으로 하여 국가에 대해 손해배상청구를 하는 경우에는 국가배상법이 적용되므로 배상전치절차를 거쳐야 한다(대판 1999. 6. 22, 99다7008).

③ ○

> 재판에 대하여 따로 불복절차 또는 시정절차가 마련되어 있는 경우에는 특별한 사정이 없는 한, 원칙적으로 국가배상에 의한 권리구제를 받을 수 없다고 봄이 상당하다고 하겠으나, 재판에 대하여 불복절차 내지 시정절차 자체가 없는 경우에는 부당한 재판으로 인하여 불이익 내지 손해를 입은 사람은 국가배상 이외의 방법으로는 자신의 권리 내지 이익을 회복할 방법이 없으므로, 이와 같은 경우에는 배상책임의 요건이 충족되는 한 국가배상책임을 인정하지 않을 수 없다(대판 2003. 7. 11, 99다24218).

④ 빈출 ○

어떠한 처분이 위법한 것으로 인정되어 행정쟁송절차에서 취소되었다고 하더라도 그 처분이 행정규칙(사안에서는 부령 형식의 제재처분기준에 따른 것인데 부령 형식의 제재처분기준의 성격에 대해 판례는 행정규칙으로 보고 있음)에 따른 것이라면 공무원의 고의 또는 과실을 인정할 수 없다.

> 영업허가취소처분이 나중에 행정심판에 의하여 재량권을 일탈한 위법한 처분임이 판명되어 취소되었다고 하더라도 그 처분이 당시 시행되던 공중위생법 시행규칙에 정하여진 행정처분의 기준(편저자 주 : 부령 형식의 제재적 처분기준으로 판례는 행정규칙으로 봄)에 따른 것인 이상 그 영업허가취소처분을 한 행정청 공무원에게 그와 같은 위법한 처분을 한 데 있어 어떤 직무집행상의 과실이 있다고 할 수는 없다(대판 1994. 11. 8, 94다26141).

정답 09 ①

대표

10 빈출 정답률 81% 중 2019 서울시 2회 7급

국가배상법 제2조에 따른 배상책임에 대한 설명으로 가장 옳지 않은 것은?

□□□ ① 공무원에게 부과된 직무상 의무의 내용이 순전히 행정기관 내부의 질서를 유지하기 위한 것이거나 전체적으로 공공일반의 이익을 도모하기 위한 것인 경우, 국가 또는 지방자치단체가 배상책임을 부담하지 아니한다.

□□□ ② 헌법재판소 재판관이 청구기간 내에 제기된 헌법소원심판청구사건에서 청구기간을 오인하여 각하결정을 한 경우, 이에 대한 불복절차 내지 시정절차가 없는 때에는 국가배상책임(위법성)을 인정할 수 있다.

□□□ ③ 어떠한 행정처분이 후에 항고소송에서 위법한 것으로서 취소되었다면, 그로써 곧 당해 행정처분은 공무원의 고의 또는 과실에 의한 불법행위를 구성한다고 보아야 한다.

□□□ ④ 국가배상법이 정한 손해배상청구의 요건인 '공무원의 직무'에는 국가나 지방자치단체의 권력적 작용뿐만 아니라 비권력적 작용도 포함되지만 단순한 사경제의 주체로서 하는 작용은 포함되지 않는다.

관련기출

④

1. 국가배상청구의 요건인 '공무원의 직무'에는 행정주체가 사경제주체로서 하는 작용도 포함된다. (O, ×) 2024 국가직 9급
2. 국가의 비권력적 작용은 국가배상청구의 요건인 직무에 포함되지 않는다. (O, ×) 2024 해경승진
3. 국가배상의 요건인 '공무원의 직무'에는 국가나 지방자치단체의 비권력적 작용과 사경제주체로서 하는 작용이 포함된다. (O, ×) 2021 국가직 9급
4. 국가배상법 제2조의 직무행위에는 국가나 지방자치단체의 권력적 작용만이 포함되며 비권력적 작용은 포함되지 않는다. (O, ×) 2019 서울시 1회 7급

1. × 2. × 3. × 4. ×

① ○

공무원이 직무를 수행하면서 근거되는 법령의 규정에 따라 구체적으로 의무를 부여받았어도 그것이 국민의 이익과는 관계없이 순전히 행정기관 내부의 질서를 유지하기 위한 것이거나, 또는 국민의 이익과 관련된 것이라도 직접 국민 개개인의 이익을 위한 것이 아니라 전체적으로 공공일반의 이익을 도모하기 위한 것이라면 그 의무를 위반하여 국민에게 손해를 가하여도 국가 또는 지방자치단체는 배상책임을 부담하지 아니한다(대판 2015. 5. 28, 2013다41431).

② ○

헌법재판관이 청구기간 내에 제기된 헌법소원심판청구사건에서 청구기간을 오인하여 각하결정을 한 경우, 이에 대한 **불복절차 내지 시정절차가 없는 때에는 국가배상책임이 인정된다**는 것이 판례의 입장이다(대판 2003. 7. 11, 99다24218).

③ ×

어떠한 행정처분이 후에 항고소송에서 취소되었다고 할지라도 그 기판력에 의하여 당해 행정처분이 곧바로 공무원의 고의 또는 과실로 인한 것으로서 불법행위를 구성한다고 단정할 수는 없다는 것이 판례의 입장이다(대판 2000. 5. 12, 99다70600).

④ ○

국가배상법이 정한 배상청구의 요건인 공무원의 직무에는 권력적 작용만이 아니라 행정지도와 같은 비권력적 작용도 포함되며, 단지 행정주체가 사경제주체로서 하는 활동만이 제외된다는 것이 판례의 입장이다(대판 1998. 7. 10, 96다38971).

정답 10 ③

11 정답률 53% 상 2019 국가직 7급

행정상 손해배상에 대한 판례의 입장으로 옳지 않은 것은?

□□□ ① 국가배상법 제2조에 따른 공무원은 국가공무원법 등에 의해 공무원의 신분을 가진 자에 국한하지 않고, 널리 공무를 위탁받아 실질적으로 공무에 종사하고 있는 일체의 자를 가리킨다.

□□□ ② 공무원이 직무를 수행하면서 그 근거법령에 따라 구체적으로 의무를 부여받았어도 그것이 국민 개개인의 이익을 위한 것이 아니라 전체적으로 공공일반의 이익을 도모하기 위한 것이라면 그 의무에 위반하여 국민에게 손해를 가하여도 국가 또는 지방자치단체는 배상책임을 지지 않는다.

□□□ ③ 어떠한 행정처분이 항고소송에서 취소되었을지라도 그 기판력에 의하여 당해 행정처분이 곧바로 공무원의 고의 또는 과실로 인한 것으로서 국가배상책임이 성립한다고 단정할 수는 없다.

□□□ ④ 공직선거법이 후보자가 되고자 하는 자와 그 소속 정당에게 전과기록을 조회할 권리를 부여하고 수사기관에 회보의무를 부과한 것은 공공의 이익만을 위한 것이지 후보자가 되고자 하는 자나 그 소속 정당의 개별적 이익까지 보호하기 위한 것은 아니다.

① ○

> 국가배상법 제2조 소정의 '공무원'이라 함은 국가공무원법이나 지방공무원법에 의하여 공무원으로서의 신분을 가진 자에 국한하지 않고, 널리 공무를 위탁받아 실질적으로 공무에 종사하고 있는 일체의 자를 가리키는 것으로서, 공무의 위탁이 일시적이고 한정적인 사항에 관한 활동을 위한 것이어도 달리 볼 것은 아니다(대판 2001. 1. 5, 98다39060).

② ○

공무원이 직무를 수행하면서 근거되는 법령의 규정에 따라 구체적으로 의무를 부여받았어도 그것이 국민의 이익과는 관계없이 순전히 행정기관 내부의 질서를 유지하기 위한 것이거나, 또는 국민의 이익과 관련된 것이라도 직접 국민 개개인의 이익을 위한 것이 아니라 전체적으로 공공일반의 이익을 도모하기 위한 것이라면 그 의무를 위반하여 국민에게 손해를 가하여도 국가 또는 지방자치단체는 배상책임을 부담하지 아니한다는 것이 판례의 입장이다(대판 2015. 5. 28, 2013다41431).

③ ○

어떠한 행정처분이 후에 항고소송에서 취소되었다고 할지라도 그 기판력에 의하여 당해 행정처분이 곧바로 공무원의 고의 또는 과실로 인한 것으로서 불법행위를 구성한다고 단정할 수는 없다는 것이 판례의 입장이다(대판 2000. 5. 12, 99다70600).

④ ×

국가배상책임이 성립하기 위해서는 직무의 사익보호성이 필요하다. 관련판례는 사익보호성을 인정하여 국가배상책임을 인정한 사건이다.

> 1. (공무원 甲이 내부전산망을 통해 乙에 대한 범죄경력자료를 조회하여 「공직선거 및 선거부정방지법」 위반죄로 실형을 선고받는 등 실효된 4건의 금고형 이상의 전과가 있음을 확인하고도 乙의 공직선거 후보자용 범죄경력조회 회보서에 이를 기재하지 않은 사안에서, 甲의 중과실을 인정하여 乙이 속한 정당에 대해 국가배상책임 외에 공무원 개인의 배상책임까지 인정하면서) 공직선거법상 수사기관의 전과기록의 회보의무는 개별적 이익도 보호하기 위한 것이다.
> 2. 공직선거법이 위와 같이 후보자가 되고자 하는 자와 그 소속 정당에게 전과기록을 조회할 권리를 부여하고 수사기관에 회보의무를 부과한 것은 단순히 유권자의 알권리 보호 등 공공일반의 이익만을 위한 것이 아니라, 그와 함께 후보자가 되고자 하는 자가 자신의 피선거권 유무를 정확하게 확인할 수 있게 하고, 정당이 후보자가 되고자 하는 자의 범죄경력을 파악함으로써 부적격자를 공천함으로 인하여 생길 수 있는 정당의 신뢰도 하락을 방지할 수 있게 하는 등 개별적인 이익도 보호하기 위한 것이다(대판 2011. 9. 8, 2011다34521).

정답 11 ④

12 빈출 정답률 58% 상 2019 국가직 9급

국가배상법상 국가배상에 대한 설명으로 옳은 것(○)과 옳지 않은 것(×)을 바르게 연결한 것은? (다툼이 있는 경우 판례에 의함)

□□□ ㉠ 재판에 대하여 불복절차 내지 시정절차 자체가 없는 경우, 부당한 재판으로 인하여 불이익 내지 손해를 입은 사람에게는 배상책임의 요건이 충족되는 한 국가배상책임이 인정될 수 있다.

□□□ ㉡ 국가가 일정한 사항에 관하여 헌법에 의하여 부과되는 구체적인 입법의무를 부담하고 있음에도 불구하고 그 입법에 필요한 상당한 기간이 경과하도록 고의 · 과실로 입법의무를 이행하지 아니하는 경우, 국가배상책임이 인정될 수 있다.

□□□ ㉢ 직무집행과 관련하여 공상을 입은 군인이 먼저 국가배상법상 손해배상을 받은 다음 구 「국가유공자 등 예우 및 지원에 관한 법률」상 보훈급여금을 지급청구하는 경우, 국가배상을 받았다는 이유로 그 지급을 거부할 수 없다.

□□□ ㉣ 피해자에게 손해를 직접 배상한 경과실이 있는 공무원은 특별한 사정이 없는 한, 국가의 피해자에 대한 손해배상책임의 범위 내에서 자신이 변제한 금액에 관하여 국가에 대한 구상권을 취득한다.

	㉠	㉡	㉢	㉣
①	○	○	×	○
②	×	○	○	×
③	○	×	×	×
④	○	○	○	○

관련기출

㉣

1. 피해자에게 직접 손해를 배상한 경과실이 있는 공무원은 국가에 대해 구상권을 행사할 수 없다. (○, ×) 2023 군무원 7급
2. 직무수행 중 경과실로 피해자에게 손해를 입힌 공무원이 피해자에게 손해를 배상하였다면, 공무원은 특별한 사정이 없는 한 국가가 피해자에 대하여 부담하는 손해배상책임의 범위 내에서 자신이 변제한 금액에 관하여 구상권을 취득한다. (○, ×) 2022 국회직 8급, 2015 경행특채 2차
3. 국가공무원이 직무수행 중 경과실로 인한 불법행위로 국민에게 손해를 입힌 경우에 피해자에게 손해를 직접 배상하였다 하더라도 자신이 변제한 금액에 관하여 국가에 대하여 구상권을 취득할 수 없다. (○, ×) 2016 국가직 7급

1. × 2. ○ 3. ×

④ ㉠㉡㉢㉣ 모두 옳은 설명이다.

㉠ ○

재판에 대하여 불복절차 내지 시정절차 자체가 없는 경우에는 부당한 재판으로 인하여 불이익 내지 손해를 입은 사람은 국가배상 이외의 방법으로는 자신의 권리 내지 이익을 회복할 방법이 없으므로, 이와 같은 경우에는 배상책임의 요건이 충족되는 한 국가배상책임을 인정하지 않을 수 없다는 것이 판례의 입장이다(대판 2003. 7. 11, 99다24218).

㉡ ○

1. 국가가 일정한 사항에 관하여 헌법에 의하여 부과되는 **'구체적인 입법의무'**를 부담하고 있음에도 불구하고 그 입법에 필요한 상당한 기간이 경과하도록 고의 또는 과실로 이러한 입법의무를 이행하지 아니하는 등 극히 예외적인 사정이 인정되는 경우 국가배상법 소정의 배상책임이 인정될 수 있다.
2. 국가에게 일정한 사항에 관하여 헌법에 의하여 부과되는 '구체적인 입법의무' 자체가 인정되지 않는 경우에는 국회의원의 입법부작위에 대해 부작위로 인한 불법행위가 성립할 여지가 없다(대판 2008. 5. 29, 2004다33469).

㉢ ○

직무집행과 관련하여 공상을 입은 군인 등이 먼저 국가배상법에 따라 손해배상금을 지급받은 다음 「보훈보상대상자 지원에 관한 법률」이 정한 보상금 등 보훈급여금의 지급을 청구하는 경우, 국가배상법에 따라 손해배상을 받았다는 이유로 그 지급을 거부할 수 없다.

전투 · 훈련 등 직무집행과 관련하여 공상을 입은 군인 · 군무원 · 경찰공무원 또는 향토예비군대원이 먼저 국가배상법에 따라 손해배상금을 지급받은 다음 「보훈보상대상자 지원에 관한 법률」(이하 '보훈보상자법'이라 한다)이 정한 보상금 등 보훈급여금의 지급을 청구하는 경우, 국가배상법 제2조 제1항 단서가 명시적으로 '다른 법령에 따라 보상을 지급받을 수 있을 때에는 국가배상법 등에 따른 손해배상을 청구할 수 없다'고 규정하고 있는 것과 달리 보훈보상자법은 국가배상법에 따른 손해배상금을 지급받은 자를 보상금 등 보훈급여금의 지급대상에서 제외하는 규정을 두고 있지 않은 점, 국가배상법 제2조 제1항 단서의 입법취지 및 보훈보상자법이 정한 보상과 국가배상법이 정한 손해배상의 목적과 산정방식의 차이 등을 고려하면 국가배상법 제2조 제1항 단서가 보훈보상자법 등에 의한 보상을 받을 수 있는 경우 국가배상법에 따른 손해배상청구를 하지 못한다는 것을 넘어 국가배상법상 손해배상금을 받은 경우 보훈보상자법상 보상금 등 보훈급여금의 지급을 금지하는 것으로 해석하기는 어려운 점 등에 비추어, 국가보훈처장(현 국가보훈부장관)은 국가배상법에 따라 손해배상을 받았다는 사정을 들어 보상금 등 보훈급여금의 지급을 거부할 수 없다(대판 2017. 2. 3, 2015두60075).

㉣ 빈출 ○

1. 경과실이 있는 공무원이 피해자에 대하여 손해배상책임을 부담하지 아니함에도 피해자에게 손해를 배상하였다면 그것은 채무자 아닌 사람이 타인의 채무를 변제한 경우에 해당한다.
2. 공무원이 직무수행 중 불법행위로 타인에게 손해를 입힌 경우, 피해자에게 손해를 직접 배상한 **경과실이 있는 공무원**은 원칙적으로 변제한 금액에 관하여 **국가**에 대하여 구상권을 취득한다(대판 2014. 8. 20, 2012다54478).

정답 12 ④

13 정답률 71% 중 2019 소방직 9급

국가배상법 제2조에서 규정하는 '공무원'으로 볼 수 없는 것은? (다툼이 있는 경우 판례에 의함)

□□□ ① 「의용소방대 설치 및 운영에 관한 법률」에 따라 소방서장이 임명한 의용소방대원

□□□ ② 구청 소속 청소차량 운전원

□□□ ③ 지방자치단체에 근무하는 청원경찰

□□□ ④ 지방자치단체로부터 어린이보호 등의 공무를 위탁받아 집행하는 교통할아버지

관련기출

③

1. 국가나 지방자치단체에 근무하는 청원경찰은 판례에 따르면 국가배상법 제2조에 따른 공무원에 해당한다. (○, ×) 2009 국회속기직 9급

1. ○

④

1. 서울특별시 강서구 교통할아버지 사건과 같은 경우 공무를 위탁받아 수행하는 일반사인(私人)은 국가배상법 제2조 제1항에 따른 공무원이 될 수 없다. (○, ×) 2012 국가직 9급
2. '교통할아버지'로 선정된 노인이 위탁받은 공무범위를 넘어 교차로 중앙에서 교통정리를 하다가 교통사고를 발생시킨 경우, 지방자치단체가 국가배상법 제2조 소정의 배상책임을 부담한다. (○, ×) 2011 경행특채
3. 지방자치단체가 '교통할아버지 봉사활동계획'을 수립한 후 관할 동장으로 하여금 '교통할아버지'를 선정하게 하여 어린이보호, 교통안내, 거리질서확립 등의 공무를 위탁하여 이를 집행하게 하였다면 '교통할아버지' 활동을 하는 범위 내에서는 국가배상법 제2조에 규정된 지방자치단체의 '공무원'이라고 봄이 상당하다. (○, ×) 2008 국가직 9급

1. × 2. ○ 3. ○

① ×

의용소방대원은 국가배상법상 공무원에 해당하지 않는다.

자치단체인 시(서울특별시 포함)·읍이 소방법 제40조의 규정에 의하여 소방서장의 소화나 수방의 업무를 보조하게 하기 위하여 설치한 의용소방대를 국가기관이라고 할 수 없음은 물론이고, …… 의용소방대원의 직무수행과정의 불법행위에 대하여 국가가 그 책임을 질 것이라고 단정할 수는 없을 것이다(대판 1966. 11. 22, 66다1501).

② ○

서울시 산하 구청 소속의 청소차량 운전원은 지방공무원법 제2조 제2항 제7호 소정의 공무원이다(대판 1980. 9. 24, 80다1051).

③ ○

국가나 지방자치단체에 근무하는 청원경찰은 국가배상법의 공무원에 해당한다(대판 1993. 7. 13, 92다47564).

④ **빈출** ○

지방자치단체로부터 어린이보호 등의 공무를 위탁받아 교통정리를 하던 이른바 교통할아버지도 국가배상법상 공무원에 해당한다.

지방자치단체가 '교통할아버지 봉사활동계획'을 수립한 후 관할 동장으로 하여금 '교통할아버지'를 선정하게 하여 어린이보호, 교통안내, 거리질서 확립 등의 공무를 위탁하여 집행하게 하던 중 '교통할아버지'로 선정된 노인이 위탁받은 업무범위를 넘어 교차로 중앙에서 교통정리를 하다가 교통사고를 발생시킨 경우, 지방자치단체가 국가배상법 제2조 소정의 배상책임을 부담한다(대판 2001. 1. 5, 98다39060).

정답 13 ①

14 ⓜ 2017 국가직(하) 9급

국가배상제도에 대한 설명으로 옳지 않은 것은? (다툼이 있는 경우 판례에 의함)

□□□ ① 공무원이 직무를 집행하면서 고의 또는 과실로 위법하게 타인에게 손해를 가하였어도 국가나 지방자치단체가 그 공무원의 선임 및 감독에 상당한 주의를 하였다면 국가나 지방자치단체는 국가배상책임을 면한다.

□□□ ② 국가나 지방자치단체가 배상책임을 지는 외에 공무원 개인도 고의 또는 중과실이 있는 경우에는 피해자에 대하여 불법행위로 인한 손해배상책임을 진다.

□□□ ③ 국가나 지방자치단체가 공무원의 위법한 직무집행으로 발생한 손해를 배상한 경우에 공무원에게 고의 또는 중과실이 있으면 국가나 지방자치단체는 그 공무원에게 구상권을 행사할 수 있다.

□□□ ④ 국가배상법은 외국인이 피해자인 경우에는 해당 국가와 상호보증이 있는 때에만 국가배상법이 적용된다고 규정하고 있다.

관련기출

①

1. 민법상의 사용자면책사유는 국가배상법상의 고의 · 과실의 판단에서는 적용되지 않는다. (○, ×) 2010 국가직 9급

1. ○

②

1. 공무원이 직무를 수행함에 있어서 경과실로 타인에게 손해를 입힌 경우, 국가 등은 물론 공무원 개인도 그로 인한 손해에 대하여 국가배상을 할 책임을 부담한다. (○, ×) 2023 국회직 8급
2. 공무원이 고의 또는 중과실로 직무상 불법행위를 한 경우에는 피해자는 공무원에 대해 선택적 청구가 가능하나 단순 경과실에 의한 경우에는 선택적 청구가 부정된다. (○, ×) 2022 소방간부
3. 공무원이 직무수행 중 불법행위로 타인에게 손해를 입힌 경우에 국가 등이 국가배상책임을 부담하는 것 외에 공무원 개인도 고의 또는 중과실이 있는 경우에는 불법행위로 인한 손해배상책임을 진다. (○, ×) 2021 국회직 8급
4. 가해공무원에게 경과실이 있는 경우 공무원 개인은 손해배상책임을 부담한다. (○, ×) 2019 소방직 9급

1. × 2. ○ 3. ○ 4. ×

① ×

민법 제756조와 달리 국가배상법은 국가나 지방자치단체의 면책사유를 규정하고 있지 않다.

> 국가배상법 제2조 제1항 본문 및 제2항의 입법취지는 공무원의 직무상 위법행위로 타인에게 손해를 끼친 경우에는 변제자력이 충분한 국가 등에게 선임 · 감독상 과실 여부에 불구하고 손해배상책임을 부담시켜 국민의 재산권을 보장한다(대판 1996. 2. 15, 95다38677 전합).

> **국가배상법 제2조【배상책임】** ① 국가나 지방자치단체는 공무원 또는 공무를 위탁받은 사인(이하 '공무원'이라 한다)이 직무를 집행하면서 고의 또는 과실로 법령을 위반하여 타인에게 손해를 입히거나, 「자동차손해배상 보장법」에 따라 손해배상의 책임이 있을 때에는 이 법에 따라 그 손해를 배상하여야 한다. 다만, 군인 · 군무원 · 경찰공무원 또는 예비군대원이 전투 · 훈련 등 직무집행과 관련하여 전사 · 순직하거나 공상을 입은 경우에 본인이나 그 유족이 다른 법령에 따라 재해보상금 · 유족연금 · 상이연금 등의 보상을 지급받을 수 있을 때에는 이 법 및 민법에 따른 손해배상을 청구할 수 없다.
>
> **민법 제756조【사용자의 배상책임】** ① 타인을 사용하여 어느 사무에 종사하게 한 자는 피용자가 그 사무집행에 관하여 제3자에게 가한 손해를 배상할 책임이 있다. 그러나 사용자가 피용자의 선임 및 그 사무감독에 상당한 주의를 한 때 또는 상당한 주의를 하여도 손해가 있을 경우에는 그러하지 아니하다.

② ○

> 공무원이 직무수행 중 불법행위로 타인에게 손해를 입힌 경우에 국가 등이 국가배상책임을 부담하는 외에 공무원 개인도 고의 또는 중과실이 있는 경우에는 불법행위로 인한 손해배상책임을 진다고 할 것이지만, 공무원에게 경과실뿐인 경우에는 공무원 개인은 손해배상책임을 부담하지 아니한다고 해석하는 것이 헌법 제29조 제1항 본문과 단서 및 국가배상법 제2조의 입법취지에 조화되는 올바른 해석이다(대판 1996. 2. 15, 95다38677 전합).

③ ○

> **국가배상법 제2조【배상책임】** ② 제1항 본문의 경우에 공무원에게 고의 또는 중대한 과실이 있으면 국가나 지방자치단체는 그 공무원에게 구상할 수 있다.

④ ○

> **국가배상법 제7조【외국인에 대한 책임】** 이 법은 외국인이 피해자인 경우에는 해당 국가와 상호보증이 있을 때에만 적용한다.

정답 14 ①

15 빈출 ⓢ 2017 경행경채

국가배상에 대한 설명으로 가장 적절하지 않은 것은? (다툼이 있는 경우 판례에 의함)

□□□ ① 국가배상법 제2조 제1항의 '직무를 집행함에 당하여'라 함은 직접 공무원의 직무집행행위이거나 그와 밀접한 관련이 있는 행위를 포함하고, 이를 판단함에 있어서는 행위 자체의 외관을 객관적으로 관찰하여 공무원의 직무행위로 보여질 때에는 비록 그것이 실질적으로 직무행위가 아니거나 또는 행위자로서는 주관적으로 공무집행의 의사가 없었다고 하더라도 그 행위는 공무원이 '직무를 집행함에 당하여' 한 것으로 보아야 한다.

□□□ ② 국회의원의 입법행위는 그 입법내용이 헌법의 문언에 명백히 위반됨에도 불구하고 국회가 굳이 당해 입법을 한 것과 같은 특수한 경우가 아닌 한 국가배상법 제2조 제1항 소정의 위법행위에 해당한다고 볼 수 없다.

□□□ ③ 공무원의 직무집행이 법령이 정한 요건과 절차에 따라 이루어진 것이라면 특별한 사정이 없는 한 이는 법령에 적합한 것이나, 그 과정에서 개인의 권리가 침해된 경우에는 법령적합성이 곧바로 부정된다.

□□□ ④ 담당공무원이 보통 일반의 공무원을 표준으로 하여 볼 때 객관적 주의의무를 결하여 그 행정처분이 객관적 정당성을 상실하였다고 인정될 정도에 이른 경우에 국가배상법 제2조 소정의 국가배상책임의 요건을 충족하였다고 봄이 상당하다.

관련기출

①

1. 직무행위인지 여부는 당해 행위가 현실적으로 정당한 권한 내의 것인지를 묻지 않는다. (○, ×) 2016 사회복지직 9급
2. 행위 자체의 외관이 객관적으로 관찰하여 공무원의 직무행위로 보일 때에는 그것이 실질적으로 직무행위가 아니거나 또는 행위자에게 주관적으로 공무집행의 의사가 없었다고 하더라도 그 행위는 직무행위에 해당한다. (○, ×) 2014 국가직 7급

1. ○ 2. ○

④

1. 행정처분의 담당공무원이 주관적 주의의무를 결하여 그 행정처분이 주관적 정당성을 상실하였다고 인정될 정도에 이른 경우에 국가배상법 제2조의 요건을 충족하였다고 봄이 상당하다. (○, ×) 2020 지방직·서울시 7급
2. 국가배상법상 공무원의 과실에 관하여 판례는 당해 직무를 담당하는 평균적 공무원의 주의능력을 기준으로 판단한다. (○, ×) 2015 서울시 9급
3. 국가배상법상 과실은 행정처분의 담당공무원이 보통 일반의 공무원을 표준으로 하여 볼 때 객관적 주의의무를 결하여 그 행정처분이 객관적 정당성을 상실하였다고 인정될 정도에 이른 경우를 말한다. (○, ×) 2014 경행특채 1차

1. × 2. ○ 3. ○

① **빈출** ○

국가배상법 제2조 제1항의 '직무를 집행함에 당하여'라 함은 직접 공무원의 직무집행행위이거나 그와 밀접한 관련이 있는 행위를 포함하고, 이를 판단함에 있어서는 행위 자체의 외관을 객관적으로 관찰하여 공무원의 직무행위로 보여질 때에는 비록 그것이 실질적으로 직무행위가 아니거나 또는 행위자로서는 주관적으로 공무집행의 의사가 없었다고 하더라도 그 행위는 공무원이 '직무를 집행함에 당하여' 한 것으로 보아야 한다(대판 2005. 1. 14, 2004다26805).

② ○

국회의 입법행위는 그 입법내용이 헌법의 문언에 명백히 위배됨에도 국회가 '굳이 당해 입법을 한 것'과 같은 특수한 경우가 아닌 한, 위법행위에 해당하지 않는다는 것이 판례의 입장이다(대판 2008. 5. 29, 2004다33469).

③ ×

공무원의 직무집행이 법령이 정한 요건과 절차에 따라 이루어진 것이라면 그 과정에서 개인의 권리가 침해되는 일이 생긴다고 하여 법령적합성이 곧바로 부정되는 것은 아니라는 것이 판례의 입장이다(대판 1997. 7. 25, 94다2480).

④ **빈출** ○

어떠한 행정처분이 후에 항고소송에서 취소되었다고 할지라도 그 기판력에 의하여 당해 행정처분이 곧바로 공무원의 고의 또는 과실로 인한 것으로서 불법행위를 구성한다고 단정할 수는 없는 것이고, 그 행정처분의 담당공무원이 보통 일반의 공무원을 표준으로 하여 볼 때 객관적 주의의무를 결하여 그 행정처분이 객관적 정당성을 상실하였다고 인정될 정도에 이른 경우에 국가배상법 제2조 소정의 국가배상책임의 요건을 충족하였다고 봄이 상당할 것이다(대판 2003. 12. 11, 2001다65236).

정답 15 ③

02 배상책임자 등

기 608~612쪽 핵 T 54

16 **빈출** 정답률 85% 중 2021 지방직 · 서울시 9급

국가배상에 대한 설명으로 옳지 않은 것은? (다툼이 있는 경우 판례에 의함)

① 국가나 지방자치단체가 손해를 배상할 책임이 있는 경우에 공무원의 선임 · 감독 또는 영조물의 설치 · 관리를 맡은 자와 공무원의 봉급 · 급여, 그 밖의 비용 또는 영조물의 설치 · 관리 비용을 부담하는 자가 동일하지 아니하면 그 비용을 부담하는 자도 손해를 배상하여야 한다.

② 국가배상책임에 있어서 국가는 직무상의 의무 위반과 피해자가 입은 손해 사이에 상당인과관계가 인정되는 범위 내에서만 배상책임을 지는 것이고, 이 경우 상당인과관계가 인정되기 위해서는 공무원에게 부과된 직무상 의무의 내용이 전적으로 또는 부수적으로 사회구성원 개인의 안전과 이익을 보호하기 위하여 설정된 것이어야 한다.

③ 국가배상법상 '공공의 영조물'은 지방자치단체가 소유권, 임차권, 그 밖의 권한에 기하여 관리하고 있는 경우는 포함하지만, 사실상의 관리를 하고 있는 경우는 포함하지 않는다.

④ 공무원 개인이 고의 또는 중과실이 있는 경우에는 불법행위로 인한 손해배상책임을 진다고 할 것이지만, 공무원의 위법행위가 경과실에 기한 경우에는 공무원은 손해배상책임을 부담하지 않는다.

관련기출

①

1. 국가나 지방자치단체가 손해를 배상할 책임이 있는 경우에 영조물의 설치 · 관리를 맡은 자와 영조물의 설치 · 관리비용을 부담하는 자가 동일하지 아니하면 그 비용을 부담하는 자도 손해를 배상하여야 한다. (○, ×) 2020 국가직 7급
2. 지방자치단체의 장이 기관위임된 국가행정사무를 처리하는 경우 국가로부터 내부적으로 교부된 금원으로 그 사무에 필요한 경비를 대외적으로 지출하는 지방자치단체는 국가배상법 제6조 제1항 소정의 비용부담자로서 손해를 배상할 책임이 있다. (○, ×) 2019 경행경채 2차
3. 사무귀속주체와 비용부담주체가 동일하지 아니한 경우에는 사무귀속주체가 손해를 우선적으로 배상하여야 한다. (○, ×) 2016 서울시 9급
4. 공무원의 선임 · 감독을 맡은 자와 봉급 · 급여 기타의 비용을 부담하는 자가 동일하지 아니할 때에는 그 비용을 부담하는 자도 당해 공무원의 불법행위에 대하여 배상책임을 진다. (○, ×) 2014 사회복지직 9급

1. ○ 2. ○ 3. × 4. ○

① **빈출** ○

국가배상법 제6조【비용부담자 등의 책임】① 제2조 · 제3조 및 제5조에 따라 국가나 지방자치단체가 손해를 배상할 책임이 있는 경우에 공무원의 선임 · 감독 또는 영조물의 설치 · 관리를 맡은 자와 공무원의 봉급 · 급여, 그 밖의 비용 또는 영조물의 설치 · 관리 비용을 부담하는 자가 동일하지 아니하면 그 비용을 부담하는 자도 손해를 배상하여야 한다.

② ○

일반적으로 국가 또는 지방자치단체가 권한을 행사할 때에는 국민에 대한 손해를 방지하여야 하고, 국민의 안전을 배려하여야 하며, 소속 공무원이 전적으로 또는 부수적으로라도 국민 개개인의 안전과 이익을 보호하기 위하여 법령에서 정한 직무상 의무를 위반하여 국민에게 손해를 가하면 상당인과관계가 인정되는 범위 안에서 국가 또는 지방자치단체가 배상책임을 부담하는 것이다(대판 2015. 5. 28, 2013다41431).

③ 제29강 참조 ×

1. '공공의 영조물'이라 함은 국가 또는 지방자치단체에 의하여 특정 공공의 목적에 공여된 유체물 내지 물적 설비를 말한다.
2. 또한 이러한 영조물에는 국가 또는 지방자치단체가 소유권, 임차권, 그 밖의 권한에 기하여 관리하고 있는 경우뿐만 아니라 사실상의 관리를 하고 있는 경우도 포함된다(대판 1998. 10. 23, 98다17381).

④ **빈출** ○

가해공무원 개인이 피해자에 대해 민사상의 손해배상책임을 부담하는지에 대해 판례는 가해공무원에게 고의 또는 중대한 과실이 있는 경우 가해공무원의 민사상 손해배상책임을 긍정하고 있다.

1. 공무원이 직무수행 중 불법행위로 타인에게 손해를 입힌 경우에 국가 등이 국가배상책임을 부담하는 외에 공무원 개인도 고의 또는 중과실이 있는 경우에는 불법행위로 인한 민사상 손해배상책임을 진다.
2. 그러나 공무원에게 경과실뿐인 경우에는 공무원 개인은 손해배상책임을 부담하지 아니한다.

   공무원이 직무수행 중 불법행위로 타인에게 손해를 입힌 경우에 국가 등이 국가배상책임을 부담하는 외에 공무원 개인도 고의 또는 중과실이 있는 경우에는 불법행위로 인한 손해배상책임을 진다고 할 것이지만, 공무원에게 경과실뿐인 경우에는 공무원 개인은 손해배상책임을 부담하지 아니한다고 해석하는 것이 헌법 제29조 제1항 본문과 단서 및 국가배상법 제2조의 입법취지에 조화되는 올바른 해석이다(대판 1996. 2. 15, 95다38677 전합).

정답 16 ③

03 국가와 지방자치단체의 자동차손해배상책임

기 613~615쪽 핵 T 54

17 중

2014 경행특채 2차

국가배상에 관한 다음 설명 중 가장 적절하지 않은 것은? (다툼이 있으면 판례에 의함)

□□□ ① 국가배상법 제2조 제1항의 '직무를 집행하면서'라고 할 때 직무집행에 대한 판단기준은 행위 자체의 외관을 객관적으로 관찰하여 판단하여야 하므로 직무행위로 보여질 때에는 공무원의 행위가 실질적으로 직무행위가 아니거나 또는 행위자로서 주관적으로 공무집행의사가 없다고 하여도 '직무를 집행하면서'로 보아야 한다.

□□□ ② 도로 · 하천, 그 밖의 공공의 영조물의 설치나 관리에 하자가 있기 때문에 타인에게 손해를 발생하게 하였을 때에는 국가나 지방자치단체는 그 손해를 배상하여야 하며, 손해의 원인에 대하여 책임을 질 자가 따로 있으면 국가나 지방자치단체는 그 자에게 구상할 수 있다.

□□□ ③ 공무원이 그 직무를 집행하기 위하여 국가 또는 지방자치단체 소유의 공용차를 운행하는 경우, 그 자동차에 대한 운행지배나 운행이익은 그 공무원이 소속한 국가 또는 지방자치단체에 귀속된다고 할 것이므로, 그 공무원이 자기를 위하여 공용차를 운행하는 자로서 「자동차손해배상 보장법」 제3조 소정의 손해배상책임의 주체가 될 수는 없다.

□□□ ④ '국가의 철도운행사업'은 국가가 공권력의 행사로 하는 것이 아니고 사경제적 작용이라 하여도 그로 인한 사고에 공무원이 관여하였을 경우 국가배상법에 따라 배상청구를 하는 배상절차를 거쳐야 한다.

① ○

통설 및 판례는 직무행위에 대해 외형설을 취하고 있는데 이러한 외형설에 따르면 실질적으로 직무집행행위가 아닌 경우 또는 행위자에게 주관적인 직무집행의사가 없더라도, 행위 자체의 외관을 객관적으로 관찰하여 직무행위로 보여질 때에는 '직무를 집행하면서'라는 요건을 충족한 것으로 본다.

② ○

> 국가배상법 제5조 【공공시설 등의 하자로 인한 책임】 ① 도로 · 하천, 그 밖의 공공의 영조물(營造物)의 설치나 관리에 하자(瑕疵)가 있기 때문에 타인에게 손해를 발생하게 하였을 때에는 국가나 지방자치단체는 그 손해를 배상하여야 한다. 이 경우 제2조 제1항 단서, 제3조 및 제3조의2를 준용한다.
> ② 제1항을 적용할 때 손해의 원인에 대하여 책임을 질 자가 따로 있으면 국가나 지방자치단체는 그 자에게 구상할 수 있다.

③ ○

> 공무원이 그 직무를 집행하기 위하여 국가 또는 지방자치단체 소유의 관용차를 운행하는 경우, 그 자동차에 대한 운행지배나 운행이익은 그 공무원이 소속한 국가 또는 지방자치단체에 귀속된다.
> 「자동차손해배상 보장법」 제3조 소정의 '자기를 위하여 자동차를 운행하는 자'라고 함은 자동차에 대한 운행을 지배하여 그 이익을 향수하는 책임주체로서의 지위에 있는 자를 뜻하는 것인바, 공무원이 그 직무를 집행하기 위하여 국가 또는 지방자치단체 소유의 관용차를 운행하는 경우, 그 자동차에 대한 운행지배나 운행이익은 그 공무원이 소속한 국가 또는 지방자치단체에 귀속된다고 할 것이고, 그 공무원 자신이 개인적으로 그 자동차에 대한 운행지배나 운행이익을 가지는 것이라고는 볼 수 없으므로, 그 공무원이 자기를 위하여 관용차를 운행하는 자로서 같은 법조 소정의 손해배상책임의 주체가 될 수는 없다(대판 1992. 2. 25, 91다12356).

④ ×

철도운행사업은 사경제적 작용이므로 이로 인한 사고에 공무원이 관여하였다고 하더라도 국가배상법이 아닌 민법이 적용된다는 것이 판례의 입장이다(대판 1999. 6. 22, 99다7008).

정답 17 ④

제29강 행정상 손해배상 2 (국가배상법 제5조 등)

1회독	2회독	3회독
/	/	/

정답률 공단기/소방단기 합격예측 풀서비스 통계 데이터 기준 기 기본서 핵 핵심집약

01 영조물의 설치·관리상의 하자로 인한 손해배상

기 618~629쪽 핵 T 55

01 빈출 중 2024 소방간부

영조물의 설치·관리의 하자로 인한 국가배상책임에 관한 설명으로 옳지 않은 것은? (다툼이 있는 경우 판례에 의함)

① 공사 중이며 아직 완성되지 않아 일반공중의 이용에 제공되지 않는 옹벽은 국가배상법 제5조 제1항 소정의 영조물에 해당하지 않는다.

② 학교관리자에게 고등학교 학생이 교사의 단속을 피해 담배를 피우기 위하여 3층 건물 화장실 밖의 난간을 지나다가 실족할 경우까지 대비하여 화장실 창문에 난간으로의 출입을 막는 출입금지장치를 설치할 의무가 있다고 볼 수는 없다.

③ 가변차로에 설치된 두 개의 신호등에서 서로 모순되는 신호가 들어오는 오작동이 발생하였고 그 고장이 현재의 기술수준상 부득이한 것이라면 영조물의 하자를 인정할 수 없다.

④ 100년 발생빈도의 강우량을 기준으로 책정된 계획홍수위를 초과하여 600년 또는 1,000년 발생빈도의 강우량에 의한 하천의 범람으로 발생한 재해의 경우 그 영조물의 관리청에게 책임을 물을 수 없다.

⑤ 예산부족 등 재정사정은 영조물의 안전성의 정도에 참작사유는 될 수 있으나, 절대적인 면책사유는 되지 않는다.

관련기출

①

1. 설치 공사 중인 옹벽은 아직 완성되지 아니하여 일반공중의 이용에 제공되지 않고 있었던 이상 공공의 영조물에 해당한다고 할 수 없다. (○, ×) 2021 지방직·서울시 7급
2. 지방자치단체가 옹벽시설공사를 업체에게 주어 공사를 시행하다가 사고가 일어난 경우, 옹벽이 공사 중이고 아직 완성되지 아니하여 일반공중의 이용에 제공되지 않았다면 국가배상법 제5조 소정의 영조물에 해당한다고 할 수 없다. (○, ×) 2021 소방직 9급
3. 아직 물적 시설이 완성되지 아니하여 일반공중의 이용에 제공되지 않은 옹벽도 국가배상법상의 영조물에 해당한다. (○, ×) 2011 국회직 8급

1. ○ 2. ○ 3. ×

① 빈출 ○

지방자치단체가 비탈사면인 언덕에 대하여 현장조사를 한 결과 붕괴의 위험이 있음을 발견하고 이를 붕괴위험지구로 지정하여 관리하여 오다가 붕괴를 예방하기 위하여 언덕에 옹벽을 설치하기로 하고 소외 회사에게 옹벽시설공사를 도급주어 소외 회사가 공사를 시행하다가 깊이 3m의 구덩이를 파게 되었는데, 피해자가 공사현장 주변을 지나가다가 흙이 무너져 내리면서 위 구덩이에 추락하여 상해를 입게 된 사안에서, 위 사고 당시 설치하고 있던 옹벽은 소외 회사가 공사를 도급받아 공사 중에 있었을 뿐만 아니라 아직 완성도 되지 아니하여 일반공중의 이용에 제공되지 않고 있었던 이상 국가배상법 제5조 제1항 소정의 영조물에 해당한다고 할 수 없다(대판 1998. 10. 23, 98다17381).

② ○

고등학교 3학년 학생이 학교건물의 3층 난간을 넘어 들어가 흡연을 하던 중 실족하여 사망한 경우, 위 건물의 설치·보존상의 하자가 인정되지 않는다.
고등학교 3학년 학생이 교사의 단속을 피해 담배를 피우기 위하여 3층 건물 화장실 밖의 난간을 지나다가 실족하여 사망한 사안에서 학교 관리자에게 그와 같은 '이례적인 사고'가 있을 것을 예상하여 복도나 화장실 창문에 난간으로의 출입을 막기 위하여 출입금지장치나 추락위험을 알리는 경고표지판을 설치할 의무가 있다고 볼 수는 없으므로 학교시설의 설치·관리상의 하자가 없다(대판 1997. 5. 16, 96다54102).

③ ×

가변차로에 설치된 두 개의 신호등에서 서로 모순되는 신호가 들어오는 오작동이 발생하였고 그 고장이 현재의 기술수준상 부득이한 것이라고 가정하더라도 그와 같은 사정만으로 손해발생의 예견가능성이나 회피가능성이 없어 영조물의 하자를 인정할 수 없는 경우라고 단정할 수 없다(대판 2001. 7. 27, 2000다56822).

④ ○

600년 또는 1,000년 발생빈도의 강우량으로 인한 하천의 범람은 불가항력적인 재해이다.
100년 발생빈도의 강우량을 기준으로 책정된 계획홍수위를 초과하여 600년 또는 1,000년 발생빈도의 강우량에 의한 하천의 범람은 예측가능성 및 회피가능성이 없는 불가항력적인 재해로서 그 영조물의 관리청에 책임을 물을 수 없다(대판 2003. 10. 23, 2001다48057).

⑤ 빈출 ○

재정사정은 안전성을 요구하는 데 대한 정도의 문제로서 참작사유에는 해당할지언정 안전성을 결정지을 절대적 요건에는 해당하지 아니한다.
영조물 설치의 '하자'라 함은 영조물의 축조에 불완전한 점이 있어 이 때문에 영조물 자체가 통상 갖추어야 할 완전성을 갖추지 못한 상태에 있음을 말한다고 할 것인바 그 '하자' 유무는 객관적 견지에서 본 안전성의 문제이고 그 설치자의 재정사정이나 영조물의 사용목적에 의한 사정은 안전성을 요구하는데 대한 정도 문제로서 참작사유에는 해당할지언정 안전성을 결정지을 절대적 요건에는 해당하지 아니한다(대판 1967. 2. 21, 66다1723).

정답 01 ③

02 중 2024 변호사

국가배상법 제5조에 관한 설명 중 옳지 않은 것은? (다툼이 있는 경우 판례에 의함)

□□□ ① '공공의 영조물'이라 함은 국가 또는 지방자치단체에 의하여 특정 공공의 목적에 공여된 유체물 내지 물적 설비를 말하며, 국가 또는 지방자치단체가 소유권, 임차권 그 밖의 권한에 기하여 관리하는 경우는 이에 해당하나 사실상 관리하는 경우는 이에 해당하지 아니한다.

□□□ ② '영조물의 설치 또는 관리의 하자'란 공공의 목적에 공여된 영조물이 그 용도에 따라 통상 갖추어야 할 안전성을 갖추지 못한 상태에 있음을 말한다.

□□□ ③ '영조물의 설치 또는 관리의 하자'에는 영조물이 공공의 목적에 이용됨에 있어 그 이용상태 및 정도가 일정한 한도를 초과하여 제3자에게 사회통념상 수인할 것이 기대되는 한도를 넘는 피해를 입히는 경우까지 포함된다.

□□□ ④ 도로의 설치 후 제3자의 행위에 의하여 그 본래 목적인 통행상의 안전에 결함이 발생한 경우에는 도로에 그와 같은 결함이 있다는 것만으로 성급하게 도로의 보존상 하자를 인정하여서는 안 되고, 당해 도로의 구조, 장소적 환경과 이용상황 등 제반 사정을 종합하여 그와 같은 결함을 제거하여 원상으로 복구할 수 있는데도 이를 방치한 것인지를 개별적, 구체적으로 심리하여 하자의 유무를 판단하여야 한다.

□□□ ⑤ 100년 발생빈도의 강우량을 기준으로 책정된 계획홍수위를 초과하여 600년 또는 1,000년 발생빈도의 강우량에 의한 하천의 범람은 예측가능성 및 회피가능성이 없는 불가항력적인 재해로서 영조물의 관리청에게 책임을 물을 수 없다.

관련기출

②

1. 영조물의 설치·관리의 하자란 '영조물이 그 용도에 따라 통상 갖추어야 할 안전성을 갖추지 못한 상태에 있음'을 말한다. (○, ×) 2018 국회직 8급

1. ○

③

1. 김포공항을 설치·관리함에 있어 항공법령에 따른 항공기소음기준 및 소음대책을 준수하려는 노력을 하였더라도, 공항이 항공기 운항이라는 공공의 목적에 이용됨에 있어 그와 관련하여 배출하는 소음 등의 침해가 인근주민들에게 통상의 수인한도를 넘는 피해를 발생하게 하였다면 공항의 설치·관리상에 하자가 있다고 보아야 한다. (○, ×) 2021 소방직 9급

1. ○

① **빈출** ×

1. '공공의 영조물'이라 함은 국가 또는 지방자치단체에 의하여 특정 공공의 목적에 공여된 유체물 내지 물적 설비를 말한다.
2. 또한 이러한 영조물에는 국가 또는 지방자치단체가 소유권, 임차권, 그 밖의 권한에 기하여 관리하고 있는 경우뿐만 아니라 사실상의 관리를 하고 있는 경우도 포함된다(대판 1998. 10. 23, 98다17381).

② ○

국가배상법 제5조 제1항에 정하여진 '영조물의 설치 또는 관리의 하자'라 함은 공공의 목적에 공여된 영조물이 그 용도에 따라 갖추어야 할 안전성을 갖추지 못한 상태에 있음을 말한다(대판 2004. 3. 12, 2002다14242).

③ ○

(김포공항에서 발생하는 소음 등으로 인근주민들이 입은 피해는 사회통념상 수인한도를 넘는 것으로서 김포공항의 설치·관리에 하자가 있다고 판시하면서) 하자란 이용상태 및 정도가 제3자에게 사회통념상 수인한도를 넘는 피해를 입히는 경우까지 포함한다.

즉, 타인에게 위해를 끼칠 위험성이 있는 상태라 함은 당해 영조물을 구성하는 물적 시설 그 자체에 있는 물리적·외형적 흠결이나 불비로 인하여 그 이용자에게 위해를 끼칠 위험성이 있는 경우뿐만 아니라, 그 영조물이 공공의 목적에 이용됨에 있어 그 이용상태 및 정도가 일정한 한도를 초과하여 제3자에게 사회통념상 수인할 것이 기대되는 한도를 넘는 피해를 입히는 경우까지 포함된다고 보아야 한다. …… 피고가 김포공항을 설치·관리함에 있어 항공법령에 따른 항공기소음기준 및 소음대책을 준수하려는 노력을 경주하였다고 하더라도, 김포공항이 항공기 운항이라는 공공의 목적에 이용됨에 있어 그와 관련하여 배출하는 소음 등의 침해가 인근주민인 선정자들에게 통상의 수인한도를 넘는 피해를 발생하게 하였다면 김포공항의 설치·관리상에 하자가 있다고 보아야 할 것이다(대판 2005. 1. 27, 2003다49566).

④ ○

1. 도로의 설치 또는 관리·보존상의 하자는 도로의 위치 등 장소적인 조건, 도로의 구조, 교통량, 사고시에 있어서의 교통 사정 등 도로의 이용 상황과 그 본래의 이용 목적 등 제반 사정과 물적 결함의 위치, 형상 등을 종합적으로 고려하여 사회통념에 따라 구체적으로 판단하여야 하는 바, 도로의 설치 후 제3자의 행위에 의하여 그 본래의 목적인 통행상의 안전에 결함이 발생한 경우에는 도로에 그와 같은 결함이 있다는 것만으로 성급하게 도로의 보존상 하자를 인정하여서는 안 되고, 당해 도로의 구조, 장소적 환경과 이용 상황 등 제반 사정을 종합하여 그와 같은 결함을 제거하여 원상으로 복구할 수 있는데도 이를 방치한 것인지 여부를 개별적·구체적으로 심리하여 하자의 유무를 판단하여야 한다.
2. 편도 2차선 도로의 1차선 상에 교통사고의 원인이 될 수 있는 크기의 돌멩이가 방치되어 있는 경우, 도로의 점유·관리자가 그에 대한 관리 가능성이 없다는 입증을 하지 못하는 한 이는 도로의 관리·보존상의 하자에 해당한다(대판 1998. 2. 10, 97다32536).

⑤ ○

600년 또는 1,000년 발생빈도의 강우량으로 인한 하천의 범람은 불가항력적인 재해이다.

100년 발생빈도의 강우량을 기준으로 책정된 계획홍수위를 초과하여 600년 또는 1,000년 발생빈도의 강우량에 의한 하천의 범람은 예측가능성 및 회피가능성이 없는 불가항력적인 재해로서 그 영조물의 관리청에게 책임을 물을 수 없다(대판 2003. 10. 23, 2001다48057).

정답 02 ①

03 정답률 67% 중 2023 국가직 7급

국가배상법상 영조물의 설치 · 관리의 하자로 인한 손해배상책임에 대한 설명으로 옳지 않은 것은? (다툼이 있는 경우 판례에 의함)

□□□ ① 국가 또는 지방자치단체에 의하여 특정 공공의 목적에 공여된 유체물 내지 물적 설비는 국가 또는 지방자치단체가 사실상의 관리를 하고 있는 경우에도 '공공의 영조물'이라 볼 수 있다.

□□□ ② 영조물이 그 용도에 따라 갖추어야 할 안전성을 갖추지 못한 상태에는 영조물이 공공의 목적에 이용됨에 있어 그 이용 상태 및 정도가 일정한 한도를 초과하여 제3자에게 사회통념상 수인할 것이 기대되는 한도를 넘는 피해를 입히는 경우까지 포함된다.

□□□ ③ 영조물이 안전성을 갖추었는지 여부는 영조물의 설치자 또는 관리자가 그 영조물의 위험성에 비례하여 사회통념상 일반적으로 요구되는 정도의 방호조치의무를 다하였는지를 기준으로 판단하여야 하고, 그 설치자 또는 관리자의 재정적 · 인적 · 물적 제약 등은 고려하지 않는다.

□□□ ④ 객관적으로 보아 영조물의 결함이 영조물의 설치 · 관리자의 관리행위가 미칠 수 없는 상황 아래에 있는 경우에는 영조물의 설치 · 관리의 하자를 인정할 수 없다.

관련기출

②

1. 국가배상법 제5조 제1항에 정하여진 '영조물의 설치 또는 관리의 하자' 요건에서 안전성을 갖추지 못한 상태의 의미에는 그 영조물이 공공의 목적에 이용됨에 있어 그 이용상태 및 정도가 일정한 한도를 초과하여 제3자에게 사회통념상 수인할 것이 기대되는 한도를 넘는 피해를 입히는 경우까지 포함된다. (○, ×) 2023 군무원 9급
2. 영조물의 설치 · 관리의 하자에는 영조물이 공공의 목적에 이용됨에 있어 그 이용상태 및 정도가 일정한 한도를 초과하여 제3자에게 사회통념상 참을 수 없는 피해를 입히는 경우도 포함된다. (○, ×) 2018 국회직 8급, 2017 국가직 9급

1. ○ 2. ○

③

1. 도로의 설치 및 관리에 있어 완전무결한 상태를 유지할 정도의 고도의 안전성을 갖추지 아니하였다고 해서 하자가 있다고 단정할 수는 없다. (○, ×) 2021 경행경채
2. 영조물의 설치 및 관리에 있어서 항상 완전무결한 상태를 유지할 정도의 고도의 안전성을 갖추지 아니하였다고 하여 영조물의 설치 또는 관리에 하자가 있다고 단정할 수 없다. (○, ×) 2017 국가직 9급, 2011 지방직 9급

1. ○ 2. ○

④

1. 주관적 요소를 고려하는 최근의 판례에 따르면 영조물의 결함이 영조물의 설치 · 관리자의 관리행위가 미칠 수 없는 상황 아래에 있는 것이 입증되는 경우 영조물의 설치 · 관리상의 하자를 인정할 수 있다. (○, ×) 2016 국회직 8급

1. ×

① 정답률 6% ○

1. '공공의 영조물'이라 함은 국가 또는 지방자치단체에 의하여 특정 공공의 목적에 공여된 유체물 내지 물적 설비를 말한다.
2. 또한 이러한 영조물에는 국가 또는 지방자치단체가 소유권, 임차권, 그 밖의 권한에 기하여 관리하고 있는 경우뿐만 아니라 사실상의 관리를 하고 있는 경우도 포함된다(대판 1998. 10. 23, 98다17381).

② 정답률 10% ○

국가배상법 제5조 제1항에 정하여진 '영조물의 설치 또는 관리의 하자'라 함은 공공의 목적에 공여된 영조물이 그 용도에 따라 갖추어야 할 안전성을 갖추지 못한 상태에 있음을 말하고, 안전성을 갖추지 못한 상태, 즉 타인에게 위해를 끼칠 위험성이 있는 상태라 함은 당해 영조물을 구성하는 물적 시설 그 자체에 있는 물리적 · 외형적 흠결이나 불비로 인하여 그 이용자에게 위해를 끼칠 위험성이 있는 경우뿐만 아니라, 그 영조물이 공공의 목적에 이용됨에 있어 그 이용상태 및 정도가 일정한 한도를 초과하여 제3자에게 사회통념상 수인할 것이 기대되는 한도를 넘는 피해를 입히는 경우까지 포함된다고 보아야 한다(대판 2005. 1. 27, 2003다49566).

③ 정답률 67% ×

국가배상법 제5조 제1항에 규정된 '영조물 설치 · 관리상의 하자'는 공공의 목적에 공여된 영조물이 그 용도에 따라 통상 갖추어야 할 안전성을 갖추지 못한 상태에 있음을 말한다. 그리고 위와 같은 안전성의 구비 여부는 영조물의 설치자 또는 관리자가 그 영조물의 위험성에 비례하여 사회통념상 일반적으로 요구되는 정도의 방호조치의무를 다하였는지를 기준으로 판단하여야 하고, 아울러 그 설치자 또는 관리자의 **재정적 · 인적 · 물적 제약 등도 고려하여야 한다.** 따라서 **영조물이 그 설치 및 관리에 있어 완전무결한 상태를 유지할 정도의 고도의 안전성을 갖추지 아니하였다고 하여 하자가 있다고 단정할 수는 없고, 영조물 이용자의 상식적이고 질서 있는 이용 방법을 기대한 상대적인 안전성을 갖추는 것으로 족하다**(대판 2022. 7. 28, 2022다225910).

④ **빈출** 정답률 15% ○

안전성의 구비 여부를 판단함에 있어서는 당해 영조물의 용도, 그 설치장소의 현황 및 이용상황 등 제반사정을 종합적으로 고려하여 설치 · 관리자가 그 영조물의 위험성에 비례하여 사회통념상 일반적으로 요구되는 정도의 방호조치의무를 다하였는지 여부를 그 기준으로 삼아야 하며, 만일 객관적으로 보아 시간적 · 장소적으로 영조물의 기능상 결함으로 인한 손해발생의 예견가능성과 회피가능성이 없는 경우, 즉 그 영조물의 결함이 영조물의 설치 · 관리자의 관리행위가 미칠 수 없는 상황 아래에 있는 경우임이 입증되는 경우라면 영조물의 설치 · 관리상의 하자를 인정할 수 없다(대판 2001. 7. 27, 2000다56822).

정답 03 ③

04 정답률 62% 중 2023 지방직 · 서울시 9급

국가배상에 대한 설명으로 옳지 않은 것은?

□□□ ① 시 · 도경찰청장 또는 경찰서장이 지방자치단체의 장으로부터 권한을 위탁받아 설치 · 관리하는 신호기의 하자로 인해 손해가 발생한 경우 국가배상법 제5조 소정의 배상책임의 귀속주체는 국가뿐이다.

□□□ ② 헌법재판소 재판관이 청구기간 내에 제기된 헌법소원심판청구사건에서 청구기간을 오인하여 각하결정을 한 경우, 이에 대한 불복절차 내지 시정절차가 없는 때에는 배상책임의 요건이 충족되는 한 국가배상책임을 인정할 수 있다.

□□□ ③ 영조물의 설치 · 관리자와 비용부담자가 다른 경우 피해자에게 손해를 배상한 자는 내부관계에서 그 손해를 배상할 책임이 있는 자에게 구상할 수 있다.

□□□ ④ 군복무 중 사망한 군인 등의 유족이 국가배상법에 따른 손해배상금을 지급받은 경우 그 손해배상금 상당 금액에 대해서는 군인연금법에 정한 사망보상금을 지급받을 수 없다.

① 07 문제 및 해설 판례 참조 ×

> 지방자치단체장이 설치하여 관할 지방경찰청장에게 관리권한이 위임된 교통신호기 고장으로 사고가 발생한 경우 지방자치단체는 사무귀속자로서 손해배상책임(국가배상법 제5조)을 부담하고, 국가는 경찰관 등에게 봉급을 지급하는 비용부담자로서 국가배상책임(국가배상법 제6조)을 진다(대판 1999. 6. 25, 99다11120).

② ○

헌법재판관이 청구기간 내에 제기된 헌법소원심판청구사건에서 청구기간을 오인하여 각하결정을 한 경우, 이에 대한 불복절차 내지 시정절차가 없는 때에는 국가배상책임이 인정된다는 것이 판례의 입장이다(대판 2003. 7. 11, 99다24218).

③ ○

> **국가배상법 제6조【비용부담자 등의 책임】** ① 제2조 · 제3조 및 제5조에 따라 국가나 지방자치단체가 손해를 배상할 책임이 있는 경우에 공무원의 선임 · 감독 또는 영조물의 설치 · 관리를 맡은 자와 공무원의 봉급 · 급여, 그 밖의 비용 또는 영조물의 설치 · 관리 비용을 부담하는 자가 동일하지 아니하면 그 비용을 부담하는 자도 손해를 배상하여야 한다.
> ② 제1항의 경우에 손해를 배상한 자는 내부관계에서 그 손해를 배상할 책임이 있는 자에게 구상할 수 있다.

④ ○

군 복무 중 사망한 군인 등의 유족이 국가배상법에 따른 손해배상금을 지급받은 경우, 군인연금법 제31조에서 정한 사망보상금을 지급받을 수 없다는 것이 판례의 입장이다(대판 2018. 7. 20, 2018두36691).

정답 04 ①

대표

05 **빈출** 정답률 62% 중 2021 소방직 9급

다음 설명 중 옳지 않은 것은? (다툼이 있는 경우 판례에 의함)

① 지방자치단체가 옹벽시설공사를 업체에게 주어 공사를 시행하다가 사고가 일어난 경우, 옹벽이 공사 중이고 아직 완성되지 아니하여 일반 공중의 이용에 제공되지 않았다면 국가배상법 제5조 소정의 영조물에 해당한다고 할 수 없다.

② 김포공항을 설치 · 관리함에 있어 항공법령에 따른 항공기소음기준 및 소음대책을 준수하려는 노력을 하였더라도, 공항이 항공기 운항이라는 공공의 목적에 이용됨에 있어 그와 관련하여 배출하는 소음 등의 침해가 인근주민들에게 통상의 수인한도를 넘는 피해를 발생하게 하였다면 공항의 설치 · 관리상에 하자가 있다고 보아야 한다.

③ 가변차로에 설치된 두 개의 신호기에서 서로 모순되는 신호가 들어오는 고장으로 인하여 사고가 발생한 경우, 그 고장이 현재의 기술수준상 부득이한 것으로 예방할 방법이 없는 것이라면 손해발생의 예견가능성이나 회피가능성이 없어 영조물의 하자를 인정할 수 없다.

④ 영조물 설치자의 재정사정이나 영조물의 사용목적에 의한 사정은, 안전성을 요구하는 데 대한 참작사유는 될지언정 안전성을 결정지을 절대적 요건은 아니다.

관련기출

③

1. 가변차로에 설치된 두 개의 신호등에서 서로 모순되는 신호가 들어오는 오작동이 발생하였고 그 고장이 현재의 기술수준상 부득이하다는 사정만으로 영조물의 하자가 면책되는 것은 아니다. (○, ×) 2024 소방간부
2. 가변차로에 설치된 2개의 신호등에서 서로 모순된 신호가 들어오는 오작동이 발생하였고 그 고장이 현재의 기술수준상 부득이하다는 사정만으로 영조물의 하자가 면책되는 것은 아니다. (○, ×) 2010 지방직 9급

1. ○ 2. ○

④

1. 예산부족 등 재정사정은 영조물의 안전성 정도에 관하여 참작사유는 될 수 있을지언정 절대적인 면책사유는 되지 않는다. (○, ×) 2023 소방간부
2. 판례에 의하면 영조물의 설치의 하자 유무는 객관적 견지에서 본 안전성의 문제이므로 재정사정은 영조물의 안전성의 정도에 관하여 참작사유는 될 수 있을지언정 안전성을 결정지을 절대적 요건은 되지 못한다. (○, ×) 2008 국가직 9급

1. ○ 2. ○

① ○

> 사고 당시 설치하고 있던 옹벽은 소외 회사가 공사를 도급받아 공사 중에 있었을 뿐만 아니라 아직 완성도 되지 아니하여 일반 공중의 이용에 제공되지 않고 있었던 이상 국가배상법 제5조 제1항 소정의 영조물에 해당한다고 할 수 없다(대판 1998. 10. 23, 98다17381).

② **빈출** ○

> (김포공항에서 발생하는 소음 등으로 인근주민들이 입은 피해는 사회통념상 수인한도를 넘는 것으로서 김포공항의 설치 · 관리에 하자가 있다고 판시하면서) 하자란 이용상태 및 정도가 제3자에게 사회통념상 수인한도를 넘는 피해를 입히는 경우까지 포함한다.
>
> 즉, 타인에게 위해를 끼칠 위험성이 있는 상태라 함은 당해 영조물을 구성하는 물적 시설 그 자체에 있는 물리적 · 외형적 흠결이나 불비로 인하여 그 이용자에게 위해를 끼칠 위험성이 있는 경우뿐만 아니라, 그 영조물이 공공의 목적에 이용됨에 있어 그 이용상태 및 정도가 일정한 한도를 초과하여 제3자에게 사회통념상 수인할 것이 기대되는 한도를 넘는 피해를 입히는 경우까지 포함된다고 보아야 한다. …… 피고가 김포공항을 설치 · 관리함에 있어 항공법령에 따른 항공기소음기준 및 소음대책을 준수하려는 노력을 경주하였다고 하더라도, 김포공항이 항공기 운항이라는 공공의 목적에 이용됨에 있어 그와 관련하여 배출하는 소음 등의 침해가 인근주민인 선정자들에게 통상의 수인한도를 넘는 피해를 발생하게 하였다면 김포공항의 설치 · 관리상에 하자가 있다고 보아야 할 것이다(대판 2005. 1. 27, 2003다49566).

③ ×

가변차로에 설치된 두 개의 신호등에서 서로 모순되는 신호가 들어오는 오작동이 발생하였고 그 고장이 현재의 기술수준상 부득이한 것이라고 가정하더라도 그와 같은 사정만으로 손해발생의 예견가능성이나 회피가능성이 없어 영조물의 하자를 인정할 수 없는 경우라고 단정할 수 없다는 것이 판례의 입장이다(대판 2001. 7. 27, 2000다56822).

④ ○

재정사정은 안전성을 요구하는 데 대한 정도의 문제로서 참작사유에는 해당할 지언정 안전성을 결정지을 절대적 요건에는 해당하지 아니한다는 것이 판례의 입장이다(대판 1967. 2. 21, 66다1723).

정답 05 ③

06 빈출 정답률 87% 중 2020 국가직 9급

甲은 A지방자치단체가 관리하는 도로를 운행하던 중 도로에 방치된 낙하물로 인하여 손해를 입었고, 이를 이유로 국가배상법상 손해배상을 청구하려고 한다. 이에 대한 설명으로 옳지 않은 것은? (다툼이 있는 경우 판례에 의함)

① A지방자치단체가 위 도로를 권원 없이 사실상 관리하고 있는 경우에는 A지방자치단체의 배상책임은 인정될 수 없다.

② 위 도로의 설치 · 관리상의 하자가 있는지 여부는 위 도로가 그 용도에 따라 통상 갖추어야 할 안전성을 갖추었는지 여부에 따라 결정된다.

③ 위 도로가 국도이며 그 관리권이 A지방자치단체의 장에게 위임되었다면, A지방자치단체가 도로의 관리에 필요한 일체의 경비를 대외적으로 지출하는 자에 불과하더라도 甲은 A지방자치단체에 대해 국가배상을 청구할 수 있다.

④ 甲이 배상을 받기 위하여 소송을 제기하는 경우에는 민사소송을 제기하여야 한다.

관련기출

③
1. 국가나 지방자치단체가 손해를 배상할 책임이 있는 경우에 영조물의 설치 · 관리를 맡은 자와 영조물의 설치 · 관리 비용을 부담하는 자가 동일하지 아니하면 그 비용을 부담하는 자도 손해를 배상하여야 한다. (○, ×) 2020 국가직 7급

1. ○

④
1. 국가배상소송을 제기하는 경우 민사소송이 아니라 공법상 당사자소송으로 제기하여야 한다. (○, ×) 2024 지방직 · 서울시 9급
2. 국가배상청구소송은 행정소송으로 제기하여야 한다. (○, ×) 2017 교육행정직 9급
3. 국가배상은 공행정작용을 대상으로 하므로 국가배상청구소송은 당사자소송이다. (○, ×) 2016 서울시 9급

1. × 2. × 3. ×

① ×

국가배상법 제5조 소정의 '공공의 영조물'은 국가 또는 지방자치단체가 소유권, 임차권, 그 밖의 권한에 기하여 관리하고 있는 경우뿐만 아니라 사실상의 관리를 하고 있는 경우도 포함된다는 것이 판례의 입장이다(대판 1998. 10. 23, 98다17381). 따라서 A지방자치단체의 배상책임은 인정될 수 있다.

② ○

> 국가배상법 제5조 제1항에 정하여진 '영조물의 설치 또는 관리의 하자'라 함은 공공의 목적에 공여된 영조물이 그 용도에 따라 갖추어야 할 안전성을 갖추지 못한 상태에 있음을 말한다(대판 2004. 3. 12, 2002다14242).

③ **빈출** ○

국가배상법 제6조에 따르면 사무귀속자뿐만 아니라 비용부담자도 배상책임을 지는바, 비용부담자란 비용의 실질적 · 궁극적 부담자가 아니라고 하더라도 경비를 대외적으로 지출하는 자라면 비용부담자에 해당한다는 것이 판례의 입장이다. 따라서 甲은 A지방자치단체에 대해 국가배상을 청구할 수 있다.

> 지방자치단체장에게 기관위임된 사무의 경우 지방자치단체가 경비를 대외적으로 지출하였다면 지방자치단체도 비용부담자로서 국가배상책임을 진다.
>
> 지방자치단체의 장이 기관위임된 국가행정사무를 처리하는 경우 그에 소요되는 경비의 실질적 · 궁극적 부담자는 국가라고 하더라도 당해 지방자치단체는 국가로부터 내부적으로 교부된 금원으로 그 사무에 필요한 경비를 대외적으로 지출하는 자이므로, 이러한 경우 지방자치단체는 국가배상법 제6조 제1항 소정의 비용부담자로서 공무원의 불법행위로 인한 같은 법에 의한 손해를 배상할 책임이 있다(대판 1994. 12. 9, 94다38137).

> **국가배상법 제6조【비용부담자 등의 책임】** ① 제2조 · 제3조 및 제5조에 따라 국가나 지방자치단체가 손해를 배상할 책임이 있는 경우에 공무원의 선임 · 감독 또는 영조물의 설치 · 관리를 맡은 자와 공무원의 봉급 · 급여, 그 밖의 비용 또는 영조물의 설치 · 관리 비용을 부담하는 자가 동일하지 아니하면 그 비용을 부담하는 자도 손해를 배상하여야 한다.

④ ○

국가배상법상의 손해배상청구소송은 민사소송이라는 것이 판례의 입장이다. 따라서 甲이 배상을 받기 위하여 소송을 제기하는 경우에는 민사소송을 제기하여야 한다.

> 국가배상법은 민사상 손해배상책임의 특별법이다.
>
> 공무원의 직무상 불법행위로 손해를 받은 국민이 국가 또는 공공단체에 배상을 청구하는 경우 국가 또는 공공단체에 대하여 그의 불법행위를 이유로 손해배상을 구함은 국가배상법이 정한 바에 따른다 하여도 이 역시 민사상의 손해배상책임을 특별법인 국가배상법이 정한 데 불과하며 …… (대판 1972. 10. 10, 69다701)

정답 06 ①

07 중

2014 국회직 8급

다음 <보기>의 (　　)에 들어갈 말이 옳게 연결된 것은? (다툼이 있는 경우 판례에 따름)

보기

광역시인 A시의 구역 내에 A시장이 교통신호기를 설치하였는데, 그 관리권한은 도로교통법 관련규정에 의하여 A시 관할 지방경찰청장(현 시 · 도경찰청장)에게 기관위임되어 있다. A시 관할 지방경찰청(현 시 · 도경찰청) 소속 공무원이 교통종합관제센터에서 그 관리업무를 담당하던 중 위 신호기가 고장난 채 방치되어 교통사고가 발생하였다. 이 경우 배상책임은 사무귀속주체로서 (㉠)에게, 비용부담자로서 (㉡)에게 귀속된다.

+ 도로교통법

제3조【신호기 등의 설치 및 관리】① 특별시장 · 광역시장 · 제주특별자치도지사 또는 시장 · 군수(광역시의 군수는 제외한다. 이하 '시장 등'이라 한다)는 도로에서의 위험을 방지하고 교통의 안전과 원활한 소통을 확보하기 위하여 필요하다고 인정하는 경우에는 신호기 및 안전표지(이하 '교통안전시설'이라 한다)를 설치 · 관리하여야 한다.

제147조【위임 및 위탁 등】① 시장 등은 이 법에 따른 권한 또는 사무의 일부를 대통령령으로 정하는 바에 따라 지방경찰청장(현 시 · 도경찰청장)이나 경찰서장에게 위임 또는 위탁할 수 있다.

□□□ ① ㉠ : A시
　㉡ : 국가

□□□ ② ㉠ : 지방경찰청(현 시 · 도경찰청)
　㉡ : A시

□□□ ③ ㉠ : 국가
　㉡ : A시

□□□ ④ ㉠ : 지방경찰청(현 시 · 도경찰청)
　㉡ : 국가

□□□ ⑤ ㉠ : A시
　㉡ : 지방경찰청(현 시 · 도경찰청)

① ㉠ : A시, ㉡ : 국가

지방자치단체장이 설치하여 관할 지방경찰청장(현 시 · 도경찰청장)에게 관리권한이 위임된 교통신호기 고장으로 사고가 발생한 경우 지방자치단체는 사무귀속자로서 손해배상책임을 부담하고, 국가는 경찰관 등에게 봉급을 지급하는 비용부담자로서 국가배상책임을 진다.

지방자치단체장이 교통신호기를 설치하여 그 관리권한이 도로교통법 제71조의2 제1항의 규정에 의하여 관할 지방경찰청장에게 위임되어 …… 위 신호기가 고장난 채 방치되어 교통사고가 발생한 경우, 국가배상법 제2조 또는 제5조에 의한 배상책임을 부담하는 것은 지방경찰청장(현 시 · 도경찰청장)이 소속된 국가가 아니라, 그 권한을 위임한 지방자치단체장이 소속된 지방자치단체(㉠)라고 할 것이나, 한편 국가배상법 제6조 제1항은 같은 법 제2 · 3 · 5조의 규정에 의하여 국가 또는 지방자치단체가 손해를 배상할 책임이 있는 경우에 공무원의 선임 · 감독 또는 영조물의 설치 · 관리를 맡은 자와 공무원의 봉급 · 급여 기타의 비용 또는 영조물의 설치 · 관리의 비용을 부담하는 자가 동일하지 아니한 경우에는 그 비용을 부담하는 자도 손해를 배상하여야 한다고 규정하고 있으므로 교통신호기를 관리하는 지방경찰청장 산하 경찰관들에 대한 봉급을 부담하는 국가(㉡)도 국가배상법 제6조 제1항에 의한 배상책임을 부담한다(대판 1999. 6. 25, 99다11120).

정답 07 ①

08 중

2011 국회직 8급

국가배상에 관한 설명으로 옳지 않은 것은? (다툼이 있는 경우 판례에 따름)

□□□ ① 통장이 전입신고서에 확인인을 찍는 행위는 공무를 위탁받아 실질적으로 공무를 수행하는 것이라고 보아야 하므로, 통장은 그 업무범위 내에서는 국가배상법 제2조 소정의 공무원에 해당한다.

□□□ ② 상급자가 전입사병인 하급자에게 암기사항에 관하여 교육하던 중 훈계하다가 도가 지나쳐 폭행한 경우에 그 폭행은 국가배상법상의 직무집행에 해당한다.

□□□ ③ 국가 또는 지방자치단체가 소유권, 임차권, 그 밖의 권한에 기하여 관리하고 있는 경우뿐만 아니라 사실상의 관리를 하고 있는 공용물도 국가배상법상의 영조물에 해당한다.

□□□ ④ 아직 물적 시설이 완성되지 아니하여 일반공중의 이용에 제공되지 않은 옹벽도 국가배상법상의 영조물에 해당한다.

□□□ ⑤ 피해자나 그 법정대리인이 손해 및 가해자를 안 날로부터 3년간 이를 행사하지 아니하면 국가배상청구권은 시효로 인하여 소멸한다.

관련기출

③

1. 국가배상법 제5조 제1항의 공공의 영조물은 국가 또는 지방자치단체가 소유권 등 권한에 기하여 관리하고 있는 경우뿐만 아니라 사실상의 관리를 하고 있는 경우도 포함된다. (○, ×) 2024 국회직 8급
2. 국가 또는 지방자치단체가 공공의 영조물을 소유권, 임차권, 그 밖의 권한에 기하여 관리하고 있는 경우에는 국가배상법 제5조가 적용되나, 그러한 권원이 없이 사실상 관리하고 있는 경우라면 국가배상법 제5조가 적용되는 것은 아니다. (○, ×) 2023 서울시 연구사
3. 국가배상법상 '공공의 영조물'은 지방자치단체가 소유권, 임차권 그 밖의 권한에 기하여 관리하고 있는 경우는 포함하지만, 사실상의 관리를 하고 있는 경우는 포함하지 않는다. (○, ×) 2021 지방직 · 서울시 9급
4. 국가배상법 제5조 제1항 소정의 '공공의 영조물'이라 함은 국가 또는 지방자치단체에 의하여 특정 공공의 목적에 공여된 유체물 내지 물적 설비를 말하며, 국가 또는 지방자치단체가 소유권, 임차권, 그 밖의 권한에 기하여 관리하고 있는 경우로 한정되고, 사실상의 관리를 하고 있는 경우는 포함되지 않는다. (○, ×) 2020 지방직 · 서울시 7급
5. '공공의 영조물'이라 함은 강학상 공물을 뜻하므로 국가 또는 지방자치단체가 사실상의 관리를 하고 있는 유체물은 포함되지 않는다. (○, ×) 2017 국가직 9급

1. ○ 2. × 3. × 4. × 5. ×

① ○

통장이 전입신고서에 확인인을 찍는 행위는 공무를 위탁받아 실질적으로 공무를 수행하는 것이라고 보아야 하므로, 통장은 그 업무범위 내에서는 국가배상법 제2조 소정의 공무원에 해당한다(대판 1991. 7. 9, 91다5570).

② ○

상급자가 전입신병인 하급자에게 암기사항에 관하여 교육 중 훈계하다가 도가 지나쳐 폭행한 경우에 국가배상법상의 직무집행성이 인정된다(대판 1995. 4. 21, 93다14240).

③ ○

④ ×

1. 국가배상법 제5조 제1항 소정의 '공공의 영조물'이라 함은 국가 또는 지방자치단체에 의하여 특정 공공의 목적에 공여된 유체물 내지 물적 설비를 말하며, 국가 또는 지방자치단체가 소유권, 임차권 그 밖의 권한에 기하여 관리하고 있는 경우뿐만 아니라 사실상의 관리를 하고 있는 경우도 포함된다(③).
2. 공사 중이며 아직 완성되지 않아 일반공중의 이용에 제공되지 않는 옹벽은 국가배상법 제5조 제1항 소정의 영조물에 해당하지 않는다(④)(대판 1998. 10. 23, 98다17381).

⑤ ○

국가배상법 제8조 및 민법 제766조에 따라 손해 및 가해자를 안 날로부터 3년간 행사하지 아니하면 시효로 인하여 소멸한다.

정답 08 ④

02 손해배상청구권

기 630~637쪽 핵 T 55

09

정답률 83% 중

2023 군무원 9급

행정상 손해배상에 대한 설명으로 옳지 않은 것은? (다툼이 있는 경우 판례에 의함)

□□□ ① 국가배상법이 정한 손해배상청구의 요건인 '공무원의 직무'에는 국가나 지방자치단체의 권력적 작용뿐만 아니라 비권력적 작용으로서 단순한 사경제의 주체로서 하는 작용도 포함된다.

□□□ ② 국가배상법 제5조 제1항에 정하여진 '영조물의 설치 또는 관리의 하자' 요건에서 안전성을 갖추지 못한 상태의 의미에는 그 영조물이 공공의 목적에 이용됨에 있어 그 이용상태 및 정도가 일정한 한도를 초과하여 제3자에게 사회통념상 수인할 것이 기대되는 한도를 넘는 피해를 입히는 경우까지 포함된다.

□□□ ③ 외국인이 피해자인 경우에는 해당 국가와 상호보증이 있을 때에만 국가배상법이 적용되는데, 이때 상호보증의 요건 구비를 위해 반드시 당사국과의 조약이 체결되어 있을 필요는 없다.

□□□ ④ 국가배상법에 따른 손해배상의 소송은 배상심의회에 배상신청을 하지 아니하고도 제기할 수 있다.

관련기출

③

1. 국가배상법은 외국인이 피해자인 경우에는 해당 국가와 상호보증이 있을 때에만 적용하고, 이때 상호보증은 반드시 당사국과의 조약이 체결되어 있을 필요는 없다. (○, ×) 2023 국회직 8급
2. 외국인이 피해자인 경우에는 해당 국가와 상호보증이 있을 때에만 국가배상법이 적용되며, 상호보증은 해당 국가와 조약이 체결되어 있어야 한다. (○, ×) 2022 국가직 7급
3. 일본 국가배상법이 국가배상청구권의 발생요건 및 상호보증에 관하여 우리나라 국가배상법과 동일한 내용을 규정하고 있는 점 등에 비추어 우리나라와 일본 사이에 우리나라 국가배상법 제7조가 정하는 상호보증이 있다. (○, ×) 2019 서울시 9급
4. 대한민국 구역 내에 있다면 외국인에게도 국가배상청구권은 당연히 인정된다. (○, ×) 2016 서울시 9급
5. 법령은 대한민국의 영토 내에 있는 모든 사람에게 적용되는 것이 원칙이므로 외국인에 대하여 특칙을 두거나 상호주의가 적용될 수 없다. (○, ×) 2015 행정사

1. ○ 2. × 3. ○ 4. × 5. ×

④

1. 국가배상소송은 배상심의회에 배상신청을 하지 아니하고도 제기할 수 있다. (○, ×) 2015 사회복지직 9급
2. 국가배상법상 손해배상의 소송은 배상심의회의 배상심의를 거치지 아니하면 이를 제기할 수 없다. (○, ×) 2013 경행특채

1. ○ 2. ×

① ×

국가배상법이 정한 배상청구의 요건인 공무원의 직무에는 권력적 작용만이 아니라 행정지도와 같은 비권력적 작용도 포함되며, 단지 행정주체가 사경제주체로서 하는 활동만이 제외된다(대판 1998. 7. 10, 96다38971).

② ○

국가배상법 제5조 제1항에 정하여진 '영조물의 설치 또는 관리의 하자'라 함은 공공의 목적에 공여된 영조물이 그 용도에 따라 갖추어야 할 안전성을 갖추지 못한 상태에 있음을 말하고, 안전성을 갖추지 못한 상태, 즉 타인에게 위해를 끼칠 위험성이 있는 상태라 함은 당해 영조물을 구성하는 물적 시설 그 자체에 있는 물리적 · 외형적 흠결이나 불비로 인하여 그 이용자에게 위해를 끼칠 위험성이 있는 경우뿐만 아니라, 그 영조물이 공공의 목적에 이용됨에 있어 그 이용상태 및 정도가 일정한 한도를 초과하여 제3자에게 사회통념상 수인할 것이 기대되는 한도를 넘는 피해를 입히는 경우까지 포함된다고 보아야 한다(대판 2005. 1. 27, 2003다49566).

③ **빈출** ○

국가배상법 제7조【외국인에 대한 책임】 이 법은 외국인이 피해자인 경우에는 해당 국가와 상호보증이 있을 때에만 적용한다.

1. 상호보증은 외국의 법령, 판례 및 관례 등에 의하여 발생요건을 비교하여 인정되면 충분하고 반드시 당사국과의 조약이 체결되어 있을 필요는 없다.
2. 일본 국가배상법 제1조 제1항, 제6조가 국가배상청구권의 발생요건 및 상호보증에 관하여 우리나라 국가배상법과 동일한 내용을 규정하고 있는 점 등에 비추어 우리나라와 일본 사이에 국가배상법 제7조가 정하는 상호보증이 있다.

   상호보증은 외국의 법령, 판례 및 관례 등에 의하여 발생요건을 비교하여 인정되면 충분하고 반드시 당사국과의 조약이 체결되어 있을 필요는 없으며, 당해 외국에서 구체적으로 우리나라 국민에게 국가배상청구를 인정한 사례가 없더라도 실제로 인정될 것이라고 기대할 수 있는 상태이면 충분하다(대판 2015. 6. 11, 2013다208388).

④ ○

국가배상법 제9조【소송과 배상신청의 관계】 이 법에 따른 손해배상의 소송은 배상심의회(이하 '심의회'라 한다)에 배상신청을 하지 아니하고도 제기할 수 있다.

정답 09 ①

10 정답률 83% 중 2022 국가직 7급

국가배상에 대한 판례의 입장으로 옳은 것은?

□□□ ① 공익근무요원은 국가배상법 제2조 제1항 단서규정에 의하여 손해배상청구가 제한된다.

□□□ ② 외국인이 피해자인 경우에는 해당 국가와 상호보증이 있을 때에만 국가배상법이 적용되며, 상호보증은 해당 국가와 조약이 체결되어 있어야 한다.

□□□ ③ 공무원에 대한 전보인사가 인사권을 다소 부적절하게 행사한 것으로 볼 여지가 있다 하더라도 그러한 사유만으로 그 전보 인사가 당연히 불법행위를 구성한다고 볼 수는 없다.

□□□ ④ 직무집행과 관련하여 공상을 입은 군인이 먼저 국가배상법에 따라 손해배상금을 지급받았다면 「국가유공자 등 예우 및 지원에 관한 법률」이 정한 보상금 등 보훈급여금의 지급을 청구하는 것은 이중배상금지원칙에 따라 인정되지 아니한다.

① ×

공익근무요원은 소집되어 군에 복무하지 않는 한 이중배상금지가 적용되는 군인이 아니다.

공익근무요원은 병역법 제2조 제1항 제9호, 제5조 제1항의 규정에 의하면 국가기관 또는 지방자치단체의 공익목적 수행에 필요한 경비 · 감시 · 보호 또는 행정업무 등의 지원과 국제협력 또는 예술 · 체육의 육성을 위하여 소집되어 공익 분야에 종사하는 사람으로서 보충역에 편입되어 있는 자이기 때문에, 소집되어 군에 복무하지 않는 한 군인이라고 말할 수 없으므로, …… (대판 1997. 3. 28, 97다4036)

② ×

국가배상법 제7조【외국인에 대한 책임】 이 법은 외국인이 피해자인 경우에는 해당 국가와 상호보증이 있을 때에만 적용한다.

상호보증은 외국의 법령, 판례 및 관례 등에 의하여 발생요건을 비교하여 인정되면 충분하고 반드시 당사국과의 조약이 체결되어 있을 필요는 없으며, 당해 외국에서 구체적으로 우리나라 국민에게 국가배상청구를 인정한 사례가 없더라도 실제로 인정될 것이라고 기대할 수 있는 상태이면 충분하다(대판 2015. 6. 11, 2013다208388).

③ ○

공무원에 대한 전보인사가 법령이 정한 기준과 원칙에 위배되거나 인사권을 다소 부적절하게 행사한 것으로 볼 여지가 있다 하더라도 그러한 사유만으로 그 전보인사가 당연히 불법행위를 구성한다고 볼 수는 없고, 인사권자가 당해 공무원에 대한 보복감정 등 다른 의도를 가지고 인사재량권을 일탈 · 남용하여 객관적 정당성을 상실하였음이 명백한 경우 등 전보인사가 우리의 건전한 사회통념이나 사회상규상 도저히 용인될 수 없음이 분명한 경우에, 그 전보인사는 위법하게 상대방에게 정신적 고통을 가하는 것이 되어 당해 공무원에 대한 관계에서 불법행위를 구성한다(대판 2009. 5. 28, 2006다16215).

④ ×

직무집행과 관련하여 공상을 입은 군인 등이 먼저 국가배상법에 따라 손해배상금을 지급받은 다음 「보훈보상대상자 지원에 관한 법률」이 정한 보상금 등 보훈급여금의 지급을 청구하는 경우, 국가배상법에 따라 손해배상을 받았다는 이유로 그 지급을 거부할 수 없다(대판 2017. 2. 3, 2015두60075).

정답 10 ③

11 정답률 65% 중 2022 국가직 9급

행정상 손해배상에 대한 설명으로 옳지 않은 것은? (다툼이 있는 경우 판례에 의함)

□□□ ① 국가배상청구권의 소멸시효기간은 지났으나 국가가 소멸시효 완성을 주장하는 것이 신의성실의 원칙에 반하는 권리남용으로 허용될 수 없어 배상책임을 이행한 경우, 국가는 원칙적으로 해당 공무원에 대해 구상권을 행사할 수 있다.

□□□ ② 공무원이 관계법령의 해석이 확립되기 전에 어느 한 설을 취하여 업무를 처리한 것이 결과적으로 위법하더라도 처분 당시 그 이상의 업무처리를 성실한 평균적 공무원에게 기대하기 어려웠던 경우라면 원칙적으로 공무원의 과실을 인정할 수 없다.

□□□ ③ 공무원이 직무를 수행하면서 그 근거가 되는 법령의 규정에 따라 구체적으로 의무를 부여받았어도 그것이 국민의 이익과 관계없이 순전히 행정기관 내부의 질서를 유지하기 위한 것이라면 그 의무에 위반하여 국민에게 손해를 가하여도 국가 등은 배상책임을 부담하지 않는다.

□□□ ④ 행정처분이 후에 항고소송에서 취소되었다고 할지라도 그 기판력에 의하여 당해 행정처분이 곧바로 공무원의 고의 또는 과실로 인한 것으로서 불법행위를 구성한다고 단정할 수는 없다.

관련기출

①

1. 국가배상청구권의 소멸시효기간이 지났으나 국가가 소멸시효 완성을 주장하는 것이 신의성실의 원칙에 반하는 권리남용으로 허용될 수 없어 배상책임을 이행한 경우에는, 그 소멸시효 완성 주장이 권리남용에 해당하게 된 원인행위와 관련하여 해당 공무원이 그 원인이 되는 행위를 적극적으로 주도하였다는 등의 특별한 사정이 없는 한, 국가가 해당 공무원에게 구상권을 행사하는 것은 신의칙상 허용되지 않는다. (○, ×)
2019 서울시 9급, 2017 지방직(하) 9급

1. ○

②

1. 어떠한 행정처분이 위법하다고 할지라도 그 자체만으로 곧바로 그 행정처분이 공무원의 고의 또는 과실로 인한 불법행위를 구성한다고 단정할 수는 없고, 공무원의 고의 또는 과실의 유무에 대하여는 별도의 판단을 요한다. (○, ×) 2022 소방간부
2. 행정청이 관계법령의 해석이 확립되기 전에 어느 한 설을 취하여 업무를 처리한 것이 결과적으로 위법하게 되어 그 법령의 부당집행이라는 결과를 빚었다고 하더라도 처분 당시 그와 같은 처리방법 이상의 것을 성실한 평균적 공무원에게 기대하기 어려웠던 경우라면 특별한 사정이 없는 한 이를 두고 공무원의 과실로 인한 것이라고는 볼 수 없다. (○, ×) 2010 국가직 7급

1. ○ 2. ○

① **빈출** ×

공무원의 불법행위로 손해를 입은 피해자의 국가배상청구권의 소멸시효 기간이 지났으나 국가가 소멸시효 완성을 주장하는 것이 신의성실의 원칙에 반하는 권리남용으로 허용될 수 없어 배상책임을 이행한 경우에는, 그 소멸시효 완성 주장이 권리남용에 해당하게 된 원인행위와 관련하여 해당 공무원이 그 원인이 되는 행위를 적극적으로 주도하였다는 등의 특별한 사정이 없는 한, 국가가 해당 공무원에게 구상권을 행사하는 것은 신의칙상 허용되지 않는다고 봄이 상당하다(대판 2016. 6. 9, 2015다200258).

② **빈출** ○

어떠한 행정처분이 위법하다고 할지라도 그 자체만으로 곧바로 그 행정처분이 공무원의 고의 또는 과실로 인한 불법행위를 구성한다고 단정할 수는 없고, **공무원의 고의 또는 과실의 유무에 대하여는 별도의 판단을 요한다**고 할 것인바, 그 이유는 행정청이 관계법령의 해석이 확립되기 전에 어느 한 설을 취하여 업무를 처리한 것이 결과적으로 위법하게 되어 그 법령의 부당집행이라는 결과를 빚었다고 하더라도 처분 당시 그와 같은 처리방법 이상의 것을 성실한 평균적 공무원에게 기대하기 어려웠던 경우라면 특별한 사정이 없는 한 이를 두고 공무원의 과실로 인한 것이라고 볼 수는 없기 때문이다(대판 2004. 6. 11, 2002다31018).

③ ○

공무원이 직무를 수행하면서 근거되는 법령의 규정에 따라 구체적으로 의무를 부여받았어도 그것이 국민의 이익과는 관계없이 순전히 행정기관 내부의 질서를 유지하기 위한 것이거나, 또는 국민의 이익과 관련된 것이라도 직접 국민 개개인의 이익을 위한 것이 아니라 전체적으로 공공일반의 이익을 도모하기 위한 것이라면 그 의무를 위반하여 국민에게 손해를 가하여도 국가 또는 지방자치단체는 배상책임을 부담하지 아니한다는 것이 판례의 입장이다(대판 2015. 5. 28, 2013다41431).

④ ○

어떠한 처분이 취소소송에서 취소되었다 하더라도 그 판결의 기판력은 처분이 위법하다는 점에 미치는 것일 뿐 그것만으로 곧바로 공무원의 고의 또는 과실로 인한 것으로서 불법행위를 구성한다고 단정할 수 없다는 것이 판례의 입장이다(대판 2000. 5. 12, 99다70600).

정답 11 ①

12 빈출 정답률 84% 중 2021 군무원 9급

국가배상법의 내용에 대한 설명으로 옳지 않은 것은? (단, 다툼이 있는 경우 판례에 의함)

□□□ ① 국가나 지방자치단체는 공무를 위탁받은 사인이 직무를 집행하면서 고의 또는 과실로 법령을 위반하여 타인에게 손해를 입힌 때에는 국가배상법에 따라 그 손해를 배상하여야 한다.

□□□ ② 도로 · 하천, 그 밖의 공공의 영조물(營造物)의 설치나 관리에 하자(瑕疵)가 있기 때문에 타인에게 손해를 발생하게 하였을 때에는 국가나 지방자치단체는 그 손해를 배상하여야 한다. 이 경우 군인 · 군무원의 이중배상금지에 관한 규정은 적용되지 않는다.

□□□ ③ 직무를 집행하는 공무원에게 고의 또는 중대한 과실이 있으면 국가나 지방자치단체는 그 공무원에게 구상(求償)할 수 있다.

□□□ ④ 군인 · 군무원이 전투 · 훈련 등 직무집행과 관련하여 전사(戰死) · 순직(殉職)하거나 공상(公傷)을 입은 경우에 본인이나 그 유족이 다른 법령에 따라 재해보상금 · 유족연금 · 상이연금 등의 보상을 지급받을 수 있을 때에는 국가배상법 및 민법에 따른 손해배상을 청구할 수 없다.

①③④ **빈출** ○

> **국가배상법 제2조【배상책임】** ① 국가나 지방자치단체는 공무원 또는 공무를 위탁받은 사인(이하 '공무원'이라 한다)이 직무를 집행하면서 고의 또는 과실로 법령을 위반하여 타인에게 손해를 입히거나, 「자동차손해배상 보장법」에 따라 손해배상의 책임이 있을 때에는 이 법에 따라 그 손해를 배상하여야 한다(①). 다만, 군인 · 군무원 · 경찰공무원 또는 예비군대원이 전투 · 훈련 등 직무집행과 관련하여 전사(戰死) · 순직(殉職)하거나 공상(公傷)을 입은 경우에 본인이나 그 유족이 다른 법령에 따라 재해보상금 · 유족연금 · 상이연금 등의 보상을 지급받을 수 있을 때에는 이 법 및 민법에 따른 손해배상을 청구할 수 없다(④).
> ② 제1항 본문의 경우에 공무원에게 고의 또는 중대한 과실이 있으면 국가나 지방자치단체는 그 공무원에게 구상(求償)할 수 있다(③).

② ×

국가배상법 제5조의 영조물책임에도 군인 · 군무원의 이중배상금지에 관한 규정은 적용된다.

> **국가배상법 제5조【공공시설 등의 하자로 인한 책임】** ① 도로 · 하천, 그 밖의 공공의 영조물의 설치나 관리에 하자가 있기 때문에 타인에게 손해를 발생하게 하였을 때에는 국가나 지방자치단체는 그 손해를 배상하여야 한다. 이 경우 제2조 제1항 단서(편저자 주 : 이중배상금지규정), 제3조 및 제3조의2를 준용한다.

정답 12 ②

13 중 2019 경행경채 2차

국가배상법 제2조의 '군인 · 군무원 · 경찰공무원 또는 예비군대원이 전투 · 훈련 등 직무집행과 관련하여 전사(戰死) · 순직(殉職)하거나 공상(公傷)을 입은 경우'에 대한 설명으로 가장 적절하지 않은 것은? (다툼이 있는 경우 판례에 의함)

□□□ ① 현역병으로 입영하여 소정의 군사교육을 마치고 전임되어 법무부장관에 의하여 경비교도로 임용된 자는 국가배상법 제2조 제1항 단서에 따라 손해배상청구가 제한되는 군인 · 군무원 · 경찰공무원 또는 향토예비군대원에 해당한다고 할 수 없다.

□□□ ② 전투경찰순경은 국가배상법 제2조 제1항 단서에 따라 손해배상청구가 제한되는 군인 · 군무원 · 경찰공무원 또는 향토예비군대원에 해당한다고 보아야 한다.

□□□ ③ 전투 · 훈련 등 직무집행과 관련하여 공상을 입은 군인이 국가배상법에 따라 손해배상금을 지급받은 다음에 「국가유공자 등 예우 및 지원에 관한 법률」이 정한 보훈급여금의 지급을 청구하는 경우, 국가는 국가배상법에 따라 손해배상을 받았다는 사정을 들어 보훈급여금의 지급을 거부할 수 있다.

□□□ ④ 경찰공무원이 전투 · 훈련 등 직무집행과 관련하여 순직을 한 경우에는 전투 · 훈련 또는 이에 준하는 직무집행뿐만 아니라 일반 직무집행에 관하여도 국가나 지방자치단체의 배상책임이 제한된다.

관련기출

①

1. 현역병으로 입영한 후 군사교육을 마치고 경비교도로 전임되어 근무하는 자는 국가배상법 제2조 제1항 단서 소정의 군인 등에 해당하므로 국가배상청구권행사에 제한을 받는다. (○, ×) 2015 경행특채 1차, 2009 국회직 8급
2. 현역병으로 입대하여 소정의 군사교육을 마친 다음 교도소의 경비교도로 전임된 자는 국가배상법 제2조 제1항 단서 소정의 어느 신분에도 해당하지 않으므로, 국가배상을 청구하는 것을 방해받지 않는다. (○, ×) 2012 경행특채

1. × 2. ○

④

1. 경찰공무원이 낙석사고 현장 부근으로 이동하던 중 대형 낙석이 순찰차를 덮쳐 사망한 사안에서 국가배상법의 이중배상금지 규정에 따른 면책조항은 전투 · 훈련 또는 이에 준하는 직무집행뿐만 아니라 일반 직무집행에 관하여도 국가나 지방자치단체의 배상책임을 제한하는 것으로 해석하여야 한다. (○, ×) 2019 국회직 8급

1. ○

① **빈출** ○

현역병으로 입영하여 소정의 군사교육을 마치고 병역법 제25조의 규정에 의하여 전임되어 구 교정시설경비교도대설치법 제3조에 의하여 경비교도로 임용된 자는, 군인의 신분을 상실하고 군인과는 다른 경비교도로서의 신분을 취득하게 되었다고 할 것이어서 국가배상법 제2조 제1항 단서가 정하는 군인 등에 해당하지 아니한다(편저자 주 : 손해배상청구가 제한되지 않는다는 의미)(대판 1998. 2. 10, 97다45914).

② ○

전투경찰순경은 이중배상금지가 적용되는 경찰공무원에 해당한다.

국가배상법 제2조 제1항 단서 중의 '경찰공무원'은 '경찰공무원법상의 경찰공무원'만을 의미한다고 단정하기 어렵고, 널리 경찰업무에 내재된 고도의 위험성을 고려하여 '경찰조직의 구성원을 이루는 공무원'을 특별취급하려는 취지로 파악함이 상당하므로 전투경찰순경은 헌법 제29조 제2항 및 국가배상법 제2조 제1항 단서 중의 '경찰공무원'에 해당한다고 보아야 할 것이다(헌재 1996. 6. 13, 94헌마118, 95헌바39 병합).

③ ×

직무집행과 관련하여 공상을 입은 군인 등이 먼저 국가배상법에 따라 손해배상금을 지급받은 다음 「보훈보상대상자 지원에 관한 법률」이 정한 보상금 등 보훈급여금의 지급을 청구하는 경우, 국가배상법에 따라 손해배상을 받았다는 이유로 그 지급을 거부할 수 없다는 것이 판례의 입장이다(대판 2017. 2. 3, 2015두60075).

④ ○

(경찰공무원이 낙석사고 현장 주변 교통정리를 위하여 사고현장 부근으로 이동하던 중 대형 낙석이 순찰차를 덮쳐 사망한 사안에서) 경찰공무원 등이 '전투 · 훈련 등 직무집행과 관련하여' 순직 등을 한 경우 같은 법 및 민법에 의한 손해배상책임을 청구할 수 없다고 정한 국가배상법 제2조 제1항 단서의 면책조항은 전투 · 훈련 또는 이에 준하는 직무집행뿐만 아니라 '일반 직무집행'에 관하여도 국가나 지방자치단체의 배상책임을 제한하는 것이다(대판 2011. 3. 10, 2010다85942).

정답 13 ③

제 30 강 행정상 손실보상 1 (손실보상청구권의 요건)

1회독	2회독	3회독
/	/	/

⊘정답률 공단기/소방단기 합격예측 풀서비스 통계 데이터 기준 기 기본서 핵 핵심집약

01 행정상 손실보상 기 642~653쪽 핵 T 56

01 빈출 중 2024 소방간부

공용수용 및 손실보상에 관한 설명으로 옳지 않은 것은? (다툼이 있는 경우 판례에 의함)

① 「공익사업을 위한 토지 등의 취득 및 보상에 관한 법률」상 주거용 건축물 세입자의 주거이전비 보상청구권은 그 요건을 충족하는 경우에 당연히 발생하는 것이므로 주거이전비 보상청구소송은 행정소송법상 당사자소송에 의하여야 한다.

② 구 「공공용지의 취득 및 손실보상에 관한 특례법」상 사업시행자가 이주대책을 수립하여 이주대책에서 정한 절차에 따라 이주대책대상자로 확인 · 결정하여야만 이주자에게 비로소 구체적인 수분양권이 발생한다.

③ 토지수용위원회의 수용재결이 있은 후라고 하더라도 토지소유자와 사업시행자가 다시 협의하여 토지 등의 취득 · 사용 및 그에 대한 보상에 관하여 임의로 계약을 체결할 수 있다.

④ 헌법 제23조 제3항이 규정하는 정당한 보상이란 원칙적으로 피수용재산의 객관적인 재산가치를 완전하게 보상하는 것이어야 한다는 완전보상을 뜻한다.

⑤ 일반공중의 이용에 제공되는 공공용물을 허가나 특허 없이 일반사용하고 있던 자가 당해 공공용물에 관한 적법한 개발행위로 인하여 종전에 비하여 그 일반사용이 제한을 받게 되었다면 그로 인한 불이익은 특별한 사정이 없는 한 손실보상의 대상이 된다.

① ○

토지보상법령 등에 따르면 공익사업의 시행으로 이주하게 되는 주거용 건축물의 세입자에게는 4개월분의 주거이전비를 보상하도록 되어 있다. 즉, 법령상의 요건을 갖출 경우 행정청의 결정 없이 보상청구권이 발생한다. 따라서 주거이전비 보상청구소송은 당사자소송에 의하여야 한다.

> 구 「공익사업을 위한 토지 등의 취득 및 보상에 관한 법률」 제78조 제5항, 제7항, 같은 법 시행규칙 제54조 제2항 본문, 제3항의 각 조문을 종합하여 보면, 세입자의 주거이전비 보상청구권은 그 요건을 충족하는 경우에 당연히 발생하는 것이므로, 주거이전비 보상청구소송은 행정소송법 제3조 제2호에 규정된 당사자소송에 의하여야 한다(대판 2008. 5. 29, 2007다8129).

② **빈출** 제31강 참조 ○

> 구 「공공용지의 취득 및 손실보상에 관한 특례법」 제8조 제1항(현 토지보상법 제78조)에 의하여 이주자에게 이주대책상의 택지분양권이나 아파트 입주권 등을 받을 수 있는 구체적인 권리(수분양권)가 직접 발생하는 것이 아니라 사업시행자가 이주대책대상자로 확인 · 결정하여야만 비로소 구체적인 수분양권이 발생하게 된다(대판 1994. 5. 24, 92다35783 전합).

③ ○

> 「공익사업을 위한 토지 등의 취득 및 보상에 관한 법률」상 토지수용위원회의 수용재결이 있은 후 토지소유자 등과 사업시행자가 다시 협의하여 토지 등의 취득이나 사용 및 그에 대한 보상에 관하여 임의로 계약을 체결할 수 있다.
>
> 수용재결이 있은 후에 사법상 계약의 실질을 가지는 협의취득절차를 금지해야 할 별다른 필요성을 찾기 어려운 점 등을 종합해 보면, 토지수용위원회의 수용재결이 있은 후라고 하더라도 토지소유자 등과 사업시행자가 다시 협의하여 토지 등의 취득이나 사용 및 그에 대한 보상에 관하여 임의로 계약을 체결할 수 있다고 보아야 한다(대판 2017. 4. 13, 2016두64241).

④ **빈출** 제31강 참조 ○

> 헌법 제23조 제3항이 규정하는 정당한 보상이란 원칙적으로 피수용재산의 객관적인 재산가치를 완전하게 보상하는 것이어야 한다는 완전보상을 뜻하는 것으로서 …… (헌재 1995. 4. 20, 93헌바20, 94헌바4, 95헌바6)

⑤ **빈출** ×

> 공공용물에 대한 일반사용(해안가 백사장에 대한 어선정박 등)이 적법한 개발행위로 인해 제한됨으로써 입는 불이익은 손실보상의 대상이 되는 특별한 희생이 아니다.
>
> 일반공중의 이용에 제공되는 공공용물에 대하여 특허 또는 허가를 받지 않고 하는 일반사용은 다른 개인의 자유이용과 국가 또는 지방자치단체 등의 공공목적을 위한 개발 또는 관리 · 보존행위를 방해하지 않는 범위 내에서만 허용된다 할 것이므로, 공공용물에 관하여 적법한 개발행위 등이 이루어짐으로 말미암아 이에 대한 일정 범위의 사람들의 일반사용이 종전에 비하여 제한받게 되었다 하더라도 특별한 사정이 없는 한 그로 인한 불이익은 손실보상의 대상이 되는 특별한 손실에 해당한다고 할 수 없다(대판 2002. 2. 26, 99다35300).

정답 01 ⑤

02 정답률 67% 중 2021 국가직 7급

재산권 보장과 손실보상에 대한 설명으로 옳은 것은? (다툼이 있는 경우 판례에 의함)

□□□ ① 공용수용은 공공필요에 부합하여야 하므로, 수용 등의 주체를 국가 등의 공적 기관에 한정하여야 한다.

□□□ ② 공익사업시행으로 인한 개발이익은 완전보상의 범위에 포함되는 피수용토지의 객관적 가치 내지 피수용자의 손실에 해당한다.

□□□ ③ 구 공유수면매립법상 간척사업의 시행으로 인하여 관행어업권이 상실된 경우, 실질적이고 현실적인 피해가 발생한 경우에만 공유수면매립법에서 정하는 손실보상청구권이 발생한다.

□□□ ④ 「공익사업을 위한 토지 등의 취득 및 보상에 관한 법률」에 따른 보상은 토지소유자나 관계인 개인별로 하는 것이 아니라 수용 또는 사용의 대상이 되는 물건별로 행해지는 것이다.

관련기출

①

1. 민간기업도 토지수용의 주체가 될 수 있다. (○, ×) 2021 군무원 7급
2. 우리 헌법상 수용의 주체를 국가로 한정하고 있지 않으므로 민간기업도 수용의 주체가 될 수 있다. (○, ×) 2019 사회복지직 9급
3. 민간기업을 토지수용의 주체로 정한 법률조항도 헌법 제23조 제3항에서 정한 '공공필요'를 충족하면 헌법에 위반되지 아니한다. (○, ×) 2016 서울시 9급
4. 헌법재판소는 「산업입지 및 개발에 관한 법률」에서 민간기업에게 산업단지 개발사업에 필요한 토지 등을 수용할 수 있도록 규정한 조항이 헌법 제23조 제3항에 위반되지 않는다고 판시하였다. (○, ×) 2014 사회복지직 9급

1. ○ 2. ○ 3. ○ 4. ○

③

1. 간척사업의 시행으로 종래의 관행어업권자에게 구 공유수면매립법에서 정하는 손실보상청구권이 인정되기 위해서는 매립면허고시 후 매립공사가 실행되어 관행어업권자에게 실질적이고 현실적인 피해가 발생해야 한다. (○, ×) 2023 서울시 지적 7급
2. 공유수면매립면허의 고시가 있다고 하여 반드시 그 사업이 시행되고 그로 인하여 손실이 발생한다고 할 수 없으므로, 매립면허고시 이후 매립공사가 실행되어 관행어업권자에게 실질적이고 현실적인 피해가 발생한 경우에만 구 공유수면매립법(1999. 2. 8, 법률 제5911호로 전부개정되기 전의 것)에서 정하는 손실보상청구권이 발생한다. (○, ×) 2020 경행경채
3. 공유수면매립면허의 고시가 있는 경우 그 사업이 시행되고 그로 인하여 직접 손실이 발생한다고 할 수 있으므로, 관행어업권자는 공유수면매립면허의 고시를 이유로 손실보상을 청구할 수 있다. (○, ×) 2019 지방직 · 교육행정직 9급
4. 손실보상이 인정되기 위해서는 재산권에 대한 침해가 현실적으로 발생하여야 하는 것은 아니다. (○, ×) 2015 경행특채 1차

1. ○ 2. ○ 3. × 4. ×

① **빈출** ×

민간기업을 수용의 주체로 규정한 「산업입지 및 개발에 관한 법률」 제22조 제1항은 공공필요 요건을 충족하므로 헌법 제23조 제3항에 위반되지 않는다.

헌법 제23조 제3항은 정당한 보상을 전제로 하여 재산권의 수용 등에 관한 가능성을 규정하고 있지만, 재산권 수용의 주체를 한정하지 않고 있다. 이는 재산의 수용과 관련하여 그 수용의 주체가 국가 등에 한정되어야 하는지, 아니면 민간기업에게도 허용될 수 있는지 여부에 대하여 헌법이라는 규범적 층위에서는 구체적으로 결정된 내용이 없다는 점을 의미하는 것이다. 따라서 위 수용 등의 주체를 국가 등의 공적 기관에 한정하여 해석할 이유가 없다(헌재 2009. 9. 24, 2007헌바114).

② 제31강 참조 ×

'정당한 보상'이라 함은 원칙적으로 피수용재산의 객관적인 재산가치를 완전하게 보상하여야 한다는 완전보상을 뜻하는 것이라 할 것이나, 투기적인 거래에 의하여 형성되는 가격은 정상적인 객관적 재산가치로는 볼 수 없으므로 이를 배제한다고 하여 완전보상의 원칙에 어긋나는 것은 아니며, 공익사업의 시행으로 지가가 상승하여 발생하는 개발이익은 궁극적으로는 국민 모두에게 귀속되어야 할 성질의 것이므로 이는 완전보상의 범위에 포함되는 피수용토지의 객관적 가치 내지 피수용자의 손실이라고는 볼 수 없다(대판 1993. 7. 13, 93누2131).

③ **빈출** ○

1. 간척사업의 시행으로 종래의 관행어업권자에게 구 공유수면매립법에서 정하는 손실보상청구권이 인정되기 위해서는 매립면허고시 후 매립공사가 실행되어 관행어업권자에게 실질적이고 현실적인 피해가 발생해야 한다.
2. 공유수면매립면허의 고시가 있다고 하여 반드시 그 사업이 시행되고 그로 인하여 손실이 발생한다고 할 수 없으므로, 매립면허고시 이후 매립공사가 실행되어 관행어업권자에게 실질적이고 현실적인 피해가 발생한 경우에만 공유수면매립법에서 정하는 손실보상청구권이 발생하였다고 할 것이다(대판 2010. 12. 9, 2007두6571).

④ 제31강 참조 ×
물건별이 아니라 개인별 보상이 원칙이다.

토지수용법(현 「공익사업을 위한 토지 등의 취득 및 보상에 관한 법률」)에 의한 보상은 피보상자 개인별로 행하여지며, 피보상자가 수용대상물건 중 전부 또는 일부에 관하여 불복이 있는 경우에는 그 불복의 사유를 주장하여 행정소송을 제기할 수 있다(대판 2000. 1. 28, 97누11720).

「공익사업을 위한 토지 등의 취득 및 보상에 관한 법률」 제64조 【개인별 보상】 손실보상은 토지소유자나 관계인에게 개인별로 하여야 한다. 다만, 개인별로 보상액을 산정할 수 없을 때에는 그러하지 아니하다.

참고

「공익사업을 위한 토지 등의 취득 및 보상에 관한 법률」 제63조 【현금보상 등】 ① 손실보상은 다른 법률에 특별한 규정이 있는 경우를 제외하고는 현금으로 지급하여야 한다.

정답 02 ③

03 중 2017 사회복지직 9급

「공익사업을 위한 토지 등의 취득 및 보상에 관한 법률」상 토지수용에 따른 권리구제에 대한 기술로 옳은 것은? (단, 다툼이 있는 경우 판례에 의함)

① 사업폐지에 대한 손실보상청구권은 사법상 권리로서 민사소송절차에 의해야 한다.
② 농업손실에 대한 보상청구권은 행정소송법상 당사자소송에 의해야 한다.
③ 수용재결에 불복하여 이의신청을 거쳐 취소소송을 제기하는 때에는 이의재결을 한 중앙토지수용위원회를 피고로 해야 한다.
④ 잔여지수용청구를 받아들이지 않는 토지수용위원회의 재결에 대해서는 취소소송을 제기할 수 있다.

관련기출

①

1. 「공익사업을 위한 토지 등의 취득 및 보상에 관한 법률」에 따른 사업폐지 등에 대한 보상청구권은 사법상 권리로서 그에 관한 소송은 민사소송절차에 의하여야 한다. (○, ×) 2019 지방직·교육행정직 9급
2. 공익사업으로 인하여 영업을 폐업하거나 휴업하는 자의 영업손실로 인한 보상에 관한 소송은 행정소송절차에 의하여야 한다. (○, ×) 2017 국가직 7급 변형
3. 공익사업의 시행으로 인하여 건축허가 등 관계법령에 의한 절차를 진행 중이던 사업이 폐지되는 경우 그 사업 등에 소요된 비용 등의 손실에 대한 쟁송은 민사소송절차에 의해야 한다. (○, ×) 2016 지방직 7급

1. × 2. ○ 3. ×

③

1. 이의신청을 거쳐 중앙토지수용위원회에서 이의재결이 내려진 경우 취소소송의 대상은 이의재결이고, 수용재결을 취소소송의 대상으로 할 수 없다. (○, ×) 2023 군무원 7급
2. 지방토지수용위원회의 재결에 대하여 이의를 신청하여 중앙토지수용위원회의 재결을 받은 자가 재결의 취소소송을 제기하려면 중앙토지수용위원회의 이의재결을 대상으로 하여야 한다. (○, ×) 2023 국회직 8급
3. 수용재결에 불복하여 취소소송을 제기하는 때에는 이의신청을 거친 경우에도 이의신청에 대한 재결 자체에 고유한 위법이 없는 한 수용재결을 한 중앙토지수용위원회 또는 지방토지수용위원회를 피고로 하여 수용재결의 취소를 구하여야 한다. (○, ×) 2022 소방직 9급
4. 토지소유자 등이 수용재결에 대해 이의신청을 거친 후 취소소송을 제기하는 경우에 그 대상은 이의신청에 대한 재결 자체에 고유한 위법이 없는 한 수용재결이다. (○, ×) 2022 소방간부
5. 중앙토지수용위원회의 이의재결에 불복하여 취소소송을 제기하는 경우에는 원처분인 수용재결을 대상으로 하여야 한다. (○, ×) 2019 국회직 8급

1. × 2. × 3. ○ 4. ○ 5. ○

① **빈출** ×

> 구 「공익사업을 위한 토지 등의 취득 및 보상에 관한 법률」 제79조 제2항 등에 따른 사업폐지 등에 대한 보상청구권에 관한 쟁송형태는 행정소송이다(대판 2012. 10. 11, 2010다23210).

② ○

> 토지보상법 제77조 제2항에 의한 농업손실에 대한 보상청구권은 행정쟁송절차에 의하여야 한다(대판 2011. 10. 13, 2009다43461).

③ 제31강 참조 ×

「공익사업을 위한 토지 등의 취득 및 보상에 관한 법률」은 재결주의를 취하고 있지 않다. 따라서 행정소송법에 따라 원처분주의가 적용되므로 수용재결에 대해 이의재결을 거친 후라도 원칙적으로 원처분인 수용재결을 소송대상으로, 수용재결을 행한 토지수용위원회를 피고로 하여야 한다.

> 토지소유자 등이 수용재결에 불복하여 이의신청을 거친 후 취소소송을 제기하는 경우 피고적격을 가지는 자는 수용재결을 한 토지수용위원회이며 소송대상은 수용재결이 된다(대판 2010. 1. 28, 2008두1504).

④ 제31강 참조 ×

잔여지수용청구권은 일방의 의사만으로 법률관계가 만들어지는 형성권이다. 따라서 잔여지수용청구권을 행사한 경우 토지수용위원회가 이를 받아들이지 않더라도 수용의 효과는 발생한다. 따라서 잔여지수용청구를 받아들이지 않은 토지수용위원회의 재결이 있더라도 이는 토지소유자의 수용청구권에 어떠한 영향을 주지 못하고, 다만 결과적으로 잔여지에 대한 보상금액을 책정하지 않음으로써 전체적으로 보았을 때 보상금액을 낮게 책정한 재결이 된다. 따라서 토지소유자는 보상금액에 대한 증액소송을 제기하면 된다.

> 구 「공익사업을 위한 토지 등의 취득 및 보상에 관한 법률」 제74조 제1항에 의한 잔여지수용청구를 받아들이지 않은 토지수용위원회의 재결에 대하여 토지소유자가 불복하여 제기하는 소송의 성질은 보상금의 증감에 관한 소송에 해당하므로 그 상대방은 사업시행자가 된다(대판 2010. 8. 19, 2008두822).

정답 03 ②

04 중

2015 경행특채 2차

손실보상에 관한 설명이다. 다음 중 가장 적절하지 않은 것은? (다툼이 있으면 판례에 의함)

□□□ ① 손실보상에 관한 일반법으로 손실보상법이 있다.

□□□ ② 손실보상이 인정되기 위해서는 재산권에 대한 실질적이고 현실적인 피해가 발생해야 한다.

□□□ ③ 손실발생의 원인에 대하여 책임이 없는 자가 경찰관의 적법한 직무집행에 자발적으로 협조하여 재산상의 손실을 입은 경우, 국가는 손실을 입은 자에 대하여 정당한 보상을 하여야 한다.

□□□ ④ 토지수용법 제51조가 규정하고 있는 '영업상의 손실'이란 수용의 대상이 된 토지 · 건물 등을 이용하여 영업을 하다가 그 토지 · 건물 등이 수용됨으로 인하여 영업을 할 수 없거나 제한을 받게 됨으로 인하여 생기는 직접적인 손실을 말한다.

① ×

행정상 손해배상에 관해서는 일반법인 국가배상법이 있으나 손실보상에 관한 일반법은 존재하지 않는다. 다만, 공익사업과 관련한 토지 등의 수용 및 사용과 손실보상에 관해서는 「공익사업을 위한 토지 등의 취득 및 보상에 관한 법률」(토지보상법)이 일반법적인 역할을 한다.

② ○

손실보상이 인정되기 위해서는 재산권에 대한 침해가 현실적으로 발생하여야 한다는 것이 판례의 입장이다(대판 2010. 12. 9, 2007두6571).

③ ○

경찰관직무집행법 제11조의2【손실보상】 ① 국가는 경찰관의 적법한 직무집행으로 인하여 다음 각 호의 어느 하나에 해당하는 손실을 입은 자에 대하여 정당한 보상을 하여야 한다.
1. 손실발생의 원인에 대하여 책임이 없는 자가 생명 · 신체 또는 재산상의 손실을 입은 경우(손실발생의 원인에 대하여 책임이 없는 자가 경찰관의 직무집행에 자발적으로 협조하거나 물건을 제공하여 생명 · 신체 또는 재산상의 손실을 입은 경우를 포함한다)
2. 손실발생의 원인에 대하여 책임이 있는 자가 자신의 책임에 상응하는 정도를 초과하는 생명 · 신체 또는 재산상의 손실을 입은 경우

④ ○

1. 영업을 하기 위하여 투자한 비용이나 그 영업을 통하여 얻을 것으로 기대되는 이익은 손실보상의 대상이 아니다.
2. '영업상의 손실'이란 수용의 대상이 된 토지 · 건물 등을 이용하여 영업을 하다가 그 토지 · 건물 등이 수용됨으로 인하여 영업을 할 수 없거나 제한을 받게 됨으로 인하여 생기는 직접적인 손실을 말하는 것이다.

   구 토지수용법 제51조가 규정하고 있는 '영업상의 손실'이란 수용의 대상이 된 토지 · 건물 등을 이용하여 영업을 하다가 그 토지 · 건물 등이 수용됨으로 인하여 영업을 할 수 없거나 제한을 받게 됨으로 인하여 생기는 직접적인 손실을 말하는 것이므로 위 규정은 영업을 하기 위하여 투자한 비용이나 그 영업을 통하여 얻을 것으로 기대되는 이익에 대한 손실보상의 근거규정이 될 수 없고, 그 외 구 토지수용법이나 구 「공공용지의 취득 및 손실보상에 관한 특례법」, 그 시행령 및 시행규칙 등 관계법령에도 영업을 하기 위하여 투자한 비용이나 그 영업을 통하여 얻을 것으로 기대되는 이익에 대한 손실보상의 근거규정이나 그 보상의 기준과 방법 등에 관한 규정이 없으므로, 이러한 손실은 그 보상의 대상이 된다고 할 수 없다(대판 2006. 1. 27, 2003두13106).

정답 04 ①

05 ㊤ 2011 지방직(하) 7급 변형

행정상 손실보상에 대한 설명으로 옳지 않은 것은? (다툼이 있는 경우 판례에 의함)

□□□ ① 문화적 · 학술적 가치는 특별한 사정이 없는 한 손실보상의 대상이 되지 않는다.

□□□ ② 사업시행자, 토지소유자 또는 관계인은 토지수용위원회의 재결에 불복할 때에는 재결서를 받은 날부터 90일 이내에 행정소송을 제기할 수 있다.

□□□ ③ 보상금 증감에 관한 행정소송의 경우 그 소송을 제기하는 자가 토지소유자 또는 관계인일 때에는 사업시행자를, 사업시행자일 때에는 토지소유자 또는 관계인을 각각 피고로 한다.

□□□ ④ 지장물인 건물은 적법한 건축허가를 받아 건축된 건물만이 손실보상의 대상이 된다.

관련기출

①

1. 문화적 · 학술적 가치는 특별한 사정이 없는 한 그 토지의 부동산으로서의 경제적 · 재산적 가치를 높여주는 것이므로 토지수용법 제51조 소정의 손실보상의 대상이 된다. (○, ×) 2016 경행경채
2. 토지의 문화적 · 학술적 가치는 특별한 사정이 없는 한 손실보상의 대상이 되지 않는다. (○, ×) 2012 국가직 9급
3. 자연적 · 문화적 · 학술적 가치도 특별한 사정이 없는 한 손실보상의 대상이 된다고 보는 것이 대법원 판례의 입장이다. (○, ×) 2009 관세사

1. × 2. ○ 3. ×

① 빈출 ○

토지의 문화적 · 학술적 가치는 특별한 사정이 없는 한 손실보상의 대상이 될 수 없다.

문화적 · 학술적 가치는 특별한 사정이 없는 한 그 토지의 부동산으로서 경제적 · 재산적 가치를 높여주는 것이 아니므로 토지수용법(현 토지보상법) 제51조 소정의 손실보상의 대상이 될 수 없으니, 이 사건 토지가 철새 도래지로서 자연 · 문화적인 학술가치를 지녔더라도 손실보상의 대상이 될 수 없다(대판 1989. 9. 12, 88누11216).

②③ 빈출 ○

「공익사업을 위한 토지 등의 취득 및 보상에 관한 법률」 제85조 【행정소송의 제기】 ① 사업시행자, 토지소유자 또는 관계인은 제34조에 따른 재결에 불복할 때에는 재결서를 받은 날부터 90일 이내에, 이의신청을 거쳤을 때에는 이의신청에 대한 재결서를 받은 날부터 60일 이내에 각각 행정소송을 제기할 수 있다(②). 이 경우 사업시행자는 행정소송을 제기하기 전에 제84조에 따라 늘어난 보상금을 공탁하여야 하며, 보상금을 받을 자는 공탁된 보상금을 소송이 종결될 때까지 수령할 수 없다.
② 제1항에 따라 제기하려는 행정소송이 보상금의 증감(增減)에 관한 소송인 경우 그 소송을 제기하는 자가 토지소유자 또는 관계인일 때에는 사업시행자를, 사업시행자일 때에는 토지소유자 또는 관계인을 각각 피고로 한다(③).

④ ×

토지수용법(현 「공익사업을 위한 토지 등의 취득 및 보상에 관한 법률」) 상의 사업인정 고시 이전에 건축된 지장물인 건물은 통상 적법한 건축허가를 받았는지 여부에 관계없이 손실보상의 대상이 된다(대판 2001. 4. 13, 2000두6411).

정답 05 ④

06 빈출 중 2011 사회복지직 9급

행정상 손실보상에 대한 설명으로 옳지 않은 것은? (다툼이 있는 경우 판례에 의함)

□□□ ① 하천법상 하천구역 편입토지에 대한 손실보상청구권은 공법상 권리이므로 행정소송절차에 의해야 한다.

□□□ ② 재산권의 수용 · 사용 · 제한은 법률로써 하여야 하고, 이 '법률'에 법률종속명령이나 조례는 포함되지 아니한다.

□□□ ③ 구 도시계획법에 따른 개발제한구역제도는 합헌이기에 개발제한구역으로 지정된 토지를 실질적으로 사용 · 수익할 수 없어 사회적 제약을 초과하는 가혹한 부담이 발생하더라도 보상 없이 감수하도록 하는 것도 합헌이다.

□□□ ④ 손실보상이 이루어지는 재산권에는 지가상승에 대한 기대이익이나 영업이익의 가능성이 포함되지 아니한다.

① ○

하천법상 하천구역 편입토지에 대한 손실보상청구권은 공법상 권리이므로 행정소송절차에 의해야 한다는 것이 판례의 입장이다(대판 2006. 5. 18, 2004다6207).

② ○

"공공필요에 의한 재산권의 수용 · 사용 및 제한은 법률로써 하여야 한다."라는 헌법 제23조 제3항에서의 법률은 국회제정의 형식적 의미의 법률을 의미하므로 법률의 근거 없이 명령 또는 조례로 수용을 할 수는 없다.

③ ×

헌법재판소는 개발제한구역제도 자체는 합헌이나 개발제한구역지정으로 말미암아 일부 토지소유자에게 사회적 제약의 범위를 넘는 부담이 발생하는 예외적인 경우(토지를 종래의 목적으로도 사용할 수 없거나 또는 실질적으로 토지의 사용 · 수익의 길이 없는 경우)에도 아무런 보상 없이 이를 감수하도록 하는 것은 비례의 원칙에 위배되어 당해 토지소유자의 재산권을 과도하게 침해하는 것으로서 헌법에 위반된다고 판시하였다.

> 개발제한구역지정으로 인하여 토지를 종래의 목적으로도 사용할 수 없거나 또는 더 이상 법적으로 허용된 토지이용의 방법이 없기 때문에 실질적으로 토지의 사용 · 수익의 길이 없는 경우에는 토지소유자가 수인해야 하는 사회적 제약의 한계를 넘는 것으로 보아야 한다. 이러한 경우에는 재산권의 사회적 기속성으로도 정당화될 수 없는 가혹한 부담을 토지소유자에게 부과하는 것이므로 입법자가 그 부담을 완화하는 보상규정을 두어야만 비로소 헌법상으로 허용될 수 있기 때문이다. 따라서 이 사건 법률조항은 위에서 살펴 본 바와 같이 원칙적으로는 토지재산권의 사회적 제약을 합헌적으로 구체화한 규정이지만, 토지소유자가 수인해야 할 사회적 제약의 정도를 넘는 경우에도 아무런 보상 없이 재산권의 과도한 제한을 감수해야 하는 의무를 부과하는 점에서는 위헌이다(헌재 1998. 12. 24, 89헌마214).

④ ○

지가상승의 기대와 같은 기대이익 또는 영업을 통하여 얻을 것으로 기대되는 이익은 현존하는 구체적인 재산가치로 볼 수 없으므로 손실보상의 대상이 된다고 할 수 없다. 토지보상법상 보상의 대상이 되는 영업손실은 수용의 대상이 된 토지 · 건물 등을 이용하여 영업을 하다가 그 토지 · 건물 등이 수용됨으로 인하여 영업을 할 수 없거나 제한을 받게 됨으로 인하여 생기는 직접적인 손실을 말하는 것이므로 영업이익의 가능성과는 구별하여야 한다.

정답 06 ③

제 31 강 행정상 손실보상 2 (손실보상의 기준과 내용 등)

1회독	2회독	3회독
/	/	/

⊘정답률 공단기/소방단기 합격예측 풀서비스 통계 데이터 기준 기 기본서 핵 핵심집약

01 손실보상의 기준과 내용

기 662~676쪽 핵 T 58

01 상 2023 소방간부

행정상 손실보상에 관한 설명으로 옳지 않은 것은? (다툼이 있는 경우 판례에 의함)

□□□ ① 매립면허 고시 이후 매립공사가 실행되어 관행어업권자에게 실질적이고 현실적인 피해가 발생한 경우에만 구 공유수면매립법에서 정하는 손실보상청구권이 발생한다.

□□□ ② 사업인정고시는 수용재결절차로 나아가 강제적인 방식으로 토지소유자나 관계인의 권리를 취득 · 보상하기 위한 요건으로서 영업손실보상청구를 위해서는 반드시 사업인정이나 수용이 전제되어야 한다.

□□□ ③ 국가는 손실발생의 원인에 대하여 책임이 없는 자가 경찰관의 적법한 직무집행에 자발적으로 협조하거나 물건을 제공하여 생명 · 신체 또는 재산상의 손실을 입은 경우에도 정당한 보상을 하여야 한다.

□□□ ④ 「공익사업을 위한 토지 등의 취득 및 보상에 관한 법률」상 보상액의 산정에 있어 재결에 의한 경우에는 수용 또는 사용의 재결 당시의 가격을 기준으로 하고, 해당 공익사업으로 인하여 토지 등의 가격이 변동되었을 때에는 이를 고려하지 아니한다.

□□□ ⑤ 국립공원구역지정 후 토지를 종래의 목적으로도 사용할 수 없거나 토지를 사적으로 사용할 수 있는 방법이 없이 공원구역 내 일부 토지소유자에 대하여 가혹한 부담을 부과하면서 아무런 보상규정을 두지 않은 경우에는 비례의 원칙에 위반되어 당해 토지소유자의 재산권을 과도하게 침해하는 것이라고 할 수 있다.

① ○

공유수면매립면허의 고시가 있다고 하여 반드시 그 사업이 시행되고 그로 인하여 손실이 발생한다고 할 수 없으므로, 매립면허 고시 이후 매립공사가 실행되어 관행어업권자에게 실질적이고 현실적인 피해가 발생한 경우에만 공유수면매립법에서 정하는 손실보상청구권이 발생한다는 것이 판례의 입장이다(대판 2010. 12. 9, 2007두6571).

② ×

〔지방자치단체가 전통시장 공영주차장 설치사업(공익사업)을 사업인정고시 없이 시행하면서 협의취득한 건물의 임차인들에게 영업손실보상을 하지 않은 사건에서〕 「공익사업을 위한 토지 등의 취득 및 보상에 관한 법률」(이하 '토지보상법')상 공익사업에 해당하지만 국토교통부장관의 사업인정고시가 없는 경우라도, 토지보상법상 영업손실보상에 관한 규정이 적용된다.

사업인정고시는 수용재결절차로 나아가 강제적인 방식으로 토지소유자나 관계인의 권리를 취득 · 보상하기 위한 절차적 요건에 지나지 않고 영업손실보상의 요건이 아니다. 따라서 피고가 시행하는 사업이 토지보상법상 공익사업에 해당하고 원고들의 영업이 해당 공익사업으로 폐업하거나 휴업하게 된 것이어서 토지보상법령에서 정한 영업손실보상대상에 해당하면, 사업인정고시가 없더라도 피고는 원고들에게 영업손실을 보상할 의무가 있다(대판 2021.11. 11, 2018다204022).

③ ○

경찰관직무집행법 제11조의2【손실보상】 ① 국가는 경찰관의 적법한 직무집행으로 인하여 다음 각 호의 어느 하나에 해당하는 손실을 입은 자에 대하여 정당한 보상을 하여야 한다.

1. 손실발생의 원인에 대하여 책임이 없는 자가 생명 · 신체 또는 재산상의 손실을 입은 경우(손실발생의 원인에 대하여 책임이 없는 자가 경찰관의 직무집행에 자발적으로 협조하거나 물건을 제공하여 생명 · 신체 또는 재산상의 손실을 입은 경우를 포함한다)

④ **빈출** ○

「공익사업을 위한 토지 등의 취득 및 보상에 관한 법률」 제67조【보상액의 가격시점 등】 ① 보상액의 산정은 협의에 의한 경우에는 협의성립 당시의 가격을, 재결에 의한 경우에는 수용 또는 사용의 재결 당시의 가격을 기준으로 한다.

② 보상액을 산정할 경우에 해당 공익사업으로 인하여 토지 등의 가격이 변동되었을 때에는 이를 고려하지 아니한다.

⑤ ○

국립공원구역지정 후 토지를 종래의 목적으로도 사용할 수 없거나 토지를 사적으로 사용할 수 있는 방법이 없이 공원구역 내 일부 토지소유자에 대하여 가혹한 부담을 부과하면서 아무런 보상규정을 두지 않은 경우에는 비례의 원칙에 위반되어 당해 토지소유자의 재산권을 과도하게 침해하는 것이라고 할 수 있다(헌재 2003. 4. 24, 99헌바110).

정답 01 ②

02 상

2021 국회직 8급

「공익사업을 위한 토지 등의 취득 및 보상에 관한 법률」(이하 토지보상법)상 손실보상에 대한 설명으로 옳지 않은 것은? (다툼이 있는 경우 판례에 의함)

□□□ ① 토지보상법상 재결에 대하여 불복절차를 취하지 아니함으로써 그 재결에 대하여 더 이상 다툴 수 없게 된 경우에는, 기업자는 그 재결이 당연무효이거나 취소되지 않는 한 이미 보상금을 지급받은 자에 대하여 민사소송으로 그 보상금을 부당이득이라 하여 반환을 구할 수 없다.

□□□ ② 이주대책대상자 선정에서 배제되어 수분양권을 취득하지 못한 이주자가 사업시행자를 상대로 공법상 당사자소송으로 이주대책상의 수분양권의 확인을 구하는 것은 허용될 수 없다.

□□□ ③ 하나의 재결에서 피보상자별로 여러 가지의 토지, 물건, 권리 또는 영업의 손실에 관하여 심리 · 판단이 이루어졌을 때, 피보상자 또는 사업시행자가 반드시 재결 전부에 관하여 불복하여야 하는 것은 아니다.

□□□ ④ 사업시행자가 이주대책에 관한 구체적인 계획을 수립하여 이를 해당자에게 통지 내지 공고하게 되면 이주대책대상자에게 구체적인 수분양권이 발생하게 된다.

□□□ ⑤ 토지보상법에 의한 보상을 하면서 손실보상금에 관한 당사자 간의 합의가 성립하면 그 합의내용이 토지보상법에서 정하는 손실보상기준에 맞지 않는다고 하더라도 합의가 적법하게 취소되는 등의 특별한 사정이 없는 한 추가로 토지보상법상 기준에 따른 손실보상금청구를 할 수는 없다.

관련기출

①

1. 구 토지수용법 및 관계법령에 따라 행해진 재결에 대하여 불복절차를 취하지 아니함으로써 그 재결에 대하여 더 이상 다툴 수 없게 된 경우, 기업자(사업시행자)는 그 재결이 당연무효이거나 취소되지 않는 한 이미 보상금을 지급받은 자에 대하여 민사소송으로 그 보상금을 부당이득이라 하여 반환청구할 수 없다. (○, ×) 2014 지방직 7급

1. ○

③

1. 하나의 재결에서 피보상자별로 여러 가지의 토지, 물건, 권리 또는 영업의 손실에 관하여 심리 · 판단이 이루어졌을 때, 피보상자 또는 사업시행자가 여러 보상항목들 중 일부에 관해서만 불복하는 경우 반드시 재결 전부에 관하여 불복하여야 하는 것은 아니다. (○, ×) 2023 지방직 · 서울시 7급

1. ○

① ○

재결에 대하여 불복절차를 취하지 아니함으로써 그 재결에 대하여 더 이상 다툴 수 없게 된 경우, 기업자가 이미 보상금을 지급받은 자에 대하여 민사소송으로 부당이득의 반환을 구할 수는 없다.

재결에 대하여 불복절차를 취하지 아니함으로써 그 재결에 대하여 더 이상 다툴 수 없게 된 경우에는 기업자는 그 재결이 당연무효이거나 취소되지 않는 한, 이미 보상금을 지급받은 자에 대하여 민사소송으로 그 보상금을 부당이득이라 하여 반환을 구할 수 없다(대판 2001. 4. 27, 2000다50237).

② ○

④ **빈출** ×

1. 「공공용지의 취득 및 손실보상에 관한 특례법」 제8조 제1항이 사업시행자에게 이주대책의 수립 · 실시의무를 부과하고 있다고 하여 그 규정 자체만에 의하여 이주자에게 사업시행자가 수립한 이주대책상의 택지분양권이나 아파트 입주권 등을 받을 수 있는 구체적인 권리(수분양권)가 직접 발생하는 것이라고는 도저히 볼 수 없으며, 사업시행자가 이주대책에 관한 구체적인 계획을 수립하여 이를 해당자에게 통지 내지 공고한 후, 이주자가 수분양권을 취득하기를 희망하여 이주대책에 정한 절차에 따라 사업시행자에게 이주대책대상자 선정신청을 하고 사업시행자가 이를 받아들여 이주대책대상자로 확인 · 결정하여야만 비로소 구체적인 수분양권이 발생하게 된다(④).
2. 위와 같은 사업시행자가 하는 확인 · 결정은 곧 구체적인 이주대책상의 수분양권을 취득하기 위한 요건이 되는 행정작용으로서의 처분인 것이지, 결코 이를 단순히 절차상의 필요에 따른 사실행위에 불과한 것으로 평가할 수는 없다. 따라서 수분양권의 취득을 희망하는 이주자가 소정의 절차에 따라 이주대책대상자 선정신청을 한 데 대하여 사업시행자가 이주대책대상자가 아니라고 하여 위 확인 · 결정 등의 처분을 하지 않고 이를 제외시키거나 또는 거부조치한 경우에는, 이주자로서는 당연히 사업시행자를 상대로 항고소송에 의하여 그 제외처분 또는 거부처분의 취소를 구할 수 있다고 보아야 한다. …… 이주자가 사업시행자에 대한 이주대책대상자 선정신청 및 이에 따른 확인 · 결정 등 절차를 밟지 아니하여 구체적인 수분양권을 아직 취득하지도 못한 상태에서 곧바로 분양의무의 주체를 상대방으로 하여 민사소송이나 공법상 당사자소송으로 이주대책상의 수분양권의 확인 등을 구하는 것은 허용될 수 없다(②)(대판 1994. 5. 24, 92다35783 전합).

③ ○

하나의 재결에서 피보상자별로 여러 가지의 토지, 물건, 권리 또는 영업의 손실에 관하여 심리 · 판단이 이루어졌을 때, 피보상자 또는 사업시행자가 반드시 재결 전부에 관하여 불복하여야 하는 것은 아니며, 여러 보상항목들 중 일부에 관해서만 불복하는 경우에는 그 부분에 관해서만 개별적으로 불복의 사유를 주장하여 행정소송을 제기할 수 있다(대판 2018. 5. 15, 2017두41221).

⑤ ○

「공익사업을 위한 토지 등의 취득 및 보상에 관한 법률」에 의한 보상을 하면서 손실보상금에 관한 당사자 간의 합의가 성립한 경우, 그 합의내용이 같은 법에서 정하는 손실보상기준에 맞지 않는다고 하더라도 특별한 사정이 없는 한 그 기준에 따른 손실보상금 청구를 추가로 할 수는 없다(대판 2013. 8. 22, 2012다3517).

정답 02 ④

03 정답률 56% 중 2019 국가직 7급

손실보상에 대한 판례의 입장으로 옳은 것은?

□□□ ① 이주대책은 이른바 생활보상에 해당하는 것으로서 헌법 제23조 제3항이 규정하는 손실보상의 한 형태로 보아야 하므로, 법률이 사업시행자에게 이주대책의 수립 · 실시의무를 부과하였다면 이로부터 사업시행자가 수립한 이주대책상의 택지분양권 등의 구체적 권리가 이주자에게 직접 발생한다.

□□□ ② 공공사업시행으로 사업시행지 밖에서 발생한 간접손실은 손실발생을 쉽게 예견할 수 있고 손실 범위도 구체적으로 특정할 수 있더라도, 사업시행자와 협의가 이루어지지 않고 그 보상에 관한 명문의 근거법령이 없는 경우에는 보상의 대상이 아니다.

□□□ ③ 공익사업으로 인해 농업손실을 입은 자가 사업시행자에게서 「공익사업을 위한 토지 등의 취득 및 보상에 관한 법률」에 따른 보상을 받으려면 재결절차를 거쳐야 하고, 이를 거치지 않고 곧바로 민사소송으로 보상금을 청구하는 것은 허용되지 않는다.

□□□ ④ 「공익사업을 위한 토지 등의 취득 및 보상에 관한 법률」상 주거용 건축물 세입자의 주거이전비보상청구권은 사법상의 권리이고, 주거이전비 보상청구소송은 민사소송에 의해야 한다.

관련기출

①

1. 이주대책은 생활보상의 한 내용이므로 이주대책이 수립되면 이주자들에게는 구체적인 권리가 발생하며, 사업시행자의 확인 · 결정이 있어야만 구체적인 수분양권이 발생하는 것은 아니다. (○, ×) 2016 국가직 7급
2. 이주대책대상자로 확인 · 결정이 되어야 이주대책대상자가 비로소 수분양권을 취득한다. (○, ×) 2015 국회직 8급

1. × 2. ○

③

1. 공익사업으로 인하여 영업을 폐지하거나 휴업하는 자는 구 「공익사업을 위한 토지 등의 취득 및 보상에 관한 법률」에 규정된 재결절차를 거치지 않은 채 곧바로 사업시행자를 상대로 영업손실보상을 청구할 수 없다. (○, ×) 2019 국회직 8급
2. 구 「공익사업을 위한 토지 등의 취득 및 보상에 관한 법률」의 관련규정에 의하여 취득하는 어업피해에 관한 손실보상청구권은 민사소송의 방법으로 행사할 수는 없고 재결절차를 거치지 않은 채 곧바로 사업시행자를 상대로 손실보상을 청구하는 것도 허용되지 않는다. (○, ×) 2019 국회직 8급

1. ○ 2. ○

④

1. 「공익사업을 위한 토지 등의 취득 및 보상에 관한 법률」상의 주거이전비 보상청구소송은 공법상 당사자소송에 해당한다. (○, ×) 2015 지방직 7급
2. 공익사업의 시행으로 인하여 이주하는 주거용 건축물의 세입자에게 인정되는 주거이전비 보상청구권은 민법상의 권리이다. (○, ×) 2010 서울시 9급

1. ○ 2. ×

① ×

구 「공공용지의 취득 및 손실보상에 관한 특례법」 제8조 제1항(현 토지보상법 제78조)에 의하여 이주자에게 이주대책상의 택지분양권이나 아파트입주권 등을 받을 수 있는 구체적인 권리(수분양권)가 직접 발생하는 것이 아니라 사업시행자가 이주대책대상자로 확인 · 결정하여야만 비로소 구체적인 수분양권이 발생하게 된다(대판 1994. 5. 24, 92다35783 전합).

② ×

공공사업의 시행 결과 그 공공사업의 시행이 기업지 밖에 미치는 간접손실에 관하여 그 피해자와 사업시행자 사이에 협의가 이루어지지 아니하고 그 보상에 관한 명문의 근거법령이 없는 경우라고 하더라도 공공사업의 시행으로 인하여 그러한 손실이 발생하리라는 것을 쉽게 예견할 수 있고 그 손실의 범위도 구체적으로 이를 특정할 수 있는 경우라면 「공공용지의 취득 및 손실보상에 관한 특례법 시행규칙」의 관련규정 등을 유추적용하여 보상할 수 있다(대판 1999. 10. 8, 99다27231).

③ ○

공익사업을 위한 토지 등의 취득 및 보상에 관한 법령상 규정들에 따른 농업손실보상청구권은 공익사업의 시행 등 적법한 공권력의 행사에 의한 재산상의 특별한 희생에 대하여 전체적인 공평부담의 견지에서 공익사업의 주체가 그 손해를 보상하여 주는 손실보상의 일종으로 공법상의 권리임이 분명하므로 그에 관한 쟁송은 민사소송이 아닌 행정소송절차에 의하여야 할 것이고, 위 규정들과 구 토지보상법 제26조 등을 종합하여 보면, 공익사업으로 인하여 농업의 손실을 입게 된 자가 사업시행자로부터 구 토지보상법 제77조 제2항에 따라 농업손실에 대한 보상을 받기 위해서는 구 토지보상법 제34조, 제50조 등에 규정된 재결절차를 거친 다음 그 재결에 대하여 불복이 있는 때에 비로소 구 토지보상법 제83조 내지 제85조에 따라 권리구제를 받을 수 있다(대판 2011. 10. 13, 2009다43461).

④ ×

구 「공익사업을 위한 토지 등의 취득 및 보상에 관한 법률」에 따른 주거용 건축물 세입자의 주거이전비 보상청구소송은 당사자소송에 의하여야 한다.

주거이전비는 당해 공익사업시행지구 안에 거주하는 세입자들의 조기이주를 장려하여 사업추진을 원활하게 하려는 정책적인 목적과 주거이전으로 인하여 특별한 어려움을 겪게 될 세입자들을 대상으로 하는 사회보장적인 차원에서 지급되는 금원의 성격을 가지므로, 적법하게 시행된 공익사업으로 인하여 이주하게 된 주거용 건축물 세입자의 주거이전비보상청구권은 공법상의 권리이고, 따라서 그 보상을 둘러싼 쟁송은 민사소송이 아니라 공법상의 법률관계를 대상으로 하는 행정소송에 의하여야 한다(대판 2008. 5. 29, 2007다8129).

정답 03 ③

04 정답률 48% 상 2019 지방직 · 교육행정직 9급

손실보상에 대한 설명으로 옳은 것은? (다툼이 있는 경우 판례에 의함)

□□□ ① 「공익사업을 위한 토지 등의 취득 및 보상에 관한 법률」에 의한 잔여지수용청구를 받아들이지 않은 토지수용위원회의 재결에 대하여 토지소유자가 불복하여 제기하는 소송은 항고소송에 해당한다.

□□□ ② 「공익사업을 위한 토지 등의 취득 및 보상에 관한 법률」에 따른 사업폐지 등에 대한 보상청구권은 사법상 권리로서 그에 관한 소송은 민사소송절차에 의하여야 한다.

□□□ ③ 「공익사업을 위한 토지 등의 취득 및 보상에 관한 법률」에 의한 보상합의는 공공기관이 사경제주체로서 행하는 사법상 계약의 실질을 가진다.

□□□ ④ 공유수면매립면허의 고시가 있는 경우 그 사업이 시행되고 그로 인하여 직접 손실이 발생한다고 할 수 있으므로, 관행어업권자는 공유수면매립면허의 고시를 이유로 손실보상을 청구할 수 있다.

관련기출

①

1. 토지보상법에 의한 보상금증감청구소송은 보상금의 증액 또는 감액 청구에 관한 소송이므로 잔여지 수용청구를 거절한 재결에 불복하는 소송은 '보상금의 증감에 관한 소송'에 해당되지 아니한다. (○, ×) 2023 지방직 · 서울시 7급
2. 잔여지 수용청구를 받아들이지 않은 토지수용위원회의 재결에 대하여 토지소유자가 불복하여 제기하는 소송은 보상금의 증감에 관한 소송에 해당하여 사업시행자를 피고로 하여야 한다. (○, ×) 2023 서울시 지적 7급
3. 잔여지수용청구권은 그 요건을 구비한 때에는 잔여지를 수용하는 토지수용위원회의 재결이 없더라도 그 청구에 의하여 수용의 효과가 발생하는 형성권적 성질을 가진다. (○, ×) 2020 국가직 7급
4. 「공익사업을 위한 토지 등의 취득 및 보상에 관한 법률」상 잔여지수용청구를 받아들이지 않은 토지수용위원회의 재결에 대하여 토지소유자가 불복하여 제기하는 소송은 항고소송에 해당하여 토지수용위원회를 피고로 하여야 한다. (○, ×) 2020 군무원 7급
5. 「공익사업을 위한 토지 등의 취득 및 보상에 관한 법률」상 잔여지수용청구권은 형성권적 성질을 가지므로, 잔여지수용청구를 받아들이지 않은 재결에 대하여 토지소유자가 불복하여 제기하는 소송은 보상금증감청구소송에 해당한다. (○, ×) 2017 지방직(하) 9급

1. × 2. ○ 3. ○ 4. × 5. ○

③

1. 「공익사업을 위한 토지 등의 취득 및 보상에 관한 법률」에 의한 보상합의는 공공기관이 사경제주체로서 행하는 사법상 계약의 실질을 가진다. (○, ×) 2024 해경승진, 2023 서울시 지적 7급
2. 사업시행자가 토지소유자 및 관계인과 행하는 토지 등에 대한 보상의 협의는 공법상 계약이다. (○, ×) 2023 서울시 연구사

1. ○ 2. ×

① 빈출 ×

구 「공익사업을 위한 토지 등의 취득 및 보상에 관한 법률」 제74조 제1항에 의한 잔여지수용청구를 받아들이지 않은 토지수용위원회의 재결에 대하여 토지소유자가 불복하여 제기하는 소송의 성질은 보상금의 증감에 관한 소송에 해당하므로 그 상대방은 사업시행자가 된다.

구 「공익사업을 위한 토지 등의 취득 및 보상에 관한 법률」 제74조 제1항에 규정되어 있는 잔여지수용청구권은 손실보상의 일환으로 토지소유자에게 부여되는 권리로서 그 요건을 구비한 때에는 잔여지를 수용하는 토지수용위원회의 재결이 없더라도 그 청구에 의하여 수용의 효과가 발생하는 형성권적 성질을 가지므로, 잔여지수용청구를 받아들이지 않은 토지수용위원회의 재결에 대하여 토지소유자가 불복하여 제기하는 소송은 위 법 제85조 제2항에 규정되어 있는 '보상금의 증감에 관한 소송'에 해당하여 사업시행자를 피고로 하여야 한다(대판 2010. 8. 19, 2008두822).

② ×

구 「공익사업을 위한 토지 등의 취득 및 보상에 관한 법률」 제79조 제2항 등에 따른 사업폐지 등에 대한 보상청구권에 관한 쟁송형태는 행정소송이다.

구 「공익사업을 위한 토지 등의 취득 및 보상에 관한 법률」 제79조 제2항, 「공익사업을 위한 토지 등의 취득 및 보상에 관한 법률 시행규칙」 제57조에 따른 사업폐지 등에 대한 보상청구권은 공익사업의 시행 등 적법한 공권력의 행사에 의한 재산상 특별한 희생에 대하여 전체적인 공평부담의 견지에서 공익사업의 주체가 손해를 보상하여 주는 손실보상의 일종으로 공법상 권리임이 분명하므로 그에 관한 쟁송은 민사소송이 아닌 행정소송절차에 의하여야 한다(대판 2012. 10. 11, 2010다23210).

③ 빈출 ○

「공익사업을 위한 토지 등의 취득 및 보상에 관한 법률」에 의한 보상합의는 공공기관이 사경제주체로서 행하는 사법상 계약의 실질을 가지는 것이다(대판 2013. 8. 22, 2012다3517).

④ ×

1. 간척사업의 시행으로 종래의 관행어업권자에게 구 공유수면매립법에서 정하는 손실보상청구권이 인정되기 위해서는 매립면허고시 후 매립공사가 실행되어 관행어업권자에게 실질적이고 현실적인 피해가 발생해야 한다.
2. 공유수면매립면허의 고시가 있다고 하여 반드시 그 사업이 시행되고 그로 인하여 손실이 발생한다고 할 수 없으므로, 매립면허고시 이후 매립공사가 실행되어 관행어업권자에게 실질적이고 현실적인 피해가 발생한 경우에만 공유수면매립법에서 정하는 손실보상청구권이 발생하였다고 할 것이다(대판 2010. 12. 9, 2007두6571).

정답 04 ③

05 정답률 45% 중 2019 소방직 9급 변형

행정상 손실보상에 관한 설명으로 옳지 않은 것은? (다툼이 있는 경우 판례에 의함)

□□□ ① 헌법 제23조 제3항에 규정된 '정당한 보상'은 상당보상을 의미한다는 것이 헌법재판소의 입장이다.

□□□ ② 토지수용으로 인한 보상액을 산정함에 있어서 당해 공공사업과 관계없는 다른 사업의 시행으로 인한 개발이익은 이를 배제하지 아니한 가격으로 평가하여야 한다.

□□□ ③ 「공익사업을 위한 토지 등의 취득 및 보상에 관한 법률」상의 잔여지수용청구는 매수에 관한 협의가 성립되지 아니한 경우에만 할 수 있으며, 사업완료일까지 하여야 한다.

□□□ ④ 사업시행자의 이주대책 수립 · 실시의무를 정하고 있는 「공익사업을 위한 토지 등의 취득 및 보상에 관한 법률」상 규정은 당사자의 합의에 의하여 적용을 배제할 수 없는 강행법규이다.

관련기출

②

1. 당해 공익사업으로 인한 개발이익을 손실보상액 산정에서 배제하는 것은 헌법상 정당보상의 원칙에 위배되지 아니한다. (○, ×) 2017 국가직(하) 9급
2. 토지수용으로 인한 손실보상액을 산정함에 있어 당해 공공사업의 시행과 관련이 없는 다른 사업으로 인한 개발이익을 배제한 가격으로 평가하여야 한다. (○, ×) 2008 지방직 7급

1. ○ 2. ×

① ×

헌법 제23조 제3항에 규정된 '정당한 보상'의 의미에 대해 완전보상설과 상당보상설의 견해대립이 있는바, 통설 및 판례는 완전보상을 의미한다고 본다.

> 정당한 보상이란 완전보상을 뜻하는 것으로서 보상금액뿐만 아니라 보상의 시기나 방법 등에 있어서도 어떠한 제한을 두어서는 아니 된다는 것을 의미한다(헌재 1995. 4. 20, 93헌바20, 94헌바4, 95헌바6).

② **빈출** ○

> 1. 토지수용으로 인한 손실보상액을 산정함에 있어서 당해 사업으로 인한 개발이익은 피수용자의 객관적 재산가치에 포함되지 아니하므로 개발이익을 배제하는 것은 정당하다(대판 1993. 7. 27, 92누11084).
> 2. 토지수용으로 인한 손실보상액 산정에 있어 '당해 공공사업'과는 상관없는 '다른 사업'의 시행으로 인한 개발이익을 배제하여서는 안 된다(대판 1992. 2. 11, 91누7774).

③ ○

> **「공익사업을 위한 토지 등의 취득 및 보상에 관한 법률」 제74조【잔여지 등의 매수 및 수용청구】** ① 동일한 소유자에게 속하는 일단의 토지의 일부가 협의에 의하여 매수되거나 수용됨으로 인하여 잔여지를 종래의 목적에 사용하는 것이 현저히 곤란할 때에는 해당 토지소유자는 사업시행자에게 잔여지를 매수하여 줄 것을 청구할 수 있으며, 사업인정 이후에는 관할 토지수용위원회에 수용을 청구할 수 있다. 이 경우 수용의 청구는 매수에 관한 협의가 성립되지 아니한 경우에만 할 수 있으며, 사업완료일까지 하여야 한다.

④ ○

> 사업시행자의 이주대책 수립 · 실시의무를 정하고 있는 구 「공익사업을 위한 토지 등의 취득 및 보상에 관한 법률」 제78조 제1항과 이주대책의 내용을 정하고 있는 같은 조 제4항 본문은 당사자의 합의 또는 사업시행자의 재량에 의하여 적용을 배제할 수 없는 강행법규이다.
>
> 위 법에 의한 이주대책은 공익사업의 시행에 필요한 토지 등을 제공함으로 인하여 생활의 근거를 상실하게 되는 이주대책대상자들에게 종전 생활상태를 원상으로 회복시키면서 동시에 인간다운 생활을 보장하여 주기 위하여 마련된 제도이므로, 사업시행자의 이주대책 수립 · 실시의무를 정하고 있는 구 토지보상법 제78조 제1항은 물론 이주대책의 내용에 관하여 규정하고 있는 같은 조 제4항 본문 역시 당사자의 합의 또는 사업시행자의 재량에 의하여 적용을 배제할 수 없는 강행법규이다(대판 2011. 6. 23, 2007다63089 · 63096 전합).

정답 05 ①

06 정답률 84% 하 2017 서울시 9급

「공익사업을 위한 토지 등의 취득 및 보상에 관한 법률」상 손실보상의 원칙에 관한 설명으로 옳지 않은 것은?

① 동일한 사업지역에 보상시기를 달리하는 동일인 소유의 토지 등이 여러 개 있는 경우 토지소유자나 관계인이 요구할 때에는 한꺼번에 보상금을 지급하도록 하여야 한다.

② 공익사업에 필요한 토지 등의 취득 또는 사용으로 인하여 토지소유자나 관계인이 입은 손실은 사업시행자가 보상하여야 한다.

③ 보상액의 산정은 협의에 의한 경우에는 협의성립 당시의 가격을, 재결에 의한 경우에는 수용 또는 사용의 재결 당시의 가격을 기준으로 한다.

④ 보상액을 산정할 경우에 해당 공익사업으로 인하여 토지 등의 가격이 변동되었을 때에는 이를 고려하여야 한다.

① ○

> **「공익사업을 위한 토지 등의 취득 및 보상에 관한 법률」 제65조 【일괄보상】** 사업시행자는 동일한 사업지역에 보상시기를 달리하는 동일인 소유의 토지 등이 여러 개 있는 경우 토지소유자나 관계인이 요구할 때에는 한꺼번에 보상금을 지급하도록 하여야 한다.

② ○

> **「공익사업을 위한 토지 등의 취득 및 보상에 관한 법률」 제61조 【사업시행자 보상】** 공익사업에 필요한 토지 등의 취득 또는 사용으로 인하여 토지소유자나 관계인이 입은 손실은 사업시행자가 보상하여야 한다.

③ ○

④ ×

> **「공익사업을 위한 토지 등의 취득 및 보상에 관한 법률」 제67조 【보상액의 가격시점 등】** ① 보상액의 산정은 협의에 의한 경우에는 협의성립 당시의 가격을, 재결에 의한 경우에는 수용 또는 사용의 재결 당시의 가격을 기준으로 한다(③).
> ② 보상액을 산정할 경우에 해당 공익사업으로 인하여 토지 등의 가격이 변동되었을 때에는 이를 고려하지 아니한다(④).

정답 06 ④

07 상 2015 국회직 8급

다음 중 생활보상에 대한 설명으로 옳지 않은 것은? (다툼이 있는 경우 판례에 의함)

□□□ ① 생활보상은 피수용자가 종전과 같은 생활을 유지할 수 있도록 실질적으로 보장하는 보상을 말한다.

□□□ ② 도시개발사업의 사업시행자는 이주대책기준을 정하여 이주대책대상자 가운데 이주대책을 수립 · 실시하여야 할 자를 선정하여 그들에게 공급할 택지 등을 정하는 데 재량을 갖는다.

□□□ ③ 생활대책대상자 선정기준에 해당하는 자는 자신을 생활대책대상자에서 제외하거나 선정을 거부한 사업시행자를 상대로 항고소송을 제기할 수 있다.

□□□ ④ 이주대책대상자로 확인 · 결정이 되어야 이주대책대상자가 비로소 수분양권을 취득한다.

□□□ ⑤ 사업시행자 스스로 생활대책을 수립 · 실시하는 경우, 이는 내부적인 기준에 불과하므로 생활대책대상자 선정기준에 해당하는 자는 사업시행자에게 생활대책대상자 선정 여부의 확인 · 결정을 신청할 수 있는 권리를 갖지 못한다.

관련기출

②

1. 사업시행자는 이주대책을 수립할 의무를 질 뿐, 그 내용결정에 있어서 재량권을 갖는 것은 아니다. (○, ×) 2010 지방직 7급

1. ×

③⑤

1. 사업시행자 스스로 공익사업의 원활한 시행을 위하여 생활대책을 수립 · 실시할 수 있도록 하는 내부규정을 두고 이에 따라 생활대책대상자 선정기준을 마련하여 생활대책을 수립 · 실시하는 경우, 생활대책대상자 선정기준에 해당하는 자기 자신을 생활대책대상자에서 제외하거나 선정을 거부한 사업시행자를 상대로 항고소송을 제기할 수 있다. (○, ×) 2022 군무원 9급

1. ○

① ○

생활보상은 피수용자에게 수용이 없었던 것과 동일한 생활상태의 실현을 목적으로 한다.

② ○

도시개발사업의 사업시행자는 이주대책기준을 정하여 이주대책대상자 가운데 이주대책을 수립 · 실시하여야 할 자를 선정하여 그들에게 공급할 택지 등을 정하는 데 재량을 가진다(대판 2009. 3. 12, 2008두12610).

③ ○

⑤ ×

1. 생활대책에 관한 분명한 근거규정을 두고 있지는 않으나, 생활대책을 수립 · 실시할 수 있도록 하는 내부규정을 두고 있고 내부규정에 따라 생활대책대상자 선정기준을 마련하여 생활대책을 수립 · 실시하는 경우 이러한 생활대책 역시 헌법 제23조 제3항에 따른 정당한 보상에 포함되는 것으로 보아야 한다.
2. 사업시행자 스스로 공익사업의 원활한 시행을 위하여 생활대책을 수립 · 실시할 수 있도록 하는 내부규정을 두고 이에 따라 생활대책대상자 선정기준을 마련하여 생활대책을 수립 · 실시하는 경우 이러한 생활대책대상자 선정기준에 해당하는 자는 사업시행자에게 생활대책대상자 선정 여부의 확인 · 결정을 신청할 수 있는 권리를 가진다(⑤).
3. 따라서 생활대책대상자 선정기준에 해당하는 자가 자신을 생활대책대상자에서 제외하거나 선정을 거부한 사업시행자를 상대로 항고소송을 제기할 수 있다(③)(대판 2011. 10. 13, 2008두17905).

④ ○

구「공공용지의 취득 및 손실보상에 관한 특례법」 제8조 제1항(현 토지보상법 제78조)에 의하여 이주자에게 이주대책상의 택지분양권이나 아파트입주권 등을 받을 수 있는 구체적인 권리(수분양권)가 직접 발생하는 것이 아니라 사업시행자가 이주대책대상자로 확인 · 결정하여야만 비로소 구체적인 수분양권이 발생하게 된다는 것이 판례의 입장이다(대판 1994. 5. 24, 92다35783 전합).

정답 07 ⑤

02 손실보상의 유형과 지급 기 677~679쪽 핵 T 58

08 중 2017 지방직(하) 9급

손실보상에 대한 설명으로 옳지 않은 것은? (다툼이 있는 경우 판례에 의함)

① 농지개량사업 시행지역 내의 토지 등 소유자가 토지사용에 관한 승낙을 한 경우, 그에 대한 정당한 보상을 받지 않았더라도 농지개량사업 시행자는 토지소유자 및 그 승계인에 대하여 보상할 의무가 없다.

② 「공익사업을 위한 토지 등의 취득 및 보상에 관한 법률」상 토지수용위원회의 수용재결에 대한 이의절차는 실질적으로 행정심판의 성질을 갖는 것이므로 동법에 특별한 규정이 있는 것을 제외하고는 행정심판법의 규정이 적용된다.

③ 「공익사업을 위한 토지 등의 취득 및 보상에 관한 법률」상 수용재결이나 이의신청에 대한 재결에 불복하는 행정소송의 제기는 사업의 진행 및 토지 수용 또는 사용을 정지시키지 아니한다.

④ 「공익사업을 위한 토지 등의 취득 및 보상에 관한 법률」상 잔여지수용청구권은 형성권적 성질을 가지므로, 잔여지수용청구를 받아들이지 않은 재결에 대하여 토지소유자가 불복하여 제기하는 소송은 보상금증감청구소송에 해당한다.

① ×

농지개량사업 시행지역 내의 토지 등 소유자가 토지사용에 관한 승낙을 하였더라도 그에 대한 정당한 보상을 받은 바가 없다면 농지개량사업 시행자는 토지소유자 및 승계인에 대하여 보상할 의무가 있고, 그러한 보상 없이 타인의 토지를 점유 · 사용하는 것은 법률상 원인 없이 이득을 얻은 때에 해당한다(대판 2016. 6. 23, 2016다206369).

② ○

토지수용위원회의 수용재결에 대한 이의절차는 실질적으로 행정심판의 성질을 갖는 것이므로 토지수용법(현 토지보상법)에 특별한 규정이 있는 것을 제외하고는 행정심판법의 규정이 적용된다고 할 것이다(대판 1992. 6. 9, 92누565).

③ ○

토지소유자 등은 토지수용위원회의 수용재결이나 이의신청에 대한 재결에 대하여 불복이 있는 때에는 행정소송 제기가 가능하다. 이때 행정소송의 제기는 사업의 진행 및 토지의 수용 또는 사용을 정지시키지 아니한다.

「공익사업을 위한 토지 등의 취득 및 보상에 관한 법률」 제88조【처분효력의 부정지】 제83조에 따른 이의의 신청이나 제85조에 따른 행정소송의 제기는 사업의 진행 및 토지의 수용 또는 사용을 정지시키지 아니한다.

④ ○

구 「공익사업을 위한 토지 등의 취득 및 보상에 관한 법률」 제74조 제1항에 의한 잔여지수용청구를 받아들이지 않은 토지수용위원회의 재결에 대하여 토지소유자가 불복하여 제기하는 소송의 성질은 보상금의 증감에 관한 소송에 해당한다는 것이 판례의 입장이다(대판 2010. 8. 19, 2008두822).

정답 08 ①

03 손실보상의 절차와 불복 기 680~685쪽 핵 T 58

09 정답률 59% 상 2024 지방직 · 서울시 9급

손실보상에 대한 설명으로 옳은 것만을 모두 고르면? (다툼이 있는 경우 판례에 의함)

□□□ ㉠ 공공필요에 의한 재산권의 수용 · 사용 또는 제한 및 그에 대한 보상은 법률로써 하되, 정당한 보상을 지급하여야 한다.

□□□ ㉡ 하천법 부칙과 이에 따른 특별조치법이 하천구역으로 편입된 토지에 대하여 손실보상청구권을 규정하였다고 하더라도 당해 법률규정이 아니라 관리청의 보상금지급결정에 의하여 비로소 손실보상청구권이 발생한다.

□□□ ㉢ 「공익사업을 위한 토지 등의 취득 및 보상에 관한 법률」상 보상금의 증감에 관한 소송인 경우 그 소송을 제기하는 자가 토지소유자 또는 관계인일 때에는 지방토지수용위원회 또는 중앙토지수용위원회를 피고로 한다.

□□□ ㉣ 수용재결에 불복하여 취소소송을 제기하는 때에는 이의신청을 거친 경우에도 수용재결을 한 중앙토지수용위원회 또는 지방토지수용위원회를 피고로 하여 수용재결의 취소를 구하여야 하지만, 이의신청에 대한 재결 자체에 고유한 위법이 있는 경우에는 그 이의재결을 한 중앙토지수용위원회를 피고로 하여 이의재결의 취소를 구할 수 있다.

① ㉠, ㉡ ② ㉠, ㉣
③ ㉡, ㉢ ④ ㉡, ㉢, ㉣

관련기출

㉢

1. 토지소유자가 손실보상금의 액수를 다투고자 하는 경우 토지수용위원회가 아니라 사업시행자를 상대로 보상금의 증액을 구하는 소송을 제기해야 한다. (O, ×) 2024 국가직 9급
2. 「공익사업을 위한 토지 등의 취득 및 보상에 관한 법률」상 보상금증액소송은 처분청인 토지수용위원회를 피고로 한다. (O, ×) 2021 국가직 7급
3. 「공익사업을 위한 토지 등의 취득 및 보상에 관한 법률」 제85조 제2항에 의하면, 동법 제1항에 따라 제기하려는 행정소송이 보상금의 증감에 관한 소송인 경우 그 소송을 제기하는 자가 토지소유자 또는 관계인일 때에는 사업시행자를, 사업시행자일 때에는 토지소유자 또는 관계인을 각각 피고로 한다. (O, ×) 2017 경행경채

1. O 2. × 3. O

㉠ O

헌법 제23조 【재산권보장과 제한】 ③ 공공필요에 의한 재산권의 수용 · 사용 또는 제한 및 그에 대한 보상은 법률로써 하되, 정당한 보상을 지급하여야 한다.

㉡ 정답률 59% ×

하천법 부칙 제2조와 「법률 제3782호 하천법 중 개정법률 부칙 제2조의 규정에 의한 보상청구권의 소멸시효가 만료된 하천구역 편입토지 보상에 관한 특별조치법」 제2조, 제6조의 각 규정들을 종합하면, 위 규정들에 의한 손실보상청구권은 1984. 12. 31. 전에 토지가 하천구역으로 된 경우에는 당연히 발생되는 것이지, 관리청의 보상금지급결정에 의하여 비로소 발생하는 것은 아니므로, 위 규정들에 의한 손실보상금의 지급을 구하거나 손실보상청구권의 확인을 구하는 소송은 행정소송법 제3조 제2호 소정의 당사자소송에 의하여야 한다(대판 2006. 5. 18, 2004다6207).

㉢ 빈출 ×

「공익사업을 위한 토지 등의 취득 및 보상에 관한 법률」 제85조 【행정소송의 제기】 ① 사업시행자, 토지소유자 또는 관계인은 제34조에 따른 재결에 불복할 때에는 재결서를 받은 날부터 90일 이내에, 이의신청을 거쳤을 때에는 이의신청에 대한 재결서를 받은 날부터 60일 이내에 각각 행정소송을 제기할 수 있다. 이 경우 사업시행자는 행정소송을 제기하기 전에 제84조에 따라 늘어난 보상금을 공탁하여야 하며, 보상금을 받을 자는 공탁된 보상금을 소송이 종결될 때까지 수령할 수 없다.
② 제1항에 따라 제기하려는 행정소송이 보상금의 증감(增減)에 관한 소송인 경우 그 소송을 제기하는 자가 토지소유자 또는 관계인일 때에는 사업시행자를, 사업시행자일 때에는 토지소유자 또는 관계인을 각각 피고로 한다.

㉣ 빈출 O

토지소유자 등이 수용재결에 불복하여 이의신청을 거친 후 취소소송을 제기하는 경우 피고적격을 가지는 자는 원칙적으로 **수용재결**을 한 토지수용위원회이며 소송대상은 **수용재결**이 된다.

「공익사업을 위한 토지 등의 취득 및 보상에 관한 법률」 제85조 제1항 전문의 문언 내용과 같은 법 제83조, 제85조가 중앙토지수용위원회에 대한 이의신청을 임의적 절차로 규정하고 있는 점, 행정소송법 제19조 단서가 행정심판에 대한 재결은 재결 자체에 고유한 위법이 있음을 이유로 하는 경우에 한하여 취소소송의 대상으로 삼을 수 있도록 규정하고 있는 점 등을 종합하여 보면, 수용재결에 불복하여 취소소송을 제기하는 때에는 이의신청을 거친 경우에도 수용재결을 한 중앙토지수용위원회 또는 지방토지수용위원회를 피고로 하여 수용재결의 취소를 구하여야 하고, 다만 이의신청에 대한 재결 자체에 고유한 위법이 있음을 이유로 하는 경우에는 그 이의재결을 한 중앙토지수용위원회를 피고로 하여 이의재결의 취소를 구할 수 있다고 보아야 한다(대판 2010. 1. 28, 2008두1504).

정답 09 ②

10 빈출 정답률 67% 중 2024 국가직 9급

「공익사업을 위한 토지 등의 취득 및 보상에 관한 법률」상 손실보상에 대한 설명으로 옳지 않은 것은? (다툼이 있는 경우 판례에 의함)

□□□ ① 영업을 하기 위해 투자한 비용이나 그 영업을 통해 얻을 것으로 기대되는 이익에 대한 손실은 영업손실보상의 대상이 된다고 할 수 없다.

□□□ ② 토지소유자가 손실보상금의 액수를 다투고자 하는 경우 토지수용위원회가 아니라 사업시행자를 상대로 보상금의 증액을 구하는 소송을 제기해야 한다.

□□□ ③ 토지수용위원회의 재결에 대한 토지소유자의 행정소송 제기는 사업의 진행 및 토지의 수용 또는 사용을 정지시키지 아니한다.

□□□ ④ 어떤 보상항목이 손실보상대상에 해당함에도 관할 토지수용위원회가 사실을 오인하거나 법리를 오해함으로써 손실보상대상에 해당하지 않는다고 잘못된 내용의 재결을 한 경우에는, 피보상자는 관할 토지수용위원회를 상대로 재결취소소송을 제기하여야 한다.

관련기출

①

1. 토지수용법(현 토지보상법) 제51조가 규정하고 있는 '영업상의 손실'이란 수용의 대상이 된 토지 · 건물 등을 이용하여 영업을 하다가 그 토지 · 건물 등이 수용됨으로 인하여 영업을 할 수 없거나 제한을 받게 됨으로 인하여 생기는 직접적인 손실을 말한다. (○, ×) 2015 경행특채 2차
2. 구 토지수용법 제51조는 영업을 하기 위하여 투자한 비용이나 그 영업을 통하여 얻을 것으로 기대되는 이익에 대한 손실보상의 근거규정이 될 수 없고, 그 보상의 기준과 방법 등에 관한 규정이 없어도 이러한 손실은 그 보상의 대상이 된다. (○, ×) 2011 경행특채

1. ○ 2. ×

④

1. 토지수용위원회가 토지보상법상 손실보상대상에 해당하는 보상항목을 손실보상대상에 해당하지 않는다고 잘못된 내용의 재결을 한 경우에는 피보상자는 그 재결에 대한 취소소송을 제기할 것이 아니라 사업시행자를 상대로 토지보상법에 따른 보상금증감소송을 제기하여야 한다. (○, ×) 2023 국회직 8급
2. 어떤 보상항목이 공익사업을 위한 토지 등의 취득 및 보상에 관한 법령상 손실보상대상에 해당함에도 관할 토지수용위원회가 법리를 오해함으로써 손실보상대상에 해당하지 않는다고 잘못된 내용의 재결을 한 경우에는, 피보상자는 관할 토지수용위원회를 상대로 그 재결에 대한 취소소송을 제기하여야 한다. (○, ×) 2022 소방직 9급
3. 어떤 보상항목이 손실보상대상에 해당함에도 관할 토지수용위원회가 사실이나 법리를 오해하여 손실보상대상에 해당하지 않는다고 잘못된 내용의 재결을 한 경우, 피보상자는 관할토지수용위원회를 상대로 그 재결에 대한 취소소송을 제기하여야 한다. (○, ×) 2020 지방직 · 서울시 7급

1. ○ 2. × 3. ×

① 정답률 10% ○

> 영업을 하기 위하여 투자한 비용이나 그 영업을 통하여 얻을 것으로 기대되는 이익은 손실보상의 대상이 아니다.
>
> 구 토지수용법 제51조가 규정하고 있는 '영업상의 손실'이란 수용의 대상이 된 토지 · 건물 등을 이용하여 영업을 하다가 그 토지 · 건물 등이 수용됨으로 인하여 영업을 할 수 없거나 제한을 받게 됨으로 인하여 생기는 직접적인 손실을 말하는 것이므로 위 규정은 영업을 하기 위하여 투자한 비용이나 그 영업을 통하여 얻을 것으로 기대되는 이익에 대한 손실보상의 근거규정이 될 수 없고, 그 외 관계법령에도 영업을 하기 위하여 투자한 비용이나 그 영업을 통하여 얻을 것으로 기대되는 이익에 대한 손실보상의 근거규정이나 그 보상의 기준과 방법 등에 관한 규정이 없으므로, 이러한 손실은 그 보상의 대상이 된다고 할 수 없다(대판 2006. 1. 27, 2003두13106).

② 정답률 9% ○

토지소유자가 손실보상금의 액수를 다투고자 할 경우에는 토지수용위원회가 아니라 사업시행자를 상대로 소송을 제기하여야 한다.

> **「공익사업을 위한 토지 등의 취득 및 보상에 관한 법률」 제85조【행정소송의 제기】** ② 제1항에 따라 제기하려는 행정소송이 보상금의 증감(增減)에 관한 소송인 경우 그 소송을 제기하는 자가 토지소유자 또는 관계인일 때에는 사업시행자를, 사업시행자일 때에는 토지소유자 또는 관계인을 각각 피고로 한다.

③ 빈출 정답률 12% ○

> **「공익사업을 위한 토지 등의 취득 및 보상에 관한 법률」 제88조【처분효력의 부정지】** 제83조에 따른 이의의 신청이나 제85조에 따른 행정소송의 제기는 사업의 진행 및 토지의 수용 또는 사용을 정지시키지 아니한다.

④ 빈출 정답률 67% ×

어떤 보상항목이 손실보상대상에 해당하지 않는다고 잘못된 내용의 재결을 한 경우에도 피보상자로서는 결국은 보상금액에 대해 불만이 있는 것이 되므로 보상금증감소송을 제기하여야 한다.

> 어떤 보상항목이 공익사업을 위한 토지 등의 취득 및 보상에 관한 법령상 손실보상대상에 해당함에도 관할 토지수용위원회가 사실을 오인하거나 법리를 오해함으로써 손실보상대상에 해당하지 않는다고 잘못된 내용의 재결을 한 경우에는, 피보상자는 관할 토지수용위원회를 상대로 그 재결에 대한 취소소송을 제기할 것이 아니라, 사업시행자를 상대로 구 「공익사업을 위한 토지 등의 취득 및 보상에 관한 법률」 제85조 제2항에 따른 보상금증감소송을 제기하여야 한다(대판 2018. 7. 20, 2015두4044).

정답 10 ④

11 **빈출** 정답률 75% 중 2023 지방직 · 서울시 7급

「공익사업을 위한 토지 등의 취득 및 보상에 관한 법률」(이하 '토지보상법'이라 함)상 행정상 손실보상에 대한 설명으로 옳지 않은 것은? (다툼이 있는 경우 판례에 의함)

① 사업시행자, 토지소유자 또는 관계인은 토지수용위원회의 재결에 불복할 때에는 재결서를 받은 날부터 90일 이내에, 이의신청을 거쳤을 때에는 이의신청에 대한 재결서를 받은 날부터 60일 이내에 각각 행정소송을 제기할 수 있으며, 이 경우 행정소송의 제기는 사업의 진행 및 토지의 수용 또는 사용을 정지시키지 아니한다.

② 동일한 소유자에게 속하는 일단의 토지의 일부가 협의에 의하여 매수되거나 수용됨으로 인하여 잔여지를 종래의 목적에 사용하는 것이 현저히 곤란할 때에는 해당 토지소유자는 사업시행자에게 잔여지를 매수하여 줄 것을 청구할 수 있으며, 사업인정 이후에는 관할 토지수용위원회에 수용을 청구할 수 있고, 이 경우 수용의 청구는 매수에 관한 협의가 성립되지 아니한 경우에만 할 수 있으며 사업완료일까지 하여야 한다.

③ 토지보상법에 의한 보상금증감청구소송은 보상금의 증액 또는 감액 청구에 관한 소송이므로 잔여지 수용청구를 거절한 재결에 불복하는 소송은 '보상금의 증감에 관한 소송'에 해당되지 아니한다.

④ 하나의 재결에서 피보상자별로 여러 가지의 토지, 물건, 권리 또는 영업의 손실에 관하여 심리 · 판단이 이루어졌을 때, 피보상자 또는 사업시행자가 여러 보상항목들 중 일부에 관해서만 불복하는 경우 반드시 재결 전부에 관하여 불복하여야 하는 것은 아니다.

① 정답률 20% ○

「공익사업을 위한 토지 등의 취득 및 보상에 관한 법률」 제85조【행정소송의 제기】① 사업시행자, 토지소유자 또는 관계인은 제34조에 따른 재결에 불복할 때에는 재결서를 받은 날부터 90일 이내에, 이의신청을 거쳤을 때에는 이의신청에 대한 재결서를 받은 날부터 60일 이내에 각각 행정소송을 제기할 수 있다. 이 경우 사업시행자는 행정소송을 제기하기 전에 제84조에 따라 늘어난 보상금을 공탁하여야 하며, 보상금을 받을 자는 공탁된 보상금을 소송이 종결될 때까지 수령할 수 없다.

제88조【처분효력의 부정지】제83조에 따른 이의의 신청이나 제85조에 따른 행정소송의 제기는 사업의 진행 및 토지의 수용 또는 사용을 정지시키지 아니한다.

② 정답률 9% ○

「공익사업을 위한 토지 등의 취득 및 보상에 관한 법률」 제74조【잔여지 등의 매수 및 수용 청구】① 동일한 소유자에게 속하는 일단의 토지의 일부가 협의에 의하여 매수되거나 수용됨으로 인하여 잔여지를 종래의 목적에 사용하는 것이 현저히 곤란할 때에는 해당 토지소유자는 사업시행자에게 잔여지를 매수하여 줄 것을 청구할 수 있으며, 사업인정 이후에는 관할 토지수용위원회에 수용을 청구할 수 있다. 이 경우 수용의 청구는 매수에 관한 협의가 성립되지 아니한 경우에만 할 수 있으며, 사업완료일까지 하여야 한다.

③ **빈출** 정답률 75% ×

구 「공익사업을 위한 토지 등의 취득 및 보상에 관한 법률」 제74조 제1항에 의한 잔여지수용청구를 받아들이지 않은 토지수용위원회의 재결에 대하여 토지소유자가 불복하여 제기하는 소송의 성질은 보상금의 증감에 관한 소송에 해당하므로 그 상대방은 사업시행자가 된다.

구 「공익사업을 위한 토지 등의 취득 및 보상에 관한 법률」(2007. 10. 17. 법률 제8665호로 개정되기 전의 것) 제74조 제1항에 규정되어 있는 잔여지수용청구권은 손실보상의 일환으로 토지소유자에게 부여되는 권리로서 그 요건을 구비한 때에는 잔여지를 수용하는 토지수용위원회의 재결이 없더라도 그 청구에 의하여 수용의 효과가 발생하는 형성권적 성질을 가지므로, 잔여지수용청구를 받아들이지 않은 토지수용위원회의 재결에 대하여 토지소유자가 불복하여 제기하는 소송은 위 법 제85조 제2항에 규정되어 있는 '보상금의 증감에 관한 소송'에 해당하여 사업시행자를 피고로 하여야 한다(대판 2010. 8. 19, 2008두822).

④ 정답률 4% ○

하나의 재결에서 피보상자별로 여러 가지의 토지, 물건, 권리 또는 영업의 손실에 관하여 심리 · 판단이 이루어졌을 때, 피보상자 또는 사업시행자가 반드시 재결 전부에 관하여 불복하여야 하는 것은 아니며, 여러 보상항목들 중 일부에 관해서만 불복하는 경우에는 그 부분에 관해서만 개별적으로 불복의 사유를 주장하여 행정소송을 제기할 수 있다(대판 2018. 5. 15, 2017두41221).

정답 11 ③

12 중

2023 서울시 지적 7급

손실보상에 대한 설명으로 가장 옳지 않은 것은? (다툼이 있는 경우 판례에 따름)

□□□ ① 간척사업의 시행으로 종래의 관행어업권자에게 구 공유수면매립법에서 정하는 손실보상청구권이 인정되기 위해서는 매립면허고시 후 매립공사가 실행되어 관행어업권자에게 실질적이고 현실적인 피해가 발생해야 한다.

□□□ ② 「공익사업을 위한 토지 등의 취득 및 보상에 관한 법률」에 의한 보상합의는 공공기관이 사경제주체로서 행하는 사법상 계약의 실질을 가진다.

□□□ ③ 공익사업으로 인하여 영업을 폐지하거나 휴업하는 자는 「공익사업을 위한 토지 등의 취득 및 보상에 관한 법률」에 규정된 재결절차를 거치지 않은 채 곧바로 사업시행자를 상대로 영업손실보상을 청구할 수 있다.

□□□ ④ 잔여지 수용청구를 받아들이지 않은 토지수용위원회의 재결에 대하여 토지소유자가 불복하여 제기하는 소송은 보상금의 증감에 관한 소송에 해당하여 사업시행자를 피고로 하여야 한다.

관련기출

③

1. 공익사업으로 인하여 영업을 폐지하거나 휴업하는 자가 구 「공익사업을 위한 토지 등의 취득 및 보상에 관한 법률」에 규정된 재결절차를 거치지 않은 채 곧바로 사업시행자를 상대로 영업손실보상을 청구할 수 없다. (○, ×)

2022 군무원 9급, 2020 군무원 7급, 2019 국회직 8급

1. ○

① 제30강 참조 ○

1. 간척사업의 시행으로 종래의 관행어업권자에게 구 공유수면매립법에서 정하는 손실보상청구권이 인정되기 위해서는 매립면허고시 후 매립공사가 실행되어 관행어업권자에게 실질적이고 현실적인 피해가 발생해야 한다.
2. 공유수면립면허의 고시가 있다고 하여 반드시 그 사업이 시행되고 그로 인하여 손실이 발생한다고 할 수 없으므로, 매립면허 고시 이후 매립공사가 실행되어 관행어업권자에게 실질적이고 현실적인 피해가 발생한 경우에만 공유수면매립법에서 정하는 손실보상청구권이 발생하였다고 할 것이다(대판 2010. 12. 9, 2007두6571).

② ○

「공익사업을 위한 토지 등의 취득 및 보상에 관한 법률」에 의한 보상합의는 공공기관이 사경제주체로서 행하는 사법상 계약의 실질을 가지는 것이다(대판 2013. 8. 22, 2012다3517).

③ **빈출** ×

공익사업으로 인하여 영업을 폐지(편저자 주 : 폐업)하거나 휴업하는 자가 토지보상법상 재결절차를 거치지 않은 채 사업시행자를 상대로 영업손실보상청구소송을 제기할 수는 없다.

공익사업으로 인하여 영업을 폐지하거나 휴업하는 자가 사업시행자에게서 구 토지보상법 제77조 제1항에 따라 영업손실에 대한 보상을 받기 위해서는 구 토지보상법 제34조, 제50조 등에 규정된 재결절차를 거친 다음 재결에 대하여 불복이 있는 때에 비로소 구 토지보상법 제83조 내지 제85조에 따라 권리구제를 받을 수 있을 뿐, 이러한 재결절차를 거치지 않은 채 곧바로 사업시행자를 상대로 손실보상을 청구하는 것은 허용되지 않는다고 보는 것이 타당하다(대판 2011. 9. 29, 2009두10963).

④ ○

구 「공익사업을 위한 토지 등의 취득 및 보상에 관한 법률」 제74조 제1항에 의한 잔여지수용청구를 받아들이지 않은 토지수용위원회의 재결에 대하여 토지소유자가 불복하여 제기하는 소송의 성질은 보상금의 증감에 관한 소송에 해당하므로 그 상대방은 사업시행자가 된다.

구 「공익사업을 위한 토지 등의 취득 및 보상에 관한 법률」(2007. 10. 17, 법률 제8665호로 개정되기 전의 것) 제74조 제1항에 규정되어 있는 잔여지수용청구권은 손실보상의 일환으로 토지소유자에게 부여되는 권리로서 그 요건을 구비한 때에는 잔여지를 수용하는 토지수용위원회의 재결이 없더라도 그 청구에 의하여 수용의 효과가 발생하는 형성권적 성질을 가지므로, 잔여지수용청구를 받아들이지 않은 토지수용위원회의 재결에 대하여 토지소유자가 불복하여 제기하는 소송은 위 법 제85조 제2항에 규정되어 있는 '보상금의 증감에 관한 소송'에 해당하여 사업시행자를 피고로 하여야 한다(대판 2010. 8. 19, 2008두822).

정답 12 ③

13 정답률 54% 중 2023 군무원 9급

행정상 손실보상에 대한 설명으로 옳지 않은 것은? (다툼이 있는 경우 판례에 의함)

□□□ ① 잔여지수용청구를 받아들이지 않은 토지수용위원회의 재결에 대하여 토지소유자가 불복하여 제기하는 소송은 보상금의 증액에 관한 소송에 해당하여 사업시행자를 피고로 하여야 한다.

□□□ ② 수용재결에 불복하여 취소소송을 제기하는 때에는 이의신청을 거친 경우에도 수용재결을 한 중앙토지수용위원회 또는 지방토지수용위원회를 피고로 하여 수용재결의 취소를 구하여야 한다.

□□□ ③ 「공익사업을 위한 토지 등의 취득 및 보상에 관한 법률」에 의한 보상금 증감에 관한 소송은 수용재결서를 받은 날부터 90일 이내에, 이의신청을 거쳤을 때에는 이의신청에 대한 재결서를 받은 날부터 60일 이내에 각각 행정소송을 제기할 수 있다.

□□□ ④ 「공익사업을 위한 토지 등의 취득 및 보상에 관한 법률」에 의한 사업인정의 고시 절차를 누락한 것을 이유로 수용재결처분의 취소를 구할 수 있다.

① ○

잔여지수용청구권은 토지소유자 일방의 의사만으로 법률관계가 만들어지는 형성권이다. 따라서 잔여지수용청구권을 행사한 경우 토지수용위원회가 이를 받아들이지 않더라도 수용의 효과는 발생한다. 따라서 잔여지수용청구를 받아들이지 않은 토지수용위원회의 재결이 있더라도 이는 토지소유자의 수용청구에 어떠한 영향을 주지 못하고, 다만 결과적으로 잔여지에 대한 보상금액을 책정하지 않음으로써 전체적으로 보았을 때 보상금액을 낮게 책정한 재결이 된다. 따라서 토지소유자는 보상금액에 대한 증액소송을 제기하면 된다.

> 구 「공익사업을 위한 토지 등의 취득 및 보상에 관한 법률」 제74조 제1항에 규정되어 있는 잔여지수용청구권은 손실보상의 일환으로 토지소유자에게 부여되는 권리로서 그 요건을 구비한 때에는 잔여지를 수용하는 토지수용위원회의 재결이 없더라도 그 청구에 의하여 수용의 효과가 발생하는 형성권적 성질을 가지므로, 잔여지수용청구를 받아들이지 않은 토지수용위원회의 재결에 대하여 토지소유자가 불복하여 제기하는 소송은 위 법 제85조 제2항에 규정되어 있는 '보상금의 증감에 관한 소송'에 해당하여 사업시행자를 피고로 하여야 한다(대판 2010. 8. 19, 2008두822).

② ○

행정소송법에 따라 원처분주의가 적용되므로 수용재결에 대해 이의재결을 거친 후라도 (이의신청에 대한 재결 자체에 고유한 위법이 없는 한) 원칙적으로 원처분인 수용재결을 소송대상으로, 수용재결을 행한 토지수용위원회를 피고로 하여야 한다.

> 토지소유자 등이 수용재결에 불복하여 이의신청을 거친 후 취소소송을 제기하는 경우 피고적격을 가지는 자는 수용재결을 한 토지수용위원회이며 소송대상은 수용재결이 된다(대판 2010. 1. 28, 2008두1504).

③ ○

> 「공익사업을 위한 토지 등의 취득 및 보상에 관한 법률」 제85조 【행정소송의 제기】 ① 사업시행자, 토지소유자 또는 관계인은 제34조에 따른 재결에 불복할 때에는 재결서를 받은 날부터 90일 이내에, 이의신청을 거쳤을 때에는 이의신청에 대한 재결서를 받은 날부터 60일 이내에 각각 행정소송을 제기할 수 있다. 이 경우 사업시행자는 행정소송을 제기하기 전에 제84조에 따라 늘어난 보상금을 공탁하여야 하며, 보상금을 받을 자는 공탁된 보상금을 소송이 종결될 때까지 수령할 수 없다.
> ② 제1항에 따라 제기하려는 행정소송이 보상금의 증감(增減)에 관한 소송인 경우 그 소송을 제기하는 자가 토지소유자 또는 관계인일 때에는 사업시행자를, 사업시행자일 때에는 토지소유자 또는 관계인을 각각 피고로 한다.

④ 제16강 참조 ×

사업인정과 수용재결 사이에는 하자가 승계되지 않는다. 이처럼 하자승계 문제는 은밀하게 물어보는 것이 최근 경향이다. 주의해서 보기 바란다.

> 토지수용법상 사업인정의 고시 절차를 누락한 것을 이유로 수용재결처분의 취소를 구하거나 무효확인을 구할 수 없다.
> 구 토지수용법 제16조 제1항에서는 건설부장관이 사업인정을 하는 때에는 지체 없이 그 뜻을 기업자 · 토지소유자 · 관계인 및 관계도지사에게 통보하고 기업자의 성명 또는 명칭, 사업의 종류, 기업지 및 수용 또는 사용할 토지의 세목을 관보에 공시하여야 한다고 규정하고 있는바, 가령 건설부장관이 위와 같은 절차를 누락한 경우 이는 절차상의 위법으로서 수용재결 단계 전의 사업인정 단계에서 다툴 수 있는 취소사유에 해당하기는 하나, 더 나아가 그 사업인정 자체를 무효로 할 중대하고 명백한 하자라고 보기는 어렵고, 따라서 이러한 위법을 들어 수용재결처분의 취소를 구하거나 무효확인을 구할 수는 없다(대판 2000. 10. 13, 2000두5142).

정답 13 ④

14 정답률 49% 상 2022 국가직 9급

다음 사례에 대한 설명으로 옳은 것은? (다툼이 있는 경우 판례에 의함)

> 건설회사 A는 택지개발사업을 위해 관련법령에 따른 절차를 거쳐 甲 소유의 토지 등을 취득하고자 甲과 보상에 관한 협의를 하였으나 협의가 성립되지 않았다. 이에 관할 지방토지수용위원회에 재결을 신청하여 토지의 수용 및 보상금에 대한 수용재결을 받았다.

□□□ ① 甲이 수용재결에 대하여 이의신청을 제기하면 사업의 진행 및 토지의 수용 또는 사용을 정지시키는 효력이 있다.

□□□ ② 甲이 수용 자체를 다투는 경우 관할 지방토지수용위원회를 상대로 수용재결에 대하여 취소소송을 제기할 수 있다.

□□□ ③ 甲은 보상금 증액을 위해 A를 상대로 손실보상을 구하는 민사소송을 제기할 수 있다.

□□□ ④ 甲이 계속 거주하고 있는 건물과 토지의 인도를 거부할 경우 행정대집행의 대상이 될 수 있다.

① ×

> 「공익사업을 위한 토지 등의 취득 및 보상에 관한 법률」 제88조【처분효력의 부정지】 제83조에 따른 이의의 신청이나 제85조에 따른 행정소송의 제기는 사업의 진행 및 토지의 수용 또는 사용을 정지시키지 아니한다.

② ○

③ ×

甲이 수용 자체를 다투는 경우는 수용재결에 대하여 취소소송을 제기할 수 있다. 다만 보상금을 다투는 경우에는 당사자소송으로 보상금증액소송을 제기할 수 있다.

> 「공익사업을 위한 토지 등의 취득 및 보상에 관한 법률」 제85조【행정소송의 제기】 ① 사업시행자, 토지소유자 또는 관계인은 제34조에 따른 재결에 불복할 때에는 재결서를 받은 날부터 90일 이내에, 이의신청을 거쳤을 때에는 이의신청에 대한 재결서를 받은 날부터 60일 이내에 각각 행정소송을 제기할 수 있다. 이 경우 사업시행자는 행정소송을 제기하기 전에 제84조에 따라 늘어난 보상금을 공탁하여야 하며, 보상금을 받을 자는 공탁된 보상금을 소송이 종결될 때까지 수령할 수 없다.
> ② 제1항에 따라 제기하려는 행정소송이 보상금의 증감(增減)에 관한 소송인 경우 그 소송을 제기하는 자가 토지소유자 또는 관계인일 때에는 사업시행자를, 사업시행자일 때에는 토지소유자 또는 관계인을 각각 피고로 한다.

④ 제24강 참조 ×

토지나 건물의 인도의무는 토지 · 건물을 점유하고 있는 사람의 퇴거를 필요로 하는데, 이는 대체적 작위의무가 아니므로 대집행의 대상이 될 수 없다(대판 1998. 10. 23, 97누157 등).

15 정답률 67% 중 2016 서울시 7급

甲의 토지는 공익사업의 대상지역으로 「공익사업을 위한 토지 등의 취득 및 보상에 관한 법률」에 따라 사업인정절차를 거쳐 甲의 토지에 대한 수용재결이 있었다. 이에 대한 설명으로 가장 옳은 것은? (다툼이 있는 경우 판례에 따름)

□□□ ① 위 사업인정에 취소사유인 위법이 있는 경우 사업인정의 하자는 후행처분인 수용재결에 승계되지 않는다.

□□□ ② 甲이 수용재결에서 정해진 보상금에 불복하여 보상금의 증액을 청구하려면 수용재결에 대한 취소소송을 제기하여야 한다.

□□□ ③ 甲이 수용재결에 대해 항고소송으로 다투려면 우선적으로 이의재결을 거쳐야만 한다.

□□□ ④ 甲이 수용재결에 대해 이의재결을 거친 경우 항고소송의 대상은 이의재결이 된다.

① 제16강 참조 ○

선행 사업인정과 후행 수용재결 사이의 하자승계를 인정하지 않는 것이 판례의 입장이다(대판 1992. 12. 11, 92누5584).

② ×

취소소송이 아니라 형식적 당사자소송인 보상금증액소송을 제기해야 한다.

> 「공익사업을 위한 토지 등의 취득 및 보상에 관한 법률」 제85조【행정소송의 제기】 ② 제1항에 따라 제기하려는 행정소송이 보상금의 증감(增減)에 관한 소송인 경우 그 소송을 제기하는 자가 토지소유자 또는 관계인일 때에는 사업시행자를, 사업시행자일 때에는 토지소유자 또는 관계인을 각각 피고로 한다.

③ ×

「공익사업을 위한 토지 등의 취득 및 보상에 관한 법률」상의 이의신청은 행정심판의 성질을 가지는데 이러한 행정심판은 원칙적으로 임의적 절차에 불과하다. 따라서 항고소송을 제기하기 위해 먼저 재결을 거쳐야만 하는 것은 아니다.

④ ×

행정소송법은 원칙적으로 원처분주의를 취하고 있으므로 수용재결에 대해 이의재결을 거친 경우에도 항고소송의 대상은 원칙적으로 수용재결이 된다.

> 토지소유자 등이 수용재결에 불복하여 이의신청을 거친 후 취소소송을 제기하는 경우 피고적격을 가지는 자는 수용재결을 한 토지수용위원회이며 소송대상은 수용재결이 된다(대판 2010. 1. 28, 2008두1504).

정답 14 ② 15 ①

제 32 강 손해전보를 위한 그 밖의 제도 등

1회독	2회독	3회독
/	/	/

정답률 공단기/소방단기 합격예측 풀서비스 통계 데이터 기준 기 기본서 핵 핵심집약

02 행정상의 결과제거청구 기 694~697쪽 핵 T 59

01 중 2010 지방직 7급

공법상 결과제거청구권에 관한 설명으로 옳지 않은 것은?

□□□ ① 공법상 결과제거청구권은 공행정작용으로 인하여 야기된 위법한 상태를 제거하여 그 원상회복을 목적으로 하는 권리이다.

□□□ ② 공법상 결과제거청구는 가해행위의 위법 및 가해자의 고의 또는 과실을 요건으로 한다.

□□□ ③ 공법상 결과제거청구권은 공행정작용의 직접적인 결과만을 그 대상으로 한다.

□□□ ④ 공법상 결과제거청구에 있어서 위법한 상태는 적법한 행정작용의 효력의 상실에 의해 사후적으로 발생할 수도 있다.

① ○
결과제거청구권은 공행정작용으로 야기된 위법한 결과를 제거하기 위한 권리로서 원상회복청구권의 성질을 가진다.

② ×
손해배상은 가해행위의 위법과 가해자의 고의 또는 과실을 요건으로 하지만, 결과제거청구는 가해행위의 위법이 아닌 결과의 위법성이 문제되며 또한 가해자의 고의 · 과실을 요건으로 하지 않는다.

③ ○
결과제거청구권은 공행정작용의 직접적인 결과만을 그 대상으로 한다. 이 점에서 손해배상청구가 직무행위와 손해 사이에 상당인과관계를 요구하는 것과 구별된다.

④ ○
위법한 상태는 위법한 행정작용에 의해 처음부터 발생할 수도 있고 당초에는 적법한 행정행위가 사후에 위법하게 된 경우에도 결과제거청구권이 인정된다. 예컨대, 행정청이 당초에는 적법하게 압류한 물건을 압류처분이 해제된 후에도 계속 유치하여 반환하지 않고 있다면 이는 위법한 것으로서 결과제거청구권의 대상이 된다.

정답 01 ②

2025
써니 행정법총론
기출문제집

Sunny

제 6 편

행정구제 2 (행정쟁송)

6회 기출 모의고사

제 33 강 행정심판의 개관 등

1회독	2회독	3회독
/	/	/

정답률 공단기/소방단기 합격예측 풀서비스 통계 데이터 기준 기 기본서 핵 핵심집약

01 행정심판의 개관 기 702~709쪽 핵 T 60

01 중 2024 소방간부

행정기본법상 처분에 대한 이의신청에 관한 설명으로 옳지 않은 것은?

□□□ ① 행정청의 처분에 이의가 있는 당사자는 처분을 받은 날부터 30일 이내에 해당 행정청에 이의신청을 할 수 있다.

□□□ ② 행정청은 이의신청을 받으면 부득이한 사유가 아니라면 그 신청을 받은 날부터 14일 이내에 그 이의신청에 대한 결과를 신청인에게 통지하여야 한다.

□□□ ③ 처분에 대한 이의신청을 한 경우에는 행정심판법에 따른 행정심판을 제기할 수 없다.

□□□ ④ 과태료 부과 및 징수에 관한 사항은 행정기본법에 따른 이의신청이 인정되지 아니한다.

□□□ ⑤ 다른 법률에서 이의신청과 이에 준하는 절차에 대하여 정하고 있는 경우에도 그 법률에서 규정하지 아니한 사항에 관하여는 행정기본법에서 정하는 바에 따른다.

①②④⑤ ○
③ ×

행정기본법 제36조【처분에 대한 이의신청】 ① 행정청의 처분(행정심판법 제3조에 따라 같은 법에 따른 행정심판의 대상이 되는 처분을 말한다. 이하 이 조에서 같다)에 이의가 있는 당사자는 처분을 받은 날부터 30일 이내에 해당 행정청에 이의신청을 할 수 있다(①).
② 행정청은 제1항에 따른 이의신청을 받으면 그 신청을 받은 날부터 14일 이내에 그 이의신청에 대한 결과를 신청인에게 통지하여야 한다. 다만, 부득이한 사유로 14일 이내에 통지할 수 없는 경우에는 그 기간을 만료일 다음 날부터 기산하여 10일의 범위에서 한 차례 연장할 수 있으며, 연장사유를 신청인에게 통지하여야 한다(②).
③ 제1항에 따라 이의신청을 한 경우에도 그 이의신청과 관계없이 행정심판법에 따른 행정심판 또는 행정소송법에 따른 행정소송을 제기할 수 있다(③).
⑤ 다른 법률에서 이의신청과 이에 준하는 절차에 대하여 정하고 있는 경우에도 그 법률에서 규정하지 아니한 사항에 관하여는 이 조에서 정하는 바에 따른다(⑤).
⑦ 다음 각 호의 어느 하나에 해당하는 사항에 관하여는 이 조를 적용하지 아니한다.
1. 공무원 인사관계법령에 따른 징계 등 처분에 관한 사항
2. 국가인권위원회법 제30조에 따른 진정에 대한 국가인권위원회의 결정
3. 노동위원회법 제2조의2에 따라 노동위원회의 의결을 거쳐 행하는 사항
4. 형사, 행형 및 보안처분 관계법령에 따라 행하는 사항
5. 외국인의 출입국 · 난민인정 · 귀화 · 국적회복에 관한 사항
6. 과태료 부과 및 징수에 관한 사항(④)

정답 01 ③

02 빈출 중 2023 국회직 9급

행정심판법에 대한 설명으로 옳지 않은 것만을 <보기>에서 모두 고르면?

보기

□□□ ㉠ 대통령의 처분 또는 부작위에 대하여는 다른 법률에서 행정심판을 청구할 수 있도록 정한 경우 외에는 행정심판을 청구할 수 없다.

□□□ ㉡ 행정심판에는 당사자의 신청에 대한 행정청의 위법 또는 부당한 거부처분이나 부작위에 대하여 일정한 처분을 하도록 하는 의무이행심판이 포함된다.

□□□ ㉢ 행정심판청구에 대한 재결이 있으면 그 재결 및 같은 처분 또는 부작위에 대하여 다시 행정심판을 청구할 수 있다.

□□□ ㉣ 행정심판청구를 인용하는 재결에 대하여 피청구인과 그 밖의 관계행정청은 재결서의 정본을 송달받은 날부터 90일 이내에 행정소송을 제기할 수 있다.

① ㉠ ② ㉡
③ ㉢, ㉣ ④ ㉠, ㉡, ㉢
⑤ ㉡, ㉢, ㉣

관련기출

㉢

1. 심판청구에 대한 재결이 있으면 그 재결 및 같은 처분 또는 부작위에 대하여 다시 행정심판을 청구할 수 없다. (○, ×)
   2023 지방직 · 서울시 7급, 2021 지방직 · 서울시 9급
2. 개별법률에 특별규정이 없는 경우에 행정심판청구에 대한 재결이 있으면 그 재결 및 같은 처분 또는 부작위에 대하여 다시 행정심판을 청구할 수 있다. (○, ×) 2018 경행경채
3. 행정심판청구에 대한 재결이 있으면 그 재결에 대하여 다시 행정심판을 청구할 수 없다. (○, ×) 2017 국가직(하) 9급
4. 행정심판의 재결에 고유한 위법이 있는 경우에는 재결에 대하여 다시 행정심판을 청구할 수 있다. (○, ×) 2017 국회직 8급

1. ○ 2. × 3. ○ 4. ×

㉠ 빈출 ○

행정심판법 제3조【행정심판의 대상】 ① 행정청의 처분 또는 부작위에 대하여는 다른 법률에 특별한 규정이 있는 경우 외에는 이 법에 따라 행정심판을 청구할 수 있다.
② 대통령의 처분 또는 부작위에 대하여는 다른 법률에서 행정심판을 청구할 수 있도록 정한 경우 외에는 행정심판을 청구할 수 없다.

㉡ 빈출 ○

행정심판법 제5조【행정심판의 종류】 행정심판의 종류는 다음 각 호와 같다.
1. 취소심판 : 행정청의 위법 또는 부당한 처분을 취소하거나 변경하는 행정심판
2. 무효등확인심판 : 행정청의 처분의 효력 유무 또는 존재 여부를 확인하는 행정심판
3. 의무이행심판 : 당사자의 신청에 대한 행정청의 위법 또는 부당한 거부처분이나 부작위에 대하여 일정한 처분을 하도록 하는 행정심판

㉢ 빈출 ×

행정심판법 제51조【행정심판 재청구의 금지】 심판청구에 대한 재결이 있으면 그 재결 및 같은 처분 또는 부작위에 대하여 다시 행정심판을 청구할 수 없다.

㉣ ×

인용재결의 기속력으로 의해 처분청은 인용재결에 대해 불복할 수 없다. 제34강 참조

처분청은 인용재결에 기속되므로 피청구인인 처분청은 이에 불복하여 취소소송을 제기할 수 없다(대판 1998. 5. 8, 97누15432).

행정심판법 제49조【재결의 기속력 등】 ① 심판청구를 인용하는 재결은 피청구인과 그 밖의 관계행정청을 기속(羈束)한다.

정답 02 ③

03 중

2023 군무원 7급

행정기본법상 이의신청과 재심사에 관한 설명으로 옳지 않은 것은?

□□□ ① 이의신청에 대한 결과를 통지받은 후 행정심판 또는 행정소송을 제기하려는 자는 그 결과를 통지받은 날부터 90일 이내에 행정심판 또는 행정소송을 제기할 수 있다.

□□□ ② 공무원 인사관계법령에 의한 징계 등 처분에 관한 사항에 대하여도 행정기본법상의 이의신청 규정이 적용된다.

□□□ ③ 당사자는 처분에 대하여 법원의 확정판결이 있는 경우에는 처분의 근거가 된 사실관계 또는 법률관계가 추후에 당사자에게 유리하게 바뀐 경우에도 해당 처분을 한 행정청이 처분을 취소 · 철회하거나 변경하여 줄 것을 신청할 수는 없다.

□□□ ④ 처분을 유지하는 재심사 결과에 대하여는 행정심판, 행정소송 및 그 밖의 쟁송수단을 통하여 불복할 수 없다.

행정기본법상 이의신청과 처분의 재심사 조문에 관한 문제이다.

① ○

② ×

> 행정기본법 제36조【처분에 대한 이의신청】④ 이의신청에 대한 결과를 통지받은 후 행정심판 또는 행정소송을 제기하려는 자는 그 결과를 통지받은 날(제2항에 따른 통지기간 내에 결과를 통지받지 못한 경우에는 같은 항에 따른 통지기간이 만료되는 날의 다음 날을 말한다)부터 90일 이내에 행정심판 또는 행정소송을 제기할 수 있다(①).
> ⑦ 다음 각 호의 어느 하나에 해당하는 사항에 관하여는 이 조를 적용하지 아니한다.
> 1. 공무원 인사관계법령에 따른 징계 등 처분에 관한 사항(②)
> 2. 국가인권위원회법 제30조에 따른 진정에 대한 국가인권위원회의 결정
> 3. 노동위원회법 제2조의2에 따라 노동위원회의 의결을 거쳐 행하는 사항
> 4. 형사, 행형 및 보안처분 관계법령에 따라 행하는 사항
> 5. 외국인의 출입국 · 난민인정 · 귀화 · 국적회복에 관한 사항

③④ ○

> 행정기본법 제37조【처분의 재심사】① 당사자는 처분(제재처분 및 행정상 강제는 제외한다. 이하 이 조에서 같다)이 행정심판, 행정소송 및 그 밖의 쟁송을 통하여 다툴 수 없게 된 경우(법원의 확정판결이 있는 경우는 제외한다)(③)라도 다음 각 호의 어느 하나에 해당하는 경우에는 해당 처분을 한 행정청에 처분을 취소 · 철회하거나 변경하여 줄 것을 신청할 수 있다.
> 1. 처분의 근거가 된 사실관계 또는 법률관계가 추후에 당사자에게 유리하게 바뀐 경우
> 2. 당사자에게 유리한 결정을 가져다주었을 새로운 증거가 있는 경우
> 3. 민사소송법 제451조에 따른 재심사유에 준하는 사유가 발생한 경우 등 대통령령으로 정하는 경우
>
> ② 제1항에 따른 신청은 해당 처분의 절차, 행정심판, 행정소송 및 그 밖의 쟁송에서 당사자가 중대한 과실 없이 제1항 각 호의 사유를 주장하지 못한 경우에만 할 수 있다.
> ③ 제1항에 따른 신청은 당사자가 제1항 각 호의 사유를 안 날부터 60일 이내에 하여야 한다. 다만, 처분이 있은 날부터 5년이 지나면 신청할 수 없다.
> ④ 제1항에 따른 신청을 받은 행정청은 특별한 사정이 없으면 신청을 받은 날부터 90일(합의제 행정기관은 180일) 이내에 처분의 재심사 결과(재심사 여부와 처분의 유지 · 취소 · 철회 · 변경 등에 대한 결정을 포함한다)를 신청인에게 통지하여야 한다. 다만, 부득이한 사유로 90일(합의제 행정기관은 180일) 이내에 통지할 수 없는 경우에는 그 기간을 만료일 다음 날부터 기산하여 90일(합의제 행정기관은 180일)의 범위에서 한 차례 연장할 수 있으며, 연장사유를 신청인에게 통지하여야 한다.
> ⑤ 제4항에 따른 처분의 재심사 결과 중 처분을 유지하는 결과에 대해서는 행정심판, 행정소송 및 그 밖의 쟁송수단을 통하여 불복할 수 없다(④).

정답 03 ②

04 빈출 정답률 52% 중 2021 국가직 9급

행정심판법상 행정심판위원회가 취소심판의 청구가 이유가 있다고 인정하는 경우에 행할 수 있는 재결에 해당하지 않는 것은?

□□□ ① 처분을 취소하는 재결

□□□ ② 처분을 할 것을 명하는 재결

□□□ ③ 처분을 다른 처분으로 변경하는 재결

□□□ ④ 처분을 다른 처분으로 변경할 것을 명하는 재결

관련기출

①②③④

1. 취소심판의 인용재결로서 취소재결, 변경재결, 변경명령재결을 할 수 있다. (○, ×) 2021 국가직 7급
2. 취소심판의 재결로서 처분취소재결, 처분변경재결, 처분변경명령재결을 할 수 있으며, 처분취소명령재결은 할 수 없다. (○, ×) 2019 서울시 1회 7급
3. 취소심판의 인용재결에는 취소재결 · 변경재결 · 취소명령재결 · 변경명령재결이 있다. (○, ×) 2017 서울시 9급
4. 행정심판위원회는 취소심판의 청구가 이유 있다고 인정하면 처분을 취소 또는 다른 처분으로 변경하거나 처분을 다른 처분으로 변경할 것을 피청구인에게 명한다. (○, ×) 2008 국가직 7급

1. ○ 2. ○ 3. × 4. ○

①③④ **빈출** ○

② ×

처분을 할 것을 명하는 재결(처분명령재결)은 취소심판이 아니라 의무이행심판의 청구가 이유가 있다고 인정되는 경우의 재결이다.

> 행정심판법 제43조【재결의 구분】③ 위원회는 취소심판의 청구가 이유가 있다고 인정하면 처분을 취소 또는 다른 처분으로 변경하거나 처분을 다른 처분으로 변경할 것을 피청구인에게 명한다.
> ⑤ 위원회는 의무이행심판의 청구가 이유가 있다고 인정하면 지체 없이 신청에 따른 처분을 하거나 처분을 할 것을 피청구인에게 명한다.

정답 04 ②

05 빈출 정답률 61% 중 2020 지방직 · 서울시 9급

행정심판법상의 행정심판에 대한 설명으로 옳지 않은 것은? (다툼이 있는 경우 판례에 의함)

□□□ ① 행정청의 부당한 처분을 변경하는 행정심판은 현행법상 허용된다.

□□□ ② 당사자의 신청에 대한 행정청의 부당한 거부처분에 대하여 일정한 처분을 하도록 하는 행정심판은 현행법상 허용된다.

□□□ ③ 당사자의 신청에 대한 행정청의 위법한 부작위에 대하여 행정청의 부작위가 위법하다는 것을 확인하는 행정심판은 현행법상 허용되지 않는다.

□□□ ④ 당사자의 신청에 대한 행정청의 부당한 거부처분을 취소하는 행정심판은 현행법상 허용되지 않는다.

관련기출

①②

1. 당사자의 신청에 대한 행정청의 부당한 거부처분에 대하여 일정한 처분을 하도록 하는 행정심판의 청구는 현행법상 허용되고 있다. (○, ×) 2019 국가직 9급
2. 행정심판에서 처분의 적법성 여부뿐만 아니라 법원이 판단할 수 없는 처분의 당 · 부당의 문제에 관해서도 심사를 받을 수 있다. (○, ×) 2018 경행경채 3차
3. 행정심판법상 위법한 처분 · 부작위뿐만 아니라 부당한 처분 · 부작위에 대해서도 다툴 수 있다. (○, ×) 2012 지방직 7급

1. ○ 2. ○ 3. ○

④

1. 거부처분에 대하여서는 의무이행심판을 제기하여야 하며, 취소심판을 제기할 수 없다. (○, ×) 2017 국회직 8급
2. 판례는 당사자의 신청을 거부하는 처분을 취소하는 재결을 인정한다. (○, ×) 2012 지방직 7급

1. × 2. ○

①② **빈출** ○

행정심판에서는 위법한 처분뿐 아니라 부당한 처분도 심판대상이 된다는 점에서 행정소송과 구별된다.

> **행정심판법 제5조【행정심판의 종류】** 행정심판의 종류는 다음 각 호와 같다.
> 1. 취소심판 : 행정청의 위법 또는 부당한 처분을 취소하거나 변경하는 행정심판(①)
> 2. 무효등확인심판 : 행정청의 처분의 효력 유무 또는 존재 여부를 확인하는 행정심판
> 3. 의무이행심판 : 당사자의 신청에 대한 행정청의 위법 또는 부당한 거부처분이나 부작위에 대하여 일정한 처분을 하도록 하는 행정심판(②)

③ ○

부작위가 위법하다는 것을 확인하는 행정심판은 이른바 부작위위법확인심판인데, 행정심판의 경우 행정소송에서 의무이행소송이 인정되지 않는 것과는 달리 부작위에 대한 강력한 구제수단인 의무이행심판이 마련되어 있으므로 행정심판법에서는 의무이행심판과 별도로 부작위위법확인심판을 규정하고 있지 않다.

④ ×

종래 명문규정이 없어 거부처분에 대해서 취소심판청구가 허용되느냐에 대한 견해대립이 있었으나(다수설과 판례는 인정함), 2017년 4월 개정 행정심판법에서 명문으로 거부처분에 대한 취소심판을 인정(행정심판법 제49조 제2항 참조)하고 있다.

> **행정심판법 제49조【재결의 기속력 등】** ② 재결에 의하여 취소되거나 무효 또는 부존재로 확인되는 처분이 당사자의 신청을 거부하는 것을 내용으로 하는 경우에는 그 처분을 한 행정청은 재결의 취지에 따라 다시 이전의 신청에 대한 처분을 하여야 한다.

정답 05 ④

06 빈출 정답률 80% 중 2019 서울시 2회 7급

행정심판법상 행정심판의 청구에 대한 설명으로 가장 옳지 않은 것은?

□□□ ① 대통령의 처분 또는 부작위에 대하여는 다른 법률에서 행정심판을 청구할 수 있도록 정한 경우 외에는 행정심판을 청구할 수 없다.

□□□ ② 처분의 효과가 기간의 경과, 처분의 집행, 그 밖의 사유로 소멸된 뒤에도 그 처분의 취소로 회복되는 법률상 이익이 있는 자는 취소심판을 청구할 수 있다.

□□□ ③ 행정청이 심판청구기간을 알리지 아니한 경우에는 청구인은 언제든지 심판청구를 할 수 있다.

□□□ ④ 행정심판을 청구하려는 자는 심판청구서를 작성하여 피청구인이나 위원회에 제출하여야 한다.

관련기출

④

1. 행정심판을 청구하려는 자는 행정심판위원회뿐만 아니라 피청구인인 행정청에도 행정심판청구서를 제출할 수 있으나 행정소송을 제기하려는 자는 법원에 소장을 제출하여야 한다. (○, ×) 2018 국가직 9급
2. 행정심판청구서는 피청구인인 행정청을 거쳐 행정심판위원회에 제출하여야 한다. (○, ×) 2017 국회직 8급
3. 행정심판을 청구하려는 자는 심판청구서를 작성하여 피청구인이나 위원회에 제출하여야 하며 피청구인의 수만큼 심판청구서 부본을 함께 제출하여야 한다. (○, ×) 2015 서울시 9급

1. ○ 2. × 3. ○

① ○

> **행정심판법 제3조【행정심판의 대상】** ② 대통령의 처분 또는 부작위에 대하여는 다른 법률에서 행정심판을 청구할 수 있도록 정한 경우 외에는 행정심판을 청구할 수 없다.

② ○

> **행정심판법 제13조【청구인적격】** ① 취소심판은 처분의 취소 또는 변경을 구할 법률상 이익이 있는 자가 청구할 수 있다. 처분의 효과가 기간의 경과, 처분의 집행, 그 밖의 사유로 소멸된 뒤에도 그 처분의 취소로 회복되는 법률상 이익이 있는 자의 경우에도 또한 같다.

③ ×

> **행정심판법 제27조【심판청구의 기간】** ③ 행정심판은 처분이 있었던 날부터 180일이 지나면 청구하지 못한다. 다만, 정당한 사유가 있는 경우에는 그러하지 아니하다.
> ⑥ 행정청이 심판청구기간을 알리지 아니한 경우에는 제3항에 규정된 기간에 심판청구를 할 수 있다.

④ **빈출** ○

심판청구서는 피청구인인 행정청 또는 행정심판위원회에 제출하여야 한다. 과거에는 피청구인인 행정청을 거쳐 행정심판을 제기하도록 하는 처분청경유주의를 취하고 있었으나, 행정심판법의 개정으로 청구인의 선택에 따라 피청구인인 행정청 또는 행정심판위원회에 제출할 수 있도록 하였다. 따라서 청구인은 본인의 선택에 따라 심판청구서를 작성하여 피청구인에게 제출하거나 직접 행정심판위원회에 제출할 수 있다.

> **행정심판법 제23조【심판청구서의 제출】** ① 행정심판을 청구하려는 자는 제28조에 따라 심판청구서를 작성하여 피청구인이나 위원회에 제출하여야 한다. 이 경우 피청구인의 수만큼 심판청구서 부본을 함께 제출하여야 한다.

정답 06 ③

07 중 2018 국회직 8급

행정심판법의 규정에 대한 설명으로 옳은 것은?

□□□ ① 특별행정심판 또는 행정심판법에 따른 행정심판절차에 대한 특례를 신설하거나 변경하는 법령을 제정·개정할 때 중앙행정심판위원회와 사전에 협의하여야 하는 것은 아니다.

□□□ ② 대통령의 처분 또는 부작위에 대하여는 다른 법률에서 행정심판을 청구할 수 있도록 정한 경우 외에는 행정심판을 청구할 수 없다.

□□□ ③ 국가인권위원회의 처분 또는 부작위에 대한 행정심판의 청구는 국민권익위원회에 두는 중앙행정심판위원회에서 심리·재결한다.

□□□ ④ 행정심판결과에 이해관계가 있는 제3자나 행정청은 신청에 의하여 행정심판에 참가할 수 있으나, 행정심판위원회가 직권으로 심판에 참가할 것을 요구할 수는 없다.

□□□ ⑤ 행정심판위원회는 무효확인심판의 청구가 이유가 있더라도 이를 인용하는 것이 공공복리에 크게 위배된다고 인정하면 그 청구를 기각하는 재결을 할 수 있다.

① ×

> **행정심판법 제4조【특별행정심판 등】** ③ 관계행정기관의 장이 특별행정심판 또는 이 법에 따른 행정심판절차에 대한 특례를 신설하거나 변경하는 법령을 제정·개정할 때에는 미리 중앙행정심판위원회와 협의하여야 한다.

② ○

> **행정심판법 제3조【행정심판의 대상】** ② 대통령의 처분 또는 부작위에 대하여는 다른 법률에서 행정심판을 청구할 수 있도록 정한 경우 외에는 행정심판을 청구할 수 없다.

③ ×

> **행정심판법 제6조【행정심판위원회의 설치】** ① 다음 각 호의 행정청 또는 그 소속 행정청(행정기관의 계층구조와 관계없이 그 감독을 받거나 위탁을 받은 모든 행정청을 말하되, 위탁을 받은 행정청은 그 위탁받은 사무에 관하여는 위탁한 행정청의 소속 행정청으로 본다. 이하 같다)의 처분 또는 부작위에 대한 행정심판의 청구(이하 '심판청구'라 한다)에 대하여는 다음 각 호의 행정청에 두는 행정심판위원회에서 심리·재결한다.
> 1. 감사원, 국가정보원장, 그 밖에 대통령령으로 정하는 대통령 소속기관의 장
> 2. 국회사무총장·법원행정처장·헌법재판소사무처장 및 중앙선거관리위원회사무총장
> 3. 국가인권위원회, 그 밖에 지위·성격의 독립성과 특수성 등이 인정되어 대통령령으로 정하는 행정청

④ ×

> **행정심판법 제21조【심판참가의 요구】** ① 위원회는 필요하다고 인정하면 그 행정심판결과에 이해관계가 있는 제3자나 행정청에 그 사건 심판에 참가할 것을 요구할 수 있다.
> ② 제1항의 요구를 받은 제3자나 행정청은 지체 없이 그 사건 심판에 참가할 것인지 여부를 위원회에 통지하여야 한다.

⑤ ×

사정재결은 취소심판과 의무이행심판에서만 가능하며 무효등확인심판에서는 인정되지 않는다.

> **행정심판법 제44조【사정재결】** ① 위원회는 심판청구가 이유가 있다고 인정하는 경우에도 이를 인용하는 것이 공공복리에 크게 위배된다고 인정하면 그 심판청구를 기각하는 재결을 할 수 있다. 이 경우 위원회는 재결의 주문(主文)에서 그 처분 또는 부작위가 위법하거나 부당하다는 것을 구체적으로 밝혀야 한다.
> ② 위원회는 제1항에 따른 재결을 할 때에는 청구인에 대하여 상당한 구제방법을 취하거나 상당한 구제방법을 취할 것을 피청구인에게 명할 수 있다.
> ③ 제1항과 제2항은 무효등확인심판에는 적용하지 아니한다.

정답 07 ②

02 행정심판의 당사자 등 기 710~713쪽 핵 T 61

대표

08 상 2024 군무원 7급

다음 중 행정심판법에 대한 설명으로 옳은 것을 모두 고른 것은?

□□□ ㉠ 대통령의 처분 또는 부작위에 대하여는 다른 법률에서 행정심판을 청구할 수 있도록 정한 경우 외에는 행정심판을 청구할 수 없다.

□□□ ㉡ 관계행정기관의 장이 특별행정심판 또는 이 법에 따른 행정심판절차에 대한 특례를 신설하거나 변경하는 법령을 제정 · 개정할 때에는 미리 중앙행정심판위원회와 협의하여야 한다.

□□□ ㉢ 법인이 아닌 사단 또는 재단으로서 대표자나 관리인이 정하여져 있는 경우에는 그 사단이나 재단의 이름으로 심판청구를 할 수 있다.

□□□ ㉣ 여러 명의 청구인이 공동으로 심판청구를 할 때에는 청구인들 중에서 7명 이하의 선정대표자를 선정할 수 있다.

□□□ ㉤ 선정대표자로 선정된 후에는 다른 청구인들의 동의를 받지 아니하고도 다른 청구인들을 위하여 심판청구의 취하를 포함해서 그 사건에 관한 모든 행위를 할 수 있다.

① ㉠, ㉡, ㉢ ② ㉠, ㉡, ㉤
③ ㉡, ㉢, ㉣ ④ ㉢, ㉣, ㉤

㉠ ○

행정심판법 제3조【행정심판의 대상】 ② 대통령의 처분 또는 부작위에 대하여는 다른 법률에서 행정심판을 청구할 수 있도록 정한 경우 외에는 행정심판을 청구할 수 없다.

㉡ **빈출** ○

행정심판법 제4조【특별행정심판 등】 ③ 관계행정기관의 장이 특별행정심판 또는 이 법에 따른 행정심판절차에 대한 특례를 신설하거나 변경하는 법령을 제정 · 개정할 때에는 미리 중앙행정심판위원회와 협의하여야 한다.

㉢ ○

행정심판법 제14조【법인이 아닌 사단 또는 재단의 청구인능력】 법인이 아닌 사단 또는 재단으로서 대표자나 관리인이 정하여져 있는 경우에는 그 사단이나 재단의 이름으로 심판청구를 할 수 있다.

㉣ ×

행정심판법 제15조【선정대표자】 ① 여러 명의 청구인이 공동으로 심판청구를 할 때에는 청구인들 중에서 3명 이하의 선정대표자를 선정할 수 있다.

㉤ ×

행정심판법 제15조【선정대표자】 ③ 선정대표자는 다른 청구인들을 위하여 그 사건에 관한 모든 행위를 할 수 있다. 다만, 심판청구를 취하하려면 다른 청구인들의 동의를 받아야 하며, 이 경우 동의받은 사실을 서면으로 소명하여야 한다.

정답 08 ①

09 정답률 59% 중 2018 국가직 9급

행정심판에 대한 설명으로 옳은 것은? (다툼이 있는 경우 판례에 의함)

□□□ ① 종중이나 교회와 같은 비법인사단은 사단 자체의 명의로 행정심판을 청구할 수 없고 대표자가 청구인이 되어 행정심판을 청구하여야 한다.

□□□ ② 행정심판의 대상과 관련되는 권리나 이익을 양수한 특정승계인은 행정심판위원회의 허가를 받아 청구인의 지위를 승계할 수 있다.

□□□ ③ 행정심판에서는 항고소송에서와 달리 처분청이 당초 처분의 근거로 삼은 사유와 기본적 사실관계가 동일성이 인정되지 않는 다른 사유를 처분사유로 추가하거나 변경할 수 있다.

□□□ ④ 행정심판의 재결이 확정되면 피청구인인 행정청을 기속하는 효력이 있고 그 처분의 기초가 된 사실관계나 법률적 판단이 확정되므로 이후 당사자 및 법원은 이에 모순되는 주장이나 판단을 할 수 없다.

관련기출

③

1. 행정처분의 취소를 구하는 항고소송에서 처분청은 당초 처분의 근거로 삼은 사유와 기본적 사실관계가 동일성이 있다고 인정되는 한도 내에서만 다른 사유를 추가 또는 변경할 수 있다는 법리는 행정심판단계에서도 그대로 적용된다. (○, ×) 2018 지방직 7급
2. 행정청은 당초 처분사유와 기본적 사실관계가 동일하지 아니한 처분사유를 행정소송계속 중에는 추가 · 변경할 수 없으나 행정심판단계에서는 추가 · 변경할 수 있다. (○, ×) 2017 지방직 7급
3. 처분사유의 추가 · 변경에 관한 법리는 행정심판의 단계에서도 적용된다. (○, ×) 2016 국회직 8급

1. ○ 2. × 3. ○

① ×

법인이 아닌 사단 또는 재단의 경우에도 일정한 경우, 그 사단이나 재단의 이름으로 행정심판청구를 할 수도 있다.

> **행정심판법 제14조 【법인이 아닌 사단 또는 재단의 청구인능력】** 법인이 아닌 사단 또는 재단으로서 대표자나 관리인이 정하여져 있는 경우에는 그 사단이나 재단의 이름으로 심판청구를 할 수 있다.

② ○

청구인이 사망한 경우에는 포괄(包括)승계인인 상속인 등은 청구인의 지위를 당연승계하나, 심판청구의 대상과 관계되는 권리나 이익을 양수한 자인 특정(特定)승계인은 행정심판위원회의 허가를 받아 청구인의 지위를 승계할 수 있다. 행정심판법 제16조 제1항과 제5항을 구별하기 바란다.

> **행정심판법 제16조 【청구인의 지위승계】** ① 청구인이 사망한 경우에는 상속인이나 그 밖에 법령에 따라 심판청구의 대상에 관계되는 권리나 이익을 승계한 자가 청구인의 지위를 승계한다.
> ② 법인인 청구인이 합병(合倂)에 따라 소멸하였을 때에는 합병 후 존속하는 법인이나 합병에 따라 설립된 법인이 청구인의 지위를 승계한다.
> ⑤ 심판청구의 대상과 관계되는 권리나 이익을 양수한 자는 **위원회의 허가를 받아** 청구인의 지위를 승계할 수 있다.

③ 제34강 참조 ×

항고소송에서 처분사유의 추가 · 변경의 법리는 행정심판단계에서도 적용된다. 따라서 행정심판단계에서 행정청이 처분의 근거 사유를 추가하거나 변경하기 위해서는 당초 처분의 근거로 삼은 사유와 '기본적 사실관계의 동일성'이 인정되어야 한다.

> 항고소송에서 행정청이 처분의 근거 사유를 추가하거나 변경하기 위한 요건인 '기본적 사실관계의 동일성'은 행정심판단계에서도 적용된다(대판 2014. 5. 16, 2013두26118).

④ ×

행정소송의 판결에 기판력이 인정되는 것과 달리 행정심판의 재결에는 기판력이 인정되지 않는다는 것이 판례의 입장이다.

> 행정심판의 재결은 피청구인인 행정청을 기속하는 효력을 가지므로 재결청이 취소심판의 청구가 이유 있다고 인정하여 처분청에 처분을 취소할 것을 명하면 처분청으로서는 재결의 취지에 따라 처분을 취소하여야 하지만, 나아가 재결에 판결에서와 같은 기판력이 인정되는 것은 아니어서 재결이 확정된 경우에도 처분의 기초가 된 사실관계나 법률적 판단이 확정되고 당사자들이나 법원이 이에 기속되어 모순되는 주장이나 판단을 할 수 없게 되는 것은 아니다(대판 2015. 11. 27, 2013다6759).

정답 09 ②

03 행정심판위원회

기 714~719쪽 핵 T 62

10 중

2014 국가직 9급

국민권익위원회에 두는 중앙행정심판위원회가 심리 · 재결하는 행정처분이 아닌 것은?

□□□ ① 국가정보원장의 행정처분
□□□ ② 서울특별시 의회의 행정처분
□□□ ③ 대구광역시 교육감의 행정처분
□□□ ④ 해양경찰청장의 행정처분

① ×

국가정보원장의 처분에 대해서는 국가정보원장 소속의 행정심판위원회에서 심리 · 재결한다.

> **행정심판법 제6조【행정심판위원회의 설치】** ① 다음 각 호의 행정청 또는 그 소속 행정청(행정기관의 계층구조와 관계없이 그 감독을 받거나 위탁을 받은 모든 행정청을 말하되, 위탁을 받은 행정청은 그 위탁받은 사무에 관하여는 위탁한 행정청의 소속 행정청으로 본다. 이하 같다)의 처분 또는 부작위에 대한 행정심판의 청구(이하 '심판청구'라 한다)에 대하여는 다음 각 호의 행정청에 두는 행정심판위원회에서 심리 · 재결한다.
> 1. 감사원, 국가정보원장, 그 밖에 대통령령으로 정하는 대통령 소속기관의 장

②③④ ○

> **행정심판법 제6조【행정심판위원회의 설치】** ② 다음 각 호의 행정청의 처분 또는 부작위에 대한 심판청구에 대하여는 「부패방지 및 국민권익위원회의 설치와 운영에 관한 법률」에 따른 국민권익위원회(이하 '국민권익위원회'라 한다)에 두는 중앙행정심판위원회에서 심리 · 재결한다.
> 1. 제1항에 따른 행정청 외의 국가행정기관의 장 또는 그 소속 행정청(④)
> 2. 특별시장 · 광역시장 · 특별자치시장 · 도지사 · 특별자치도지사(특별시 · 광역시 · 특별자치시 · 도 또는 특별자치도의 교육감을 포함한다. 이하 '시 · 도지사'라 한다) 또는 특별시 · 광역시 · 특별자치시 · 도 · 특별자치도(이하 '시 · 도'라 한다)의 의회(의장, 위원회의 위원장, 사무처장 등 의회 소속 모든 행정청을 포함한다)(②③)
> 3. 지방자치법에 따른 지방자치단체조합 등 관계법률에 따라 국가 · 지방자치단체 · 공공법인 등이 공동으로 설립한 행정청. 다만, 제3항 제3호에 해당하는 행정청은 제외한다.

정답 10 ①

제 34 강 행정심판절차 등

1회독	2회독	3회독
/	/	/

정답률 공단기/소방단기 합격예측 풀서비스 통계 데이터 기준 기 기본서 핵 핵심집약

01 행정심판의 청구 기 722~729쪽 핵 T 63

01 정답률 79% 중 2024 소방직 9급

행정심판에 관한 설명으로 옳지 않은 것은? (다툼이 있는 경우 판례에 의함)

□□□ ① '진정'이란 국민이 법정의 절차나 형식에 구애됨이 없이 행정청에 대하여 어떠한 희망을 진술하는 것을 말하며, 경우에 따라 진정서의 형식을 취하고 있더라도 행정심판청구로 볼 수 있는 경우가 있다.

□□□ ② 행정심판법에서는 취소심판, 무효등확인심판, 의무이행심판에 대해서 규정하고 있다.

□□□ ③ 행정심판은 원칙적으로 처분이 있음을 알게 된 날부터 90일, 처분이 있었던 날부터 1년 이내에 청구하여야 한다.

□□□ ④ 시·도 소속 행정청의 처분 또는 부작위에 대한 심판청구에 대하여는 시·도지사 소속으로 두는 행정심판위원회가 심리·재결한다.

관련기출

③

1. 행정심판은 처분이 있었던 날부터 180일이 지나면 청구하지 못한다. 다만, 정당한 사유가 있는 경우에는 그러하지 아니하다. (○, ×) 2019 경행경채 2차

1. ○

④

1. 종로구청장의 처분이나 부작위에 대한 행정심판청구는 서울특별시 행정심판위원회에서 심리·재결하여야 한다. (○, ×) 2019 서울시 9급
2. 시·도의 관할구역에 있는 둘 이상의 시·군·자치구 등이 공동으로 설립한 행정청의 처분에 대하여는 시·도지사 소속 행정심판위원회에서 심리·재결한다. (○, ×) 2015 지방직 9급

1. ○ 2. ○

① 정답률 5% ○

처분에 대한 취소를 구하는 서면이 제출된 경우 비록 진정서라는 표제하에 제출되었다 하더라도 행정심판청구로 볼 수 있다.

비록 제목이 '진정서'로 되어 있고, 재결청의 표시, 심판청구의 취지 및 이유, 처분을 한 행정청의 고지의 유무 및 그 내용 등 행정심판법 제19조 제2항 소정의 사항들을 구분하여 기재하고 있지 아니하여 행정심판청구서로서 형식을 다 갖추고 있다고 볼 수는 없으나, 피청구인인 처분청과 청구인의 이름과 주소가 기재되어 있고, 청구인의 기명이 되어 있으며, 문서의 기재내용에 의하여 심판청구의 대상이 되는 행정처분의 내용과 심판청구의 취지 및 이유, 처분이 있은 것을 안 날을 알 수 있는 경우, 위 문서에 기재되어 있지 않은 재결청, 처분을 한 행정청의 고지의 유무 등의 내용과 날인 등의 불비한 점은 보정이 가능하므로 위 문서를 행정처분에 대한 행정심판청구로 보는 것이 옳다(대판 2000. 6. 9, 98두2621).

② 정답률 7% ○

행정심판법 제5조【행정심판의 종류】행정심판의 종류는 다음 각 호와 같다.
1. 취소심판 : 행정청의 위법 또는 부당한 처분을 취소하거나 변경하는 행정심판
2. 무효등확인심판 : 행정청의 처분의 효력 유무 또는 존재 여부를 확인하는 행정심판
3. 의무이행심판 : 당사자의 신청에 대한 행정청의 위법 또는 부당한 거부처분이나 부작위에 대하여 일정한 처분을 하도록 하는 행정심판

③ **빈출** 정답률 79% ×

행정심판법 제27조【심판청구의 기간】① 행정심판은 처분이 있음을 알게 된 날부터 90일 이내에 청구하여야 한다.
③ 행정심판은 처분이 있었던 날부터 180일이 지나면 청구하지 못한다. 다만, 정당한 사유가 있는 경우에는 그러하지 아니하다.

④ 정답률 7% 제33강 참조 ○

행정심판법 제6조【행정심판위원회의 설치】③ 다음 각 호의 행정청의 처분 또는 부작위에 대한 심판청구에 대하여는 시·도지사 소속으로 두는 행정심판위원회에서 심리·재결한다.
1. 시·도 소속 행정청
2. 시·도의 관할구역에 있는 시·군·자치구의 장, 소속 행정청 또는 시·군·자치구의 의회(의장, 위원회의 위원장, 사무국장, 사무과장 등 의회 소속 모든 행정청을 포함한다)
3. 시·도의 관할구역에 있는 둘 이상의 지방자치단체(시·군·자치구를 말한다)·공공법인 등이 공동으로 설립한 행정청

정답 01 ③

02 빈출 정답률 60% 중 2021 지방직 · 서울시 9급

행정심판법상 행정심판에 대한 설명으로 옳지 않은 것은? (다툼이 있는 경우 판례에 의함)

□□□ ① 심판청구기간의 기산점인 '처분이 있음을 안 날'이라 함은 당사자가 통지 · 공고 기타의 방법에 의하여 당해 처분이 있었다는 사실을 현실적으로 안 날을 의미한다.

□□□ ② 행정청의 부작위에 대한 의무이행심판은 심판청구기간 규정의 적용을 받지 않고, 사정재결이 인정되지 아니한다.

□□□ ③ 심판청구에 대한 재결이 있으면 그 재결 및 같은 처분 또는 부작위에 대하여 다시 행정심판을 청구할 수 없다.

□□□ ④ 재결이 확정된 경우에도 처분의 기초가 된 사실관계나 법률적 판단이 확정되고 당사자들이나 법원이 이에 기속되어 모순되는 주장이나 판단을 할 수 없게 되는 것은 아니다.

관련기출

①

1. 처분서가 처분상대방의 주소지에 송달되는 등 사회통념상 처분이 있음을 처분상대방이 알 수 있는 상태에 놓인 때에는 반증이 없는 한 처분상대방이 처분이 있음을 알았다고 추정할 수 있다. (○, ×) 2023 변호사
2. 제소기간의 적용에 있어 '처분이 있음을 안 날'이란 처분의 존재를 현실적으로 안 날을 의미하는 것이 아니라 처분의 위법 여부를 인식한 날을 말한다. (○, ×) 2015 사회복지직 9급
3. 처분이 있음을 안 날이라 함은 처분에 관한 서류가 당사자의 주소에 송달되는 등 사회통념상 처분이 있음을 당사자가 알 수 있는 상태에 놓여진 때에는 반증이 없는 한 그 처분이 있음을 알았다고 추정할 수 있다. (○, ×) 2013 국회속기직 9급

1. ○ 2. × 3. ○

②

1. 심판청구기간은 부작위에 대한 의무이행심판청구에는 적용되지 아니한다. (○, ×) 2024 국회직 8급
2. 거부처분이나 부작위에 대한 의무이행심판청구는 청구기간의 제한이 있다. (○, ×) 2023 군무원 7급
3. 취소심판의 경우와 달리 무효등확인심판과 의무이행심판의 경우에는 심판청구의 기간에 제한이 없다. (○, ×) 2019 경행경채 2차
4. 거부처분에 대한 의무이행심판에는 심판청구에 기간상의 제한이 없다. (○, ×) 2013 서울시 7급

1. ○ 2. × 3. × 4. ×

① 빈출 ○

처분이 있음을 안 날이란 처분이 있었다는 사실을 현실적으로 안 날을 의미하나, 주소지에 송달되는 등의 사정이 있으면 처분이 있음을 알았다고 추정할 수 있다.

행정심판법 제18조 제1항 소정의 심판청구기간 기산점인 '처분이 있음을 안 날'이라 함은 당사자가 통지 · 공고 기타의 방법에 의하여 당해 처분이 있었다는 사실을 현실적으로 안 날을 의미하고, 추상적으로 알 수 있었던 날을 의미하는 것은 아니지만, 처분에 관한 서류가 당사자의 주소지에 송달되는 등 사회통념상 처분이 있음을 당사자가 알 수 있는 상태에 놓여진 때에는 반증이 없는 한 그 처분이 있음을 알았다고 추정할 수 있다(대판 1999. 12. 28, 99두9742).

② 빈출 ×

행정심판 가운데 무효등확인심판과 부작위에 대한 의무이행심판은 청구기간의 제한이 없다(청구기간과 관련한 논의는 취소심판과 거부처분에 대한 의무이행심판에만 해당된다). 한편, 사정재결은 취소심판과 의무이행심판에는 인정되며 무효등확인심판에서는 인정되지 않는다. 사정판결이 취소소송에서만 인정된다는 점과 구별해서 정리하기 바란다.

행정심판법 제27조【심판청구의 기간】 ① 행정심판은 처분이 있음을 알게 된 날부터 90일 이내에 청구하여야 한다.
③ 행정심판은 처분이 있었던 날부터 180일이 지나면 청구하지 못한다. 다만, 정당한 사유가 있는 경우에는 그러하지 아니하다.
⑦ 제1항부터 제6항까지의 규정은 무효등확인심판청구와 부작위에 대한 의무이행심판청구에는 적용하지 아니한다.

제44조【사정재결】 ① 위원회는 심판청구가 이유가 있다고 인정하는 경우에도 이를 인용(認容)하는 것이 공공복리에 크게 위배된다고 인정하면 그 심판청구를 기각하는 재결을 할 수 있다. 이 경우 위원회는 재결의 주문(主文)에서 그 처분 또는 부작위가 위법하거나 부당하다는 것을 구체적으로 밝혀야 한다.
③ 제1항과 제2항은 무효등확인심판에는 적용하지 아니한다.

③ 빈출 제33강 참조 ○

행정심판법 제51조【행정심판 재청구의 금지】 심판청구에 대한 재결이 있으면 그 재결 및 같은 처분 또는 부작위에 대하여 다시 행정심판을 청구할 수 없다.

④ ○

행정심판의 재결은 피청구인인 행정청을 기속하는 효력을 가지므로 재결청이 취소심판의 청구가 이유 있다고 인정하여 처분청에 처분을 취소할 것을 명하면 처분청으로서는 재결의 취지에 따라 처분을 취소하여야 하지만, 나아가 재결에 판결에서와 같은 기판력이 인정되는 것은 아니어서 재결이 확정된 경우에도 처분의 기초가 된 사실관계나 법률적 판단이 확정되고 당사자들이나 법원이 이에 기속되어 모순되는 주장이나 판단을 할 수 없게 되는 것은 아니다(대판 2015. 11. 27, 2013다6759).

정답 02 ②

대표

03 빈출 중

2019 경행경채 2차

행정심판법상 행정심판청구의 기간에 대한 설명으로 가장 적절하지 않은 것은? (다툼이 있는 경우 판례에 의함)

□□□ ① 행정심판은 처분이 있음을 알게 된 날부터 90일 이내에 청구하여야 한다. 다만, 청구인이 불가항력으로 인하여 심판청구를 할 수 없었을 때에는 그 사유가 소멸한 날부터 14일 이내에 행정심판을 청구할 수 있다.

□□□ ② 행정심판은 처분이 있었던 날부터 180일이 지나면 청구하지 못한다. 다만, 정당한 사유가 있는 경우에는 그러하지 아니하다.

□□□ ③ 행정청이 심판청구의 기간을 알리지 아니한 경우에는 처분이 있었던 날부터 180일 이내에 행정심판을 청구할 수 있다.

□□□ ④ 취소심판의 경우와 달리 무효등확인심판과 의무이행심판의 경우에는 심판청구의 기간에 제한이 없다.

관련기출

①②③

1. 행정청이 심판청구기간을 알리지 아니한 경우에는 청구인은 언제든지 심판청구를 할 수 있다. (○, ×) 2019 서울시 2회 7급
2. 취소심판이 제기된 경우, 행정청이 처분시에 심판청구기간을 알리지 아니하였다 할지라도 당사자가 처분이 있음을 알게 된 날부터 90일이 경과하면 행정심판위원회는 부적법 각하재결을 하여야 한다. (○, ×) 2016 지방직 9급
3. 행정청이 행정심판청구기간 등을 고지하지 아니하였다고 하여도 처분의 상대방이 처분이 있었다는 사실을 알았을 경우에는 처분이 있은 날로부터 90일 이내에 심판청구를 하여야 한다. (○, ×) 2015 지방직 9급

1. × 2. × 3. ×

④

1. 소극적 처분과 부작위에 대한 의무이행심판은 처분이 있음을 알게 된 날부터 90일 이내에 청구하여야 한다. (○, ×) 2019 국회직 8급
2. 거부에 대한 의무이행심판에는 청구기간의 제한과 사정재결, 집행정지 규정이 적용되지 않는다. (○, ×) 2019 서울시 1회 7급

1. × 2. ×

①②③ 빈출 ○

> **행정심판법 제27조【심판청구의 기간】** ① 행정심판은 처분이 있음을 알게 된 날부터 90일 이내에 청구하여야 한다.
> ② 청구인이 천재지변, 전쟁, 사변(事變), 그 밖의 불가항력으로 인하여 제1항에서 정한 기간에 심판청구를 할 수 없었을 때에는 그 사유가 소멸한 날부터 14일 이내에 행정심판을 청구할 수 있다(①). 다만, 국외에서 행정심판을 청구하는 경우에는 그 기간을 30일로 한다.
> ③ 행정심판은 처분이 있었던 날부터 180일이 지나면 청구하지 못한다. 다만, 정당한 사유가 있는 경우에는 그러하지 아니하다(②).
> ⑥ 행정청이 심판청구기간을 알리지 아니한 경우에는 제3항에 규정된 기간에 심판청구를 할 수 있다(③).

④ 빈출 ×

행정심판법 제27조에서 심판청구기간에 관한 규정은 부작위에 대한 의무이행심판청구에는 적용하지 않는다고 규정하고 있으므로, 거부처분에 대한 의무이행심판청구에는 심판청구기간에 관한 규정이 적용된다.

> **행정심판법 제27조【심판청구의 기간】** ⑦ 제1항부터 제6항까지의 규정은 무효등확인심판청구와 부작위에 대한 의무이행심판청구에는 적용하지 아니한다.

정답 03 ④

04

정답률 49% 상 2018 국가직 9급

행정심판과 행정소송에 대한 설명으로 옳지 않은 것은? (다툼이 있는 경우 판례에 의함)

□□□ ① 행정심판을 청구하려는 자는 행정심판위원회뿐만 아니라 피청구인인 행정청에도 행정심판청구서를 제출할 수 있으나 행정소송을 제기하려는 자는 법원에 소장을 제출하여야 한다.

□□□ ② 행정심판에서는 행정청이 상대방에게 심판청구기간을 법정심판청구기간보다 긴 기간으로 잘못 알린 경우에 그 잘못 알린 기간 내에 심판청구가 있으면 그 심판청구는 법정심판청구기간 내에 제기된 것으로 보나 행정소송에서는 그렇지 않다.

□□□ ③ 행정심판법은 행정소송법과는 달리 집행정지뿐만 아니라 임시처분도 규정하고 있다.

□□□ ④ 행정심판에서 행정심판위원회는 행정청의 부작위가 위법 · 부당하다고 판단되면 직접처분을 할 수 있으나 행정소송에서 법원은 행정청의 부작위가 위법한 경우에만 직접처분을 할 수 있다.

관련기출

②

1. 행정소송법에서는 행정소송제기기간을 법령보다 긴 기간으로 잘못 알린 경우에 대해 이를 구제할 수 있는 규정을 두고 있지 않으나 행정심판법의 준용을 통해 구제가 가능하다. (○, ×) 2021 국회직 8급
2. 행정청이 행정심판청구기간을 실제보다 긴 기간으로 잘못 알린 경우에는 그 잘못 알린 긴 기간 내에 행정심판을 제기하면 된다. (○, ×) 2007 관세사

1. × 2. ○

행정심판과 행정소송은 모두 행정쟁송이라는 공통점을 가지고 있으나 차이점 또한 존재한다. 두 제도의 차이점을 잘 정리하기 바란다.

① ○

> **행정심판법 제23조【심판청구서의 제출】** ① 행정심판을 청구하려는 자는 제28조에 따라 심판청구서를 작성하여 피청구인이나 위원회에 제출하여야 한다. 이 경우 피청구인의 수만큼 심판청구서 부본을 함께 제출하여야 한다.
>
> **행정소송법 제8조【법적용례】** ① 행정소송에 대하여는 다른 법률에 특별한 규정이 있는 경우를 제외하고는 이 법이 정하는 바에 의한다.
> ② 행정소송에 관하여 이 법에 특별한 규정이 없는 사항에 대하여는 법원조직법과 민사소송법 및 민사집행법의 규정을 준용한다.
>
> **민사소송법 제248조【소제기의 방식】** 소는 법원에 소장을 제출함으로써 제기한다.

② ○

> **행정심판법 제27조【심판청구의 기간】** ① 행정심판은 처분이 있음을 알게 된 날부터 90일 이내에 청구하여야 한다.
> ⑤ 행정청이 심판청구기간을 제1항에 규정된 기간보다 긴 기간으로 잘못 알린 경우 그 잘못 알린 기간에 심판청구가 있으면 그 행정심판은 제1항에 규정된 기간에 청구된 것으로 본다.

> 행정심판법상 오고지에 관한 규정(행정심판법 제27조 제5항)은 행정소송에는 적용되지 아니한다.
> 행정처분시나 그 이후 행정청으로부터 행정심판제기기간에 관하여 법정심판청구기간보다 긴 기간으로 잘못 통지받은 경우에 보호할 신뢰이익은 그 통지받은 기간 내에 행정심판을 제기한 경우에 한하는 것이지 행정소송을 제기한 경우까지 확대된다고 할 수 없으므로, 당사자가 행정처분시나 그 이후 행정청으로부터 행정심판 제기기간에 관하여 법정심판청구기간보다 긴 기간으로 잘못 통지받아 행정소송법상 법정제소기간을 도과하였다고 하더라도, 그것이 당사자가 책임질 수 없는 사유로 인한 것이라고 할 수는 없다(대판 2001. 5. 8, 2000두6916).

③ **빈출** ○

행정심판법에서는 임시처분에 관한 규정을 두고 있으나 행정소송법에서는 임시처분에 관한 규정을 두고 있지 않다.

> **행정심판법 제30조【집행정지】** ① 심판청구는 처분의 효력이나 그 집행 또는 절차의 속행(續行)에 영향을 주지 아니한다.
>
> **제31조【임시처분】** ① 위원회는 처분 또는 부작위가 위법 · 부당하다고 상당히 의심되는 경우로서 처분 또는 부작위 때문에 당사자가 받을 우려가 있는 중대한 불이익이나 당사자에게 생길 급박한 위험을 막기 위하여 임시지위를 정하여야 할 필요가 있는 경우에는 직권으로 또는 당사자의 신청에 의하여 임시처분을 결정할 수 있다.
>
> **행정소송법 제23조【집행정지】** ① 취소소송의 제기는 처분 등의 효력이나 그 집행 또는 절차의 속행에 영향을 주지 아니한다.

④ ×

행정심판법상으로 행정심판위원회의 직접처분권이 인정되어 있는 것과 달리, 행정소송법상 법원의 직접처분권은 인정되지 않고 있다.

> **행정심판법 제50조【위원회의 직접처분】** ① 위원회는 피청구인이 제49조 제3항에도 불구하고 처분을 하지 아니하는 경우에는 당사자가 신청하면 기간을 정하여 서면으로 시정을 명하고 그 기간에 이행하지 아니하면 직접처분을 할 수 있다. 다만, 그 처분의 성질이나 그 밖의 불가피한 사유로 위원회가 직접처분을 할 수 없는 경우에는 그러하지 아니하다.

정답 04 ④

05 ㉻ 2017 교육행정직 9급

행정심판법상 행정심판에 관한 설명으로 옳지 않은 것은?

□□□ ① 무효등확인심판에는 사정재결이 인정되지 아니한다.

□□□ ② 임시처분은 집행정지로 목적을 달성할 수 있는 경우에는 허용되지 않는다.

□□□ ③ 행정심판의 재결에 불복하는 경우 그 재결 및 같은 처분 또는 부작위에 대하여 다시 행정심판을 청구할 수 있다.

□□□ ④ 행정심판위원회는 처분이행명령재결이 있음에도 피청구인이 처분을 하지 않은 경우 당사자의 신청에 의해 기간을 정하여 서면으로 시정을 명하고 그 기간 안에 이행하지 않으면 원칙적으로 직접처분을 할 수 있다.

① ○

사정재결은 취소심판 및 의무이행심판에만 인정되고 무효등확인심판에는 인정되지 아니한다(02 ② 해설 조문 참조).

② ○

행정심판법 제31조【임시처분】 ③ 제1항에 따른 임시처분은 제30조 제2항에 따른 집행정지로 목적을 달성할 수 있는 경우에는 허용되지 아니한다.

③ ×

행정심판법 제51조【행정심판 재청구의 금지】 심판청구에 대한 재결이 있으면 그 재결 및 같은 처분 또는 부작위에 대하여 다시 행정심판을 청구할 수 없다.

④ ○

행정심판법 제49조【재결의 기속력 등】 ③ 당사자의 신청을 거부하거나 부작위로 방치한 처분의 이행을 명하는 재결이 있으면 행정청은 지체 없이 이전의 신청에 대하여 재결의 취지에 따라 처분을 하여야 한다.

제50조【위원회의 직접처분】 ① 위원회는 피청구인이 제49조 제3항에도 불구하고 처분을 하지 아니하는 경우에는 당사자가 신청하면 기간을 정하여 서면으로 시정을 명하고 그 기간에 이행하지 아니하면 직접처분을 할 수 있다. 다만, 그 처분의 성질이나 그 밖의 불가피한 사유로 위원회가 직접 처분을 할 수 없는 경우에는 그러하지 아니하다.

정답 05 ③

02 행정심판의 심리 · 재결 기 730~742쪽 핵 T 64

06 빈출 정답률 61% 중 2024 지방직 · 서울시 9급

판례의 입장으로 옳지 않은 것은? (다툼이 있는 경우 판례에 의함)

□□□ ① 교원소청심사위원회의 결정은 학교법인에 대하여 기속력을 가지지만 기속력은 그 결정의 주문에 포함된 사항에 미치는 것이지 그 전제가 된 요건사실의 인정과 불리한 처분 등의 구체적 위법사유에 관한 판단에까지 미치는 것은 아니다.

□□□ ② 어업권면허에 선행하는 우선순위결정은 행정청이 우선권자로 결정된 자의 신청이 있으면 어업권면허처분을 하겠다는 것을 약속하는 행위로서 행정처분이 아니다.

□□□ ③ 행정지도가 강제성을 띠지 않은 비권력적 작용으로서 행정지도의 한계를 일탈하지 않았다면, 그로 인하여 상대방에게 어떤 손해가 발생하였다 하더라도 행정기관은 그에 대한 손해배상책임이 없다.

□□□ ④ 「공익사업을 위한 토지 등의 취득 및 보상에 관한 법률」상 적법하게 시행된 공익사업으로 인하여 이주하게 된 주거용 건축물 세입자의 주거이전비 보상청구권은 공법상의 권리이고, 따라서 그 보상을 둘러싼 쟁송은 민사소송이 아니라 공법상의 법률관계를 대상으로 하는 행정소송에 의하여야 한다.

① 정답률 61% ×

교원소청심사위원회의 결정은 처분청에 대하여 기속력을 가지고 이는 그 결정의 주문에 포함된 사항뿐 아니라 그 전제가 된 요건사실의 인정과 판단, 즉 처분 등의 구체적 위법사유에 관한 판단에까지 미친다(대판 2013. 7. 25, 2012두12297).

② 정답률 11% 제18강 참조 ○

어업권면허처분에 선행하는 우선순위결정은 확약에 불과하고 행정처분이 아니므로 공정력, 불가쟁력과 같은 효력은 인정되지 아니한다.

어업권면허에 선행하는 우선순위결정은 행정청이 우선권자로 결정된 자의 신청이 있으면 어업권면허처분을 하겠다는 것을 약속하는 행위로서 강학상 확약에 불과하고 행정처분은 아니므로, 우선순위결정에 공정력이나 불가쟁력과 같은 효력은 인정되지 아니하며, 따라서 우선순위결정이 잘못되었다는 이유로 종전의 어업권면허처분이 취소되면 행정청은 종전의 우선순위결정을 무시하고 다시 우선순위를 결정한 다음 새로운 우선순위결정에 기하여 새로운 어업권면허를 할 수 있다(대판 1995. 1. 20, 94누6529).

③ 정답률 12% 제19강 참조 ○

한계를 일탈한 위법한 행정지도로 인하여 상대방이 손해를 입은 경우 행정기관에게 손해를 배상할 책임이 있으나, 한계를 일탈하지 않은 행정지도로 인하여 상대방에게 손해가 발생한 경우라면 행정기관은 손해배상책임을 지지 않는다.

행정기관의 위법한 행정지도로 일정기간 어업권을 행사하지 못하는 손해를 입은 자가 그 어업권을 타인에게 매도하여 매매대금 상당의 이득을 얻었더라도 그 이득은 손해배상책임의 원인이 되는 행위인 위법한 행정지도와 상당인과관계에 있다고 볼 수 없고, 행정기관이 배상하여야 할 손해는 위법한 행정지도로 피해자가 일정기간 어업권을 행사하지 못한 데 대한 것임에 반해 피해자가 얻은 이득은 어업권 자체의 매각대금이므로 위 이득이 위 손해의 범위에 대응하는 것이라고 볼 수도 없어, 피해자가 얻은 매매대금 상당의 이득을 행정기관이 배상하여야 할 손해액에서 공제할 수 없다(대판 2008. 9. 25, 2006다18228).

④ 정답률 14% 제35강 참조 ○

주거이전비는 당해 공익사업 시행지구 안에 거주하는 세입자들의 조기이주를 장려하여 사업추진을 원활하게 하려는 정책적인 목적과 주거이전으로 인하여 특별한 어려움을 겪게 될 세입자들을 대상으로 하는 사회보장적인 차원에서 지급되는 금원의 성격을 가지므로, 적법하게 시행된 공익사업으로 인하여 이주하게 된 주거용 건축물 세입자의 주거이전비 보상청구권은 공법상의 권리이고, 따라서 그 보상을 둘러싼 쟁송은 민사소송이 아니라 공법상의 법률관계를 대상으로 하는 행정소송에 의하여야 한다(대판 2008. 5. 29, 2007다8129).

정답 06 ①

07 정답률 81% 중 2024 국가직 9급

행정심판재결의 효력에 대한 설명으로 옳지 않은 것은? (다툼이 있는 경우 판례에 의함)

□□□ ① 행정심판재결의 내용이 처분청의 처분을 스스로 취소하는 것일 때에는 그 재결의 형성력이 발생하여 당해 행정처분은 별도의 행정처분을 기다릴 것 없이 당연히 취소되어 소멸된다.

□□□ ② 행정처분이나 행정심판재결이 불복기간의 경과로 확정될 경우 그 확정력은 처분으로 법률상 이익을 침해받은 자가 당해 처분이나 재결의 효력을 더 이상 다툴 수 없다는 의미일 뿐 판결과 같은 기판력이 인정되는 것은 아니다.

□□□ ③ 당사자의 신청을 받아들이지 않은 거부처분이 재결에서 취소된 경우에 행정청은 종전 거부처분 또는 재결 후에 발생한 새로운 사유를 내세워 다시 거부처분을 할 수 없다.

□□□ ④ 교원소청심사위원회의 결정은 처분청에 대하여 기속력을 가지고 이는 그 결정의 주문에 포함된 사항뿐 아니라 처분 등의 구체적 위법사유에 관한 판단에까지 미친다.

관련기출

①

1. 행정심판에서 행정심판위원회에 의한 형성적 재결이 있은 경우에는 그 대상이 된 행정처분은 재결 자체에 의하여 당연히 취소되어 소멸된다. (○, ×) 2018 경행경채 3차
2. 형성력을 가지는 취소재결이 있는 경우 그 대상이 된 행정처분은 재결 자체에 의해 당연취소되어 소멸한다. (○, ×) 2012 지방직(하) 9급, 2012 사회복지직 9급
3. 형성재결인 취소재결이 있는 경우 재결의 형성력에 의해 처분청의 별도의 처분 없이 처분의 효력이 소멸된다. (○, ×) 2012 서울교행

1. ○ 2. ○ 3. ○

③

1. 당사자의 신청을 받아들이지 않은 거부처분이 재결에서 취소된 경우에 행정청은 종전 거부처분 또는 재결 후에 발생한 새로운 사유를 내세워 다시 거부처분을 할 수 없다. (○, ×) 2023 군무원 9급
2. 당사자의 신청을 받아들이지 않은 거부처분이 재결에서 취소된 경우에 행정청은 재결 후에 발생한 새로운 사유를 내세워 다시 거부처분을 할 수 있다. (○, ×) 2021 국가직 7급
3. 당사자의 신청을 받아들이지 않은 거부처분이 재결에서 취소된 경우, 그 재결의 취지에 따라 이전의 신청에 대하여 다시 어떠한 처분을 하여야 할지는 처분을 할 때의 법령과 사실을 기준으로 판단하여야 하므로, 행정청은 종전 거부처분 또는 재결 후에 발생한 새로운 사유를 내세워 다시 거부처분을 할 수 있다. (○, ×) 2019 국가직 7급

1. × 2. ○ 3. ○

① **빈출** 정답률 4% ○

처분을 취소하는 재결이 있으면 형성력에 의해 당해 처분은 행정청의 별도의 처분이 없더라도 처분시에 소급하여 효력이 소멸된다.

> 처분취소재결의 경우 재결의 형성력에 의해 행정처분은 별도의 처분을 기다릴 것 없이 당연히 효력이 소멸된다.
>
> 행정심판재결의 내용이 처분청에 처분의 취소를 명하는 것이 아니라 재결청이 스스로 처분을 취소하는 것일 때에는 그 재결의 형성력에 의하여 당해 처분은 별도의 행정처분을 기다릴 것 없이 당연히 취소되어 소멸되는 것이다(대판 1998. 4. 24, 97누17131).

② 정답률 6% 제15강 참조 ○

> 1. 일반적으로 행정처분이나 행정심판재결이 불복기간의 경과로 인하여 확정될 경우 그 확정력은, 그 처분으로 인하여 법률상 이익을 침해받은 자가 당해 처분이나 재결의 효력을 더 이상 다툴 수 없다는 의미일 뿐이다.
> 2. 또한 그 확정력에는 판결에 있어서와 같은 기판력이 인정되는 것은 아니어서 그 처분의 기초가 된 사실관계나 법률적 판단이 확정되고 당사자들이나 법원이 이에 기속되어 모순되는 주장이나 판단을 할 수 없게 되는 것은 아니다(대판 2004. 7. 8, 2002두11288).

③ **빈출** 정답률 81% ×

거부처분이 내용상 하자로 재결에서 취소된 경우 행정청은 종전 거부처분과 동일한 사유를 들어 거분처분을 할 수는 없지만 종전거부처분의 사유가 아닌 새로운 사유를 들어 다시 거부처분을 할 수 있다.

> 당사자의 신청을 받아들이지 않은 거부처분이 재결에서 취소된 경우에 행정청은 종전 거부처분 또는 재결 후에 발생한 새로운 사유를 내세워 다시 거부처분을 할 수 있다. 그 재결의 취지에 따라 이전의 신청에 대하여 다시 어떠한 처분을 하여야 할지는 처분을 할 때의 법령과 사실을 기준으로 판단하여야 하기 때문이다(대판 2017. 10. 31, 2015두45045).

④ 정답률 7% ○

> 교원소청심사위원의 결정은 처분청에 대하여 기속력을 가지고 이는 그 결정의 주문에 포함된 사항뿐 아니라 그 전제가 된 요건사실의 인정과 판단, 즉 처분 등의 구체적 위법사유에 관한 판단에까지 미친다(대판 2013. 7. 25, 2012두12297).

정답 07 ③

08 정답률 85% 중 2023 지방직 · 서울시 7급

행정심판법상 행정심판에 대한 설명으로 옳은 것만을 모두 고르면? (다툼이 있는 경우 판례에 의함)

> □□□ ㉠ 심판청구에 대한 재결이 있으면 그 재결 및 같은 처분 또는 부작위에 대하여 다시 행정심판을 청구할 수 없다.
>
> □□□ ㉡ 행정심판위원회는 처분 또는 부작위가 위법 · 부당하다고 상당히 의심되는 경우로서 처분 또는 부작위 때문에 당사자가 받을 우려가 있는 중대한 불이익이나 당사자에게 생길 급박한 위험을 막기 위하여 임시지위를 정하여야 할 필요가 있는 경우에는 집행정지로 목적을 달성할 수 있더라도 직권으로 또는 당사자의 신청에 의하여 임시처분을 결정할 수 있다.
>
> □□□ ㉢ 행정심판위원회는 피청구인이 의무이행재결 중 처분명령재결의 취지에 따른 처분을 하지 아니하는 경우에, 청구인의 신청에 의하여 결정으로 상당한 기간을 정하고 피청구인이 그 기간 내에 이행하지 아니하는 경우에는 그 지연기간에 따라 일정한 배상을 하도록 명하거나 즉시 배상을 할 것을 명할 수 있다.
>
> □□□ ㉣ 피청구인 또는 행정심판위원회는 전자정보처리조직을 통하여 행정심판을 청구하거나 심판참가를 한 자가 동의한 경우에 전자정보처리조직과 그와 연계된 정보통신망을 이용하여 재결서나 행정심판법에 따른 각종 서류를 청구인 또는 참가인에게 송달할 수 있다.

① ㉠, ㉢ ② ㉠, ㉡, ㉣
③ ㉠, ㉢, ㉣ ④ ㉡, ㉢, ㉣

관련기출

㉢

1. 행정심판 인용재결에 따른 행정청의 재처분의무에도 불구하고 행정청이 인용재결에 따른 처분을 하지 아니하는 경우에, 행정심판위원회는 청구인의 신청이 없어도 결정으로 일정한 배상을 하도록 명할 수 있다. (○, ×) 2021 지방직 · 서울시 9급
2. 행정심판위원회는 피청구인이 의무이행재결의 취지에 따른 처분을 하지 아니하면 청구인의 신청에 의하여 결정으로 상당한 기간을 정하고 피청구인이 그 기간 내에 이행하지 아니하는 경우에는 그 지연기간에 따라 일정한 배상을 하도록 명하거나 즉시 배상을 할 것을 명할 수 있다. (○, ×) 2018 국가직 7급
3. 행정심판위원회는 재처분의무가 있는 피청구인이 재처분의무를 이행하지 아니하면 지연기간에 따라 일정한 배상을 하도록 명할 수는 있으나 즉시 배상을 할 것을 명할 수는 없다. (○, ×) 2018 서울시 2회 7급

1. × 2. ○ 3. ×

㉠ 제33강 참조 ○

> **행정심판법 제51조【행정심판 재청구의 금지】** 심판청구에 대한 재결이 있으면 그 재결 및 같은 처분 또는 부작위에 대하여 다시 행정심판을 청구할 수 없다.

㉡ **빈출** ×

임시처분은 집행정지와의 관계에서 보충성을 가진다.

> **행정심판법 제31조【임시처분】** ① 위원회는 처분 또는 부작위가 위법 · 부당하다고 상당히 의심되는 경우로서 처분 또는 부작위 때문에 당사자가 받을 우려가 있는 중대한 불이익이나 당사자에게 생길 급박한 위험을 막기 위하여 임시지위를 정하여야 할 필요가 있는 경우에는 직권으로 또는 당사자의 신청에 의하여 임시처분을 결정할 수 있다.
> ③ 제1항에 따른 임시처분은 제30조 제2항에 따른 집행정지로 목적을 달성할 수 있는 경우에는 허용되지 아니한다.

㉢ **빈출** ○

> **행정심판법 제49조【재결의 기속력 등】** ③ 당사자의 신청을 거부하거나 부작위로 방치한 처분의 이행을 명하는 재결이 있으면 행정청은 지체 없이 이전의 신청에 대하여 재결의 취지에 따라 처분을 하여야 한다.
>
> **제50조의2【위원회의 간접강제】** ① 위원회는 피청구인이 제49조 제2항(제49조 제4항에서 준용하는 경우를 포함한다) 또는 제3항에 따른 처분을 하지 아니하면 청구인의 신청에 의하여 결정으로 상당한 기간을 정하고 피청구인이 그 기간 내에 이행하지 아니하는 경우에는 그 지연기간에 따라 일정한 배상을 하도록 명하거나 즉시 배상을 할 것을 명할 수 있다.

㉣ ○

> **행정심판법 제54조【전자정보처리조직을 이용한 송달 등】** ① 피청구인 또는 위원회는 제52조 제1항에 따라 행정심판을 청구하거나 심판참가를 한 자에게 전자정보처리조직과 그와 연계된 정보통신망을 이용하여 재결서나 이 법에 따른 각종 서류를 송달할 수 있다. 다만, 청구인이나 참가인이 동의하지 아니하는 경우에는 그러하지 아니하다

정답 08 ③

09 정답률 59% 상 2023 지방직 · 서울시 9급

다음 사례에 대한 설명으로 옳은 것은?

> 식품접객업을 하는 甲은 청소년의 연령을 확인하지 않고 주류를 판매한 사실이 적발되어 관할행정청 乙로부터 식품위생법 위반을 이유로 영업정지 2개월을 부과받자 관할 행정심판위원회 丙에 행정심판을 청구하였다.

□□□ ① 丙은 영업정지 2개월에 갈음하여 식품위생법 소정의 과징금으로 변경할 수 없다.

□□□ ② 甲이 丙의 기각재결을 받은 후 재결 자체에 고유한 하자가 있음을 주장하며 그 기각재결에 대하여 취소소송을 제기한 경우, 수소법원은 심리 결과 재결 자체에 고유한 위법이 없다면 각하판결을 하여야 한다.

□□□ ③ 丙이 영업정지처분을 취소하는 재결을 할 경우, 乙은 이 인용재결의 취소를 구하는 행정소송을 제기할 수 없다.

□□□ ④ 丙은 행정심판의 심리과정에서 甲의 식품위생법상의 또 다른 위반사실을 인지한 경우, 乙의 2개월 영업정지와는 별도로 1개월 영업정지를 추가하여 부과하는 재결을 할 수 있다.

관련기출

③

1. 행정심판청구를 인용하는 재결에 대하여 피청구인과 그 밖의 관계 행정청은 재결서의 정본을 송달받은 날부터 90일 이내에 행정소송을 제기할 수 있다. (○, ×) 2023 국회직 9급
2. (자신이 소유한 모텔에서 성인 乙과 청소년 丙을 투숙시켜 이성 혼숙하도록 한 사실이 적발되어 A도 관할 B군 군수 丁으로부터 공중위생관리법에 따라 영업정지 3개월의 처분을 받은 甲이 처분의 취소를 구하는 행정심판을 청구하였다) 행정심판위원회가 甲의 청구를 인용하는 재결을 한 경우, 丁이 인용재결의 취소를 구하는 행정소송을 제기할 수 있다. (○, ×) 2023 소방직 9급

1. × 2. ×

① ×

행정심판법상 변경재결은 일부취소재결뿐만 아니라 적극적 변경재결까지 포함한다. 따라서 丙은 영업정지 2개월에 갈음하여 식품위생법 소정의 과징금으로 변경할 수 있다.

② 제37강 참조 ×

각하판결이 아니라 기각판결을 하여야 한다.

> **재결취소소송에 있어 재결 자체에 고유한 위법이 없는 경우 법원은 재결취소소송을 기각하여야 한다.**
>
> 재결취소소송의 경우 재결 자체에 고유한 위법이 있는지 여부를 심리할 것이고, 재결 자체에 고유한 위법이 없는 경우에는 원처분의 당부와는 상관없이 당해 재결취소소송은 이를 기각하여야 한다(대판 1994. 1. 25, 93누16901).

③ ○

> 처분청은 인용재결에 기속되므로 이에 불복하여 취소소송을 제기할 수 없다(대판 1998. 5. 8, 97누15432).

④ ×

이른바 불이익변경금지원칙에 관한 내용이다.

> **행정심판법 제47조【재결의 범위】** ② 위원회는 심판청구의 대상이 되는 처분보다 청구인에게 불리한 재결을 하지 못한다.

정답 09 ③

10 중

2023 소방간부

행정심판에 관한 설명으로 옳지 않은 것은? (다툼이 있는 경우 판례에 의함)

① 의무이행심판은 당사자의 신청에 대한 행정청의 위법 또는 부당한 거부처분이나 부작위에 대하여 일정한 처분을 하도록 하는 행정심판이다.

② 임시처분제도는 행정심판법 제30조 제2항에 따른 집행정지로 목적을 달성할 수 있는 경우에는 허용되지 아니한다.

③ 인용재결이 확정된 경우 처분의 기초가 되는 사실관계나 법률적 판단이 확정되고, 당사자나 법원은 이에 기속되어 모순되는 주장이나 판단을 할 수 없다.

④ 인용재결의 기속력은 재결의 주문 및 그 전제된 요건사실의 인정과 판단에 미치고, 종전 처분이 재결에 의하여 취소되었다 하더라도 종전 처분 시와는 다른 사유를 들어서 처분을 하는 것은 기속력에 저촉되지 않는다.

⑤ 취소심판에서도 항고소송과 마찬가지로 처분청은 당초 처분의 근거로 삼은 사유와 기본적 사실관계가 동일성이 있다고 인정되는 한도 내에서만 다른 사유를 추가 또는 변경할 수 있다.

관련기출

③

1. 재결이 확정된 경우에도 처분의 기초가 된 사실관계나 법률적 판단이 확정되고 당사자들이나 법원이 이에 기속되어 모순되는 주장이나 판단을 할 수 없게 되는 것은 아니다. (○, ×) 2021 지방직 · 서울시 9급
2. 재결이 확정된 경우에는 처분의 기초가 된 사실관계나 법률적 판단이 확정되고 당사자들이나 법원은 이에 기속되어 모순되는 주장이나 판단을 할 수 없게 된다. (○, ×) 2019 국가직 7급
3. 행정심판의 재결이 확정되면 피청구인인 행정청을 기속하는 효력이 있고 그 처분의 기초가 된 사실관계나 법률적 판단이 확정되므로 이후 당사자 및 법원은 이에 모순되는 주장이나 판단을 할 수 없다. (○, ×) 2018 국가직 9급
4. 취소재결의 경우 기판력과 기속력이 인정된다. (○, ×) 2018 서울시 1회 7급

1. ○ 2. × 3. × 4. ×

④

1. 기속력은 재결의 주문에만 미치고, 처분 등의 구체적 위법사유에 관한 판단에는 미치지 않는다. (○, ×) 2021 지방직 · 서울시 9급
2. 재결의 기속력은 재결의 주문 및 그 전제가 된 요건사실의 인정과 판단에 대하여만 미친다. (○, ×) 2019 국가직 7급
3. 재결의 기속력은 당해 처분에 관한 재결주문에만 미친다. (○, ×) 2016 교육행정직 9급
4. 재결의 기속력은 재결의 주문 및 그 전제가 된 요건사실의 인정과 판단, 즉 처분 등의 구체적 위법사유에 관한 판단에만 미친다. (○, ×) 2015 지방직 9급, 2011 국회직 8급

1. × 2. ○ 3. × 4. ○

① ○

> 행정심판법 제5조【행정심판의 종류】행정심판의 종류는 다음 각 호와 같다.
> 3. 의무이행심판 : 당사자의 신청에 대한 행정청의 위법 또는 부당한 거부처분이나 부작위에 대하여 일정한 처분을 하도록 하는 행정심판

② ○

임시처분은 집행정지와의 관계에서 보충성을 갖는다. 따라서 집행정지로 목적을 달성할 수 있는 경우에는 임시처분은 허용되지 않는다.

> 행정심판법 제31조【임시처분】③ 제1항에 따른 임시처분은 제30조 제2항에 따른 집행정지로 목적을 달성할 수 있는 경우에는 허용되지 아니한다.

③ **빈출** ×

행정심판의 재결은 판결에서와 같은 기판력이 인정되는 것은 아니라는 것이 판례의 입장이다.

> 행정심판의 재결은 피청구인인 행정청을 기속하는 효력을 가지므로 재결청이 취소심판의 청구가 이유 있다고 인정하여 처분청에 처분을 취소할 것을 명하면 처분청으로서는 재결의 취지에 따라 처분을 취소하여야 하지만, 나아가 재결에 판결에서와 같은 기판력이 인정되는 것은 아니어서 재결이 확정된 경우에도 처분의 기초가 된 사실관계나 법률적 판단이 확정되고 당사자들이나 법원이 이에 기속되어 모순되는 주장이나 판단을 할 수 없게 되는 것은 아니다(대판 2015. 11. 27, 2013다6759).

④ **빈출** ○

> 재결의 기속력은 재결의 주문 및 그 전제가 된 요건사실의 인정과 판단, 즉 처분 등의 구체적 위법사유에 관한 판단에만 미친다.
> 재결의 기속력은 재결의 주문 및 그 전제가 된 요건사실의 인정과 판단, 즉 처분 등의 구체적 위법사유에 관한 판단에만 미친다고 할 것이고, 종전 처분이 재결에 의하여 취소되었다 하더라도 종전 처분시와는 다른 사유를 들어서 처분을 하는 것은 기속력에 저촉되지 않는다고 할 것이며, …… (대판 2005. 12. 9, 2003두7705)

⑤ **빈출** ○

> 항고소송에서 행정청이 처분의 근거사유를 추가하거나 변경하기 위한 요건인 '기본적 사실관계의 동일성'은 행정심판단계에서도 적용된다.
> 행정처분의 취소를 구하는 항고소송에서 처분청은 당초 처분의 근거로 삼은 사유와 기본적 사실관계가 동일성이 있다고 인정되는 한도 내에서만 다른 사유를 추가 또는 변경할 수 있고, 이러한 기본적 사실관계의 동일성 유무는 처분사유를 법률적으로 평가하기 이전의 구체적 사실에 착안하여 그 기초인 사회적 사실관계가 기본적인 점에서 동일한지에 따라 결정되므로, 추가 또는 변경된 사유가 처분 당시에 이미 존재하고 있었다거나 당사자가 그 사실을 알고 있었다고 하여 당초의 처분사유와 동일성이 있다고 할 수 없다. 그리고 이러한 법리는 행정심판단계에서도 그대로 적용된다(대판 2014. 5. 16, 2013두26118).

정답 10 ③

11 정답률 64% 상 2022 지방직 · 서울시 9급

A행정청이 甲에게 한 처분에 대하여 甲은 B행정심판위원회에 행정심판을 청구하였다. 이에 대한 설명으로 옳은 것은? (다툼이 있는 경우 판례에 의함)

① B행정심판위원회의 기각재결이 있은 후에는 A행정청은 원처분을 직권으로 취소할 수 없다.

② 甲이 취소심판을 제기한 경우, B행정심판위원회는 심판청구가 이유가 있다고 인정하면 처분변경명령재결을 할 수 있다.

③ 甲이 무효확인심판을 제기한 경우, B행정심판위원회는 심판청구가 이유 있다고 인정하면서도 이를 인용하는 것이 공공복리에 크게 위배된다고 인정하면 甲의 심판청구를 기각할 수 있다.

④ B행정심판위원회의 재결에 고유한 위법이 있는 경우에는 甲은 다시 행정심판을 청구할 수 있다.

관련기출

③

1. 무효등확인심판에서는 사정재결이 허용되지 아니한다. (○, ×) 2019 서울시 9급
2. 행정심판위원회는 무효확인심판의 청구가 이유가 있더라도 이를 인용하는 것이 공공복리에 크게 위배된다고 인정하면 그 청구를 기각하는 재결을 할 수 있다. (○, ×) 2018 국회직 8급
3. 행정심판위원회는 취소심판청구가 이유 있다고 인정하는 경우에도 이를 인용하는 것이 공공복리에 크게 위배된다고 인정하면 그 심판청구를 기각하는 재결을 할 수 있다. (○, ×) 2017 국가직(하) 9급

1. ○ 2. × 3. ○

① ×

재결의 기속력은 인용재결의 경우에만 발생하고 각하재결, 기각재결에는 발생하지 않으므로 기각재결이 있은 후에도 행정청은 원처분을 직권으로 취소 또는 변경할 수 있다. 따라서 B행정심판위원회의 기각재결이 있은 후라도 A행정청은 원처분을 직권으로 취소할 수 있다.

② ○

행정심판위원회는 취소심판청구가 이유가 있다고 인정하면 처분취소재결 · 처분변경재결 · 처분변경명령재결을 할 수 있다. 따라서 甲이 취소심판을 제기한 경우, B행정심판위원회는 심판청구가 이유가 있다고 인정하면 처분변경명령재결을 할 수 있다.

> **행정심판법 제43조【재결의 구분】** ③ 위원회는 취소심판의 청구가 이유가 있다고 인정하면 처분을 취소 또는 다른 처분으로 변경하거나 처분을 다른 처분으로 변경할 것을 피청구인에게 명한다.

③ **빈출** ×

사정재결은 취소심판과 의무이행심판에서만 가능하며 무효등확인심판에서는 인정되지 않는다. 사안에서 "B행정심판위원회는 심판청구가 이유 있다고 인정하면서도 이를 인용하는 것이 공공복리에 크게 위배된다고 인정하면 甲의 심판청구를 기각할 수 있다."는 내용은 이른바 사정재결에 관한 내용인데 甲이 무효확인심판을 제기한 경우라면 이러한 재결은 허용되지 않는다.

> **행정심판법 제44조【사정재결】** ① 위원회는 심판청구가 이유가 있다고 인정하는 경우에도 이를 인용(認容)하는 것이 공공복리에 크게 위배된다고 인정하면 그 심판청구를 기각하는 재결을 할 수 있다. 이 경우 위원회는 재결의 주문(主文)에서 그 처분 또는 부작위가 위법하거나 부당하다는 것을 구체적으로 밝혀야 한다.
> ③ 제1항과 제2항은 무효등확인심판에는 적용하지 아니한다.

④ 제33강 참조 ×

심판청구에 대한 재결이 있으면 그 재결에 대하여 다시 행정심판을 청구할 수 없다. 따라서 B행정심판위원회의 재결에 고유한 위법이 있더라도 甲이 다시 행정심판을 청구하는 것은 허용되지 않는다.

> **행정심판법 제51조【행정심판 재청구의 금지】** 심판청구에 대한 재결이 있으면 그 재결 및 같은 처분 또는 부작위에 대하여 다시 행정심판을 청구할 수 없다.

정답 11 ②

12 중 2022 소방간부

행정심판법상 간접강제제도에 관한 설명으로 옳지 않은 것은?

□□□ ① 행정심판의 재결의 기속력에 따른 재처분의무를 이행하지 않은 경우에 재결의 실효성을 확보하기 위하여 행정청에 일정한 배상을 명령하는 제도이다.

□□□ ② 행정심판위원회는 사정의 변경이 있는 경우에는 당사자의 신청에 의하여 간접강제결정의 내용을 변경할 수 있다.

□□□ ③ 행정심판위원회는 청구인의 신청 또는 직권으로 간접강제를 결정할 수 있다.

□□□ ④ 청구인은 행정심판법상 간접강제에 관한 행정심판위원회의 결정에 불복하는 경우 그 결정에 대하여 행정소송을 제기할 수 있다.

□□□ ⑤ 간접강제결정의 효력은 피청구인인 행정청이 소속된 국가 · 지방자치단체 또는 공공단체에 미치며, 결정서 정본은 간접강제결정에 불복하는 행정소송의 제기와 관계없이 민사집행법에 따른 강제집행에 관하여는 집행권원과 같은 효력을 가진다.

①②④⑤ **빈출** ○

③ ×

행정심판위원회는 청구인의 신청이 있는 경우 간접강제를 결정할 수 있으나 직권으로 할 수는 없다.

행정심판법 제49조【재결의 기속력 등】 ② 재결에 의하여 취소되거나 무효 또는 부존재로 확인되는 처분이 당사자의 신청을 거부하는 것을 내용으로 하는 경우에는 그 처분을 한 행정청은 재결의 취지에 따라 다시 이전의 신청에 대한 처분을 하여야 한다.
③ 당사자의 신청을 거부하거나 부작위로 방치한 처분의 이행을 명하는 재결이 있으면 행정청은 지체 없이 이전의 신청에 대하여 재결의 취지에 따라 처분을 하여야 한다.

제50조의2【위원회의 간접강제】 ① 위원회는 피청구인이 제49조 제2항(제49조 제4항에서 준용하는 경우를 포함한다) 또는 제3항에 따른 처분을 하지 아니하면 청구인의 신청에 의하여 결정으로 상당한 기간을 정하고 피청구인이 그 기간 내에 이행하지 아니하는 경우에는 그 지연기간에 따라 일정한 배상을 하도록 명하거나 즉시 배상을 할 것을 명할 수 있다(①③).
② 위원회는 사정의 변경이 있는 경우에는 당사자의 신청에 의하여 제1항에 따른 결정의 내용을 변경할 수 있다(②).
③ 위원회는 제1항 또는 제2항에 따른 결정을 하기 전에 신청 상대방의 의견을 들어야 한다.
④ 청구인은 제1항 또는 제2항에 따른 결정에 불복하는 경우 그 결정에 대하여 행정소송을 제기할 수 있다(④).
⑤ 제1항 또는 제2항에 따른 결정의 효력은 피청구인인 행정청이 소속된 국가 · 지방자치단체 또는 공공단체에 미치며, 결정서 정본은 제4항에 따른 소송제기와 관계없이 민사집행법에 따른 강제집행에 관하여는 집행권원과 같은 효력을 가진다(⑤). 이 경우 집행문은 위원장의 명에 따라 위원회가 소속된 행정청 소속 공무원이 부여한다.

정답 12 ③

13 중 2021 경행경채

행정심판법상 재결에 관한 설명 중 가장 적절한 것은? (다툼이 있는 경우 판례에 의함)

□□□ ① 피청구인이 거부처분을 취소하는 재결의 취지에 따라 다시 이전의 신청에 대한 처분을 하지 아니하는 경우에 행정심판위원회는 직접처분을 할 수 있다.

□□□ ② 피청구인이 당사자의 신청을 거부한 처분의 이행을 명하는 재결에도 불구하고 이전의 신청에 대하여 재결의 취지에 따라 처분을 하지 아니하는 경우에 행정심판위원회는 간접강제를 할 수 있다.

□□□ ③ 재결이 확정되면 기판력이 인정되므로 처분의 기초가 된 사실관계나 법률적 판단이 확정되고 당사자들이나 법원은 이에 기속되어 모순되는 주장이나 판단을 할 수 없다.

□□□ ④ 당사자가 합의한 사항을 조정서에 기재한 후 당사자가 서명 또는 날인하고 행정심판위원회가 이를 확인함으로써 성립하는 조정에 대하여는 제51조(행정심판 재청구의 금지)의 규정이 준용되지 않는다.

① ×

행정심판위원회의 직접처분권은 의무이행재결에만 인정되며 취소재결 또는 무효등확인재결에는 인정되지 않는다. 따라서 피청구인이 거부처분을 취소하는 재결(취소심판이 제기되었었음을 의미함)이 있었음에도 재처분을 하지 아니하는 경우 행정심판위원회는 직접처분을 할 수 없다. 거부처분에 대해 취소재결이 있는 경우와 의무이행재결이 있는 경우의 효과가 다르다는 것을 구별하기 바란다.

> **행정심판법 제50조【위원회의 직접처분】** ① 위원회는 피청구인이 제49조 제3항(편저자 주 : 제2항은 포함 안 됨)에도 불구하고 처분을 하지 아니하는 경우에는 당사자가 신청하면 기간을 정하여 서면으로 시정을 명하고 그 기간에 이행하지 아니하면 직접처분을 할 수 있다. 다만, 그 처분의 성질이나 그 밖의 불가피한 사유로 위원회가 직접처분을 할 수 없는 경우에는 그러하지 아니하다.
>
> **제49조【재결의 기속력 등】** ② 재결에 의하여 취소되거나 무효 또는 부존재로 확인되는 처분이 당사자의 신청을 거부하는 것을 내용으로 하는 경우에는 그 처분을 한 행정청은 재결의 취지에 따라 다시 이전의 신청에 대한 처분을 하여야 한다.
> ③ 당사자의 신청을 거부하거나 부작위로 방치한 처분의 이행을 명하는 재결이 있으면 행정청은 지체 없이 이전의 신청에 대하여 재결의 취지에 따라 처분을 하여야 한다.

② ○

> **행정심판법 제50조의2【위원회의 간접강제】** ① 위원회는 피청구인이 제49조 제2항(제49조 제4항에서 준용하는 경우를 포함한다) 또는 제3항에 따른 처분을 하지 아니하면 청구인의 신청에 의하여 결정으로 상당한 기간을 정하고 피청구인이 그 기간 내에 이행하지 아니하는 경우에는 그 지연기간에 따라 일정한 배상을 하도록 명하거나 즉시 배상을 할 것을 명할 수 있다.

③ ×

행정심판의 재결에 판결에서와 같은 기판력이 인정되는 것은 아니어서 재결이 확정된 경우에도 처분의 기초가 된 사실관계나 법률적 판단이 확정되고 당사자들이나 법원이 이에 기속되어 모순되는 주장이나 판단을 할 수 없게 되는 것은 아니라는 것이 판례의 입장이다(대판 2015. 11. 27, 2013다6759).

④ ×

> **행정심판법 제43조의2【조정】** ③ 조정은 당사자가 합의한 사항을 조정서에 기재한 후 당사자가 서명 또는 날인하고 위원회가 이를 확인함으로써 성립한다.
> ④ 제3항에 따른 조정에 대하여는 제48조부터 제50조까지, 제50조의2, 제51조의 규정을 준용한다.
>
> **제51조【행정심판 재청구의 금지】** 심판청구에 대한 재결이 있으면 그 재결 및 같은 처분 또는 부작위에 대하여 다시 행정심판을 청구할 수 없다.

정답 13 ②

대표

14 **빈출** 정답률 56% 상 2021 지방직 · 서울시 9급

재결의 기속력에 대한 설명으로 옳은 것만을 모두 고르면? (다툼이 있는 경우 판례에 의함)

□□□ ㉠ 재결에 의하여 취소되거나 무효 또는 부존재로 확인되는 처분이 당사자의 신청을 거부하는 것을 내용으로 하는 경우에는 그 처분을 한 행정청은 재결의 취지에 따라 다시 이전의 신청에 대한 처분을 하여야 한다.

□□□ ㉡ 재결의 기속력은 인용재결의 경우에만 인정되고, 기각재결에서는 인정되지 않는다.

□□□ ㉢ 기속력은 재결의 주문에만 미치고, 처분 등의 구체적 위법사유에 관한 판단에는 미치지 않는다.

□□□ ㉣ 행정심판 인용재결에 따른 행정청의 재처분의무에도 불구하고 행정청이 인용재결에 따른 처분을 하지 아니하는 경우에, 행정심판위원회는 청구인의 신청이 없어도 결정으로 일정한 배상을 하도록 명할 수 있다.

① ㉠, ㉡ ② ㉠, ㉡, ㉣
③ ㉠, ㉢, ㉣ ④ ㉡, ㉢, ㉣

관련기출

㉠

1. 재결에 의하여 취소되거나 무효 또는 부존재로 확인되는 처분이 당사자의 신청을 거부하는 것을 내용으로 하는 경우에는 그 처분을 한 행정청은 재결의 취지에 따라 다시 이전의 신청에 대한 처분을 하여야 한다. (○, ×)
2019 국가직 7급

2. 당사자의 신청을 거부하는 처분에 대한 취소심판에서 인용재결이 내려진 경우, 의무이행심판과 달리 행정청은 재처분의무를 지지 않는다. (○, ×)
2019 지방직 · 교육행정직 9급

1. ○ 2. ×

① ㉠㉡이 옳은 내용이다.

㉠ **빈출** ○

거부처분에 대한 취소재결 또는 무효등확인재결이 있는 경우 재처분의무가 인정된다.

> **행정심판법 제49조【재결의 기속력 등】** ② 재결에 의하여 취소되거나 무효 또는 부존재로 확인되는 처분이 당사자의 신청을 거부하는 것을 내용으로 하는 경우에는 그 처분을 한 행정청은 재결의 취지에 따라 다시 이전의 신청에 대한 처분을 하여야 한다.
> ③ 당사자의 신청을 거부하거나 부작위로 방치한 처분의 이행을 명하는 재결이 있으면 행정청은 지체 없이 이전의 신청에 대하여 재결의 취지에 따라 처분을 하여야 한다.

㉡ ○

재결의 기속력은 피청구인인 행정청이나 관계행정청으로 하여금 재결의 취지에 따라 행동할 의무를 발생시키는 효력을 말하며 인용재결의 경우에만 발생하고 각하재결, 기각재결에는 발생하지 않는다.

> **행정심판법 제49조【재결의 기속력 등】** ① 심판청구를 인용하는 재결은 피청구인과 그 밖의 관계행정청을 기속(羈束)한다.

㉢ ×

재결의 기속력은 재결의 주문 및 그 전제가 된 요건사실의 인정과 판단, 즉 처분 등의 구체적 위법사유에 관한 판단에만 미친다는 것이 판례의 입장이다(대판 2005. 12. 9, 2003두7705).

㉣ ×

> **행정심판법 제50조의2【위원회의 간접강제】** ① 위원회는 피청구인이 제49조 제2항(제49조 제4항에서 준용하는 경우를 포함한다) 또는 제3항에 따른 처분을 하지 아니하면 청구인의 신청에 의하여 결정으로 상당한 기간을 정하고 피청구인이 그 기간 내에 이행하지 아니하는 경우에는 그 지연기간에 따라 일정한 배상을 하도록 명하거나 즉시 배상을 할 것을 명할 수 있다.

정답 14 ①

15 정답률 74% 중 2020 국가직 9급

행정심판법에 의해 행정청이 행정심판위원회의 재결의 취지에 따라 재처분을 할 의무가 있음에도 그 의무를 이행하지 않은 경우에 행정심판위원회가 직접처분을 할 수 있는 재결은?

□□□ ① 당사자의 신청에 따른 처분을 절차가 부당함을 이유로 취소하는 재결
□□□ ② 당사자의 신청을 거부한 처분의 이행을 명하는 재결
□□□ ③ 당사자의 신청을 거부하는 처분을 취소하는 재결
□□□ ④ 당사자의 신청을 거부하는 처분을 부존재로 확인하는 재결

관련기출

②
1. 거부처분에 대한 취소심판이나 무효등확인심판청구에서 인용재결이 있었음에도 불구하고 피청구인인 행정청이 재결의 취지에 따른 처분을 하지 아니한 경우에는 당사자가 신청하면 행정심판위원회는 기간을 정하여 서면으로 시정을 명하고 그 기간에 이행하지 아니하면 직접처분을 할 수 있다. (○, ×) 2019 서울시 9급
2. 행정심판위원회는 피청구인이 거부처분의 취소재결에도 불구하고 처분을 하지 아니하는 경우에는 당사자가 신청하면 기간을 정하여 서면으로 시정을 명하고, 그 기간에 이행하지 아니하면 직접처분을 할 수 있다. (○, ×) 2018 지방직 7급
3. 행정심판위원회는 처분이행명령재결이 있음에도 피청구인이 처분을 하지 않은 경우 당사자의 신청에 의해 기간을 정하여 서면으로 시정을 명하고 그 기간 안에 이행하지 않으면 원칙적으로 직접처분을 할 수 있다. (○, ×) 2017 교육행정직 9급

1. × 2. × 3. ○

①③④ ×
② **빈출** ○
재처분의무를 이행하지 않는 경우 재결의 기속력 확보수단으로서의 직접처분은 의무이행심판의 인용재결(처분의 이행을 명하는 재결)이 있는 경우에만 인정되며 거부처분에 대한 취소심판이나 무효등확인심판청구에서 인용재결이 있는 경우에는 인정되지 않는다.

> **행정심판법 제49조【재결의 기속력 등】** ② 재결에 의하여 취소되거나 무효 또는 부존재로 확인되는 처분이 당사자의 신청을 거부하는 것을 내용으로 하는 경우에는 그 처분을 한 행정청은 재결의 취지에 따라 다시 이전의 신청에 대한 처분을 하여야 한다.
> ③ 당사자의 신청을 거부하거나 부작위로 방치한 처분의 이행을 명하는 재결이 있으면 행정청은 지체 없이 이전의 신청에 대하여 재결의 취지에 따라 처분을 하여야 한다.
>
> **제50조【위원회의 직접처분】** ① 위원회는 피청구인이 제49조 제3항에도 불구하고 처분을 하지 아니하는 경우에는 당사자가 신청하면 기간을 정하여 서면으로 시정을 명하고 그 기간에 이행하지 아니하면 직접처분을 할 수 있다. 다만, 그 처분의 성질이나 그 밖의 불가피한 사유로 위원회가 직접처분을 할 수 없는 경우에는 그러하지 아니하다.

정답 15 ②

16 정답률 74% 중 2019 지방직 · 교육행정직 9급

행정심판법의 내용에 대한 설명으로 옳지 않은 것은?

① 행정심판위원회는 필요하면 당사자가 주장하지 아니한 사실에 대하여도 심리할 수 있다.

② 행정심판위원회는 임시처분을 결정한 후에 임시처분이 공공복리에 중대한 영향을 미치는 경우에는 직권으로 또는 당사자의 신청에 의하여 이 결정을 취소할 수 있다.

③ 청구인은 행정심판위원회의 간접강제결정에 불복하는 경우 그 결정에 대하여 행정소송을 제기할 수 있다.

④ 당사자의 신청을 거부하는 처분에 대한 취소심판에서 인용재결이 내려진 경우, 의무이행심판과 달리 행정청은 재처분의무를 지지 않는다.

① ○

> **행정심판법 제39조【직권심리】** 위원회는 필요하면 당사자가 주장하지 아니한 사실에 대하여도 심리할 수 있다.

② ○

행정심판위원회는 임시처분을 결정한 후에 임시처분이 공공복리에 중대한 영향을 미치거나 그 처분사유가 없어진 경우에는 직권으로 또는 당사자의 신청에 의하여 임시처분 결정을 취소할 수 있다.

> **행정심판법 제31조【임시처분】** ① 위원회는 처분 또는 부작위가 위법 · 부당하다고 상당히 의심되는 경우로서 처분 또는 부작위 때문에 당사자가 받을 우려가 있는 중대한 불이익이나 당사자에게 생길 급박한 위험을 막기 위하여 임시지위를 정하여야 할 필요가 있는 경우에는 직권으로 또는 당사자의 신청에 의하여 임시처분을 결정할 수 있다.
> ② 제1항에 따른 임시처분에 관하여는 제30조 제3항부터 제7항까지를 준용한다. 이 경우 같은 조 제6항 전단 중 '중대한 손해가 생길 우려'는 '중대한 불이익이나 급박한 위험이 생길 우려'로 본다.
> **제30조【집행정지】** ③ 집행정지는 공공복리에 중대한 영향을 미칠 우려가 있을 때에는 허용되지 아니한다.
> ④ 위원회는 집행정지를 결정한 후에 집행정지가 공공복리에 중대한 영향을 미치거나 그 정지사유가 없어진 경우에는 직권으로 또는 당사자의 신청에 의하여 집행정지결정을 취소할 수 있다.

③ ○

> **행정심판법 제50조의2【위원회의 간접강제】** ④ 청구인은 제1항 또는 제2항에 따른 결정에 불복하는 경우 그 결정에 대하여 행정소송을 제기할 수 있다.

④ ×

거부처분에 대해 의무이행심판을 청구하여 인용재결이 내려진 경우뿐만 아니라 취소심판을 청구하여 인용재결이 내려진 경우에도 행정심판법은 재결의 기속력의 내용으로서 재처분의무를 규정하고 있다.

> **행정심판법 제49조【재결의 기속력 등】** ① 심판청구를 인용하는 재결은 피청구인과 그 밖의 관계행정청을 기속(羈束)한다.
> ② 재결에 의하여 취소되거나 무효 또는 부존재로 확인되는 처분이 당사자의 신청을 거부하는 것을 내용으로 하는 경우에는 그 처분을 한 행정청은 재결의 취지에 따라 다시 이전의 신청에 대한 처분을 하여야 한다.
> ③ 당사자의 신청을 거부하거나 부작위로 방치한 처분의 이행을 명하는 재결이 있으면 행정청은 지체 없이 이전의 신청에 대하여 재결의 취지에 따라 처분을 하여야 한다.

정답 16 ④

17 정답률 38% 중 2019 서울시 9급

행정심판법상 행정심판에 관한 설명으로 가장 옳지 않은 것은?

□□□ ① 무효등확인심판에서는 사정재결이 허용되지 아니한다.

□□□ ② 거부처분에 대한 취소심판이나 무효등확인심판청구에서 인용재결이 있었음에도 불구하고 피청구인인 행정청이 재결의 취지에 따른 처분을 하지 아니한 경우에는 당사자가 신청하면 행정심판위원회는 기간을 정하여 서면으로 시정을 명하고 그 기간에 이행하지 아니하면 직접처분을 할 수 있다.

□□□ ③ 행정청이 처분을 할 때에 처분의 상대방에게 심판청구기간을 알리지 아니한 경우에는 처분이 있었던 날부터 180일까지가 취소심판이나 의무이행심판의 청구기간이 된다.

□□□ ④ 종로구청장의 처분이나 부작위에 대한 행정심판청구는 서울특별시 행정심판위원회에서 심리 · 재결하여야 한다.

① ○

사정재결은 취소심판과 의무이행심판의 경우에만 허용되며 무효등확인심판에는 허용되지 않는다(11 ③ 해설 참조).

② ×

거부처분에 대한 의무이행심판에 대해 인용재결이 있는 경우뿐만 아니라 거부처분에 대한 취소심판이나 무효등확인심판청구에서 인용재결이 있는 경우에도 처분청에게는 기속력의 내용으로서 재처분의무가 인정된다(행정심판법 제49조 제2항). 그런데 재처분의무를 이행하지 않는 경우 재결의 기속력 확보수단으로서의 직접처분은 의무이행심판의 인용재결이 있는 경우에만 인정되며 거부처분에 대한 취소심판이나 무효등확인심판청구에서 인용재결이 있는 경우에는 인정되지 않는다.

> **행정심판법 제49조【재결의 기속력 등】** ② 재결에 의하여 취소되거나 무효 또는 부존재로 확인되는 처분이 당사자의 신청을 거부하는 것을 내용으로 하는 경우에는 그 처분을 한 행정청은 재결의 취지에 따라 다시 이전의 신청에 대한 처분을 하여야 한다.
> ③ 당사자의 신청을 거부하거나 부작위로 방치한 처분의 이행을 명하는 재결이 있으면 행정청은 지체 없이 이전의 신청에 대하여 재결의 취지에 따라 처분을 하여야 한다.
>
> **제50조【위원회의 직접처분】** ① 위원회는 피청구인이 제49조 제3항에도 불구하고 처분을 하지 아니하는 경우에는 당사자가 신청하면 기간을 정하여 서면으로 시정을 명하고 그 기간에 이행하지 아니하면 직접처분을 할 수 있다. 다만, 그 처분의 성질이나 그 밖의 불가피한 사유로 위원회가 직접처분을 할 수 없는 경우에는 그러하지 아니하다.

③ ○

> **행정심판법 제27조【심판청구의 기간】** ① 행정심판은 처분이 있음을 알게 된 날부터 90일 이내에 청구하여야 한다.
> ③ 행정심판은 처분이 있었던 날부터 180일이 지나면 청구하지 못한다. 다만, 정당한 사유가 있는 경우에는 그러하지 아니하다.
> ⑥ 행정청이 심판청구기간을 알리지 아니한 경우에는 제3항에 규정된 기간에 심판청구를 할 수 있다.

④ ○

> **행정심판법 제6조【행정심판위원회의 설치】** ③ 다음 각 호의 행정청의 처분 또는 부작위에 대한 심판청구에 대하여는 시 · 도지사 소속으로 두는 행정심판위원회에서 심리 · 재결한다.
> 2. 시 · 도의 관할구역에 있는 시 · 군 · 자치구의 장, 소속 행정청 또는 시 · 군 · 자치구의 의회(의장, 위원회의 위원장, 사무국장, 사무과장 등 의회 소속 모든 행정청을 포함한다)

정답 17 ②

18 중 2019 사회복지직 9급

음식점을 운영하는 갑(甲)은 미성년자인 을(乙)에게 음주를 제공한 사실이 적발되어, 관련법령에 따라 A자치구의 구청장인 병(丙)으로부터 영업정지 2개월의 처분을 받았다. 이에 갑(甲)은 A자치구를 관할로 하는 B광역시 산하의 행정심판위원회(이하, 'C'라 한다)에 행정심판을 제기하고자 한다. 이와 관련된 설명으로 가장 옳지 않은 것은?

□□□ ① 갑(甲)은 병(丙)의 영업정지처분에 대하여 C에 취소심판청구 및 집행정지신청을 할 수 있다.

□□□ ② C는 필요하면 갑(甲)이 주장하지 아니한 사실에 대해서도 심리할 수 있다.

□□□ ③ C는 갑(甲)의 취소심판청구가 이유 있다고 인정하면 2개월의 영업정지처분을 1개월의 영업정지처분으로 변경하는 재결을 할 수 있다.

□□□ ④ C는 갑(甲)의 심판청구를 받은 날로부터 90일 이내에 재결을 하여야 한다.

관련기출

④

1. 행정심판위원회는 심판청구서를 받은 날로부터 60일 이내에 재결을 하여야 하나, 위원장 직권으로 연장할 수 있다. (○, ×) 2012 경행특채

1. ○

① ○

갑(甲)은 구청장인 병(丙)으로부터 받은 영업정지 2개월의 처분에 대하여 그 취소를 구하는 행정심판을 시 · 도행정심판위원회 C에 제기할 수 있다. 또한 갑(甲)은 병(丙)의 영업정지처분에 대하여 C에게 집행정지신청을 할 수도 있다.

② ○

행정심판법은 심판청구의 심리를 위하여 필요하다고 인정되는 경우에는 행정심판위원회로 하여금 당사자가 주장하지 아니한 사실에 대하여도 심리할 수 있도록 하고 있다(행정심판법 제39조). 따라서 행정심판위원회 C는 필요하면 갑(甲)이 주장하지 아니한 사실에 대하여도 심리할 수 있다.

> **행정심판법 제39조【직권심리】** 위원회는 필요하면 당사자가 주장하지 아니한 사실에 대하여도 심리할 수 있다.

③ ○

행정심판위원회는 취소심판의 청구가 이유 있다고 인정할 때에는, 처분을 취소 · 변경하거나, 처분청에 처분을 변경할 것을 명하는데(행정심판법 제43조 제3항), 변경재결에서의 변경은 소극적 변경뿐만 아니라 적극적 변경, 즉 원처분을 다른 처분으로 변경하는 것까지 포함한다. 따라서 C는 2개월의 영업정지처분을 1개월의 영업정지처분으로 변경하는 재결을 할 수 있다.

> **행정심판법 제43조【재결의 구분】** ③ 위원회는 취소심판의 청구가 이유가 있다고 인정하면 처분을 취소 또는 다른 처분으로 변경하거나 처분을 다른 처분으로 변경할 것을 피청구인에게 명한다.

④ ×

행정심판의 재결은 피청구인 또는 행정심판위원회가 심판청구서를 받은 날부터 60일 이내에 하여야 한다. 따라서 C는 갑(甲)의 심판청구를 받은 날로부터 60일 이내에 재결을 하여야 한다.

> **행정심판법 제45조【재결기간】** ① 재결은 제23조에 따라 피청구인 또는 위원회가 심판청구서를 받은 날부터 60일 이내에 하여야 한다. 다만, 부득이한 사정이 있는 경우에는 위원장이 직권으로 30일을 연장할 수 있다.

정답 18 ④

19 ⓢ 2019 서울시 1회 7급

현행 행정심판법상 행정심판제도에 관한 설명으로 가장 옳은 것은?

□□□ ① 취소심판의 재결로서 처분취소재결, 처분변경재결, 처분변경명령재결을 할 수 있으며, 처분취소명령재결은 할 수 없다.

□□□ ② 처분청이 처분이행명령재결에 따른 처분을 하지 아니한 경우에는 행정심판위원회는 당사자의 신청 여부를 불문하고 직권으로 직접처분을 할 수 있다.

□□□ ③ 취소재결의 기속력으로서 재처분의무가 없으므로 현행법상 거부처분에 불복할 때에는 취소심판보다 의무이행심판이 더 효과적이다.

□□□ ④ 거부에 대한 의무이행심판에는 청구기간의 제한과 사정재결, 집행정지 규정이 적용되지 않는다.

① ○

행정심판위원회는 직접 원처분을 취소 · 변경할 수도 있으며(처분취소 · 변경재결), 원처분청에 대하여 처분을 다른 처분으로 변경할 것을 명할 수도 있다(처분변경명령재결). 2010년 개정 전 행정심판법에서는 취소명령재결이 있었으나 행정심판위원회의 취소명령재결이 있음에도 처분청이 처분을 취소하지 않는 경우에는 실효성이 떨어진다는 비판을 받았는바, 2010년 개정 행정심판법에는 취소명령재결을 삭제하였다. 따라서 현행 행정심판법상 처분취소명령재결은 할 수 없다.

> **행정심판법 제43조【재결의 구분】** ③ 위원회는 취소심판의 청구가 이유가 있다고 인정하면 처분을 취소 또는 다른 처분으로 변경하거나 처분을 다른 처분으로 변경할 것을 피청구인에게 명한다.

② ×

> **행정심판법 제49조【재결의 기속력 등】** ③ 당사자의 신청을 거부하거나 부작위로 방치한 처분의 이행을 명하는 재결이 있으면 행정청은 지체 없이 이전의 신청에 대하여 재결의 취지에 따라 처분을 하여야 한다.
>
> **제50조【위원회의 직접처분】** ① 위원회는 피청구인이 제49조 제3항에도 불구하고 처분을 하지 아니하는 경우에는 당사자가 **신청하면** 기간을 정하여 서면으로 시정을 명하고 그 기간에 이행하지 아니하면 직접처분을 할 수 있다. 다만, 그 처분의 성질이나 그 밖의 불가피한 사유로 위원회가 직접처분을 할 수 없는 경우에는 그러하지 아니하다.

③ ×

개정 전 행정심판법에서는 거부처분에 대해 의무이행심판의 인용재결이 내려진 경우에는 재처분의무가 명시되어 있었으나 취소재결이 내려진 경우 기속력의 내용으로서 재처분의무가 인정되는지에 대해서는 명시적 규정이 없어서 견해대립이 있었는바 판례는 긍정하는 입장이었다. 그런데 2017년 개정된 행정심판법은 거부처분에 대해 취소재결이 내려진 경우에도 재처분의무를 명시적으로 긍정하고 있다. 따라서 거부처분에 대해 취소심판을 청구하든 의무이행심판을 청구하든 인용재결이 있는 경우 기속력의 내용으로서 재처분의무가 인정되는 점은 차이가 없다(위 ② 해설 조문 참조).

> **행정심판법 제49조【재결의 기속력 등】** ② 재결에 의하여 취소되거나 무효 또는 부존재로 확인되는 처분이 당사자의 신청을 거부하는 것을 내용으로 하는 경우에는 그 처분을 한 행정청은 재결의 취지에 따라 다시 이전의 신청에 대한 처분을 하여야 한다.

④ ×

의무이행심판은 당사자의 신청에 대한 행정청의 위법 또는 부당한 거부처분이나 부작위에 대하여 일정한 처분을 하도록 하는 행정심판을 말한다. 의무이행심판에도 사정재결은 가능하나, 다만 집행정지에 관한 규정은 그 성질상 적용될 수 없다. 한편 부작위를 심판대상으로 하는 경우 부작위가 계속되는 한 심판청구기간의 제한을 받지 않으나 거부처분을 심판대상으로 하는 경우에는 심판청구기간의 제한을 받는다.

정답 19 ①

20 정답률 71% 중 2018 국가직 7급

행정심판법에 대한 설명으로 옳은 것만을 모두 고르면?

□□□ ㉠ 재결에 의하여 취소되는 처분이 당사자의 신청을 거부하는 것을 내용으로 하는 경우에는 그 처분을 한 행정청은 재결의 취지에 따라 다시 이전의 신청에 대한 처분을 하여야 한다.

□□□ ㉡ 행정심판위원회는 피청구인이 의무이행재결의 취지에 따른 처분을 하지 아니하면 청구인의 신청에 의하여 결정으로 상당한 기간을 정하고 피청구인이 그 기간 내에 이행하지 아니하는 경우에는 그 지연기간에 따라 일정한 배상을 하도록 명하거나 즉시 배상을 할 것을 명할 수 있다.

□□□ ㉢ 행정심판위원회는 심판청구된 행정청의 부작위가 위법·부당하다고 상당히 의심되는 경우로서 당사자가 받을 우려가 있는 중대한 불이익이나 당사자에게 생길 급박한 위험을 막기 위하여 임시지위를 정할 필요가 있는 경우 직권 또는 당사자의 신청에 의하여 임시처분을 결정할 수 있다.

□□□ ㉣ 행정심판위원회는 공공복리에 적합하지 아니하거나 해당 처분의 성질에 반하는 경우가 아니라면 당사자의 권리 및 권한의 범위에서 당사자의 동의를 받아 조정을 할 수 있다.

① ㉠, ㉡ ② ㉢, ㉣
③ ㉠, ㉡, ㉢ ④ ㉠, ㉡, ㉢, ㉣

관련기출

㉣

1. 행정심판위원회는 당사자의 권리 및 권한의 범위에서 당사자의 동의를 받아 조정을 할 수 있다. 다만, 그 조정이 공공복리에 적합하지 아니하거나 해당 처분의 성질에 반하는 경우에는 그러하지 아니하다. (○, ×) 2018 경행경채

1. ○

④ ㉠㉡㉢㉣ 모두 옳다.

㉠㉡ ○

행정심판법 제49조【재결의 기속력 등】 ① 심판청구를 인용하는 재결은 피청구인과 그 밖의 관계행정청을 기속(羈束)한다.
② 재결에 의하여 취소되거나 무효 또는 부존재로 확인되는 처분이 당사자의 신청을 거부하는 것을 내용으로 하는 경우에는 그 처분을 한 행정청은 재결의 취지에 따라 다시 이전의 신청에 대한 처분을 하여야 한다(㉠).
③ 당사자의 신청을 거부하거나 부작위로 방치한 처분의 이행을 명하는 재결이 있으면 행정청은 지체 없이 이전의 신청에 대하여 재결의 취지에 따라 처분을 하여야 한다.

제50조의2【위원회의 간접강제】 ① 위원회는 피청구인이 제49조 제2항(제49조 제4항에서 준용하는 경우를 포함한다) 또는 제3항에 따른 처분을 하지 아니하면 청구인의 신청에 의하여 결정으로 상당한 기간을 정하고 피청구인이 그 기간 내에 이행하지 아니하는 경우에는 그 지연기간에 따라 일정한 배상을 하도록 명하거나 즉시 배상을 할 것을 명할 수 있다(㉡).

㉢ ○

행정심판법 제31조【임시처분】 ① 위원회는 처분 또는 부작위가 위법·부당하다고 상당히 의심되는 경우로서 처분 또는 부작위 때문에 당사자가 받을 우려가 있는 중대한 불이익이나 당사자에게 생길 급박한 위험을 막기 위하여 임시지위를 정하여야 할 필요가 있는 경우에는 직권으로 또는 당사자의 신청에 의하여 임시처분을 결정할 수 있다.

㉣ ○

행정심판법 제43조의2【조정】 ① 위원회는 당사자의 권리 및 권한의 범위에서 당사자의 동의를 받아 심판청구의 신속하고 공정한 해결을 위하여 조정을 할 수 있다. 다만, 그 조정이 공공복리에 적합하지 아니하거나 해당 처분의 성질에 반하는 경우에는 그러하지 아니하다.

정답 20 ④

21 정답률 63% 중 2016 지방직 9급

행정심판법상 심판절차에 대한 설명으로 옳은 것은?

□□□ ① 취소심판이 제기된 경우, 행정청이 처분시에 심판청구기간을 알리지 아니하였다 할지라도 당사자가 처분이 있음을 알게 된 날부터 90일이 경과하면 행정심판위원회는 부적법 각하재결을 하여야 한다.

□□□ ② 행정심판위원회는 당사자가 주장하지 아니한 사실에 대하여 심리할 수 없다.

□□□ ③ 당사자의 신청을 거부하거나 부작위로 방치한 처분의 이행을 명하는 재결이 있으면 행정청은 지체 없이 이전의 신청에 대하여 재결의 취지에 따라 처분을 하여야 한다.

□□□ ④ 시 · 도 행정심판위원회의 기각재결이 내려진 경우 청구인은 중앙행정심판위원회에 그 재결에 대하여 다시 행정심판을 청구할 수 있다.

① **빈출** ×

심판청구기간을 고지하지 아니한 때에는 심판청구기간은 처분이 있었던 날로부터 180일로 된다. 이 경우 청구인이 실제로 처분이 있었음을 알았는지 여부는 묻지 아니한다.

> **행정심판법 제27조【심판청구의 기간】** ① 행정심판은 처분이 있음을 알게 된 날부터 90일 이내에 청구하여야 한다.
> ③ 행정심판은 처분이 있었던 날부터 180일이 지나면 청구하지 못한다. 다만, 정당한 사유가 있는 경우에는 그러하지 아니하다.
> ⑥ 행정청이 심판청구기간을 알리지 아니한 경우에는 제3항에 규정된 기간에 심판청구를 할 수 있다.

② ×

> **행정심판법 제39조【직권심리】** 위원회는 필요하면 당사자가 주장하지 아니한 사실에 대하여도 심리할 수 있다.

③ ○

> **행정심판법 제49조【재결의 기속력 등】** ③ 당사자의 신청을 거부하거나 부작위로 방치한 처분의 이행을 명하는 재결이 있으면 행정청은 지체 없이 이전의 신청에 대하여 재결의 취지에 따라 처분을 하여야 한다.

④ ×

심판청구에 대한 재결이 있으면 그 재결 및 같은 처분 또는 부작위에 대하여 다시 행정심판을 청구할 수 없다는 것이 행정심판법의 규정이다.

22 중 2016 교육행정직 9급

행정심판의 재결에 관한 설명으로 옳은 것은? (다툼이 있으면 판례에 따름)

□□□ ① 재결의 기속력은 당해 처분에 관한 재결주문에만 미친다.

□□□ ② 행정심판위원회는 심판청구의 대상이 되는 처분 외의 다른 처분 또는 부작위에 대하여도 재결할 수 있다.

□□□ ③ 심판청구에 대해 재결이 있는 경우에도 청구인은 재결 자체의 고유한 위법을 이유로 다시 행정심판을 청구할 수 있다.

□□□ ④ 법령의 규정에 의하여 공고한 처분이 재결로써 취소된 때에는 처분청은 지체 없이 그 처분이 취소되었음을 공고하여야 한다.

① ×

재결의 기속력은 재결의 주문 및 그 전제가 된 요건사실의 인정과 판단, 즉 처분 등의 구체적 위법사유에 관한 판단에도 미친다는 것이 판례의 입장이다(대판 2005. 12. 9, 2003두7705).

② ×

행정심판위원회는 심판청구의 대상이 되는 처분 또는 부작위 외의 사항에 대하여는 재결하지 못한다는 것이 행정심판법의 규정이다.

③ ×

심판청구에 대한 재결이 있으면 그 재결 및 같은 처분 또는 부작위에 대하여 다시 행정심판을 청구할 수 없다는 것이 행정심판법의 규정이다.

④ ○

> **행정심판법 제49조【재결의 기속력 등】** ⑤ 법령의 규정에 따라 공고하거나 고시한 처분이 재결로써 취소되거나 변경되면 처분을 한 행정청은 지체 없이 그 처분이 취소 또는 변경되었다는 것을 공고하거나 고시하여야 한다.

정답 21 ③ 22 ④

03 행정심판의 고지

기 743~746쪽 핵 T 64

23 상

2011 국회직 8급

<보기>에서 행정심판법상의 고지제도에 관한 설명으로 옳은 것을 모두 고르면? (다툼이 있는 경우 판례에 따름)

보기

㉠ 직권에 의한 고지와 신청에 의한 고지가 있다.
㉡ 고지는 불복제기의 가능성 여부 및 불복청구의 요건 등 불복청구에 필요한 사항을 알려 주는 권력적 사실행위로서 처분성이 인정된다.
㉢ 직권에 의하여 고지하는 경우 처분의 상대방에 대해서만 고지하면 된다.
㉣ 불고지나 오고지는 처분 자체의 효력에 직접 영향을 미치지 않는다.
㉤ 신청에 의하여 고지하는 경우 해당 처분이 행정심판의 대상이 되는 처분인지에 대하여 고지하여야 한다.

① ㉠, ㉢
② ㉠, ㉢, ㉤
③ ㉠, ㉣, ㉤
④ ㉠, ㉢, ㉣, ㉤
⑤ ㉠, ㉡, ㉢, ㉣, ㉤

관련기출

㉣

1. 행정청이 행정처분을 하면서 상대방에게 불복절차에 관한 고지의무를 이행하지 않았다면 이는 절차적 하자로서 그 행정처분은 위법하게 된다. (○, ×) 2022 지방직 · 서울시 9급
2. 행정청이 처분을 하면서 고지의무를 이행하지 않은 경우 또는 잘못 고지한 경우 당해 처분은 위법하다. (○, ×) 2012 국회직 8급

1. × 2. ×

④ ㉠㉢㉣㉤이 옳은 내용이다.

㉠㉢㉤ ○

행정심판법 제58조【행정심판의 고지】① 행정청이 처분을 할 때에는 처분의 상대방에게 다음 각 호의 사항을 알려야 한다(직권고지)(㉢).
1. 해당 처분에 대하여 행정심판을 청구할 수 있는지
2. 행정심판을 청구하는 경우의 심판청구절차 및 심판청구기간
② 행정청은 이해관계인이 요구하면 다음 각 호의 사항을 지체 없이 알려 주어야 한다. 이 경우 서면으로 알려 줄 것을 요구받으면 서면으로 알려 주어야 한다(신청에 의한 고지)(㉠).
1. 해당 처분이 행정심판의 대상이 되는 처분인지(㉤)
2. 행정심판의 대상이 되는 경우 소관위원회 및 심판청구기간

㉡ ×

고지는 비권력적 사실행위라는 것이 통설의 입장이다.

㉣ ○

고지의무를 불이행한 경우 처분 자체가 위법하게 되는 것은 아니다.
처분청이 고지의무를 이행하지 아니하였다고 하더라도 경우에 따라서는 행정심판의 제기기간이 연장될 수 있는 것에 그치고, 이로 인하여 심판의 대상이 되는 행정처분에 어떤 하자가 수반된다고 할 수 없다(대판 1987. 11. 24, 87누529).

정답 23 ④

제 35 강 행정소송 개관, 당사자소송 및 객관적 소송

1회독	2회독	3회독
/	/	/

⊘정답률 공단기/소방단기 합격예측 풀서비스 통계 데이터 기준 기 기본서 핵 핵심집약

01 행정소송의 개관 기 750~752쪽 핵 T 65

01 빈출 중 2018 교육행정직 9급

행정소송에 관한 설명으로 옳지 않은 것은? (단, 다툼이 있는 경우 판례에 따름)

□□□ ① 국가에 대한 납세의무자의 부가가치세 환급세액 지급청구는 당사자소송의 절차에 따라야 한다.

□□□ ② 무효선언을 구하는 의미의 취소소송에 있어서는 제소기간이 준수되어야 한다.

□□□ ③ 지방자치단체의 장의 재의요구에도 불구하고 지방의회가 조례안을 재의결한 경우 단체장이 지방의회를 상대로 제기하는 소송은 기관소송이다.

□□□ ④ 신축건물의 준공처분을 하여서는 아니 된다는 내용의 부작위를 청구하는 행정소송은 예외적으로 허용된다.

관련기출

④

1. 행정소송법상 행정청이 일정한 처분을 하지 못하도록 그 부작위를 구하는 청구는 허용되지 않는 부적법한 소송이다. (○, ×) 2015 지방직 9급
2. 신축건물의 준공처분을 하여서는 안 된다는 내용의 부작위청구소송은 허용되지 않는다. (○, ×) 2012 지방직(하) 9급
3. 대법원은 처분이 행하여짐으로써 회복하기 어려운 권익침해를 막기 위해 예방적 부작위소송을 인정하고 있다. (○, ×) 2010 경행특채

1. ○ 2. ○ 3. ×

① ○

> 납세의무자의 부가가치세 환급세액 지급청구는 당사자소송의 절차에 따라야 한다.
>
> 부가가치세법령의 내용, 형식 및 입법취지 등에 비추어 보면, 납세의무자에 대한 국가의 부가가치세 환급세액 지급의무는 그 납세의무자로부터 어느 과세기간에 과다하게 거래징수된 세액 상당을 국가가 실제로 납부받았는지와 관계없이 부가가치세법령의 규정에 의하여 직접 발생하는 것으로서, 그 법적 성질은 정의와 공평의 관념에서 수익자와 손실자 사이의 재산상태 조정을 위해 인정되는 부당이득 반환 의무가 아니라 부가가치세법령에 의하여 그 존부나 범위가 구체적으로 확정되고 조세 정책적 관점에서 특별히 인정되는 공법상 의무라고 봄이 타당하다. 그렇다면 납세의무자에 대한 국가의 부가가치세 환급세액 지급의무에 대응하는 국가에 대한 납세의무자의 부가가치세 환급세액 지급청구는 민사소송이 아니라 행정소송법 제3조 제2호에 규정된 당사자소송의 절차에 따라야 한다(대판 2013. 3. 21, 2011다95564 전합).

② 제38강 참조 ○

무효사유에 대해서 무효소송을 제기하는 경우에는 제소기간의 제한을 받지 않으나 이를 취소소송의 형식으로 다투는 경우, 이른바 무효선언을 구하는 의미의 취소소송에 있어서는 제소기간을 준수하여야 한다.

> 당연무효를 선언하는 의미의 취소청구소송(무효선언적 의미의 취소소송)을 제기함에 있어서는 제소기간의 제한이 있다.
>
> 행정처분의 당연무효를 선언하는 의미에서 그 취소를 구하는 행정소송을 제기하는 경우에는 전치절차와 그 제소기간의 준수 등 취소소송의 제소요건을 갖추어야 한다(대판 1987. 6. 9, 87누219).

③ ○

지방자치단체의 장이 지방의회의 의결에 대해 재의결을 요구하고 이에 지방의회가 재의결한 사항이 법령에 위반된다고 판단되는 때에는 지방자치단체장은 지방의회의 재의결에 대해 대법원에 소송을 제기할 수 있는바, 이러한 소송이 기관 상호 간에 다툼이 있는 경우에 제기하는 행정소송법상 기관소송이다.

④ **빈출** ×

행정청의 처분을 하게 되면 개인의 법률상 이익이 침해될 경우에 대비하여 사전에 행정청이 일정한 처분을 하지 못하도록 그 부작위를 청구하는 소송을 예방적 부작위소송이라 하는데, 판례는 이를 인정하지 않고 있다.

> 신축건물의 준공처분을 하여서는 아니 된다는 내용의 부작위를 구하는 청구는 허용되지 않는다(대판 1987. 3. 24, 86누182).

정답 01 ④

대표

02 ⓗ 2017 경행경채

행정소송법상 행정소송의 종류에 대한 설명이다. 아래 ㉠부터 ㉣까지의 설명 중 옳고 그름의 표시(○, ×)가 바르게 된 것은?

□□□ ㉠ 항고소송이란 행정청의 처분 등이나 부작위에 대하여 제기하는 소송이다.

□□□ ㉡ 당사자소송이란 행정청의 처분 등을 원인으로 하는 법률관계에 관한 소송 그 밖에 공법상의 법률관계에 관한 소송으로서 그 법률관계의 한쪽 당사자를 피고로 하는 소송이다.

□□□ ㉢ 민중소송이란 국가 또는 공공단체의 기관이 법률에 위반되는 행위를 한 때에 직접 자기의 법률상 이익과 관계없이 그 시정을 구하기 위하여 제기하는 소송이다.

□□□ ㉣ 기관소송이란 국가 또는 공공단체의 기관 상호간에 있어서의 권한의 존부 또는 그 행사에 관한 다툼이 있는 때에 이에 대하여 제기하는 소송이다. 다만, 헌법재판소법 제2조의 규정에 의하여 헌법재판소의 관장사항으로 되는 소송은 제외한다.

① ㉠(○) ㉡(○) ㉢(○) ㉣(○)
② ㉠(○) ㉡(○) ㉢(×) ㉣(○)
③ ㉠(○) ㉡(○) ㉢(×) ㉣(×)
④ ㉠(×) ㉡(×) ㉢(○) ㉣(×)

관련기출

㉠㉡㉢㉣

1. 행정소송법 제3조에서는 행정소송을 항고소송, 기관소송, 당사자소송, 예방적 금지소송으로 구분한다. (○, ×) 2016 경행경채
2. 당사자소송이란 행정청의 처분 등을 원인으로 하는 법률관계에 관한 소송 그 밖에 공법상의 법률관계에 관한 소송으로서 그 법률관계의 한쪽 당사자를 피고로 하는 소송을 말한다. (○, ×) 2016 경행경채, 2012 지방직 9급
3. 행정소송법 제3조에서는 행정소송을 취소소송, 당사자소송, 민중소송, 기관소송으로 구분한다. (○, ×) 2012 지방직 9급

1. × 2. ○ 3. ×

㉠㉡㉢㉣ 빈출 ○

행정소송법 제3조【행정소송의 종류】 행정소송은 다음의 네 가지로 구분한다.

1. 항고소송 : 행정청의 처분 등이나 부작위에 대하여 제기하는 소송(㉠)
2. 당사자소송 : 행정청의 처분 등을 원인으로 하는 법률관계에 관한 소송 그 밖에 공법상의 법률관계에 관한 소송으로서 그 법률관계의 한쪽 당사자를 피고로 하는 소송(㉡)
3. 민중소송 : 국가 또는 공공단체의 기관이 법률에 위반되는 행위를 한 때에 직접 자기의 법률상 이익과 관계없이 그 시정을 구하기 위하여 제기하는 소송(㉢)
4. 기관소송 : 국가 또는 공공단체의 기관 상호 간에 있어서의 권한의 존부 또는 그 행사에 관한 다툼이 있을 때에 이에 대하여 제기하는 소송. 다만, 헌법재판소법 제2조의 규정에 의하여 헌법재판소의 관장사항으로 되는 소송은 제외한다(㉣).

정답 02 ①

02 주관적 소송

기 753~764쪽 핵 T 65

03 정답률 68% 중 2024 군무원 9급

다음 중 항고소송과 당사자소송에 대한 설명으로 가장 적절한 것은? (다툼이 있는 경우 판례에 의함)

□□□ ① 국가 등 과세주체가 당해 확정된 조세채권의 소멸시효중단을 위하여 납세의무자를 상대로 제기한 조세채권존재확인의 소는 공법상 당사자소송에 해당한다.

□□□ ② 광주광역시립합창단원으로서 위촉기간이 만료되는 자들의 재위촉신청에 대하여 광주광역시문화예술회관장이 실기와 근무성적에 대한 평정을 실시하여 재위촉을 하지 아니한 것을 항고소송의 대상이 되는 불합격처분이라고 할 수는 있다.

□□□ ③ 「민주화운동 관련자 명예회복 및 보상 등에 관한 법률」에 따른 보상금 등의 지급을 구하는 소송은 공법상 당사자소송이다.

□□□ ④ 공무원연금관리공단이 공무원연금법령의 개정사실과 퇴직연금수급자가 퇴직연금 중 일부금액의 지급정지대상자가 되었다는 사실을 통보한 경우, 위 통보는 항고소송의 대상이 되는 행정처분이다.

관련기출

③

1. 「민주화운동 관련자 명예회복 및 보상 등에 관한 법률」에 따른 보상심의위원회의 결정을 다투는 소송은 공법상 당사자소송에 해당한다. (○, ×) 2015 지방직 7급
2. 「민주화운동 관련자 명예회복 및 보상 등에 관한 법률」의 규정들만으로는 바로 법상의 보상금 등의 지급대상자가 확정된다고 볼 수 없고, 심의위원회에서 심의 · 결정을 받아야만 비로소 보상금 등의 지급대상자로 확정될 수 있는 경우의 보상금지급을 구하는 소송은 당사자소송으로 다루어야 한다. (○, ×) 2014 국회직 8급
3. 「민주화운동 관련자 명예회복 및 보상 등에 관한 법률」상의 보상심의위원회의 보상금지급결정은 공법상 당사자소송의 대상이다. (○, ×) 2011 국회직 8급

1. × 2. × 3. ×

④

1. 공무원연금공단의 인정에 의해 퇴직연금을 지급받아 오던 중 공무원연금법령 개정 등으로 퇴직연금 중 일부 금액에 대해 지급이 정지된 경우, 미지급퇴직연금에 대한 지급청구권은 공법상 권리로서 그의 지급을 구하는 소송은 항고소송이다. (○, ×) 2021 지방직 · 서울시 7급
2. 공무원연금법령 개정으로 퇴직연금 중 일부 금액의 지급이 정지되어서 미지급된 퇴직연금의 지급을 구하는 소송은 당사자소송에 해당한다. (○, ×) 2015 국회직 8급
3. 공무원 퇴직자가 미지급퇴직연금에 대한 지급을 구하는 소송은 당사자소송에 해당한다. (○, ×) 2015 국가직 9급

1. × 2. ○ 3. ○

① 정답률 68% ○

국가 등 과세주체가 당해 확정된 조세채권의 소멸시효중단을 위하여 납세의무자를 상대로 제기한 조세채권존재확인의 소의 법적 성질은 공법상 당사자소송이다(대판 2020. 3. 2, 2017두41771).

② 정답률 9% 제19강 참조 ×

시립합창단원에 대한 재위촉 거부는 항고소송의 대상인 처분에 해당하지 않는다.

광주광역시문화예술회관장의 단원 위촉은 광주광역시문화예술회관장이 행정청으로서 공권력을 행사하여 행하는 행정처분이 아니라 …… 공법상 근로계약에 해당한다고 보아야 할 것이므로, 광주광역시립합창단원으로서 위촉기간이 만료되는 자들의 재위촉 신청에 대하여 광주광역시문화예술회관장이 실기와 근무성적에 대한 평정을 실시하여 재위촉을 하지 아니한 것을 항고소송의 대상이 되는 불합격처분이라고 할 수는 없다(대판 2001. 12. 11, 2001두7794).

③ **빈출** 정답률 14% ×

'민주화운동 관련자 명예회복 및 보상심의위원회'의 보상금 등의 지급대상자에 관한 결정은 행정처분이며 「민주화운동 관련자 명예회복 및 보상 등에 관한 법률」에 따른 보상금 지급 신청을 기각하는 결정에 대한 불복을 구하는 소송은 취소소송이다.

「민주화운동 관련자 명예회복 및 보상 등에 관한 법률」 제2조 제1호, 제2호 본문, 제4조, 제10조, 제11조, 제13조 규정들의 취지와 내용에 비추어 보면, 같은 법 제2조 제2호 각 목은 민주화운동과 관련한 피해유형을 추상적으로 규정한 것에 불과하여 제2조 제1호에서 정의하고 있는 민주화운동의 내용을 함께 고려하더라도 그 규정들만으로는 바로 법상의 보상금 등의 지급대상자가 확정된다고 볼 수 없고, '민주화운동 관련자 명예회복 및 보상심의위원회'에서 심의 · 결정을 받아야만 비로소 보상금 등의 지급대상자로 확정될 수 있다. 따라서 그와 같은 심의위원회의 결정은 국민의 권리 · 의무에 직접 영향을 미치는 행정처분에 해당하므로, …… (대판 2008. 4. 17, 2005두16185 전합)

④ **빈출** 정답률 7% ×

1. **공무원연금관리공단이 공무원연금법령의 개정사실과 퇴직연금 수급자가 퇴직연금 중 일부 금액의 지급정지대상자가 되었다는 사실을 통보한 경우, 위 통보는 항고소송의 대상이 되는 처분이 아니다.**
2. **공무원연금관리공단이 퇴직연금 중 일부 금액에 대하여 지급거부의 의사표시를 한 경우, 그 의사표시가 항고소송의 대상이 되는 행정처분이 아니며 이 경우 미지급 퇴직연금의 지급을 구하는 소송은 공법상 당사자소송이다.**

   공무원으로 재직하다가 퇴직하여 구 공무원연금법에 따라 퇴직연금을 받고 있던 사람이 법이 개정되면서 연금지급정지사유에 해당하게 된 경우 공무원연금관리공단의 지급정지처분 여부에 관계없이 개정된 법 규정에 의하여 당연히 퇴직연금 중 일부 금액의 지급이 정지되는 것이므로, 공무원연금관리공단이 위와 같은 법령의 개정사실과 퇴직연금 수급자가 퇴직연금 중 일부 금액의 지급정지대상자가 되었다는 사실을 통보한 것은 단지 위와 같이 법령에서 정한 사유의 발생으로 퇴직연금 중 일부 금액의 지급이 정지된다는 점을 알려주는 관념의 통지에 불과하고, 그로 인하여 비로소 지급이 정지되는 것은 아니므로 항고소송의 대상이 되는 행정처분으로 볼 수 없다(대판 2004. 7. 8, 2004두244).

정답 03 ①

04 ㊤ 2024 변호사

아래 사례들 중 행정소송법상 당사자소송으로 다투어야 하는 경우를 모두 고른 것은? (다툼이 있는 경우 판례에 의함)

> □□□ ㉠ 「민주화운동 관련자 명예회복 및 보상 등에 관한 법률」상 보상금의 지급을 신청한 사람이 심의위원회의 보상금 지급에 관한 결정을 다투는 경우
> □□□ ㉡ 구 소방공무원법상 지방소방공무원이 자신이 소속된 지방자치단체를 상대로 법령의 규정에 의하여 직접 그 존부나 범위가 정해진 초과근무수당의 지급을 청구하는 경우
> □□□ ㉢ 「도시 및 주거환경정비법」상 관리처분계획안에 대한 조합총회결의의 효력을 다투려는 조합원이 관리처분계획 인가 전에 주택재건축정비사업조합을 상대로 소송을 제기하는 경우
> □□□ ㉣ 부가가치세 납세의무를 부담하는 사업자가 국가를 상대로 부가가치세 환급세액의 지급을 청구하는 경우
> □□□ ㉤ 조세부과처분이 당연무효임을 전제로 하여 이미 납부한 세금의 반환을 청구하는 경우

① ㉠, ㉡ ② ㉢, ㉣
③ ㉡, ㉢, ㉣ ④ ㉡, ㉣, ㉤
⑤ ㉢, ㉣, ㉤

관련기출

㉡

1. 지방자치단체와 그 소속 경력직 공무원인 지방소방공무원 사이의 관계는 공법관계에 해당한다. (○, ×) 2018 경행경채 3차
2. 지방소방공무원이 자신이 소속된 지방자치단체를 상대로 초과근무수당의 지급을 구하는 청구에 관한 소송은 당사자소송의 절차에 따라야 한다. (○, ×) 2014 지방직 7급

1. ○ 2. ○

㉢

1. 관리처분계획안의 인가 전 조합총회결의의 하자를 다투고자 하는 경우 조합총회결의의 무효확인을 구하는 당사자소송을 제기할 수 있다. (○, ×) 2023 서울시 지적 7급
2. 관리처분계획에 대하여 인가 · 고시가 있는 경우에 총회결의의 하자를 이유로 그 효력 유무를 다투는 확인의 소를 제기하는 것은 특별한 사정이 없는 한 허용된다. (○, ×) 2023 소방직 9급
3. 주택재개발정비사업을 위한 관리처분계획이 조합원 총회에서 승인되었으나 아직 관할행정청의 인가 전이라면 조합원은 해당 총회결의에 대해서 당사자소송으로 다툴 수 있다. (○, ×) 2020 국회직 8급
4. 「도시 및 주거환경정비법」상 주택재건축정비사업조합을 상대로 관리처분계획안에 대한 조합총회결의의 효력 등을 다투는 소송은 행정소송법상 당사자소송에 해당한다. (○, ×) 2019 국가직 9급, 2016 국가직 7급

1. ○ 2. × 3. ○ 4. ○

㉠ ×

'민주화운동 관련자 명예회복 및 보상심의위원회'의 보상금 등의 지급대상자에 관한 결정은 행정처분이며 「민주화운동 관련자 명예회복 및 보상 등에 관한 법률」에 따른 보상금 지급 신청을 기각하는 결정에 대한 불복을 구하는 소송은 항고소송이라는 것이 판례의 입장이다(대판 2008. 4. 17, 2005두16185 전합).

㉡ **빈출** ○

> 1. 지방소방공무원의 보수에 관한 법률관계는 공법상 법률관계에 해당한다.
> 2. 지방소방공무원이 소속 지방자치단체를 상대로 초과근무수당의 지급을 구하는 소송을 제기하는 경우, 행정소송법상 당사자소송의 절차에 따라야 한다(대판 2013. 3. 28, 2012다102629).

㉢ **빈출** ○

관리처분계획안에 대한 조합총회결의는 관리처분계획이라는 행정처분에 이르는 절차적 요건 중 하나이다. 따라서 관리처분계획안에 대한 조합총회결의의 효력 등을 다투는 소송은 행정처분에 이르는 절차적 요건에 관한 소송으로서 공법상 법률관계에 관한 것이므로, 행정소송법상의 당사자소송에 해당한다는 것이 판례의 입장이다. 한편 판례는 총회결의 후 관리처분계획에 대한 행정청의 인가 · 고시가 있은 후에는 관리처분계획에 대한 항고소송을 제기하여야 한다고 본다.

> 1. 「도시 및 주거환경정비법」상의 주택재건축정비사업조합을 상대로 관리처분계획안에 대한 조합총회결의의 효력을 다투는 소송의 법적 성질은 행정소송법상 당사자소송이다.
> 「도시 및 주거환경정비법」상 행정주체인 주택재건축정비사업조합을 상대로 관리처분계획안에 대한 조합총회결의의 효력 등을 다투는 소송은 행정처분에 이르는 절차적 요건의 존부나 효력 유무에 관한 소송으로서 그 소송결과에 따라 행정처분의 위법 여부에 직접 영향을 미치는 공법상 법률관계에 관한 것이므로, 이는 행정소송법상의 당사자소송에 해당한다.
> 2. 「도시 및 주거환경정비법」상의 주택재건축정비사업조합이 같은 법 제48조에 따라 수립한 관리처분계획에 대하여 관할행정청의 인가 · 고시가 있은 후에는 행정처분의 효력을 다투는 항고소송의 방법으로 관리처분계획의 취소 또는 무효확인을 구하여야 하고, 그 관리처분계획안에 대한 총회결의의 무효확인을 구할 수는 없다(대판 2009. 9. 17, 2007다2428).

㉣ ○

납세의무자의 부가가치세 환급세액 지급청구는 당사자소송의 절차에 따라야 한다는 것이 판례의 입장이다(대판 2013. 3. 21, 2011다95564 전합).

㉤ **빈출** ×

> 부당이득반환청구소송은 민사소송으로 제기하여야 한다.
> 조세부과처분이 당연무효임을 전제로 하여 이미 납부한 세금의 반환을 청구하는 것은 민사상의 부당이득반환청구로서 민사소송절차에 따라야 한다(대판 1995. 4. 28, 94다55019).

정답 04 ③

05 정답률 74% 중 2023 지방직 · 서울시 9급

행정소송법상 당사자소송에 대한 설명으로 옳지 않은 것은?

□□□ ① 당사자소송이란 행정청의 처분 등을 원인으로 하는 법률관계에 관한 소송, 그 밖에 공법상의 법률관계에 관한 소송으로서 그 법률관계의 한쪽 당사자를 피고로 하는 소송을 의미한다.

□□□ ② 공법상 계약의 한쪽 당사자가 다른 당사자를 상대로 효력을 다투거나 이행을 청구하는 소송은 공법상의 법률관계에 관한 분쟁이므로 분쟁의 실질이 공법상 권리 · 의무의 존부 · 범위에 관한 다툼이 아니라 손해배상액의 구체적인 산정방법 · 금액에 국한되는 등의 특별한 사정이 없는 한 당사자소송으로 제기하여야 한다.

□□□ ③ 명예퇴직한 법관이 미지급 명예퇴직수당액에 대하여 가지는 권리는 명예퇴직수당 지급대상자 결정 절차를 거쳐 명예퇴직수당규칙에 의하여 확정된 공법상 법률관계에 관한 권리로서, 그 지급을 구하는 소송은 당사자소송에 해당하며, 그 법률관계의 당사자인 국가를 상대로 제기하여야 한다.

□□□ ④ 당사자소송은 공법상 법률관계에 관한 소송이므로 이를 본안으로 하는 가처분에 대하여는 민사집행법상 가처분에 관한 규정이 준용되지 않는다.

관련기출

③

1. 법관이 이미 수령한 명예퇴직수당액이 구 「법관 및 법원공무원 명예퇴직수당 등 지급규칙」에서 정한 정당한 명예퇴직수당액에 미치지 못한다고 주장하며 차액의 지급을 신청한 것에 대하여 법원행정처장이 행한 거부의 의사표시는 행정처분에 해당한다. (○, ×) 2019 지방직 7급
2. 명예퇴직한 법관이 미지급 명예퇴직수당액에 대하여 가지는 권리는 공법상 법률관계에 관한 권리이므로 그 지급을 구하는 소송은 당사자소송에 해당한다. (○, ×) 2019 서울시 2회 7급
3. 명예퇴직한 법관이 명예퇴직수당액의 차액 지급을 신청한 것에 대해 법원행정처장이 거부하는 의사표시를 한 경우 항고소송으로 이를 다투어야 한다. (○, ×) 2018 서울시 2회 7급
4. 명예퇴직한 법관이 미지급 명예퇴직수당액의 지급을 구하는 소송은 당사자소송에 해당한다. (○, ×) 2017 지방직(하) 9급

1. × 2. ○ 3. × 4. ○

① ○

행정소송법 제3조 【행정소송의 종류】 행정소송은 다음의 네 가지로 구분한다.
2. 당사자소송 : 행정청의 처분 등을 원인으로 하는 법률관계에 관한 소송 그 밖에 공법상의 법률관계에 관한 소송으로서 그 법률관계의 한쪽 당사자를 피고로 하는 소송

② 제19강 참조 ○

공법상 당사자소송이란 행정청의 처분 등을 원인으로 하는 법률관계에 관한 소송 그 밖에 공법상의 법률관계에 관한 소송으로서 그 법률관계의 한쪽 당사자를 피고로 하는 소송을 말한다(행정소송법 제3조 제2호). 공법상 계약이란 공법적 효과의 발생을 목적으로 하여 대등한 당사자 사이의 의사표시의 합치로 성립하는 공법행위를 말한다. 공법상 계약의 한쪽 당사자가 다른 당사자를 상대로 효력을 다투거나 이행을 청구하는 소송은 공법상의 법률관계에 관한 분쟁이므로 분쟁의 실질이 공법상 권리 · 의무의 존부 · 범위에 관한 다툼이 아니라 손해배상액의 구체적인 산정방법 · 금액에 국한되는 등의 특별한 사정이 없는 한 공법상 당사자소송으로 제기하여야 한다(대판 2021. 2. 4, 2019다277133).

③ **빈출** ○

1. 법관이 이미 수령한 명예퇴직수당액이 구 「법관 및 법원공무원 명예퇴직수당 등 지급규칙」 제4조 [별표 1]에서 정한 정당한 수당액에 미치지 못한다고 주장하며 차액의 지급을 신청한 것에 대하여 법원행정처장이 거부하는 의사를 표시한 경우, 위 의사표시를 행정처분으로 볼 수 없다.
2. 명예퇴직한 법관이 미지급 명예퇴직수당액의 지급을 구하는 경우, 소송형태는 당사자소송이다.
   명예퇴직한 법관이 미지급 명예퇴직수당액에 대하여 가지는 권리는 명예퇴직수당 지급대상자 결정 절차를 거쳐 명예퇴직수당규칙에 의하여 확정된 공법상 법률관계에 관한 권리로서, 그 지급을 구하는 소송은 행정소송법의 당사자소송에 해당하며, 그 법률관계의 당사자인 국가를 상대로 제기하여야 한다(대판 2016. 5. 24, 2013두14863).

④ ×

당사자소송에 대하여는 행정소송법 제23조 제2항의 집행정지에 관한 규정이 준용되지 아니하므로, 이를 본안으로 하는 가처분에 대하여는 행정소송법 제8조 제2항에 따라 민사집행법상 가처분에 관한 규정이 준용되어야 한다(대결 2015. 8. 21, 2015무26).

정답 05 ④

06 ㊤ 2023 국회직 8급

<보기 1>에서 설명하고 있는 소송의 종류와 <보기 2>에서 설명하고 있는 소송의 사례가 올바르게 짝지어진 것은? (다툼이 있는 경우 판례에 의함)

보기 1

(가)는 행정청의 처분 등이나 부작위에 대하여 제기하는 소송을 말하며, (나)는 행정청의 처분 등을 원인으로 하는 법률관계에 관한 소송, 그 밖에 공법상의 법률관계에 관한 소송으로서 그 법률관계의 한쪽 당사자를 피고로 하는 소송을 말한다.

보기 2

□□□ ㉠ 사업주가 당연가입자가 되는 고용보험 및 산재보험에서 보험료 납부의무부존재확인의 소

□□□ ㉡ 재단법인 한국연구재단이 과학기술기본법령에 따라 체결한 연구개발비 지원사업 협약의 해지 통보에 대한 불복의 소

□□□ ㉢ 지방자치단체가 보조금 지급결정을 하면서 일정 기한 내에 보조금을 반환하도록 하는 교부조건을 부가한 경우, 보조사업자에 대한 지방자치단체의 보조금반환청구의 소

	(가)	(나)
①	㉠	㉡, ㉢
②	㉡	㉠, ㉢
③	㉢	㉠, ㉡
④	㉠, ㉡	㉢
⑤	㉡, ㉢	㉠

관련기출

㉠

1. 사업주가 당연가입자가 되는 고용보험 및 산업재해보상보험에서 보험료 납부의무 부존재확인은 당사자소송으로 다투어야 한다. (○, ×)
2024 국가직 9급

2. 사업주가 당연가입자가 되는 고용보험 및 산재보험에서 보험료 납부의무 부존재확인의 소는 항고소송과 당사자소송 중 (　　　)의 대상이다.
2022 서울시 지적 7급

1. ○ 2. 당사자소송

㉢

1. 지방자치단체가 보조금 지급결정을 하면서 일정 기한 내에 보조금을 반환하도록 교부조건을 부가한 경우, 보조사업자에 대한 지방자치단체의 보조금반환청구는 당사자소송의 대상이 된다. (○, ×) 2021 국가직 7급, 2015 국가직 9급

1. ○

(가)는 항고소송, (나)는 당사자소송이다.

행정소송법 제3조【행정소송의 종류】 행정소송은 다음의 네 가지로 구분한다.
1. 항고소송 : 행정청의 처분 등이나 부작위에 대하여 제기하는 소송
2. 당사자소송 : 행정청의 처분 등을 원인으로 하는 법률관계에 관한 소송 그 밖에 공법상의 법률관계에 관한 소송으로서 그 법률관계의 한쪽 당사자를 피고로 하는 소송

㉠ (나)

고용산재보험료징수법 제4조, 제16조의2, 제17조, 제19조, 제23조의 각 규정에 의하면, 사업주가 당연가입자가 되는 고용보험 및 산재보험에서 보험료 납부의무 부존재확인의 소는 공법상의 법률관계 그 자체를 다투는 소송으로서 공법상 당사자소송이라 할 것이다(대판 2016. 10. 13, 2016다221658).

㉡ (가)

〔재단법인 한국연구재단이 A대학교 총장에게 연구개발비의 부당집행을 이유로 '해양생물유래 고부가식품 · 향장 · 한약 기초소재 개발 인력양성 사업에 대한 2단계 두뇌한국(BK)21 사업' 협약을 해지한 사안에서〕 과학기술기본법령상 사업협약의 해지 통보는 단순히 대등 당사자의 지위에서 형성된 공법상 계약을 계약당사자의 지위에서 종료시키는 의사표시에 불과한 것이 아니라 행정청이 우월적 지위에서 연구개발비의 회수 및 관련자에 대한 국가연구개발사업 참여제한 등의 법률상 효과를 발생시키는 행정처분에 해당하므로 이를 다투는 소송은 항고소송이다(대판 2014. 12. 11, 2012두28704).

㉢ (나)

지방자치단체가 보조금 지급결정을 하면서 일정 기한 내에 보조금을 반환하도록 하는 교부조건을 부가한 경우, 보조금을 교부받은 사업자에 대한 지방자치단체의 보조금반환청구는 행정소송법 제3조 제2호에 규정한 당사자소송의 대상이다(대판 2011. 6. 9, 2011다2951).

정답 06 ②

07 ㊤

2022 변호사 변형

X주택재개발사업조합(이하 'X조합'이라 함)은 「도시 및 주거환경정비법」에 따라 관할 A행정청으로부터 조합설립인가를 받았고 甲을 조합장으로 선임하였다. 그 후 X조합은 분양신청을 기초로 관리처분계획을 수립하여 조합총회에 부의하였고, 조합총회에서 조합원들은 관리처분계획을 원안대로 의결하였다. A행정청은 관리처분계획을 인가 · 고시하였다. 이에 관한 설명 중 옳지 않은 것은? (다툼이 있는 경우 판례에 의함)

□□□ ① A행정청의 조합설립인가는 X조합에 대하여 행정주체의 지위를 부여하는 설권적 처분이다.

□□□ ② 조합설립인가처분이 있은 후 조합설립결의의 하자를 이유로 조합설립의 효력을 부정하려면 항고소송으로 조합설립인가처분의 효력을 다투어야 한다.

□□□ ③ X조합과 甲 사이의 선임 · 해임을 둘러싼 법률관계는 사법상의 법률관계이므로 조합장의 지위를 다투는 소송은 민사소송에 의하여야 한다.

□□□ ④ 관리처분계획에 대한 인가 · 고시가 있은 이후 총회의결의 하자를 이유로 관리처분계획의 효력을 다투려면 당사자소송으로 총회의결의 효력 유무의 확인을 구하여야 한다.

관련기출

③

1. 재개발조합은 공법인이므로 재개발조합과 조합장 사이의 선임 · 해임 등을 둘러싼 법률관계는 공법상 법률관계이고 그 조합장의 지위를 다투는 소송은 공법상 당사자소송이다. (O, X) 2019 서울시 2회 7급

1. X

①② O

재개발조합설립인가신청에 대한 행정청의 조합설립인가처분은 단순히 사인들의 조합설립행위에 대한 보충행위로서의 성질을 가지는 것이 아니라 법령상 일정한 요건을 갖추는 경우 행정주체(공법인)의 지위를 부여하는 일종의 설권적 처분의 성질을 가진다고 보아야 한다(①). 그러므로 구 「도시 및 주거환경정비법」상 재개발조합설립인가신청에 대하여 행정청의 조합설립인가처분이 있은 이후에는, 조합설립 동의에 하자가 있음을 이유로 재개발조합설립의 효력을 부정하려면 항고소송으로 조합설립인가처분의 효력을 다투어야 한다(②)(대판 2010. 1. 28, 2009두4845).

③ O

구 「도시 및 주거환경정비법」상 재개발조합과 조합장 또는 조합임원 사이의 선임 · 해임 등을 둘러싼 법률관계의 성질은 사법(私法)상의 법률관계이다.

재개발조합과 조합장 또는 조합임원 사이의 선임 · 해임 등을 둘러싼 법률관계는 사법상의 법률관계로서 그 조합장 또는 조합임원의 지위를 다투는 소송은 민사소송에 의하여야 할 것이다(대결 2009. 9. 24, 2009마168 · 169).

④ X

1. 「도시 및 주거환경정비법」상의 주택재건축정비사업조합을 상대로 관리처분계획안에 대한 조합총회결의의 효력을 다투는 소송의 법적 성질은 행정소송법상 당사자소송이다.
2. 「도시 및 주거환경정비법」상의 주택재건축정비사업조합이 같은 법 제48조에 따라 수립한 관리처분계획에 대하여 관할행정청의 인가 · 고시가 있은 후에는 행정처분의 효력을 다투는 항고소송의 방법으로 관리처분계획의 취소 또는 무효확인을 구하여야 하고, 그 관리처분계획안에 대한 총회결의의 무효확인을 구할 수는 없다(대판 2009. 9. 17, 2007다2428 전합).

정답 07 ④

08 빈출 정답률 77% 중 2021 국가직 7급

당사자소송에 대한 설명으로 옳지 않은 것은? (다툼이 있는 경우 판례에 의함)

① 당사자소송에는 항고소송에서의 집행정지규정은 적용되지 않고 민사집행법상의 가처분규정은 준용된다.

② 지방자치단체가 보조금 지급결정을 하면서 일정 기한 내에 보조금을 반환하도록 교부조건을 부가한 경우, 보조사업자에 대한 지방자치단체의 보조금반환청구는 당사자소송의 대상이 된다.

③ 국가에 대한 납세의무자의 부가가치세 환급세액 지급청구는 당사자소송이 아니라 민사소송의 절차에 따라야 한다.

④ 조세부과처분의 당연무효를 전제로 하여 이미 납부한 세금의 반환을 청구하는 것은 민사상 부당이득반환청구로서 당사자소송이 아니라 민사소송절차에 따른다.

관련기출

④

1. 판례는 공법상 부당이득반환청구권은 사권(私權)에 해당되며, 그에 관한 소송은 민사소송절차에 따라야 한다고 보고 있다. (○, ×) 2020 소방직 9급
2. 과세처분의 무효를 원인으로 하는 조세환급청구소송(은 공법상 당사자소송에 해당한다) (○, ×) 2015 지방직 7급
3. 존재와 범위가 확정되어 있는 과오납부액이나 환급세액의 부당이득반환청구는 그 원인행위가 공법적이므로 당사자소송에 의하여야 한다. (○, ×) 2012 국가직 7급

1. ○ 2. × 3. ×

① ○

당사자소송에 대하여는 행정소송법 제23조 제2항의 집행정지에 관한 규정이 준용되지 아니하므로, 이를 본안으로 하는 가처분에 대하여는 행정소송법 제8조 제2항에 따라 민사집행법상 가처분에 관한 규정이 준용되어야 한다는 것이 판례의 입장이다(대결 2015. 8. 21, 2015무26).

② ○

지방자치단체가 보조금 지급결정을 하면서 일정 기한 내에 보조금을 반환하도록 하는 교부조건을 부가한 경우, 보조금을 교부받은 사업자에 대한 지방자치단체의 보조금반환청구는 행정소송법 제3조 제2호에 규정한 당사자소송의 대상이다(대판 2011. 6. 9, 2011다2951).

③ ×

납세의무자의 부가가치세 환급세액 지급청구는 당사자소송의 절차에 따라야 한다는 것이 판례의 입장이다(대판 2013. 3. 21, 2011다95564 전합).

④ ○

조세부과처분이 당연무효임을 전제로 하여 이미 납부한 세금의 반환을 청구하는 것은 민사상의 부당이득반환청구로서 민사소송절차에 따라야 한다는 것이 판례의 입장이다(대판 1995. 4. 28, 94다55019).

정답 08 ③

09 빈출 정답률 61% 중 2021 소방직 9급

행정상의 법률관계와 소송형태 등에 관한 설명으로 옳지 않은 것은? (다툼이 있는 경우 판례에 의함)

□□□ ① 「도시 및 주거환경정비법」상의 주택재건축정비사업조합을 상대로 관리처분계획안에 대한 조합총회결의의 무효확인을 구하는 소는 공법관계이므로 당사자소송을 제기하여야 한다.

□□□ ② 「국가를 당사자로 하는 계약에 관한 법률」에 따라 국가가 당사자로 되는 입찰방식에 의한 사인과 체결하는 이른바 공공계약은 국가가 사경제의 주체로서 상대방과 대등한 위치에서 체결하는 사법상의 계약이다.

□□□ ③ 국유재산법에 따른 국유재산의 무단점유자에 대한 변상금 부과·징수권은 민사상 부당이득반환청구권과 법적 성질을 달리하므로, 국가는 무단점유자를 상대로 변상금 부과·징수권의 행사와 별개로 국유재산의 소유자로서 민사상 부당이득반환청구의 소를 제기할 수 있다.

□□□ ④ 2020년 4월 1일부터 시행되는 전부개정 소방공무원법 이전의 경우, 지방소방공무원의 보수에 관한 법률관계는 사법상의 법률관계이므로 지방소방공무원이 소속 지방자치단체를 상대로 초과근무수당의 지급을 구하는 소송은 행정소송상 당사자소송이 아닌 민사소송절차에 따라야 했다.

관련기출

③

1. 국가는 국유재산의 무단점유자에 대하여 변상금 부과·징수권의 행사와는 별도로 민사상 부당이득반환청구의 소를 제기할 수 없다. (O, ×)

2016 서울시 7급

1. ×

① ○

「도시 및 주거환경정비법」상의 주택재건축정비사업조합을 상대로 관리처분계획안에 대한 조합총회결의의 효력을 다투는 소송의 법적 성질은 행정소송법상 당사자소송이라는 것이 판례의 입장이다(대판 2009. 9. 17, 2007다2428 전합).

② 제5강 참조 ○

「국가를 당사자로 하는 계약에 관한 법률」에 따라 국가가 당사자가 되는 이른바 공공계약은 사경제주체로서 상대방과 대등한 위치에서 체결하는 사법상 계약으로서 본질적인 내용은 사인 간의 계약과 다를 바가 없으므로, 그에 관한 법령에 특별한 정함이 있는 경우를 제외하고는 사적 자치와 계약자유의 원칙 등 사법의 원리가 그대로 적용된다(대판 2020. 5. 14, 2018다298409).

③ ○

국유재산의 무단점유자에 대한 변상금 부과는 공권력을 가진 우월적 지위에서 행하는 행정처분이고, 그 부과처분에 의한 변상금 징수권은 공법상의 권리인 반면, 민사상 부당이득반환청구권은 국유재산의 소유자로서 가지는 사법상의 채권이다. 또한 변상금은 부당이득 산정의 기초가 되는 대부료나 사용료의 120%에 상당하는 금액으로서 부당이득금과 액수가 다르고, 이와 같이 할증된 금액의 변상금을 부과·징수하는 목적은 국유재산의 사용·수익으로 인한 이익의 환수를 넘어 국유재산의 효율적인 보존·관리라는 공익을 실현하는 데 있다. 그리고 대부 또는 사용·수익허가 없이 국유재산을 점유하거나 사용·수익하였지만 변상금 부과처분은 할 수 없는 때에도 민사상 부당이득반환청구권은 성립하는 경우가 있으므로, 변상금 부과·징수의 요건과 민사상 부당이득반환청구권의 성립요건이 일치하는 것도 아니다. 이처럼 구 국유재산법 제51조 제1항, 제4항, 제5항에 의한 변상금 부과·징수권은 민사상 부당이득반환청구권과 법적 성질을 달리하므로, 국가는 무단점유자를 상대로 변상금 부과·징수권의 행사와 별도로 국유재산의 소유자로서 민사상 부당이득반환청구의 소를 제기할 수 있다(대판 2014. 7. 16, 2011다76402 전합).

④ ×

1. 지방소방공무원의 보수에 관한 법률관계는 공법상 법률관계에 해당한다.
2. 지방소방공무원이 소속 지방자치단체를 상대로 초과근무수당의 지급을 구하는 소송을 제기하는 경우, 행정소송법상 당사자소송의 절차에 따라야 한다(대판 2013. 3. 28, 2012다102629).

정답 09 ④

10 정답률 75% 상 2020 지방직 · 서울시 7급

행정소송법상 당사자소송에 대한 설명으로 옳은 것만을 모두 고르면? (다툼이 있는 경우 판례에 의함)

> ㉠ 공법상 당사자소송에서 재산권의 청구를 인용하는 판결을 하는 경우 가집행선고를 할 수 있다.
> ㉡ 소송형태는 당사자소송의 형식을 취하지만 실질적으로는 처분 등의 효력을 다투는 항고소송의 성질을 가지는 소송은 현행법상 인정되지 아니한다.
> ㉢ 「도시 및 주거환경정비법」상 행정주체인 주택재건축정비사업조합을 상대로 관리처분계획안에 대한 조합총회결의의 효력 등을 다투는 소송은 민사상 법률관계에 관한 것이므로 민사소송에 해당한다.
> ㉣ 석탄산업법과 관련하여 피재근로자는 석탄산업합리화 사업단이 한 재해위로금 지급거부의 의사표시에 불복이 있는 경우 공법상의 당사자소송을 제기하여야 한다.

① ㉠, ㉡ ② ㉠, ㉣
③ ㉡, ㉢ ④ ㉢, ㉣

관련기출

㉠

1. 행정소송법 제8조 제2항에 의하면 행정소송에도 민사소송법의 규정이 일반적으로 준용되므로 법원으로서는 공법상 당사자소송에서 재산권의 청구를 인용하는 판결을 하는 경우 가집행선고를 할 수 있다. (○, ×) 2017 서울시 7급
2. (판례에 따르면) 공법상 당사자소송에서 재산권의 청구를 인용하는 판결을 하는 경우에는 가집행선고를 할 수 없다. (○, ×) 2008 국가직 9급

1. ○ 2. ×

㉣

1. 폐광대책비의 일종으로 폐광된 광산에서 업무상 재해를 입은 근로자에게 지급하는 재해위로금의 지급청구는 당사자소송의 대상이다. (○, ×) 2019 서울시 1회 7급

1. ○

② ㉠㉣이 옳은 설명이다.

㉠ ○

> 공법상 당사자소송에서 재산권의 청구를 인용하는 판결을 하는 경우, 가집행선고를 할 수 있다.
>
> 행정소송법 제8조 제2항에 의하면 행정소송에도 민사소송법의 규정이 일반적으로 준용되므로 법원으로서는 공법상 당사자소송에서 재산권의 청구를 인용하는 판결을 하는 경우 가집행선고를 할 수 있다(대판 2000. 11. 28, 99두3416).
>
> ✚ 가집행선고란 1심 또는 2심에서 판결을 선고할 때 그 주문에 '제○항은 가집행할 수 있다'는 문구를 기재하는 것을 말하는데 이러한 '가집행 선고부 판결'이 있으면 판결이 확정되지 않아도 강제집행을 신청할 수 있게 된다.

㉡ ×

형식적 당사자소송이란 실질적으로는 행정청의 처분 등을 다투는 것이지만 형식적으로는 처분을 대상으로 하지 않고 또한 처분청을 피고로 하지도 않고, 그 대신 처분 등으로 인해 형성된 법률관계를 다투기 위해 관련 법률관계의 일방 당사자를 피고로 하여 제기하는 당사자소송(소송형태는 당사자소송의 형식을 취하지만 실질적으로는 처분 등의 효력을 다투는 항고소송의 성질을 가지는 소송)을 말한다. 특허법 제191조의 보상금에 대한 불복의 소, 「공익사업을 위한 토지 등의 취득 및 보상에 관한 법률」 제85조의 보상금증감청구소송은 현행법상 인정되는 형식적 당사자소송에 해당한다.

> **「공익사업을 위한 토지 등의 취득 및 보상에 관한 법률」 제85조【행정소송의 제기】** ① 사업시행자, 토지소유자 또는 관계인은 제34조에 따른 재결에 불복할 때에는 재결서를 받은 날부터 90일 이내에, 이의신청을 거쳤을 때에는 이의신청에 대한 재결서를 받은 날부터 60일 이내에 각각 행정소송을 제기할 수 있다. 이 경우 사업시행자는 행정소송을 제기하기 전에 제84조에 따라 늘어난 보상금을 공탁하여야 하며, 보상금을 받을 자는 공탁된 보상금을 소송이 종결될 때까지 수령할 수 없다.
> ② 제1항에 따라 제기하려는 행정소송이 보상금의 증감(增減)에 관한 소송인 경우 그 소송을 제기하는 자가 토지소유자 또는 관계인일 때에는 사업시행자를, 사업시행자일 때에는 토지소유자 또는 관계인을 각각 피고로 한다.

㉢ ×

「도시 및 주거환경정비법」상 행정주체인 주택재건축정비사업조합을 상대로 관리처분계획안에 대한 조합총회결의의 효력 등을 다투는 소송은 당사자소송에 해당한다는 것이 판례의 입장이다(대판 2009. 9. 17, 2007다2428).

㉣ ○

> 석탄산업법에 따른 재해위로금지급청구권은 공법상 권리로서 당사자소송을 제기해야 한다.
>
> 석탄산업법 제39조의3 제1항 제4호, 제4항 및 같은 법 시행령 제41조 제4항 제5호의 각 규정에 의하여 폐광대책비의 일종으로 폐광된 광산에서 업무상 재해를 입은 근로자에게 지급하는 재해위로금에 대한 지급청구권은 공법상의 권리로서 그 지급을 구하는 소송은 공법상의 법률관계에 관한 소송인 공법상 당사자소송에 해당한다(대판 1999. 1. 26, 98두12598).

정답 10 ②

11 정답률 55% 상 2019 지방직 7급

판례의 입장으로 옳은 것은?

□□□ ① 공무원연금법령상 급여를 받으려고 하는 자는 우선 급여지급을 신청하여 공무원연금공단이 이를 거부하거나 일부 금액만 인정하는 급여지급결정을 하는 경우 그 결정을 대상으로 항고소송을 제기하는 등으로 구체적 권리를 인정받아야 한다.

□□□ ② 행정청이 공무원에게 국가공무원법령상 연가보상비를 지급하지 아니한 행위는 공무원의 연가보상비청구권을 제한하는 행위로서 항고소송의 대상이 되는 처분이다.

□□□ ③ 법관이 이미 수령한 명예퇴직수당액이 구 「법관 및 법원공무원 명예퇴직수당 등 지급규칙」에서 정한 정당한 명예퇴직수당액에 미치지 못한다고 주장하며 차액의 지급을 신청한 것에 대하여 법원행정처장이 행한 거부의 의사표시는 행정처분에 해당한다.

□□□ ④ 「도시 및 주거환경정비법」상 주택재건축정비사업조합을 상대로 관리처분계획안에 대한 조합총회결의의 효력 등을 다투는 소송은 관리처분계획의 인가·고시가 있은 이후라도 특별한 사정이 없는 한 허용되어야 한다.

관련기출

①

1. 공무원연금법령상 급여를 받으려고 하는 자는 구체적 권리가 발생하지 않은 상태에서 곧바로 공무원연금공단을 상대로 한 당사자소송을 제기할 수 없다. (○, ×) 2018 서울시 2회 7급
2. 공무원연금관리공단의 퇴직급여결정에 대한 소송은 판례에 따를 때 당사자소송에 해당한다. (○, ×) 2015 서울시 9급

1. ○ 2. ×

① ○

공무원연금법령상 급여를 받으려고 하는 자는 우선 관계법령에 따라 공무원연금공단에 급여지급을 신청하여 공무원연금공단이 이를 거부하거나 일부 금액만 인정하는 급여지급결정을 하는 경우 그 결정을 대상으로 항고소송을 제기하는 등으로 구체적 권리를 인정받아야 하고, 구체적인 권리가 발생하지 않은 상태에서 곧바로 공무원연금공단을 상대로 한 당사자소송으로 권리의 확인이나 급여의 지급을 소구하는 것은 허용되지 아니한다(대판 2017. 2. 9, 2014두43264).

② ×

국가공무원법에 따르면 연가보상비청구권은 법령상 요건이 충족되면 당연히 성립하고 행정청의 결정에 의하여 성립하는 것이 아니다. 따라서 연가보상비를 지급하지 아니한 행위는 항고소송의 대상이 되는 처분이 아니다.

연가보상비를 지급하지 아니한 행위는 항고소송의 대상이 되는 행정처분이 아니다.

국가공무원법 제67조, 구 공무원복무규정 제15조, 제16조 제5항, 제17조 등의 각 규정에 비추어 보면, 공무원의 연가보상비청구권은 공무원이 연가를 실시하지 아니하는 등 법령상 정해진 요건이 충족되면 그 자체만으로 지급기준일 또는 보수지급기관의 장이 정한 지급일에 구체적으로 발생하고 행정청의 지급결정에 의하여 비로소 발생하는 것은 아니라고 할 것이므로, 행정청이 공무원에게 연가보상비를 지급하지 아니한 행위로 인하여 공무원의 연가보상비청구권 등 법률상 지위에 아무런 영향을 미친다고 할 수는 없으므로 행정청의 연가보상비 부지급행위는 항고소송의 대상이 되는 처분이라고 볼 수 없다(대판 1999. 7. 23, 97누10857).

③ ×

1. 법관이 이미 수령한 명예퇴직수당액이 구 「법관 및 법원공무원 명예퇴직수당 등 지급규칙」 제4조 [별표 1]에서 정한 정당한 수당액에 미치지 못한다고 주장하며 차액의 지급을 신청한 것에 대하여 법원행정처장이 거부하는 의사를 표시한 경우, 위 의사표시를 행정처분으로 볼 수 없다.
2. 명예퇴직한 법관이 미지급 명예퇴직수당액의 지급을 구하는 경우, 소송형태는 당사자소송이다(대판 2016. 5. 24, 2013두14863).

④ ×

1. 「도시 및 주거환경정비법」상의 주택재건축정비사업조합을 상대로 관리처분계획안에 대한 조합총회결의의 효력을 다투는 소송의 법적 성질은 행정소송법상 당사자소송이다.
2. 「도시 및 주거환경정비법」상의 주택재건축정비사업조합이 같은 법 제48조에 따라 수립한 관리처분계획에 대하여 관할행정청의 인가·고시가 있은 후에는 행정처분의 효력을 다투는 항고소송의 방법으로 관리처분계획의 취소 또는 무효확인을 구하여야 하고, 그 관리처분계획안에 대한 총회결의의 무효확인을 구할 수는 없다(대판 2009. 9. 17, 2007다2428 전합).

정답 11 ①

대표

12 빈출 중 2019 서울시 1회 7급

<보기>에서 당사자소송의 대상을 모두 고른 것은? (다툼이 있는 경우 판례에 따름)

보기

- ㉠ 구 「공익사업을 위한 토지 등의 취득 및 보상에 관한 법률」에 의한 주거이전비 보상청구
- ㉡ 재개발조합 조합원의 자격 인정 여부에 관한 다툼
- ㉢ 폐광대책비의 일종으로 폐광된 광산에서 업무상 재해를 입은 근로자에게 지급하는 재해위로금의 지급청구
- ㉣ 부가가치세법령상 확정된 부가가치세의 환급세액의 지급청구

① ㉠ ② ㉠, ㉡
③ ㉠, ㉡, ㉢ ④ ㉠, ㉡, ㉢, ㉣

관련기출

㉡

1. 구 도시재개발법상 재개발조합의 조합원자격 확인은 당사자소송의 대상이다. (○, ×) 2017 사회복지직 9급
2. 도시재개발조합에 대하여 조합원자격 확인을 구하는 관계는 공법관계이다. (○, ×) 2010 경행특채

1. ○ 2. ○

④ ㉠㉡㉢㉣ 모두 당사자소송의 대상이 된다.

㉠ ○

구 「공익사업을 위한 토지 등의 취득 및 보상에 관한 법률」에 따른 주거용 건축물 세입자의 주거이전비 보상청구소송은 당사자소송에 의하여야 한다(대판 2008. 5. 29, 2007다8129).

㉡ ○

재개발조합을 상대로 조합원자격 유무에 관한 확인을 구하는 소송은 공법상 당사자소송이다.

구 도시재개발법에 의한 재개발조합은 조합원에 대한 법률관계에서 적어도 특수한 존립목적을 부여받은 특수한 행정주체로서 국가의 감독하에 그 존립목적인 특정한 공공사무를 행하고 있다고 볼 수 있는 범위 내에서는 공법상의 권리 · 의무관계에 서 있다. 따라서 조합을 상대로 한 쟁송에서 강제가입제를 특색으로 한 조합원의 자격 인정 여부에 관하여 다툼이 있는 경우에는 그 단계에서는 아직 조합의 어떠한 처분 등이 개입될 여지는 없으므로 공법상의 당사자소송에 의하여 그 조합원자격의 확인을 구할 수 있고 …… (대판 1996. 2. 15, 94다31235 전합)

㉢ ○

석탄산업법에 따른 재해위로금지급청구권은 공법상 권리로서 당사자소송을 제기해야 한다는 것이 판례의 입장이다(대판 1999. 1. 26, 98두12598).

㉣ ○

납세의무자의 부가가치세 환급세액 지급청구는 당사자소송의 절차에 따라야 한다는 것이 판례의 입장이다(대판 2013. 3. 21, 2011다95564 전합).

정답 12 ④

13

정답률 73% 중 2018 서울시 9급

판례가 행정소송의 대상이 아니라 민사소송의 대상이라고 판단한 것만을 <보기>에서 모두 고른 것은?

보기

ㄱ 개발부담금 부과처분 취소로 인한 그 과오납금의 반환을 청구하는 소송
ㄴ 공립유치원 전임강사에 대한 해임처분의 시정 및 수령지체된 보수의 지급을 구하는 소송
ㄷ 「도시 및 주거환경정비법」상 관리처분계획안에 대한 조합총회결의의 효력을 다투는 소송
ㄹ 공무원의 직무상 불법행위로 손해를 받은 국민이 국가 또는 공공단체에 배상을 청구하는 소송
ㅁ 「하천구역 편입토지 보상에 관한 특별조치법」 제2조 제1항의 규정에 의한 손실보상금의 지급을 구하거나 손실보상청구권의 확인을 구하는 소송

① ㄱ, ㄷ
② ㄱ, ㄹ
③ ㄴ, ㅁ
④ ㄱ, ㄹ, ㅁ

관련기출

ㄴ
1. 공립유치원의 임용기간을 정한 전임강사의 근무관계는 공법관계이다. (O, X) 2016 경행경채

1. O

② ㄱㄹ이 민사소송의 대상이다.

ㄱ 민사소송

> 개발부담금 부과처분이 취소된 경우, 그 과오납금에 대한 부당이득반환청구의 법률관계는 사법관계이다.
> 개발부담금 부과처분이 취소된 이상 그 후의 부당이득으로서의 과오납금 반환에 관한 법률관계는 단순한 민사관계에 불과한 것이고, 행정소송절차에 따라야 하는 관계로 볼 수 없다(대판 1995. 12. 22, 94다51253).

ㄴ 당사자소송

> 교육부장관(당시 문교부장관)의 권한을 재위임받은 공립교육기관의 장에 의하여 공립유치원의 임용기간을 정한 전임강사로 임용되어 지방자치단체로부터 보수를 지급받으면서 공무원복무규정을 적용받고 사실상 유치원 교사의 업무를 담당하여 온 유치원 교사의 자격이 있는 자에 대한 해임처분의 시정 및 수령지체된 보수의 지급을 구하는 소송은 행정소송의 대상이다(대판 1991. 5. 10, 90다10766).

ㄷ 당사자소송
「도시 및 주거환경정비법」상의 주택재건축정비사업조합을 상대로 관리처분계획안에 대한 조합총회결의의 효력을 다투는 소송의 법적 성질은 행정소송법상 당사자소송이라는 것이 판례의 입장이다(대판 2009. 9. 17, 2007다2428 전합).

ㄹ 민사소송
국가배상청구소송은 민사소송이라는 것이 판례의 입장이다(대판 1972. 10. 10, 69다701).

ㅁ 당사자소송

> 구 하천법상 하천구역 편입토지 보상에 대한 손실보상청구권의 법적 성질은 공법상 권리로서 이에 따른 손실보상금의 지급을 구하거나 손실보상청구권의 확인을 구하는 소송은 당사자소송이다(대판 2006. 5. 18, 2004다6207).

정답 13 ②

14 빈출 정답률 59% 중 2015 서울시 9급

판례에 따를 때, 다음 중 당사자소송에 해당하는 것은?

□□□ ① 「민주화운동 관련자 명예회복 및 보상 등에 관한 법률」에 의한 보상금지급청구소송

□□□ ② 「광주민주화운동 관련자 보상 등에 관한 법률」에 의거한 손실보상청구소송

□□□ ③ 「도시 및 주거환경정비법」상의 주택재건축 정비사업조합이 수립한 관리처분계획에 대하여 관할행정청의 인가 · 고시가 있은 후에 제기하는 관리처분계획에 대한 소송

□□□ ④ 공무원연금관리공단의 퇴직급여결정에 대한 소송

① ×

'민주화운동 관련자 명예회복 및 보상심의위원회'의 보상금 등의 지급대상자에 관한 결정은 행정처분이며 「민주화운동 관련자 명예회복 및 보상 등에 관한 법률」에 따른 보상금 지급신청을 기각하는 결정에 대한 불복을 구하는 소송은 취소소송이라는 것이 판례의 입장이다(대판 2008. 4. 17, 2005두16185 전합).

② ○

> 광주민주화운동 관련 보상금지급에 관한 권리는 보상심의위원회의 결정에 의해 비로소 성립하는 것이 아니라 법에 의해 구체적 권리가 발생한 것이므로 당사자소송을 제기하여야 한다(대판 1992. 12. 24, 92누3335).

③ ×

「도시 및 주거환경정비법」상 주택재건축정비사업조합이 같은 법 제48조에 따라 수립한 관리처분계획에 대하여 관할행정청의 인가 · 고시까지 있게 되면 관리처분계획은 행정처분으로서 효력이 발생하게 되므로, 총회결의의 하자를 이유로 하여 행정처분의 효력을 다투는 항고소송의 방법으로 관리처분계획의 취소 또는 무효확인을 구하여야 한다는 것이 판례의 입장이다(대판 2009. 9. 17, 2007다2428).

④ ×

> 구 공무원연금법상의 퇴직급여는 공무원연금관리공단의 지급결정으로 구체적 권리가 발생하는 것이므로 공무원연금관리공단의 급여결정은 행정처분으로서 이에 대해서는 항고소송을 제기하여야 한다(대판 1996. 12. 6, 96누6417).

정답 14 ②

15 상 2013 지방직 9급

「도시 및 주거환경정비법」의 내용에 관한 대법원의 입장과 다른 것은?

□□□ ① 주택재개발정비사업조합의 설립인가신청에 대한 행정청의 인가처분은 단순히 사인들의 조합설립행위에 대한 보충행위로서의 성질을 갖는 것이 아니라 법령상 일정한 요건을 갖출 경우 행정주체, 즉 공법인의 지위를 부여하는 일종의 설권적 처분의 성격을 갖는다.

□□□ ② 주택재개발정비사업조합의 설립인가신청에 대하여 행정청의 인가처분이 있은 이후에 조합설립결의에 하자가 있음을 이유로 조합설립의 효력을 부정하기 위해서는 항고소송으로 인가처분의 효력을 다투어야 하고, 특별한 사정이 없는 한 이와는 별도로 민사소송으로 조합설립결의에 대하여 무효확인을 구할 확인의 이익은 없다.

□□□ ③ 주택재개발정비사업조합은 공법인에 해당하기 때문에, 조합과 조합장 또는 조합임원 사이의 선임 · 해임 등을 둘러싼 법률관계는 공법상 법률관계로서 그 조합장 또는 조합임원의 지위를 다투는 소송은 공법상 당사자소송에 의하여야 한다.

□□□ ④ 행정주체인 주택재건축정비사업조합을 상대로 관리처분계획안에 대한 조합총회결의의 효력을 다투는 소송은 행정소송법상 당사자소송에 해당한다.

①② ○

1. 「도시 및 주거환경정비법」 등 관련법령에 근거하여 행하는 조합설립인가처분은 단순히 사인들의 조합설립행위에 대한 보충행위로서의 성질을 갖는 것에 그치는 것이 아니라 법령상 요건을 갖출 경우 「도시 및 주거환경정비법」상 주택재건축사업을 시행할 수 있는 권한을 갖는 행정주체(공법인)로서의 지위를 부여하는 일종의 설권적 처분의 성격을 갖는다(①).
2. 행정청의 조합설립인가처분이 있은 후에 조합설립결의에 하자가 있음을 이유로 소송을 제기하는 경우라면 조합설립인가처분에 대한 항고소송을 제기하여야 한다.
3. 조합설립인가처분이 있은 후에 조합설립결의의 하자를 이유로 그 결의부분만을 따로 떼어내어 무효등확인의 소를 제기하는 것은 허용될 수 없다(②)(대판 2009. 9. 24, 2008다60568).

③ ×

도시정비법상 주택재개발정비사업조합은 행정주체로서 정비구역 안에 있는 토지 등을 수용하고, 관리처분계획 등과 같은 행정처분을 할 수 있는 권한을 부여받게 된다. 다만, 재개발조합이 공법인이라고 하여도 재개발조합과 조합장 또는 조합임원 사이의 선임 · 해임 등을 둘러싼 법률관계에 대해서는 도시정비법의 규정들이 재개발조합과 조합장 및 조합임원과의 관계를 특별히 공법상의 근무관계로 설정하고 있지 않으므로, 재개발조합과 조합장 또는 조합임원 사이의 선임 · 해임 등을 둘러싼 법률관계는 사법(私法)상의 법률관계에 불과하다. 따라서 조합장 또는 조합임원의 지위를 다투는 소송은 민사소송에 의하여야 한다는 것이 판례의 입장이다(대판 2009. 9. 24, 2009마168 · 169).

④ ○

「도시 및 주거환경정비법」상의 주택재건축정비사업조합을 상대로 관리처분계획안에 대한 조합총회결의의 효력을 다투는 소송의 법적 성질은 행정소송법상 당사자소송이라는 것이 판례의 입장이다(대판 2009. 9. 17, 2007다2428).

정답 15 ③

03 객관적 소송

기 765~767쪽 핵 T 65

16 빈출 중 2020 군무원 7급

민중소송과 기관소송에 대한 설명으로 옳지 않은 것은? (다툼이 있는 경우 판례에 의함)

□□□ ① 공직선거법상 선거소송은 민중소송에 해당한다.

□□□ ② 민중소송 또는 기관소송으로써 처분 등의 취소를 구하는 소송에는 그 성질에 반하지 아니하는 한 취소소송에 관한 규정을 준용한다.

□□□ ③ 지방자치법상 지방의회 재의결에 대해 지방자치단체장이 제기하는 소송은 기관소송에 해당한다.

□□□ ④ 행정소송법은 민중소송에 대해서는 법률이 정한 경우에 법률이 정한 자에 한하여 제기하도록 하는 법정주의를 취하고 있으나, 기관소송에 대해서는 이러한 제한을 두지 않아 기관소송의 제기가능성은 일반적으로 인정된다.

관련기출

②

1. 행정소송법에서는 민중소송으로써 처분 등의 취소를 구하는 소송에는 그 성질에 반하지 아니하는 한 취소소송에 관한 규정을 준용한다. (○, ×)
2018 교육행정직 9급
2. 기관소송으로서 처분 등의 취소를 구하는 소송에는 그 성질에 반하지 아니하는 한 취소소송에 관한 규정이 적용된다. (○, ×)
2012 세무사, 2009 국가직 7급

1. ○ 2. ○

① ○

현행법상 인정되는 민중소송에는 공직선거법상의 선거 · 당선소송, 국민투표법상의 국민투표에 관한 소송, 주민투표법상의 주민투표에 관한 소송, 지방자치법상 주민소송 등이 있다.

> 공직선거법 제222조와 제224조에서 규정하고 있는 선거소송은 집합적 행위로서의 선거에 관한 쟁송으로서 선거라는 일련의 과정에서 선거에 관한 규정을 위반한 사실이 있고, 그로써 선거의 결과에 영향을 미쳤다고 인정하는 때에 선거의 전부나 일부를 무효로 하는 소송이다. 이는 선거를 적법하게 시행하고 그 결과를 적정하게 결정하도록 함을 목적으로 하므로, 행정소송법 제3조 제3호에서 규정한 민중소송, 즉 국가 또는 공공단체의 기관이 법률을 위반한 행위를 한 때에 직접 자기의 법률상 이익과 관계없이 그 시정을 구하기 위하여 제기하는 소송에 해당한다(대판 2016. 11. 24, 2016수64).

② ○

> **행정소송법 제46조【준용규정】** ① 민중소송 또는 기관소송으로써 처분 등의 취소를 구하는 소송에는 그 성질에 반하지 아니하는 한 취소소송에 관한 규정을 준용한다.

③ ○

지방자치단체장과 지방의회 간의 권한 다툼에 관한 소송은 기관소송에 해당한다. 지방자치법 제120조에 의하면 지방자치단체의 장이 지방의회의 의결에 대해 재의결을 요구하고 이에 지방의회가 재의결한 사항이 또한 법령에 위반된다고 판단되는 때에는 지방자치단체장은 지방의회의 재의결에 대해 재의결된 날로부터 20일 이내에 대법원에 소를 제기할 수 있는데 이는 기관소송의 대표적 예이다.

④ ×

> **행정소송법 제45조【소의 제기】** 민중소송 및 기관소송은 법률이 정한 경우에 법률에 정한 자에 한하여 제기할 수 있다.

정답 16 ④

제 36 강 항고소송 1(취소소송의 의의 등)

1회독	2회독	3회독
/	/	/

⊘정답률 공단기/소방단기 합격예측 풀서비스 통계 데이터 기준 기 기본서 핵 핵심집약

01 취소소송의 일반론 기 770~776쪽 핵 T 66

❶ 재판관할

01 정답률 68% 상 2016 지방직 7급

취소소송의 제1심 관할법원에 대한 설명으로 옳지 않은 것은?

□□□ ① 세종특별자치시에 위치한 해양수산부의 장관이 한 처분에 대한 취소소송은 서울행정법원에 제기할 수 있다.

□□□ ② 경상북도 김천시에 위치한 한국도로공사가 국토교통부장관의 국가사무의 위임을 받아 한 처분에 대한 취소소송은 서울행정법원에 제기할 수 없다.

□□□ ③ 경기도 토지수용위원회가 수원시 소재 부동산을 수용하는 재결처분을 한 경우 이에 대한 취소소송은 수원지방법원본원에 제기할 수 있다.

□□□ ④ 식품위생법에 따른 서울특별시 서초구청장의 음식점 영업허가취소처분에 대한 취소소송은 서울행정법원에 제기한다.

관련기출

④
1. 취소소송의 제1심 관할법원은 원고의 소재지를 관할하는 행정법원으로 한다. (○, ×) 2015 서울시 7급

1. ×

① **빈출** ○
중앙행정기관에 해당하는 해양수산부장관을 피고로 하는 취소소송의 경우, 행정소송법 제9조 제2항 제1호에 따라 대법원 소재지인 서울특별시를 관할하는 서울행정법원에 소를 제기할 수 있다.

> 행정소송법 제9조【재판관할】① 취소소송의 제1심 관할법원은 피고의 소재지를 관할하는 행정법원(④)으로 한다.
> ② 제1항에도 불구하고 다음 각 호의 어느 하나에 해당하는 피고에 대하여 취소소송을 제기하는 경우에는 대법원소재지를 관할하는 행정법원(①②)에 제기할 수 있다.
> 1. 중앙행정기관, 중앙행정기관의 부속기관과 합의제 행정기관 또는 그 장(①)
> 2. 국가의 사무를 위임 또는 위탁받은 공공단체 또는 그 장(②)
>
> ③ 토지의 수용 기타 부동산 또는 특정의 장소에 관계되는 처분 등에 대한 취소소송은 그 부동산 또는 장소의 소재지를 관할하는 행정법원(③)에 이를 제기할 수 있다.

② ×
국가사무의 위임을 받은 공공단체인 한국도로공사를 피고로 하는 취소소송의 경우, 행정소송법 제9조 제2항 제2호에 따라 대법원 소재지를 관할하는 서울행정법원에 소를 제기할 수 있다(① 해설 조문 참조).

③ ○
토지의 수용에 관계되는 처분 등에 대한 취소소송은 행정소송법 제9조 제3항에 따라 그 부동산 소재지를 관할하는 행정법원에 이를 제기할 수 있다. 따라서 부동산 소재지인 수원시를 관할하는 수원지방법원본원에 제기할 수 있다(① 해설 조문 참조).

④ ○
행정소송법 제9조 제1항에 따라 피고인 서초구청장의 소재지를 관할하는 서울행정법원이 제1심 관할법원이 된다(① 해설 조문 참조).

정답 01 ②

02 정답률 79% 중 2016 서울시 7급

서울지방국토관리청이 기획재정부장관으로부터 관할 행정재산 관리사무를 법률에 따라 위임받아 특정 행정재산의 사용허가를 한 경우, 이에 대한 설명으로 가장 옳은 것은? (다툼이 있는 경우 판례에 따름)

□□□ ① 서울지방국토관리청이 행하는 행정재산의 사용허가는 순전히 사경제주체로서 행하는 사법상의 행위가 아니라 국가행정기관이 공권력을 보유한 우월적 지위에서 행하는 행정처분이다.

□□□ ② 서울지방국토관리청의 사용허가는 특정인에게 행정재산을 사용할 수 있는 권리를 설정해주는 강학상 특허에 해당하므로 그 취소나 철회에 대하여는 항고소송을 통해 다툴 수 있으며, 이때 피고는 해당 사무를 위임한 기획재정부장관이다.

□□□ ③ 서울지방국토관리청의 행정재산 사용허가에 있어서 해당 행정청이 정한 사용허가기간은 그 허가의 효력을 제한하기 위한 행정행위의 부관이므로 이는 독립하여 행정소송의 대상이 될 수 있다.

□□□ ④ 서울지방국토관리청의 그 효력을 제한한 사용허가로 인하여 사용허가의 일부거부를 취소하는 소송을 제기할 때 그 소송의 제1심 관할법원은 피고의 소재지를 관할하는 행정법원이 아니라 해당 행정재산의 소재지를 관할하는 행정법원이다.

관련기출

③

1. 기부채납받은 행정재산에 대한 사용 · 수익허가서에서 사용 · 수익허가의 기간에 대하여 독립하여 행정소송을 제기할 수 있다. (○, ×) 2015 국회직 8급
2. 기부채납을 받은 행정재산에 대한 사용 · 수익허가 중 고유재산의 관리청이 정한 사용 · 수익허가의 기간에 대하여 독립하여 행정소송을 제기할 수 있다. (○, ×) 2014 서울시 7급

1. × 2. ×

① ○

공유재산의 관리청이 행하는 행정재산의 사용 · 수익에 대한 허가는 순전히 사경제주체로서 행하는 사법상의 행위가 아니라 관리청이 공권력을 가진 우월적 지위에서 행하는 행정처분으로서 특정인에게 행정재산을 사용할 수 있는 권리를 설정하여 주는 강학상 특허에 해당한다는 것이 판례의 입장이다(대판 1998. 2. 27, 97누1105).

② ×

권한위임의 경우 위임청이 아닌 수임청이 취소소송의 피고가 된다. 따라서 위임청인 기획재정부장관이 아니라 수임청인 서울지방국토관리청이 피고가 된다.

③ **빈출** 제14강 참조 ×

사안의 사용허가기간은 기한에 해당하는바 대법원은 일관되게 부담만이 독립하여 항고소송의 대상이 될 수 있으며, 기타 부관의 경우에는 독립하여 항고소송의 대상이 될 수 없다는 입장이다.

> 기부채납받은 행정재산에 대한 사용 · 수익허가에서 사용 · 수익허가의 기간에 대하여 독립하여 행정소송을 제기할 수 없으며 이러한 청구는 부적법하므로 각하된다(대판 2001. 6. 15, 99두509).

④ ×

행정소송법 제9조 제1항에 따라 피고인 서울지방국토관리청의 소재지를 관할하는 행정법원을 제1심 관할법원으로 하거나, 동법 동조 제2항에 따라 대법원 소재지를 관할하는 행정법원 또는 동법 동조 제3항에 따라 해당 행정재산의 소재지를 관할하는 행정법원을 제1심 관할법원으로 할 수도 있다.

> **행정소송법 제9조【재판관할】** ① 취소소송의 제1심 관할법원은 피고의 소재지를 관할하는 행정법원으로 한다.
> ② 제1항에도 불구하고 다음 각 호의 어느 하나에 해당하는 피고에 대하여 취소소송을 제기하는 경우에는 대법원 소재지를 관할하는 행정법원에 제기할 수 있다.
> 1. 중앙행정기관, 중앙행정기관의 부속기관과 합의제 행정기관 또는 그 장
> 2. 국가의 사무를 위임 또는 위탁받은 공공단체 또는 그 장
> ③ 토지의 수용 기타 부동산 또는 특정의 장소에 관계되는 처분 등에 대한 취소소송은 그 부동산 또는 장소의 소재지를 관할하는 행정법원에 이를 제기할 수 있다.

정답 02 ①

❷ 관련청구의 이송과 병합

03 정답률 78% 중 2022 지방직 7급

행정소송법상 행정소송에 대한 설명으로 옳은 것은? (다툼이 있는 경우 판례에 의함)

□□□ ① 「도시 및 주거환경정비법」상 주택재건축정비사업조합을 상대로 관리처분계획안에 대한 조합총회결의의 효력을 다투는 소송은 당사자소송에 해당하므로 당해 소송에서 민사집행법상 가처분에 관한 규정이 준용되지 않는다.

□□□ ② 원고가 고의 또는 중대한 과실 없이 행정소송으로 제기하여야 할 사건을 민사소송으로 잘못 제기한 경우, 행정소송에 대한 관할을 가지고 있지 아니한 수소법원은 당해 소송이 행정소송으로서의 제소기간을 도과한 것이 명백하더라도 관할법원에 이송하여야 한다.

□□□ ③ 「도시 및 주거환경정비법」상 주택재건축사업조합이 새로이 조합설립인가처분을 받은 것과 동일한 요건과 절차를 거쳐 조합설립변경인가처분을 받은 경우, 당초의 조합설립인가처분이 유효한 것을 전제로 당해 주택재건축사업조합이 시공사 선정 등의 후속행위를 하였다 하더라도 특별한 사정이 없는 한 당초의 조합설립인가처분의 무효확인을 구할 소의 이익은 없다.

□□□ ④ 처분에 대한 취소소송에 당해 처분의 취소를 선결문제로 하는 부당이득반환청구가 병합된 경우, 부당이득반환청구가 인용되기 위해서는 당해 처분이 그 소송절차에서 판결에 의해 취소되면 충분하고 당해 처분의 취소가 확정되어야 하는 것은 아니다.

관련기출

②

1. 원고가 고의 또는 중대한 과실 없이 행정소송으로 제기하여야 할 사건을 민사소송으로 잘못 제기한 경우, 수소법원으로서는 만약 그 행정소송에 대한 관할도 동시에 가지고 있다면 이를 행정소송으로 심리 · 판단하여야 하고, 그 행정소송에 대한 관할을 가지고 있지 아니하다면 관할법원에 이송하여야 한다. (○, ×) 2021 군무원 9급
2. 당사자소송으로 제기해야 할 사건을 민사소송으로 잘못 제기한 경우, 수소법원이 행정소송에 대한 관할을 가지고 있지 않다면 당해 소송이 당사자소송으로서의 소송요건을 갖추지 못하였음이 명백하지 않는 한 당사자소송의 관할법원으로 이송하여야 한다. (○, ×) 2020 군무원 7급
3. 행정소송으로 제기해야 할 사건을 민사소송으로 잘못 제기한 경우에 수소법원이 행정소송에 대한 관할이 없다면 특별한 사정이 없는 한 관할법원에 이송하여야 한다. (○, ×) 2017 사회복지직 9급

1. ○ 2. ○ 3. ○

① ×

「도시 및 주거환경정비법」상 행정주체인 주택재건축정비사업조합을 상대로 관리처분계획안에 대한 조합총회결의의 효력을 다투는 소송은 행정처분에 이르는 절차적 요건의 존부나 효력 유무에 관한 소송으로서 소송결과에 따라 행정처분의 위법 여부에 직접 영향을 미치는 공법상 법률관계에 관한 것이므로, 이는 행정소송법상 당사자소송에 해당한다. 그리고 이러한 당사자소송에 대하여는 행정소송법 제23조 제2항의 집행정지에 관한 규정이 준용되지 아니하므로(행정소송법 제44조 제1항 참조), 이를 본안으로 하는 가처분에 대하여는 행정소송법 제8조 제2항에 따라 민사집행법상 가처분에 관한 규정이 준용되어야 한다(대결 2015. 8. 21, 2015무26).

② **빈출** ×

제소기간을 도과하는 등 행정소송의 소송요건을 결여한 것이 명백하면 관할법원에 이송하지 않고 각하한다.

원고의 고의 또는 중대한 과실 없이 행정사건을 민사소송으로 제기한 경우 수소법원이 행정소송에 대한 관할을 가지고 있다면 이를 행정소송으로 심리 · 판단하여야 하고, 행정소송에 대한 관할을 가지고 있지 아니하다면 각하할 것이 아니라 관할법원으로 이송해야 한다.

원고가 고의 또는 중대한 과실 없이 행정소송으로 제기하여야 할 사건을 민사소송으로 잘못 제기한 경우, 수소법원으로서는 만약 그 행정소송에 대한 관할도 동시에 가지고 있다면 이를 행정소송으로 심리 · 판단하여야 하고, 그 행정소송에 대한 관할을 가지고 있지 아니하다면 당해 소송이 이미 행정소송의 전심절차 및 제소기간을 도과하였거나 행정소송의 대상이 되는 처분 등이 존재하지도 아니한 상태에 있는 등 행정소송의 소송요건을 결하고 있음이 명백하여 행정소송으로 제기되었더라도 어차피 부적법하게 되는 경우가 아닌 이상 이를 부적법한 소라고 하여 각하할 것이 아니라 관할법원에 이송하여야 한다(대판 1997. 5. 30, 95다28960 ; 대판 2017. 11. 9, 2015다215526).

③ ×

당초 조합이 후속행위를 하였다면 당초 조합설립인가처분의 무효확인을 구할 소의 이익이 있다.

주택재건축사업조합이 새로 조합설립인가처분을 받는 것과 동일한 요건과 절차를 거쳐 조합설립변경인가처분을 받는 경우 당초 조합설립인가처분의 유효를 전제로 당해 주택재건축사업조합이 매도청구권 행사, 시공자 선정에 관한 총회 결의, 사업시행계획의 수립, 관리처분계획의 수립 등과 같은 후속 행위를 하였다면 당초 조합설립인가처분이 무효로 확인되거나 취소될 경우 그것이 유효하게 존재하는 것을 전제로 이루어진 위와 같은 후속 행위 역시 소급하여 효력을 상실하게 되므로, 특별한 사정이 없으면 위와 같은 형태의 조합설립변경인가가 있다고 하여 당초 조합설립인가처분의 무효확인을 구할 소의 이익이 소멸된다고 볼 수는 없다(대판 2012. 10. 25, 2010두25107).

④ **빈출** ○

행정처분의 취소를 구하는 취소소송에 당해 처분의 취소를 선결문제로 하는 부당이득반환청구가 병합된 경우, 그 청구의 인용을 위하여는 그 소송절차에서 판결에 의해 당해 처분이 취소되면 충분하고 그 처분의 취소가 확정되어야 할 필요는 없다(대판 2009. 4. 9, 2008두23153).

정답 03 ④

04 정답률 70% 중 2015 국가직 9급

행정소송에 대한 판례의 입장으로 옳은 것은?

□□□ ① 사립학교 교원에 대한 학교법인의 해임처분을 취소소송의 대상이 되는 행정청의 처분으로 볼 수 있으므로 학교법인을 상대로 한 불복은 행정소송에 의한다.

□□□ ② 취소소송에 당해 처분의 취소를 선결문제로 하는 부당이득반환청구가 병합된 경우 그 청구가 인용되려면 소송절차에서 당해 처분의 취소가 확정되어야 한다.

□□□ ③ 특정 소송사건에서 당사자 일방을 보조하기 위하여 보조참가를 하려면 당해 소송의 결과에 대하여 사실상, 경제상 또는 감정상의 이해관계가 있으면 충분하며 법률상의 이해관계가 요구되는 것은 아니다.

□□□ ④ 행정처분에 대한 무효확인과 취소청구는 서로 양립할 수 없는 청구로서 주위적 · 예비적 청구로서만 병합이 가능하고 선택적 청구로서의 병합은 허용되지 않는다.

관련기출

①

1. 사립학교 교원에 대한 학교법인의 해임처분은 행정소송의 대상이 되는 행정처분에 해당한다고 볼 수 없다. (○, ×) 2010 국회속기직 9급

1. ○

④

1. 행정처분에 대한 무효확인과 취소청구는 서로 양립할 수 없는 청구로서 선택적 청구로서의 병합만이 가능하고 단순병합은 허용되지 아니한다. (○, ×) 2019 서울시 2회 7급
2. 행정처분에 대한 무효확인과 취소청구는 서로 양립할 수 없는 청구로서 주위적 · 예비적 청구로서만 병합이 가능하고 선택적 청구로서의 병합이나 단순병합은 허용되지 않는다. (○, ×) 2018 소방직 9급
3. 무효확인과 취소청구는 서로 양립할 수 없는 청구이므로 예비적 병합은 허용되지 아니하고, 단순병합이나 선택적 병합만이 가능하다. (○, ×) 2012 국회직 8급

1. × 2. ○ 3. ×

① ×

사립학교 교원과 학교법인은 사법상 관계이므로 사립학교 교원에 대한 학교법인의 해임은 민사소송의 대상이다(대판 1993. 2. 12, 92누13707).

② ×

행정처분의 취소를 구하는 취소소송에 당해 처분의 취소를 선결문제로 하는 부당이득반환청구가 병합된 경우, 그 청구의 인용을 위하여는 그 소송절차에서 판결에 의해 당해 처분이 취소되면 충분하고 그 처분의 취소가 확정되어야 할 필요는 없다는 것이 판례의 입장이다(대판 2009. 4. 9, 2008두23153).

③ ×

특정 소송사건에서 당사자 일방을 보조하기 위하여 보조참가를 하려면 당해 소송의 결과에 대하여 이해관계가 있어야 하고, 여기서 말하는 이해관계라 함은 사실상 · 경제상 또는 감정상의 이해관계가 아니라 법률상의 이해관계를 가리킨다(대판 2014. 8. 28, 2011두17899).

④ ○

행정처분에 대한 무효확인과 취소청구의 선택적 병합 또는 단순병합은 허용되지 않는다.

행정처분에 대한 무효확인과 취소청구는 서로 양립할 수 없는 청구로서 주위적 · 예비적 청구로서만 병합이 가능하고 선택적 청구의 병합이나 단순병합은 허용되지 아니한다(대판 1999. 8. 20, 97누6889).

정답 04 ④

02 취소소송의 당사자 등 기 777~811쪽 핵 T 67

❶ 원고

05 정답률 69% 중 2024 국가직 9급

판례의 입장으로 옳지 않은 것만을 모두 고르면? (다툼이 있는 경우 판례에 의함)

ㄱ. 정보의 부분 공개가 허용되는 경우란 당해 정보에서 비공개대상정보에 관련된 기술 등을 제외 혹은 삭제하고 나머지 정보만 공개하는 것이 가능하고 나머지 부분의 정보만으로도 공개의 가치가 있는 경우를 의미한다.

ㄴ. 음주운전으로 적발된 주취운전자가 도로 밖으로 차량을 이동하겠다며 단속경찰관으로부터 보관 중이던 차량열쇠를 반환받아 몰래 차량을 운전하여 가던 중 사고를 일으킨 경우, 국가배상책임이 인정되지 않는다.

ㄷ. 원고적격의 요건으로서 법률상 이익에는 당해 처분의 근거법률에 의하여 보호되는 직접적이고 구체적인 이익뿐만 아니라 간접적이거나 사실적·경제적 이해관계를 가지는 경우도 여기에 포함된다.

ㄹ. 영어과목의 2종 교과용 도서에 대하여 검정신청을 하였다가 불합격결정처분을 받은 자는 자신들이 검정신청한 교과서의 과목과 전혀 관계가 없는 수학과목의 교과용 도서에 대한 합격결정처분에 대하여 그 취소를 구할 법률상 이익이 없다.

① ㄱ, ㄴ ② ㄱ, ㄹ
③ ㄴ, ㄷ ④ ㄷ, ㄹ

관련기출

ㄷ

1. 행정소송법 제12조의 법률상 이익은 직접적이고 구체적·개인적인 이익을 말하며 행정의 적법성 보장을 위해 간접적이거나 사실적·경제적 이익이라도 보호가치가 있는 경우에는 원고적격을 인정한다. (○, ×) 2023 소방간부
2. 법률상 보호되는 이익이라 함은 당해 처분의 근거법규에 의하여 보호되는 개별적·구체적 이익을 의미하며, 관련법규에 의하여 보호되는 개별적·구체적 이익까지 포함하는 것은 아니라는 것이 판례의 입장이다. (○, ×) 2017 국회직 8급
3. 판례는 행정소송법 제12조의 법률상 이익은 직접적이고 구체적·개인적 이익을 말하고 간접적이거나 사실적·경제적 이해관계를 가지는 데 불과한 경우 및 공익은 포함되지 않는다고 보고 있다. (○, ×) 2013 국회속기직 9급

1. × 2. × 3. ○

ㄱ 제22강 참조 ○

법원이 행정기관의 정보공개거부처분의 위법 여부를 심리한 결과 공개를 거부한 정보에 비공개대상정보에 해당하는 부분과 공개가 가능한 부분이 혼합되어 있고 공개청구의 취지에 어긋나지 아니하는 범위 안에서 두 부분을 분리할 수 있음을 인정할 수 있을 때에는 청구취지의 변경이 없더라도 공개가 가능한 정보에 관한 부분만의 일부취소를 명할 수 있다 할 것이고, 공개청구의 취지에 어긋나지 아니하는 범위 안에서 비공개대상정보에 해당하는 부분과 공개가 가능한 부분을 분리할 수 있다고 함은, 이 두 부분이 물리적으로 분리가능한 경우를 의미하는 것이 아니고 당해 정보의 공개방법 및 절차에 비추어 당해 정보에서 비공개대상정보에 관련된 기술 등을 제외 내지 삭제하고 그 나머지 정보만을 공개하는 것이 가능하고 나머지 부분의 정보만으로도 공개의 가치가 있는 경우를 의미한다고 해석하여야 한다(대판 2004. 12. 9, 2003두12707).

ㄴ 제28강 참조 ×

음주운전으로 적발된 주취운전자가 도로 밖으로 차량을 이동하겠다며 단속경찰관이 보관 중이던 차량열쇠를 반환받아 몰래 차량을 운전하여 가던 중 사고를 일으킨 경우, 국가배상책임이 인정된다(대판 1998. 5. 8, 97다54482).

ㄷ **빈출** ×

1. 행정처분의 직접 상대방이 아닌 제3자라 하더라도 당해 행정처분으로 인하여 법률상 보호되는 이익을 침해당한 경우에는 취소소송을 제기하여 그 당부의 판단을 받을 자격이 있다.
2. 여기에서 말하는 법률상 보호되는 이익은 당해 처분의 근거법규 및 관련법규에 의하여 보호되는 개별적·직접적·구체적 이익이 있는 경우를 말한다.
3. 다만, 공익보호의 결과로 국민 일반이 공통적으로 가지는 일반적·간접적·추상적 이익과 같이 사실적·경제적 이해관계를 갖는 데 불과한 경우는 여기에 포함되지 아니한다(대판 2013. 9. 12, 2011두33044).

ㄹ ○

영어과목의 2종 교과용 도서에 대하여 검정신청을 하였다가 불합격결정처분을 받은 자가 자신이 검정신청한 교과서의 과목과 전혀 관계가 없는 수학과목의 교과용 도서에 대한 합격결정처분에 대하여는 그 취소를 구할 법률상의 이익이 없다(대판 1992. 4. 24, 91누6634).

정답 05 ③

06 빈출 중 2023 서울시 연구사

항고소송에 대한 설명으로 가장 옳은 것은? (다툼이 있는 경우 판례에 따름)

□□□ ① 면허나 인 · 허가 등의 수익적 행정처분의 근거가 되는 법률이 해당 업자들 사이의 과당경쟁으로 인한 경영의 불합리를 방지하는 것도 목적으로 하는 경우, 다른 업자에 대한 면허나 인 · 허가 등의 수익적 행정처분에 대하여 미리 같은 종류의 면허나 인 · 허가 등의 수익적 행정처분을 받아 영업하고 있는 기존업자는 경업자에 대하여 이루어진 면허나 인 · 허가 등 행정처분의 상대방이 아니지만 그 행정처분의 취소를 구할 원고적격이 있다.

□□□ ② 갑(甲)과 을(乙)이 서로 같은 허가를 신청한 경원관계에 있는 경우, 행정청이 갑(甲)에게 허가를 거부하는 처분을 함과 동시에 을(乙)에게 허가처분을 하였다면, 갑(甲)은 자신에 대한 허가거부처분의 취소소송에서 원고적격은 인정되나 그 취소소송에서 취소판결이 확정되더라도 을(乙)에 대한 허가처분이 취소되는 것은 아니므로 특별한 사정이 없는 한 소의 이익은 인정되지 않는다.

□□□ ③ 교육부장관이 대학교를 설치 · 운영하는 학교법인의 이사와 임시이사1인을 선임한 데 대하여 그 대학교의 교수협의회와 총학생회, 학교의 직원으로 구성된 노동조합이 이사선임처분의 취소를 구하는 소송을 제기한 경우 원고적격이 모두 인정된다.

□□□ ④ 행정처분의 근거법규 또는 관련법규에 그 처분으로써 이루어지는 행위 등 사업으로 인하여 환경상 침해를 받으리라고 예상되는 영향권의 범위가 구체적으로 규정되어 있는 경우라도 그 입법취지는 자연환경을 보전 · 관리하기 위한 것일 뿐 영향권 내의 주민들의 생활상 이익을 보호하기 위한 것은 아니므로 영향권 내의 주민들에게 행정처분을 다툴 원고적격은 인정되지 않는다.

① 빈출 ○

> 일반적으로 면허나 인 · 허가 등의 수익적 행정처분의 근거가 되는 법률이 해당 업자들 사이의 과당경쟁으로 인한 경영의 불합리를 방지하는 것도 목적으로 하고 있는 경우, 다른 업자에 대한 면허나 인 · 허가 등의 수익적 행정처분에 대하여 미리 같은 종류의 면허나 인 · 허가 등의 수익적 행정처분을 받아 영업을 하고 있는 기존의 업자는 경업자에 대하여 이루어진 면허나 인 · 허가 등 행정처분의 상대방이 아니라고 하더라도 당해 행정처분의 무효확인 또는 취소를 구할 이익(편저자 주 : 원고적격)이 있다(대판 2020. 4. 9, 2019두49953).

② 빈출 ×

거부처분의 취소판결이 확정되면 행정청은 재처분의무가 있는데, 이러한 의무이행으로 행정청이 乙에 대한 허가처분을 직권취소하고 甲에 대한 허가처분을 할 수 있으므로 甲은 거부처분의 취소소송을 제기할 소의 이익이 있다.

> 인가 · 허가 등 수익적 행정처분을 신청한 여러 사람이 서로 경원관계에 있는 경우, 허가 등 처분을 받지 못한 사람은 원칙적으로 자신에 대한 거부처분의 취소를 구할 원고적격과 소의 이익이 있다.
> 인가 · 허가 등 수익적 행정처분을 신청한 여러 사람이 서로 경원관계에 있어서 한 사람에 대한 허가 등 처분이 다른 사람에 대한 불허가 등으로 귀결될 수밖에 없을 때 허가 등 처분을 받지 못한 사람은 신청에 대한 거부처분의 직접 상대방으로서 원칙적으로 자신에 대한 거부처분의 취소를 구할 원고적격이 있고, 취소판결이 확정되는 경우 판결의 직접적인 효과로 경원자에 대한 허가 등 처분이 취소되거나 효력이 소멸되는 것은 아니더라도 행정청은 취소판결의 기속력에 따라 판결에서 확인된 위법사유를 배제한 상태에서 취소판결의 원고와 경원자의 각 신청에 관하여 처분요건의 구비 여부와 우열을 다시 심사하여야 할 의무가 있으며, 재심사결과 경원자에 대한 수익적 처분이 직권취소되고 취소판결의 원고에게 수익적 처분이 이루어질 가능성을 완전히 배제할 수는 없으므로, 특별한 사정이 없는 한 경원관계에서 허가 등 처분을 받지 못한 사람은 자신에 대한 거부처분의 취소를 구할 소의 이익이 있다(대판 2015. 10. 29, 2013두27517).

③ 빈출 ×

> (교육부장관이 사학분쟁조정위원회의 심의를 거쳐 甲 대학교를 설치 · 운영하는 乙 학교법인의 이사 8인과 임시이사 1인을 선임한 데 대하여 甲 대학교 교수협의회와 총학생회 등이 이사선임처분의 취소를 구하는 소송을 제기한 사안에서) 甲 대학교 교수협의회와 총학생회는 이사선임처분을 다툴 법률상 이익을 가지지만, 전국대학노동조합 甲 대학교지부는 법률상 이익이 없다(대판 2015. 7. 23, 2012두19496).

④ 빈출 ×

> 행정처분의 근거법규 또는 관련법규에 그 처분으로써 이루어지는 행위 등 사업으로 인하여 환경상 침해를 받으리라고 예상되는 영향권의 범위가 구체적으로 규정되어 있는 경우에는, 그 영향권 내의 주민들은 특단의 사정이 없는 한 환경상 이익에 대한 침해 또는 침해우려가 있는 것으로 사실상 추정되어 원고적격이 인정된다(대판 2009. 9. 24, 2009두2825).

정답 06 ①

07 ㊥ 2023 군무원 7급

판례상 취소소송에서 원고적격이 인정되는 자로 옳은 것은? (다툼이 있는 경우에 판례에 의함)

□□□ ① 국민권익위원회의 조치요구의 취소를 구하는 소송을 제기한 소방청장

□□□ ② 외국에서 사증발급거부의 취소를 구하는 외국인

□□□ ③ 담배소매인 중에서 구내소매인 지정처분의 취소를 구하는 일반소매인

□□□ ④ 공유수면매립목적 변경승인처분의 취소를 구하는 재단법인 수녀원

관련기출

①

1. 소방청장이 처분성이 인정되는 국민권익위원회의 조치요구에 불복하여 조치요구의 취소를 구하는 경우 항고소송의 원고적격이 인정된다. (O, ×) 2021 국가직 9급
2. 처분성이 인정되는 국민권익위원회의 조치요구에 대해 소방청장은 취소소송을 제기할 당사자능력과 원고적격을 갖는다. (O, ×) 2020 군무원 7급
3. 국가기관인 소방청장은 국민권익위원회를 상대로 조치요구의 취소를 구할 당사자능력이 없기 때문에 항고소송의 원고적격이 인정되지 않는다. (O, ×) 2020 소방직 9급

1. O 2. O 3. ×

②

1. 우리 출입국관리법의 해석상 외국인은 사증발급 거부처분의 취소를 구할 법률상 이익이 있다. (O, ×) 2023 군무원 9급
2. 중국 국적자인 외국인이 사증발급 거부처분의 취소를 구하는 경우에는 항고소송의 원고적격이 인정된다. (O, ×) 2021 국가직 9급
3. 사증발급의 법적 성질과 출입국관리법의 입법목적을 고려할 때 외국인은 사증발급 거부처분의 취소를 구할 법률상 이익이 있다. (O, ×) 2020 군무원 7급

1. × 2. × 3. ×

④

1. 인근 공유수면의 매립목적을 택지조성에서 조선시설용지로 변경하는 공유수면매립목적 변경승인처분으로 인하여 환경상의 이익을 침해받았다고 주장하는 수녀원은 항고소송의 원고적격이 인정된다. (O, ×) 2022 국회직 8급
2. 재단법인인 수녀원 D는 소속된 수녀 등이 쾌적한 환경에서 생활할 수 있는 환경상 이익을 침해받는다면 매립목적을 택지조성에서 조선시설용지로 변경하는 내용의 공유수면매립목적 변경승인처분의 무효확인을 구할 원고적격이 있다. (O, ×) 2016 지방직 9급

1. × 2. ×

① **빈출** O

(국민권익위원회가 소방청장에게 인사와 관련하여 부당한 지시를 한 사실이 인정된다며 이를 취소할 것을 요구하기로 의결하고 그 내용을 통지하자 소방청장이 국민권익위원회 조치요구의 취소를 구하는 소송을 제기한 사안에서) 처분성이 인정되는 국민권익위원회의 조치요구에 불복하고자 하는 소방청장으로서는 조치요구의 취소를 구하는 항고소송을 제기하는 것이 유효·적절한 수단으로 볼 수 있으므로 소방청장이 예외적으로 당사자능력과 원고적격을 가진다(대판 2018. 8. 1, 2014두35379).

② **빈출** ×

사증발급의 법적 성질, 출입국관리법의 입법목적, 사증발급 신청인의 대한민국과의 실질적 관련성, 상호주의원칙 등을 고려하면, 우리 출입국관리법의 해석상 외국인에게는 사증발급 거부처분의 취소를 구할 법률상 이익이 인정되지 않는다(대판 2018. 5. 15, 2014두42506).

③ 제13강 참조 ×

담배 일반소매인으로 지정되어 영업을 하고 있는 기존업자의 '신규 구내소매인'에 대한 이익은 반사적 이익으로서 기존업자는 신규 구내소매인 지정처분의 취소를 구할 원고적격이 없다.

일반소매인으로 지정되어 영업을 하고 있는 기존업자의 신규 구내소매인에 대한 이익은 법률상 보호되는 이익이 아니라 단순한 사실상의 반사적 이익이라고 해석함이 상당하므로, 기존 일반소매인은 신규 구내소매인 지정처분의 취소를 구할 원고적격이 없다(대판 2008. 4. 10, 2008두402).

④ **빈출** ×

(재단법인 甲수녀원이, 매립목적을 택지조성에서 조선시설용지로 변경하는 내용의 공유수면매립목적 변경승인처분으로 인하여 법률상 보호되는 환경상 이익을 침해받았다면서 행정청을 상대로 처분의 무효확인을 구하는 소송을 제기한 사안에서) 자연인이 아닌 재단법인인 甲수녀원은 쾌적한 환경에서 생활할 수 있는 이익을 향수할 수 있는 주체가 아니므로 매립목적을 택지조성에서 조선시설용지로 변경하는 내용의 공유수면매립목적 변경승인처분의 무효확인을 구할 원고적격이 없다.

공유수면매립목적 변경승인처분으로 甲수녀원에 소속된 수녀 등이 쾌적한 환경에서 생활할 수 있는 환경상 이익을 침해받는다고 하더라도 이를 가리켜 곧바로 甲수녀원의 법률상 이익이 침해된다고 볼 수 없고, 자연인이 아닌 甲수녀원은 쾌적한 환경에서 생활할 수 있는 이익을 향수할 수 있는 주체가 아니므로 …… (대판 2012. 6. 28, 2010두2005)

정답 07 ①

08 중 2023 행정사

취소소송에 관한 설명으로 옳은 것은? (다툼이 있으면 판례에 따름)

① 제약회사는 보건복지부 고시인 「약제급여 · 비급여목록 및 급여상한금액표」 중 그 제약회사가 제조 · 공급하는 약제의 상한금액 인하 부분의 취소를 구할 원고적격이 있다.

② 처분의 효과가 소멸된 뒤에는 그 처분의 취소로 인하여 회복되는 법률상 이익이 있어도 그 처분에 대한 취소소송을 제기할 수 없다.

③ 지방법무사회가 법무사의 사무원 채용승인 신청을 거부한 경우 채용승인을 신청한 법무사가 아닌 자는 취소소송을 제기하지 못한다.

④ 기존의 시외버스운송사업자인 甲회사는 동일노선을 운행하는 乙회사에 대한 시외버스운송사업계획변경인가 처분으로 인하여 甲회사의 수익감소가 예상되는 경우라도 그 처분의 취소를 구할 법률상의 이익이 없다.

⑤ 주택법상 입주자는 건축물의 하자를 이유로 그 건축물에 대한 사용검사처분의 취소를 구할 법률상 이익이 있다.

관련기출

①

1. 제약회사가 보건복지부 고시인 「약제급여 · 비급여목록 및 급여상한금액표」로 인하여 자신이 제조 · 공급하는 약제의 상한금액이 인하됨에 따라 약제에 관한 법률상 이익이 침해당할 경우, 제약회사는 위 고시의 취소를 구할 원고적격이 있다. (○, ×) 2022 서울시 지적 7급
2. 약제를 제조 · 공급하는 제약회사는 보건복지부 고시인 「약제급여 · 비급여목록 및 급여상한금액표」 중 약제의 상한금액 인하 부분에 대하여 그 취소를 구할 원고적격이 있다. (○, ×) 2019 지방직 · 교육행정직 9급
3. 제약회사가 보건복지부 고시인 「약제급여 · 비급여목록 및 급여상한금액표」의 취소를 구할 때에는 판례가 원고적격을 인정하고 있다. (○, ×) 2015 경행특채 1차

1. ○ 2. ○ 3. ○

③

1. 법무사규칙이 이의신청 절차를 규정한 것은 채용승인을 신청한 법무사뿐만 아니라 사무원이 되려는 사람의 이익도 보호하려는 취지로 볼 수 있으므로, 지방법무사회의 사무원 채용승인 거부처분에 대해서는 처분상대방인 법무사뿐만 아니라 그 때문에 사무원이 될 수 없게 된 사람도 이를 다툴 원고적격이 인정된다. (○, ×) 2023 변호사
2. 법무사가 사무원을 채용할 때 소속 지방법무사회로부터 승인을 받아야 할 의무는 공법상 의무이다. (○, ×) 2022 국가직 9급
3. 지방법무사회가 법무사의 사무원 채용승인신청을 거부하거나 채용승인을 얻어 채용 중인 사람에 대한 채용승인을 취소하는 것은 처분에 해당하고, 이러한 처분에 대해서는 처분 상대방인 법무사뿐 아니라 그 때문에 사무원이 될 수 없게 된 사람도 이를 다툴 원고적격이 인정된다. (○, ×) 2021 국회직 8급

1. ○ 2. ○ 3. ○

① **빈출** ○

제약회사는 보건복지부 고시인 「약제급여 · 비급여목록 및 급여상한금액표」의 취소를 구할 원고적격이 있다.

보건복지부 고시인 「약제급여 · 비급여목록 및 급여상한금액표」는 다른 집행행위의 매개 없이 그 자체로서 국민건강보험가입자, 국민건강보험공단, 요양기관 등의 법률관계를 직접 규율하는 성격을 가지므로 항고소송의 대상이 되는 행정처분에 해당한다. 제약회사가 자신이 공급하는 약제에 관하여 국민건강보험법, 같은 법 시행령, 「국민건강보험 요양급여의 기준에 관한 규칙」 등 약제상한금액고시의 근거법령에 의하여 보호되는 직접적이고 구체적인 이익을 향유하는데, 보건복지부 고시인 「약제급여 · 비급여목록 및 급여상한금액표」로 인하여 자신이 제조 · 공급하는 약제의 상한금액이 인하됨에 따라 위와 같이 보호되는 법률상 이익이 침해당할 경우, 제약회사는 위 고시의 취소를 구할 원고적격이 있다(대판 2006. 9. 22, 2005두2506).

② ×

행정소송법 제12조【원고적격】 취소소송은 처분 등의 취소를 구할 법률상 이익이 있는 자가 제기할 수 있다. 처분 등의 효과가 기간의 경과, 처분 등의 집행 그 밖의 사유로 인하여 소멸된 뒤에도 그 처분 등의 취소로 인하여 회복되는 법률상 이익이 있는 자의 경우에는 또한 같다.

③ **빈출** ×

1. 법무사의 사무원 채용승인 신청에 대하여 소속 지방법무사회가 '채용승인을 거부'하는 조치 또는 일단 채용승인을 하였으나 법무사규칙 제37조 제6항을 근거로 '채용승인을 취소'하는 조치는 항고소송의 대상인 '처분'에 해당한다. 구체적인 이유는 다음과 같다. …… 법무사가 사무원 채용에 관하여 법무사법이나 법무사규칙을 위반하는 경우에는 소관 지방법원장으로부터 징계를 받을 수 있으므로, 법무사에 대하여 지방법무사회로부터 채용승인을 얻어 사무원을 채용할 의무는 법무사법에 의하여 강제되는 공법적 의무이다.
2. 지방법무사회가 법무사의 사무원 채용승인 신청을 거부하거나 채용승인을 얻어 채용 중인 사람에 대한 채용승인을 취소한 경우, 그 때문에 사무원이 될 수 없게 된 사람에게 항고소송을 제기할 원고적격이 인정된다(대판 2020. 4. 9, 2015다34444).

④ **빈출** ×

1. 면허나 인 · 허가 등의 수익적 행정처분의 근거가 되는 법률이 해당 업자들 사이의 과당경쟁으로 인한 경영의 불합리를 방지하는 것도 목적으로 하고 있는 경우, 기존의 업자는 경업자에 대하여 이루어진 면허나 인 · 허가 등 행정처분의 취소를 구할 당사자적격이 있다.
2. 기존의 고속형 시외버스운송사업자에게 직행형 시외버스운송사업자에 대한 사업계획변경인가처분의 취소를 구할 법률상의 이익이 있다(대판 2010. 11. 11, 2010두4179).

⑤ **빈출** ×

구 주택법상 입주자나 입주예정자가 사용검사처분의 취소를 구할 법률상 이익은 없다.

건축물에 대한 사용검사처분이 취소된다고 하더라도 사용검사 이전의 상태로 돌아가 건축물을 사용할 수 없게 되는 것에 그칠 뿐 곧바로 건축물의 하자 상태 등이 제거되거나 보완되는 것도 아니다. 그리고 입주자나 입주예정자들은 사용검사처분을 취소하지 않고서도 민사소송 등을 통하여 분양계약에 따른 법률관계 및 하자 등을 주장 · 증명함으로써 사업주체 등으로부터 하자 제거 · 보완 등에 관한 권리구제를 받을 수 있으므로, 사용검사처분의 취소 여부에 의하여 법률적인 지위가 달라진다고 할 수 없다(대판 2014. 7. 24, 2011두30465).

정답 08 ①

09 중 2023 국회직 8급

항고소송에서의 제3자의 원고적격에 대한 설명으로 옳지 않은 것은? (다툼이 있는 경우 판례에 의함)

① 일반적으로 면허 등의 수익적 행정처분의 근거가 되는 법률이 해당 업자들 사이의 과당경쟁으로 인한 경영의 불합리를 방지하는 것도 목적으로 하는 경우 이미 같은 종류의 면허 등을 받아 영업을 하고 있는 기존의 업자는 경업자에 대하여 이루어진 면허 등 행정처분의 상대방이 아니라 하더라도 당해 행정처분의 취소를 구할 법률상 이익이 있다.

② 한정면허를 받은 시외버스운송사업자가 일반면허를 받은 시외버스운송사업자에 대한 사업계획변경인가처분으로 수익감소가 예상되는 경우 일반면허 시외버스운송사업자에 대한 사업계획변경인가처분의 취소를 구할 법률상 이익이 있다.

③ 인가 · 허가 등 수익적 행정처분을 신청한 여러 사람이 서로 경원관계에 있어서 한 사람에 대한 허가 등 처분이 다른 사람에 대한 불허가 등으로 귀결될 수밖에 없을 때 허가 등 처분을 받지 못한 사람은 신청에 대한 거부처분의 직접 상대방으로서 원칙적으로 자신에 대한 거부처분의 취소를 구할 법률상 이익이 있다.

④ 상수원보호구역 설정의 근거가 되는 수도법이 보호하고자 하는 것은 상수원의 확보와 수질보전일 뿐이고, 그 상수원에서 급수를 받고 있는 지역주민들이 가지는 상수원의 오염을 막아 양질의 급수를 받을 이익은 반사적 이익에 불과하므로 지역주민들에게는 상수원보호구역변경처분의 취소를 구할 법률상 이익이 없다.

⑤ 경업자에 대한 행정처분이 경업자에게 불리한 내용이라면 그와 경쟁관계에 있는 기존의 업자에게는 특별한 사정이 없는 한 유리할 것이지만 기존의 업자는 그 행정처분의 무효확인 또는 취소를 구할 법률상 이익이 있다.

관련기출

④

1. 행정청의 상수원보호구역변경처분에 대해 그 상수원으로부터 급수를 받는 인근 지역주민은 해당 처분에 대한 취소를 구할 법률상 이익이 인정된다. (○, ×) 2023 소방간부
2. 상수원보호구역 설정의 근거가 되는 구 수도법 제5조 제1항 및 동 시행령 제7조 제1항은 상수원의 오염을 막아 양질의 급수를 받을 직접적이고 구체적인 지역주민들의 이익을 보호하고 있으므로 그 주민들에게는 상수원보호구역변경처분의 취소를 구할 법률상의 이익이 있다. (○, ×) 2021 소방간부

1. × 2. ×

① ○

⑤ ×

일반적으로 면허나 인 · 허가 등의 수익적 행정처분의 근거가 되는 법률이 해당 업자들 사이의 과당경쟁으로 인한 경영의 불합리를 방지하는 것도 목적으로 하고 있는 경우, 다른 업자에 대한 면허나 인 · 허가 등의 수익적 행정처분에 대하여 미리 같은 종류의 면허나 인 · 허가 등의 수익적 행정처분을 받아 영업을 하고 있는 기존의 업자는 경업자에 대하여 이루어진 면허나 인 · 허가 등 행정처분의 상대방이 아니라고 하더라도 당해 행정처분의 무효확인 또는 취소를 구할 이익(편저자 주 : 원고적격)이 있다(①). 그러나 경업자에 대한 행정처분이 경업자에게 불리한 내용이라면 그와 경쟁관계에 있는 기존의 업자에게는 특별한 사정이 없는 한 유리할 것이므로 기존의 업자가 그 행정처분의 무효확인 또는 취소를 구할 이익(편저자 주 : 협의의 소의 이익)은 없다고 보아야 한다(⑤)(대판 2020. 4. 9, 2019두49953).

② ○

한정면허를 받은 시외버스운송사업자라고 하더라도 다 같이 운행계통을 정하고 여객을 운송하는 노선여객자동차운송사업을 한다는 점에서 일반면허를 받은 시외버스운송사업자와 본질적인 차이가 없으므로, 일반면허를 받은 시외버스운송사업자에 대한 사업계획변경 인가처분으로 인하여 기존에 한정면허를 받은 시외버스운송사업자의 노선 및 운행계통과 일반면허를 받은 시외버스운송사업자의 그것이 일부 중복되게 되고 기존업자의 수익감소가 예상된다면, 기존의 한정면허를 받은 시외버스운송사업자와 일반면허를 받은 시외버스운송사업자는 경업관계에 있는 것으로 보는 것이 타당하고, 따라서 기존의 한정면허를 받은 시외버스운송사업자는 일반면허 시외버스운송사업자에 대한 사업계획변경인가처분의 취소를 구할 법률상의 이익이 있다(대판 2018. 4. 26, 2015두53824).

③ ○

인가 · 허가 등 수익적 행정처분을 신청한 여러 사람이 서로 경원관계에 있는 경우, 허가 등 처분을 받지 못한 사람은 원칙적으로 자신에 대한 거부처분의 취소를 구할 원고적격과 소의 이익이 있다.

인가 · 허가 등 수익적 행정처분을 신청한 여러 사람이 서로 경원관계에 있어서 한 사람에 대한 허가 등 처분이 다른 사람에 대한 불허가 등으로 귀결될 수밖에 없을 때 허가 등 처분을 받지 못한 사람은 신청에 대한 거부처분의 직접 상대방으로서 원칙적으로 자신에 대한 거부처분의 취소를 구할 원고적격이 있고, 취소판결이 확정되는 경우 판결의 직접적인 효과로 경원자에 대한 허가 등 처분이 취소되거나 효력이 소멸되는 것은 아니더라도 행정청은 취소판결의 기속력에 따라 판결에서 확인된 위법사유를 배제한 상태에서 취소판결의 원고와 경원자의 각 신청에 관하여 처분요건의 구비 여부와 우열을 다시 심사하여야 할 의무가 있으며, 재심사결과 경원자에 대한 수익적 처분이 직권취소되고 취소판결의 원고에게 수익적 처분이 이루어질 가능성을 완전히 배제할 수는 없으므로, 특별한 사정이 없는 한 경원관계에서 허가 등 처분을 받지 못한 사람은 자신에 대한 거부처분의 취소를 구할 소의 이익이 있다(대판 2015. 10. 29, 2013두27517).

④ **빈출** ○

상수원보호구역의 인근주민은 상수원보호구역지정해제를 다툴 원고적격이 없다.

상수원보호구역 설정의 근거가 되는 수도법 제5조 제1항 및 동 시행령 제7조 제1항이 보호하고자 하는 것은 상수원의 확보와 수질보전일 뿐이고, 그 상수원에서 급수를 받고 있는 지역주민들이 가지는 상수원의 오염을 막아 양질의 급수를 받을 이익은 직접적이고 구체적으로는 보호하고 있지 않음이 명백하여 위 지역주민들이 가지는 이익은 상수원의 확보와 수질보호라는 공공의 이익이 달성됨에 따라 반사적으로 얻게 되는 이익에 불과하므로 지역주민들에 불과한 원고들에게는 위 상수원보호구역변경처분의 취소를 구할 법률상의 이익이 없다(대판 1995. 9. 26, 94누14544).

정답 09 ⑤

10 정답률 65% 중 2023 국가직 9급

행정소송에 대한 설명으로 옳지 않은 것은? (다툼이 있는 경우 판례에 의함)

① 건축물의 하자를 다투는 입주예정자들은 건물의 사용검사처분에 대해 제3자효 행정행위의 차원에서 행정소송을 통해 다툴 수 있다.

② 당사자소송으로 서울행정법원에 제기할 것을 민사소송으로 지방법원에 제기하여 판결이 내려진 경우, 그 판결은 관할위반에 해당한다.

③ 민사소송인 소가 서울행정법원에 제기되었는데도 피고가 제1심법원에서 관할위반이라고 항변하지 않고 본안에서 변론을 한 경우에는 제1심법원에 변론관할이 생긴다.

④ 환경부장관이 생태 · 자연도 1등급으로 지정되었던 지역을 2등급으로 변경하는 내용의 생태 · 자연도 수정 · 보완을 고시하는 경우, 1등급지역에 거주하던 인근주민은 생태 · 자연도 등급변경처분의 무효확인을 구할 원고적격이 없다.

관련기출

①

1. 구 주택법상 건축물의 입주예정자는 그 건축물에 대한 사용검사처분의 무효확인이나 취소를 통해 건축물의 하자 상태 등을 제거하거나 법률적 지위가 달라진다 할 것이므로 사용검사처분의 취소를 구할 법률상 이익이 인정된다. (○, ×) 2023 소방간부
2. 하자 있는 건축물에 대한 사용검사처분의 무효확인 및 취소를 구하는 구 주택법상 입주자는 행정소송의 원고적격을 가지는 자에 해당한다. (○, ×) 2019 국회직 8급
3. 건축물에 대한 사용검사처분이 취소되면 사용검사 전의 상태로 돌아가 건축물을 사용할 수 없게 되므로 구 주택법상 입주자나 입주예정자가 사용검사처분의 무효확인 또는 취소를 구할 법률상 이익이 있다. (○, ×) 2018 지방직 9급
4. 구 주택법상 입주자나 입주예정자는 주택의 사용검사처분의 무효확인 또는 취소를 구할 법률상 이익이 있다. (○, ×) 2017 지방직(하) 9급

1. × 2. × 3. × 4. ×

④

1. 환경부장관의 생태 · 자연도 등급결정으로 1등급 권역의 인근주민들이 가지는 환경상 이익은 법률상 이익이다. (○, ×) 2023 군무원 9급
2. 생태 · 자연도 1등급으로 지정되었던 지역을 2등급 또는 3등급으로 변경하는 내용의 환경부장관의 결정에 대해 해당 1등급 권역의 인근주민은 취소소송을 제기할 원고적격이 인정된다. (○, ×) 2016 국가직 9급

1. × 2. ×

① ×

구 주택법상 입주자나 입주예정자가 사용검사처분의 취소를 구할 법률상 이익은 없다.

건축물에 대한 사용검사처분이 취소된다고 하더라도 사용검사 이전의 상태로 돌아가 건축물을 사용할 수 없게 되는 것에 그칠 뿐 곧바로 건축물의 하자 상태 등이 제거되거나 보완되는 것도 아니다. 그리고 입주자나 입주예정자들은 사용검사처분을 취소하지 않고서도 민사소송 등을 통하여 분양계약에 따른 법률관계 및 하자 등을 주장 · 증명함으로써 사업주체 등으로부터 하자 제거 · 보완 등에 관한 권리구제를 받을 수 있으므로, 사용검사처분의 취소 여부에 의하여 법률적인 지위가 달라진다고 할 수 없다(대판 2014. 7. 24, 2011두30465).

② ○

행정소송법상 **당사자소송**에 해당하는 소송을 민사소송으로 제기한 경우 그러한 소송은 **행정법원의 전속관할**에 속하므로 관할법원에 이송하여야 한다(대판 2009. 9. 17, 2007다2428 전합).

③ ○

민사소송으로 제기할 사안을 당사자소송으로 제기한 경우, 판례는 민사소송으로 제기할 것을 당사자소송으로 서울행정법원에 제기하여 관할위반이 되었더라도 피고가 관할위반이라고 항변하지 아니하고 본안에 대하여 변론을 한 경우에는 법원에 변론관할이 생겼다고 본다.

민사소송인 이 사건 소(환매대금증감청구소송)가 서울행정법원에 제기되었는데도 피고는 제1심법원에서 관할위반이라고 항변하지 아니하고 본안에 대하여 변론을 한 사실을 알 수 있는바, 공법상의 당사자소송사건인지 민사사건인지 여부는 이를 구별하기가 어려운 경우가 많고 행정사건의 심리절차에 있어서는 행정소송의 특수성을 감안하여 행정소송법이 정하고 있는 특칙이 적용될 수 있는 점을 제외하면 심리 절차 면에서 민사소송절차와 큰 차이가 없는 점 등에 비추어 보면, 행정소송법 제8조 제2항, 민사소송법 제30조에 의하여 제1심법원에 변론관할이 생겼다고 봄이 상당하다(대판 2013. 2. 28, 2010두22368).

④ ○

환경부장관이 생태 · 자연도 1등급으로 지정되었던 지역을 2등급 또는 3등급으로 변경하는 내용의 생태 · 자연도 수정 · 보완을 고시하자, 인근주민 甲이 생태 · 자연도 등급변경처분의 무효확인을 청구한 사안에서, 甲은 무효확인을 구할 원고적격이 없다.

1등급 권역의 인근주민들이 가지는 이익은 환경보호라는 공공의 이익이 달성됨에 따라 반사적으로 얻게 되는 이익에 불과하므로, 인근주민에 불과한 甲은 생태 · 자연도 등급권역을 1등급에서 일부는 2등급으로, 일부는 3등급으로 변경한 결정의 무효확인을 구할 원고적격이 없다(대판 2014. 2. 21, 2011두29052).

정답 10 ①

11 정답률 78% 상 2022 국가직 7급

다음 사례에 대한 설명으로 옳지 않은 것은? (다툼이 있는 경우 판례에 의함)

> 甲은 구 주택건설촉진법상 아파트를 건설하기 위해 관할 행정청인 A시장으로부터 주택건설사업계획승인을 받았는데, 그 후 乙에게 위 주택건설사업에 관한 일체의 권리를 양도하였다. 乙은 A시장에 대하여 사업주체가 변경되었음을 이유로 사업계획변경승인신청서를 제출하였는데, A시장은 사업계획승인을 받은 날로부터 4년여 간 공사에 착수하지 않았다는 이유로 주택건설사업계획승인을 취소한다고 甲과 乙에게 통지하고, 乙의 사업계획변경승인신청을 반려하였다.

① A시장의 주택건설사업계획승인의 취소는 취소하여야 할 공익상의 필요와 그 취소로 인하여 당사자가 입게 될 기득권의 침해 · 신뢰보호 등을 비교 · 교량하였을 때 공익상의 필요가 당사자가 입을 불이익을 정당화할 만큼 강하지 않다면 적법성을 인정받을 수 없다.

② 사실상 내지 사법상으로 주택건설사업 등이 양도 · 양수되었을지라도 아직 변경승인을 받기 이전에는 그 사업계획의 피승인자는 여전히 종전의 사업주체인 甲이다.

③ 주택건설사업계획승인취소처분이 甲과 乙에게 같이 통지되었다 하더라도 아직 乙이 사업계획변경승인을 받지 못한 이상 乙로서는 자신에 대한 것이든 甲에 대한 것이든 사업계획승인 취소를 다툴 원고적격이 인정되지 않는다.

④ A시장이 乙에 대하여 한 주택건설사업계획승인취소의 통지는 항고소송의 대상이 되는 행정처분이 아니다.

① ○

A시장의 주택건설사업계획승인의 취소는 이른바 수익적 처분의 취소에 해당하므로 이익형량을 해야 하는 제한을 받는다.

> 수익적 행정처분을 취소할 때에는 이를 취소하여야 할 중대한 공익상 필요와 취소로 인하여 처분상대방이 입게 될 기득권과 법적 안정성에 대한 침해 정도 등 불이익을 비교 · 교량한 후 공익상 필요가 처분 상대방이 입을 불이익을 정당화할 만큼 강한 경우에 한하여 취소할 수 있다(대판 2020. 7. 23, 2019두31839).

②④ ○

사실상 양도되었더라도 A시장의 사업주체 변경승인을 받기 전이라면 행정처분의 상대방은 종전 사업주체인 양도인 甲이 된다. 따라서 양수인인 乙에 대한 통지는 사실상 안내에 불과한 것으로서 항고소송의 대상이 되는 행정처분이 아니다.

> 주택건설촉진법 제33조 제1항, 구 같은 법 시행규칙 제20조의 각 규정에 의한 주택건설사업계획에 있어서 사업주체변경의 승인은 그로 인하여 사업주체의 변경이라는 공법상의 효과가 발생하는 것이므로, 사실상 내지 사법상으로 주택건설사업 등이 양도 · 양수되었을지라도 아직 변경승인을 받기 이전에는 그 사업계획의 피승인자는 여전히 종전의 사업주체인 양도인이고 양수인이 아니라 할 것이어서(②), 사업계획승인취소처분 등의 사유가 있는지의 여부와 취소사유가 있다고 하여 행하는 취소처분은 피승인자인 양도인을 기준으로 판단하여 그 양도인에 대하여 행하여져야 할 것이므로 행정청이 주택건설사업의 양수인**에 대하여** 양도인에 대한 사업계획승인을 **취소하였다는 사실을 통지한 것**만으로는 양수인의 법률상 지위에 어떠한 변동을 일으키는 것은 아니므로 위 통지는 항고소송의 대상이 되는 **행정처분이라고 할 수는 없다**(④)(대판 2000. 9. 26, 99두646).

③ ×

사업주체 변경승인이 있기 전이라면 행정청의 사업계획승인취소처분의 상대방은 양도인이 되며, 이 경우 양수인은 사업자가 될 수 있는 지위를 박탈당하게 되므로 양수인은 양도인에 대한 사업계획승인취소처분을 다툴 원고적격이 인정된다. 따라서 A시장의 甲에 대한 사업계획승인취소처분에 대해 乙은 이를 다툴 원고적격이 인정된다.

> 주택건설사업의 양수인이 사업주체의 변경승인신청을 한 이후에 행정청이 양도인에 대하여 그 사업계획변경승인의 전제로 되는 사업계획승인을 취소하는 처분을 한 경우, 양수인은 위 처분의 취소를 구할 법률상의 이익을 가진다.
>
> 주택건설촉진법 제33조 제1항, 구 같은 법 시행규칙 제20조의 각 규정에 의하면 주택건설 사업주체의 변경승인신청은 양수인이 단독으로 할 수 있고 위 변경승인은 실질적으로 양수인에 대하여 종전에 승인된 사업계획과 동일한 사업계획을 새로이 승인해 주는 행위라 할 것이므로, 사업주체의 변경승인신청이 된 이후에 행정청이 양도인에 대하여 그 사업계획변경승인의 전제로 되는 사업계획승인을 취소하는 처분을 하였다면 양수인은 그 처분 이전에 양도인으로부터 토지와 사업승인권을 사실상 양수받아 사업주체의 변경승인신청을 한 자로서 그 취소를 구할 법률상의 이익을 가진다(대판 2000. 9. 26, 99두646).

정답 11 ③

12 **빈출** 정답률 83% 중 2022 국가직 9급

행정소송법상 취소소송에 대한 설명으로 옳지 않은 것은? (다툼이 있는 경우 판례에 의함)

□□□ ① 대한민국에서 출생하여 오랜 기간 대한민국 국적을 보유하면서 거주한 재외동포는 사증발급 거부처분의 취소를 구할 법률상 이익이 있다.

□□□ ② 국민권익위원회가 소방청장에게 일정한 의무를 부과하는 내용의 조치요구를 한 경우 소방청장은 조치요구의 취소를 구할 당사자능력 및 원고적격이 인정되지 않는다.

□□□ ③ 임용지원자가 특별채용대상자로서 자격을 갖추고 있고 유사한 지위에 있는 자에 대하여 정규교사로 특별채용한 전례가 있다 하더라도, 교사로의 특별채용을 요구할 법규상 또는 조리상의 권리가 있다고 할 수 없다.

□□□ ④ 피해자의 의사와 무관하게 주민등록번호가 유출된 경우, 조리상 주민등록번호의 변경을 요구할 신청권을 인정함이 타당하다.

관련기출

①

1. 외국인이라고 하더라도 대한민국과의 실질적 관련성 내지 법적으로 보호가치가 있는 이해관계를 형성한 경우에는 사증발급 거부처분의 취소를 구할 원고적격이 인정된다. (○, ×) 2021 국회직 8급

1. ○

① **빈출** ○

사증발급 거부처분을 다투는 외국인의 경우에는 원칙적으로 거부처분의 취소를 구할 법률상 이익이 인정되지 않지만(13 ㉠ 해설 판례 참조) 대한민국과의 실질적 관련성 내지 법적으로 보호가치가 있는 이해관계를 형성한 경우에는 원고적격이 인정된다. 예를 들어, 가수 유○○의 경우, 외국인이기는 하지만 대한민국에서 출생하여 오랜 기간 대한민국 국적을 보유하면서 거주한 사람이므로 이미 대한민국과 실질적 관련성이 있거나 대한민국에서 법적으로 보호가치 있는 이해관계를 형성하였다고 볼 수 있어 사증발급 거부처분을 다툴 원고적격이 인정되었다.

> 원고(편저자 주 : 가수 유○○)는 대한민국에서 출생하여 오랜 기간 대한민국 국적을 보유하면서 거주한 사람이므로 이미 대한민국과 실질적 관련성이 있거나 대한민국에서 법적으로 보호가치 있는 이해관계를 형성하였다고 볼 수 있다. 또한 재외동포의 대한민국 출입국과 대한민국 안에서의 법적 지위를 보장함을 목적으로 「재외동포의 출입국과 법적 지위에 관한 법률」이 특별히 제정되어 시행 중이다. 따라서 원고는 이 사건 사증발급 거부처분의 취소를 구할 법률상 이익이 인정된다(대판 2019. 7. 11, 2017두38874).

② ×

국민권익위원회가 소방청장에게 인사와 관련하여 부당한 지시를 한 사실이 인정된다며 이를 취소할 것을 요구하기로 의결하고 그 내용을 통지하자 소방청장이 국민권익위원회 조치요구의 취소를 구하는 소송을 제기한 사안에서 **처분성이 인정되는 국민권익위원회의 조치요구에 불복**하고자 하는 소방청장으로서는 조치요구의 취소를 구하는 **항고소송**을 제기하는 것이 유효·적절한 수단으로 볼 수 있으므로 **소방청장이 예외적으로 당사자능력과 원고적격을 가진다**는 것이 판례의 입장이다(대판 2018. 8. 1, 2014두35379).

③ 제37강 참조 ○

> (경기도의 초등학교병설유치원에 임시강사로 채용되어 3년 이상 근무하여 온 자가 정규강사로 특별 채용신청을 한 데 대해 경기도교육감이 이를 거부하자 거부처분취소소송을 제기한 사건에서) **교사특별채용신청에 대한 거부행위는 처분이 아니다.**
>
> 교사에 대한 임용권자가 교육공무원법 제12조에 따라 임용지원자를 특별채용할 것인지 여부는 임용권자의 판단에 따른 재량에 속하는 것이고, 임용권자가 임용지원자의 임용 신청에 기속을 받아 그를 특별채용하여야 할 의무는 없으며 임용지원자로서도 자신의 임용을 요구할 법규상 또는 조리상 권리가 있다고 할 수 없다. 원고 등이 특별채용 대상자로서의 자격을 갖추고 있고, 원고 등과 유사한 지위에 있는 전임강사에 대하여는 피고가 정규교사로 특별채용한 전례가 있다 하더라도 그러한 사정만으로 임용지원자에 불과한 원고 등에게 피고에 대하여 교사로의 특별채용을 요구할 법규상 또는 조리상의 권리가 있다고 할 수는 없으므로, 피고가 원고 등의 특별채용 신청을 거부하였다고 하여도 그 거부로 인하여 원고 등의 권리나 법적 이익에 어떤 영향을 주는 것이 아니어서 그 거부행위가 항고소송의 대상이 되는 행정처분에 해당한다고 할 수 없다(대판 2005. 4. 15, 2004두11626).

④ 제37강 참조 ○

> 피해자의 의사와 무관하게 주민등록번호가 유출된 경우에는 조리상 주민등록번호의 변경을 요구할 신청권을 인정함이 타당하고, 구청장의 주민등록번호 변경신청 거부행위는 항고소송의 대상이 되는 행정처분에 해당한다(대판 2017. 6. 15, 2013두2945).

정답 12 ②

13 빈출 정답률 58% 상 2021 국가직 9급

판례상 항고소송의 원고적격이 인정되는 경우만을 모두 고르면?

> □□□ ㉠ 중국 국적자인 외국인이 사증발급 거부처분의 취소를 구하는 경우
> □□□ ㉡ 소방청장이 처분성이 인정되는 국민권익위원회의 조치요구에 불복하여 조치요구의 취소를 구하는 경우
> □□□ ㉢ 지방법무사회가 법무사의 사무원 채용승인신청을 거부하여 사무원이 될 수 없게 된 자가 지방법무사회를 상대로 거부처분의 취소를 구하는 경우
> □□□ ㉣ 개발제한구역 중 일부취락을 개발제한구역에서 해제하는 내용의 도시관리계획변경결정에 대하여 개발제한구역 해제대상에서 누락된 토지의 소유자가 위 결정의 취소를 구하는 경우

① ㉠, ㉡ ② ㉡, ㉢
③ ㉢, ㉣ ④ ㉠, ㉢, ㉣

관련기출

㉣
1. 개발제한구역 중 일부취락을 개발제한구역에서 해제하는 내용의 도시관리계획변경결정에 대하여, 개발제한구역 해제대상에서 누락된 토지의 소유자는 그 결정의 취소를 구할 법률상 이익이 있다. (○, ×) 2018 지방직 9급
2. 개발제한구역 중 일부취락을 개발제한구역에서 해제하는 내용의 도시관리계획변경결정에 대하여, 개발제한구역 해제대상에서 누락된 토지의 소유자가 도시관리계획변경결정의 취소를 구할 때판례가 원고적격을 인정한다. (○, ×) 2015 경행특채 1차
3. 개발제한구역 중 일부취락을 개발제한구역에서 해제하는 내용의 도시관리계획변경결정에 대하여, 개발제한구역 해제대상에서 누락된 토지의 소유자는 위 결정의 취소를 구할 법률상 이익이 없다. (○, ×) 2011 경행특채

1. × 2. × 3. ○

② ㉡㉢이 원고적격이 인정된다.

㉠ ×

사증발급 거부처분을 다투는 외국인의 경우에는 원칙적으로 거부처분의 취소를 구할 법률상 이익이 인정되지 않지만, 대한민국과의 실질적 관련성 내지 법적으로 보호가치가 있는 이해관계를 형성한 경우에는 원고적격이 인정된다.

> 사증발급 거부처분을 다투는 외국인은, 아직 대한민국에 입국하지 않은 상태에서 대한민국에 입국하게 해달라고 주장하는 것으로, 대한민국과의 실질적 관련성 내지 대한민국에서 법적으로 보호가치 있는 이해관계를 형성한 경우는 아니어서, 해당 처분의 취소를 구할 법률상 이익을 인정하여야 할 법정책적 필요성도 크지 않다. 반면, 국적법상 귀화불허가처분이나 출입국관리법상 체류자격변경불허가처분, 강제퇴거명령 등을 다투는 외국인은 대한민국에 적법하게 입국하여 상당한 기간을 체류한 사람이므로, 이미 대한민국과의 실질적 관련성 내지 대한민국에서 법적으로 보호가치 있는 이해관계를 형성한 경우이어서, 해당 처분의 취소를 구할 법률상 이익이 인정된다고 보아야 한다. …… 한편 사증발급의 법적 성질, 출입국관리법의 입법목적, 사증발급신청인의 대한민국과의 실질적 관련성, 상호주의원칙 등을 고려하면, 우리 출입국관리법의 해석상 외국인에게는 사증발급 거부처분의 취소를 구할 법률상 이익이 인정되지 않는다(대판 2018. 5. 15, 2014두42506).

㉡ ○

처분성이 인정되는 국민권익위원회의 조치요구에 불복하고자 하는 소방청장으로서는 조치요구의 취소를 구하는 항고소송을 제기하는 것이 유효·적절한 수단으로 볼 수 있으므로 소방청장이 예외적으로 당사자능력과 원고적격을 가진다는 것이 판례의 입장이다(대판 2018. 8. 1, 2014두35379).

㉢ ○

지방법무사회가 법무사의 사무원 채용승인신청을 거부하거나 채용승인을 얻어 채용 중인 사람에 대한 채용승인을 취소한 경우, 처분 상대방인 법무사뿐만 아니라 그 때문에 사무원이 될 수 없게 된 사람에게도 항고소송을 제기할 원고적격이 인정된다는 것이 판례의 입장이다(대판 2020. 4. 9, 2015다34444).

㉣ **빈출** ×

> 개발제한구역 중 일부취락을 개발제한구역에서 해제하는 내용의 도시관리계획변경결정에 대하여, 개발제한구역 해제대상에서 누락된 토지의 소유자는 위 결정의 취소를 구할 법률상 이익이 없다(대판 2008. 7. 10, 2007두10242).

정답 13 ②

14 빈출 중 2020 군무원 7급

취소소송에 대한 설명으로 옳지 않은 것은? (다툼이 있는 경우 판례에 따름)

□□□ ① 처분성이 인정되는 국민권익위원회의 조치요구에 대해 소방청장은 취소소송을 제기할 당사자능력과 원고적격을 갖는다.

□□□ ② 사증발급의 법적 성질과 출입국관리법의 입법목적을 고려할 때 외국인은 사증발급 거부처분의 취소를 구할 법률상 이익이 있다.

□□□ ③ 거부처분이 행정심판의 재결을 통해 취소된 경우 재결에 따른 후속처분이 아니라 그 재결의 취소를 구하는 것은 분쟁해결의 유효적절한 수단이라고 할 수 없어 소의 이익이 없다.

□□□ ④ 병무청장의 병역의무 기피자의 인적사항 공개결정은 취소소송의 대상이 되는 처분에 해당한다.

① ○

처분성이 인정되는 국민권익위원회의 조치요구에 불복하고자 하는 소방청장으로서는 조치요구의 취소를 구하는 항고소송을 제기하는 것이 유효·적절한 수단으로 볼 수 있으므로 소방청장이 예외적으로 당사자능력과 원고적격을 가진다는 것이 판례의 입장이다(대판 2018. 8. 1, 2014두35379).

② ×

사증발급의 법적 성질, 출입국관리법의 입법목적, 사증발급 신청인의 대한민국과의 실질적 관련성, 상호주의원칙 등을 고려하면, 우리 출입국관리법의 해석상 외국인에게는 사증발급 거부처분의 취소를 구할 법률상 이익이 인정되지 않는다는 것이 판례의 입장이다(대판 2018. 5. 15, 2014두42506). 체류자격변경불허가처분, 강제퇴거명령 등을 다투는 외국인의 경우에는 해당 처분의 취소를 구할 법률상 이익이 인정된다는 것과 구별을 요한다(13 ㉠ 해설 판례 참조).

③ ○

> 당사자의 신청을 받아들이지 않은 거부처분이 재결에서 취소된 경우, 재결의 취소를 구할 법률상 이익은 없다.
> 거부처분이 재결에서 취소된 경우 재결에 따른 후속처분이 아니라 그 재결의 취소를 구하는 것은 실효적이고 직접적인 권리구제수단이 될 수 없어 분쟁해결의 유효적절한 수단이라고 할 수 없으므로 법률상 이익이 없다(대판 2017. 10. 31, 2015두45045).

④ 제23강 참조 ○

> 병무청장이 병역법 제81조의2 제1항에 따라 병역의무 기피자의 인적사항 등을 인터넷 홈페이지에 게시하는 등의 방법으로 공개한 경우 병무청장의 공개결정을 항고소송의 대상이 되는 행정처분으로 보아야 한다(대판 2019. 6. 27, 2018두49130).

관련기출

④

1. 관할 지방병무청장이 병역의무기피를 이유로 그 인적사항 등을 공개할 대상자를 1차로 결정하고 그에 이어 병무청장의 최종 공개결정이 있는 경우, 지방병무청장의 1차 공개결정은 병무청장의 최종 공개결정과는 별도로 항고소송의 대상이 된다. (○, ×) 2020 변호사

1. ×

정답 14 ②

15 정답률 70% 상 2019 지방직 · 교육행정직 9급

행정소송의 당사자에 대한 설명으로 옳지 않은 것은? (다툼이 있는 경우 판례에 의함)

□□□ ① 대리기관이 대리관계를 표시하고 피대리 행정청을 대리하여 행정처분을 한 때에는 피대리 행정청이 피고로 되어야 한다.

□□□ ② 국가공무원법에 따른 처분, 그 밖에 본인의 의사에 반한 불리한 처분이나 부작위에 관한 행정소송을 제기할 때에 대통령의 처분 또는 부작위의 경우에는 소속장관을 피고로 한다.

□□□ ③ 약제를 제조 · 공급하는 제약회사는 보건복지부 고시인 「약제급여 · 비급여목록 및 급여상한금액표」 중 약제의 상한금액 인하 부분에 대하여 그 취소를 구할 원고적격이 있다.

□□□ ④ 개발제한구역 안에서의 공장설립을 승인한 처분이 위법하다는 이유로 쟁송취소되었다면, 설령 그 승인처분에 기초한 공장건축허가처분이 잔존하는 경우에도 인근주민들에게는 공장건축허가처분의 취소를 구할 법률상 이익이 없다.

관련기출

①

1. 행정안전부장관을 대리하여 전자정부국장이 행한 행위에 대한 소송에서 전자정부국장이 피고가 된다. (○, ×) 2014 국회직 8급

1. ×

① ○

대리란 행정청이 자신의 권한을 다른 기관으로 하여금 행사하게 하는 것을 의미하는 것으로, 권한이 이전되는 것은 아니라는 점에서 권한의 위임과는 구별된다. 대리의 경우 대리청은 원래의 행정청, 즉 피대리청을 위한 것임을 표시하면서 행위를 하여야 한다. 대리에서는 권한이 대리청에 이전되지 않으며 처분명의도 피대리청(원래의 행정청)의 명의로 하게 되므로 피대리청이 피고가 된다.

> 대리기관이 대리관계를 표시하고 피대리 행정청을 대리하여 행정처분을 한 때에는 피대리 행정청이 피고로 되어야 한다(대결 2006. 2. 23, 2005부4).

② ○

> **국가공무원법 제16조【행정소송과의 관계】** ① 제75조에 따른 처분, 그 밖에 본인의 의사에 반한 불리한 처분이나 부작위(不作爲)에 관한 행정소송은 소청심사위원회의 심사 · 결정을 거치지 아니하면 제기할 수 없다.
> ② 제1항에 따른 행정소송을 제기할 때에는 대통령의 처분 또는 부작위의 경우에는 소속장관(대통령령으로 정하는 기관의 장을 포함한다. 이하 같다)을, 중앙선거관리위원회위원장의 처분 또는 부작위의 경우에는 중앙선거관리위원회사무총장을 각각 피고로 한다.

③ ○

보건복지부 고시인 「약제급여 · 비급여목록 및 급여상한금액표」로 인하여 자신이 제조 · 공급하는 약제의 상한금액이 인하됨에 따라 위와 같이 보호되는 법률상 이익이 침해당할 경우, **제약회사**는 위 고시의 취소를 구할 원고적격이 있다는 것이 판례의 입장이다(대판 2006. 9. 22, 2005두2506).

④ ×

> 개발제한구역 안에서의 공장설립을 승인한 처분이 위법하다는 이유로 쟁송취소되었으나 그 승인처분에 기초한 공장건축허가처분이 잔존하는 경우, 인근주민들에게 공장건축허가처분의 취소를 구할 법률상 이익이 있다.
> 구 「산업집적활성화 및 공장설립에 관한 법률」 제13조 제1항, 제13조의2 제1항 제16호, 제14조, 제50조, 제13조의5 제4호의 규정을 종합하면, 공장설립승인처분이 있고 난 뒤에 또는 그와 동시에 공장건축허가처분을 하는 것이 허용되므로, 공장설립승인처분이 취소된 경우에는 그 승인처분을 기초로 한 공장건축허가처분 역시 취소되어야 하고, 공장설립승인처분에 근거하여 토지의 형질변경이 이루어진 경우에는 원상회복을 해야 함이 원칙이다. 따라서 개발제한구역 안에서의 공장설립을 승인한 처분이 위법하다는 이유로 쟁송취소되었다고 하더라도 그 승인처분에 기초한 공장건축허가처분이 잔존하는 이상, 공장설립승인처분이 취소되었다는 사정만으로 인근주민들의 환경상 이익이 침해되는 상태나 침해될 위험이 종료되었다거나 이를 시정할 수 있는 단계가 지나버렸다고 단정할 수는 없고, 인근주민들은 여전히 공장건축허가처분의 취소를 구할 법률상 이익이 있다고 보아야 한다(대판 2018. 7. 12, 2015두3485).

정답 15 ④

16 ㊤

2019 국회직 8급

행정소송의 원고적격을 가지는 자에 해당하지 않는 것은? (다툼이 있는 경우 판례에 의함)

□□□ ① 지방자치단체가 건축물 소재지 관할 허가권자인 지방자치단체의 장을 상대로 건축협의 취소의 취소를 구하는 사안에서의 지방자치단체

□□□ ② 제3자의 접견허가신청에 대한 교도소장의 거부처분에 있어서 접견권이 침해되었다고 주장하는 구속된 피고인

□□□ ③ 미얀마 국적의 甲이 위명(僞名)인 乙 명의의 여권으로 대한민국에 입국한 뒤 乙 명의로 난민 신청을 하였으나 법무부장관이 乙 명의를 사용한 甲을 직접 면담하여 조사한 후 甲에 대하여 난민불인정 처분을 한 사안에서의 그 처분의 취소를 구하는 甲

□□□ ④ 국민권익위원회가 소방청장에게 인사와 관련하여 부당한 지시를 한 사실이 인정된다며 이를 취소할 것을 요구하기로 의결하고 내용을 통지하자 그 국민권익위원회 조치요구의 취소를 구하는 사안에서의 소방청장

□□□ ⑤ 하자 있는 건축물에 대한 사용검사처분의 무효확인 및 취소를 구하는 구 주택법상 입주자

관련기출

②

1. 교도소장의 접견허가거부처분에 대하여 그 접견신청의 대상자였던 미결수는 판례가 취소소송의 원고적격을 부정한다. (○, ×) 2018 소방직 9급

1. ×

③

1. 외국 국적의 甲이 위명(僞名)인 乙 명의의 여권으로 대한민국에 입국한 뒤 乙 명의로 난민 신청을 하였고 법무부장관이 乙 명의를 사용한 甲을 직접 면담하여 조사한 후에 甲에 대하여 난민불인정 처분을 한 경우, 甲은 난민불인정 처분의 취소를 구할 법률상 이익이 없다. (○, ×) 2023 국가직 7급

1. ×

① ○

지방자치단체 등이 건축물 소재지 관할 허가권자인 지방자치단체의 장을 상대로 건축협의 취소의 취소를 구할 수 있다.

건축협의 취소는 상대방이 다른 지방자치단체 등 행정주체라 하더라도 '행정청이 행하는 구체적 사실에 관한 법집행으로서의 공권력행사'(행정소송법 제2조 제1항 제1호)로서 처분에 해당한다고 볼 수 있고, 지방자치단체인 원고가 이를 다툴 실효적 해결수단이 없는 이상, 원고는 건축물 소재지 관할 허가권자인 지방자치단체의 장을 상대로 항고소송을 통해 건축협의 취소의 취소를 구할 수 있다(대판 2014. 2. 27, 2012두22980).

② ○

행정처분의 상대방이 아닌 제3자도 그 행정처분의 취소에 관하여 법률상 구체적 이익이 있으면 행정소송법 제12조에 의하여 그 처분의 취소를 구하는 행정소송을 제기할 수 있는바, 구속된 피고인은 형사소송법 제89조의 규정에 따라 타인과 접견할 권리를 가지며 행형법 제62조, 제18조 제1항의 규정에 의하면 교도소에 미결수용된 자는 소장의 허가를 받아 타인과 접견할 수 있으므로(이와 같은 접견권은 헌법상 기본권의 범주에 속하는 것이다) 구속된 피고인이 사전에 접견신청한 자와의 접견을 원하지 않는다는 의사표시를 하였다는 등의 특별한 사정이 없는 한 구속된 피고인은 교도소장의 접견허가거부처분으로 인하여 자신의 접견권이 침해되었음을 주장하여 위 거부처분의 취소를 구할 원고적격을 가진다(대판 1992. 5. 8, 91누7552).

③ ○

〔미얀마 국적의 甲이 위명(僞名)인 '乙' 명의의 여권으로 대한민국에 입국한 뒤 乙 명의로 난민 신청을 하였으나 법무부장관이 乙 명의를 사용한 甲을 직접 면담하여 조사한 후 甲에 대하여 난민불인정 처분을 한 사안에서〕 **처분의 상대방은 허무인이 아니라 '乙'이라는 위명을 사용한 甲이므로, 甲은 처분의 취소를 구할 법률상 이익이 있다**(대판 2017. 3. 9, 2013두16852).

④ ○

국민권익위원회가 소방청장에게 인사와 관련하여 부당한 지시를 한 사실이 인정된다며 이를 취소할 것을 요구하기로 의결하고 그 내용을 통지하자 소방청장이 국민권익위원회 조치요구의 취소를 구하는 소송을 제기한 사안에서 처분성이 인정되는 국민권익위원회의 조치요구에 불복하고자 하는 소방청장으로서는 조치요구의 취소를 구하는 항고소송을 제기하는 것이 유효·적절한 수단으로 볼 수 있으므로 소방청장이 예외적으로 당사자능력과 원고적격을 가진다는 것이 판례의 입장이다(대판 2018. 8. 1, 2014두35379).

⑤ ×

구 주택법상 입주자나 입주예정자는 사용검사처분의 무효확인 또는 취소를 구할 법률상 이익은 없다는 것이 판례의 입장이다(대판 2014. 7. 24, 2011두30465).

정답 16 ⑤

17 중 2017 국가직(하) 7급

행정소송법상 '법률상 이익'에 대한 설명으로 옳지 않은 것은? (다툼이 있는 경우 판례에 의함)

□□□ ① 원천징수의무자에 대한 소득금액변동통지는 원천납세의무의 존부나 범위와 같은 원천납세의무자의 권리나 법률상 지위에 어떠한 영향을 준다고 할 수 없으므로 소득처분에 따른 소득의 귀속자는 법인에 대한 소득금액변동통지의 취소를 구할 법률상 이익이 없다.

□□□ ② 교육부장관이 사학분쟁조정위원회의 심의를 거쳐 학교법인의 이사와 임시이사를 선임한 데 대하여 그 대학교의 교수협의회와 총학생회는 이사선임처분을 다툴 법률상 이익을 가지지만, 직원으로 구성된 노동조합은 법률상 이익을 가지지 않는다.

□□□ ③ 채석허가를 받은 자로부터 영업양수 후 명의변경신고 이전에 양도인의 법위반사유를 이유로 채석허가가 취소된 경우, 양수인은 수허가자의 지위를 사실상 양수받았다고 하더라도 그 처분의 취소를 구할 법률상 이익을 가지지 않는다.

□□□ ④ 사업의 양도행위가 무효라고 주장하는 자가 민사쟁송으로 양도 · 양수행위의 무효를 구함이 없이 사업양도 · 양수에 따른 허가관청의 지위승계신고 수리처분의 무효확인을 구할 경우, 그 법률상 이익이 있다.

관련기출

②

1. 교육부장관이 사학분쟁조정위원회의 심의를 거쳐 이사와 임시이사를 선임한 데 대하여 대학 교수협의회와 총학생회는 제3자로서 취소소송을 제기할 자격이 있다. (○, ×) 2017 지방직 9급

1. ○

③

1. 법령상 채석허가를 받은 자의 명의변경제도를 두고 있는 경우, 명의변경신고를 할 수 있는 양수인은 관할행정청이 양도인의 허가를 취소하는 처분에 대해 취소를 구할 법률상 이익이 인정된다. (○, ×) 2013 국가직 7급

1. ○

① ○

원천징수의무자에 대한 소득금액**변동통지**는 원천납세의무의 존부나 범위와 같은 **원천납세의무자**의 권리나 법률상 지위에 어떠한 영향을 준다고 할 수 없으므로 소득처분에 따른 소득의 귀속자(편저자 주 : 원천납세의무자)는 법인에 대한 소득금액변동통지의 **취소를 구할 법률상 이익이 없다**(대판 2015. 3. 26, 2013두9267).

② ○

(교육부장관이 사학분쟁조정위원회의 심의를 거쳐 甲 대학교를 설치 · 운영하는 乙학교법인의 이사 8인과 임시이사 1인을 선임한 데 대하여 甲대학교 교수협의회와 총학생회 등이 이사선임처분의 취소를 구하는 소송을 제기한 사안에서) 甲대학교 교수협의회와 총학생회는 이사선임처분을 다툴 법률상 이익을 가지지만, 전국대학노동조합 甲대학교지부는 법률상 이익이 없다(대판 2015. 7. 23, 2012두19496 · 19502).

③ **빈출** ×

채석허가를 받은 자에 대한 관할행정청의 채석허가취소처분에 대하여, 수허가자의 지위를 양수한 양수인에게 그 취소처분의 취소를 구할 법률상 이익이 있다.

산림법 제90조의2 제1항, 제118조 제1항, 같은 법 시행규칙 제95조의2 등 산림법령이 수허가자의 명의변경제도를 두고 있는 취지는, …… 수허가자의 지위를 사실상 양수한 양수인의 이익을 보호하고자 하는 데 있는 것으로 해석되므로, 수허가자의 지위를 양수받아 명의변경신고를 할 수 있는 양수인의 지위는 단순한 반사적 이익이나 사실상의 이익이 아니라 산림법령에 의하여 보호되는 직접적이고 구체적인 이익으로서 법률상 이익이라고 할 것이고, 채석허가가 유효하게 존속하고 있다는 것이 양수인의 명의변경신고의 전제가 된다는 의미에서 관할행정청이 양도인에 대하여 채석허가를 취소하는 처분을 하였다면 이는 양수인의 지위에 대한 직접적 침해가 된다고 할 것이므로 양수인은 채석허가를 취소하는 처분의 취소를 구할 법률상 이익을 가진다(대판 2003. 7. 11, 2001두6289).

④ ○

사업의 양도행위가 무효라고 주장하는 양도자가 양도 · 양수행위의 무효를 구함이 없이 사업양도 · 양수에 따른 허가관청의 지위승계신고 수리처분의 무효확인을 구할 법률상 이익이 있다(대판 2005. 12. 23, 2005두3554).

정답 17 ③

18 정답률 70% 중 2016 지방직 9급

항고소송의 원고적격에 대한 판례의 입장으로 옳지 않은 것은?

① 기존의 고속형 시외버스운송사업자 A는 경업관계에 있는 직행형 시외버스운송사업자에 대한 사업계획변경인가처분의 취소를 구할 법률상 이익이 있다.

② 학교법인에 의하여 임원으로 선임된 B는 자신에 대한 관할청의 임원취임승인신청 반려처분 취소소송의 원고적격이 있다.

③ 예탁금회원제 골프장에 가입되어 있는 기존회원 C는 그 골프장운영자가 당초 승인을 받을 때 정한 예정인원을 초과하여 회원을 모집하는 내용의 회원모집계획서에 대한 시 · 도지사의 검토결과 통보의 취소를 구할 법률상 이익이 있다.

④ 재단법인인 수녀원 D는 소속된 수녀 등이 쾌적한 환경에서 생활할 수 있는 환경상 이익을 침해받는다면 매립목적을 택지조성에서 조선시설용지로 변경하는 내용의 공유수면매립목적 변경승인처분의 무효확인을 구할 원고적격이 있다.

관련기출

①

1. 직행형 시외버스운송사업자에 대한 사업계획변경인가처분으로 인하여 기존의 고속형 시외버스운송사업자의 노선 및 운행계통과 일부 중복되고 기존업자의 수익감소가 예상된다면, 기존의 고속형 시외버스운송사업자는 직행형 시외버스운송사업자에 대한 사업계획변경인가처분의 취소를 구할 법률상의 이익이 있다. (○, ×) 2022 소방간부

1. ○

③

1. 이른바 예탁금회원제 골프장에 있어서, 체육시설업자가 회원모집계획서를 제출하면서 사업계획의 승인을 받을 때 정한 예정인원을 초과하여 회원을 모집하는 내용의 회원모집계획서를 제출하여 그에 대한 시 · 도지사 등의 검토결과 통보를 받은 경우, 기존회원이 회원모집계획서에 대한 시 · 도지사의 검토결과 통보에 대한 취소소송은 원고에게 법률상 이익이 인정된다. (○, ×) 2022 군무원 7급

1. ○

① ○

기존의 고속형 시외버스운송사업자에게 직행형 시외버스운송사업자에 대한 사업계획변경인가처분의 취소를 구할 법률상의 이익이 있다.

직행형 시외버스운송사업자에 대한 사업계획변경인가처분으로 인하여 기존의 고속형 시외버스운송사업자의 노선 및 운행계통과 직행형 시외버스운송사업자들의 그것들이 일부 중복되게 되고 기존업자의 수익감소가 예상된다면, 기존의 고속형 시외버스운송사업자와 직행형 시외버스운송사업자들은 경업관계에 있는 것으로 봄이 상당하므로, 기존의 고속형 시외버스운송사업자에게 직행형 시외버스운송사업자에 대한 사업계획변경인가처분의 취소를 구할 법률상의 이익이 있다고 할 것이다(대판 2010. 11. 11, 2010두4179).

② ○

1. 관할청의 임원취임승인행위는 학교법인의 임원선임행위의 법률상 효력을 완성케 하는 보충적 법률행위이다.
2. 관할청이 학교법인의 임원취임승인신청에 대하여 이를 반려하거나 거부하는 경우 학교법인에 의하여 임원으로 선임된 사람은 관할청의 임원취임승인신청 반려처분을 다툴 수 있는 원고적격이 있다(대판 2007. 12. 27, 2005두9651).

③ ○

예탁금회원제 골프장의 기존회원은 골프장운영자가 사업계획의 승인을 받을 때 정한 예정인원을 초과하여 회원을 모집하는 내용의 회원모집계획서에 대한 시 · 도지사의 검토결과 통보의 취소를 구할 법률상의 이익이 있다고 보아야 한다(대판 2009. 2. 26, 2006두16243).

④ ×

(재단법인 甲수녀원이, 매립목적을 택지조성에서 조선시설용지로 변경하는 내용의 공유수면매립목적 변경승인처분으로 인하여 법률상 보호되는 환경상 이익을 침해받았다면서 행정청을 상대로 처분의 무효확인을 구하는 소송을 제기한 사안에서) 자연인이 아닌 재단법인인 甲 수녀원은 쾌적한 환경에서 생활할 수 있는 이익을 향수할 수 있는 주체가 아니므로 매립목적을 택지조성에서 조선시설용지로 변경하는 내용의 공유수면매립목적 변경승인처분의 무효확인을 구할 원고적격이 없다(대판 2012. 6. 28, 2010두2005).

정답 18 ④

19 ㊤ 2012 국회직 8급

<보기>에서 판례가 원고적격이 있다고 본 경우는 모두 몇 개인가?

보기

- □□□ ㉠ 보건복지부장관의 약제의 상한금액인하처분(고시)에 대한 취소소송에서 관련된 약제를 제조 · 공급하는 제약회사
- □□□ ㉡ 영업소 간 거리제한규정을 위배하여 한 담배 일반소매인 지정처분에 대한 취소소송에서 기존의 일반소매인
- □□□ ㉢ 운수회사에 대한 과징금 부과처분에 대한 취소소송에서 그 부과처분이 자신의 잘못으로 인한 것으로 사후 사실상 변상하여 줄 관계에 있는 운전기사
- □□□ ㉣ 「건강보험요양급여행위 및 그 상대가치점수 개정」 고시의 취소소송에서 사단법인 대한의사협회
- □□□ ㉤ 전임강사임용처분취소소송에서 그 학과의 학생

① 1개 ② 2개
③ 3개 ④ 4개
⑤ 5개

관련기출

㉣

1. 대법원은 대한의사협회는 국민건강보험법상 요양급여행위, 요양급여비용의 청구 및 지급과 관련하여 직접적인 법률관계를 갖지 않고 있으므로 보건복지부 고시인 「건강보험요양급여행위 및 그 상대가치점수」 개정으로 인하여 자신의 법률상 이익을 침해당하였다고 할 수 없다는 이유로 위 고시의 취소를 구할 원고적격이 없다고 보고 있다. (○, ×) 2013 국회직 8급

1. ○

② ㉠㉡이 원고적격이 있다.

㉠ ○

보건복지부 고시인 「약제급여 · 비급여목록 및 급여상한금액표」는 행정처분으로서 자신이 제조 · 공급하는 약제의 상한금액이 인하되는 제약회사는 처분을 다툴 원고적격이 있다는 것이 판례의 입장이다(대판 2006. 9. 22, 2005두2506).

㉡ ○

담배 일반소매인으로 지정되어 영업을 하고 있는 기존업자의 '신규업자(일반소매인)'에 대한 이익은 '법률상 보호되는 이익'에 해당한다(대판 2008. 3. 27, 2007두23811).

㉢ ×

회사의 노사 간에 임금협정을 체결함에 있어 운전기사의 합승행위 등으로 회사에 대하여 과징금이 부과되면 당해 운전기사에 대한 상여금지급시 그 금액상당을 공제하기로 함으로써 과징금의 부담을 당해 운전기사에게 전가하도록 규정하고 있고 이에 따라 당해 운전기사의 합승행위를 이유로 회사에 대하여 한 과징금부과처분으로 말미암아 당해 운전기사의 상여금지급이 제한되었다고 하더라도, 과징금부과처분의 직접 당사자 아닌 당해 운전기사로서는 그 처분의 취소를 구할 직접적이고 구체적인 이익이 있다고 볼 수 없다(대판 1994. 4. 12, 93누24247).

㉣ ×

사단법인 **대한의사협회**는 보건복지부 고시인 「건강보험요양급여행위 및 그 상대가치점수」 개정의 취소를 구할 **원고적격이 없다.**

사단법인 대한의사협회는 의료법에 의하여 의사들을 회원으로 하여 설립된 사단법인으로서, 국민건강보험법상 요양급여행위, 요양급여비용의 청구 및 지급과 관련하여 직접적인 법률관계를 갖지 않고 있으므로, 보건복지부 고시인 「건강보험요양급여행위 및 그 상대가치점수」 개정으로 인하여 자신의 법률상 이익을 침해당하였다고 할 수 없다는 이유로 위 고시의 취소를 구할 원고적격이 없다(대판 2006. 5. 25, 2003두11988).

㉤ ×

대학생들이 전공이 다른 교수를 임용함으로써 학습권을 침해당하였다는 이유를 들어 교수임용처분의 취소를 구할 소의 이익이 없다.

원고들은 서울시립대학교 세무학과에 재학중인 학생들로서 조세정책과목을 수강하고 있는데 피고가 경제학적으로 접근하여야 하는 조세정책과목의 담당교수를 행정학을 전공한 소외인으로 임용함으로써 원고들의 학습권을 침해하였다는 것이나 설령 피고의 이 사건 임용처분으로 말미암아 원고들이 그 주장과 같은 불이익을 받게 되더라도 그 불이익은 간접적이거나 사실적인 불이익에 지나지 아니하여 그것만으로는 원고들에게 이 사건 임용처분의 취소를 구할 소의 이익이 있다고 할 수 없다(대판 1993. 7. 27, 93누8139).

정답 19 ②

20 중 2012 경행특채

행정소송의 당사자능력과 원고적격에 관한 다음 설명 중 가장 적절하지 않은 것은? (다툼이 있는 경우 판례에 의함)

□□□ ① 환경영향평가대상지역 밖에 거주하는 주민이라도 침해 또는 침해우려의 입증 여부와 관계없이 헌법상의 환경권 또는 환경정책기본법에 근거하여 공유수면매립면허처분과 농지개량사업시행인가처분의 무효확인을 구할 원고적격이 인정된다.

□□□ ② 자연물인 도롱뇽 또는 그를 포함한 자연 그 자체로서는 소송을 수행할 당사자능력을 인정할 수 없다는 것이 판례의 태도이다.

□□□ ③ 국가가 국토이용계획과 관련한 기관위임사무의 처리에 관하여 지방자치단체의 장을 상대로 취소소송을 제기할 수 없다.

□□□ ④ 환경상 이익에 대한 침해 또는 침해의 우려가 있는 것으로 사실상 추정되어 원고적격이 인정되는 자는 환경상 침해를 받으리라고 예상되는 영향권 내의 주민들을 비롯하여 그 영향권 내에서 농작물을 경작하는 등 현실적으로 환경상 이익을 향유하는 자도 포함된다고 할 것이나, 단지 그 영향권 내의 건물 · 토지를 소유하거나 환경상 이익을 일시적으로 향유하는 데 그치는 자는 포함되지 않는다고 할 것이다.

관련기출

①

1. 환경영향평가대상지역 밖의 주민이라 할지라도 공유수면매립면허처분 등으로 인하여 그 처분 전과 비교하여 수인한도를 넘는 환경피해를 받거나 받을 우려가 있는 경우에는, 이를 입증함으로써 그 처분 등의 무효확인을 구할 원고적격을 인정받을 수 있다. (○, ×) 2022 소방직 9급
2. 공유수면매립면허처분과 관련하여 법령상 요구되는 환경영향평가를 실시하지 않은 경우 환경영향평가지역 밖에 거주하는 주민들에 대해서도 환경상 이익에 대한 침해 또는 침해 우려가 있는 것으로 사실상 추정된다. (○, ×) 2021 변호사
3. 환경정책기본법 제6조의 규정내용 등에 비추어 국민에게 구체적인 권리를 부여한 것으로 볼 수 없더라도 환경영향평가대상지역 밖에 거주하는 주민에게 헌법상의 환경권 또는 환경정책기본법에 근거하여 공유수면매립면허처분과 농지개량사업시행인가처분의 무효확인을 구할 원고적격이 있다. (○, ×) 2017 지방직 9급

1. ○ 2. × 3. ×

③

1. 국가가 국토이용계획과 관련한 지방자치단체의 장의 기관위임사무의 처리에 관하여 지방자치단체의 장을 상대로 취소소송을 제기하는 것은 허용되지 않는다. (○, ×) 2022 지방직 7급
2. 국가는 국토이용계획과 관련한 기관위임사무의 처리에 관하여 지방자치단체의 장을 상대로 취소소송을 제기할 수 있다. (○, ×) 2010 국회직 8급

1. ○ 2. ×

① **빈출** ×

1. 환경영향평가 대상지역 밖에 거주하는 주민에게 헌법상의 환경권 또는 환경정책기본법에 근거하여 공유수면매립면허처분과 농지개량사업시행인가처분의 무효확인을 구할 원고적격이 없다(헌법상 환경권으로부터는 원고적격이 도출될 수 없다).
2. 환경영향평가대상지역 밖의 주민이라 할지라도 공유수면매립면허처분 등으로 인하여 그 처분 전과 비교하여 수인한도를 넘는 환경피해를 받거나 받을 우려가 있는 경우에는, 공유수면매립면허처분 등으로 인하여 환경상 이익에 대한 침해 또는 침해우려가 있다는 것을 입증함으로써 그 처분 등의 무효확인을 구할 원고적격을 인정받을 수 있다(대판 2006. 3. 16, 2006두330 전합).

② ○

도롱뇽은 천성산 일원에 서식하고 있는 도롱뇽목 도롱뇽과에 속하는 양서류로서 자연물인 도롱뇽 또는 그를 포함한 자연 그 자체로서는 이 사건을 수행할 당사자능력을 인정할 수 없다고 판단한 것은 정당하고, 위 신청인의 당사자능력에 관한 법리오해 등의 위법이 없다(대결 2006. 6. 2, 2004마1148 · 1149).

③ **빈출** ○

국가는 국토이용계획과 관련한 기관위임사무의 처리에 관하여 지방자치단체의 장을 상대로 취소소송을 제기할 수 없다.

건설교통부장관은 지방자치단체의 장이 기관위임사무인 국토이용계획 사무를 처리함에 있어 자신과 의견이 다를 경우 행정협의조정위원회에 협의·조정 신청을 하여 그 협의·조정 결정에 따라 의견불일치를 해소할 수 있고, 법원에 의한 판결을 받지 않고서도 행정권한의 위임 및 위탁에 관한 규정이나 구 지방자치법에서 정하고 있는 지도·감독을 통하여 직접 지방자치단체의 장의 사무처리에 대하여 시정명령을 발하고 그 사무처리를 취소 또는 정지할 수 있으며, 지방자치단체의 장에게 기간을 정하여 직무이행명령을 하고 지방자치단체의 장이 이를 이행하지 아니할 때에는 직접 필요한 조치를 할 수도 있으므로, 국가가 국토이용계획과 관련한 지방자치단체의 장의 기관위임사무의 처리에 관하여 지방자치단체의 장을 상대로 취소소송을 제기하는 것은 허용되지 않는다(대판 2007. 9. 20, 2005두6935).

④ ○

환경영향평가구역 안의 주민이 아니더라도 그 영향권 내에서 농작물을 경작하는 등 현실적으로 환경상 이익을 향유하는 사람도 환경상 이익에 대한 침해 또는 침해우려가 있는 것으로 사실상 추정되어 원고적격이 인정된다. 그러나 단지 그 영향권 내의 건물 · 토지를 소유하거나 환경상 이익을 일시적으로 향유하는 데 그치는 사람은 원고적격이 인정되지 않는다(대판 2009. 9. 24, 2009두2825).

정답 20 ①

❷ 협의의 소익(권리보호의 필요)

21 정답률 81% 중 2022 군무원 9급

다음 중 취소소송에 대한 설명으로 가장 옳지 않은 것은? (단, 다툼이 있는 경우 판례에 의함)

□□□ ① 제재적 행정처분의 효력이 제재기간 경과로 소멸하였더라도 관련법규에서 제재적 행정처분을 받은 사실을 가중사유나 전제요건으로 삼아 장래의 제재적 행정처분을 하도록 정하고 있다면, 선행처분의 취소를 구할 법률상 이익이 있다.

□□□ ② 행정처분의 취소소송계속 중 처분청이 다툼의 대상이 되는 행정처분을 직권으로 취소하면 그 처분은 효력을 상실하여 더 이상 존재하지 않는 것이므로 존재하지 않는 처분을 대상으로 한 항고소송은 원칙적으로 소의 이익이 소멸하여 부적법하다.

□□□ ③ 고등학교 졸업이 대학입학자격이나 학력인정으로서의 의미밖에 없다고 할 수 없으므로 고등학교 졸업학력 검정고시에 합격하였다 하여 고등학교 학생으로서의 신분과 명예가 회복될 수 없는 것이니 퇴학처분을 받은 자로서는 퇴학처분의 위법을 주장하여 그 취소를 구할 소송상의 이익이 있다.

□□□ ④ 소송계속 중 해당 처분이 기간의 경과로 그 효과가 소멸하더라도 예외적으로 그 처분의 취소를 구할 소의 이익을 인정할 수 있는 '행정처분과 동일한 사유로 위법한 처분이 반복될 위험성이 있는 경우'란 해당 사건의 동일한 소송당사자 사이에서 반복될 위험이 있는 경우만을 의미한다.

관련기출

③

1. 고등학교 졸업이 대학입학자격이나 학력인정으로서의 의미밖에 없다고 할 수는 없으므로, 퇴학처분을 받은 자가 고등학교 졸업학력 검정고시에 합격하였다 하여 퇴학처분의 취소를 구할 소송상의 이익이 없다고 볼 수는 없다. (○, ×) 2016 지방직 7급
2. 고등학교 졸업학력 검정고시에 합격하였다 하더라도, 고등학교에서 퇴학처분을 받은 자는 퇴학처분의 취소를 구할 협의의 소익이 있다. (○, ×) 2015 국가직 9급, 2014 서울시 7급
3. 고등학교에서 퇴학처분을 받은 자가 고등학교 졸업학력 검정고시에 합격하였다면 퇴학처분의 취소를 구할 소의 이익이 없다. (○, ×) 2013 지방직(하) 7급
4. 명예, 신분 등 인격적 이익의 침해만으로는 협의의 소익을 인정할 수 없으므로 검정고시에 합격한 경우 퇴학처분의 취소를 구할 이익이 없다. (○, ×) 2010 지방직 9급

1. ○ 2. ○ 3. × 4. ×

① **빈출** ○

제재적 행정처분이 그 처분에서 정한 제재기간의 경과로 인하여 그 효과가 소멸되었다 하더라도 그 처분이 후행처분의 **가중적 요건사실**이 되는 경우 선행처분의 취소를 구할 소의 이익이 있다.

제재적 행정처분이 그 처분에서 정한 제재기간의 경과로 인하여 그 효과가 소멸되었으나, 부령인 시행규칙 또는 지방자치단체의 규칙의 형식으로 정한 처분기준에서 제재적 행정처분을 받은 것을 가중사유나 전제요건으로 삼아 장래의 제재적 행정처분을 하도록 정하고 있는 경우, 제재적 행정처분의 가중사유나 전제요건에 관한 규정이 법령이 아니라 규칙의 형식으로 되어 있다고 하더라도, 그러한 규칙이 법령에 근거를 두고 있는 이상 그 법적 성질이 대외적·일반적 구속력을 갖는 법규명령인지 여부와는 상관없이, 관할행정청이나 담당공무원은 이를 준수할 의무가 있으므로 이들이 그 규칙에 정해진 바에 따라 행정작용을 할 것이 당연히 예견되고, 그 결과 행정작용의 상대방인 국민으로서는 그 규칙의 영향을 받을 수밖에 없다(대판 2006. 6. 22, 2003두1684 전합).

② ○

소송계속 중 처분청이 다툼의 대상이 되는 행정처분을 직권으로 취소하면 그 처분은 효력을 상실하여 더 이상 존재하지 않는 것이므로, 존재하지 않는 처분을 대상으로 한 항고소송은 원칙적으로 소의 이익이 소멸하여 부적법하다고 보아야 한다(대판 2020. 4. 9, 2019두49953).

③ **빈출** ○

고등학교에서 퇴학처분을 당한 후 고등학교 졸업학력 검정고시에 합격한 경우라 하더라도 퇴학처분의 취소를 구할 소의 이익이 있다(명예 등의 이익을 고려한 듯한 판례).

퇴학처분을 받은 후 고등학교 졸업학력 검정고시에 합격하였다 하더라도 고등학교 졸업이 대학입학자격이나 학력인정의 의미밖에 없다고는 할 수 없고, 고등학교 졸업학력 검정고시에 합격하였다 하여 고등학교 학생의 신분과 명예가 회복될 수 없는 것이므로 퇴학처분을 받은 자는 퇴학처분의 위법을 주장하여 퇴학처분의 취소를 구할 소송상의 이익이 있다(대판 1992. 7. 14, 91누4737).

④ ×

행정처분의 무효확인 또는 취소를 구하는 소가 제소 당시에는 소의 이익이 있어 적법하였는데, 소송계속 중 해당 행정처분이 기간의 경과 등으로 그 효과가 소멸한 때에 처분이 취소되어도 원상회복이 불가능하다고 보이는 경우라도, 무효확인 또는 취소로써 회복할 수 있는 다른 권리나 이익이 남아 있거나 또는 그 행정처분과 동일한 사유로 위법한 처분이 반복될 위험성이 있어 행정처분의 위법성 확인 내지 불분명한 법률문제에 대한 해명이 필요한 경우에는 행정의 적법성 확보와 그에 대한 사법통제, 국민의 권리구제 확대 등의 측면에서 예외적으로 그 처분의 취소를 구할 소의 이익을 인정할 수 있다. 여기에서 '그 행정처분과 동일한 사유로 위법한 처분이 반복될 위험성이 있는 경우'란 불분명한 법률문제에 대한 해명이 필요한 상황에 대한 대표적인 예시일 뿐이며, 반드시 '해당 사건의 동일한 소송당사자 사이에서' 반복될 위험이 있는 경우만을 의미하는 것은 아니다(대판 2020. 12. 24, 2020두30450).

정답 21 ④

22 정답률 67% 중 2022 국가직 9급

항고소송에서 수소법원의 판결에 대한 설명으로 옳지 않은 것은? (다툼이 있는 경우 판례에 의함)

□□□ ① 행정처분의 취소를 구하는 소에서, 비록 행정처분의 위법을 이유로 취소판결을 받더라도 처분에 의하여 발생한 위법상태를 원상회복시키는 것이 불가능한 경우에는 원칙적으로 취소를 구할 법률상 이익이 없으므로, 수소법원은 소를 각하하여야 한다.

□□□ ② 해임처분 취소소송계속 중 임기가 만료되어 해임처분의 취소로 지위를 회복할 수는 없다고 할지라도, 그 취소로 해임처분일부터 임기만료일까지 기간에 대한 보수지급을 구할 수 있는 경우에는 해임처분의 취소를 구할 법률상 이익이 있으므로, 수소법원은 본안에 대하여 판단하여야 한다.

□□□ ③ 관할청이 농지법상의 이행강제금 부과처분을 하면서 재결청에 행정심판을 청구하거나 관할 행정법원에 행정소송을 할 수 있다고 잘못 안내한 경우 행정법원의 항고소송 재판관할이 생긴다.

□□□ ④ 행정소송법 제19조에서 말하는 '재결 자체에 고유한 위법'이란 원처분에는 없고 재결에만 있는 재결청의 권한 또는 구성의 위법, 재결의 절차나 형식의 위법, 내용의 위법 등을 뜻한다.

관련기출

②

1. 한국방송공사 사장은 해임처분 무효확인 또는 취소소송계속 중 임기가 만료되어 해임처분의 무효확인 또는 취소로 지위를 회복할 수 없다고 할지라도, 그 무효확인 또는 취소로 해임처분일부터 임기만료일까지의 기간에 대한 보수지급을 구할 수 있는 경우에는 해임처분의 무효확인 또는 취소를 구할 법률상 이익이 있다. (○, ×) 2016 지방직 9급

1. ○

① ○

행정처분의 무효확인 또는 취소를 구하는 소에서, 비록 행정처분의 위법을 이유로 무효확인 또는 취소판결을 받더라도 그 처분에 의하여 발생한 위법상태를 원상으로 회복시키는 것이 불가능한 경우에는 원칙적으로 그 무효확인 또는 취소를 구할 법률상 이익이 없고, 다만 원상회복이 불가능하더라도 그 무효확인 또는 취소로써 회복할 수 있는 다른 권리나 이익(부수적 이익)이 남아 있는 경우 예외적으로 법률상 이익이 인정될 수 있다(대판 2016. 6. 10, 2013두1638).

② ○

한국방송공사 사장에 대한 해임처분 무효확인 또는 취소소송계속 중 임기가 만료되어 해임처분의 무효확인 또는 취소로 지위를 회복할 수는 없다고 할지라도, 그 무효확인 또는 취소로 해임처분일부터 임기만료일까지 기간에 대한 보수지급을 구할 수 있는 경우에는 해임처분의 무효확인 또는 취소를 구할 법률상 이익이 있다(대판 2012. 2. 23, 2011두5001).

③ ×

구 농지법(현 제63조) 제62조 제1항에 따른 이행강제금 부과처분에 불복하는 경우에는 비송사건절차법에 따른 재판절차가 적용되어야 하고, 행정소송법상 항고소송의 대상은 될 수 없다. 농지법 제62조 제6항, 제7항이 위와 같이 이행강제금 부과처분에 대한 불복절차를 분명하게 규정하고 있으므로, 이와 다른 불복절차를 허용할 수는 없다. 설령 피고가 이행강제금 부과처분을 하면서 재결청에 행정심판을 청구하거나 관할 행정법원에 행정소송을 할 수 있다고 잘못 안내하거나 경기도행정심판위원회가 각하재결이 아닌 기각재결을 하면서 관할법원에 행정소송을 할 수 있다고 잘못 안내하였다고 하더라도, 그러한 잘못된 안내로 행정법원의 항고소송 재판관할이 생긴다고 볼 수도 없다(대판 2019. 4. 11, 2018두42955).

④ 제37강 참조 ○

행정소송법 제19조에서 말하는 '재결 자체에 고유한 위법'이란 원처분에는 없고 재결에만 있는 재결청의 권한 또는 구성의 위법, 재결의 절차나 형식의 위법, 내용의 위법 등을 뜻한다(대판 1997. 9. 12, 96누14661).

정답 22 ③

관련기출

23 빈출 정답률 61% 중 2019 국가직 9급

취소소송에서 협의의 소의 이익에 대한 설명으로 옳지 않은 것은? (다툼이 있는 경우 판례에 의함)

① 현역입영대상자가 현역병입영통지처분에 따라 현실적으로 입영을 한 후에는 처분의 집행이 종료되었고 입영으로 처분의 목적이 달성되어 실효되었으므로 입영통지처분을 다툴 법률상 이익이 인정되지 않는다.

② 가중요건이 법령에 규정되어 있는 경우, 업무정지처분을 받은 후 새로운 제재처분을 받음이 없이 법률이 정한 기간이 경과하여 실제로 가중된 제재처분을 받을 우려가 없어졌다면 특별한 사정이 없는 한 업무정지처분의 취소를 구할 법률상 이익이 인정되지 않는다.

③ 공장등록이 취소된 후 그 공장시설물이 철거되었고 다시 복구를 통하여 공장을 운영할 수 없는 상태라 하더라도 대도시 안의 공장을 지방으로 이전할 경우 조세감면 및 우선입주 등의 혜택이 관계법률에 보장되어 있다면, 공장등록취소처분의 취소를 구할 법률상 이익이 인정된다.

④ 지방의회의원에 대한 제명의결 취소소송계속 중 의원의 임기가 만료된 경우에도 여전히 제명의결의 취소를 구할 법률상 이익이 인정된다.

관련기출

①

1. 현역입영대상자로서는 현실적으로 입영을 하였다고 하더라도, 입영 이후의 법률관계에 영향을 미치고 있는 현역병입영통지처분 등을 한 관할 지방병무청장을 상대로 위법을 주장하여 그 취소를 구할 소송상의 이익이 있다. (O, X) 2020 군무원 9급
2. 현역입영대상자가 입영한 후에도 현역입영통지처분이 취소되면 원상회복이 가능하므로 이미 처분이 집행된 후라고 할지라도 현역입영통지처분의 취소를 구할 소의 이익이 있다. (O, X) 2016 국가직 9급
3. 현역병입영대상자로 병역처분을 받은 자가 그 취소소송 도중에 모병에 응하여 현역병으로 자진입대한 경우에는 권리보호의 필요가 없는 경우로서 소의 이익을 인정할 수 없다. (O, X) 2018 경행경채
4. 현역병입영대상으로 병역처분을 받은 자가 그 취소소송 중 모병에 응하여 현역병으로 자진입대한 경우 현역병 입영처분의 취소를 구하는 소송은 소의 이익이 없다. (O, X) 2014 사회복지직 9급

1. O 2. O 3. O 4. O

②

1. 건축사 업무정지처분을 받은 후 새로운 업무정지처분을 받음이 없이 1년이 경과하여 실제로 가중된 제재처분을 받을 우려가 없게 된 경우, 그 처분에서 정한 정지기간이 경과한 이상 특별한 사정이 없는 한 업무정지처분의 취소를 구할 법률상 이익이 없다. (O, X) 2017 지방직 9급

1. O

① **빈출** X

현역병입영대상자의 경우 현역병으로 입영한 후에라도 현역병입영통지처분의 취소를 구할 소송상의 이익이 있다.

입영으로 그 처분의 목적이 달성되어 실효되었다는 이유로 다툴 수 없도록 한다면, 병역법상 현역입영대상자로서는 현역병입영통지처분이 위법하다 하더라도 법원에 의하여 그 처분의 집행이 정지되지 아니하는 이상 현실적으로 입영을 할 수밖에 없으므로 현역병입영통지처분에 대하여는 불복을 사실상 원천적으로 봉쇄하는 것이 되고, …… 현역병입영통지처분이 적법함을 전제로 하는 것으로서 그 처분이 위법한 경우까지를 포함하는 의미는 아니라고 할 것이므로, 현역입영대상자로서는 현실적으로 입영을 하였다고 하더라도, 입영 이후의 법률관계에 영향을 미치고 있는 현역병입영통지처분 등을 한 관할 지방병무청장을 상대로 위법을 주장하여 그 취소를 구할 소송상의 이익이 있다(대판 2003. 12. 26, 2003두1875).

> **비교판례**
> 현역병입영대상자로 병역처분을 받은 자가 그 취소소송 중 **모병에 응하여** 현역병으로 **자진입대**한 경우, 소의 이익이 없다.
> 현역병입영대상자로 병역처분을 받은 자가 그 취소소송 중 모병에 응하여 현역병으로 자진입대한 경우, 그 처분의 위법을 다툴 실제적 효용 내지 이익이 없다는 이유로 소의 이익이 없다(대판 1998. 9. 8, 98두9165).

② O

건축사 업무정지처분을 받은 후 새로운 업무정지처분을 받음이 없이 1년이 경과하여 실제로 가중된 제재처분을 받을 우려가 없게 된 경우(건축사법에는 업무정지처분을 연 2회 이상 받는 경우 가중처분하도록 되어 있다), 업무정지처분에서 정한 정지기간이 경과한 후에 업무정지처분의 취소를 구할 법률상 이익은 없다(대판 2000. 4. 21, 98두10080).

③ O

〔공장등록이 취소된 후 그 공장시설물이 철거되었더라도 대도시 안의 공장을 지방으로 이전할 경우 조세특례제한법상 세액공제 및 소득세 등의 감면혜택이 있고, 「공업배치 및 공장설립에 관한 법률」(현 「산업집적활성화 및 공장설립에 관한 법률」)상의 간이한 이전절차 및 우선 입주의 혜택이 있는 경우, 그 공장등록취소처분의 취소를 구할 법률상 이익이 있다면서〕 공장건물의 멸실 여부에 불구하고 공장등록에 관한 당해 법률이나 다른 법률에 의해 보호되는 직접적·구체적인 이익이 있다면 그 공장등록 취소처분의 취소를 구할 법률상 이익이 있다(대판 2002. 1. 11, 2000두3306).

④ O

(지방의회의원에 대한 제명의결 취소소송계속 중 의원의 임기가 만료된 사안에서) 제명의결의 취소로 의원의 지위를 회복할 수는 없다 하더라도 제명의결시부터 임기만료일까지의 기간에 대한 월정수당의 지급을 구할 수 있는 등 여전히 그 제명의결의 취소를 구할 법률상 이익이 있다.

지방의회의원에게 지급되는 비용 중 적어도 월정수당(제3호)은 지방의회의원의 직무활동에 대한 대가로 지급되는 보수의 일종으로 봄이 상당하다. 따라서 원고가 이 사건 제명의결 취소소송계속 중 임기가 만료되어 제명의결의 취소로 지방의회의원으로서의 지위를 회복할 수는 없다 할지라도, 그 취소로 인하여 최소한 제명의결시부터 임기만료일까지의 기간에 대해 월정수당의 지급을 구할 수 있는 등 여전히 그 제명의결의 취소를 구할 법률상 이익은 남아 있다고 보아야 한다(대판 2009. 1. 30, 2007두13487).

정답 23 ①

24

정답률 64% 상 2017 지방직 7급

甲은 값싼 외국산 수입재료를 국내산 유기농 재료로 속여 상품을 제조 · 판매하였음을 이유로 식품위생법령에 따라 관할행정청으로부터 영업정지 3개월 처분을 받았다. 한편, 위 영업정지의 처분기준에는 1차 위반의 경우 영업정지 3개월, 2차 위반의 경우 영업정지 6개월, 3차 위반의 경우 영업허가취소처분을 하도록 규정되어 있다. 甲은 영업정지 3개월 처분의 취소를 구하는 소송을 제기하였다. 이에 대한 설명으로 옳지 않은 것은? (다툼이 있는 경우 판례에 의함)

□□□ ① 위와 같은 처분기준이 없는 경우라면, 영업정지처분에 정하여진 기간이 경과되어 효력이 소멸한 경우에는 그 영업정지처분의 취소를 구할 법률상 이익은 부정된다.

□□□ ② 위 처분기준이 식품위생법이나 동법 시행령에 규정되어 있는 경우에는 대외적 구속력이 인정되나, 동법 시행규칙에 규정되어 있는 경우에는 대외적 구속력은 부정된다.

□□□ ③ 甲에 대하여 법령상 임의적 감경사유가 있음에도, 관할행정청이 이를 전혀 고려하지 않았거나 감경사유에 해당하지 않는다고 오인하여 영업정지 3개월 처분을 한 경우에는 재량권을 일탈 · 남용한 위법한 처분이 된다.

□□□ ④ 甲에 대한 영업정지 3개월의 기간이 경과되어 효력이 소멸한 경우에 위 처분기준이 식품위생법이나 동법 시행령에 규정되어 있다면 甲은 영업정지 3개월 처분의 취소를 구할 소의 이익이 있지만, 동법 시행규칙에 규정되어 있다면 소의 이익이 인정되지 않는다.

관련기출

①

1. 행정처분에 그 효력기간이 부관으로 정하여져 있는 경우, 그 처분의 효력 또는 집행이 정지된 바 없다면 위 기간의 경과로 그 행정처분의 효력은 상실되므로 그 기간 경과 후에는 그 처분이 외형상 잔존함으로 인하여 어떠한 법률상 이익이 침해되고 있다고 볼 만한 별다른 사정이 없는 한 그 처분의 취소를 구할 법률상의 이익이 없다. (○, ×) 2018 국회직 8급
2. 행정처분의 효력기간이 경과한 후에는 그 처분이 외형상 잔존함으로 인하여 어떠한 법률상 이익이 침해되고 있다고 볼 사정이 없는 한 그 처분의 취소를 구할 법률상 이익이 없다. (○, ×) 2014 사회복지직 9급
3. 행정처분에 효력기간이 정하여져 있는 경우, 그 기간의 경과로 그 행정처분의 효력은 상실되므로 그 기간 경과 후에는 그 처분이 외형상 잔존함으로 인하여 어떠한 법률상 이익이 침해되었다고 볼 만한 별다른 사정이 없는 한 그 처분의 취소를 구할 법률상의 이익이 없다. (○, ×) 2009 국가직 9급

1. ○ 2. ○ 3. ○

① **빈출** ○

제재적 행정처분이 후행처분의 가중적 요건사실이 되는 규정이 있다면 영업정지처분의 효력이 소멸한 후에도 처분의 취소를 구할 소의 이익이 있다. 그러나 그러한 규정이 없다면 영업정지처분에 정하여진 기간이 경과되어 처분의 효력이 소멸한 경우에는 처분의 취소를 구할 소의 이익은 원칙적으로 없다.

> 행정처분에 그 효력기간이 정하여져 있는 경우, 기간의 경과로 그 행정처분의 효력은 상실되므로 그 기간 경과 후에는 그 처분이 외형상 잔존함으로 인하여 어떠한 법률상 이익이 침해되고 있다고 볼 만한 별다른 사정이 없는 한 그 처분의 취소를 구할 법률상의 이익이 없다.
>
> 행정처분에 그 효력기간이 정하여져 있는 경우, 그 처분의 효력 또는 집행이 정지된 바 없다면 위 기간의 경과로 그 행정처분의 효력은 상실되므로 그 기간경과 후에는 그 처분이 외형상 잔존함으로 인하여 어떠한 법률상 이익이 침해되고 있다고 볼 만한 별다른 사정이 없는 한 그 처분의 취소를 구할 법률상 이익이 없다고 할 것이다(대판 2002. 7. 26, 2000두7254).

② 제11강 참조 ○

판례는 제재적 처분기준이 대통령령의 형식으로 정해진 경우 당해 처분기준을 법규명령으로 본다. 그러나 판례는 제재적 처분기준(영업허가의 취소, 정지, 과징금 부과기준)이 부령 형식으로 정해진 경우에는 그 기준을 행정규칙으로 보며 대외적으로 국민이나 법원을 구속하는 것은 아니라고 한다.

> 1. 주택건설촉진법 시행령상의 처분기준은 법규성이 있다(대판 1997. 12. 26, 97누15418).
> 2. 식품위생법 제58조 제1항에 의한 처분의 기준을 정한 같은 법 시행규칙 제53조는 행정규칙에 불과하므로 행정처분이 이에 위반되었다고 하여 곧바로 위법한 것으로 되지는 않는다.
>
>   식품위생법 시행규칙 제53조에서 [별표 15]로 식품위생법 제58조에 따른 행정처분의 기준을 정하였다고 하더라도 이는 형식만 부령으로 되어 있을 뿐, 그 성질은 행정기관 내부의 사무처리준칙을 정한 것으로서 행정명령의 성질을 가지는 것이고, 대외적으로 국민이나 법원을 기속하는 힘이 있는 것은 아니다(대판 1995. 3. 28, 94누6925).

③ ○

> 「부동산 실권리자명의 등기에 관한 법률 시행령」 제3조의2 단서의 과징금의 임의적 감경사유가 있음에도 이를 전혀 고려하지 않거나 감경사유에 해당하지 않는다고 오인하여 과징금을 감경하지 않은 경우, 그 과징금 부과처분은 재량권을 일탈 · 남용한 위법한 것이다(대판 2010. 7. 15, 2010두7031).

④ ×

제재적 행정처분의 가중사유나 전제요건에 관한 규정이 법률, 법규명령, 행정규칙 등 어디에 규정되어 있더라도 소의 이익을 인정하는 것이 판례의 입장이다. 판례는 부령 형식의 제재처분기준을 행정규칙에 불과한 것으로 보는데 여기에 가중처분사유로 규정되어 있더라도 소의 이익은 인정된다(21 ① 해설 판례 참조).

정답 24 ④

25 빈출 정답률 66% 중 2016 국가직 9급

취소소송에서 협의의 소의 이익에 대한 판례의 입장으로 옳지 않은 것은?

□□□ ① 장래의 제재적 가중처분 기준을 대통령령이 아닌 부령의 형식으로 정한 경우에는 이미 제재기간이 경과한 제재적 처분의 취소를 구할 법률상 이익이 인정되지 않는다.

□□□ ② 건축허가가 건축법에 따른 이격거리를 두지 아니하고 건축물을 건축하도록 되어 있어 위법하다 하더라도 건축이 완료되어 위법한 처분을 취소한다 하더라도 원상회복이 불가능한 경우에는 그 취소를 구할 법률상 이익이 없다.

□□□ ③ 현역입영대상자가 입영한 후에도 현역입영통지처분이 취소되면 원상회복이 가능하므로 이미 처분이 집행된 후라고 할지라도 현역입영통지처분의 취소를 구할 소의 이익이 있다.

□□□ ④ 지방의회의원이 제명의결 취소소송계속 중 임기가 만료되어 제명의결의 취소로 의원 지위를 회복할 수 없다고 할지라도 제명의결시부터 임기만료일까지의 기간에 대한 월정수당의 지급을 구할 수 있으므로 그 제명의결의 취소를 구할 법률상 이익이 인정된다.

관련기출

①

1. 부령인 시행규칙 형식으로 정한 처분기준에서 제재적 행정처분을 받은 것을 가중사유나 전제요건으로 삼아 장래의 제재적 행정처분을 하도록 정하고 있는 경우, 선행처분인 제재적 행정처분을 받은 상대방이 그 처분에서 정한 제재기간이 경과하였다 하더라도 그 처분의 취소를 구할 법률상 이익이 있다. (○, ×) 2024 군무원 9급
2. 시행규칙에 법 위반 횟수에 따라 가중처분하게 되어 있는 제재적 처분기준이 규정되어 있다 하더라도, 기간의 경과로 효력이 소멸한 제재적 처분을 취소소송으로 다툴 법률상 이익은 없다. (○, ×) 2017 사회복지직 9급
3. 제재적 행정처분의 효력이 소멸한 경우에도 행정규칙에 의해 당해 처분의 존재가 가중처분의 전제가 되는 경우 처분의 취소를 구할 이익이 있다. (○, ×) 2010 지방직 9급

1. ○ 2. × 3. ○

②

1. 건축허가가 건축법 소정의 이격거리를 두지 아니하고 건축하도록 되어 있어 위법하다 하더라도 그 건축허가에 기하여 건축공사가 완료되었다면 인접한 대지의 소유자는 그 건축허가처분의 취소를 구할 소의 이익이 없다. (○, ×) 2013 지방직(하) 7급
2. 건축허가가 건축법 소정의 이격거리를 두지 않아 위법한 경우에 설령 건축공사가 완료되었다고 해도 인접대지의 소유자는 건축허가의 취소를 구할 소의 이익이 인정된다. (○, ×) 2012 서울시 9급
3. 건축법상 이격거리(건축한계선)를 고려하지 않은 위법한 건축허가에 기해 이미 건축공사가 완료되고 건축물의 사용승인이 내려진 후, 일조권이 침해된 인근주민이 건축허가 또는 사용승인의 취소를 청구하는 경우(는 적법한 소로 볼 수 있다) (○, ×) 2012 국회직 8급

1. ○ 2. × 3. ×

① ×

제재적 행정처분이 그 처분에서 정한 제재기간의 경과로 인하여 그 효과가 소멸되었으나, 부령인 시행규칙 또는 지방자치단체의 규칙의 형식으로 정한 처분기준에서 제재적 행정처분을 받은 것을 가중사유나 전제요건으로 삼아 장래의 제재적 행정처분을 하도록 정하고 있는 경우, 선행처분인 제재적 행정처분을 받은 상대방이 그 처분에서 정한 제재기간이 경과하였다 하더라도 원칙적으로 그 처분의 취소를 구할 법률상 이익이 있다(대판 2006. 6. 22, 2003두1684 전합).

② 빈출 ○

건축허가가 건축법 소정의 이격거리(건물 외벽부터 대지 경계까지 거리)를 두지 아니하고 건축물을 건축하도록 되어 있어 위법하다 하더라도 이미 건축공사가 완료되었다면 인접한 대지의 소유자가 건축허가처분의 취소를 구할 소의 이익은 없다.

건축허가가 건축법 소정의 이격거리를 두지 아니하고 건축물을 건축하도록 되어 있어 위법하다 하더라도 건축이 완료된 경우에는 그 건축허가를 받은 대지와 접한 대지의 소유자인 원고가 위 건축물 등의 철거를 구하는 데 있어서도 위 처분의 취소가 필요한 것이 아니므로 원고로서는 위 처분(편저자 주 : 건축허가처분)의 취소를 구할 법률상 이익이 없다(대판 1992. 4. 24, 91누11131).

③ ○

현역병입영대상자의 경우 현역병으로 입영한 후에라도 현역병입영통지처분의 취소를 구할 소송상의 이익이 있다는 것이 판례의 입장이다(대판 2003. 12. 26, 2003두1875).

④ ○

제명의결의 취소로 의원의 지위를 회복할 수는 없다 하더라도 제명의결시부터 임기만료일까지의 기간에 대한 월정수당의 지급을 구할 수 있는 등 여전히 그 제명의결의 취소를 구할 법률상 이익이 있다는 것이 판례의 입장이다(대판 2009. 1. 30, 2007두13487).

정답 25 ①

③ 피 고

26 **빈출** 정답률 71% 중 2024 지방직 · 서울시 9급

행정소송의 피고에 대한 설명으로 옳지 않은 것은? (다툼이 있는 경우 판례에 의함)

□□□ ① 취소소송은 다른 법률에 특별한 규정이 없는 한 그 처분 등을 행한 행정청을 피고로 하지만, 처분등이 있은 뒤에 그 처분 등에 관계되는 권한이 다른 행정청에 승계된 때에는 이를 승계한 행정청을 피고로 한다.

□□□ ② 조례가 집행행위의 개입 없이도 그 자체로서 직접 국민의 구체적인 권리 · 의무나 법적 이익에 영향을 미치는 등의 법률상 효과를 발생하는 경우 무효확인소송의 피고는 당해 조례를 통과시킨 지방의회가 된다.

□□□ ③ 행정소송법상 원고가 피고를 잘못 지정한 때에는 법원은 원고의 신청에 의하여 결정으로써 피고의 경정을 허가할 수 있다.

□□□ ④ 행정처분을 행할 적법한 권한 있는 상급행정청으로부터 내부위임을 받은 데 불과한 하급행정청이 권한 없이 행정처분을 한 경우 실제로 그 처분을 행한 하급행정청을 피고로 하여야 할 것이지 그 처분을 행할 적법한 권한 있는 상급행정청을 피고로 할 것은 아니다.

관련기출

②

1. 조례가 항고소송의 대상이 되는 경우 피고는 지방자치단체의 의결기관으로서 조례를 제정한 지방의회이다. (○, ×) 2018 서울시 9급
2. 교육에 관한 조례에 대한 항고소송을 제기함에 있어서는 그 의결기관인 시 · 도 지방의회를 피고로 하여야 한다. (○, ×) 2016 국가직 7급
3. 초등학교의 공용폐지를 내용으로 하는 조례를 대상으로 관할법원에 취소소송을 제기하였다면, 피고는 조례안을 의결한 지방의회가 되어야 한다. (○, ×) 2016 서울시 7급
4. 교육에 관한 시 · 도의 조례에 대한 무효확인소송은 시 · 도지사가 아니라 시 · 도 교육감을 피고로 하여 제기하여야 한다. (○, ×) 2014 국가직 7급

1. × 2. × 3. × 4. ○

④

1. 내부위임의 경우 수임기관이 자기의 이름으로 처분을 했다면 항고소송의 피고는 수임기관이 된다. (○, ×) 2022 국회직 8급
2. 권한의 내부위임이 있는 경우 내부수임기관이 착오 등으로 원처분청의 명의가 아닌 자기명의로 처분을 하였다면, 내부수임기관이 그 처분에 대한 항고소송의 피고가 된다. (○, ×) 2020 국가직 7급
3. 행정처분을 행할 적법한 권한이 있는 상급행정청으로부터 내부위임을 받은 데 불과한 하급행정청이 권한 없이 자신의 이름으로 행정처분을 한 경우에는 하급행정청이 항고소송의 피고가 된다. (○, ×) 2017 국가직(하) 9급
4. 항고소송의 경우 권한을 내부위임한 경우로서 수임청의 이름으로 처분을 발하면 위임청이 피고가 된다. (○, ×) 2013 서울시 9급

1. ○ 2. ○ 3. ○ 4. ×

① **빈출** 정답률 7% ○

행정소송법 제13조【피고적격】 ① 취소소송은 다른 법률에 특별한 규정이 없는 한 그 처분 등을 행한 행정청을 피고로 한다. 다만, 처분 등이 있은 뒤에 그 처분 등에 관계되는 권한이 다른 행정청에 승계된 때에는 이를 승계한 행정청을 피고로 한다.

② **빈출** 정답률 71% ×

조례가 항고소송의 대상이 되는 **행정처분**에 해당되는 경우 **피고적격**은 **공포권자**인 지방자치단체의 장에게 있으며, 특히 그 조례가 교육 · 학예에 관한 조례인 경우 공포권자인 교육감이 피고가 된다.

조례가 집행행위의 개입 없이도 그 자체로서 직접 국민의 구체적인 권리 · 의무나 법적 이익에 영향을 미치는 등의 법률상 효과를 발생하는 경우 그 조례는 항고소송의 대상이 되는 행정처분에 해당하고, 이러한 조례에 대한 무효확인소송을 제기함에 있어서 행정소송법 제38조 제1항, 제13조에 의하여 피고적격이 있는 처분 등을 행한 행정청은, 행정주체인 지방자치단체 또는 지방자치단체의 내부적 의결기관으로서 지방자치단체의 의사를 외부에 표시할 권한이 없는 지방의회가 아니라 구 지방자치법 제19조 제2항, 제92조에 의하여 지방자치단체의 집행기관으로서 조례의 효력을 발생시키는 공포권이 있는 지방자치단체의 장이 한다(대판 1996. 9. 20, 95누8003).

③ 정답률 8% ○

행정소송법 제14조【피고경정】 ① 원고가 피고를 잘못 지정한 때에는 법원은 원고의 신청에 의하여 결정으로써 피고의 경정을 허가할 수 있다.

④ **빈출** 정답률 14% ○

상급행정청으로부터 내부위임을 받은 데 불과한 하급행정청이 권한 없이 한 행정처분에 대한 행정소송의 피고적격이 있는 자는 처분을 행할 적법한 권한 있는 상급행정청이 아닌 실제로 처분을 행한 하급행정청이다(대판 1991. 2. 22, 90누5641).

정답 26 ②

27 정답률 62% 중 2023 소방직 9급

항고소송의 피고에 관한 설명으로 옳지 않은 것은? (다툼이 있는 경우 판례에 의함)

□□□ ① 항고소송은 원칙적으로 소송의 대상인 처분 등을 외부적으로 그의 명의로 행한 행정청을 피고로 하여야 하는 것이다.

□□□ ② 행정소송법 제14조에 의한 피고경정은 사실심 변론종결에 이르기까지 허용된다.

□□□ ③ 처분 등이 있은 뒤에 그 처분 등에 관계되는 권한이 다른 행정청에 승계된 때에는 그 처분 등에 대한 사무가 귀속되는 국가 또는 지방자치단체를 피고로 한다.

□□□ ④ 대리기관이 대리관계를 표시하고 피대리행정청을 대리하여 행정처분을 한 때에는 피대리행정청이 피고가 되어야 한다.

관련기출

①

1. 상급행정청의 지시에 의해 하급행정청이 자신의 명의로 처분을 하였다면, 당해 처분에 대한 취소소송에서는 지시를 내린 상급행정청이 피고가 된다. (○, ×) 2020 국가직 9급
2. 행정처분을 하게 된 연유가 상급행정청이나 타행정청의 지시나 통보에 의한 것이라 하여도, 취소소송에서의 피고는 원칙적으로 행정처분 등을 외부적으로 그의 명의로 행한 행정청이 된다. (○, ×) 2019 서울시 2회 7급

1. × 2. ○

②

1. 행정소송법 제14조에 의한 피고경정은 사실심변론종결시까지 허용된다. (○, ×) 2023 국회직 9급
2. 원고가 피고를 잘못 지정한 경우 피고경정은 취소소송과 당사자소송 모두에서 사실심변론종결에 이르기까지 허용된다. (○, ×) 2021 군무원 9급

1. ○ 2. ○

④

1. 대리관계를 명시적으로 밝히지는 아니하였다 하더라도 처분명의자가 피대리행정청 산하의 행정기관으로서 실제로 피대리행정청으로부터 대리권한을 수여받아 피대리행정청을 대리한다는 의사로 행정처분을 하였고 처분명의자는 물론 그 상대방도 그 행정처분이 피대리행정청을 대리하여 한 것임을 알고서 이를 받아들인 예외적인 경우에는 피대리행정청이 피고가 된다. (○, ×) 2022 국회직 8급
2. 대리기관이 대리관계를 표시하고 피대리행정청을 대리하여 행정처분을 한 때에는 피대리행정청이 피고로 되어야 한다. (○, ×) 2019 지방직 · 교육행정직 9급
3. 대리권을 수여받은 데 불과하여 그 자신의 명의로는 행정처분을 할 권한이 없는 행정청의 경우 대리관계를 밝힘이 없이 그 자신의 명의로 행정처분을 하였다면 그에 대하여는 처분명의자인 당해 행정청이 항고소송의 피고가 되어야 하는 것이 원칙이다. (○, ×) 2018 서울시 9급, 2008 지방직 9급

1. ○ 2. ○ 3. ○

① ○

행정처분의 취소 또는 무효확인을 구하는 행정소송은 다른 법률에 특별한 규정이 없는 한 소송의 대상인 행정처분 등을 외부적으로 그의 명의로 행한 행정청을 피고로 하여야 하는 것으로서 그 행정처분을 하게 된 연유가 상급행정청이나 타행정청의 지시나 통보에 의한 것이라 하여 다르지 않다고 할 것이다(대판 1995. 12. 22, 95누14688).

② 빈출 ○

행정소송법 제14조에 의한 피고경정은 사실심변론종결시까지 허용된다.
행정소송법 제14조에 의한 피고경정은 사실심변론종결에 이르기까지 허용되는 것으로 해석하여야 할 것이고, 굳이 제1심 단계에서만 허용되는 것으로 해석할 근거는 없다(대결 2006. 2. 23, 2005부4).

행정소송규칙 제6조【피고경정】 법 제14조 제1항에 따른 피고경정은 사실심변론을 종결할 때까지 할 수 있다.

③ ×

행정소송법 제13조【피고적격】 ① 취소소송은 다른 법률에 특별한 규정이 없는 한 그 처분 등을 행한 행정청을 피고로 한다. 다만, 처분 등이 있은 뒤에 그 처분 등에 관계되는 권한이 다른 행정청에 승계된 때에는 이를 승계한 행정청을 피고로 한다.

④ 빈출 ○

1. 대리기관이 대리관계를 표시하고 피대리행정청을 대리하여 행정처분을 한 때에는 피대리행정청이 피고로 되어야 한다.
2. 대리권을 수여받은 데 불과하여 자신의 명의로는 처분할 권한이 없는 행정청이 그 대리관계를 밝힘이 없이 그 자신의 명의로 행정처분을 하였다면 처분명의자인 당해 행정청이 항고소송의 피고가 되어야 하는 것이 원칙이다.
3. 한편, 비록 대리관계를 명시적으로 밝히지는 아니하였다 하더라도 처분명의자가 피대리 행정청 산하의 행정기관으로서 실제로 피대리행정청으로부터 대리권한을 수여받아 피대리행정청을 대리한다는 의사로 행정처분을 하였고 처분명의자는 물론 그 상대방도 그 행정처분이 피대리 행정청을 대리하여 한 것임을 알고서 이를 받아들인 예외적인 경우에는 피대리 행정청이 피고가 되어야 한다(대결 2006. 2. 23, 2005부4).

정답 27 ③

28 빈출 정답률 73% 중 2020 국가직 7급

행정소송에 대한 설명으로 옳지 않은 것은? (다툼이 있는 경우 판례에 의함)

□□□ ① 무효확인소송에서 '무효확인을 구할 법률상 이익'이 있는지를 판단할 때, 행정처분의 무효를 전제로 한 이행소송 등과 같은 직접적인 구제수단이 있는지를 먼저 따질 필요는 없다.

□□□ ② 「국토의 계획 및 이용에 관한 법률」상 토지소유자 등이 도시·군계획시설 사업시행자의 토지의 일시사용에 대하여 정당한 사유 없이 동의를 거부한 경우, 사업시행자가 토지소유자를 상대로 동의의 의사표시를 구하는 소송은 당사자소송으로 보아야 한다.

□□□ ③ 합의제 행정청의 처분에 대하여는 합의제 행정청이 피고가 되므로 부당노동행위에 대한 구제명령 등 중앙노동위원회의 처분에 대한 소송에서는 중앙노동위원회가 피고가 된다.

□□□ ④ 권한의 내부위임이 있는 경우 내부수임기관이 착오 등으로 원처분청의 명의가 아닌 자기명의로 처분을 하였다면, 내부수임기관이 그 처분에 대한 항고소송의 피고가 된다.

관련기출

③

1. 중앙노동위원회의 처분에 대한 행정소송은 중앙노동위원회 위원장을 피고로 한다. (○, ×) 2022 국회직 8급
2. 노동위원회법상 중앙노동위원회의 처분에 대한 소송은 중앙노동위원회 위원장을 피고(被告)로 하여 처분의 송달을 받은 날부터 15일 이내에 제기하여야 한다. (○, ×) 2020 경행경채
3. 중앙노동위원회의 재심판정에 대한 취소소송에 있어서 그 피고는 중앙노동위원회가 되어야 한다. (○, ×) 2016 서울시 7급

1. ○ 2. ○ 3. ×

① 제40강 참조 ○

> 1. 항고소송으로 무효확인소송을 제기하는 경우 무효확인소송의 '보충성'이 요구되는 것은 아니다.
> 2. 행정소송법 제35조에 규정된 '무효확인을 구할 법률상 이익'이 있는지를 판단할 때 행정처분의 무효를 전제로 한 이행소송 등과 같은 직접적인 구제수단이 있는지를 따져볼 필요가 없다.
>
> 행정처분의 근거법률에 의하여 보호되는 직접적이고 구체적인 이익이 있는 경우에는 행정소송법 제35조에 규정된 '무효확인을 구할 법률상 이익'이 있다고 보아야 하고, 이와 별도로 무효확인소송의 보충성이 요구되는 것은 아니므로 행정처분의 무효를 전제로 한 이행소송 등과 같은 직접적인 구제수단이 있는지 여부를 따질 필요가 없다고 해석함이 상당하다(대판 2008. 3. 20, 2007두6342 전합).

② ○

> 「국토의 계획 및 이용에 관한 법률」 제130조 제3항에서 정한 토지의 소유자·점유자 또는 관리인(이하 '소유자 등'이라 한다)이 사업시행자의 일시사용에 대하여 정당한 사유 없이 동의를 거부하는 경우, 사업시행자는 해당 토지의 소유자 등을 상대로 동의의 의사표시를 구하는 소를 제기할 수 있다. 이와 같은 토지의 일시사용에 대한 동의의 의사표시를 할 의무는 「국토의 계획 및 이용에 관한 법률」에서 특별히 인정한 공법상의 의무이므로, 그 의무의 존부를 다투는 소송은 '공법상의 법률관계에 관한 소송으로서 그 법률관계의 한쪽 당사자를 피고로 하는 소송', 즉 행정소송법 제3조 제2호에서 규정한 당사자소송이라고 보아야 한다(대판 2019. 9. 9, 2016다262550).

③ **빈출** ×

공정거래위원회와 같은 합의제 행정청의 처분에 대해서는 기관의 장인 위원장이 아니라 원칙적으로 합의제 행정청(위원회)이 피고가 된다. 다만, 중앙노동위원회의 처분에 대한 소는 중앙노동위원회 위원장이 피고가 된다.

> **노동위원회법 제27조【중앙노동위원회의 처분에 대한 소송】** ① 중앙노동위원회의 처분에 대한 소송은 중앙노동위원회 위원장을 피고로 하여 처분의 송달을 받은 날부터 15일 이내에 제기하여야 한다.

④ ○

내부위임을 받은 기관이 위임자의 명의가 아닌 자신의 이름으로 권한을 행사한 경우, 이는 권한 없이 행정처분을 한 것으로서 위법하며, 이때 피고는 실제로 처분을 한 하급행정청(수임청 등)이 된다는 것이 판례의 입장이다(대판 1991. 2. 22, 90누5641).

정답 28 ③

29

정답률 74% 중 2018 서울시 9급

행정소송의 피고적격에 대한 설명으로 가장 옳지 않은 것은? (다툼이 있는 경우 판례에 따름)

□□□ ① 조례가 항고소송의 대상이 되는 경우 피고는 지방자치단체의 의결기관으로서 조례를 제정한 지방의회이다.

□□□ ② 대리권을 수여받은 데 불과하여 그 자신의 명의로는 행정처분을 할 권한이 없는 행정청의 경우 대리관계를 밝힘이 없이 그 자신의 명의로 행정처분을 하였다면 그에 대하여는 처분명의자인 당해 행정청이 항고소송의 피고가 되어야 하는 것이 원칙이다.

□□□ ③ 취소소송은 다른 법률에 특별한 규정이 없는 한 그 처분 등을 행한 행정청을 피고로 하며, 당사자소송은 국가 · 공공단체 그 밖의 권리주체를 피고로 한다.

□□□ ④ 국가공무원법에 의한 처분, 기타 본인의 의사에 반한 불리한 처분이나 부작위에 관한 행정소송을 제기할 때에 대통령의 처분 또는 부작위의 경우에는 소속장관을 피고로 한다.

① ×

조례가 항고소송의 대상이 되는 행정처분에 해당되는 경우 피고적격은 공포권자인 지방자치단체의 장에게 있으며, 특히 그 조례가 교육 · 학예에 관한 조례인 경우 공포권자인 교육감이 피고가 된다는 것이 판례의 입장이다(대판 1996. 9. 20, 95누8003).

② ○

대리권을 수여받은 데 불과하여 자신의 명의로는 처분할 권한이 없는 행정청이 그 대리관계를 밝힘이 없이 그 자신의 명의로 행정처분을 하였다면 처분명의자인 당해 행정청이 항고소송의 피고가 되어야 하는 것이 원칙이라는 것이 판례의 입장이다(대결 2006. 2. 23, 2005부4).

③ **빈출** ○

취소소송은 다른 법률에 특별한 규정이 없는 한 그 처분 등을 행한 행정청을 피고로 하지만, 당사자소송은 취소소송과 달리 행정청을 피고로 하지 않고 국가 · 공공단체, 그 밖의 권리주체를 피고로 한다.

> 행정소송법 제13조 【피고적격】 ① 취소소송은 다른 법률에 특별한 규정이 없는 한 그 처분 등을 행한 행정청을 피고로 한다. 다만, 처분 등이 있은 뒤에 그 처분 등에 관계되는 권한이 다른 행정청에 승계된 때에는 이를 승계한 행정청을 피고로 한다.
> ② 제1항의 규정에 의한 행정청이 없게 된 때에는 그 처분 등에 관한 사무가 귀속되는 국가 또는 공공단체를 피고로 한다.
> 제39조 【피고적격】 당사자소송은 국가 · 공공단체 그 밖의 권리주체를 피고로 한다.

④ ○

법률에 특별한 규정이 있는 경우에는 처분청 외에도 피고가 될 수 있는바, 공무원 등에 대한 징계, 기타 불이익처분의 처분청이 대통령인 경우에는 소속장관이 피고가 된다.

> 국가공무원법 제16조 【행정소송과의 관계】 ① 제75조에 따른 처분, 그 밖에 본인의 의사에 반한 불리한 처분이나 부작위(不作爲)에 관한 행정소송은 소청심사위원회의 심사 · 결정을 거치지 아니하면 제기할 수 없다.
> ② 제1항에 따른 행정소송을 제기할 때에는 대통령의 처분 또는 부작위의 경우에는 소속장관(대통령령으로 정하는 기관의 장을 포함한다. 이하 같다)을, 중앙선거관리위원회위원장의 처분 또는 부작위의 경우에는 중앙선거관리위원회사무총장을 각각 피고로 한다.

정답 29 ①

30 정답률 58% 상 2018 지방직 9급

행정소송과 그 피고에 대한 연결이 옳은 것만을 모두 고르면?

> ㉠ 대통령의 검사임용처분에 대한 취소소송 - 법무부장관
>
> ㉡ 국토교통부장관으로부터 권한을 내부위임받은 국토교통부차관이 처분을 한 경우에 그에 대한 취소소송 - 국토교통부차관
>
> ㉢ 헌법재판소장이 소속 직원에게 내린 징계처분에 대한 취소소송 - 헌법재판소 사무처장
>
> ㉣ 환경부장관의 권한을 위임받은 서울특별시장이 내린 처분에 대한 취소소송 - 서울특별시장

① ㉠, ㉡ ② ㉢, ㉣
③ ㉠, ㉢, ㉣ ④ ㉠, ㉡, ㉢, ㉣

③ ㉠㉢㉣의 연결이 옳다.

㉠ ○

법률에 특별한 규정이 있는 경우에는 처분청 외에도 피고가 될 수 있는바 공무원 등에 대한 징계, 기타 불이익처분의 처분청이 대통령인 경우에는 소속장관이 피고가 된다(29 ④ 해설 조문 참조). 대통령의 검사임용거부와 관련된 취소소송의 피고적격을 가지는 자는 소속장관인 법무부장관이라는 것이 판례의 입장이다(대결 1990. 3. 14, 90두4).

㉡ ×

내부위임에서는 처분의 권한이 수임자에게 이전되지 않으므로 처분은 위임자의 명의로 하게 되며 피고적격을 가지는 자도 위임청이 된다. 따라서 사안의 경우 내부위임청인 국토교통부장관이 피고가 된다.

㉢ ○

헌법재판소장이 소속 직원에게 내린 징계처분에 대한 취소소송의 피고는 헌법재판소 사무처장이 된다.

> **헌법재판소법 제17조【사무처】** ⑤ 헌법재판소장이 한 처분에 대한 행정소송의 피고는 헌법재판소 사무처장으로 한다.

㉣ ○

권한이 위임이 되면 처분의 권한이 수임자에게 이전되므로 수임청이 자신의 명의로 처분을 하게 되며 피고적격을 가지는 자도 수임청이 된다. 그러므로 환경부장관의 권한을 위임받은 서울특별시장이 내린 처분에 대해서는 수임청인 서울특별시장이 피고가 된다.

+ 피고적격의 특수한 경우

구 분	피고적격을 가진 자
공무원 등에 대한 징계, 기타 불이익처분의 처분청이 대통령인 경우	소속장관
대법원장, 국회의장, 헌법재판소장의 처분	각각 법원행정처장, 국회사무총장, 헌법재판소사무처장
처분 후 그 권한이 승계된 경우	승계한 행정청
처분 후 처분청이 없게 된 경우	그 사무가 귀속되는 국가 또는 공공단체
합의제 행정청의 경우	합의제 행정청 단, 중앙노동위원회의 경우 중앙노동위원회 위원장
권한이 위임 · 위탁된 경우	수임청 · 수탁청
내부위임과 대리의 경우	각각 위임청 · 피대리청 단, 자신의 단독명의로 권한을 행사한 경우는 실제로 처분을 한 하급행정청
처분청과 통지한 자가 다른 경우	처분청
처분적 조례의 경우	지방자치단체의 장 단, 교육 · 학예에 관한 조례의 경우는 교육감
지방의회의원의 제명 등 의결의 경우	지방의회

정답 30 ③

31 중 2017 지방직(하) 9급

행정소송에 대한 설명으로 옳지 않은 것은? (다툼이 있는 경우 판례에 의함)

□□□ ① 지방자치단체가 건축물을 건축하기 위하여 구 건축법에 따라 미리 건축물의 소재지를 관할하는 허가권자인 다른 지방자치단체의 장과 건축협의를 한 경우, 허가권자인 지방자치단체의 장이 건축협의를 취소하는 행위는 항고소송의 대상이 되는 처분에 해당한다.

□□□ ② 불특정 다수인에 대한 행정처분을 고시 또는 공고에 의하여 하는 경우에는 그 행정처분에 이해관계를 갖는 사람이 고시 또는 공고가 있었다는 사실을 현실적으로 알았는지 여부에 관계없이 고시 또는 공고가 효력을 발생한 날에 행정처분이 있음을 알았다고 보아야 한다.

□□□ ③ 취소소송이 제기된 후에 피고를 경정하는 경우 제소기간의 준수 여부는 피고를 경정한 때를 기준으로 판단한다.

□□□ ④ 구 「도시 및 주거환경정비법」상 조합설립추진위원회 구성승인처분을 다투는 소송계속 중 조합설립인가처분이 이루어진 경우 조합설립추진위원회 구성승인처분에 대하여 취소 또는 무효확인을 구할 법률상 이익이 없다.

관련기출

①

1. 건축법상 지방자치단체를 상대방으로 하는 건축협의의 취소는 행정처분에 해당한다고 볼 수 없으므로 지방자치단체가 건축물 소재지 관할 건축허가권자를 상대로 항고소송을 통해 건축협의의 취소의 취소를 구할 수 없다. (○, ×) 2022 지방직 7급
2. 지방자치단체가 건축물 소재지 관할 허가권자인 지방자치단체의 장을 상대로 건축협의의 취소의 취소를 구하는 사안에서의 지방자치단체는 행정소송의 원고적격을 가지는 자에 해당한다. (○, ×) 2019 국회직 8급
3. 지방자치단체 등이 건축물을 건축하기 위해 건축물 소재지 관할 허가권자인 지방자치단체의 장과 건축협의를 하였는데 허가권자인 지방자치단체의 장이 그 협의를 취소한 경우, 건축협의의 취소는 항고소송의 대상인 행정처분에 해당한다. (○, ×) 2017 지방직 9급

1. × 2. ○ 3. ○

① **빈출** ○

1. 허가권자인 지방자치단체의 장이 건축협의를 취소하는 행위는 항고소송의 대상이 되는 처분에 해당한다.
2. 지방자치단체 등이 건축물 소재지 관할 허가권자인 지방자치단체의 장을 상대로 건축협의 취소의 취소를 구할 수 있다.

구 건축법 제29조 제1 · 2항, 제11조 제1항 등의 규정 내용에 의하면, 건축협의의 실질은 지방자치단체 등에 대한 건축허가와 다르지 않으므로, 지방자치단체 등이 건축물을 건축하려는 경우 등에는 미리 건축물의 소재지를 관할하는 허가권자인 지방자치단체의 장과 건축협의를 하지 않으면, 지방자치단체라 하더라도 건축물을 건축할 수 없다. 그리고 구 지방자치법 등 관련법령을 살펴보아도 지방자치단체의 장이 다른 지방자치단체를 상대로 한 건축협의의 취소에 관하여 다툼이 있는 경우에 법적 분쟁을 실효적으로 해결할 구제수단을 찾기도 어렵다. 따라서 건축협의의 취소는 상대방이 다른 지방자치단체 등 행정주체라 하더라도 '행정청이 행하는 구체적 사실에 관한 법집행으로서의 공권력행사'(행정소송법 제2조 제1항 제1호)로서 처분에 해당한다고 볼 수 있고, 지방자치단체인 원고가 이를 다툴 실효적 해결수단이 없는 이상, 원고는 건축물 소재지 관할 허가권자인 지방자치단체의 장을 상대로 항고소송을 통해 건축협의의 취소의 취소를 구할 수 있다(대판 2014. 2. 27, 2012두22980).

② ○

(인터넷 웹사이트에 대하여 구 청소년보호법에 따른 청소년유해매체물 결정 및 고시처분을 한 사안에서, 위 결정은 이해관계인이 고시가 있었음을 알았는지 여부에 관계없이 관보에 고시됨으로써 효력이 발생하고, 그가 위 결정을 통지받지 못하였다는 것이 제소기간을 준수하지 못한 것에 대한 정당한 사유가 될 수 없다고 하면서) 통상 고시 또는 공고에 의하여 행정처분을 하는 경우에는 고시가 효력을 발생하는 날에 처분이 있음을 알았다고 보아야 한다.

통상 고시 또는 공고에 의하여 행정처분을 하는 경우에는 그 처분의 상대방이 불특정 다수인이고 그 처분의 효력이 불특정 다수인에게 일률적으로 적용되는 것이므로, 그 행정처분에 이해관계를 갖는 자가 고시 또는 공고가 있었다는 사실을 현실적으로 알았는지 여부에 관계없이 고시가 효력을 발생하는 날 행정처분이 있음을 알았다고 보아야 한다(대판 2007. 6. 14, 2004두619).

③ ×

행정소송법 제14조【피고경정】 ① 원고가 피고를 잘못 지정한 때에는 법원은 원고의 신청에 의하여 결정으로써 피고의 경정을 허가할 수 있다.
④ 제1항의 규정에 의한 결정이 있은 때에는 새로운 피고에 대한 소송은 처음에 소를 제기한 때에 제기된 것으로 본다.

④ ○

구 「도시 및 주거환경정비법」상 조합설립추진위원회 구성승인처분을 다투는 소송계속 중 조합설립인가처분이 이루어진 경우 조합설립추진위원회 구성승인처분에 대하여 취소 또는 무효확인을 구할 법률상 이익은 없다는 것이 판례의 입장이다(대판 2013. 1. 31, 2011두11112, 2011두11129).

정답 31 ③

32 ⓖ 2017 국가직(하) 9급

행정소송의 피고적격에 대한 설명으로 옳지 않은 것은? (다툼이 있는 경우 판례에 의함)

□□□ ① 행정권한을 위탁받은 공공단체 또는 사인이 자신의 이름으로 처분을 한 경우에는 그 공공단체 또는 사인이 항고소송의 피고가 된다.

□□□ ② 납세의무부존재확인청구소송은 공법상 법률관계 그 자체를 다투는 소송이므로 과세처분청이 아니라 그 법률관계의 한쪽 당사자인 국가 · 공공단체 그 밖의 권리주체에게 피고적격이 있다.

□□□ ③ 행정처분을 행할 적법한 권한이 있는 상급행정청으로부터 내부위임을 받은 데 불과한 하급행정청이 권한 없이 자신의 이름으로 행정처분을 한 경우에는 하급행정청이 항고소송의 피고가 된다.

□□□ ④ 대외적으로 의사를 표시할 수 없는 내부기관이라도 행정처분의 실질적인 의사가 그 기관에 의하여 결정되는 경우에는 그 내부기관에게 항고소송의 피고적격이 있다.

관련기출

②

1. 납세의무부존재확인의 소는 당사자소송이고 항고소송의 성격을 가지므로 해당 과세처분 관할행정청이 피고가 된다. (○, ×) 2019 서울시 2회 7급

1. ×

① ○

항고소송은 행정청의 처분 등이나 부작위에 대하여 처분 등을 행한 행정청을 상대로 이를 제기할 수 있고 행정청에는 처분 등을 할 수 있는 권한이 있는 국가 또는 지방자치단체와 같은 행정기관뿐만 아니라 법령에 의하여 행정권한의 위임 또는 위탁을 받은 행정기관, 공공단체 및 그 기관 또는 사인이 포함되는바 특별한 법률에 근거를 두고 행정주체로서의 국가 또는 지방자치단체로부터 독립하여 특수한 존립목적을 부여받은 특수한 행정주체로서 국가의 특별한 감독하에 그 존립목적인 특정한 공공사무를 행하는 공법인인 특수행정조직 등이 이에 해당한다(대판 1992. 11. 27, 92누3618).

행정소송법 제13조【피고적격】 ① 취소소송은 다른 법률에 특별한 규정이 없는 한 그 처분 등을 행한 행정청을 피고로 한다. 다만, 처분 등이 있은 뒤에 그 처분 등에 관계되는 권한이 다른 행정청에 승계된 때에는 이를 승계한 행정청을 피고로 한다.

제2조【정의】 이 법에서 사용하는 용어의 뜻은 다음과 같다.

1. '행정청'이란 다음 각 목의 자를 말한다.
   가. 행정에 관한 의사를 결정하여 표시하는 국가 또는 지방자치단체의 기관
   나. 그 밖에 법령 또는 자치법규(이하 '법령 등'이라 한다)에 따라 행정권한을 가지고 있거나 위임 또는 위탁받은 공공단체 또는 그 기관이나 사인(私人)

② ○

납세의무부존재확인의 소는 공법상의 법률관계 그 자체를 다투는 소송으로서 당사자소송이라 할 것이므로 행정소송법 제3조 제2호, 제39조에 의하여 그 법률관계의 한쪽 당사자인 국가 · 공공단체 그 밖의 권리주체가 피고적격을 가진다(대판 2000. 9. 8, 99두2765).

행정소송법 제39조【피고적격】 당사자소송은 국가 · 공공단체 그 밖의 권리주체를 피고로 한다.

③ ○

행정처분의 취소 또는 무효확인을 구하는 행정소송은 다른 법률에 특별한 규정이 없는 한 그 처분을 행한 행정청을 피고로 하여야 하며, 행정처분을 행할 적법한 권한 있는 상급행정청으로부터 내부위임을 받은 데 불과한 하급행정청이 권한 없이 행정처분을 한 경우에도 실제로 그 처분을 행한 하급행정청을 피고로 하여야 할 것이지 그 처분을 행할 적법한 권한 있는 상급행정청을 피고로 할 것은 아니다(대판 1994. 8. 12, 94누2763).

④ ×

취소소송은 다른 법률에 특별한 규정이 없는 한 그 처분 등을 행한 행정청을 피고로 한다(행정소송법 제13조 제1항). 여기서 '행정청'이라 함은 국가 또는 공공단체의 기관으로서 국가나 공공단체의 의견을 결정하여 외부에 표시할 수 있는 권한, 즉 처분권한을 가진 기관을 말하고, 대외적으로 의사를 표시할 수 있는 기관이 아닌 내부기관은 실질적인 의사가 그 기관에 의하여 결정되더라도 피고적격을 갖지 못한다(대판 2014. 5. 16, 2014두274).

정답 32 ④

④ 공동소송인, 소송참가, 소송대리인

33 정답률 42% 상 2024 지방직 · 서울시 9급

행정소송에 대한 설명으로 옳지 않은 것은? (다툼이 있는 경우 판례에 의함)

① 해당 처분을 다툴 법률상 이익이 있는지 여부는 직권조사사항으로 이에 관한 당사자의 주장은 직권발동을 촉구하는 의미밖에 없으므로, 원심법원이 이에 관하여 판단하지 않았다고 하여 판단유탈의 상고이유로 삼을 수 없다.

② 행정청은 민사소송법상의 보조참가를 할 수 있을 뿐만 아니라 행정소송법에 의한 소송참가를 할 수 있고 공법상 당사자소송의 원고가 된다.

③ 부작위위법확인의 소에 있어 당사자가 행정청에 대하여 어떠한 행정행위를 하여 줄 것을 요구할 수 있는 법규상 또는 조리상 권리를 갖고 있지 아니한 경우에는 원고적격이 없거나 항고소송의 대상인 위법한 부작위가 있다고 볼 수 없어 그 부작위위법확인의 소는 부적법하다.

④ 국가가 국토이용계획과 관련한 지방자치단체의 장의 기관위임사무의 처리에 관하여 지방자치단체의 장을 상대로 취소소송을 제기하는 것은 허용되지 않는다.

관련기출

①

1. 해당 처분을 다툴 법률상 이익이 있는지 여부는 직권조사사항으로 이에 관한 당사자의 주장은 직권발동을 촉구하는 의미밖에 없으므로, 원심법원이 이에 관하여 판단하지 않았다고 하여 판단유탈의 상고이유로 삼을 수 없다. (○, ×) 2023 서울시 지적 7급

1. ○

① 정답률 29% ○

대법원의 업무부담을 덜기 위해 일정한 사유가 있어야만 상고가 가능한바 이를 상고이유라고 한다. 이와 관련하여 '당사자의 주장이 있었음'에도 법원이 이에 대해 판단을 하지 않아 판결에 영향을 미친 경우에는 이른바 판단유탈(판단을 빠뜨린 것)로 상고이유가 될 수 있다. 그런데 원고적격, 소의 이익 등 소송요건의 존재여부는 직권조사사항이므로 이에 대한 판단 여부는 법원의 직권에 속하는 것일 뿐이다. 따라서 이러한 사항에 관한 당사자의 주장에 대해 판단을 하지 않았다고 하여 판단유탈의 상고이유로 삼을 수는 없다는 것이 판례의 입장이다. 제39강 참조

> 해당 처분을 다툴 법률상 이익이 있는지 여부는 직권조사사항으로 이에 관한 당사자의 주장은 직권발동을 촉구하는 의미밖에 없으므로, 원심법원이 이에 관하여 판단하지 않았다고 하여 판단유탈의 상고이유로 삼을 수 없다(대판 2017. 3. 9, 2013두16852).

② 정답률 42% ×

민사소송법상 당사자가 될 수 있는 능력인당사자 능력을 가지는 자는 사람이어야 하는 것이 원칙이므로 **자연인, 법인은 당사자능력을 가진다.** 다만 민사소송법 제52조에 의해 **법인이 아닌 사단이나 재단**도 **대표자 또는 관리인이 있는 경우에는 그 사단이나 재단의 이름으로 당사자가 될 수 있다.**

행정청은 법인인 국가 또는 지방자치단체의 기관으로서 법인과는 구별된다. 따라서 행정청은 소송법상 당사자, 즉 원고와 피고가 될 수 없음이 원칙이다. 다만 행정소송법은 원고의 소송수행의 편의를 위해 **항고소송의 피고**를 **행정청**으로 하는 특별규정을 두고 있으며(행정소송법 제13조 제1항) 또한 행정청의 소송참가에 대해서도 특별규정을 두고 있다(동법 제17조 제1항). 이에 추가하여 항고소송에서 행정청의 원고적격을 인정한 예외적인 판례도 있다(예컨대, 소방청장이 국민권익위원회를 상대로 제기한 항고소송). 이러한 경우 외에 법인의 기관에 불과한 **행정청**은 **민사소송법상의 보조참가를 할 수는 없으며** 또한 **공법상 당사자 소송의 원고와 피고가 될 수 없다.**

> 타인 사이의 항고소송에서 소송의 결과에 관하여 이해관계가 있다고 주장하면서 민사소송법 제71조에 의한 보조참가를 할 수 있는 제3자는 민사소송법상의 당사자능력 및 소송능력을 갖춘 자이어야 하므로 그러한 당사자능력 및 소송능력이 없는 행정청으로서는 민사소송법상의 보조참가를 할 수는 없고 다만 행정소송법 제17조 제1항에 의한 소송참가를 할 수 있을 뿐이다(행정청에 불과한 서울특별시장의 보조참가신청을 부적법하다고 한 사례)(대판 2002. 9. 24, 99두1519).

③ 정답률 6% 제40강 참조 ○

> **부작위위법확인의 소에 있어 당사자가 행정청에 대하여 어떠한 행정행위를 하여 줄 것을 요구할 수 있는 법규상 또는 조리상 권리를 갖고 있지 아니한 경우에는 원고적격이 없거나 항고소송의 대상인 위법한 부작위가 있다고 볼 수 없어 그 부작위위법확인의 소는 부적법하다**(대판 1999. 12. 7, 97누17568).

④ 정답률 22% ○

위임사무의 경우 행정권한의 위임 및 위탁에 관한 규정에 따라 위임기관은 수임기관의 사무처리가 위법하다고 인정할 때에는 직권취소를 할 수 있으므로 소송을 제기할 수 없다.

> 국가는 국토이용계획과 관련한 기관위임사무의 처리에 관하여 지방자치단체의 장을 상대로 취소소송을 제기할 수 없다(대판 2007. 9. 20, 2005두6935).

> 「행정권한의 위임 및 위탁에 관한 규정 제6조」【지휘 · 감독】 위임 및 위탁기관은 수임 및 수탁기관의 수임 및 수탁사무 처리에 대하여 지휘 · 감독하고, 그 처리가 위법하거나 부당하다고 인정될 때에는 이를 취소하거나 정지시킬 수 있다.

정답 33 ②

제 37 강 항고소송 2(처분 등)

1회독	2회독	3회독
/	/	/

✓정답률 공단기/소방단기 합격예측 풀서비스 통계 데이터 기준 기 기본서 핵 핵심집약

01 처분 등의 존재(대상적격의 문제)

기 815~845쪽 핵 T 68~69

❶ 처분(취소소송의 제1대상)

01 중 2023 서울시 지적 7급

항고소송의 대상적격에 대한 설명으로 가장 옳지 않은 것은? (다툼이 있는 경우 판례에 따름)

□□□ ① 감사원의 감사원법에 따른 징계요구는 징계요구대상 공무원의 권리 · 의무에 직접적인 변동을 초래하지 아니하므로, 감사원의 징계요구는 항고소송의 대상이 되는 행정처분이라고 할 수 없다.

□□□ ② 원처분의 상대방이 아닌 제3자가 행정심판을 청구하여 재결청이 원처분을 취소하는 형성재결을 한 경우에 그 원처분의 상대방은 그 재결에 대하여 항고소송을 제기할 수밖에 없다.

□□□ ③ 행정청 또는 그 소속기관이나 권한을 위임받은 공공기관의 행위가 아니더라도 상대방의 권리를 제한하는 행위라면 이를 행정처분이라고 할 수 있다.

□□□ ④ 한국자산공사가 당해 부동산을 인터넷을 통하여 재공매(입찰)하기로 한 결정 자체는 내부적인 의사결정에 불과하여 항고소송의 대상이 되는 행정처분이라고 볼 수 없다.

관련기출

①

1. 시장이 감사원으로부터 감사원법에 따라 징계의 종류를 정직으로 정한 징계요구를 받게 되자 감사원에 징계요구에 대한 재심의를 청구하였고, 감사원이 재심의청구를 기각한 경우, 감사원의 징계요구와 재심의결정은 항고소송의 대상이 되는 행정처분이라고 할 수 없다. (○, ×) 2022 소방직 9급, 2017 지방직 9급
2. 甲 시장이 감사원으로부터 감사원법에 따라 乙에 대하여 징계의 종류를 정직으로 정한 징계요구를 받게 되자 감사원에 징계요구에 대한 재심의를 청구하였는데 감사원이 재심의청구를 기각한 사안에서, 감사원의 징계요구와 재심의청구 기각결정은 항고소송의 대상이 되는 행정처분이다. (○, ×) 2021 국회직 8급

1. ○ 2. ×

④

1. 상대방의 권리를 제한하는 행위라 하더라도 행정청 또는 그 소속기관이나 권한을 위임받은 공공단체 등의 행위가 아닌 한 이를 행정처분이라고 할 수 없다. (○, ×) 2022 지방직 7급, 2017 서울시 7급

1. ○

① **빈출** ○

(甲 시장이 감사원으로부터 감사원법 제32조에 따라 乙에 대하여 징계의 종류를 정직으로 정한 징계요구를 받게 되자 감사원에 징계요구에 대한 재심의를 청구하였고, 감사원이 재심의청구를 기각하자 乙이 감사원의 징계요구와 그에 대한 재심의결정의 취소를 구하고 甲 시장이 감사원의 재심의결정 취소를 구하는 소를 제기한 사안에서) 감사원의 징계요구와 재심의결정은 항고소송의 대상이 되는 행정처분이라고 할 수 없다.

감사원법상 징계요구는 징계요구를 받은 기관의 장이 요구받은 내용으로 처분하지 않더라도 불이익을 받는 규정도 없고, 징계요구 내용대로 효과가 발생하는 것도 아니며, 징계요구에 의하여 행정청이 일정한 행정처분을 하였을 때 비로소 이해관계인의 권리관계에 영향을 미칠 뿐, 징계요구 자체만으로는 징계요구 대상 공무원의 권리 · 의무에 직접적인 변동을 초래하지도 아니하므로 행정처분이라고 할 수 없다(대판 2016. 12. 27, 2014두5637).

② ○

원처분의 상대방이 아닌 제3자가 행정심판을 청구하여 재결청이 원처분을 취소하는 형성재결을 한 경우에 그 원처분의 상대방은 그 재결에 대하여 항고소송을 제기할 수밖에 없고, 이 경우 재결은 원처분과 내용을 달리하는 것이어서 재결의 취소를 구하는 것은 원처분에 없는 재결 고유의 위법을 주장하는 것이 된다(대판 1998. 4. 24, 97누17131).

③ ×

행정소송의 대상이 되는 행정처분이란 행정청 또는 그 소속기관이나 법령에 의하여 행정권한의 위임 또는 위탁을 받은 공공단체 등이 국민의 권리 · 의무에 관계되는 사항에 관하여 직접 효력을 미치는 공권력의 발동으로서 하는 공법상의 행위를 말하며, 그것이 상대방의 권리를 제한하는 행위라 하더라도 행정청 또는 그 소속기관이나 권한을 위임받은 공공단체 등의 행위가 아닌 한 이를 행정처분이라고 할 수 없다(대판 2008. 1. 31, 2005두8269).

④ **빈출** ○

한국자산공사(현 한국자산관리공사)의 재공매(입찰)결정 및 공매통지는 항고소송의 대상이 되는 행정처분이 아니다.

한국자산공사가 당해 부동산을 인터넷을 통하여 재공매(입찰)하기로 한 결정 자체는 내부적인 의사결정에 불과하여 항고소송의 대상이 되는 행정처분이라고 볼 수 없고, 또한 한국자산공사의 공매통지는 공매의 요건이 아니라 공매사실 자체를 체납자에게 알려주는 데 불과한 것으로서, 통지의 상대방의 법적 지위나 권리 · 의무에 직접 영향을 주는 것이 아니라고 할 것이므로 이것 역시 행정처분에 해당한다고 할 수 없다(대판 2007. 7. 27, 2006두8464).

정답 01 ③

02 빈출 중

2023 해경간부

행정소송법상 처분성에 대한 설명으로 가장 옳지 않은 것은? (다툼이 있는 경우 판례에 의함)

□□□ ① 법무사의 사무원 채용승인 신청에 대하여 소속 지방법무사회가 '채용승인을 거부'하는 조치는 공법인인 지방법무사회가 행하는 항고소송의 대상인 '처분'이라고 보아야 한다.

□□□ ② 공법인인 총포화약안전기술협회가 회비납부의무자에 대하여 한 '회비납부통지'는 항고소송의 대상이 된다.

□□□ ③ 해양수산부장관의 항만 명칭결정은 항고소송의 대상이 되는 행정처분이다.

□□□ ④ 「진실·화해를 위한 과거사정리 기본법」 제26조에 따른 진실·화해를 위한 과거사정리위원회의 진실규명결정은 항고소송의 대상이 되는 행정처분이다.

관련기출

①

1. 지방법무사회가 법무사의 사무원 채용승인신청을 거부하거나 채용승인을 얻어 채용 중인 사람에 대한 채용승인을 취소하는 것은 처분에 해당하고, 이러한 처분에 대해서는 처분 상대방인 법무사뿐 아니라 그 때문에 사무원이 될 수 없게 된 사람도 이를 다툴 원고적격이 인정된다. (○, ×) 2021 국회직 8급

1. ○

②

1. 「총포·도검·화약류 등의 안전관리에 관한 법률」에 따른 총포·화약안전기술협회가 회비납부의무자에 대하여 한 회비납부통지는 항고소송의 대상이 되는 처분에 해당하지 않는다. (○, ×) 2023 소방직 9급

1. ×

③

1. 상대방 또는 기타 관계자들의 법률상 지위에 직접적인 영향을 미치지 않는 행위는 항고소송의 대상이 되는 행정처분이 아니다. (○, ×) 2010 지방직 7급

1. ○

④

1. 「진실·화해를 위한 과거사정리 기본법」에 따른 과거사정리위원회의 진실규명결정은 피해자 등에게 진실규명 신청권 및 그 결정에 대한 이의신청권 등이 부여되고, 그 결정에서 규명된 진실에 따라 국가가 법률상 의무를 부담하게 된다는 점 등에서 항고소송의 대상이 된다. (○, ×) 2022 소방간부
2. 「진실·화해를 위한 과거사정리 기본법」이 규정하는 진실규명결정은 국민의 권리·의무에 직접적으로 영향을 미치는 행위로서 항고소송의 대상이 된다. (○, ×) 2018 경행경채 3차

1. ○ 2. ○

① ○

1. 법무사의 사무원 채용승인 신청에 대하여 소속 지방법무사회가 '채용승인을 거부'하는 조치 또는 일단 채용승인을 하였으나 법무사규칙 제37조 제6항을 근거로 '채용승인을 취소'하는 조치는 항고소송의 대상인 '처분'에 해당한다.
2. 지방법무사회가 법무사의 사무원 채용승인 신청을 거부하거나 채용승인을 얻어 채용 중인 사람에 대한 채용승인을 취소한 경우, 그 때문에 사무원이 될 수 없게 된 사람에게 항고소송을 제기할 원고적격이 인정된다(대판 2020. 4. 9, 2015다34444).

② ○

공법인인 총포·화약안전기술협회의 '회비납부통지'는 '부담금 부과처분'으로서 항고소송의 대상이 된다.

「총포·도검·화약류 등의 안전관리에 관한 법률 시행령」 제78조 제1항 제3호, 제79조 및 총포·화약안전기술협회(이하 '협회'라 한다) 정관의 관련규정의 내용을 위 법리에 비추어 살펴보면, 공법인인 협회가 자신의 공행정활동에 필요한 재원을 마련하기 위하여 회비납부의무자에 대하여 한 '회비납부통지'는 납부의무자의 구체적인 부담금액을 산정·고지하는 '부담금 부과처분'으로서 항고소송의 대상이 된다고 보아야 한다(대판 2021. 12. 30, 2018다241458).

③ ×

해양수산부장관의 항만 명칭결정은 국민의 권리·의무나 법률상 지위에 직접적인 법률적 변동을 일으키는 행위가 아니므로 항고소송의 대상이 되는 행정처분이 아니다.

이러한 피고 해양수산부장관의 이 사건 항만명칭결정으로 인하여 원고들이 속한 지방자치단체의 관할구역이 변경되는 것이 아닐 뿐만 아니라, 원고들의 권리·의무나 법률상 지위에 직접적인 법률적 변동이 생기지도 아니하므로, 피고 해양수산부장관의 이 사건 항만명칭결정을 항고소송의 대상이 되는 행정처분이라 할 수는 없다(대판 2008. 5. 29, 2007두23873).

④ 빈출 ○

「진실·화해를 위한 과거사정리 기본법」 제26조에 따른 진실·화해를 위한 과거사정리위원회의 진실규명결정은 항고소송의 대상이 되는 행정처분이다.

진실규명결정이 이루어지면 그 결정에서 규명된 진실에 따라 국가가 피해자 등에 대하여 피해 및 명예 회복 조치를 취할 법률상 의무를 부담하게 되는 점, 진실·화해를 위한 과거사정리위원회가 위와 같은 법률상 의무를 부담하는 국가에 대하여 피해자 등의 피해 및 명예 회복을 위한 조치로 권고한 사항에 대한 이행의 실효성이 법적·제도적으로 확보되고 있는 점 등 여러 사정을 종합하여 보면, 법이 규정하는 진실규명결정은 국민의 권리·의무에 직접적으로 영향을 미치는 행위로서 항고소송의 대상이 되는 행정처분이라고 보는 것이 타당하다(대판 2013. 1. 16, 2010두22856).

정답 02 ③

03 정답률 71% 중 2023 국가직 9급

항고소송의 대상에 대한 설명으로 옳지 않은 것은? (다툼이 있는 경우 판례에 의함)

□□□ ① 어떠한 처분에 법령상 근거가 있는지, 행정절차법에서 정한 처분절차를 준수하였는지는 소송요건 심사단계에서 고려하여야 한다.

□□□ ② 병무청장이 병역법에 따라 병역의무 기피자의 인적사항 등을 인터넷 홈페이지에 게시하는 등의 방법으로 공개한 경우 병무청장의 공개결정은 항고소송의 대상이 되는 행정처분이다.

□□□ ③ 국민건강보험공단이 행한 '직장가입자 자격상실 및 자격변동 안내' 통보는 가입자 자격의 변동 여부 및 시기를 확인하는 의미에서 한 사실상 통지행위에 불과할 뿐, 항고소송의 대상이 되는 행정처분에 해당하지 않는다.

□□□ ④ 행정청의 행위가 '처분'에 해당하는지가 불분명한 경우에는 그에 대한 불복방법 선택에 중대한 이해관계를 가지는 상대방의 인식가능성과 예측가능성을 중요하게 고려하여 규범적으로 판단하여야 한다.

관련기출

③

1. 국민건강보험공단에 의한 '직장가입자 자격상실 및 자격변동 안내' 통보 및 '사업장 직권탈퇴에 따른 가입자 자격상실 안내' 통보는 가입자 자격이 변동되는 효력을 가져오므로 항고소송의 대상이 되는 처분에 해당한다. (○, ×)
2020 지방직 · 서울시 7급

1. ×

④

1. 행정청의 행위가 항고소송의 대상이 되는 처분에 해당하는지가 불분명한 경우에는 그에 대한 불복방법 선택에 중대한 이해관계를 가지는 상대방의 인식가능성과 예측가능성을 중요하게 고려해서 규범적으로 판단해야 한다. (○, ×)
2023 소방직 9급

1. ○

① 제39강 참조 ×

처분의 위법 여부는 **본안의 문제**이지 소송요건 심사단계에서 고려할 사항이 아니다.

> 어떠한 처분에 법령상 근거가 있는지, 행정절차법에서 정한 처분절차를 준수하였는지는 본안에서 당해 처분이 적법한가를 판단하는 단계에서 고려할 요소이지, 소송요건 심사단계에서 고려할 요소가 아니다(대판 2016. 8. 30, 2015두60617).

② 제23강 참조 ○

> 병무청장이 병역법 제81조의2 제1항에 따라 병역의무 기피자의 인적사항 등을 인터넷 홈페이지에 게시하는 등의 방법으로 공개한 경우 병무청장의 공개결정을 항고소송의 대상이 되는 행정처분으로 보아야 한다(대판 2019. 6. 27, 2018두49130).

③ ○

> 국민건강보험공단이 甲 등에게 한 '직장가입자 자격상실 및 자격변동 안내' 통보 및 '사업장 직권탈퇴에 따른 가입자 자격상실 안내' 통보는 항고소송의 대상이 되는 처분이 아니다.
> 국민건강보험 직장가입자 또는 지역가입자 자격변동은 법령이 정하는 사유가 생기면 별도 처분 등의 개입 없이 사유가 발생한 날부터 변동의 효력이 당연히 발생하므로, 위 통보는 처분성이 인정되지 않는다(대판 2019. 2. 14, 2016두41729).

④ ○

> 행정청의 행위가 '처분'에 해당하는지가 불분명한 경우에는 그에 대한 불복방법 선택에 중대한 이해관계를 가지는 상대방의 인식가능성과 예측가능성을 중요하게 고려하여 규범적으로 판단하여야 한다(대판 2020. 4. 9, 2019두61137).

정답 03 ①

04 정답률 83% 중 2022 국가직 7급 변형

항고소송에 대한 판례의 입장으로 옳은 것만을 모두 고르면?

□□□ ㉠ 건축물대장 소관청의 용도변경신청 거부행위는 국민의 권리관계에 영향을 미치는 것으로서 항고소송의 대상이 되는 행정처분에 해당한다.

□□□ ㉡ 자동차운전면허대장에 일정한 사항을 등재하는 행위는 행정소송의 대상이 되는 독립한 행정처분으로 볼 수 없다.

□□□ ㉢ 병역법에 따라 관할 지방병무청장이 1차로 병역의무 기피자 인적사항 공개 대상자 결정을 하고 그에 따라 병무청장이 같은 내용으로 최종적 공개결정을 하였더라도, 해당 공개 대상자는 관할 지방병무청장의 공개 대상자 결정을 다툴 수 있다.

□□□ ㉣ 한국마사회가 조교사 또는 기수의 면허를 취소하는 것은 국가 기타 행정기관으로부터 위탁받은 행정권한의 행사가 아니라 일반 사법상의 법률관계에서 이루어지는 단체 내부에서의 징계 내지 제재처분이다.

① ㉠, ㉡, ㉢ ② ㉠, ㉡, ㉣
③ ㉠, ㉢, ㉣ ④ ㉡, ㉢, ㉣

관련기출

㉡

1. 자동차운전면허대장상 등재행위에는 처분성이 인정된다. (○, ×)
2018 서울시 1회 7급

1. ×

㉣

1. 한국마사회의 조교사나 기수에 대한 면허 취소 · 정지는 취소소송의 대상이 되는 처분에 해당한다. (○, ×) 2022 군무원 9급
2. 한국마사회의 조교사 · 기수 면허취소처분은 취소소송의 대상이 된다. (○, ×) 2021 지방직 · 서울시 7급
3. 한국마사회가 기수의 면허를 취소하는 것은 처분성이 인정된다. (○, ×) 2017 사회복지직 9급
4. (판례에 따르면) 한국마사회가 조교사 또는 기수의 면허를 부여하거나 취소하는 것은 일반사법상의 법률관계에서 이루어지는 단체 내부에서의 징계 내지 제재처분에 불과하다. (○, ×) 2015 경행특채 1차

1. × 2. × 3. × 4. ○

② ㉠㉡㉣이 옳은 설명이다.

㉠ ○

건축물대장의 용도는 건축물의 소유권을 제대로 행사하기 위한 전제요건으로서 건축물 소유자의 실체적 권리관계에 밀접하게 관련되어 있으므로, 건축물대장 소관청의 용도변경신청 거부행위는 국민의 권리관계에 영향을 미치는 것으로서 항고소송의 대상이 되는 행정처분에 해당한다(대판 2009. 1. 30, 2007두7277).

㉡ ○

자동차운전면허대장상의 등재행위는 행정처분이 아니다.
자동차운전면허대장상 일정한 사항의 등재행위는 운전면허행정사무집행의 편의와 사실증명의 자료로 삼기 위한 것일 뿐 그 등재행위로 인하여 당해 운전면허취득자에게 새로이 어떠한 권리가 부여되거나 변동 또는 상실되는 효력이 발생하는 것은 아니다(대판 1991. 9. 24, 91누1400).

㉢ 제23강 참조 ×

관할 지방병무청장이 1차로 공개대상자 결정을 하고, 그에 따라 병무청장이 같은 내용으로 최종적 공개결정을 하였다면, 공개대상자는 병무청장의 최종적 공개결정만을 다투는 것으로 충분하고, 관할 지방병무청장의 공개대상자 결정을 별도로 다툴 소의 이익은 없어진다(대판 2019. 6. 27, 2018두49130).

㉣ **빈출** ○

한국마사회의 조교사 및 기수 면허 부여 또는 취소는 행정처분이 아니다.
한국마사회가 조교사 또는 기수의 면허를 부여하거나 취소하는 것은 경마를 독점적으로 개최할 수 있는 지위에서 우수한 능력을 갖추었다고 인정되는 사람에게 경마에서의 일정한 기능과 역할을 수행할 수 있는 자격을 부여하거나 이를 박탈하는 것에 지나지 아니하므로, 이는 국가 기타 행정기관으로부터 위탁받은 행정권한의 행사가 아니라 일반 사법상의 법률관계에서 이루어지는 단체 내부에서의 징계 내지 제재처분이다(대판 2008. 1. 31, 2005두8269).

정답 04 ②

05 정답률 70% 상 2022 국가직 7급

조세의 부과 · 징수 및 그 구제에 대한 설명으로 옳지 않은 것은? (다툼이 있는 경우 판례에 의함)

□□□ ① 심판청구 등에 대한 결정의 한 유형으로 실무상 행해지고 있는 재조사 결정은 재결청의 결정에서 지적된 사항에 관하여 처분청의 재조사결과를 기다려 그에 따른 후속 처분의 내용을 심판청구 등에 대한 결정의 일부분으로 삼겠다는 의사가 내포된 변형결정에 해당하므로, 처분청은 재조사 결정의 취지에 따라 재조사를 한 후 그 내용을 보완하는 후속처분만을 할 수 있다.

□□□ ② 납세의무자에 대한 국가의 부가가치세 환급세액 지급의무는 그 납세의무자로부터 어느 과세기간에 과다하게 거래징수된 세액 상당을 국가가 실제로 납부받았는지와 관계없이 부가가치세 법령의 규정에 의하여 직접 발생하는 것으로서, 그 법적 성질은 부당이득 반환의무가 아니다.

□□□ ③ 과세표준과 세액을 감액하는 경정처분에 대해서 그 감액경정처분으로도 아직 취소되지 아니하고 남아있는 부분을 다투는 경우, 적법한 전심절차를 거쳤는지 여부, 제소기간의 준수 여부는 당해 경정처분을 기준으로 판단하여야 한다.

□□□ ④ 증액경정처분이 있는 경우, 원칙적으로는 당초 신고나 결정에 대한 불복기간의 경과 여부 등에 관계없이 증액경정처분만이 항고소송의 심판대상이 되고, 납세의무자는 그 항고소송에서 당초신고나 결정에 대한 위법사유도 함께 주장할 수 있다.

관련기출

①

1. 처분청이 재조사결정의 주문 및 그 전제가 된 요건사실의 인정과 판단, 즉 처분의 구체적 위법사유에 관한 판단에 반하여 당초 처분을 그대로 유지하는 것은 재조사결정의 기속력에 저촉되지 않는다. (○, ×) 2018 경행경채 3차

1. ×

① 제39강 참조 ○

> 심판청구 등에 대한 결정의 한 유형으로 실무상 행해지고 있는 재조사결정은 재결청의 결정에서 지적된 사항에 관하여 처분청의 재조사결과를 기다려 그에 따른 후속처분의 내용을 심판청구 등에 대한 결정의 일부분으로 삼겠다는 의사가 내포된 변형결정에 해당하므로, 처분청은 재조사결정의 취지에 따라 재조사를 한 후 그 내용을 보완하는 후속처분만을 할 수 있다. 따라서 처분청이 재조사결정의 주문 및 그 전제가 된 요건사실의 인정과 판단, 즉 처분의 구체적 위법사유에 관한 판단에 반하여 당초처분을 그대로 유지하는 것은 재조사결정의 기속력에 저촉된다(대판 2017. 5. 11, 2015두37549).

② 제35강 참조 ○

> 부가가치세법령의 내용, 형식 및 입법취지 등에 비추어 보면, 납세의무자에 대한 국가의 부가가치세 환급세액 지급의무는 그 납세의무자로부터 어느 과세기간에 과다하게 거래징수된 세액상당을 국가가 실제로 납부받았는지와 관계없이 부가가치세법령의 규정에 의하여 직접 발생하는 것으로서, 그 법적 성질은 정의와 공평의 관념에서 수익자와 손실자 사이의 재산상태 조정을 위해 인정되는 부당이득반환의무가 아니라 부가가치세법령에 의하여 그 존부나 범위가 구체적으로 확정되고 조세정책적 관점에서 특별히 인정되는 공법상 의무라고 봄이 타당하다(대판 2013. 3. 21, 2011다95564 전합).

③ ×

> 과세표준과 세액을 감액하는 경정처분은 당초의 부과처분과 별개 독립의 과세처분이 아니라 그 실질은 당초의 부과처분의 변경이고, 그에 의하여 세액의 일부취소라는 납세자에게 유리한 효과를 가져오는 처분이므로, 그 경정처분으로도 아직 취소되지 아니하고 남아 있는 부분이 위법하다 하여 다투는 경우, 항고소송의 대상은 당초의 부과처분 중 경정처분에 의하여 아직 취소되지 않고 남은 부분이고, 그 경정처분이 항고소송의 대상이 되는 것은 아니며, 이 경우 적법한 전심절차를 거쳤는지 여부도 당초처분을 기준으로 판단하여야 한다(대판 2009. 5. 28, 2006두16403).

④ ○

> 증액경정처분이 있는 경우 원칙적으로 증액경정처분만이 항고소송의 대상이 되고 이 경우 납세의무자는 증액경정처분의 취소를 구하는 항고소송에서 과세관청의 증액경정사유뿐만 아니라 당초신고에 관한 과다신고사유도 함께 주장하여 다툴 수 있다고 할 것이다(대판 2013. 4. 18, 2010두11733 전합).

정답 05 ③

06 ㊤

2022 변호사

甲은 「산업집적활성화 및 공장설립에 관한 법률」(이하 '법'이라 함)에 따라 산업단지관리공단과 A시 소재 산업단지 입주계약을 체결하였으나, 이후 산업단지관리공단은 甲의 계약위반을 이유로 입주계약을 해지하였다. 이에 관한 설명 중 옳은 것은? (다툼이 있는 경우 판례에 의함)

> **【참고】** 법(현행법을 사례에 맞게 단순화하였음)
>
> **제42조【입주계약의 해지 등】** ① 산업단지관리공단은 입주기업체가 입주계약을 위반한 경우에는 그 입주계약을 해지할 수 있다.
>
> **제43조【입주계약 해지 후의 재산처분 등】** ① 제42조 제1항에 따라 입주계약이 해지된 자는 그가 소유하는 산업용지 및 공장 등을 산업통상자원부령으로 정하는 기간에 처분하여야 한다.
>
> **제55조【과태료】** ① 시장 · 군수 · 구청장은 제43조 제1항에 따른 기간에 산업용지 또는 공장 등을 양도하지 아니한 자에게는 500만원 이하의 과태료를 부과한다.

□□□ ① 甲이 산업단지관리공단을 상대로 입주계약의 해지를 다투려면 당사자소송에 의하여야 한다.

□□□ ② 산업단지관리공단이 甲에 대하여 입주계약을 해지하는 경우, 법에 특별한 규정이 없다면 행정절차법의 적용을 받지 않는다.

□□□ ③ 산업단지관리공단이 甲에 대하여 입주계약을 해지하는 경우, 해지하여야 할 공익상의 필요와 해지로 인한 甲의 기득권, 신뢰보호 및 법률생활 안정의 침해 등 불이익에 대한 이익형량이 요구된다.

□□□ ④ 甲이 입주계약의 해지에 대하여 행정소송으로 다투고 있는 중에는 산업단지관리공단은 입주계약의 해지를 직권으로 취소할 수 없다.

□□□ ⑤ 甲이 일정기간 산업용지를 양도하지 않자 관할 A시장이 甲에게 과태료를 부과한 경우, 甲은 과태료부과처분 취소소송을 통해 다툴 수 있다.

① ×

판례는 비록 계약의 해지라 하더라도 그 법적 효과가 계약내용이 아니라 법률의 규정에 따른 효과가 발생하는 경우에는 항고소송의 대상이 되는 처분이라고 본다. 따라서 산업단지관리공단의 입주계약해지는 항고소송의 대상이 되는 처분에 해당한다.

> 산업단지관리공단이 구 「산업집적활성화 및 공장설립에 관한 법률」 제38조 제2항에 따른 입주변경계약의 취소는 항고소송의 대상이 되는 행정처분에 해당한다.
>
> 구 「산업집적활성화 및 공장설립에 관한 법률」상 입주계약 해지통보에 수반되는 법적 의무 및 그 의무를 불이행한 경우의 형사적 내지 행정적 제재 등을 종합적으로 고려하면, 입주변경계약 취소는 행정청인 관리권자로부터 관리업무를 위탁받은 산업단지관리공단이 우월적 지위에서 입주기업체들에게 일정한 법률상 효과를 발생하게 하는 것으로서 항고소송의 대상이 되는 행정처분에 해당한다(대판 2017. 6. 15, 2014두46843).

② 제20강 참조 ×

산업단지관리공단의 입주계약해지는 공법상 계약이 아니라 행정처분이므로 원칙적으로 행정절차법이 적용된다.

> **행정절차법 제3조【적용범위】** ① 처분, 신고, 확약, 위반사실 등의 공표, 행정계획, 행정상 입법예고, 행정예고 및 행정지도의 절차(이하 '행정절차'라 한다)에 관하여 다른 법률에 특별한 규정이 있는 경우를 제외하고는 이 법에서 정하는 바에 따른다.

③ ○

> 일정한 행정처분으로 국민이 일정한 이익과 권리를 취득하였을 경우에 종전 행정처분에 하자가 있음을 전제로 직권으로 이를 취소하는 행정처분은 이미 취득한 국민의 기존 이익과 권리를 박탈하는 별개의 행정처분으로, 취소될 행정처분에 하자가 있어야 하고, 나아가 행정처분에 하자가 있다고 하더라도 취소해야 할 공익상 필요와 취소로 당사자가 입게 될 기득권과 신뢰보호 및 법률생활 안정의 침해 등 불이익을 비교 · 교량한 후 공익상 필요가 당사자가 입을 불이익을 정당화할 만큼 강한 경우에 한하여 취소할 수 있는 것이며, 하자나 취소해야 할 필요성에 관한 증명책임은 기존 이익과 권리를 침해하는 처분을 한 행정청에 있다. 이러한 신뢰보호와 이익형량의 취지는 구 「산업집적활성화 및 공장설립에 관한 법률」에 따른 입주계약 또는 변경계약을 취소하는 경우에도 마찬가지로 적용될 수 있다(대판 2017. 6. 15, 2014두46843).

④ ×

판례에 의하면 甲이 입주계약의 해지에 대하여 행정소송으로 다투고 있는 중에도 산업단지관리공단은 입주계약의 해지를 직권으로 취소할 수 있다.

> 처분에 대한 취소소송이 진행 중이라도 부과권자는 처분을 직권취소할 수 있다.
>
> 변상금 부과처분에 대한 취소소송이 진행 중이라도 그 부과권자로서는 위법한 처분을 스스로 취소하고 그 하자를 보완하여 다시 적법한 부과처분을 할 수도 있다(대판 2006. 2. 10, 2003두5686).

⑤ 제26강 참조 ×

판례에 의하면 과태료 부과는 행정소송의 대상이 되는 행정처분이라고 볼 수 없으므로 甲은 취소소송을 통해 다툴 수 없다.

> 과태료 부과는 행정소송의 대상이 되는 행정처분이라고 볼 수 없다(대판 1993. 11. 23, 93누16833).

정답 06 ③

07 상 2022 변호사

甲은 주유소를 운영하던 중 가짜 석유제품을 저장 · 판매하여 석유사업법을 위반한 사실이 2차 적발되었고, 「석유사업법 시행규칙」 [별표 1]로 정한 처분기준에 따라 행정청으로부터 6개월의 사업정지처분(이하 '이 사건 처분'이라 함)을 받았다. 이에 관한 설명 중 옳은 것은? (다툼이 있는 경우 판례에 의함)

【참고】「석유사업법 시행규칙」 [별표 1] 행정처분기준

위반행위	근거 법조문	행정처분기준		
		1회 위반	2회 위반	3회 위반
가짜석유제품을 제조 · 수입 · 저장 · 운송 · 보관 또는 판매한 경우	법 OO조	사업정지 3개월	사업정지 6개월	등록취소 또는 영업장 폐쇄

□□□ ① 이 사건 처분에서 정한 사업정지기간이 경과하여 그 효력이 소멸한 이후에는 甲은 이 사건 처분에 대한 취소소송을 제기할 법률상 이익이 없다.

□□□ ② 甲이 청구한 행정심판에서 이 사건 처분을 3개월의 사업정지처분에 갈음하는 과징금으로 변경하는 재결이 있었으나, 여전히 甲이 처분사유가 부존재함을 주장하여 다투고자 한다면 甲은 재결을 대상으로 하여 취소소송을 제기하여야 한다.

□□□ ③ 甲의 위반사실이 명백하다면 이 사건 처분을 하면서 甲에게 법령상 사업정지기간의 감경에 관한 참작사유가 있음에도 이를 전혀 고려하지 않았다고 하여 그 자체로 재량권을 일탈 · 남용한 위법한 처분이 되는 것은 아니다.

□□□ ④ 행정법규 위반에 대하여 甲에게 고의나 과실이 없는 경우에는 이 사건 처분을 할 수 없다.

□□□ ⑤ 행정법규 위반에 대한 제재조치는 행정목적의 달성을 위하여 행정법규 위반이라는 객관적 사실에 착안하여 가하는 제재이므로, 甲이 고용한 직원이 위반행위를 한 경우라도 법령상 책임자인 甲에게 이 사건 처분을 할 수 있다.

① 제36강 참조 ×

제시된 조문에 따르면 위반행위의 횟수에 따라 가중처분하도록 되어 있는바 이러한 경우에는 처분의 효력이 기간 경과로 인하여 소멸되었다고 하더라도 처분의 취소를 구할 소의 이익이 있다. 한편 「석유사업법 시행규칙」 [별표 1] 행정처분기준은 부령 형식으로 정한 제재처분기준에 해당되는데 이러한 규정은 행정규칙에 해당한다는 것이 판례의 입장이다. 그런데 판례에 따르면 행정규칙에 의해 가중처분하도록 되어 있더라도 소의 이익을 긍정한다. 따라서 이 사건 처분에서 정한 사업정지기간이 경과하여 그 효력이 소멸한 이후라도 甲은 이 사건 처분에 대한 취소소송을 제기할 법률상 이익이 있다.

> 제재적 행정처분이 그 처분에서 정한 제재기간의 경과로 인하여 그 효과가 소멸되었다 하더라도 그 처분이 후행처분의 가중적 요건사실이 되는 경우 선행처분의 취소를 구할 소의 이익이 있다(대판 2006. 6. 22, 2003두1684 전합).

② ×

수정재결의 경우 원처분은 재결에 의해 수정된 형태로 존재하게 된다. 따라서 甲이 청구한 행정심판에서 6개월의 사업정지처분을 3개월의 사업정지처분에 갈음하는 과징금으로 변경하는 재결이 있었다면 원처분이 과징금처분으로 변경되어 존재하게 된다. 이 경우, 여전히 甲이 처분사유가 부존재함을 주장하여 다투고자 한다면 甲은 재결을 대상으로 하여 취소소송을 제기하여야 하는 것이 아니라, 수정된 원처분을 소송대상으로 하여 취소소송을 제기하여야 한다. 이 경우 취소소송의 피고는 행정심판위원회가 아니라 원처분청이 된다.

③ 제12강 참조 ×

甲의 위반사실이 명백하더라도 처분을 하면서 甲에게 법령상 사업정지기간의 감경에 관한 참작사유가 있음에도 이를 전혀 고려하지 않았다면 그 자체로 재량권을 일탈 · 남용한 위법한 처분이 된다.

> 과징금의 임의적 감경사유가 있음에도 이를 전혀 고려하지 않거나 감경사유에 해당하지 않는다고 오인하여 과징금을 감경하지 않은 경우, 그 과징금 부과처분은 재량권을 일탈 · 남용한 위법한 것이다(대판 2010. 7. 15, 2010두7031).

④ ×

행정상 제재처분은 행정법규 위반에 대하여 처분 상대방에게 고의나 과실이 없더라도 행해질 수 있다. 따라서 甲에게 고의나 과실이 없는 경우라도 처분을 할 수 있다(아래 ⑤ 해설 판례 참조).

⑤ 제23강 참조 ○

행정상 제재처분은 현실적인 행위자가 아니라도 법령상 책임자로 규정된 자에게 부과된다. 따라서 甲이 고용한 직원이 위반행위를 한 경우라도 법령상 책임자인 甲에게 처분을 할 수 있다.

> 과징금 부과처분은 제재적 행정처분으로서 여객자동차운수사업에 관한 질서를 확립하고 여객의 원활한 운송과 여객자동차운수사업의 종합적인 발달을 도모하여 공공복리를 증진한다는 행정목적의 달성을 위하여 행정법규위반이라는 객관적 사실에 착안하여 가하는 제재이므로 반드시 현실적인 행위자가 아니라도 법령상 책임자로 규정된 자에게 부과되고(⑤) 원칙적으로 위반자의 고의 · 과실을 요하지 아니하나(④), 위반자의 의무해태를 탓할 수 없는 정당한 사유가 있는 등의 특별한 사정이 있는 경우에는 이를 부과할 수 없다(대판 2014. 10. 15, 2013두5005).

정답 07 ⑤

08 **빈출** 정답률 74% 중 2021 지방직 · 서울시 7급 변형

판례상 취소소송의 대상이 되는 행정작용에 해당하는 경우만을 모두 고르면?

> □□□ ㉠ 한국마사회의 조교사 · 기수 면허취소처분
> □□□ ㉡ 임용기간이 만료된 국립대학 조교수에 대하여 재임용을 거부하는 취지로 한 임용기간만료의 통지
> □□□ ㉢ 국가공무원법상 당연퇴직의 인사발령
> □□□ ㉣ 어업권면허에 선행하는 확약인 우선순위결정
> □□□ ㉤ 과세관청의 법인에 대한 소득금액변동통지

① ㉠, ㉢　② ㉡, ㉤
③ ㉠, ㉡, ㉣　④ ㉢, ㉣, ㉤

관련기출

㉡

1. 임용기간이 만료된 국 · 공립대학의 조교수에 대하여 재임용을 거부하는 취지로 한 임용기간만료의 통지는 행정처분에 해당한다. (○, ×)
2017 국회직 8급
2. 기간제로 임용되어 임용기간이 만료된 공립대학의 교원은 재임용 여부에 관하여 심사를 요구할 법규상 또는 조리상의 신청권을 가진다. (○, ×)
2014 서울시 7급
3. 국립대교수 재임용탈락통지는 항고소송의 대상이 되는 행정처분에 해당한다. (○, ×)
2011 사회복지직 9급

1. ○ 2. ○ 3. ○

㉤

1. 원천징수의무자인 법인에 대한 소득금액변동통지는 법인의 납세의무에 직접 영향을 미치므로 항고소송의 대상이 되는 처분이다. (○, ×)
2020 국회직 8급

1. ○

② 취소소송의 대상이 되는 것은 ㉡㉤이다.

㉠ ×

한국마사회의 조교사 및 기수 면허 부여 또는 취소는 행정처분이 아니라는 것이 판례의 입장이다(대판 2008. 1. 31, 2005두8269).

㉡ **빈출** ○

> 대학 교원의 임용권자가 임용기간이 만료된 조교수에 대하여 재임용을 거부하는 취지로 한 임용기간만료의 통지는 행정소송의 대상이 되는 처분에 해당한다.
>
> 기간제로 임용되어 임용기간이 만료된 국 · 공립대학의 조교수는 교원으로서의 능력과 자질에 관하여 합리적인 기준에 의한 공정한 심사를 받아 위 기준에 부합되면 특별한 사정이 없는 한 재임용되리라는 기대를 가지고 재임용 여부에 관하여 합리적인 기준에 의한 공정한 심사를 요구할 법규상 또는 조리상 신청권을 가진다고 할 것이니, 임용권자가 임용기간이 만료된 조교수에 대하여 재임용을 거부하는 취지로 한 임용기간만료의 통지는 위와 같은 대학 교원의 법률관계에 영향을 주는 것으로서 행정소송의 대상이 되는 처분에 해당한다(대판 2004. 4. 22, 2000두7735 전합).

㉢ 제13강 참조 ×

당연퇴직의 인사발령은 행정소송의 대상인 행정처분이 아니라는 것이 판례의 입장이다(대판 1995. 11. 14, 95누2036).

㉣ 제18강 참조 ×

어업권면허처분에 선행하는 우선순위결정은 확약에 불과하고 행정처분이 아니므로 공정력, 불가쟁력과 같은 효력은 인정되지 아니한다는 것이 판례의 입장이다(대판 1995. 1. 20, 94누6529).

㉤ **빈출** ○

> 과세관청의 원천징수의무자인 법인에 대한 소득금액변동통지는 항고소송의 대상이 되는 행정처분이다.
>
> 과세관청의 소득처분과 그에 따른 소득금액변동통지가 있는 경우 원천징수의무자인 법인은 소득금액변동통지서를 받은 날에 그 통지서에 기재된 소득의 귀속자에게 당해 소득금액을 지급한 것으로 의제되어 그때 원천징수하는 소득세의 납세의무가 성립함과 동시에 확정되고, 원천징수의무자인 법인으로서는 소득금액변동통지서에 기재된 소득처분의 내용에 따라 원천징수세액을 그 다음 달 10일까지 관할세무서장 등에게 납부하여야 할 의무를 부담하며, …… (대판 2006. 4. 20, 2002두1878 전합)

정답 08 ②

09 중 2021 행정사

신청에 대한 거부처분에 관한 설명으로 옳은 것은? (다툼이 있으면 판례에 따름)

□□□ ① 거부처분은 당사자의 권익을 제한하는 처분에 해당하므로 원칙적으로 행정절차법상 사전통지의 대상이 된다.

□□□ ② 거부처분에 대하여는 행정소송법상 집행정지를 구할 이익이 있어 집행정지가 허용된다.

□□□ ③ 거부처분의 취소판결의 취지에 따라 행정청이 처분을 하지 않는 경우, 당사자는 수소법원에 직접강제를 신청할 수 있다.

□□□ ④ 거부처분이 성립되려면 신청인에게 그 행위발동을 요구할 법규상 또는 조리상 신청권이 있어야 한다.

□□□ ⑤ 거부처분에 대하여는 행정소송법상 명문의 규정으로 의무이행소송이 허용된다.

관련기출

④

1. 국민의 적극적 행위신청에 대한 행정청의 거부행위가 항고소송의 대상이 되는 행정처분에 해당하기 위하여는 국민이 행정청에 대하여 그 행위발동을 요구할 법규상 또는 조리상의 신청권이 있어야 한다. (○, ×) 2023 군무원 7급
2. 신청권이 없는 신청에 대한 거부행위에 대하여 제기된 거부처분 취소소송은 행정소송에서 소송이 각하되는 경우에 해당한다. (○, ×) 2017 국가직 7급
3. 행정청의 거부행위가 거부처분이 되려면 국민에게 법규상의 신청권이 있어야 하며, 조리상의 신청권으로는 될 수 없다. (○, ×) 2015 교육행정직 9급
4. 법규상 또는 조리상 신청권이 없는 경우에는 거부행위의 처분성이 인정되지 아니한다. (○, ×) 2014 지방직 9급
5. 행정청이 사인의 신청을 받고 그 신청에 따른 행위를 하지 않겠다고 거부한 행위가 항고소송의 대상이 되는 처분이 되기 위한 요건은 사인이 행정청에 대하여 그 신청에 따른 행정행위를 해 줄 것을 요구할 수 있는 법규상 또는 조리상의 신청권이 있어야 한다. (○, ×) 2008 국가직 9급

1. ○ 2. ○ 3. × 4. ○ 5. ○

⑤

1. 행정청으로 하여금 일정한 행정처분을 하도록 명하는 이행판결을 구하는 소송이나 법원으로 하여금 행정청이 일정한 행정처분을 행한 것과 같은 효과가 있는 행정처분을 직접 행하도록 하는 형성판결을 구하는 소송은 허용되지 아니한다. (○, ×) 2023 국회직 9급
2. (甲은 도로관리청 乙에게 도로점용허가를 신청하였으나, 상당한 기간이 지났음에도 아무런 응답이 없어 행정쟁송을 제기하여 권리구제를 강구하려고 한다) 甲은 의무이행소송을 제기하여 권리구제가 가능하다. (○, ×) 2016 지방직 9급

1. ○ 2. ×

① 제21강 참조 ×

특별한 사정이 없는 한 거부처분은 직접 당사자의 권익을 제한하는 것은 아니어서 신청에 대한 거부처분은 처분의 사전통지대상이 된다고 할 수 없다는 것이 판례의 입장이다(대판 2003. 11. 28, 2003두674).

② 제38강 참조 ×

> 유효기간 만료 후 허가갱신신청을 거부한 처분에 대하여는 집행정지(효력정지)를 구할 이익이 없다.
>
> 「사행행위 등 규제법」 제7조 제2항의 규정에 의하면 사행행위영업허가의 효력은 유효기간 만료 후에도 재허가신청에 대한 불허가처분을 받을 때까지 당초 허가의 효력이 지속된다고 볼 수 없으므로 허가갱신신청을 거부한 불허처분의 효력을 정지하더라도 이로 인하여 유효기간이 만료된 허가의 효력이 회복되거나 행정청에 허가를 갱신할 의무가 생기는 것도 아니라 할 것이니 투전기업소갱신허가불허처분의 효력을 정지하더라도 불허처분으로 입게 될 손해를 방지하는 데에 아무런 소용이 없고, 따라서 불허처분의 효력정지를 구하는 신청은 이익이 없어 부적법하다(대결 1993. 2. 10, 92두72).

③ ×

행정소송법상 재처분의무를 이행하지 않는 경우 간접강제가 인정될 뿐 직접강제는 인정되지 않는다.

④ **빈출** ○

> 국민의 적극적 행위신청에 대한 행정청의 거부행위가 항고소송의 대상이 되는 행정처분이 되기 위해서는 국민에게 법규상 또는 조리상의 신청권이 있어야 한다(대판 2005. 2. 25, 2004두4031).

⑤ ×

의무이행소송은 인정되지 않는다.

> 현행 행정소송법상 행정청으로 하여금 일정한 행정처분을 하도록 명하는 이행판결을 구하는 소송이나 법원으로 하여금 행정청이 일정한 행정처분을 행한 것과 같은 효과가 있는 행정처분을 직접 행하도록 하는 형성판결을 구하는 소송은 허용되지 아니하므로 …… (대판 1997. 9. 30, 97누3200)

정답 09 ④

10 정답률 61% 중 2019 국가직 7급

행정상 법률관계에 대한 판례의 입장으로 옳지 않은 것은?

□□□ ① 공법상 근무관계의 형성을 목적으로 하는 채용계약의 체결과정에서 행정청의 일방적인 의사표시로 계약이 성립하지 아니한 경우, 관계법령이 상대방의 법률관계에 관하여 구체적으로 어떻게 규정하고 있는지에 따라 의사표시가 항고소송의 대상이 되는 처분에 해당하는지 아니면 공법상 계약관계의 일방 당사자로서 대등한 지위에서 행하는 의사표시인지를 개별적으로 판단하여야 한다.

□□□ ② 행정처분과 부관 사이에 실제적 관련성이 있다고 볼 수 없는 경우 공무원이 이와 같은 공법상의 제한을 회피할 목적으로 행정처분의 상대방과 사이에 사법상 계약을 체결하는 형식을 취하였다면 이는 법치행정의 원리에 반하는 것으로서 위법하다.

□□□ ③ 지방전문직 공무원 채용계약해지의 의사표시에 대하여는 공법상 당사자소송으로 그 의사표시의 무효확인을 청구할 수 있다.

□□□ ④ 재단법인 한국연구재단이 A대학교 총장에게 연구개발비의 부당집행을 이유로 과학기술기본법령에 따라 '두뇌한국(BK)21 사업' 협약의 해지를 통보한 것은 공법상 계약을 계약당사자의 지위에서 종료시키는 의사표시에 해당한다.

① ○

행정청이 자신과 상대방 사이의 법률관계를 일방적인 의사표시로 종료시켰다고 하더라도 곧바로 의사표시가 행정청으로서 공권력을 행사하여 행하는 행정처분이라고 단정할 수는 없고, 관계법령이 상대방의 법률관계에 관하여 구체적으로 어떻게 규정하고 있는지에 따라 의사표시가 항고소송의 대상이 되는 행정처분에 해당하는지 아니면 공법상 계약관계의 일방 당사자로서 대등한 지위에서 행하는 의사표시인지를 개별적으로 판단하여야 한다(대판 2015. 8. 27, 2015두41449).

② ○

1. 행정처분과 실제적 관련성이 없어 부관으로 붙일 수 없는 부담을 사법상 계약의 형식으로 행정처분의 상대방에게 부과할 수는 없다.
2. 공무원이 공법상의 제한을 회피할 목적으로 행정처분의 상대방과 사이에 사법상 계약을 체결하는 형식을 취하였다면 이는 법치행정의 원리에 반하는 것으로서 위법하다(대판 2009. 12. 10, 2007다63966).

③ ○

전문직 공무원인 공중보건의사 채용계약해지의 의사표시는 행정처분이 아니므로 공법상 당사자소송의 방식으로 무효확인을 구하여야 한다(대판 1996. 5. 31, 95누10617).

④ ×

[재단법인 한국연구재단이 A대학교 총장에게 연구개발비의 부당집행을 이유로 '해양생물유래 고부가식품 · 향장 · 한약 기초소재 개발 인력양성사업에 대한 2단계 두뇌한국(BK)21 사업' 협약을 해지한 사안에서] 과학기술기본법령상 사업 협약의 해지 통보는 단순히 대등 당사자의 지위에서 형성된 공법상 계약을 계약당사자의 지위에서 종료시키는 의사표시에 불과한 것이 아니라 행정청이 우월적 지위에서 연구개발비의 회수 및 관련자에 대한 국가연구개발사업 참여제한 등의 법률상 효과를 발생시키는 행정처분에 해당한다(대판 2014. 12. 11, 2012두28704).

정답 10 ④

11 정답률 55% 중 2019 지방직 · 교육행정직 9급

행정소송의 대상인 행정처분에 대한 설명으로 옳지 않은 것은? (다툼이 있는 경우 판례에 의함)

□□□ ① 구 「민원사무처리에 관한 법률」에서 정한 사전심사결과 통보는 항고소송의 대상이 되는 행정처분에 해당하지 않는다.

□□□ ② 교육공무원법상 승진후보자명부에 의한 승진심사방식으로 행해지는 승진임용에서 승진후보자명부에 포함되어 있던 후보자를 승진임용인사발령에서 제외하는 행위는 항고소송의 대상인 처분에 해당하지 않는다.

□□□ ③ 건축주가 토지소유자로부터 토지사용승낙서를 받아 그 토지 위에 건축물을 건축하는 건축허가를 받았다가 착공에 앞서 건축주의 귀책사유로 해당 토지를 사용할 권리를 상실한 경우, 토지소유자의 건축허가 철회신청을 거부한 행위는 항고소송의 대상이 된다.

□□□ ④ 사업시행자인 한국도로공사가 구 지적법에 따라 고속도로건설공사에 편입되는 토지소유자들을 대위하여 토지면적등록 정정신청을 하였으나 관할행정청이 이를 반려하였다면, 이러한 반려행위는 항고소송 대상이 되는 행정처분에 해당한다.

관련기출

④

1. 고속도로 건설공사에 편입되는 토지소유자들을 대위하여 토지면적등록 정정신청을 하였으나 행정청이 이를 반려하였다면 이는 항고소송대상이 되는 행정처분에 해당한다. (○, ×) 2012 국회(속기 · 경위직) 9급

1. ○

① ○

구 「민원사무처리에 관한 법률」(민원사무처리법) 제19조 제1항에서 정한 사전심사결과 통보는 항고소송의 대상이 되는 행정처분에 해당하지 않는다.

행정청은 사전심사결과 가능하다는 통보를 한 때에도 구 민원사무처리법 제19조 제3항에 의한 제약이 따르기는 하나 반드시 민원사항을 인용하는 처분을 해야 하는 것은 아닌 점, 행정청은 사전심사결과 불가능하다고 통보하였더라도 사전심사결과에 구애되지 않고 민원사항을 처리할 수 있으므로 불가능하다는 통보가 민원인의 권리 · 의무에 직접적 영향을 미친다고 볼 수 없다(대판 2014. 4. 24, 2013두7834).

② ×

교육공무원법상 승진후보자명부에 의한 승진심사방식으로 행해지는 승진임용에서 승진후보자명부에 포함되어 있던 후보자를 승진임용인사발령에서 제외하는 행위는 불이익처분으로서 항고소송의 대상인 처분에 해당한다(대판 2018. 3. 27, 2015두47492).

③ 제17강 참조 ○

건축주가 토지소유자로부터 토지사용승낙서를 받아 토지 위에 건축물을 건축하는 대물적 성질의 건축허가를 받았다가 착공에 앞서 건축주의 귀책사유로 해당 토지를 사용할 권리를 상실한 경우, 토지소유자가 건축허가의 철회를 신청할 수 있으며, 따라서 토지소유자의 신청을 거부한 행위는 항고소송의 대상이 된다(대판 2017. 3. 15, 2014두41190).

④ ○

(평택~시흥 간 고속도로 건설공사 사업시행자인 한국도로공사가 구 지적법 제24조 제1항, 제28조 제1호에 따라 고속도로 건설공사에 편입되는 토지소유자들을 대위하여 토지면적등록 정정신청을 하였으나 화성시장이 이를 반려한 사안에서) 토지면적 등록신청 반려처분은 항고소송대상이 되는 행정처분에 해당한다.

토지면적등록 정정신청을 하였으나 화성시장이 이를 반려한 사안에서, 반려처분은 공공사업의 원활한 수행을 위하여 부여된 사업시행자의 관계법령상 권리 또는 이익에 영향을 미치는 공권력의 행사 또는 그 거부에 해당하는 것으로서 항고소송대상이 되는 행정처분에 해당한다(대판 2011. 8. 25, 2011두3371).

정답 11 ②

12 빈출 정답률 73% 중 2019 서울시 9급

판례에 따를 때 항고소송의 대상이 되는 처분에 해당하는 것은? (다툼이 있는 경우 판례에 따름)

□□□ ① 구 「약관의 규제에 관한 법률」에 따른 공정거래위원회의 표준약관 사용권장행위

□□□ ② 지적공부 소관청이 토지대장상의 소유자명의변경신청을 거부한 행위

□□□ ③ 국세기본법에 따른 과세관청의 국세환급금결정

□□□ ④ 국가균형발전특별법에 따른 시 · 도지사의 혁신도시 최종입지 선정행위

관련기출

①

1. 공정거래위원회의 표준약관 사용권장행위는 비록 그 통지를 받은 해당 사업자 등에게 표준약관을 사용할 경우 표준약관과 다르게 정한 주요 내용을 고객이 알기 쉽게 표시하여야 할 의무를 부과하고 그 불이행에 대해서는 과태료에 처하도록 되어 있으나, 이는 어디까지나 구속력이 없는 행정지도에 불과하므로 행정처분에 해당되지 아니한다. (○, ×) 2017 국회직 8급
2. (판례에 따르면) 공정거래위원회의 '표준약관 사용권장행위'는 항고소송의 대상이 되는 행정처분이 아니다. (○, ×) 2015 경행특채 1차

1. × 2. ×

③

1. 국세환급금결정이나 이 결정을 구하는 신청에 대한 환급거부결정 등은 납세의무자가 갖는 환급청구권의 존부나 범위에 구체적이고 직접적인 영향을 미치는 처분으로 항고소송의 대상이 되는 처분이다. (○, ×) 2019 서울시 1회 7급
2. 국세환급금결정신청에 대한 환급거부결정은 항고소송의 대상이 되는 행정처분이다. (○, ×) 2016 서울시 9급
3. 납세자가 세무서장에게 국세환급금 지급청구를 한 경우 세무서장의 환급거부결정은 판례에 의하면 항고소송의 대상이 되는 처분에 해당한다. (○, ×) 2009 세무사

1. × 2. × 3. ×

④

1. 도지사가 도(道)내 특정시를 공공기관이 이전할 혁신도시 최종입지로 선정한 행위는 항고소송의 대상이 되는 행정처분이다. (○, ×) 2015 서울시 7급
2. 혁신도시 최종입지 선정행위는 항고소송의 대상이 된다. (○, ×) 2012 지방직(상) 9급
3. 국가균형발전특별법에 따른 혁신도시 최종입지 선정행위는 항고소송의 대상이 되는 행정처분이다. (○, ×) 2012 국가직 9급

1. × 2. × 3. ×

① 빈출 ○

공정거래위원회의 '표준약관 사용권장행위'는 항고소송의 대상이 되는 처분이다.

공정거래위원회의 '표준약관 사용권장행위'는 그 통지를 받은 해당 사업자 등에게 표준약관과 다른 약관을 사용할 경우 표준약관과 다르게 정한 주요 내용을 고객이 알기 쉽게 표시하여야 할 의무를 부과하고, 그 불이행에 대해서는 과태료에 처하도록 되어 있으므로, 이는 사업자 등의 권리 · 의무에 직접 영향을 미치는 행정처분으로서 항고소송의 대상이 된다(대판 2010. 10. 14, 2008두23184).

② ×

행정청이 토지대장의 소유자명의변경신청을 거부한 행위는 항고소송의 대상이 되는 행정처분이 아니라는 것이 판례의 입장이다(대판 2012. 1. 12, 2010두12354).

③ 빈출 ×

국세환급결정이나 환급신청에 대한 거부결정은 내부적 사무절차로서 항고소송의 대상이 되는 처분이 아니다.

국세기본법 제51조 제1항, 제52조 및 같은 법 시행령 제30조에 따른 세무서장의 국세환급금(국세환급가산금 포함)에 대한 결정은 이미 납세의무자의 환급청구권이 확정된 국세환급금에 대하여 내부적인 사무처리절차로서 과세관청의 환급절차를 규정한 것에 지나지 않고 그 규정에 의한 국세환급금의 결정에 의하여 비로소 환급청구권이 확정되는 것이 아니므로, 국세환급금결정이나 그 결정을 구하는 신청에 대한 환급거부결정 등은 항고소송의 대상이 되는 처분이라고 볼 수 없다(대판 1994. 12. 2, 92누14250).

④ 빈출 ×

정부의 수도권 소재 공공기관의 지방이전시책을 추진하는 과정에서 도지사가 도내 특정시를 공공기관이 이전할 혁신도시 최종입지로 선정한 행위는 항고소송의 대상이 되는 행정처분이 아니다.

법과 법시행령 및 이 사건 지침에는 공공기관의 지방이전을 위한 정부 등의 조치와 공공기관이 이전할 혁신도시 입지선정을 위한 사항 등을 규정하고 있을 뿐 혁신도시입지 후보지에 관련된 지역주민 등의 권리 · 의무에 직접 영향을 미치는 규정을 두고 있지 않으므로, 피고가 원주시를 혁신도시 최종입지로 선정한 행위는 항고소송의 대상이 되는 행정처분으로 볼 수 없다(대판 2007. 11. 15, 2007두10198).

정답 12 ①

13 상 2019 국회직 8급

항고소송의 대상이 되는 행정처분에 해당하는 것은? (다툼이 있는 경우 판례에 의함)

□□□ ① 소관청이 토지대장상의 소유자명의변경신청을 거부한 행위

□□□ ② 서울특별시지하철공사 임직원을 징계하는 행위

□□□ ③ 무허가건물을 무허가건물관리대장에서 삭제하는 행위

□□□ ④ 각 군 참모총장이 군인 명예전역수당 지급대상자 결정절차에서 국방부장관에게 수당지급대상자를 추천하는 행위

□□□ ⑤ 교육공무원법상 승진후보자명부에 의한 승진심사방식으로 행하여지는 승진임용에서 승진후보자명부에 포함되어 있던 후보자를 승진임용인사발령에서 제외하는 행위

① ×

행정청이 토지대장의 소유자명의변경신청을 거부한 행위는 항고소송의 대상이 되는 행정처분이 아니라는 것이 판례의 입장이다(대판 2012. 1. 12, 2010두12354).

② ×

> 서울특별시 지하철공사의 임원과 직원의 근무관계의 성질은 지방공기업법의 모든 규정을 살펴보아도 공법상의 특별권력관계라고는 볼 수 없고 사법관계에 속할 뿐만 아니라, 위 지하철공사의 사장이 그 이사회 결의를 거쳐 제정된 인사규정에 의거하여 소속 직원에 대한 징계처분을 한 경우 위 사장은 행정소송법 제13조 제1항 본문과 제2조 제2항 소정의 행정청에 해당되지 않으므로 공권력발동 주체로서 위 징계처분을 행한 것으로 볼 수 없고, 따라서 이에 대한 불복절차는 민사소송에 의할 것이지 행정소송에 의할 수는 없다(대판 1989. 9. 12, 89누2103).

③ ×

> 무허가건물등재대장 삭제행위는 행정처분이 아니다.
>
> 무허가건물관리대장은, 행정관청이 지방자치단체의 조례 등에 근거하여 무허가건물 정비에 관한 행정상 사무처리의 편의와 사실증명의 자료로 삼기 위하여 작성·비치하는 대장으로서 무허가건물을 무허가건물관리대장에 등재하거나 등재된 내용을 변경 또는 삭제하는 행위로 인하여 당해 무허가건물에 대한 실체상의 권리관계에 변동을 가져오는 것이 아니다(대판 2009. 3. 12, 2008두11525).

④ ×

> 각 군 참모총장이 '군인 명예전역수당 지급대상자 결정절차'에서 국방부장관에게 수당지급대상자를 추천하거나 신청자 중 일부를 추천하지 않는 행위는 항고소송의 대상이 되는 처분이 아니다(대판 2009. 12. 10, 2009두14231).

⑤ ○

교육공무원법상 승진후보자 명부에 의한 승진심사방식으로 행해지는 승진임용에서 승진후보자명부에 포함되어 있던 후보자를 승진임용인사발령에서 제외하는 행위는 항고소송의 대상인 처분에 해당한다는 것이 판례의 입장이다(대판 2018. 3. 27, 2015두47492).

정답 13 ⑤

대표

14

정답률 63% 중 2019 국가직 9급

항고소송의 대상인 처분에 대한 설명으로 옳은 것은? (다툼이 있는 경우 판례에 의함)

□□□ ① 국립대학교 총장의 임용권한은 대통령에게 있으므로, 교육부장관이 대통령에게 임용제청을 하면서 대학에서 추천한 복수의 총장 후보자들 중 일부를 임용제청에서 제외한 행위는 처분에 해당하지 않는다.

□□□ ② 인터넷 포털사이트의 개인정보 유출사고로 주민등록번호가 불법유출되었음을 이유로 주민등록번호 변경신청을 하였으나 관할 구청장이 이를 거부한 경우, 그 거부행위는 처분에 해당하지 않는다.

□□□ ③ 검사의 불기소결정은 공권력의 행사에 포함되므로, 검사의 자의적인 수사에 의하여 불기소결정이 이루어진 경우 그 불기소결정은 처분에 해당한다.

□□□ ④ 국가인권위원회가 진정에 대하여 각하 및 기각결정을 할 경우 피해자인 진정인은 인권침해 등에 대한 구제조치를 받을 권리를 박탈당하게 되므로, 국가인권위원회의 진정에 대한 각하 및 기각결정은 처분에 해당한다.

관련기출

①

1. 교육부장관이 대학에서 추천한 복수의 총장후보자들 전부 또는 일부를 임용제청에서 제외하는 행위는 제외된 후보자들에 대한 불이익처분으로서 항고소송의 대상이 되는 처분에 해당한다고 보아야 한다. (○, ×) 2023 군무원 9급

1. ○

②

1. 인터넷 포털사이트 등의 개인정보 유출사고로 주민등록번호가 불법유출되어 그 피해자가 주민등록번호 변경을 신청했으나 구청장이 거부통지를 한 사안에서, 피해자의 의사와 무관하게 주민등록번호가 유출된 경우에는 조리상 주민등록번호의 변경요구신청권을 인정함이 타당하다. (○, ×) 2021 국가직 9급
2. 피해자의 의사와 무관하게 주민등록번호가 유출된 경우라고 하더라도 주민등록번호의 변경을 요구할 신청권은 인정되지 않으므로, 구청장의 주민등록번호 변경신청 거부행위는 항고소송의 대상이 되는 행정처분에 해당하지 않는다. (○, ×) 2019 사회복지직 9급
3. (甲은 A시에 거주할 목적으로 주민등록 전입신고를 하였다) 주민등록 전입신고가 수리된 후 甲의 주민등록번호가 甲의 의사와 무관하게 불법유출되어 甲이 관할행정청에게 주민등록번호 변경을 신청한 경우, 현행법상 주민등록번호 변경신청권이 인정되지 않으므로 관할행정청이 이를 거부하더라도 항고소송의 대상이 되는 거부처분이라고 할 수 없다. (○, ×) 2018 변호사

1. ○ 2. × 3. ×

④

1. 국가인권위원회의 각하 및 기각결정은 항고소송의 대상이 되는 처분에 해당하지 아니하므로 헌법소원의 보충성 요건을 충족하여 헌법소원의 대상이 된다. (○, ×) 2017 국회직 8급

1. ×

① ×

1. <u>교육부장관이 대학에서 추천한 복수의 총장 후보자들 전부 또는 일부를 임용제청에서 제외하는 행위는 항고소송의 대상이 되는 처분에 해당한다.</u>
2. 교육부장관이 특정 후보자를 임용제청에서 제외하고 다른 후보자를 임용제청함으로써 대통령이 임용제청된 다른 후보자를 총장으로 임용한 경우, 임용제청에서 제외된 후보자가 행정소송으로 다툴 처분은 대통령의 임용 제외처분이다(대판 2018. 6. 15, 2016두57564).

② **빈출** ×

(甲 등이 인터넷 포털사이트 등의 개인정보 유출사고로 자신들의 주민등록번호 등 개인정보가 불법유출되자 이를 이유로 관할 구청장에게 주민등록번호를 변경해 줄 것을 신청하였으나 구청장이 '주민등록번호가 불법 유출된 경우 주민등록법상 변경이 허용되지 않는다.'는 이유로 주민등록번호 변경을 거부하는 취지의 통지를 한 사안에서) 피해자의 의사와 무관하게 주민등록번호가 유출된 경우에는 조리상 주민등록번호의 변경을 요구할 신청권을 인정함이 타당하고, 구청장의 주민등록번호 변경신청 거부행위는 항고소송의 대상이 되는 행정처분에 해당한다(대판 2017. 6. 15, 2013두2945).

③ ×

행정소송법 제2조의 처분의 개념 정의에는 해당한다고 하더라도 그 처분의 근거법률에서 행정소송 이외의 다른 절차에 의하여 불복할 것을 예정하고 있는 처분은 항고소송의 대상이 될 수 없다. <u>검사의 불기소결정에 대해서는 검찰청법에 의한 항고와 재항고, 형사소송법에 의한 재정신청에 의해서만 불복할 수 있는 것이므로, 이에 대해서는 행정소송법상 항고소송을 제기할 수 없다</u>(대판 2018. 9. 28, 2017두47465).

④ ○

<u>국가인권위원회의 각하 및 기각결정</u>은 법률상 신청권이 있는 피해자인 <u>진정인의 권리행사에 중대한 지장을 초래하는 것으로서 항고소송의 대상이 되는 행정처분에 해당하므로</u>, 헌법소원의 보충성에 따라 그에 대한 다툼은 우선 행정심판이나 행정소송에 의하여야 할 것이다(헌재 2015. 3. 26, 2013헌마214 등).

정답 14 ④

15 정답률 56% 중 2019 소방직 9급

판례상 행정처분으로 인정되는 것은?

□□□ ① 어업권면허에 선행하는 우선순위결정
□□□ ② 계약직 공무원 채용계약해지의 의사표시
□□□ ③ 행정규칙에 의한 불문경고조치
□□□ ④ 국가공무원 당연퇴직의 인사발령

관련기출

③

1. 판례에 의하면, 행정규칙에 의한 불문경고조치는 차후 징계감경사유로 작용할 수 있는 표창대상자에서 제외되는 등의 인사상 불이익을 줄 수 있다 하여도 이는 간접적 효과에 불과하므로 항고소송의 대상인 행정처분에 해당하지 않는다. (○, ×) 2018 서울시 1회 7급
2. 행정규칙에 의거한 불문경고조치도 항고소송의 대상이 된다. (○, ×) 2013 지방직 9급
3. 공무원에 대한 불문경고조치는 항고소송의 대상이 되는 행정처분에 해당한다. (○, ×) 2012 국가직 9급

1. × 2. ○ 3. ○

① ×

어업권면허처분에 선행하는 우선순위결정은 확약에 불과하고 행정처분이 아니므로 공정력, 불가쟁력과 같은 효력은 인정되지 아니한다(대판 1995. 1. 20, 94누6529).

② ×

계약직 공무원 채용계약해지의 의사표시는 일반공무원에 대한 징계처분과는 달라서 항고소송의 대상이 되는 처분 등의 성격을 가진 것으로 인정되지 아니한다(대판 2002. 11. 26, 2002두5948).

③ **빈출** ○

공무원징계양정규칙(행정규칙)에 의한 불문경고조치는 항고소송의 대상이 되는 행정처분에 해당한다.

행정규칙에 의한 '불문경고조치'가 비록 법률상의 징계처분은 아니지만 위 처분을 받지 아니하였다면 차후 다른 징계처분이나 경고를 받게 될 경우 징계감경사유로 사용될 수 있었던 표창공적의 사용가능성을 소멸시키는 효과와 1년 동안 인사기록카드에 등재됨으로써 그동안은 장관표창이나 도지사표창 대상자에서 제외시키는 효과 등이 있다는 이유로 항고소송의 대상이 되는 행정처분에 해당한다(대판 2002. 7. 26, 2001두3532).

④ ×

국가공무원 당연퇴직의 인사발령은 행정소송의 대상인 행정처분이 아니다(처분성 부정)(대판 1995. 11. 14, 95누2036).

정답 15 ③

16 정답률 80% 중 2019 소방직 9급

항고소송의 대상에 관한 설명으로 옳지 않은 것은? (다툼이 있는 경우 판례에 의함)

□□□ ① 행정행위의 부관은 부담의 경우를 제외하고는 독립하여 항고소송의 대상이 아니다.

□□□ ② 교도소장이 수형자를 '접견내용 녹음 · 녹화 및 접견시 교도관 참여대상자'로 지정한 행위는 항고소송의 대상이 된다.

□□□ ③ 병역법상 신체등위판정은 항고소송의 대상이 된다.

□□□ ④ 건축물대장 소관청의 건축물대장 작성신청 반려행위는 항고소송의 대상이 된다.

관련기출

③

1. 병역법상 신체등위판정은 항고소송의 대상이 되는 행정처분이라 보기 어렵다. (○, ×) 2023 군무원 7급
2. 군의관이 수행하는 병역법상 신체등위판정은 그에 따라 병역법상의 권리 · 의무가 정해지는 것이므로 행정처분에 해당한다. (○, ×) 2022 소방간부
3. 병역법에 따른 군의관의 신체등위판정은 처분이 아니지만 그에 따른 지방병무청장의 병역처분은 처분이다. (○, ×) 2016 사회복지직 9급
4. 병역법상 신체등위판정은 행정청이라고 볼 수 없는 군의관이 하도록 되어 있으며, 그 자체만으로 권리 · 의무가 정하여지는 것이 아니라 그에 따라 지방병무청장이 병역처분을 함으로써 비로소 병역의무의 종류가 정하여지는 것이므로 항고소송의 대상이 되는 행정처분이라 보기 어렵다. (○, ×) 2013 국가직 9급

1. ○ 2. × 3. ○ 4. ○

① 제14강 참조 ○

> 부담은 독립하여 행정소송의 대상이 된다.
>
> 행정행위의 부관은 행정행위의 일반적인 효력이나 효과를 제한하기 위하여 의사표시의 주된 내용에 부가되는 종된 의사표시이지 그 자체로서 직접 법적 효과를 발생하는 독립된 처분이 아니므로 현행 행정쟁송제도 아래서는 부관 그 자체만을 독립된 쟁송의 대상으로 할 수 없는 것이 원칙이나 행정행위의 부관 중에서도 부담의 경우에는 다른 부관과는 달리 행정행위의 불가분적 요소가 아니고 그 존속이 본체인 행정행위의 존재를 전제로 하는 것일 뿐이므로, 부담 그 자체로서 행정쟁송의 대상이 될 수 있다(대판 1992. 1. 21, 91누1264).

② ○

교도소장이 수형자 甲을 '접견내용 녹음 · 녹화 및 접견시 교도관 참여대상자'로 지정한 사안에서, 위 지정행위는 수형자의 구체적 권리 · 의무에 직접적 변동을 가져오는 행정청의 공법상 행위로서 항고소송의 대상이 되는 '처분'에 해당한다는 것이 판례의 입장이다(대판 2014. 2. 13, 2013두20899).

③ **빈출** ×

> 병역법상 신체등위판정은 행정청이라고 볼 수 없는 군의관이 하도록 되어 있으며, 그 자체만으로 바로 병역법상의 권리 · 의무가 정하여지는 것이 아니라 그에 따라 지방병무청장이 병역처분을 함으로써 비로소 병역의무의 종류가 정하여지는 것이므로 항고소송의 대상이 되는 행정처분이라 보기 어렵다(대판 1993. 8. 27, 93누3356).

④ ○

행정청이 건축물대장의 작성신청을 거부한 행위는 항고소송의 대상이 되는 행정처분에 해당한다는 것이 판례의 입장이다(대판 2009. 2. 12, 2007두17359).

정답 16 ③

17 빈출 ⓗ

2019 서울시 1회 7급

행정소송법상 '처분'에 해당하지 않는 것은? (다툼이 있는 경우 판례에 따름)

□□□ ① 지적공부 소관청의 지목변경신청반려행위
□□□ ② 공정거래위원회의 고발조치
□□□ ③ 국가인권위원회의 성희롱결정 및 시정조치권고
□□□ ④ 개발부담금 산정을 위한 개별공시지가결정

관련기출

②

1. 공정거래위원회의 고발조치는 사직 당국에 대하여 형벌권행사를 요구하는 행정기관 상호 간의 행위로서 행정청의 의사결정이므로 항고소송의 대상이 되는 행정처분이다. (○, ×) 2012 국회(속기 · 경위직) 9급
2. 공정거래위원회의 고발조치 및 고발의결에 관한 소는 행정소송으로 다툴 사안이다. (○, ×) 2012 국가직 7급
3. 사직 당국에 대하여 형벌권행사를 요구하는 행정기관의 고발은 행정처분이다. (○, ×) 2009 지방직 9급

1. × 2. × 3. ×

④

1. 내부행위나 중간처분이라도 그로써 실질적으로 국민의 권리가 제한되거나 의무가 부과되면 항고소송의 대상이 되는 처분이다. 따라서 개별공시지가결정은 처분이다. (○, ×) 2016 국회직 8급
2. 개별공시지가의 결정은 판례상 취소소송의 대상으로서 처분성이 인정된다. (○, ×) 2010 세무사

1. ○ 2. ○

① ○

지적공부 소관청의 지목변경신청반려행위는 항고소송의 대상이 되는 행정처분이라는 것이 판례의 입장이다(대판 2004. 4. 22, 2003두9015).

② **빈출** ×

> **공정거래위원회의 고발조치 및 고발의결은 행정기관 상호 간의 행위에 불과하므로 항고소송의 대상이 되는 행정처분이 아니다.**
>
> 이른바 고발은 수사의 단서에 불과할 뿐 그 자체 국민의 권리 · 의무에 어떤 영향을 미치는 것이 아니고, 특히 「독점규제 및 공정거래에 관한 법률」 제71조는 공정거래위원회의 고발을 위 법률위반죄의 소추요건으로 규정하고 있어 공정거래위원회의 고발조치는 사직 당국에 대하여 형벌권행사를 요구하는 행정기관 상호 간의 행위에 불과하여 항고소송의 대상이 되는 행정처분이라 할 수 없으며, 더욱이 공정거래위원회의 고발 · 의결은 행정청 내부의 의사결정에 불과할 뿐 최종적인 처분은 아닌 것이므로 이 역시 항고소송의 대상이 되는 행정처분이 되지 못한다(대판 1995. 5. 12, 94누13794).

③ ○

> **구 「남녀차별금지 및 구제에 관한 법률」상 국가인권위원회의 성희롱결정 및 시정조치권고는 행정소송의 대상이 되는 행정처분에 해당한다.**
>
> 국가인권위원회의 성희롱결정과 이에 따른 시정조치의 권고는 불가분의 일체로 행하여지는 것인데 국가인권위원회의 이러한 결정과 시정조치의 권고는 성희롱 행위자로 결정된 자의 인격권에 영향을 미침과 동시에 공공기관의 장 또는 사용자에게 일정한 법률상의 의무를 부담시키는 것이므로 국가인권위원회의 성희롱결정 및 시정조치권고는 행정소송의 대상이 되는 행정처분에 해당한다고 보지 않을 수 없다(대판 2005. 7. 8, 2005두487).

④ ○

개별공시지가결정에 대해 처분성을 긍정함이 판례의 입장이다.

> 개별공시지가결정은 이를 기초로 한 과세처분 등과는 별개의 독립된 처분으로서 서로 독립하여 별개의 법률효과를 목적으로 하는 것이나 …… (대판 1994. 1. 25, 93누8542)

정답 17 ②

18 중

2018 경행경채 3차

항고소송에 대한 설명으로 가장 적절하지 않은 것은? (다툼이 있는 경우 판례에 의함)

□□□ ① 구 토지구획정리사업법상 환지계획은 환지예정지지정이나 환지처분의 근거가 되어 직접 토지소유자 등의 법률상의 지위를 변동시키므로 항고소송의 대상이 된다.

□□□ ② 국립대학교의 학칙이 이에 기초한 별도의 집행행위의 개입 없이도 그 자체로 구성원의 구체적인 권리나 법적 이익에 영향을 미치는 등 법률상의 효과를 발생시키는 경우, 이는 항고소송의 대상이 된다.

□□□ ③ 한국자산공사가 사건의 부동산을 인터넷을 통하여 재공매(입찰)하기로 한 결정 자체는 내부적인 의사결정에 불과하여 항고소송의 대상이 아니다.

□□□ ④ 「진실·화해를 위한 과거사정리 기본법」이 규정하는 진실규명결정은 국민의 권리·의무에 직접적으로 영향을 미치는 행위로서 항고소송의 대상이 된다.

① ×

환지계획은 항고소송의 대상이 되는 행정처분에 해당하지 않는다.

토지구획정리사업법(현 도시개발법) 제57조, 제62조 등의 규정상 환지예정지지정이나 환지처분은 그에 의하여 직접 토지소유자 등의 권리·의무가 변동되므로 이를 항고소송의 대상이 되는 처분이라고 볼 수 있으나, 환지계획은 위와 같은 환지예정지지정이나 환지처분의 근거가 될 뿐 그 자체가 직접 토지소유자 등의 법률상의 지위를 변동시키거나 또는 환지예정지지정이나 환지처분과는 다른 고유한 법률효과를 수반하는 것이 아니어서 이를 항고소송의 대상이 되는 처분에 해당한다고 할 수가 없다(대판 1999. 8. 20, 97누6889).

② ○

학칙(學則)의 법적 성질에 관하여는 견해의 대립이 있다. 다만 학칙이 별도의 집행행위의 개입 없이도 그 자체로 구성원의 구체적인 권리나 법적 이익에 영향을 미치는 등 법률상의 효과를 발생시키는 경우, 이는 항고소송의 대상이 된다고 할 것이며 판례도 이러한 입장이다.

국립공주대학교 학칙의 [별표 2] 모집단위별 입학정원을 개정한 학칙개정행위는 처분이다(대판 2009. 1. 30, 2008두19550, 2008두19567 병합).

③ ○

한국자산공사(현 한국자산관리공사)의 재공매(입찰)결정 및 공매통지는 항고소송의 대상이 되는 행정처분이 아니다.

한국자산공사가 당해 부동산을 인터넷을 통하여 재공매(입찰)하기로 한 결정 자체는 내부적인 의사결정에 불과하여 항고소송의 대상이 되는 행정처분이라고 볼 수 없고, 또한 한국자산공사의 공매통지는 공매의 요건이 아니라 공매사실 자체를 체납자에게 알려주는 데 불과한 것으로서, 통지의 상대방의 법적 지위나 권리·의무에 직접 영향을 주는 것이 아니라고 할 것이므로 이것 역시 행정처분에 해당한다고 할 수 없다(대판 2007. 7. 27, 2006두8464).

④ ○

「진실·화해를 위한 과거사정리 기본법」 제26조에 따른 진실·화해를 위한 과거사정리위원회의 진실규명결정은 항고소송의 대상이 되는 행정처분이다.

진실규명결정이 이루어지면 그 결정에서 규명된 진실에 따라 국가가 피해자 등에 대하여 피해 및 명예회복 조치를 취할 법률상 의무를 부담하게 되는 점, 진실·화해를 위한 과거사정리위원회가 위와 같은 법률상 의무를 부담하는 국가에 대하여 피해자 등의 피해 및 명예회복을 위한 조치로 권고한 사항에 대한 이행의 실효성이 법적·제도적으로 확보되고 있는 점 등 여러 사정을 종합하여 보면, 법이 규정하는 진실규명결정은 국민의 권리·의무에 직접적으로 영향을 미치는 행위로서 항고소송의 대상이 되는 행정처분이라고 보는 것이 타당하다(대판 2013. 1. 16, 2010두22856).

정답 18 ①

19 중

2017 지방직(하) 9급

상급행정청 X로부터 권한을 내부위임받은 하급행정청 Y는 2017. 1. 10. Y의 명의로 甲에 대하여 2,000만원의 부담금 부과처분을 하였다가, 같은 해 2. 3. 부과금액의 과다를 이유로 위 부담금을 1,000만원으로 감액하는 처분을 하였다. 甲이 이에 대해 취소소송을 제기하는 경우, ㉠ 소의 대상과 ㉡ 피고적격을 바르게 연결한 것은? (다툼이 있는 경우 판례에 의함)

	㉠	㉡
①	1,000만원으로 감액된 1. 10.자 부담금 부과처분	X
②	1,000만원으로 감액된 1. 10.자 부담금 부과처분	Y
③	2. 3.자 1,000만원의 부담금 부과처분	X
④	2. 3.자 1,000만원의 부담금 부과처분	Y

관련기출

㉠

1. 과징금 부과처분에 있어 행정청이 납부의무자에 대하여 부과처분을 한 후 그 부과처분의 하자를 이유로 과징금의 액수를 감액하는 경우에 그 감액처분은 당초 부과처분과 별개 독립의 과징금 부과처분이므로, 그 감액처분에 의하여 감액된 부분에 대한 부과처분 취소청구는 소의 이익이 인정된다. (○, ×) 2017 지방직 7급
2. 행정심판위원회가 1,000만원의 과징금 부과처분에 대한 취소심판에서 500만원의 과징금 부과처분으로 변경하는 내용의 재결을 하였고 청구인인 처분의 상대방이 관할법원에 취소소송을 제기하였다면 재결에 의한 감액처분을 항고소송의 대상으로 하여야 한다. (○, ×) 2016 서울시 7급
3. 행정청이 금전부과처분을 한 후 감액처분을 한 경우에는 감액처분이 항고소송의 대상이 된다. (○, ×) 2015 국회직 8급

1. × 2. × 3. ×

② 빈출

감액경정처분의 경우에는 감액되고 남은 당초 처분이 항고소송의 대상이 된다. 한편 내부위임의 경우에는 내부위임을 받은 하급행정청에게 처분권한이 이전되지 않으므로 위임청의 명의로 처분을 하여야 하나 내부위임을 받은 자가 자신의 명의로 처분을 한 경우에는 항고소송의 피고는 처분명의자가 된다. 사안의 경우 1,000만원으로 감액된 1. 10.자 부담금 부과처분이 취소소송의 대상이 되며 피고적격을 가지는 자는 자신의 명의로 처분을 한 Y가 된다.

㉠ 1,000만으로 감액된 1. 10.자 부담금 부과처분

> 행정청이 과징금 부과처분을 하였다가 감액처분을 한 것에 대하여 그 감액처분으로도 아직 취소되지 않고 남아 있는 부분이 위법하다고 하여 다투는 경우 항고소송의 대상은 처음의 부과처분 중 감액처분에 의하여 취소되지 않고 남은 부분이고 감액처분이 항고소송의 대상이 되는 것은 아니다(대판 2008. 2. 15, 2006두3957).

㉡ Y

> 상급행정청으로부터 내부위임을 받은 데 불과한 하급행정청이 권한 없이 한 행정처분에 대한 행정소송의 피고적격이 있는 자는 처분을 행할 적법한 권한 있는 상급행정청이 아닌 실제로 처분을 행한 하급행정청이다(대판 1991. 2. 22, 90누5641).

정답 19 ②

20 중 2017 국가직(하) 7급

행정소송에 대한 설명으로 옳지 않은 것은? (다툼이 있는 경우 판례에 의함)

□□□ ① 무효확인소송을 제기하였는데 해당 사건에서의 위법이 취소사유에 불과한 때, 법원은 취소소송의 요건을 충족한 경우 취소판결을 내린다.

□□□ ② 행정청이 금전부과처분을 한 후 감액처분을 한 경우에 감액되고 남은 부분이 위법하다고 다투고자 할 때에는 감액처분 자체를 항고소송의 대상으로 삼아야 한다.

□□□ ③ 취소소송의 대상인 처분은 행정청이 행하는 구체적 사실에 관한 법집행행위이므로 불특정 다수인을 대상으로 하여 반복적으로 적용되는 일반적 · 추상적 규율은 원칙적으로 처분이 아니다.

□□□ ④ 상대방이 있는 행정처분에 대하여 행정심판을 거치지 아니하고 바로 취소소송을 제기하는 경우 처분이 있음을 안 날이란 통지, 공고 기타의 방법에 의해 당해 행정처분이 있었다는 사실을 현실적으로 안 날을 의미한다.

관련기출

③

1. 일반적 · 추상적인 법령 그 자체로서 국민의 구체적인 권리 · 의무에 직접적인 변동을 초래하는 것이 아닌 것은 취소소송의 대상이 될 수 없다. (○, ×)

2015 지방직 9급

1. ○

① ○

일반적으로 행정처분의 무효확인을 구하는 소에는 원고가 그 처분의 취소를 구하지 아니한다고 밝히지 아니한 이상 그 처분이 만약 당연무효가 아니라면 그 취소를 구하는 취지도 포함되어 있는 것으로 보아야 한다는 것이 판례의 입장이다(대판 1994. 12. 23, 94누477)(40강 05 ① 해설 참조).

② ×

행정청이 과징금 부과처분을 하였다가 감액처분을 한 것에 대하여 그 감액처분으로도 아직 취소되지 않고 남아 있는 부분이 위법하다고 하여 다투는 경우 항고소송의 대상은 **처음의 부과처분** 중 감액처분에 의하여 취소되지 않고 **남은 부분**이고 감액처분이 항고소송의 대상이 되는 것은 아니다(대판 2008. 2. 15, 2006두3957).

③ ○

행정소송의 대상이 될 수 있는 것은 구체적인 권리 · 의무에 관한 분쟁이어야 하고 일반적 · 추상적인 법령 그 자체로서 국민의 구체적인 권리 · 의무에 직접적인 변동을 초래하는 것이 아닌 것은 그 대상이 될 수 없다(대판 1987. 3. 24, 86누656).

행정소송법 제2조【정의】 ① 이 법에서 사용하는 용어의 정의는 다음과 같다.
1. '처분 등'이라 함은 행정청이 행하는 구체적 사실에 관한 법집행으로서의 공권력의 행사 또는 그 거부와 그 밖에 이에 준하는 행정작용(이하 '처분'이라 한다) 및 행정심판에 대한 재결을 말한다.

④ ○

행정소송법 제20조 제1항이 정한 제소기간의 기산점인 '처분 등이 있음을 안 날'이란 통지, 공고 기타의 방법에 의하여 당해 처분 등이 있었다는 사실을 현실적으로 안 날을 의미한다. 상대방이 있는 행정처분의 경우에는 특별한 규정이 없는 한 의사표시의 일반적 법리에 따라 행정처분이 상대방에게 고지되어야 효력을 발생하게 되므로, 행정처분이 상대방에게 고지되어 상대방이 이러한 사실을 인식함으로써 행정처분이 있다는 사실을 현실적으로 알았을 때 행정소송법 제20조 제1항이 정한 제소기간이 진행한다고 보아야 한다(대판 2014. 9. 25, 2014두8254).

정답 20 ②

21 빈출 정답률 81% 중 2017 서울시 9급

판례가 항고소송의 대상인 처분성을 부정한 것을 모두 고른 것은?

□□□ ㉠ 수도요금체납자에 대한 단수조치
□□□ ㉡ 전기 · 전화의 공급자에게 위법건축물에 대한 단전 또는 전화통화 단절조치의 요청행위
□□□ ㉢ 공무원에 대한 당연퇴직통지
□□□ ㉣ 병역법상의 신체등위판정
□□□ ㉤ 교육부장관이 내신성적산정기준의 통일을 기하기 위해 시 · 도 교육감에게 통보한 대학입시기본계획 내의 내신성적산정지침

① ㉠, ㉡, ㉢ ② ㉡, ㉣, ㉤
③ ㉠, ㉡, ㉣, ㉤ ④ ㉡, ㉢, ㉣, ㉤

④ ㉡㉢㉣㉤이 처분성을 부정한 판례이다.

㉠ ○
수도요금체납자에 대한 단수처분은 항고소송의 대상이 되는 행정처분에 해당한다는 것이 판례의 입장이다(대판 1979. 12. 28, 79누218).

㉡ ×
위법건축물에 대한 단전 및 전화통화 단절조치 요청행위는 권고적 성격에 불과한 것으로 항고소송의 대상이 되는 행정처분이 아니라는 것이 판례의 입장이다(대판 1996. 3. 22, 96누433).

㉢ ×
당연퇴직의 인사발령은 행정소송의 대상인 행정처분이 아니라는 것이 판례의 입장이다(대판 1995. 11. 14, 95누2036).

㉣ ×
군의관이 행한 징병검사(현 병역판정검사)시의 신체등위판정은 아직 국민에게 구체적 의무를 부과하는 것이 아니므로 행정처분이 아니라는 것이 판례의 입장이다(대판 1993. 8. 27, 93누3356).

㉤ ×
교육부장관이 시 · 도 교육감에게 통보한 대학입시기본계획 내의 내신성적산정지침은 항고소송의 대상인 행정처분이 아니라는 것이 판례의 입장이다(대판 1994. 9. 10, 94두33).

정답 21 ④

22 정답률 75% 중 2015 지방직 9급

항고소송의 대상이 되는 행정처분으로 인정되는 것만을 모두 고른 것은? (다툼이 있는 경우 판례에 의함)

□□□ ㉠ 산업재해보상보험법상 장해보상금결정의 기준이 되는 장애등급결정
□□□ ㉡ 한국마사회의 기수에 대한 징계처분
□□□ ㉢ 지적 소관청의 토지분할신청 거부행위
□□□ ㉣ 하수도법상 하수도정비기본계획
□□□ ㉤ 건축계획심의신청에 대한 반려처분
□□□ ㉥ 진실 · 화해를 위한 과거사정리위원회의 진실규명결정
□□□ ㉦ 어업권면허에 선행하는 우선순위결정

① ㉠, ㉡, ㉢, ㉣ ② ㉠, ㉢, ㉤, ㉥
③ ㉡, ㉣, ㉤, ㉦ ④ ㉢, ㉤, ㉥, ㉦

관련기출

㉢
1. 지적 소관청의 토지분할신청 거부행위는 행정소송의 대상이 되는 처분에 해당한다. (○, ×) 2008 지방직 7급

1. ○

㉤
1. 건축계획심의신청에 대한 반려처분은 처분성을 인정한다. (○, ×) 2014 경행특채 1차, 2010 국회직 8급

1. ○

② ㉠㉢㉤㉥이 행정처분으로 인정된다.

㉠ ○

산업재해보상보험법상 장해보상금결정의 기준이 되는 장애등급결정은 처분이다(대판 2002. 4. 26, 2001두8155).

㉡ ×

한국마사회의 조교사 및 기수 면허 부여 또는 취소는 행정처분이 아니라는 것이 판례의 입장이다(대판 2008. 1. 31, 2005두8269).

㉢ ○

지적 소관청의 토지분할신청 거부행위는 항고소송의 대상이 되는 행정처분이다(대판 1992. 12. 8, 92누7542).

㉣ ×

구 하수도법 제5조의2에 의한 하수도정비기본계획은 항고소송의 대상이 되는 행정처분이 아니다(대판 2002. 5. 17, 2001두10578).

㉤ ○

건축계획심의신청에 대한 반려처분은 항고소송의 대상이 되는 행정처분에 해당한다(대판 2007. 10. 11, 2007두1316).

㉥ ○

「진실 · 화해를 위한 과거사정리 기본법」 제26조에 따른 진실 · 화해를 위한 과거사정리위원회의 진실규명결정은 항고소송의 대상이 되는 행정처분이다(대판 2013. 1. 16, 2010두22856).

㉦ ×

어업권면허처분에 선행하는 우선순위결정은 확약에 불과하고 행정처분이 아니므로 공정력, 불가쟁력과 같은 효력은 인정되지 아니한다는 것이 판례의 입장이다(대판 1995. 1. 20, 94누6529).

정답 22 ②

23 정답률 67% 중 2015 지방직 9급

행정소송에 대한 판례의 입장으로 옳지 않은 것은?

① 일반적 · 추상적인 법령 그 자체로서 국민의 구체적인 권리 · 의무에 직접적인 변동을 초래하는 것이 아닌 것은 취소소송의 대상이 될 수 없다.

② 행정소송의 대상이 되는 행정처분의 존부는 소송요건으로서 직권조사사항이고, 자백의 대상이 될 수 없는 것이므로, 설사 그 존재를 당사자들이 다투지 아니한다 하더라도 그 존부에 관하여 의심이 있는 경우에는 이를 직권으로 밝혀 보아야 할 것이다.

③ 행정소송법상 행정청이 일정한 처분을 하지 못하도록 그 부작위를 구하는 청구는 허용되지 않는 부적법한 소송이다.

④ 행정심판청구가 부적법하지 않음에도 각하한 재결은 원처분주의에 의해서 취소소송의 대상이 되지 않는다.

관련기출

②

1. 행정소송에서 쟁송의 대상이 되는 행정처분의 존부에 관한 사항이 상고심에서 비로소 주장된 경우에 행정처분의 존부에 관한 사항은 상고심의 심판범위에 해당한다. (○, ×) 2020 국가직 9급
2. 사실심에서 변론종결시까지 당사자가 주장하지 않던 직권조사사항에 해당하는 사항을 상고심에서 비로소 주장하는 경우 그 직권조사사항에 해당하는 사항은 상고심의 심판범위에 해당하지 않는다. (○, ×) 2015 지방직 7급

1. ○ 2. ×

① ○

행정소송법은 취소소송과 무효등확인소송의 대상을 '처분 등'으로 규정하고 있는데, 일반적 · 추상적 규범으로서의 법규명령은 '처분 등'의 개념에 포함되지 않으므로 원칙적으로 항고소송의 대상이 될 수 없다. 다만, 법규명령이 구체성을 갖는 경우, 즉 처분적 성질을 가지는 경우(처분법규)에는 항고소송의 대상이 될 수 있을 뿐이다.

> 행정소송의 대상이 될 수 있는 것은 구체적인 권리 · 의무에 관한 분쟁이어야 하고 일반적 · 추상적인 법령 그 자체로서 국민의 구체적인 권리 · 의무에 직접적인 변동을 초래하는 것이 아닌 것은 그 대상이 될 수 없다(대판 1987. 3. 24, 86누656).

② ○

> 1. 행정소송에서 쟁송의 대상이 되는 행정처분의 존부는 소송요건으로서 직권조사사항이고, 자백의 대상이 될수 없는 것이므로, 설사 그 존재를 당사자들이 다투지 아니한다 하더라도 그 존부에 관하여 의심이 있는 경우에는 이를 직권으로 밝혀 보아야 한다.
> 2. 사실심에서 변론종결시까지 당사자가 주장하지 않던 직권조사사항에 해당하는 사항을 상고심에서 비로소 주장하는 경우 그 직권조사사항에 해당하는 사항은 상고심의 심판범위에 해당한다(대판 2004. 12. 24, 2003두15195).

③ ○

어떤 처분을 하여서는 아니 된다는 내용의 부작위를 구하는 청구는 행정소송에서 허용되지 아니한다는 것이 판례의 입장이다(대판 1987. 3. 24, 86누182).

④ ×

원처분주의에 의하더라도 재결에 고유한 하자가 있는 경우에는 재결은 항고소송의 대상이 된다. 그런데 적법한 행정심판청구를 부적법하다고 보아 본안심리를 하지 않고 각하한 재결은 청구인의 본안심리를 받을 권리를 박탈한 재결로서, 이는 원처분에는 없는 재결에 고유한 하자가 있는 것이므로 이러한 경우에는 재결이 행정소송의 대상이 된다.

> 행정심판청구가 부적법하지 않음에도 각하한 재결은 심판청구인의 실체심리를 받을 권리를 박탈한 것으로서 원처분에 없는 고유한 하자가 있는 경우에 해당하고, 따라서 동 재결은 취소소송의 대상이 된다(대판 2001. 7. 27, 99두2970).

정답 23 ④

24 ⓢ 2014 국가직 9급

행정처분에 대한 판례의 태도로 옳은 것은?

□□□ ① 지방경찰청장(현 시 · 도경찰청장)이 횡단보도를 설치하여 보행자의 통행방법을 규제하는 것은 행정처분이 아니다.

□□□ ② 권한 있는 장관이 행한 국립공원지정처분에 따라 공원관리청이 행한 경계측량 및 표지의 설치는 행정처분이다.

□□□ ③ 교통안전공단이 구 교통안전공단법에 의거하여 교통안전분담금 납부의무자에게 한 분담금납부통지는 행정처분이 아니다.

□□□ ④ 종합소득세 부과처분을 위한 과세관청의 세무조사결정은 항고소송의 대상이 되는 행정처분이다.

① ×

지방경찰청장(현 시 · 도경찰청장)이 횡단보도를 설치하여 보행자의 통행방법 등을 규제하는 것은, 행정청이 특정사항에 대하여 의무의 부담을 명하는 행위이고 이는 국민의 권리 · 의무에 직접 관계가 있는 행위로서 행정처분이라는 것이 판례의 입장이다(대판 2000. 10. 27, 98두8964).

② ×

건설부(현 국토교통부)장관이 행한 국립공원지정처분에 따라 공원관리청이 행한 경계측량 및 표지의 설치 등은 공원구역의 효율적인 보호 · 관리를 위하여 이미 확정된 경계를 인식 · 파악하는 사실상의 행위로 행정처분이 아니라는 것이 판례의 입장이다(대판 1992. 10. 13, 92누2325).

③ ×

교통안전공단 등 공공단체도 공무를 수탁받은 경우 행정청이며 교통안전공단이 분담금 납부의무자에 대하여 한 분담금 납부통지는 행정처분이다 (대판 2000. 9. 8, 2000다12716).

④ ○

세무조사결정은 항고소송의 대상이 되는 행정처분에 해당한다는 것이 판례의 입장이다(대판 2011. 3. 10, 2009두23617 · 23624).

정답 24 ④

2 재결(취소소송의 제2대상)

25 정답률 77% 상 2021 국가직 7급

항고소송의 대상인 재결에 대한 설명으로 옳지 않은 것은? (다툼이 있는 경우 판례에 의함)

□□□ ① 행정심판청구가 부적법하지 않음에도 각하한 재결은 심판청구인의 실체심리를 받을 권리를 박탈한 것으로서 원처분에 없는 고유한 하자가 있는 경우에 해당하고, 따라서 위 재결은 취소소송의 대상이 된다.

□□□ ② 제3자효를 수반하는 행정행위에 대한 행정심판청구에 있어서 그 청구를 인용하는 내용의 재결로 인하여 비로소 권리이익을 침해받게 되는 자는 그 인용재결에 대하여 다툴 필요가 있고, 그 인용재결은 원처분과 내용을 달리하는 것이므로 그 인용재결의 취소를 구하는 것은 원처분에는 없는 재결에 고유한 하자를 주장하는 셈이어서 당연히 항고소송의 대상이 된다.

□□□ ③ 토지수용에 관한 행정소송에 있어서 토지소유자는 중앙토지수용위원회의 이의재결에 대하여 불복이 있을 때 제기할 수 있고 수용재결은 행정소송의 대상이 될 수 없다.

□□□ ④ 제3자효 행정행위에 대하여 재결청이 직접 당해 사업계획승인처분을 취소하는 형성적 재결을 한 경우에는 그 재결 외에 그에 따른 행정청의 별도의 처분이 있지 않기 때문에 재결 자체를 쟁송의 대상으로 할 수 있다.

관련기출

②④

1. 제3자효를 수반하는 행정행위에 대한 행정심판청구에 있어서, 그 청구를 인용하는 내용의 재결로 인해 비로소 권리이익을 침해받게 되는 자라도 인용재결에 대해서는 항고소송을 제기하지 못한다. (○, ×) 2015 서울시 7급
2. 제3자효 행정행위에서 인용재결이 있는 경우에 그 인용재결로 인하여 비로소 권리이익을 침해받은 자는 그 인용재결에 대하여 취소를 구할 수 있다. (○, ×) 2012 국회직 8급

1. × 2. ○

① ○

행정심판청구가 부적법하지 않음에도 각하한 재결은 심판청구인의 실체심리를 받을 권리를 박탈한 것으로서 원처분에 없는 고유한 하자가 있는 경우에 해당하고, 따라서 동 재결은 취소소송의 대상이 된다는 것이 판례의 입장이다(대판 2001. 7. 27, 99두2970).

②④ **빈출** ○

> 이른바 복효적 행정행위, 특히 제3자효를 수반하는 행정행위에 대한 행정심판청구에 있어서 그 청구를 인용하는 내용의 재결로 인하여 비로소 권리이익을 침해받게 되는 자(예컨대, 제3자가 행정심판청구인인 경우의 행정처분의 상대방 또는 행정처분의 상대방이 행정심판청구인인 경우의 제3자)는 그 인용재결에 대하여 다툴 필요가 있고, 그 인용재결은 원처분과 내용을 달리하는 것이므로 그 인용재결의 취소를 구하는 것은 원처분에는 없는 재결에 고유한 하자를 주장하는 셈이어서 당연히 항고소송의 대상이 된다(②)고 할 것이고, 더구나 이 사건 재결과 같이 그 인용재결청인 피고 스스로가 직접 이 사건 사업계획승인처분을 취소하는 형성적 재결을 한 경우에는 그 재결 외에 그에 따른 행정청의 별도의 처분이 있지 않기 때문에 재결 자체를 쟁송의 대상으로 할 수밖에 없다고 할 것이다(④)(대판 1997. 12. 23, 96누10911).

③ 제31강 참조 ×

「공익사업을 위한 토지 등의 취득 및 보상에 관한 법률」상 이의신청은 임의적 절차이다(동법 제83조). 따라서 이의신청을 거치지 않고도 수용재결에 대해 곧바로 행정소송을 제기할 수 있고(동법 제85조 참조), 이의신청을 거쳐 행정소송을 제기할 때에도 원처분주의가 적용되어 원칙적으로 이의재결이 아니라 수용재결이 행정소송의 대상이 된다는 것이 판례의 입장이다.

> 토지소유자 등이 수용재결에 불복하여 이의신청을 거친 후 취소소송을 제기하는 경우 피고적격을 가지는 자는 수용재결을 한 토지수용위원회이며 소송대상은 수용재결이 된다(대판 2010. 1. 28, 2008두1504).

정답 25 ③

26

정답률 56% 상 2017 국가직 7급

행정소송에서 소송이 각하되는 경우에 해당하는 것만을 모두 고른 것은? (다툼이 있는 경우 판례에 의함)

> □□□ ㉠ 신청권이 없는 신청에 대한 거부행위에 대하여 제기된 거부처분 취소소송
> □□□ ㉡ 재결 자체에 고유한 위법이 없음에도 재결에 대해 제기된 재결취소소송
> □□□ ㉢ 행정심판의 필요적 전치주의가 적용되는 경우, 부적법한 취소심판의 청구가 있었음에도 행정심판위원회가 기각재결을 하자 원처분에 대하여 제기한 취소소송
> □□□ ㉣ 사실심 단계에서는 원고적격을 구비하였으나 상고심에서 원고적격이 흠결된 취소소송

① ㉠, ㉢ ② ㉡, ㉢
③ ㉠, ㉢, ㉣ ④ ㉠, ㉡, ㉣

관련기출

㉢
1. 필요적 행정심판전치주의가 적용되는 경우 제기기간을 도과한 부적법한 심판청구이더라도 재결기관이 본안재결을 한 경우에는 행정심판전치 요건을 충족한 것으로 본다. (O, ×) 2011 세무사

1. ×

③ ㉠㉢㉣이 행정소송에서 소송이 각하되는 경우이다.

㉠ O

신청권이 없는 신청에 대한 거부행위는 항고소송의 대상이 되는 처분이 아니므로 이에 대해 소송이 제기되면 각하된다.

> 국민의 적극적 행위신청에 대한 행정청의 거부행위가 항고소송의 대상이 되는 행정처분이 되기 위해서는 국민에게 법규상 또는 조리상의 신청권이 있어야 한다(대판 2005. 2. 25, 2004두4031).

㉡ ×

재결취소소송의 경우 재결 자체에 고유한 위법이 있는지 여부를 심리할 것이고, 재결 자체에 고유한 위법이 없는 경우에는 원처분의 당부와는 상관없이 당해 재결취소소송은 이를 '기각'하여야 한다는 것이 판례의 입장이다(대판 1994. 1. 25, 93누16901).

㉢ O

행정심판전치주의에 있어 행정심판이란 적법한 심판청구를 의미하므로 기간경과 등의 부적법한 심판청구에 대해 행정심판위원회가 본안재결을 하였다 하더라도 행정심판전치의 요건을 충족하지 않았다는 것이 판례의 입장이다. 따라서 소송요건의 흠결을 이유로 법원은 각하판결을 하여야 한다.

> 1. 제기기간을 도과한 행정심판청구의 부적법을 간과한 채 행정청이 실질적 재결을 한 경우, 행정소송의 전치요건은 충족된 것으로 볼 수 없다(대판 1990. 10. 12, 90누2383).
> 2. 행정처분의 취소를 구하는 항고소송의 전심절차인 행정심판청구가 기간도과로 인하여 부적법한 경우에는 행정소송 역시 전치의 요건을 충족치 못한 것이 되어 부적법 각하를 면치 못하는 것이고, 이 점은 행정청이 행정심판의 제기기간을 도과한 부적법한 심판에 대하여 그 부적법을 간과한 채 실질적 재결을 하였다 하더라도 달라지는 것이 아니다(대판 1991. 6. 25, 90누8091).

㉣ O

소송요건은 사실심변론종결시는 물론 상고심에서도 존속하여야 하며 소송요건이 결여된 경우 법원은 각하판결을 한다.

> 원고적격은 소송요건의 하나이므로 사실심변론종결시는 물론 상고심에서도 존속하여야 하고 이를 흠결하면 부적법한 소가 된다 할 것이다(대판 2007. 4. 12, 2004두7924).

정답 26 ③

27 중

2015 교육행정직 9급

취소소송의 소송요건에 관한 설명으로 옳은 것은? (다툼이 있으면 판례에 따름)

□□□ ① 재결취소소송의 대상이 되는 재결의 고유한 위법에는 주체 · 형식 · 절차상의 위법은 물론, 내용상의 위법도 포함된다.

□□□ ② 행정청의 거부행위가 거부처분이 되려면 국민에게 법규상의 신청권이 있어야 하며, 조리상의 신청권으로는 될 수 없다.

□□□ ③ 환경영향평가대상지역 밖의 주민은 자신에 대한 수인한도를 넘는 환경피해를 입증하더라도 원고적격이 인정될 수 없다.

□□□ ④ 처분이 있음을 알고 90일이 경과하였더라도 처분이 있은 지 1년이 경과하지 않은 경우에는 취소소송을 제기할 수 있다.

관련기출

①

1. 행정소송법 제19조에서 말하는 '재결 자체에 고유한 위법'이란 원처분에는 없고 재결에만 있는 재결청의 권한 또는 구성의 위법, 재결의 절차나 형식의 위법, 내용의 위법 등을 뜻한다. (○, ×) 2022 국가직 9급
2. 재결 자체의 내용상 위법도 재결 자체에 고유한 위법이 있는 경우에 포함된다. (○, ×) 2020 군무원 9급
3. 재결취소소송에 있어서 재결 자체의 고유한 위법은 재결의 주체, 절차 및 형식상의 위법만을 의미하고, 내용상의 위법은 이에 포함되지 않는다. (○, ×) 2016 지방직 9급

1. ○ 2. ○ 3. ×

① **빈출** ○

> 행정소송법 제19조 소정의 '재결 자체에 고유한 위법'이란 원처분에는 없고 재결에만 있는 위법을 의미하며 위법 · 부당하게 인용재결을 한 경우도 포함된다.
>
> 행정소송법 제19조에서 말하는 '재결 자체에 고유한 위법'이란 원처분에는 없고 재결에만 있는 재결청의 권한 또는 구성의 위법, 재결의 절차나 형식의 위법, 내용의 위법 등을 뜻하고, 그중 내용의 위법에는 위법 · 부당하게 인용재결을 한 경우가 해당한다(대판 1997. 9. 12, 96누14661).

② ×

거부가 처분이 되기 위해서는 신청인에게 법규상 또는 조리상의 신청권이 있어야 한다.

> 행정청이 국민의 신청에 대하여 한 거부행위가 항고소송의 대상이 되는 행정처분에 해당하려면, 행정청의 행위를 요구할 법규상 또는 조리상의 신청권이 그 국민에게 있어야 한다(대판 2005. 2. 25, 2004두4031).

③ ×

영향권 밖의 주민들은 당해 처분으로 인하여 그 처분 전과 비교하여 수인한도를 넘는 환경피해를 받거나 받을 우려가 있다는 자신의 환경상 이익에 대한 침해 또는 침해우려가 있음을 입증하면 법률상 보호되는 이익으로 인정되어 원고적격이 인정된다는 것이 판례의 입장이다(대판 2009. 9. 24, 2009두2825).

④ ×

취소소송은 처분 등이 있음을 안 날부터 90일, 처분 등이 있은 날부터 1년이라는 두 기간 중 어느 하나의 기간이라도 먼저 경과하면 취소소송을 제기할 수 없다.

정답 27 ①

제38강 항고소송 3 (그 밖의 소송요건 및 소변경 등)

1회독	2회독	3회독
/	/	/

⊘정답률 공단기/소방단기 합격예측 풀서비스 통계 데이터 기준 기 기본서 핵 핵심집약

01 그 밖의 소송요건 기 848~856쪽 핵 T 70

1 제소기간

01 정답률 29% 상 2022 지방직 · 서울시 9급

행정쟁송에 대한 설명으로 옳은 것은? (다툼이 있는 경우 판례에 의함)

① 행정심판의 재결에도 판결에서와 같은 기판력이 인정되는 것이어서 재결이 확정되면 처분의 기초가 된 사실관계나 법률적 판단이 확정되는 것이므로 당사자는 이와 모순되는 주장을 할 수 없게 된다.

② 무효인 처분에 대해 무효선언을 구하는 취소소송을 제기하는 경우에는 제소기간의 제한이 없다.

③ 거부행위가 항고소송의 대상인 처분이 되기 위해서는 그 거부행위가 신청인의 실체상의 권리관계에 직접적인 변동을 일으키는 것이어야 하며, 신청인이 실체상의 권리자로서 권리를 행사함에 중대한 지장을 초래하는 것만으로는 부족하다.

④ 처분시에 행정청으로부터 행정심판제기기간에 관하여 법정심판청구기간보다 긴 기간으로 잘못 통지받은 경우에 보호할 신뢰이익은 그 통지받은 기간 내에 행정소송을 제기한 경우에까지 확대되지 않는다.

관련기출

②
1. 행정처분의 당연무효를 선언하는 의미에서 취소를 구하는 행정소송을 제기한 경우에는 취소소송의 제소요건을 갖추어야 한다. (○, ×) 2022 국가직 7급
2. 무효인 행정행위에 대하여 무효의 주장을 취소소송의 형식(무효선언적 취소)으로 제기하는 경우에 있어서, 취소소송의 형식에 의하여 제기되었더라도 이러한 소송에 있어서는 취소소송의 제소요건의 제한을 받지 아니한다. (○, ×) 2022 군무원 7급
3. (甲은 중대 · 명백한 하자가 있어 무효인 A처분에 대해 소송을 제기하려고 한다) 甲이 A처분에 대해 취소소송을 제기하는 경우 제소기간의 제한을 받지 않는다. (○, ×) 2021 국회직 8급
4. 행정처분의 당연무효를 선언하는 의미에서 그 취소를 구하는 행정소송을 제기하는 경우에는 취소소송의 제소기간을 준수하여야 한다. (○, ×) 2019 국회직 8급

1. ○ 2. × 3. × 4. ○

① 제34강 참조 ×

재결에 판결에서와 같은 기판력이 인정되는 것은 아니어서 재결이 확정된 경우에도 처분의 기초가 된 사실관계나 법률적 판단이 확정되고 당사자들이나 법원이 이에 기속되어 모순되는 주장이나 판단을 할 수 없게 되는 것은 아니다(대판 2015. 11. 27, 2013다6759).

② **빈출** ×

무효사유에 대해서 이를 취소소송의 형식으로 다투는 경우를 말하는 이른바 무효선언을 구하는 의미의 취소소송의 경우, 형식적으로는 취소소송으로 제기되었으므로 제소기간을 지켜야 한다.

1. 무효사유에 해당하는 처분에 대해 취소소송을 제기하는 경우에도 제소기간의 준수 등 취소소송의 제소요건을 갖추어야 한다(대판 1984. 5. 29, 84누175).
2. 당연무효를 선언하는 의미의 취소청구소송(무효선언적 의미의 취소소송)을 제기함에 있어서는 제소기간의 제한이 있다(대판 1987. 6. 9, 87누219).

③ ×

1. 거부가 처분이 되기 위한 요건으로 '신청인의 법률관계에 어떤 변동을 일으키는 것'의 의미는 신청인의 실체상의 권리관계에 직접적인 변동을 일으키는 것은 물론, 그렇지 않다 하더라도 신청인이 실체상의 권리자로서 권리를 행사함에 중대한 지장을 초래하는 것도 포함한다.
2. 건축계획심의신청에 대한 반려처분은 항고소송의 대상이 되는 행정처분에 해당한다(대판 2007. 10. 11, 2007두1316).

④ **빈출** ○

행정심판법상 오고지에 관한 규정(행정심판법 제27조 제5항)은 행정소송에는 적용되지 아니한다.

행정처분시나 그 이후 행정청으로부터 행정심판제기기간에 관하여 법정심판청구기간보다 긴 기간으로 잘못 통지받은 경우에 보호할 신뢰이익은 그 통지받은 기간 내에 행정심판을 제기한 경우에 한하는 것이지 행정소송을 제기한 경우까지 확대된다고 할 수 없으므로, 당사자가 행정처분시나 그 이후 행정청으로부터 행정심판제기기간에 관하여 법정심판청구기간보다 긴 기간으로 잘못 통지받아 행정소송법상 법정제소기간을 도과하였다고 하더라도, 그것이 당사자가 책임질 수 없는 사유로 인한 것이라고 할 수는 없다(대판 2001. 5. 8, 2000두6916).

행정심판법 제27조【심판청구의 기간】 ① 행정심판은 처분이 있음을 알게 된 날부터 90일 이내에 청구하여야 한다.
⑤ 행정청이 심판청구기간을 제1항에 규정된 기간보다 긴 기간으로 잘못 알린 경우 그 잘못 알린 기간에 심판청구가 있으면 그 행정심판은 제1항에 규정된 기간에 청구된 것으로 본다.

정답 01 ④

02 빈출 정답률 64% 상 2021 국가직 9급

취소소송의 제소기간에 대한 설명으로 옳은 것(○)과 옳지 않은 것(×)을 바르게 연결한 것은? (다툼이 있는 경우 판례에 의함)

□□□ ㉠ 행정청이 행정심판청구를 할 수 있다고 잘못 알려 행정심판을 청구한 경우에는 재결서 정본을 송달받은 날이 아닌 처분이 있음을 안 날로부터 제소기간이 기산된다.

□□□ ㉡ 행정심판을 청구하였으나 심판청구기간을 도과하여 각하된 후 제기하는 취소소송은 재결서를 송달받은 날부터 90일 이내에 제기하면 된다.

□□□ ㉢ '처분이 있음을 안 날'은 처분이 있었다는 사실을 현실적으로 안 날을 의미하므로, 처분서를 송달받기 전 정보공개청구를 통하여 처분을 하는 내용의 일체의 서류를 교부받았다면 그 서류를 교부받은 날부터 제소기간이 기산된다.

□□□ ㉣ 동일한 처분에 대하여 무효확인의 소를 제기하였다가 그 처분의 취소를 구하는 소를 추가적으로 병합한 경우, 주된 청구인 무효확인의 소가 적법한 제소기간 내에 제기되었다면 추가로 병합된 취소청구의 소도 적법하게 제기된 것으로 볼 수 있다.

	㉠	㉡	㉢	㉣		㉠	㉡	㉢	㉣
①	×	×	○	×	②	○	○	×	○
③	○	×	○	×	④	×	×	×	○

관련기출

㉢

1. 甲은 2022. 8. 26. 지방보훈청장으로부터 '재심신체검사 무변동처분 통보서'를 송달받았다. 그런데 甲은 위 통보서를 송달받기 전에 자신의 의무기록에 관한 정보공개를 청구하여 2022. 5. 28. 위 통보서를 포함한 일체의 서류를 교부받은 바 있다. 甲이 위 재심신체검사 무변동처분의 취소를 구하는 소를 제기함에 있어 제소기간의 기산점이 되는 '처분 등이 있음을 안 날'은 2022. 8. 26.이다. (○, ×) 2023 변호사
2. 상대방이 있는 행정처분에 대하여 행정심판을 거치지 아니하고 바로 취소소송을 제기하는 경우 처분이 있음을 안 날이란 통지, 공고 기타의 방법에 의해 당해 행정처분이 있었다는 사실을 현실적으로 안 날을 의미한다. (○, ×) 2017 국가직(하) 7급
3. 처분이 있음을 안 날이란 통지, 공고 기타의 방법에 의하여 당해 처분이 있었다는 사실을 현실적으로 안 날을 의미하고 구체적으로 그 행정처분의 위법 여부를 판단한 날을 가리키는 것은 아니다. (○, ×) 2012 국회(속기 · 경위직) 9급

1. ○ 2. ○ 3. ○

④ ㉠㉡㉢ × ㉣ ○

㉠ ×

> 행정소송법 제20조【제소기간】① 취소소송은 처분 등이 있음을 안 날부터 90일 이내에 제기하여야 한다. 다만, 제18조 제1항 단서에 규정한 경우와 그 밖에 행정심판청구를 할 수 있는 경우 또는 행정청이 행정심판청구를 할 수 있다고 잘못 알린 경우에 행정심판청구가 있은 때의 기간은 재결서의 정본을 송달받은 날부터 기산한다.

㉡ **빈출** ×

행정심판을 거쳐 취소소송을 제기하는 경우 취소소송은 재결서의 정본을 송달받은 날로부터 90일 이내에 제기하여야 한다(행정소송법 제20조 제1항 단서). 그러나 행정심판제기기간을 넘긴 것을 이유로 한 각하재결이 있은 후 취소소송을 제기하는 경우라면 재결서를 받은 날로부터 90일 이내에 소송을 제기한 경우라도 제소기간을 준수한 것으로 볼 수는 없다. 만일 이 경우에도 제소기간을 준수한 것으로 인정해준다면 처분이 있음을 안 날로부터 90일이 지난 후라도 일단 행정심판청구를 하여 재결을 받은 후라면 그 재결서를 송달받은 날로부터 90일 이내에 소송을 제기하면 된다는 결과가 되어 제소기간을 제한한 입법취지가 없어지기 때문이다.

> 행정처분이 있음을 안 날부터 90일을 넘겨 행정심판을 청구하였다가 부적법하다는 이유로 각하재결을 받은 후 재결서를 송달받은 날부터 90일 내에 원래의 처분에 대하여 취소소송을 제기한 경우, 취소소송의 제소기간을 준수한 것으로 볼 수는 없다(대판 2011. 11. 24, 2011두18786).

㉢ **빈출** ×

> 1. 행정소송법 제20조 제1항이 정한 제소기간의 기산점인 '처분 등이 있음을 안 날'이란 통지, 공고, 기타의 방법에 의하여 당해 처분 등이 있었다는 사실을 현실적으로 안 날을 의미하고, 상대방이 있는 행정처분의 경우 위 제소기간의 기산점은 행정처분이 상대방에게 고지되어 상대방이 이러한 사실을 인식함으로써 행정처분이 있다는 사실을 현실적으로 알았을 때를 의미한다.
> 2. 처분의 상대방인 甲이 통보서를 송달받기 전에 정보공개를 청구하여 위 처분을 하는 내용의 통보서를 비롯한 일체의 서류를 교부받음으로써 적어도 그 무렵에는 처분이 있음을 알았더라도, 동 처분이 원고에게 고지되어 원고가 이러한 사실을 인식함으로써 처분이 있다는 사실을 현실적으로 알았을 때 행정소송법 제20조 제1항이 정한 제소기간이 진행된다(대판 2014. 9. 25, 2014두8254).

㉣ 제40강 참조 ○

> 동일한 행정처분에 대하여 무효확인의 소를 제기하였다가 그 후 그 처분의 취소를 구하는 소를 추가적으로 병합한 경우, 주된 청구인 무효확인의 소가 적법한 제소기간 내에 제기되었다면 추가로 병합된 취소청구의 소도 적법하게 제기된 것으로 볼 수 있다(편저자 주 : 한편, 이러한 병합은 예비적 병합으로만 가능하다. 병합 부분 참조)(대판 2005. 12. 23, 2005두3554).

정답 02 ④

03 상 2020 경행경채

행정소송법상 항고소송의 제소기간에 대한 설명으로 가장 적절한 것은? (다툼이 있는 경우 판례에 의함)

□□□ ① 취소소송은 처분 등이 있음을 안 날부터 90일 이내에 제기하여야 하는데, 행정심판청구를 할 수 있는 경우에 행정심판청구가 있은 때의 기간은 재결서의 정본을 송달받은 날부터 기산하며, 여기서 말하는 '행정심판'은 행정심판법에 따른 일반행정심판만을 의미한다.

□□□ ② 처분이 있음을 안 날부터 90일을 넘겨 청구한 부적법한 행정심판청구에 대한 재결이 있은 후 재결서를 송달받은 날부터 90일 이내에 원래의 처분에 대하여 취소소송을 제기하면 취소소송은 제소기간을 준수한 것으로 본다.

□□□ ③ 무효등확인소송의 경우에도 취소소송과 같이 제소기간에 제한이 있다.

□□□ ④ 처분 당시에는 취소소송의 제기가 법제상 허용되지 않아 소송을 제기할 수 없다가 위헌결정으로 인하여 비로소 취소소송을 제기할 수 있게 된 경우에는 객관적으로는 '위헌결정이 있은 날', 주관적으로는 '위헌결정이 있음을 안 날' 비로소 취소소송을 제기할 수 있게 되어 이때를 제소기간의 기산점으로 삼아야 한다.

관련기출

②

1. 행정처분이 있음을 안 날부터 90일을 넘겨 행정심판을 청구하였다가 각하재결을 받은 후 그 재결서를 송달받은 날부터 90일 내에 원래의 처분에 대하여 취소소송을 제기한 경우, 수소법원은 각하판결을 하여야 한다. (○, ×) 2019 국가직 9급
2. 행정처분이 있음을 안 날부터 90일을 넘겨 행정심판을 청구하였다가 각하재결을 받은 후 그 재결서를 송달받은 날부터 90일 내에 원래의 처분에 대하여 취소소송을 제기한 경우, 취소소송의 제소기간을 준수한 것으로 볼 수 없다. (○, ×) 2017 지방직 7급

1. ○ 2. ○

③

1. 무효등확인소송에는 취소소송의 제소기간에 관한 규정이 준용되지 않는다. (○, ×) 2013 국가직 7급

1. ○

④

1. 처분 당시에는 취소소송의 제기가 법제상 허용되지 않아 소송을 제기할 수 없다가 위헌결정으로 인하여 비로소 취소소송을 제기할 수 있게 된 경우 객관적으로는 위헌결정이 있은 날, 주관적으로는 위헌결정이 있음을 안 날을 제소기간의 기산점으로 삼아야 한다. (○, ×) 2015 국회직 8급

1. ○

① ×

행정소송법 제20조 제1항에 따르면, 취소소송은 처분 등이 있음을 안 날부터 90일 이내에 제기하여야 하는데, 행정심판청구를 할 수 있는 경우에 행정심판청구가 있은 때의 기간은 재결서의 정본을 송달받은 날부터 기산한다. 이처럼 취소소송의 제소기간을 제한함으로써 처분 등을 둘러싼 법률관계의 안정과 신속한 확정을 도모하려는 입법취지에 비추어 볼 때, 여기서 말하는 '행정심판'은 행정심판법에 따른 일반행정심판과 이에 대한 특례로서 다른 법률에서 사안의 전문성과 특수성을 살리기 위하여 특히 필요하여 일반행정심판을 갈음하는 특별한 행정불복절차를 정한 경우의 특별행정심판(행정심판법 제4조)을 뜻한다(대판 2014. 4. 24, 2013두10809).

② ×

행정처분이 있음을 안 날부터 90일을 넘겨 행정심판을 청구하였다가 부적법하다는 이유로 각하재결을 받은 후 재결서를 송달받은 날부터 90일 내에 원래의 처분에 대하여 취소소송을 제기한 경우, 취소소송의 제소기간을 준수한 것으로 볼 수는 없다는 것이 판례의 입장이다(대판 2011. 11. 24, 2011두18786).

③ **빈출** ×

무효등확인소송의 경우 제소기간의 제한이 없다.

행정소송법 제20조【제소기간】 ① 취소소송은 처분 등이 있음을 안 날부터 90일 이내에 제기하여야 한다. 다만, 제18조 제1항 단서에 규정한 경우와 그 밖에 행정심판청구를 할 수 있는 경우 또는 행정청이 행정심판청구를 할 수 있다고 잘못 알린 경우에 행정심판청구가 있은 때의 기간은 재결서의 정본을 송달받은 날부터 기산한다.
② 취소소송은 처분 등이 있은 날부터 1년(제1항 단서의 경우는 재결이 있은 날부터 1년)을 경과하면 이를 제기하지 못한다. 다만, 정당한 사유가 있는 때에는 그러하지 아니하다.
③ 제1항의 규정에 의한 기간은 불변기간으로 한다.

제38조【준용규정】 ① 제9조, 제10조, 제13조 내지 제17조, 제19조, 제22조 내지 제26조, 제29조 내지 제31조 및 제33조의 규정은 무효등확인소송의 경우에 준용한다(편저자 주 : 제20조를 준용하지 않음).

④ ○

처분 당시에는 취소소송의 제기가 법제상 허용되지 않아 소송을 제기할 수 없다가 위헌결정으로 인하여 비로소 취소소송을 제기할 수 있게 된 경우 객관적으로는 '위헌결정이 있은 날', 주관적으로는 '위헌결정이 있음을 안 날' 비로소 취소소송을 제기할 수 있게 되어 이때를 제소기간의 기산점으로 삼아야 한다(대판 2008. 2. 1, 2007두20997).

정답 03 ④

대표

04 빈출 정답률 85% 하 2020 지방직 · 서울시 9급

다음은 행정소송법상 제소기간에 대한 설명이다. ㉠~㉤에 들어갈 내용은?

> 취소소송은 처분 등이 (㉠)부터 (㉡) 이내에 제기하여야 한다. 다만, 행정심판청구를 할 수 있는 경우 또는 행정청이 행정심판청구를 할 수 있다고 잘못 알린 경우에 행정심판청구가 있은 때의 기간은 (㉢)을 (㉣)부터 기산한다. 한편 취소소송은 처분 등이 있은 날부터 (㉤)을 경과하면 이를 제기하지 못한다. 다만, 정당한 사유가 있는 때에는 그러하지 아니하다.

	㉠	㉡	㉢	㉣	㉤
①	있은 날	30일	결정서의 정본	통지받은 날	180일
②	있음을 안 날	90일	재결서의 정본	송달받은 날	1년
③	있은 날	1년	결정서의 부본	통지받은 날	2년
④	있음을 안 날	1년	재결서의 부본	송달받은 날	3년

관련기출

②

1. 취소소송은 처분 등이 있은 날부터 1년을 경과하면 이를 제기하지 못한다. 다만, 정당한 사유가 있는 때에는 그러하지 아니하다. (○, ×) 2019 소방직 9급
2. 처분이 있음을 알고 90일이 경과하였더라도 처분이 있은 지 1년이 경과하지 않은 경우에는 취소소송을 제기할 수 있다. (○, ×) 2015 교육행정직 9급
3. 취소소송은 처분 등이 있음을 안 날부터 90일, 처분 등이 있은 날부터 180일이 경과하면 이를 제기하지 못한다. (○, ×) 2013 경행특채

1. ○ 2. × 3. ×

② **빈출**

행정소송법 제20조【제소기간】 ① 취소소송은 처분 등이 있음을 안 날(㉠)부터 90일(㉡) 이내에 제기하여야 한다. 다만, 제18조 제1항 단서에 규정한 경우와 그 밖에 행정심판청구를 할 수 있는 경우 또는 행정청이 행정심판청구를 할 수 있다고 잘못 알린 경우에 행정심판청구가 있은 때의 기간은 재결서의 정본(㉢)을 송달받은 날(㉣)부터 기산한다.
② 취소소송은 처분 등이 있은 날부터 1년(㉤)(제1항 단서의 경우는 재결이 있은 날부터 1년)을 경과하면 이를 제기하지 못한다. 다만, 정당한 사유가 있는 때에는 그러하지 아니하다.

정답 04 ②

05 정답률 65% 상 2018 국가직 9급

판례에 따를 경우 甲이 제기하는 소송이 적법하게 되기 위한 설명으로 옳은 것은?

A시장은 2016. 12. 23. 식품위생법 위반을 이유로 甲에 대하여 3월의 영업정지처분을 하였고, 甲은 2016. 12. 26. 처분서를 송달받았다. 甲은 이에 대해 행정심판을 청구하였고, 행정심판위원회는 2017. 3. 6. "A시장은 甲에 대하여 한 3월의 영업정지처분을 2월의 영업정지에 갈음하는 과징금 부과처분으로 변경하라."라는 일부인용의 재결을 하였으며, 그 재결서 정본은 2017. 3. 10. 甲에게 송달되었다. A시장은 재결취지에 따라 2017. 3. 13. 甲에 대하여 과징금 부과처분을 하였다. 甲은 여전히 자신이 식품위생법 위반을 이유로 한 제재를 받을 이유가 없다고 생각하여 취소소송을 제기하려고 한다.

□□□ ① 행정심판위원회를 피고로 하여 2016. 12. 23.자 영업정지처분을 대상으로 취소소송을 제기하여야 한다.

□□□ ② 행정심판위원회를 피고로 하여 2017. 3. 13.자 과징금 부과처분을 대상으로 취소소송을 제기하여야 한다.

□□□ ③ 과징금 부과처분으로 변경된 2016. 12. 23.자 원처분을 대상으로 2017. 3. 10.부터 90일 이내에 제기하여야 한다.

□□□ ④ 2017. 3. 13.자 과징금 부과처분을 대상으로 2017. 3. 6.부터 90일 이내에 제기하여야 한다.

관련기출

③

1. 행정청이 영업자에게 행정제재를 한 후 그 처분을 영업자에게 유리하게 변경하였고 그 변경처분에 의해 유리하게 변경된 내용의 행정제재가 위법하다고 소를 제기한 경우 제소기간의 준수 여부는 변경처분을 기준으로 판단한다. (○, ×) 2023 소방간부
2. 행정청이 식품위생법령에 따라 영업자에게 행정제재처분을 한 후 당초 처분을 영업자에게 유리하게 변경하는 처분을 한 경우, 취소소송의 대상 및 제소기간 판단기준은 변경처분이 아니라 변경된 내용의 당초 처분이다. (○, ×) 2017 서울시 7급
3. 3월의 영업정지처분을 2월의 영업정지처분에 갈음하는 과징금 부과처분으로 변경하는 재결의 경우 취소소송의 대상이 되는 것은 변경된 내용의 당초 처분이지 변경처분은 아니다. (○, ×) 2017 국회직 8급
4. 영업자에 대한 행정제재처분에 대하여 행정심판위원회가 영업자에게 유리한 적극적 변경명령재결을 하고 이에 따라 처분청이 변경처분을 한 경우, 그 변경처분에 의해 유리하게 변경된 행정제재가 위법하다는 이유로 그 취소를 구하려면 변경된 내용의 당초 처분을 취소소송의 대상으로 하여야 한다. (○, ×) 2017 국가직 9급

1. × 2. ○ 3. ○ 4. ○

①②④ ×

③ ○

처분변경명령재결에 따른 변경처분의 경우 취소소송의 대상은 변경처분이 아니라 변경된 내용의 당초 처분이므로, 사안의 경우 항고소송의 대상은 2017. 3. 13.자 처분이 아니라 2016. 12. 23.자의 당초 처분(과징금 부과처분으로 변경된 당초 처분)이다. 그런데 2016. 12. 23.자 처분의 경우 그 처분에 대해 바로 취소소송을 제기한 것이 아니라 행정심판의 재결을 거친 후 취소소송을 제기한 경우이므로 제소기간은 재결서의 정본을 송달받은 날인 2017. 3. 10.부터 기산된다. 따라서 甲은 A시장을 피고로 2016. 12. 23.자의 과징금 부과처분을 대상으로 하여 2017. 3. 10.부터 90일 이내에 취소소송을 제기하여야 한다.

1. 처분변경명령재결에 따른 변경처분의 경우 취소소송의 대상은 변경된 내용의 당초 처분이며 제소기간은 재결서의 정본을 송달받은 날로부터 90일 이내이다.
2. 행정청이 식품위생법령에 따라 영업자에게 행정제재처분을 한 후 당초 처분을 영업자에게 유리하게 변경하는 처분을 한 경우, 취소소송의 대상 및 제소기간의 판단기준이 되는 처분은 변경된 내용의 당초 처분이다(대판 2007. 4. 27, 2004두9302).

행정소송법 제20조【제소기간】 ① 취소소송은 처분 등이 있음을 안 날부터 90일 이내에 제기하여야 한다. 다만, 제18조 제1항 단서에 규정한 경우와 그 밖에 행정심판청구를 할 수 있는 경우 또는 행정청이 행정심판청구를 할 수 있다고 잘못 알린 경우에 행정심판청구가 있은 때의 기간은 재결서의 정본을 송달받은 날부터 기산한다.
② 취소소송은 처분 등이 있은 날부터 1년(제1항 단서의 경우는 재결이 있은 날부터 1년)을 경과하면 이를 제기하지 못한다. 다만, 정당한 사유가 있는 때에는 그러하지 아니하다.
③ 제1항의 규정에 의한 기간은 불변기간으로 한다.

정답 05 ③

06 정답률 64% 중 2018 지방직 7급

취소소송의 소송요건을 충족하지 않은 경우에 해당하는 것만을 모두 고르면? (다툼이 있는 경우 판례에 의함)

□□□ ㉠ 기간제로 임용된 국·공립대학의 조교수에 대해 임용기간만료로 한 재임용거부에 대하여 제기된 거부처분 취소소송

□□□ ㉡ 처분이 있음을 안 날부터 90일이 경과하였으나, 아직 처분이 있은 날부터 1년이 경과되지 않은 시점에서 제기된 취소소송

□□□ ㉢ 사실심변론종결시에는 원고적격이 있었으나, 상고심에서 원고적격이 흠결된 취소소송

① ㉠ ② ㉢

③ ㉡, ㉢ ④ ㉠, ㉡, ㉢

관련기출

㉢

1. 무효등확인소송의 제기 당시에 원고적격을 갖추었다면 상고심 계속중에 원고적격을 상실하더라도 그 소는 적법하다. (○, ×) 2024 지방직·서울시 9급
2. 취소소송의 원고적격은 소송요건의 하나이므로 사실심변론종결시는 물론 상고심에서도 존속하여야 하고 이를 흠결하면 부적법한 소가 된다. (○, ×) 2015 사회복지직 9급

 1. × 2. ○

③ ㉡㉢은 취소소송의 소송요건을 충족하지 못한다.

㉠ ○

> 대학 교원의 임용권자가 임용기간이 만료된 조교수에 대하여 재임용을 거부하는 취지로 한 임용기간만료의 통지는 행정소송의 대상이 되는 처분에 해당한다(대판 2004. 4. 22, 2000두7735 전합).

㉡ ×

행정소송법 제20조 제1항의 기간과 제2항의 기간 중 어느 하나의 기간이라도 먼저 경과하면 취소소송을 제기할 수 없다. 따라서 취소소송의 소송요건 중 제소기간을 갖추지 못한 경우이다.

> **행정소송법 제20조【제소기간】** ① 취소소송은 처분 등이 있음을 안 날부터 90일 이내에 제기하여야 한다. 다만, 제18조 제1항 단서에 규정한 경우와 그 밖에 행정심판청구를 할 수 있는 경우 또는 행정청이 행정심판청구를 할 수 있다고 잘못 알린 경우에 행정심판청구가 있은 때의 기간은 재결서의 정본을 송달받은 날부터 기산한다.
> ② 취소소송은 처분 등이 있은 날부터 1년(제1항 단서의 경우는 재결이 있은 날부터 1년)을 경과하면 이를 제기하지 못한다. 다만, 정당한 사유가 있는 때에는 그러하지 아니하다.

㉢ **빈출** ×

소송요건은 사실심변론종결시는 물론 상고심에서도 존속하여야 한다. 따라서 사실심변론종결시에는 원고적격이 있었으나, 상고심에서 원고적격이 흠결된 경우에도 소송요건 중 원고적격요건을 갖추지 못한 경우이다.

> 원고적격은 소송요건의 하나로서 사실심변론종결시는 물론 상고심에서도 존속하여야 하고 이를 흠결하면 부적법한 소가 된다(대판 2007. 4. 12, 2004두7924).

정답 06 ③

07 정답률 33% 상 2017 지방직 9급

행정소송법상 제소기간에 대한 판례의 입장으로 옳은 것은?

□□□ ① 청구취지를 변경하여 종전의 소가 취하되고 새로운 소가 제기된 것으로 변경되었다면 새로운 소에 대한 제소기간 준수 여부는 원칙적으로 소의 변경이 있은 때를 기준으로 한다.

□□□ ② 납세자의 이의신청에 의한 재조사결정에 따른 행정소송의 제소기간은 이의신청인 등이 재결청으로부터 재조사결정의 통지를 받은 날부터 기산한다.

□□□ ③ 처분의 불가쟁력이 발생하였고 그 이후에 행정청이 당해 처분에 대해 행정심판청구를 할 수 있다고 잘못 알렸다면, 그 처분의 취소소송의 제소기간은 행정심판의 재결서를 받은 날부터 기산한다.

□□□ ④ 산업재해보상보험법상 보험급여의 부당이득 징수결정의 하자를 이유로 징수금을 감액하는 경우 감액처분으로도 아직 취소되지 않고 남아 있는 부분이 위법하다 하여 다툴 때에는, 제소기간의 준수 여부는 감액처분을 기준으로 판단해야 한다.

관련기출

①

1. 판례는 청구취지의 변경으로 구소가 취하되고 신소가 제기된 것으로 되었을 때 신소에 대한 제소기간의 준수는 원칙적으로 소의 변경이 있은 때를 기준으로 한다. (○, ×) 2007 서울시 9급

1. ○

②

1. 조세심판에서 재결청의 재조사결정에 따른 행정소송의 기산점은 후속처분의 통지를 받은 날이다. (○, ×) 2016 국회직 8급
2. 국세기본법상의 이의신청에 대한 재조사결정에 따른 심사청구기간이나 심판청구기간은 이의신청인이 후속처분의 통지를 받은 날부터 기산된다. (○, ×) 2016 국가직 7급

1. ○ 2. ○

① ○

행정소송법상 소 종류변경의 경우(행정소송법 제21조의 소변경)에는 변경된 소는 처음에 소를 제기한 때에 제기된 것으로 본다(행정소송법 제21 · 14조). 따라서 제소기간 준수 여부도 처음에 소를 제기한 때를 기준으로 한다. 그런데 행정소송법 제8조에 의해 행정소송에도 민사소송법 규정이 준용되므로 민사소송법상의 소변경이 허용된다(예 청구취지의 변경). 이 경우에는 민사소송법상의 소변경에 관한 원칙이 적용되므로 제소기간 준수 여부는 원칙적으로 소의 변경이 있은 때를 기준으로 한다.

> **행정소송법 제14조【피고경정】** ④ 제1항의 규정에 의한 결정이 있은 때에는 새로운 피고에 대한 소송은 처음에 소를 제기한 때에 제기된 것으로 본다.
> **제21조【소의 변경】** ④ 제1항의 규정에 의한 허가결정(편저자 주 : 소변경 허가결정)에 대하여는 제14조 제2항 · 제4항 및 제5항의 규정을 준용한다.

> **청구취지의 변경**이 있는 경우, 새로운 소에 대한 제소기간 준수 여부의 기준시점은 **소변경시**이다(대판 2004. 11. 25, 2004두7023).

② ×

> 납세자의 이의신청에 의한 재결청(행정심판위원회)의 '재조사결정'에 따른 심사청구기간이나 심판청구기간 또는 행정소송의 제소기간의 기산점은 후속처분의 통지를 받은 날이 된다(대판 2010. 6. 25, 2007두12514 전합).

③ ×

> 이미 제소기간이 지남으로써 불가쟁력이 발생하여 불복청구를 할 수 없었던 경우라면 그 이후에 행정청이 행정심판청구를 할 수 있다고 잘못 알렸다고 하더라도 그 때문에 처분 상대방이 적법한 제소기간 내에 취소소송을 제기할 수 있는 기회를 상실하게 된 것은 아니므로 이러한 경우에 잘못된 안내에 따라 청구된 행정심판재결서 정본을 송달받은 날부터 다시 취소소송의 제소기간이 기산되는 것은 아니다. 불가쟁력이 발생하여 더 이상 불복청구를 할 수 없는 처분에 대하여 행정청의 잘못된 안내가 있었다고 하여 처분상대방의 불복청구 권리가 새로이 생겨나거나 부활한다고 볼 수는 없기 때문이다(대판 2012. 9. 27, 2011두27247).

④ ×

감액(경정)처분의 경우 당초 처분을 상대방에게 유리하게 변경하는 것으로서 감액처분 자체는 이를 다툴 소의 이익이 없으므로 감액된 당초 처분이 취소소송의 대상이 되며 제소기간 준수나 적법한 전심절차를 거쳤는지 여부도 당초 처분을 기준으로 한다.

> 행정청이 산업재해보상보험법에 의한 보험급여수급자에 대하여 부당이득 징수결정을 한 후 징수결정의 하자를 이유로 징수금 액수를 감액하는 경우에 감액처분은 감액된 징수금 부분에 관해서만 법적 효과가 미치는 것으로서 당초 징수결정과 별개 독립의 징수금 결정처분이 아니라 그 실질은 처음 징수결정의 변경이고, 그에 의하여 징수금의 일부취소라는 징수의무자에게 유리한 결과를 가져오는 처분이므로 징수의무자에게는 그 취소를 구할 소의 이익이 없다. 이에 따라 감액처분으로도 아직 취소되지 않고 남아 있는 부분이 위법하다 하여 다투고자 하는 경우, 감액처분을 항고소송의 대상으로 할 수는 없고, 당초 징수결정 중 감액처분에 의하여 취소되지 않고 남은 부분을 항고소송의 대상으로 할 수 있을 뿐이며, 그 결과 제소기간의 준수 여부도 감액처분이 아닌 당초 처분을 기준으로 판단해야 한다(대판 2012. 9. 27, 2011두27247).

정답 07 ①

08 정답률 48% 중 2016 지방직 9급

항고소송의 제기요건에 대한 설명으로 옳지 않은 것은? (다툼이 있는 경우 판례에 의함)

□□□ ① 건국훈장 독립장이 수여된 망인에 대하여 사후적으로 친일 행적이 확인되었다는 이유로 대통령에 의하여 망인에 대한 독립유공자서훈취소가 결정되고, 그 서훈취소에 따라 훈장 등을 환수조치하여 달라는 당시 행정안전부장관의 요청에 의하여 국가보훈처장이 망인의 유족에게 독립유공자서훈취소결정을 통보한 사안에서, 독립유공자서훈취소결정에 대한 취소소송에서의 피고적격이 있는 자는 국가보훈처장이다.

□□□ ② 「국가를 당사자로 하는 계약에 관한 법률」에 따른 계약에 있어 입찰보증금의 국고귀속조치는 항고소송의 대상이 되는 처분에 해당하지 않는다.

□□□ ③ 고시에 의한 행정처분의 상대방이 불특정 다수인인 경우, 그 행정처분에 이해관계를 갖는 자는 고시가 있었다는 사실을 현실적으로 알았는지 여부에 관계없이 고시가 효력을 발생하는 날부터 90일 이내에 취소소송을 제기하여야 한다.

□□□ ④ 한국방송공사 사장은 해임처분 무효확인 또는 취소소송계속 중 임기가 만료되어 해임처분의 무효확인 또는 취소로 지위를 회복할 수 없다고 할지라도, 그 무효확인 또는 취소로 해임처분일부터 임기만료일까지의 기간에 대한 보수지급을 구할 수 있는 경우에는 해임처분의 무효확인 또는 취소를 구할 법률상 이익이 있다.

관련기출

③

1. 불특정 다수인에 대한 행정처분을 고시 또는 공고에 의하여 하는 경우에는 그 행정처분에 이해관계를 갖는 사람이 고시 또는 공고가 있었다는 사실을 현실적으로 알았는지 여부에 관계없이 고시 또는 공고가 효력을 발생한 날에 행정처분이 있음을 알았다고 보아야 한다. (○, ×) 2017 지방직(하) 9급
2. 통상 고시 또는 공고에 의하여 행정처분을 하는 경우에 행정처분이 있었음을 안 날이란 행정처분의 이해관계를 갖는 자가 고시 또는 공고가 있었다는 사실을 현실적으로 안 날이 된다. (○, ×) 2017 사회복지직 9급
3. 불특정 다수인에게 고시 또는 공고하는 경우 상대방이 고시 또는 공고 사실을 현실적으로 알았는지와 무관하게 고시가 효력이 발생하는 날에 처분이 있음을 알았다고 보아야 한다. (○, ×) 2015 국회직 8급

1. ○ 2. × 3. ○

① 제15강 참조 ×

처분을 행한 행정청(처분청)과 처분을 통보한 자(통지한 자)가 다른 경우 피고는 처분청이 된다. 따라서 지문의 경우 독립유공자서훈취소결정을 한 대통령이 피고적격을 가진다. 한편 아래 판례와 관련하여 망인(亡人)에게 수여된 서훈을 취소하는 경우, 그 유족은 서훈취소처분의 상대방이 되지 않으며 서훈취소결정이 상당한 방법으로 대외적으로 표시되면 행정행위로서 성립하여 효력이 발생한다고 한 것도 기억해 두도록 하자.

> 국무회의에서 건국훈장 독립장이 수여된 망인에 대한 서훈취소를 의결하고 대통령이 결재함으로써 서훈취소가 결정된 후 국가보훈처장(현 국가보훈부장관)이 망인의 유족 甲에게 '독립유공자서훈취소결정 통보'를 하자 甲이 국가보훈처장을 상대로 서훈취소결정의 무효확인 등의 소를 제기한 사안에서, 甲이 서훈취소처분을 행한 행정청(대통령)이 아니라 국가보훈처장을 상대로 제기한 위 소는 피고를 잘못 지정한 경우에 해당하므로, 법원으로서는 석명권을 행사하여 정당한 피고로 경정하게 하여 소송을 진행해야 함에도 국가보훈처장이 서훈취소처분을 한 것을 전제로 처분의 적법 여부를 판단한 원심판결에 법리오해 등의 잘못이 있다(대판 2014. 9. 26, 2013두2518).

② ○

> 구 예산회계법(현 「국가를 당사자로 하는 계약에 관한 법률」)상 입찰보증금의 국고귀속조치는 민사소송의 대상이 된다(대판 1983. 12. 27, 81누366).

③ **빈출** ○

고시 또는 공고에 의해 행정처분을 한 경우에 이해관계를 가진 자가 현실적으로 고시 또는 공고사실을 알았는지와 상관없이 고시 또는 공고가 효력을 발생하는 날에 처분이 있음을 알았다고 보아 그 날부터 90일 이내에 취소소송을 제기하여야 한다.

> 통상 고시 또는 공고에 의하여 행정처분을 하는 경우에는 그 처분의 상대방이 불특정 다수인이고 그 처분의 효력이 불특정 다수인에게 일률적으로 적용되는 것이므로, 그 행정처분에 이해관계를 갖는 자가 고시 또는 공고가 있었다는 사실을 현실적으로 알았는지 여부에 관계없이 고시가 효력을 발생하는 날 행정처분이 있음을 알았다고 보아야 한다(대판 2007. 6. 14, 2004두619).

④ ○

> 한국방송공사 사장에 대한 해임처분 무효확인 또는 취소소송계속 중 임기가 만료되어 해임처분의 무효확인 또는 취소로 지위를 회복할 수는 없다고 할지라도, 그 무효확인 또는 취소로 해임처분일부터 임기만료일까지 기간에 대한 보수지급을 구할 수 있는 경우에는 해임처분의 무효확인 또는 취소를 구할 법률상 이익이 있다(대판 2012. 2. 23, 2011두5001).

정답 08 ①

09 중 2015 사회복지직 9급

취소소송의 적법요건에 대한 설명으로 옳지 않은 것은? (다툼이 있는 경우 판례에 의함)

□□□ ① 무효인 처분에 대하여 무효선언을 구하는 취소소송을 제기하는 경우 제소기간을 준수하여야 한다.

□□□ ② 제소기간의 적용에 있어 '처분이 있음을 안 날'이란 처분의 존재를 현실적으로 안 날을 의미하는 것이 아니라 처분의 위법 여부를 인식한 날을 말한다.

□□□ ③ 부령인 시행규칙의 형식으로 정한 처분기준에서 선행처분을 받은 것을 가중사유나 전제요건으로 삼아 후행처분을 하도록 정한 경우, 선행처분을 받은 상대방은 비록 그 처분에서 정한 제재기간이 경과하였다 하더라도 선행처분의 취소소송을 제기할 법률상 이익이 있다.

□□□ ④ 취소소송의 원고적격은 소송요건의 하나이므로 사실심변론종결시는 물론 상고심에서도 존속하여야 하고 이를 흠결하면 부적법한 소가 된다.

① ○
행정처분의 당연무효를 선언하는 의미에서 그 취소를 구하는 행정소송을 제기하는 경우에는 전치절차와 그 제소기간의 준수 등 취소소송의 제소요건을 갖추어야 한다는 것이 판례의 입장이다(대판 1987. 6. 9, 87누219).

② ×

> 행정소송법 제20조 제2항 소정의 제소기간 기산점인 '처분이 있음을 안 날'이란 통지, 공고 기타의 방법에 의하여 당해 처분이 있었다는 사실을 현실적으로 안 날을 의미하고 구체적으로 그 행정처분의 위법 여부를 판단한 날을 가리키는 것은 아니다(대판 1991. 6. 28, 90누6521).

③ ○
부령인 시행규칙의 형식으로 정한 처분기준에서 제재적 행정처분을 받은 것을 가중사유나 전제요건으로 삼아 장래의 제재적 행정처분을 하도록 정하고 있는 경우, 선행처분인 제재적 행정처분을 받은 상대방이 그 처분에서 정한 제재기간이 경과하였다 하더라도 원칙적으로 그 처분의 취소를 구할 법률상 이익이 있다는 것이 판례의 입장이다(대판 2006. 6. 22, 2003두1684 전합).

④ ○

> 원고적격은 소송요건의 하나로서 사실심변론종결시는 물론 상고심에서도 존속하여야 하고 이를 흠결하면 부적법한 소가 된다(대판 2007. 4. 12, 2004두7924).

❷ 행정심판과 취소소송의 관계

10 정답률 64% 중 2017 지방직 9급

행정소송법상 필요적 전치주의가 적용되는 사안에서, 행정심판을 청구하여야 하나 당해 처분에 대한 행정심판의 재결을 거치지 아니하고 취소소송을 제기할 수 있는 경우에 해당하는 것은?

□□□ ① 동종사건에 관하여 이미 행정심판의 기각재결이 있는 경우

□□□ ② 서로 내용상 관련되는 처분 또는 같은 목적을 위하여 단계적으로 진행되는 처분 중 어느 하나가 이미 행정심판의 재결을 거친 경우

□□□ ③ 처분의 집행 또는 절차의 속행으로 생길 중대한 손해를 예방하여야 할 긴급한 필요가 있는 경우

□□□ ④ 처분을 행한 행정청이 행정심판을 거칠 필요가 없다고 잘못 알린 경우

빈출 ①②④는 행정심판을 제기함이 없이 취소소송을 제기할 수 있는 경우이다.

> **행정소송법 제18조【행정심판과의 관계】** ① 취소소송은 법령의 규정에 의하여 당해 처분에 대한 행정심판을 제기할 수 있는 경우에도 이를 거치지 아니하고 제기할 수 있다. 다만, 다른 법률에 당해 처분에 대한 행정심판의 재결을 거치지 아니하면 취소소송을 제기할 수 없다는 규정이 있는 때에는 그러하지 아니하다.
> ② 제1항 단서의 경우에도 다음 각 호의 1에 해당하는 사유가 있는 때에는 행정심판의 재결을 거치지 아니하고 취소소송을 제기할 수 있다.
> 1. 행정심판청구가 있은 날로부터 60일이 지나도 재결이 없는 때
> 2. 처분의 집행 또는 절차의 속행으로 생길 중대한 손해를 예방하여야 할 긴급한 필요가 있는 때(③)
> 3. 법령의 규정에 의한 행정심판기관이 의결 또는 재결을 하지 못할 사유가 있는 때
> 4. 그 밖의 정당한 사유가 있는 때
>
> ③ 제1항 단서의 경우에 다음 각 호의 1에 해당하는 사유가 있는 때에는 행정심판을 제기함이 없이 취소소송을 제기할 수 있다.
> 1. 동종사건에 관하여 이미 행정심판의 기각재결이 있은 때(①)
> 2. 서로 내용상 관련되는 처분 또는 같은 목적을 위하여 단계적으로 진행되는 처분 중 어느 하나가 이미 행정심판의 재결을 거친 때(②)
> 3. 행정청이 사실심의 변론종결 후 소송의 대상인 처분을 변경하여 당해 변경된 처분에 관하여 소를 제기하는 때
> 4. 처분을 행한 행정청이 행정심판을 거칠 필요가 없다고 잘못 알린 때(④)
>
> ④ 제2항 및 제3항의 규정에 의한 사유는 이를 소명하여야 한다.

정답 09 ② 10 ③

11 ㉧ 2015 국회직 8급

다음 중 행정심판과 행정소송의 관계에 대한 설명으로 옳지 않은 것은? (다툼이 있는 경우 판례에 의함)

□□□ ① 행정소송법 이외의 법률에 당해 처분에 대한 행정심판의 재결을 거치지 아니하면 취소소송을 제기할 수 없다는 규정이 있는 경우에도, 서로 내용상 관련되는 처분 또는 같은 목적을 위하여 단계적으로 진행되는 처분 중 어느 하나가 이미 행정심판의 재결을 거친 때에는 행정심판을 제기함이 없이 취소소송을 제기할 수 있다.

□□□ ② 행정소송법 이외의 법률에 당해 처분에 대한 행정심판의 재결을 거치지 아니하면 취소소송을 제기할 수 없다는 규정이 있는 경우에도, 처분의 집행 또는 절차의 속행으로 생길 중대한 손해를 예방하여야 할 긴급한 필요가 있는 때에는 행정심판의 재결을 거치지 아니하고 취소소송을 제기할 수 있다.

□□□ ③ 필요적 행정심판전치주의가 적용되는 경우 그 요건을 구비하였는지 여부는 법원의 직권조사사항이다.

□□□ ④ 기간경과 등의 부적법한 심판제기가 있었고, 행정심판위원회가 각하하지 않고 기각재결을 한 경우는 심판전치의 요건이 구비된 것으로 볼 수 있다.

□□□ ⑤ 행정심판전치주의가 적용되는 경우에 행정심판을 거치지 않고 소제기를 하였더라도 사실심변론종결 전까지 행정심판을 거친 경우 하자는 치유된 것으로 볼 수 있다.

관련기출

④

1. 행정심판의 필요적 전치주의가 적용되는 경우, 부적법한 취소심판의 청구가 있었음에도 행정심판위원회가 기각재결을 하자 원처분에 대하여 제기한 취소소송은 행정소송에서 소송이 각하되는 경우에 해당한다. (O, ×) 2017 국가직 7급
2. 제기기간을 도과한 부적법한 심판청구이더라도 재결기관이 본안재결을 한 경우에는 행정심판전치요건을 충족한 것으로 본다. (O, ×) 2011 세무사

1. ○ 2. ×

⑤

1. 필요적 행정심판전치주의가 적용되는 경우 행정심판전치요건은 사실심변론종결시까지 충족하면 된다. (O, ×) 2014 사회복지직 9급
2. 행정소송 제기 후 그 변론종결시까지 행정심판절차를 거친 경우에는 행정심판전치요건은 충족된 것으로 보는 것이 판례의 입장이다. (O, ×) 2011 국회(속기 · 경위직) 9급
3. 제소시까지 행정심판전치요건을 구비하지 못한 경우에 당해 소송은 부적법한 것으로서 각하된다. (O, ×) 2010 세무사

1. ○ 2. ○ 3. ×

①② 10 해실 조문 삼소 ○

③ ○

행정심판을 거친 것인지의 여부는 소송요건으로서, 소송요건은 법원의 직권조사사항이다.

④ ×

> 제기기간을 도과한 행정심판청구의 부적법을 간과한 채 행정청이 실질적 재결을 한 경우, 행정소송의 전치요건은 충족된 것으로 볼 수 없다(대판 1990. 10. 12, 90누2383).

⑤ **빈출** ○

> 행정심판전치주의가 적용되는 경우에 행정심판을 거치지 않고 소제기를 하였더라도 사실심변론종결 전까지 행정심판을 거친 경우 하자는 치유된 것으로 볼 수 있다.
>
> 전심절차를 밟지 아니한 채 증여세 부과처분 취소소송을 제기하였다면 제소 당시로 보면 전치요건을 구비하지 못한 위법이 있다 할 것이지만, 소송계속 중 심사청구 및 심판청구를 하여 각 기각결정을 받았다면 원심변론종결일 당시에는 위와 같은 전치요건흠결의 하자는 치유되었다고 볼 것이다(대판 1987. 4. 28, 86누29).

정답 11 ④

12 상

2014 사회복지직 9급

행정소송과 행정심판의 관계에 대한 설명으로 옳지 않은 것은? (다툼이 있는 경우 판례에 의함)

□□□ ① 필요적 행정심판전치주의가 적용되는 경우 처분의 집행 또는 절차의 속행으로 생길 중대한 손해를 예방하여야 할 긴급한 필요가 있는 때에는 재결을 거치지 아니하고 취소소송을 제기할 수 있으나, 이 경우에도 행정심판은 제기하여야 한다.

□□□ ② 부가가치세법상 과세처분의 무효선언을 구하는 의미에서 그 취소를 구하는 소송은 전심절차를 거칠 필요가 없다.

□□□ ③ 필요적 행정심판전치주의가 적용되는 경우 그 요건을 구비하였는지 여부는 법원의 직권조사사항이다.

□□□ ④ 필요적 행정심판전치주의가 적용되는 경우 행정심판 전치요건은 사실심변론종결시까지 충족하면 된다.

① 10 해설 조문 참조 ○

② ×

세법에 따르면 취소소송을 제기하기 위해서는 행정심판을 거쳐야만 한다(예외적 행정심판전치주의). 한편 무효사유에 대해 무효확인소송을 제기하는 경우에는 행정심판과의 관계를 규정한 행정소송법 제18조가 준용되지 않으므로 행정심판을 거치지 않고 무효확인소송을 제기할 수 있다. 그런데 과세처분이 무효인 경우에도 무효확인소송을 제기하는 것이 아니라 취소소송을 제기하는 경우(이른바 무효선언적 의미의 취소소송)에는 제소기간 및 예외적 행정심판전치주의에 관한 규정이 적용되므로 전심절차(행정심판절차)를 거쳐야 한다.

③ ○

소송요건은 법원의 직권조사사항이다. 필요적 행정심판전치주의가 적용되는 경우 그 요건을 구비하였는지 여부는 소송요건으로서 법원의 직권조사사항이다.

④ ○

행정심판전치주의가 적용되는 경우에 행정심판을 거치지 않고 소제기를 하였더라도 사실심변론종결 전까지 행정심판을 거친 경우 하자는 치유된 것으로 볼 수 있다는 것이 판례의 입장이다(대판 1987. 4. 28, 86누29).

13 빈출 중

2013 국가직 7급

행정심판과 취소소송의 관계에 대한 설명으로 옳지 않은 것은? (다툼이 있는 경우 판례에 의함)

□□□ ① 행정심판절차에서 주장하지 아니한 사항에 대해서도 원고는 취소소송에서 주장할 수 있다.

□□□ ② 도로교통법에 따른 처분에 대해서는 행정심판의 재결을 거치지 아니하면 취소소송을 제기할 수 없다.

□□□ ③ 지방노동위원회의 구제명령에 대해서는 중앙노동위원회에 재심을 신청한 후 그 재심판정에 대하여 중앙노동위원회를 피고로 하여 재심판정 취소의 소를 제기하여야 한다.

□□□ ④ 적법한 행정심판청구를 각하한 재결은 재결 자체에 고유한 위법이 있는 경우에 해당하므로 재결취소소송을 제기할 수 있다.

① ○

> 항고소송에 있어서 원고는 전심절차(행정심판)에서 주장하지 아니한 공격·방어방법을 소송절차에서 주장할 수 있고 법원은 이를 심리하여 행정처분의 적법 여부를 판단할 수 있는 것이므로, 원고가 전심절차에서 주장하지 아니한 처분의 위법사유를 소송절차에서 새롭게 주장하였다고 하여 다시 그 처분에 대하여 별도의 전심절차를 거쳐야 하는 것은 아니다(대판 1996. 6. 14, 96누754).

② ○

> **도로교통법 제142조【행정소송과의 관계】** 이 법에 따른 처분으로서 해당 처분에 대한 행정소송은 행정심판의 재결(裁決)을 거치지 아니하면 제기할 수 없다.

③ ×

합의제 행정청인 공정거래위원회, 토지수용위원회는 위원회 자체가 피고가 된다. 다만, 중앙노동위원회의 경우 위원장이 피고가 된다.

> **노동위원회법 제27조【중앙노동위원회의 처분에 대한 소송】** ① 중앙노동위원회의 처분에 대한 소송은 중앙노동위원회 위원장을 피고로 하여 처분의 송달을 받은 날부터 15일 이내에 제기하여야 한다.

④ ○

행정소송법은 원처분주의를 취하고 있으므로 재결은 재결 자체에 고유한 위법이 있는 경우에 한해 항고소송의 대상이 되는바, 적법한 행정심판청구를 각하한 재결은 재결 자체에 고유한 위법이 있는 경우에 해당하므로 재결이 항고소송의 대상이 된다.

정답 12 ② 13 ③

14 ⓢ 2013 국가직 9급

행정소송과 행정심판의 관계에 관한 설명으로 옳지 않은 것은? (다툼이 있는 경우 판례에 의함)

□□□ ① 원처분의 위법을 이유로 행정심판재결에 대한 취소소송을 제기할 수 없다.

□□□ ② 원고가 전심절차에서 주장하지 아니한 처분의 위법사유를 소송절차에서 새로이 주장한 경우 다시 그 처분에 대하여 별도의 전심절차를 거쳐야 한다.

□□□ ③ 행정소송법 이외의 법률에 당해 처분에 대한 행정심판의 재결을 거치지 아니하면 취소소송을 제기할 수 없다는 규정이 있는 경우에도, 처분의 집행 또는 절차의 속행으로 생길 중대한 손해를 예방하여야 할 긴급한 필요가 있는 때에는 행정심판의 재결을 거치지 아니하고 취소소송을 제기할 수 있다.

□□□ ④ 행정소송법 이외의 법률에 당해 처분에 대한 행정심판의 재결을 거치지 아니하면 취소소송을 제기할 수 없다는 규정이 있는 경우에도, 동종사건에 관하여 이미 행정심판의 기각재결이 있은 때에는 행정심판을 제기함이 없이 취소소송을 제기할 수 있다.

① ○

행정소송법은 원처분주의를 채택하고 있는바, 원처분주의에 따르면 원칙적으로 원처분이 항고소송의 대상이 되며, 재결은 재결 자체에 '고유한 위법'이 있는 경우에 한하여 재결취소소송을 제기할 수 있을 뿐이다. 따라서 원처분의 위법을 이유로는 원처분에 대한 취소소송을 제기하여야 하며 재결에 대한 취소소송을 제기할 수는 없다.

② ×

항고소송에 있어서 원고는 사실심의 변론종결시까지는 (당초 처분사유와 기본적 사실관계가 동일한 범위에서) 새로운 사유를 주장할 수 있으므로 전심절차(행정심판절차)에서 주장하지 아니한 처분의 위법사유도 소송절차가 사실심변론종결 전이라면 소송절차에서 주장할 수 있으며, 이 경우 그 처분에 대하여 별도의 전심절차를 거쳐야 하는 것은 아니라는 것이 판례의 입장이다.

> 원고가 전심절차에서 주장하지 아니한 처분의 위법사유를 소송절차에서 새롭게 주장하였다고 하여 다시 그 처분에 대하여 별도의 전심절차를 거쳐야 하는 것은 아니다(대판 1996. 6. 14, 96누754).

③④ ○

'행정심판의 재결을 거치지 아니하고 취소소송을 제기할 수 있는 경우'와 '행정심판을 제기함이 없이 취소소송을 제기할 수 있는 경우'를 구별하기 바란다.

> **행정소송법 제18조【행정심판과의 관계】** ② 제1항 단서의 경우에도 다음 각 호의 1에 해당하는 사유가 있는 때에는 행정심판의 재결을 거치지 아니하고 취소소송을 제기할 수 있다.
> 1. 행정심판청구가 있은 날로부터 60일이 지나도 재결이 없는 때
> 2. 처분의 집행 또는 절차의 속행으로 생길 중대한 손해를 예방하여야 할 긴급한 필요가 있는 때(③)
> 3. 법령의 규정에 의한 행정심판기관이 의결 또는 재결을 하지 못할 사유가 있는 때
> 4. 그 밖의 정당한 사유가 있는 때
>
> ③ 제1항 단서의 경우에 다음 각 호의 1에 해당하는 사유가 있는 때에는 행정심판을 제기함이 없이 취소소송을 제기할 수 있다.
> 1. 동종사건에 관하여 이미 행정심판의 기각재결이 있은 때(④)
> 2. 서로 내용상 관련되는 처분 또는 같은 목적을 위하여 단계적으로 진행되는 처분 중 어느 하나가 이미 행정심판의 재결을 거친 때
> 3. 행정청이 사실심의 변론종결 후 소송의 대상인 처분을 변경하여 당해 변경된 처분에 관하여 소를 제기하는 때
> 4. 처분을 행한 행정청이 행정심판을 거칠 필요가 없다고 잘못 알린 때

정답 14 ②

02 소의 변경과 소제기의 효과

기 857~867쪽 핵 T 71

❶ 소의 변경

15 정답률 70% 상 2023 국회직 9급

행정소송법상 행정소송에 대한 설명으로 옳지 않은 것은? (다툼이 있는 경우 판례에 의함)

□□□ ① 행정소송법 제14조에 의한 피고경정은 사실심변론종결시까지 허용된다.

□□□ ② 행정청의 위법한 처분 등의 취소 또는 변경을 구하는 취소소송의 대상이 될 수 있는 것은 구체적인 권리의무에 관한 분쟁이어야 하고 일반적, 추상적인 법령이나 규칙 등은 그 자체로서 국민의 구체적인 권리의무에 직접적 변동을 초래케 하는 것이 아니므로 그 대상이 될 수 없다.

□□□ ③ 처분변경으로 인한 소의 변경의 신청은 처분의 변경이 있음을 안 날로부터 90일 이내에 하여야 한다.

□□□ ④ 행정청으로 하여금 일정한 행정처분을 하도록 명하는 이행판결을 구하는 소송이나 법원으로 하여금 행정청이 일정한 행정처분을 행한 것과 같은 효과가 있는 행정처분을 직접 행하도록 하는 형성판결을 구하는 소송은 허용되지 아니한다.

□□□ ⑤ 취소청구가 사정판결에 의하여 기각되거나 행정청이 처분 등을 취소 또는 변경함으로 인하여 청구가 각하 또는 기각된 경우에는 소송비용은 피고의 부담으로 한다.

① 제36강 참조 ○

행정소송법 제14조에 의한 피고경정은 사실심변론종결시까지 허용된다.

행정소송법 제14조에 의한 피고경정은 사실심변론종결에 이르기까지 허용되는 것으로 해석하여야 할 것이고, 굳이 제1심 단계에서만 허용되는 것으로 해석할 근거는 없다(대결 2006. 2. 23, 2005부4).

행정소송규칙 제6조【피고경정】 법 제14조 제1항에 따른 피고경정은 사실심변론을 종결할 때까지 할 수 있다.

② ○

행정청의 위법한 처분 등의 취소 또는 변경을 구하는 취소소송의 대상이 될 수 있는 것은 구체적인 권리의무에 관한 분쟁이어야 하고 일반적, 추상적인 법령이나 규칙 등은 그 자체로서 국민의 구체적인 권리의무에 직접적 변동을 초래케 하는 것이 아니므로 그 대상이 될 수 없다(대판 1992. 3. 10, 91누12639).

③ ×

행정소송법 제22조【처분변경으로 인한 소의 변경】 ① 법원은 행정청이 소송의 대상인 처분을 소가 제기된 후 변경한 때에는 원고의 신청에 의하여 결정으로써 청구의 취지 또는 원인의 변경을 허가할 수 있다.
② 제1항의 규정에 의한 신청은 처분의 변경이 있음을 안 날로부터 60일 이내에 하여야 한다.

④ 제35강 참조 ○

행정소송법상 이행판결을 구하는 소송이나 행정청이 한 것과 같은 효과가 있는 처분을 직접 행하도록 하는 형성판결을 구하는 소송은 허용되지 않는다.

현행 행정소송법상 행정청으로 하여금 일정한 행정처분을 하도록 명하는 이행판결을 구하는 소송이나 법원으로 하여금 행정청이 일정한 행정처분을 행한 것과 같은 효과가 있는 행정처분을 직접 행하도록 하는 형성판결을 구하는 소송은 허용되지 아니하므로 …… (대판 1997. 9. 30, 97누3200)

⑤ ○

행정소송법 제32조【소송비용의 부담】 취소청구가 제28조(편저자 주 : 사정판결)의 규정에 의하여 기각되거나 행정청이 처분 등을 취소 또는 변경함으로 인하여 청구가 각하 또는 기각된 경우에는 소송비용은 피고의 부담으로 한다.

정답 15 ③

16 정답률 53% 상 2018 서울시 9급

행정소송법상 소의 종류의 변경에 대한 설명으로 옳은 것을 <보기>에서 모두 고른 것은?

보기

□□□ ㉠ 소의 종류의 변경은 직권으로도 가능하다.
□□□ ㉡ 항소심에서도 소의 종류의 변경은 가능하다.
□□□ ㉢ 당사자소송을 항고소송으로 변경하는 것은 허용되지 않는다.
□□□ ㉣ 소의 종류의 변경의 요건을 갖춘 경우 면직처분취소소송을 공무원보수지급청구소송으로 변경하는 것은 가능하다.

① ㉠, ㉡ ② ㉠, ㉣
③ ㉡, ㉢ ④ ㉡, ㉣

관련기출

㉠㉡

1. 법원은 취소소송을 당해 처분 등에 관계되는 사무가 귀속하는 국가 또는 공공단체에 대한 당사자소송 또는 취소소송 외의 항고소송으로 변경하는 것이 상당하다고 인정할 때에는 청구의 기초에 변경이 없는 한 사실심의 변론종결시까지 원고의 신청 또는 직권에 의하여 결정으로써 소의 변경을 허가할 수 있다. (○, ×) 2022 군무원 9급
2. 상고심에서도 소의 종류의 변경은 가능하다. (○, ×) 2011 세무사
3. 법원은 소의 변경의 필요가 있다고 판단될 때에는 원고의 신청이 없더라도 사실심의 변론종결시까지 직권으로 소를 변경할 수 있다. (○, ×) 2008 중앙선관위 9급

1. × 2. × 3. ×

④ ㉡㉣이 옳다.

㉠㉢ ×

㉡ ○

소의 종류의 변경은 직권으로는 불가능하고(㉠) 원고의 신청이 있어야 하며, 사실심변론종결시까지 가능하므로 항소심에서도 변경할 수 있다(㉡). 당사자소송과 항고소송 사이의 변경도 가능하다(㉢).

> **행정소송법 제21조【소의 변경】** ① 법원은 취소소송을 당해 처분 등에 관계되는 사무가 귀속하는 국가 또는 공공단체에 대한 당사자소송 또는 취소소송 외의 항고소송으로 변경하는 것이 상당하다고 인정할 때에는 청구의 기초에 변경이 없는 한 사실심의 변론종결시까지(㉡) 원고의 신청에 의하여(㉠) 결정으로써 소의 변경을 허가할 수 있다.
>
> **제37조【소의 변경】** 제21조의 규정은 무효등확인소송이나 부작위위법확인소송을 취소소송 또는 당사자소송으로 변경하는 경우에 준용한다.
>
> **제42조【소의 변경】** 제21조의 규정은 당사자소송을 항고소송으로 변경(㉢)하는 경우에 준용한다.

㉣ ○

취소소송을 당사자소송으로 변경하는 것이 가능하므로, 소의 종류 변경의 요건을 갖춘 경우 면직처분취소소송을 당사자소송인 공무원보수지급청구의 소송으로 변경하여 구하는 것이 가능하다.

정답 16 ④

❷ 소제기의 효과(집행정지제도 등)

17 정답률 75% 상 2024 소방직 9급

행정소송법상 집행정지에 관한 설명으로 옳지 않은 것은? (다툼이 있는 경우 판례에 의함)

□□□ ① '처분 등이나 그 집행 또는 절차의 속행으로 인한 손해발생의 우려' 등 적극적 요건에 관한 주장 · 소명책임은 원칙적으로 신청인 측에 있고, 이 요건을 결여하였다는 이유로 효력정지신청을 기각한 결정에 대하여 행정처분 자체의 적법 여부를 가지고 불복사유로 삼을 수 없다.

□□□ ② 집행정지결정을 하려면 이에 대한 본안소송이 법원에 제기되어 계속 중임을 요하고, 집행정지신청 기각결정 후 본안소송이 취하되었다면, 그 기각결정에 대한 재항고는 그 실익이 없어 각하될 수밖에 없다.

□□□ ③ 제재처분에 대한 행정쟁송절차에서 처분에 대해 집행정지결정이 이루어졌더라도 본안에서 해당 처분이 최종적으로 적법한 것으로 확정되어 집행정지결정이 실효된 경우, 처분청은 당초 집행정지결정이 없었던 경우와 동등한 수준으로 해당 제재처분이 집행되도록 하여서는 아니 된다.

□□□ ④ 효력기간이 정해져 있는 제재적 행정처분에 대한 취소소송에서 법원이 본안소송의 판결선고시까지 집행정지결정을 하면, 처분에서 정해 둔 효력기간은 판결선고시까지 진행하지 않다가 판결이 선고되면 그때 집행정지결정의 효력이 소멸함과 동시에 처분의 효력이 당연히 부활하여 처분에서 정한 효력기간이 다시 진행한다.

관련기출

③

1. 본안 확정판결로 제재처분이 적법하다는 점이 확인되었다면 제재처분의 상대방이 잠정적 집행정지를 통해 집행정지가 이루어지지 않은 경우와 비교하여 제재를 덜 받게 되는 결과가 초래되도록 해서는 안 된다. (○, ×) 2024 변호사
2. 집행정지는 행정쟁송절차에서 실효적 권리구제를 확보하기 위한 잠정적 조치일 뿐이므로, 본안 확정판결로 해당 제재처분이 적법하다는 점이 확인되었다면 처분청은 제재처분의 상대방이 집행정지가 이루어지지 않은 경우와 비교하여 제재를 덜 받게 되는 결과가 초래되도록 해서는 안 된다. (○, ×) 2022 변호사

1. ○ 2. ○

④

1. 효력기간이 정해져 있는 제재적 행정처분에 대한 취소소송에서 법원이 본안소송의 판결선고시까지 집행정지결정을 하면, 처분에서 정해 둔 효력기간은 판결선고시까지 진행하지 않다가 판결이 선고되면 그때 집행정지결정의 효력이 소멸함과 동시에 처분의 효력이 당연히 부활하여 처분에서 정한 효력기간이 다시 진행한다. (○, ×) 2022 군무원 9급

1. ○

① 정답률 11% ○

행정처분의 효력정지나 집행정지를 구하는 신청사건에서는 행정처분 자체의 적법 여부를 판단할 것이 아니고 행정처분의 효력이나 집행 등을 정지시킬 필요가 있는지 여부, 즉 행정소송법 제23조 제2항에서 정한 요건의 존부만이 판단대상이 된다. 나아가 '처분 등이나 그 집행 또는 절차의 속행으로 인한 손해발생의 우려' 등 적극적 요건에 관한 주장 · 소명책임은 원칙적으로 신청인 측에 있으며, 이러한 요건을 결여하였다는 이유로 효력정지 신청을 기각한 결정에 대하여 행정처분 자체의 적법 여부를 가지고 불복사유로 삼을 수 없다(대판 2011. 4. 21, 2010무111 전합).

② 정답률 5% ○

행정처분의 집행정지는 행정처분집행부정지의 원칙에 대한 예외로서 인정되는 일시적인 응급처분이라 할 것이므로 집행정지결정을 하려면 이에 대한 본안소송이 법원에 제기되어 계속 중임을 요하고, 따라서 집행정지신청 기각결정 후 본안소송이 취하되었다면 위 기각결정에 대한 재항고는 그 실익이 없어 각하될 수밖에 없다(대결 2019. 6. 27, 2019무622).

③ 정답률 75% ×

제재처분에 대한 행정쟁송절차에서 처분에 대해 집행정지결정이 이루어졌더라도 본안에서 해당 처분이 최종적으로 적법한 것으로 확정되어 집행정지결정이 실효되고 제재처분을 다시 집행할 수 있게 되면, 처분청으로서는 당초 집행정지결정이 없었던 경우와 동등한 수준으로 해당 제재처분이 집행되도록 필요한 조치를 취하여야 한다. 집행정지는 행정쟁송절차에서 실효적 권리구제를 확보하기 위한 잠정적 조치일 뿐이므로, 본안 확정판결로 해당 제재처분이 적법하다는 점이 확인되었다면 제재처분의 상대방이 잠정적 집행정지를 통해 집행정지가 이루어지지 않은 경우와 비교하여 제재를 덜 받게 되는 결과가 초래되도록 해서는 안 된다. 반대로, 처분상대방이 집행정지결정을 받지 못했으나 본안소송에서 해당 제재처분이 위법하다는 것이 확인되어 취소하는 판결이 확정되면, 처분청은 그 제재처분으로 처분 상대방에게 초래된 불이익한 결과를 제거하기 위하여 필요한 조치를 취하여야 한다(대판 2020. 9. 3, 2020두34070).

④ 정답률 7% ○

행정소송법 제23조에 의한 집행정지결정의 효력은 결정주문에서 정한 시기까지 존속하며 그 시기의 도래와 동시에 효력이 당연히 소멸하는 것이므로, 일정기간 동안 영업을 정지할 것을 명한 행정청의 영업정지처분에 대하여 법원이 집행정지결정을 하면서 주문에서 당해 법원에 계속 중인 본안소송의 판결선고시까지 처분의 효력을 정지한다고 선언하였을 경우에는 처분에서 정한 영업정지기간의 진행은 그때까지 저지되는 것이고 본안소송의 판결선고에 의하여 당해 정지결정의 효력은 소멸하고 이와 동시에 당초의 영업정지처분의 효력이 당연히 부활되어 처분에서 정하였던 정지기간(정지결정 당시 이미 일부 진행되었다면 나머지 기간)은 이때부터 다시 진행한다(대판 1999. 2. 23, 98두14471).

정답 17 ③

18 중 2023 서울시 연구사

행정소송의 집행정지에 대한 설명으로 가장 옳지 않은 것은? (다툼이 있는 경우 판례에 따름)

□□□ ① 집행정지는 그 대상인 해당 행정처분에 대한 본안소송이 계속되는 것을 요건으로 한다.

□□□ ② 부작위위법확인소송에서 부작위에 대해서는 집행정지가 인정되지 아니한다.

□□□ ③ 본안청구의 이유 없음이 명백하지 않아야 한다는 것은 집행정지의 요건에 포함되지 아니한다.

□□□ ④ 집행정지의 적극적 요건이 충족되더라도 공공복리에 중대한 영향을 미칠 우려가 있을 때에는 집행정지가 허용되지 아니한다.

관련기출

③

1. 신청인의 본안청구의 이유 없음이 명백할 때는 집행정지가 인정되지 않는다. (○, ×) 2021 지방직 · 서울시 9급
2. 본안청구의 이유 없음이 명백한 때에는 집행정지를 하지 못한다. (○, ×) 2018 서울시 1회 7급
3. 본안에 관한 이유 유무는 원칙적으로 집행정지 결정단계에서 판단할 것은 아니므로 집행정지사건 자체에 의하여 신청인의 본안청구가 이유 없음이 명백한 때에도 집행정지를 명할 수 있다. (○, ×) 2015 사회복지직 9급
4. 처분의 취소가능성이 없음에도 처분의 효력이나 집행의 정지를 인정한다는 것은 집행정지제도의 취지에 반하므로 집행정지사건 자체에 의하여도 신청인의 본안청구가 이유 없음이 명백하지 않아야 한다는 것도 집행정지의 요건이다. (○, ×) 2012 국가직 9급

1. ○ 2. ○ 3. × 4. ○

① ○

> 행정처분의 집행정지는 행정처분집행부정지의 원칙에 대한 예외로서 인정되는 일시적인 응급처분이라 할 것이므로 집행정지결정을 하려면 이에 대한 본안소송이 법원에 제기되어 계속 중임을 요건으로 하는 것이다(대판 1975. 11. 11, 75누97).

② ○

집행정지는 본안소송이 취소소송이나 무효등확인소송인 경우에만 허용되고, 부작위위법확인소송의 경우에는 허용되지 않는다. 집행정지는 처분의 효력정지 등을 목적으로 하는 것인데, 부작위위법확인소송은 처분을 다투는 소송이 아니기 때문이다.

③ **빈출** ×

집행정지는 가구제이므로 본안문제인 행정처분 자체의 적법 여부는 그 판단대상이 되지 아니하는 것이 원칙이다. 그러나 집행정지는 인용판결의 실효성을 확보하기 위하여 인정되는 것이며 처분의 취소가능성이 없음에도 집행정지를 인정하는 것은 집행정지제도의 취지에 반하므로 본안청구가 이유 없음이 명백하지 않아야 한다는 것도 집행정지의 요건에 포함된다.

> 신청인의 본안청구가 이유 없음이 명백하지 않아야 한다는 것이 집행정지의 요건에 포함된다(대결 1997. 4. 28, 96두75).

④ ○

> **행정소송법 제23조【집행정지】** ③ 집행정지는 공공복리에 중대한 영향을 미칠 우려가 있을 때에는 허용되지 아니한다.

> 행정처분의 집행을 정지하려면 소극적 요건으로서 그 집행의 정지가 공공의 복리에 중대한 영향을 미치게 할 우려가 없어야 한다(대결 1971. 3. 5, 71두2).

정답 18 ③

19 정답률 71% 중 2023 국가직 9급

판례의 입장으로 옳지 않은 것은?

□□□ ① 거부처분에 대한 집행정지는 그 거부처분으로 인하여 신청인에게 생길 손해를 방지하는 데 아무런 보탬이 되지 아니하므로 허용되지 않는다.

□□□ ② 사정판결의 요건인 처분의 위법성은 변론종결시를 기준으로 판단하고, 공공복리를 위한 사정판결의 필요성은 처분시를 기준으로 판단하여야 한다.

□□□ ③ 집행정지의 요건으로 규정하고 있는 '공공복리에 중대한 영향을 미칠 우려'가 없을 것이라고 할 때의 '공공복리'는 그 처분의 집행과 관련된 구체적이고도 개별적인 공익을 말하는 것으로서 이러한 집행정지의 소극적 요건에 대한 주장 · 소명책임은 행정청에게 있다.

□□□ ④ 「도시 및 주거환경정비법」에 근거한 조합설립인가처분은 행정주체로서의 지위를 부여하는 설권적 처분이고, 조합설립결의는 조합설립인가처분의 요건이므로, 조합설립결의에 하자가 있다면 그 하자를 이유로 직접 항고소송의 방법으로 조합설립인가처분의 취소 또는 무효확인을 구하여야 한다.

관련기출

①

1. 행정소송법상 집행정지가 거부처분에 대해서도 가능한지에 대해 긍정설과 부정설이 대립하지만 판례의 입장은 부정설을 취하고 있다. (○, ×)

2022 서울시 지적 7급

1. ○

① **빈출** ○

거부처분은 집행정지의 대상이 될 수 없다.

> 교도소장의 접견허가신청에 대한 거부처분은 집행정지의 대상이 아니다(대결 1991. 5. 2, 91두15).

② 제39강 참조 ×

취소소송에서 위법성은 처분시를 기준으로 판단한다고 함이 통설 · 판례의 입장이므로, 사정판결에서도 처분의 위법성 판단의 기준시는 처분시가 된다. 그러나 사정판결의 필요성 판단은 사정판결제도의 취지에 비추어 처분의 위법성 판단과는 달리 판결시(변론종결시)를 기준으로 하여야 한다.

③ ○

집행정지의 적극적 요건은 신청인에게 주장 · 소명책임이 있지만, 소극적 요건은 행정청에 그 책임이 있다.

> 행정소송법 제23조 제2항에서 행정청의 처분에 대한 집행정지의 요건으로 들고 있는 '회복하기 어려운 손해'라고 하는 것은 원상회복 또는 금전배상이 불가능한 손해는 물론 종국적으로 금전배상이 가능하다고 하더라도 그 손해의 성질이나 태양 등에 비추어 사회통념상 그러한 금전배상만으로는 전보되지 아니할 것으로 인정되는 현저한 손해를 가리키는 것으로서 이러한 집행정지의 적극적 요건에 관한 주장 · 소명책임은 원칙적으로 신청인 측에 있다. 그리고 행정소송법 제23조 제3항에서 집행정지의 요건으로 규정하고 있는 '공공복리에 중대한 영향을 미칠 우려'가 없을 것이라고 할 때의 '공공복리'는 그 처분의 집행과 관련된 구체적이고도 개별적인 공익을 말하는 것으로서 이러한 집행정지의 소극적 요건에 대한 주장 · 소명책임은 행정청에게 있다(대결 1999. 12. 20, 99무42).

④ 제13강 참조 ○

> 1. 「도시 및 주거환경정비법」 등 관련법령에 근거하여 행하는 조합설립인가처분은 단순히 사인들의 조합설립행위에 대한 보충행위로서의 성질을 갖는 것에 그치는 것이 아니라 법령상 요건을 갖출 경우 「도시 및 주거환경정비법」상 주택재건축사업을 시행할 수 있는 권한을 갖는 행정주체(공법인)로서의 지위를 부여하는 일종의 설권적 처분의 성격을 갖는다.
> 2. 행정청의 조합설립인가처분이 있은 후에 조합설립결의에 하자가 있음을 이유로 소송을 제기하는 경우라면 조합설립인가처분에 대한 항고소송을 제기하여야 한다.
> 3. 조합설립인가처분이 있은 후에 조합설립결의의 하자를 이유로 그 결의부분만을 따로 떼어내어 무효등확인의 소를 제기하는 것은 허용될 수 없다(대판 2009. 9. 24, 2008다60568).

정답 19 ②

20 중

2022 서울시 지적 7급

행정쟁송법상 가구제에 대한 설명으로 가장 옳지 않은 것은? (다툼이 있는 경우 판례에 의함)

□□□ ① 행정심판법상 집행정지에서 손해의 요건으로 중대성을 요구하지만, 행정소송법은 회복하기 어려운 손해를 그 요건으로 한다.

□□□ ② 행정소송법과 행정심판법은 처분 또는 부작위에 대하여 임시의 지위를 정하는 임시처분제도를 두고 있다.

□□□ ③ 행정소송법상 집행정지가 인용될 경우 그 효력으로는 처분 등의 효력정지, 처분 등의 집행정지, 절차속행의 전부 또는 일부의 정지가 있다.

□□□ ④ 행정소송법상 집행정지가 거부처분에 대해서도 가능한지에 대해 긍정설과 부정설이 대립하지만 판례의 입장은 부정설을 취하고 있다.

① **빈출** ○

> **행정소송법 제23조【집행정지】** ② 취소소송이 제기된 경우에 처분 등이나 그 집행 또는 절차의 속행으로 인하여 생길 회복하기 어려운 손해를 예방하기 위하여 긴급한 필요가 있다고 인정할 때에는 본안이 계속되고 있는 법원은 당사자의 신청 또는 직권에 의하여 처분 등의 효력이나 그 집행 또는 절차의 속행의 전부 또는 일부의 정지(이하 '집행정지'라 한다)를 결정할 수 있다. 다만, 처분의 효력정지는 처분 등의 집행 또는 절차의 속행을 정지함으로써 목적을 달성할 수 있는 경우에는 허용되지 아니한다.
>
> **행정심판법 제30조【집행정지】** ② 위원회는 처분, 처분의 집행 또는 절차의 속행 때문에 중대한 손해가 생기는 것을 예방할 필요성이 긴급하다고 인정할 때에는 직권으로 또는 당사자의 신청에 의하여 처분의 효력, 처분의 집행 또는 절차의 속행의 전부 또는 일부의 정지(이하 '집행정지'라 한다)를 결정할 수 있다. 다만, 처분의 효력정지는 처분의 집행 또는 절차의 속행을 정지함으로써 그 목적을 달성할 수 있을 때에는 허용되지 아니한다.

② ×

행정심판법에서는 임시처분에 관한 규정을 두고 있으나 행정소송법에서는 임시처분에 관한 규정을 두고 있지 않다.

> **행정심판법 제31조【임시처분】** ① 위원회는 처분 또는 부작위가 위법·부당하다고 상당히 의심되는 경우로서 처분 또는 부작위 때문에 당사자가 받을 우려가 있는 중대한 불이익이나 당사자에게 생길 급박한 위험을 막기 위하여 임시지위를 정하여야 할 필요가 있는 경우에는 직권으로 또는 당사자의 신청에 의하여 임시처분을 결정할 수 있다.

③ ○

> **행정소송법 제23조【집행정지】** ② 취소소송이 제기된 경우에 처분 등이나 그 집행 또는 절차의 속행으로 인하여 생길 회복하기 어려운 손해를 예방하기 위하여 긴급한 필요가 있다고 인정할 때에는 본안이 계속되고 있는 법원은 당사자의 신청 또는 직권에 의하여 처분 등의 효력이나 그 집행 또는 절차의 속행의 전부 또는 일부의 정지(이하 '집행정지'라 한다)를 결정할 수 있다. 다만, 처분의 효력정지는 처분 등의 집행 또는 절차의 속행을 정지함으로써 목적을 달성할 수 있는 경우에는 허용되지 아니한다.

④ ○

거부처분은 집행정지의 대상이 될 수 없다는 것이 판례의 입장이다(대결 1991. 5. 2, 91두15).

정답 20 ②

대표

21 **빈출** 정답률 73% 중 2021 지방직 · 서울시 9급

행정소송법에 따른 집행정지에 대한 설명으로 옳지 않은 것은? (다툼이 있는 경우 판례에 의함)

□□□ ① 처분의 효력정지결정을 하려면 그 효력정지를 구하는 당해 행정처분에 대한 본안소송이 법원에 제기되어 계속 중임을 요건으로 한다.

□□□ ② 거부처분의 효력정지는 그 거부처분으로 인하여 신청인에게 생길 손해를 방지하는 데 필요하므로 신청인에게는 그 효력정지를 구할 이익이 있다.

□□□ ③ 처분의 효력정지는 처분의 집행 또는 절차의 속행을 정지함으로써 목적을 달성할 수 있는 경우에는 허용되지 아니한다.

□□□ ④ 신청인의 본안청구의 이유 없음이 명백할 때는 집행정지가 인정되지 않는다.

관련기출

②

1. 거부처분은 그 효력이 정지되더라도 그 처분이 없었던 것과 같은 상태를 만드는 것에 지나지 아니하는 것이므로 정지할 필요성이 없다. (○, ×) 2019 경행경채 2차
2. 집행정지결정에 의하여 효력이 정지되는 처분이 당사자의 신청을 거부하는 것을 내용으로 하는 경우에는 그 처분을 행한 행정청은 집행정지결정의 취지에 따라 다시 이전의 신청에 대한 처분을 하여야 한다. (○, ×) 2018 국가직 7급
3. 신청에 대한 거부처분의 효력을 정지하더라도 거부처분이 있기 전의 신청시 상태로 되돌아가는 데에 불과하므로, 신청인에게는 거부처분에 대한 효력정지를 구할 이익이 없다. (○, ×) 2016 지방직 9급

1. ○ 2. × 3. ○

③

1. 처분의 효력정지는 처분 등의 집행 또는 절차의 속행을 정지함으로써 목적을 달성할 수 있는 경우에는 허용되지 아니한다. (○, ×) 2019 사회복지직 9급

1. ○

① ○

취소소송에 있어 집행정지신청은 민사소송과 달리 적법한 본안소송이 제기되어 계속 중일 것을 요건으로 한다. 다만, 본안소송의 제기와 동시에 집행정지를 신청하는 것은 허용된다.

> 행정처분의 효력정지는 소위 행정처분집행부정지의 원칙에 대한 예외로서 인정되는 일시적인 응급처분이므로 그러한 신청은 행정소송법 제23조에 의한 효력정지결정을 구하는 방법에 의해야 하고 위의 방법에 의한 행정처분효력정지결정을 하려면 그 효력정지를 구하는 당해 행정처분에 대한 본안소송이 법원에 제기되어 계속 중임을 요건으로 한다(대판 1988. 6. 14, 88두6).

② **빈출** ×

거부처분의 경우 집행정지는 허용되지 않는다.

> 행정청의 거부처분의 효력정지를 구할 이익은 없다.
> 신청에 대한 거부처분의 효력을 정지하더라도 거부처분이 없었던 것과 같은 상태, 즉 거부처분이 있기 전의 신청시의 상태로 되돌아가는 데에 불과하고 행정청에 신청에 따른 처분을 하여야 할 의무가 생기는 것이 아니므로, 거부처분의 효력정지는 그 거부처분으로 인하여 신청인에게 생길 손해를 방지하는 데 아무런 보탬이 되지 아니하여 그 효력정지를 구할 이익이 없다(대결 1995. 6. 21, 95두26).

③ ○

> **행정소송법 제23조【집행정지】** ② 취소소송이 제기된 경우에 처분 등이나 그 집행 또는 절차의 속행으로 인하여 생길 회복하기 어려운 손해를 예방하기 위하여 긴급한 필요가 있다고 인정할 때에는 본안이 계속되고 있는 법원은 당사자의 신청 또는 직권에 의하여 처분 등의 효력이나 그 집행 또는 절차의 속행의 전부 또는 일부의 정지(이하 '집행정지'라 한다)를 결정할 수 있다. 다만, 처분의 효력정지는 처분 등의 집행 또는 절차의 속행을 정지함으로써 목적을 달성할 수 있는 경우에는 허용되지 아니한다.

④ ○

본안청구가 이유 없음이 명백하지 아니할 것을 집행정지의 소극적 요건으로 보는 것이 판례의 입장이다(대결 1997. 4. 28, 96두75).

정답 21 ②

22 빈출 중

2019 경행경채 2차

행정소송법상 가구제에 대한 설명으로 가장 적절하지 않은 것은? (다툼이 있는 경우 판례에 의함)

□□□ ① 집행정지를 결정하기 위해서는 본안으로 취소소송 · 무효등확인소송 · 부작위위법확인소송이 계속 중이어야 한다.

□□□ ② 거부처분은 그 효력이 정지되더라도 그 처분이 없었던 것과 같은 상태를 만드는 것에 지나지 아니하는 것이므로 정지할 필요성이 없다.

□□□ ③ 항고소송의 대상이 되는 행정처분의 효력이나 집행 혹은 절차속행 등의 정지를 구하는 신청은 행정소송법상 집행정지신청의 방법으로만 가능할 뿐 민사소송법상 가처분의 방법으로는 허용될 수 없다.

□□□ ④ 당사자소송에 대하여는 행정소송법 제23조 제2항의 집행정지에 관한 규정이 준용되지 아니하므로, 이를 본안으로 하는 가처분에 대하여는 민사집행법상의 가처분에 관한 규정이 준용되어야 한다.

① ×

집행정지는 본안소송이 취소소송이나 무효등확인소송인 경우에만 허용되고, 부작위위법확인소송의 경우에는 허용되지 않는다[행정소송법 제23조(집행정지), 제38조(준용규정) 참조]. 집행정지는 처분의 효력정지 등을 목적으로 하는 것인데, 부작위위법확인소송은 처분을 다투는 소송이 아니기 때문이다.

> **행정소송법 제23조【집행정지】** ② 취소소송이 제기된 경우에 처분 등이나 그 집행 또는 절차의 속행으로 인하여 생길 회복하기 어려운 손해를 예방하기 위하여 긴급한 필요가 있다고 인정할 때에는 본안이 계속되고 있는 법원은 당사자의 신청 또는 직권에 의하여 처분 등의 효력이나 그 집행 또는 절차의 속행의 전부 또는 일부의 정지(이하 '집행정지'라 한다)를 결정할 수 있다. 다만, 처분의 효력정지는 처분 등의 집행 또는 절차의 속행을 정지함으로써 목적을 달성할 수 있는 경우에는 허용되지 아니한다.
>
> **제38조【준용규정】** ① 제9조, 제10조, 제13조 내지 제17조, 제19조, 제22조 내지 제26조, 제29조 내지 제31조 및 제33조의 규정은 무효등확인소송의 경우에 준용한다.
> ② 제9조, 제10조, 제13조 내지 제19조, 제20조, 제25조 내지 제27조, 제29조 내지 제31조, 제33조 및 제34조의 규정은 부작위위법확인소송의 경우에 준용한다(편저자 주 : 제23조를 준용하지 않음).

② ○

거부처분의 경우 집행정지는 허용되지 않는다는 것이 판례의 입장이다(대결 1995. 6. 21, 95두26).

③ ○

항고소송의 대상이 되는 행정처분의 효력이나 집행 혹은 절차속행 등의 정지를 구하는 신청은 행정소송법상 집행정지신청의 방법으로서만 가능할 뿐 민사소송법상 가처분의 방법으로는 허용될 수 없다는 것이 판례의 입장이다(대결 2009. 11. 2, 2009마596).

④ 제35강 참조 ○

당사자소송에 대하여는 행정소송법 제23조 제2항의 집행정지에 관한 규정이 준용되지 아니하므로, 이를 본안으로 하는 가처분에 대하여는 행정소송법 제8조 제2항에 따라 민사집행법상 가처분에 관한 규정이 준용되어야 한다는 것이 판례의 입장이다(대결 2015. 8. 21, 2015무26).

정답 22 ①

23 중 2018 경행경채

행정소송법상 집행정지에 대한 설명으로 가장 적절하지 않은 것은? (다툼이 있는 경우 판례에 의함)

□□□ ① 행정처분에 대한 효력정지신청을 구함에 있어서도 이를 구할 법률상 이익이 있어야 한다.

□□□ ② 집행정지결정을 한 후에라도 행정사건의 본안소송이 취하되어 그 소송이 계속하지 아니한 것으로 되면 이에 따라 집행정지결정은 당연히 그 효력이 소멸되며 별도의 취소조치가 필요한 것은 아니다.

□□□ ③ 집행정지는 행정처분의 집행부정지원칙의 예외로 인정되는 것이므로 본안청구의 적법과는 상관이 없기 때문에 적법한 본안소송의 계속을 요건으로 하지 않는다.

□□□ ④ 집행정지의 요건으로 규정하고 있는 '공공복리에 중대한 영향을 미칠 우려'가 없을 것이라고 할 때의 '공공복리'는 그 처분의 집행과 관련된 구체적이고 개별적인 공익을 말한다.

관련기출

④

1. 행정소송법상 집행정지의 요건인 공공복리는 그 처분의 집행과 관련된 구체적이고도 개별적인 공익을 말한다. (○, ×) 2012 국회(속기 · 경위직) 9급

1. ○

① ○

> 행정처분에 대한 효력정지신청을 구함에 있어서도 이를 구할 법률상 이익이 있어야 하는바, 이 경우 법률상 이익이라 함은 그 행정처분으로 인하여 발생하거나 확대되는 손해가 당해 처분의 근거법률에 의하여 보호되는 직접적이고 구체적인 이익과 관련된 것을 말하는 것이고 단지 간접적이거나 사실적 · 경제적 이해관계를 가지는 데 불과한 경우는 여기에 포함되지 않는다(대결 2000. 10. 10, 2000무17).

② ○

> **집행정지결정 후에라도 본안소송이 취하되어 소송의 계속이 인정되지 않으면 집행정지결정은 당연히 그 효력이 소멸한다.**
>
> 행정처분의 집행정지는 행정처분집행부정지의 원칙에 대한 예외로서 인정되는 일시적인 응급처분이라 할 것이므로 집행정지결정을 하려면 이에 대한 본안소송이 법원에 제기되어 계속 중임을 요건으로 하는 것이므로 집행정지결정을 한 후에라도 본안소송이 취하되어 소송이 계속하지 아니한 것으로 되면 집행정지결정은 당연히 그 효력이 소멸되는 것이고 별도의 취소조치를 필요로 하는 것이 아니다(대판 1975. 11. 11, 75누97).

③ ×

행정소송법상의 집행정지는 민사소송법상의 가구제와 달리 먼저 본안소송이 적법하게 계속되어 있어야 한다. 처분의 적법 여부는 집행정지의 요건이 아닌 것이 원칙이지만 본안소송 그 자체는 적법한 것이어야 한다. 본안소송이 적법하다는 것은 원고가 제기한 소송이 소송요건, 즉 소송이 진행되기 위해 필요한 요건을 갖추고 있다는 의미이다. 만약 (본안)소송이 부적법하면, 즉 소송요건을 갖추고 있지 않으면 법원은 각하판결을 내리게 된다. 이에 반해 처분이 적법하다는 것은 소송요건을 갖추었음을 전제로 본안, 즉 처분의 위법 여부를 심리한 결과 처분이 주체, 내용, 형식, 절차상으로 처분이 적법하기 위한 요건을 모두 갖추고 있다는 의미이다. 만약 처분이 적법하면 법원은 기각판결을 내리게 된다. 두 개념을 구별하기 바란다.

> **행정처분의 효력정지나 집행정지를 구하는 신청사건에 있어서 본안청구가 적법한 것이어야 한다는 점이 집행정지의 요건이다.**
>
> 행정처분의 효력정지나 집행정지를 구하는 신청사건에 있어서는 행정처분 자체의 적법 여부는 궁극적으로 본안재판에서 심리를 거쳐 판단할 성질의 것이므로 원칙적으로 판단할 것이 아니고, 그 행정처분의 효력이나 집행을 정지할 것인가에 관한 행정소송법 제23조 제2항 소정의 요건의 존부만이 판단의 대상이 된다고 할 것이지만, 나아가 집행정지는 행정처분의 집행부정지 원칙의 예외로서 인정되는 것이고 또 본안에서 원고가 승소할 수 있는 가능성을 전제로 한 권리보호수단이라는 점에 비추어 보면 집행정지사건 자체에 의하여도 신청인의 본안청구가 적법한 것이어야 한다는 것을 집행정지의 요건에 포함시켜야 한다(대결 1999. 11. 26, 99부3).

④ ○

> 행정소송법 제23조 제3항에서 집행정지의 요건으로 규정하고 있는 '공공복리에 중대한 영향을 미칠 우려'가 없을 것이라고 할 때의 '공공복리'는 그 처분의 집행과 관련된 구체적이고도 개별적인 공익을 말하는 것으로 ……
> (대결 1999. 12. 20, 99무42)

정답 23 ③

24 중 2018 교육행정직 9급

행정소송의 제기에 관한 설명으로 옳지 않은 것은?

□□□ ① 국가가 당사자소송의 피고인 경우에는 관계행정청의 소재지를 피고의 소재지로 본다.

□□□ ② 행정소송법은 취소소송의 경우에 집행정지 외에 임시처분까지 규정하고 있다.

□□□ ③ 대법원은 종래 무효확인소송에서 요구해 왔던 보충성을 더 이상 요구하지 않는 것으로 판례태도를 변경하였다.

□□□ ④ 행정소송법에서는 민중소송으로써 처분 등의 취소를 구하는 소송에는 그 성질에 반하지 아니하는 한 취소소송에 관한 규정을 준용한다.

① ○

당사자소송의 토지관할에 관해서는 취소소송의 규정이 준용된다. 따라서 피고의 소재지를 관할하는 행정법원이 관할법원이 된다. 다만, 행정소송법 제40조는 국가나 공공단체가 피고인 때에는 당해 소송과 구체적인 관계가 있는 '관계행정청의 소재지'를 피고의 소재지로 보아 그 행정청의 소재지를 관할하는 행정법원을 관할법원으로 보는 특칙을 두고 있다.

> **행정소송법 제9조【재판관할】** ① 취소소송의 제1심 관할법원은 피고의 소재지를 관할하는 행정법원으로 한다.
>
> **제40조【재판관할】** 제9조의 규정은 당사자소송의 경우에 준용한다. 다만, 국가 또는 공공단체가 피고인 경우에는 관계행정청의 소재지를 피고의 소재지로 본다.

② ×

행정소송법은 취소소송의 경우에 집행정지는 규정하고 있으나, 행정심판법과 달리 임시처분에 대해서는 규정하지 않고 있다.

> **행정심판법 제31조【임시처분】** ① 위원회는 처분 또는 부작위가 위법·부당하다고 상당히 의심되는 경우로서 처분 또는 부작위 때문에 당사자가 받을 우려가 있는 중대한 불이익이나 당사자에게 생길 급박한 위험을 막기 위하여 임시지위를 정하여야 할 필요가 있는 경우에는 직권으로 또는 당사자의 신청에 의하여 임시처분을 결정할 수 있다.

③ ○

종전 판례는 무효등확인소송에서 확인의 소의 보충성을 요구하고 있었으나 2008년 3월 20일 전원합의체 판결로 기존의 판결을 변경하였다. 즉, 과거 판례에 따르면 행정처분의 무효를 전제로 한 다른 직접적인 구제수단이 있는지를 살펴 무효등확인소송의 소의 이익 여부를 검토하여 왔다(이른바 확인의 소의 보충성). 그런데 변경된 판례에 따르면 더 이상 확인의 소의 보충성을 요구하지 않는다 (40강 03 ⑤ 해설 참조).

> 1. 항고소송으로 무효확인소송을 제기하는 경우 무효확인소송의 '보충성'이 요구되는 것은 아니다.
> 2. 행정소송법 제35조에 규정된 '무효확인을 구할 법률상 이익'이 있는지를 판단할 때 행정처분의 무효를 전제로 한 이행소송 등과 같은 직접적인 구제수단이 있는지를 따져볼 필요가 없다(대판 2008. 3. 20, 2007두6342 전합).

④ ○

민중소송에 적용될 법규는 민중소송을 규정하는 각 개별법률이 정하는 것이 원칙이다. 그러나 개별법에 특별한 규정이 없는 경우 민중소송으로써 처분 등의 취소를 구하는 소송에는 그 성질에 반하지 아니하는 한 행정소송법상 취소소송에 관한 규정을 준용한다.

> **행정소송법 제46조【준용규정】** ① 민중소송 또는 기관소송으로써 처분 등의 취소를 구하는 소송에는 그 성질에 반하지 아니하는 한 취소소송에 관한 규정을 준용한다.

정답 24 ②

25 빈출 정답률 51% 상 2018 국가직 7급

행정소송법상 집행정지에 대한 설명으로 옳은 것만을 모두 고르면? (다툼이 있는 경우 판례에 의함)

□□□ ㉠ 보조금 교부결정 취소처분에 대하여 법원이 효력정지결정을 하면서 주문에서 그 법원에 계속 중인 본안소송의 판결선고시까지 처분의 효력을 정지한다고 선언하였을 경우, 본안소송의 판결선고에 의하여 정지결정의 효력은 소멸하고 이와 동시에 당초의 보조금 교부결정 취소처분의 효력이 당연히 되살아난다.

□□□ ㉡ 집행정지의 결정이 확정된 후 집행정지가 공공복리에 중대한 영향을 미치거나 그 정지사유가 없어진 때에는 당사자의 신청 또는 직권에 의하여 결정으로써 집행정지의 결정을 취소할 수 있다.

□□□ ㉢ '집행정지결정에 의하여 효력이 정지되는 처분이 당사자의 신청을 거부하는 것을 내용으로 하는 경우'에는 그 처분을 행한 행정청은 집행정지결정의 취지에 따라 다시 이전의 신청에 대한 처분을 하여야 한다.

□□□ ㉣ 집행정지의 결정에 대하여는 즉시항고할 수 있으며, 이 경우 집행정지의 결정에 대한 즉시항고에는 결정의 집행을 정지하는 효력이 없다.

① ㉠, ㉢ ② ㉡, ㉣
③ ㉠, ㉡, ㉣ ④ ㉡, ㉢, ㉣

③ ㉠㉡㉣이 옳다.

㉠ ○

보조금 교부결정의 일부를 취소한 행정청의 처분에 대한 효력정지결정의 효력이 소멸하여 보조금 교부결정 취소처분의 효력이 되살아난 경우, 원칙적으로 취소처분에 의하여 취소된 부분의 보조사업에 대하여 효력정지기간 동안 교부된 보조금의 반환을 명하여야 한다.

행정소송법 제23조에 의한 효력정지결정의 효력은 결정주문에서 정한 시기까지 존속하고 그 시기의 도래와 동시에 효력이 당연히 소멸하므로, 보조금 교부결정의 일부를 취소한 행정청의 처분에 대하여 법원이 효력정지결정을 하면서 주문에서 그 법원에 계속 중인 본안소송의 판결선고시까지 처분의 효력을 정지한다고 선언하였을 경우, 본안소송의 판결선고에 의하여 그 정지결정의 효력은 소멸하고 이와 동시에 당초의 보조금 교부결정 취소처분의 효력이 당연히 되살아난다고 할 것이다.

따라서 효력정지결정의 효력이 소멸하여 보조금 교부결정 취소처분의 효력이 되살아난 경우, 특별한 사정이 없는 한 행정청으로서는 구 「보조금의 예산 및 관리에 관한 법률」 제31조 제1항에 따라 그 취소처분에 의하여 취소된 부분의 보조사업에 대하여 효력정지기간 동안 교부된 보조금의 반환을 명하여야 할 것이다(대판 2017. 7. 11, 2013두25498).

㉡ **빈출** ○

행정소송법 제24조【집행정지의 취소】 ① 집행정지의 결정이 확정된 후 집행정지가 공공복리에 중대한 영향을 미치거나 그 정지사유가 없어진 때에는 당사자의 신청 또는 직권에 의하여 결정으로써 집행정지의 결정을 취소할 수 있다.

㉢ ×

집행정지는 처분이 없었던 것과 같은 상태를 만드는 것을 의미할 뿐 그 이상으로 적극적 상태를 만드는 것은 아니므로 거부처분은 집행정지를 구할 이익이 없다는 것이 판례의 입장이다(대결 1995. 6. 21, 95두26). 따라서 '집행정지결정에 의하여 효력이 정지되는 처분이 당사자의 신청을 거부하는 것을 내용으로 하는 경우'라는 내용은 성립할 수 없는 표현이다.

㉣ **빈출** ○

행정소송법 제23조【집행정지】 ⑤ 제2항의 규정에 의한 집행정지의 결정 또는 기각의 결정에 대하여는 즉시항고할 수 있다. 이 경우 집행정지의 결정에 대한 즉시항고에는 결정의 집행을 정지하는 효력이 없다.

정답 25 ③

26 중 2018 서울시 1회 7급

행정소송법에 의한 임시의 권리구제에 관한 설명으로 가장 옳은 것은?

□□□ ① 본안청구의 이유 없음이 명백한 때에는 집행정지를 하지 못한다.

□□□ ② 무효등확인소송에서는 집행정지가 준용되지 않으므로 민사집행법의 가처분이 적용된다.

□□□ ③ 행정소송법이 정하는 집행정지의 요건은 '중대한 손해'의 예방 필요성이다.

□□□ ④ 집행정지는 본안이 계속되어 있는 법원이 당사자의 신청에 의하여 한다. 처분권주의가 적용되므로 당사자의 신청 없이 직권으로 하지 못한다.

관련기출

③

1. 행정소송법이 집행정지의 요건 중 하나로 '중대한 손해'가 생기는 것을 예방할 필요성에 관하여 규정하고 있는 반면, 행정심판법은 집행정지의 요건 중 하나로 '회복하기 어려운 손해'를 예방할 필요성에 관하여 규정하고 있다. (○, ×) 2017 국회직 8급
2. 행정심판법과 행정소송법은 모두 집행정지의 적극적 요건으로 '회복하기 어려운 손해를 예방하기 위하여 긴급한 필요가 있다고 인정할 때'를 요구하고 있다. (○, ×) 2016 사회복지직 9급

1. × 2. ×

① ○

통설 및 판례는 본안청구가 이유 없음이 명백하지 아니할 것을 집행정지의 소극적 요건으로 보고 있다.

> 신청인의 본안청구가 이유 없음이 명백하지 않아야 한다는 것이 집행정지의 요건에 포함된다(대결 1997. 4. 28, 96두75).

② ×

무효등확인소송에는 취소소송의 집행정지에 관한 규정이 준용된다(④ 해설 조문 참조).

③ ×

행정심판법이 집행정지의 요건으로 중대한 손해예방의 필요성을 규정하고 있는 것과 달리 행정소송법상 집행정지의 요건은 회복하기 어려운 손해예방의 필요성이다(④ 해설 조문 참조).

④ **빈출** ×

> **행정소송법 제38조【준용규정】** ① 제9조, 제10조, 제13조 내지 제17조, 제19조, 제22조 내지 제26조, 제29조 내지 제31조 및 제33조의 규정은 무효등확인소송의 경우에 준용한다(②).
>
> **제23조【집행정지】** ① 취소소송의 제기는 처분 등의 효력이나 그 집행 또는 절차의 속행에 영향을 주지 아니한다.
> ② 취소소송이 제기된 경우에 처분 등이나 그 집행 또는 절차의 속행으로 인하여 생길 회복하기 어려운 손해(③)를 예방하기 위하여 긴급한 필요가 있다고 인정할 때에는 본안이 계속되고 있는 법원은 당사자의 신청 또는 직권에 의하여(④) 처분 등의 효력이나 그 집행 또는 절차의 속행의 전부 또는 일부의 정지(이하 '집행정지'라 한다)를 결정할 수 있다. 다만, 처분의 효력정지는 처분 등의 집행 또는 절차의 속행을 정지함으로써 목적을 달성할 수 있는 경우에는 허용되지 아니한다.
>
> **행정심판법 제30조【집행정지】** ② 위원회는 처분, 처분의 집행 또는 절차의 속행 때문에 중대한 손해가 생기는 것을 예방할 필요성이 긴급하다고 인정할 때에는 직권으로 또는 당사자의 신청에 의하여 처분의 효력, 처분의 집행 또는 절차의 속행의 전부 또는 일부의 정지(이하 '집행정지'라 한다)를 결정할 수 있다. 다만, 처분의 효력정지는 처분의 집행 또는 절차의 속행을 정지함으로써 그 목적을 달성할 수 있을 때에는 허용되지 아니한다.

정답 26 ①

27 중

2017 사회복지직 9급

행정소송법 제8조 제2항은 "행정소송에 관하여 이 법에 특별한 규정이 없는 사항에 대하여는 법원조직법과 민사소송법 및 민사집행법의 규정을 준용한다."고 규정한다. 이에 관한 다음의 설명 중 옳지 않은 것은? (단, 다툼이 있는 경우 판례에 의함)

□□□ ① 행정소송 사건에서 민사소송법상 보조참가가 허용된다.

□□□ ② 민사소송법상 가처분은 항고소송에서 허용된다.

□□□ ③ 민사집행법상 가처분은 당사자소송에서 허용된다.

□□□ ④ 행정소송으로 제기해야 할 사건을 민사소송으로 잘못 제기한 경우에 수소법원이 행정소송에 대한 관할이 없다면 특별한 사정이 없는 한 관할법원에 이송하여야 한다.

① ○

행정소송법 제8조 제2항에 따르면 행정소송법에도 민사소송법의 규정이 준용되므로(물론 행정소송의 취지에 반하지 않는 한도 내에서) 민사소송법상의 보조참가는 허용된다는 것이 판례의 취지이다. 따라서 행정소송법에 규정된 제16조의 소송참가요건에 해당하지 않는 경우에도 민사소송법상의 보조참가요건에 해당하면 민사소송법상의 보조참가를 할 수 있다.

> 행정소송에서도 민사소송법상의 보조참가는 허용된다.
>
> 행정소송 사건에서 참가인이 한 보조참가가 행정소송법 제16조가 규정한 제3자의 소송참가에 해당하지 않는 경우에도, 판결의 효력이 참가인에게까지 미치는 점 등 행정소송의 성질에 비추어 보면 그 참가는 민사소송법 제78조에 규정된 공동소송적 보조참가이다(대판 2013. 3. 28, 2011두13729).

② ×

> 민사소송법상의 가처분으로써 행정행위의 금지를 구할 수 없다(대결 1992. 7. 6, 92마54).

③ ○

당사자소송에서는 항고소송상의 가구제제도인 집행정지에 관한 규정을 준용하고 있지 않으므로 민사집행법상의 가처분에 관한 규정이 준용된다는 것이 판례의 입장이다. 그런데 항고소송에서는 가구제제도로 집행정지라는 별도 규정을 두고 있으므로 민사집행법상 가구제인 가처분제도는 준용되지 않는다는 것이 통설 및 판례이다. 양자를 구별하기 바란다.

> 당사자소송에 대하여는 행정소송법 제23조 제2항의 집행정지에 관한 규정이 준용되지 아니하므로, 이를 본안으로 하는 가처분에 대하여는 행정소송법 제8조 제2항에 따라 민사집행법상 가처분에 관한 규정이 준용되어야 한다(대결 2015. 8. 21, 2015무26).

④ ○

> 원고의 고의 또는 중대한 과실 없이 행정사건을 민사소송으로 제기한 경우 수소법원이 행정소송에 대한 관할을 가지고 있다면 이를 행정소송으로 심리 · 판단하여야 하고, 행정소송에 대한 관할을 가지고 있지 아니하다면 각하할 것이 아니라 관할법원으로 이송해야 한다(대판 1997. 5. 30, 95다28960).

정답 27 ②

28 중

2016 사회복지직 9급

행정쟁송의 가구제(임시구제)에 대한 설명으로 옳지 않은 것은? (다툼이 있는 경우 판례에 의함)

① 행정심판법과 행정소송법은 모두 집행정지의 적극적 요건으로 '회복하기 어려운 손해를 예방하기 위하여 긴급한 필요가 있다고 인정할 때'를 요구하고 있다.

② 집행정지는 본안소송이 법원에 적법하게 계속 중인 것을 요건으로 한다.

③ 집행정지결정의 효력은 결정 주문에서 정한 시기까지 존속하며 그 시기의 도래와 동시에 효력이 당연히 소멸한다.

④ 집행정지결정에 대한 즉시항고에는 결정의 집행을 정지하는 효력이 없다.

① ×

행정소송법 제23조 제2항은 "회복하기 어려운 손해를 예방하기 위하여 긴급한 필요가 있다고 인정할 때"라고 규정하고 있으나, 행정심판법 제30조 제2항은 "중대한 손해가 생기는 것을 예방할 필요성이 긴급하다고 인정할 때"라고 규정하고 있다. 2010년에 개정된 행정심판법은 '중대한 손해가 생기는 것을 예방'으로 그 요건을 완화하여 집행정지제도를 개선하고 있다(26 ④ 해설 조문 참조).

② ○

행정소송법상의 집행정지는 민사소송법상의 가구제와 달리 먼저 본안소송이 계속되어 있어야 한다. 처분의 적법 여부는 집행정지의 요건이 아닌 것이 원칙이지만 본안소송 그 자체는 적법한 것이어야 한다.

> 행정처분의 효력정지나 집행정지를 구하는 신청사건에 있어서 본안청구가 적법한 것이어야 한다는 점이 집행정지의 요건이다(대결 1999. 11. 26, 99부3).

③ ○

집행정지결정의 효력은 결정의 주문에서 정한 시기까지 존속하다가 그 시기가 도래하면 효력이 소멸한다. 다만, 주문에 특별한 정함이 없는 때에는 본안판결이 확정될 때까지 그 효력이 존속한다(대판 1957. 11. 4, 4290민상623).

④ ○

법원의 집행정지결정이나 집행정지신청기각의 결정 또는 집행정지결정의 취소결정에 대해서는 즉시항고할 수 있다. 다만, 이 경우 집행정지의 결정에 대한 즉시항고는 그 즉시항고의 대상인 결정의 집행을 정지하는 효력이 없다.

> **행정소송법 제23조【집행정지】** ⑤ 제2항의 규정에 의한 집행정지의 결정 또는 기각의 결정에 대하여는 즉시항고할 수 있다. 이 경우 집행정지의 결정에 대한 즉시항고에는 결정의 집행을 정지하는 효력이 없다.
> ⑥ 제30조 제1항의 규정은 제2항의 규정에 의한 집행정지의 결정에 이를 준용한다.

정답 28 ①

제 39 강 항고소송 4 (취소소송의 심리 등)

1회독	2회독	3회독
/	/	/

정답률 공단기/소방단기 합격예측 풀서비스 통계 데이터 기준 기 기본서 핵 핵심집약

01 취소소송의 심리 등 기 870~888쪽 핵 T 72

1 취소소송의 심리

01 정답률 65% 중 2024 국가직 9급

판례의 입장으로 옳지 않은 것은? (다툼이 있는 경우 판례에 의함)

① 「여객자동차 운수사업법」에 따르면, 여객자동차 운수사업자가 거짓이나 부정한 방법으로 지급받은 보조금에 대한 국토교통부장관 또는 시·도지사의 환수처분은 기속행위에 해당한다.

② 재량권의 일탈·남용에 관하여는 행정행위의 효력을 다투는 사람이 주장·증명책임을 부담한다.

③ 사업주가 당연가입자가 되는 고용보험 및 산업재해보상보험에서 보험료 납부의무 부존재확인은 당사자소송으로 다투어야 한다.

④ 지방자치단체의 장이 「공유재산 및 물품관리법」에 근거하여 기부채납 및 사용·수익허가 방식으로 민간투자사업을 추진하는 과정에서 사업시행자를 지정하기 위한 전 단계에서 공모 제안을 받아 일정한 심사를 거쳐 우선협상대상자를 선정하는 행위는 항고소송의 대상이 되는 행정처분에 해당하지 않는다.

관련기출

②

1. 재량에 의한 행정처분이 그 재량권의 한계를 벗어난 것이어서 위법하다는 점은 그 행정처분의 효력을 다투는 자가 이를 주장·입증하여야 하고, 처분청이 그 재량권의 행사가 정당한 것이었다는 점까지 주장·입증할 필요는 없다. (○, ×) 2022 소방직 9급
2. 처분이 재량권을 일탈·남용하였다는 사정은 처분의 효력을 다투는 자가 주장·증명하여야 한다. (○, ×) 2021 군무원 7급
3. 행정청의 재량에 속하는 처분이라도 재량권의 한계를 넘거나 그 남용이 있는 때에는 법원은 이를 취소할 수 있고, 재량권 일탈·남용에 관하여는 피고인 행정청이 증명책임을 부담한다. (○, ×) 2020 소방직 9급
4. 항고소송의 경우에는 처분의 적법성을 주장하는 행정청에게 그 적법사유에 대한 증명책임이 있으므로, 그 처분이 재량권의 일탈·남용이 없다는 점을 증명할 책임도 행정청이 부담한다. (○, ×) 2020 변호사

1. ○ 2. ○ 3. × 4. ×

① 정답률 14% 제12강 참조 ○

(마을버스 운수업자 甲이 유류사용량을 실제보다 부풀려 유가보조금을 과다 지급받은 데 대하여 관할 시장이 甲에게 부정수급기간 동안 지급된 유가보조금 전액을 회수하는 내용의 처분을 한 사안에서) 구 「여객자동차 운수사업법」 제51조 제3항에 따라 국토해양부장관(현 국토교통부장관) 또는 시·도지사는 여객자동차 운수사업자가 '거짓이나 부정한 방법으로 지급받은 보조금'에 대하여 반환할 것을 명하여야 하고, 위 규정을 '정상적으로 지급받은 보조금'까지 반환하도록 명할 수 있는 것으로 해석하는 것은 문언의 범위를 넘어서는 것이며, 규정의 형식이나 체재 등에 비추어 보면, 위 환수처분은 국토해양부장관 또는 시·도지사가 지급받은 보조금을 반환할 것을 명하여야 하는 기속행위라고 본 원심판단은 정당하다(대판 2013. 12. 12, 2011두3388).

② **빈출** 정답률 7% ○

행정처분이 재량권을 일탈하였다는 것에 대한 입증책임은 처분의 효력을 다투는 원고에게 있다.

자유재량에 의한 행정처분이 그 재량권의 한계를 벗어난 것이어서 위법하다는 점은 그 행정처분의 효력을 다투는 자가 이를 주장·입증하여야 하고 처분청이 그 재량권의 행사가 정당한 것이었다는 점까지 주장·입증할 필요는 없다고 할 것인바, …… (대판 1987. 12. 8, 87누861)

③ 정답률 12% 제35강 참조 ○

고용산재보험료징수법 제4조, 제16조의2, 제17조, 제19조, 제23조의 각 규정에 의하면, 사업주가 당연가입자가 되는 고용보험 및 산재보험에서 보험료 납부의무 부존재확인의 소는 공법상의 법률관계 그 자체를 다투는 소송으로서 공법상 당사자소송이라 할 것이다(대판 2016. 10. 13, 2016다221658).

④ **빈출** 정답률 65% 제37강 참조 ×

지방자치단체의 장이 「공유재산 및 물품관리법」에 근거하여 기부채납 및 사용·수익허가 방식으로 민간투자사업을 추진하는 과정에서 사업시행자를 지정하기 위한 전 단계에서 공모제안을 받아 일정한 심사를 거쳐 우선협상대상자를 선정하는 행위와 이미 선정된 우선협상대상자를 그 지위에서 배제하는 행위는 항고소송의 대상이 되는 행정처분이다(대판 2020. 4. 29, 2017두31064).

정답 01 ④

02 정답률 70% 상 2023 서울시 지적 7급

행정소송법상 취소소송에 대한 설명으로 가장 옳지 않은 것은? (다툼이 있는 경우 판례에 따름)

□□□ ① 해당 처분을 다툴 법률상 이익이 있는지 여부는 직권조사사항으로 이에 관한 당사자의 주장은 직권발동을 촉구하는 의미밖에 없으므로, 원심법원이 이에 관하여 판단하지 않았다고 하여 판단유탈의 상고이유로 삼을 수 없다.

□□□ ② 피고인 처분청의 처분권한 유무는 피고적격의 문제이므로 법원의 직권조사사항이다.

□□□ ③ 피고경정은 사실심변론종결까지만 허용되므로 상고심에서는 피고경정이 허용되지 않는다.

□□□ ④ 타인 사이의 항고소송에서 행정청은 민사소송법상의 보조참가를 할 수는 없고 다만 행정소송법에 의한 소송참가를 할 수 있을 뿐이다.

관련기출

②

1. 행정소송에 있어서 처분청의 처분권한 유무는 직권조사사항이 아니다. (O, X) 2020 군무원 9급

1. O

① 제36강 34 ① 해설 참조 O

> 해당 처분을 다툴 법률상 이익이 있는지 여부는 직권조사사항으로 이에 관한 당사자의 주장은 직권발동을 촉구하는 의미밖에 없으므로, 원심법원이 이에 관하여 판단하지 않았다고 하여 판단유탈의 상고이유로 삼을 수 없다(대판 2017. 3. 9, 2013두16852).

② X

처분청의 처분권한 유무는 '처분의 위법성'과 관련된 것으로 소송요건이 아니므로 법원의 직권조사사항이 아니다.

> 행정소송에 있어서 처분청의 처분권한 유무는 직권조사사항이 아니다(대판 1997. 6. 19, 95누8669 전합).

③ O

> 행정소송법 제14조에 의한 피고경정은 사실심변론종결시까지 허용된다.
> 행정소송법 제14조에 의한 피고경정은 사실심변론종결에 이르기까지 허용되는 것으로 해석하여야 할 것이고, 굳이 제1심 단계에서만 허용되는 것으로 해석할 근거는 없다(대결 2006. 2. 23, 2005부4).

> **행정소송규칙 제6조【피고경정】** 법 제14조 제1항에 따른 피고경정은 사실심변론을 종결할 때까지 할 수 있다.

④ 제36강 34 ② 해설 참조 O

> 타인 사이의 항고소송에서 소송의 결과에 관하여 이해관계가 있다고 주장하면서 민사소송법 제71조에 의한 보조참가를 할 수 있는 제3자는 민사소송법상의 당사자능력 및 소송능력을 갖춘 자이어야 하므로 그러한 당사자능력 및 소송능력이 없는 행정청으로서는 민사소송법상의 보조참가를 할 수는 없고 다만 행정소송법 제17조 제1항에 의한 소송참가를 할 수 있을 뿐이다(대판 2002. 9. 24, 99두1519).

정답 02 ②

03 중 2023 군무원 7급

취소소송에 관한 설명으로 옳지 않은 것은? (다툼이 있는 경우 판례에 의함)

① 어떠한 처분에 법령상 근거가 있는지, 행정절차법에서 정한 처분절차를 준수하였는지는 본안에서 당해 처분이 적법한가를 판단하는 단계에서 고려할 요소가 아니라, 소송요건 심사단계에서 고려할 요소이다.

② 행정처분의 위법 여부는 행정처분이 있을 때의 법령과 사실상태를 기준으로 판단하여야 하며, 법원은 행정처분 당시 행정청이 알고 있었던 자료뿐만 아니라 사실심변론종결 당시까지 제출된 모든 자료를 종합하여 처분 당시 존재하였던 객관적 사실을 확정하고 그 사실에 기초하여 처분의 위법 여부를 판단할 수 있다.

③ 개발부담금 부과처분 취소소송에 있어 당사자가 제출한 자료에 의하여 적법하게 부과될 정당한 부과금액을 산출할 수 없을 경우에는 부과처분 전부를 취소할 수밖에 없으나, 그렇지 않은 경우에는 그 정당한 금액을 초과하는 부분만 취소하여야 한다.

④ 사정판결은 당사자의 명백한 주장이 없는 경우에도 기록에 나타난 여러 사정을 기초로 직권으로 할 수 있는 것이나, 그 요건인 현저히 공공복리에 적합하지 아니한지 여부는 위법한 행정처분을 취소·변경하여야 할 필요와 그 취소·변경으로 인하여 발생할 수 있는 공공복리에 반하는 사태 등을 비교·교량하여 판단하여야 한다.

관련기출

①

1. 어떠한 처분에 법령상 근거가 있는지, 행정절차법에서 정한 처분절차를 준수하였는지는 소송요건 심사단계에서 고려하여야 한다. (○, ×) 2023 국가직 9급
2. 어떠한 처분에 법령상 근거가 있는지, 행정절차법에서 정한 처분절차를 준수하였는지는 본안에서 당해 처분이 적법한가를 판단하는 단계에서 고려할 요소이지, 소송요건 심사단계에서 고려할 요소가 아니다. (○, ×) 2021 국회직 8급

1. × 2. ○

②

1. 법원은 행정처분 당시 행정청이 알고 있었던 자료뿐만 아니라 사실심변론종결 당시까지 제출된 모든 자료를 종합하여 처분 당시 존재하였던 객관적 사실을 확정하고 그 사실에 기초하여 처분의 위법 여부를 판단할 수 있다. (○, ×) 2023 지방직·서울시 9급

1. ○

③

1. 개발부담금 부과처분에 대한 취소소송에서 당사자가 제출한 자료에 의하여 정당한 부과금액을 산출할 수 없는 경우에도 법원은 증거조사를 통하여 정당한 부과금액을 산출한 후 정당한 부과금액을 초과하는 부분만을 취소하여야 한다. (○, ×) 2019 서울시 9급

1. ×

① ×

어떠한 처분에 법령상 근거가 있는지, 행정절차법에서 정한 처분절차를 준수하였는지는 본안에서 당해 처분이 적법한가를 판단하는 단계에서 고려할 요소이지, 소송요건 심사단계에서 고려할 요소가 아니다(대판 2016. 8. 30, 2015두60617 ; 대판 2020. 1. 16, 2019다264700).

② ○

행정처분의 위법 여부는 행정처분이 있을 때의 법령과 사실 상태를 기준으로 판단하여야 하며, 법원은 행정처분 당시 행정청이 알고 있었던 자료뿐만 아니라 사실심변론종결 당시까지 제출된 모든 자료를 종합하여 처분 당시 존재하였던 객관적 사실을 확정하고 그 사실에 기초하여 처분의 위법 여부를 판단할 수 있다. 행정청으로부터 행정처분을 받았으나 나중에 그 행정처분이 행정쟁송절차에서 취소되었다면, 그 행정처분은 처분시에 소급하여 효력을 잃게 된다(대판 2019. 7. 25, 2017두55077).

③ ○

개발부담금 부과처분 취소소송에 있어 당사자가 제출한 자료에 의하여 적법하게 부과될 정당한 부과금액이 산출할 수 없을 경우에는 부과처분 전부를 취소할 수밖에 없으나, 그렇지 않은 경우에는 그 정당한 금액을 초과하는 부분만 취소하여야 한다(대판 2004. 7. 22, 2002두868).

④ ○

행정처분이 위법한 경우에는 이를 취소하는 것이 원칙이나, 예외적으로 그 위법한 처분을 취소·변경하는 것이 도리어 현저히 공공복리에 적합하지 아니하는 경우에는 그 취소를 허용하지 아니하는 사정판결을 할 수 있다. 이러한 사정판결은 당사자의 명백한 주장이 없는 경우에도 기록에 나타난 여러 사정을 기초로 직권으로 할 수 있는 것이나, 그 요건인 현저히 공공복리에 적합하지 아니한지 여부는 위법한 행정처분을 취소·변경하여야 할 필요와 그 취소·변경으로 인하여 발생할 수 있는 공공복리에 반하는 사태 등을 비교·교량하여 판단하여야 한다(대판 2006. 9. 22, 2005두2506).

정답 03 ①

04 정답률 71% 중 2023 지방직 · 서울시 9급

행정소송의 심리에 대한 설명으로 옳지 않은 것은?

□□□ ① 행정소송법에 따르면 법원은 필요하다고 인정할 때에는 직권으로 증거조사를 할 수 있으나, 당사자가 주장하지 아니한 사실에 대하여는 판단할 수 없다.

□□□ ② 법원은 행정처분 당시 행정청이 알고 있었던 자료뿐만 아니라 사실심변론종결 당시까지 제출된 모든 자료를 종합하여 처분 당시 존재하였던 객관적 사실을 확정하고 그 사실에 기초하여 처분의 위법 여부를 판단할 수 있다.

□□□ ③ 행정소송법에 따르면 법원은 당사자의 신청이 있는 때에는 결정으로써 재결을 행한 행정청에 대하여 행정심판에 관한 기록의 제출을 명할 수 있고, 제출명령을 받은 행정청은 지체 없이 당해 행정심판에 관한 기록을 법원에 제출하여야 한다.

□□□ ④ 결혼이민〔F-6 (다)목〕 체류자격을 신청한 외국인에 대하여 행정청이 그 요건을 충족하지 못하였다는 이유로 거부처분을 하는 경우 '그 요건을 갖추지 못하였다는 판단', 즉 '혼인파탄의 주된 귀책사유가 국민인 배우자에게 있지 않다는 판단' 자체가 처분사유가 되는바, 결혼이민〔F-6 (다)목〕 체류자격 거부처분 취소소송에서 그 처분사유에 관한 증명책임은 피고 행정청에 있다.

① ×

행정소송법 제26조【직권심리】 법원은 필요하다고 인정할 때에는 직권으로 증거조사를 할 수 있고, 당사자가 주장하지 아니한 사실에 대하여도 판단할 수 있다.

② ○

행정처분의 위법 여부는 행정처분이 있을 때의 법령과 사실 상태를 기준으로 판단하여야 하며, 법원은 행정처분 당시 행정청이 알고 있었던 자료뿐만 아니라 사실심변론종결 당시까지 제출된 모든 자료를 종합하여 처분 당시 존재하였던 객관적 사실을 확정하고 그 사실에 기초하여 처분의 위법 여부를 판단할 수 있다(대판 2019. 7. 25, 2017두55077).

③ ○

행정소송법 제25조【행정심판기록의 제출명령】 ① 법원은 당사자의 신청이 있는 때에는 결정으로써 재결을 행한 행정청에 대하여 행정심판에 관한 기록의 제출을 명할 수 있다.
② 제1항의 규정에 의한 제출명령을 받은 행정청은 지체없이 당해 행정심판에 관한 기록을 법원에 제출하여야 한다.

④ ○

처분사유에 관한 증명책임은 피고인 행정청에 있는바, 거부처분의 경우에도 행정청이 그 사유의 존재에 관한 증명책임을 진다는 것이 판례의 입장이다.

결혼이민(F-6 다.목) 체류자격을 신청한 외국인에 대하여 행정청이 그 요건을 충족하지 못하였다는 이유로 거부처분을 하는 경우에는 '그 요건을 갖추지 못하였다는 판단', 다시 말해 '혼인파탄의 주된 귀책사유가 국민인 배우자에게 있지 않다는 판단' 자체가 처분사유가 된다. 부부가 혼인파탄에 이르게 된 여러 사정들은 그와 같은 판단의 근거가 되는 기초사실 내지 평가요소에 해당한다. 결혼이민(F-6 다.목) 체류자격 거부처분 취소소송에서 원고와 피고 행정청은 각자 자신에게 유리한 평가요소들을 적극적으로 주장 · 증명하여야 하며, 수소법원은 증명된 평가요소들을 종합하여 혼인파탄의 주된 귀책사유가 누구에게 있는지를 판단하여야 한다. 수소법원이 '혼인파탄의 주된 귀책사유가 국민인 배우자에게 있다'고 판단하게 되는 경우에는, 해당 결혼이민(F-6 다.목) 체류자격 거부처분은 위법하여 취소되어야 할 것이므로, 이러한 의미에서 결혼이민(F-6 다.목) 체류자격 거부처분 취소소송에서도 그 처분사유에 관한 증명책임은 피고 행정청에게 있다고 보아야 한다(대판 2019. 7. 4, 2018두66869).

정답 04 ①

05 정답률 50% 상 2022 지방직 7급

행정소송법상 행정소송에 대한 설명으로 옳지 않은 것은? (다툼이 있는 경우 판례에 의함)

□□□ ① 교도소장이 수형자를 '접견내용 녹음 · 녹화 및 접견시 교도관 참여대상자'로 지정한 행위는 수형자의 구체적 권리 · 의무에 직접적 변동을 가져오는 행정청의 공법상 행위로서 항고소송의 대상이 되는 처분에 해당한다.

□□□ ② 어느 하나의 처분의 취소를 구하는 소에 당해 처분과 관련되는 처분의 취소를 구하는 청구를 추가적으로 병합한 경우, 추가적으로 병합된 소의 소제기기간의 준수 여부는 그 청구취지의 추가신청이 있은 때를 기준으로 한다.

□□□ ③ 일정한 납부기한을 정한 과징금 부과처분에 대하여 집행정지결정이 내려졌다면 과징금 부과처분에서 정한 과징금의 납부기간은 더 이상 진행되지 아니하고 집행정지결정의 주문에 표시된 종기의 도래로 인하여 집행정지가 실효된 때부터 다시 진행된다.

□□□ ④ 법원이 어느 하나의 사유에 의한 과징금 부과처분에 대하여 그 사유와 기본적 사실관계의 동일성이 인정되지 아니하는 다른 처분사유가 존재한다는 이유로 적법하다고 판단하는 것은 특별한 사정이 없는 한 직권심사주의의 한계를 넘는 것이 아니다.

① ○

교도소장이 수형자 甲을 '접견내용 녹음 · 녹화 및 접견시 교도관 참여대상자'로 지정한 사안에서, 위 지정행위는 수형자의 구체적 권리 · 의무에 직접적 변동을 가져오는 행정청의 공법상 행위로서 항고소송의 대상이 되는 '처분'에 해당한다.

원심은, 피고가 위와 같은 지정행위를 함으로써 원고의 접견시마다 사생활의 비밀 등 권리에 제한을 가하는 교도관의 참여, 접견내용의 청취 · 기록 · 녹음 · 녹화가 이루어졌으므로 이는 피고가 그 우월적 지위에서 수형자인 원고에게 일방적으로 강제하는 성격을 가진 공권력적 사실행위의 성격을 갖고 있는 점 …… 등을 종합하면, 위와 같은 지정행위는 수형자의 구체적 권리 · 의무에 직접적 변동을 초래하는 행정청의 공법상 행위로서 항고소송의 대상이 되는 '처분'에 해당한다고 판단하였다. 앞서 본 법리와 법 규정 및 기록에 비추어 살펴보면, 원심의 위와 같은 판단은 정당한 것이다(대판 2014. 2. 13, 2013두20899).

② ○

소의 추가적 병합의 경우에 추가적으로 병합된 소의 제소기간은 원칙적으로 추가 · 병합신청이 있은 때를 기준으로 하여야 한다.

보충역편입처분취소처분의 효력을 다투는 소에 공익근무요원복무중단처분, 현역병입영대상편입처분 및 현역 병입영통지처분의 취소를 구하는 청구를 추가적으로 병합한 경우, 공익근무요원복무중단처분, 현역병입영대상 편입처분 및 현역병입영통지처분의 취소를 구하는 소의 제소기간의 준수 여부는 각 그 청구취지의 추가 · 변경 신청이 있은 때를 기준으로 개별적으로 판단하여야 한다(대판 2004. 12. 10, 2003두12257).

③ ○

일정한 납부기한을 정한 과징금 부과처분에 대하여 '회복하기 어려운 손해'를 예방하기 위하여 긴급한 필요가 있고 달리 공공복리에 중대한 영향을 미치지 아니한다는 이유로 집행정지결정이 내려졌다면 그 집행정지기간 동안은 과징금 부과처분에서 정한 과징금의 납부기간은 더 이상 진행되지 아니하고 집행정지결정이 당해 결정의 주문에 표시된 시기의 도래로 인하여 실효되면 그 때부터 당초의 과징금 부과처분에서 정한 기간(집행정지결정 당시 이미 일부 진행되었다면 그 나머지 기간)이 다시 진행하는 것으로 보아야 한다(대판 2003. 7. 11, 2002다48023).

④ ×

명의신탁등기 과징금과 장기미등기 과징금은 위반행위의 태양, 부과 요건, 근거조항을 달리하므로, 그 각 과징금 부과처분의 사유는 상호 간에 기본적 사실관계의 동일성이 있다고 할 수 없다. 그러므로 그중 어느 하나의 처분사유에 의한 과징금 부과처분에 대하여 당해 처분사유가 아닌 다른 처분사유가 존재한다는 이유로 적법하다고 판단하는 것은 특별한 사정이 없는 한 행정소송법상 직권심사주의의 한계를 넘는 것으로 허용될 수 없다(대판 2017. 5. 17, 2016두53050).

정답 05 ④

06 정답률 62% 중 2015 지방직 7급

행정소송의 심리에 대한 설명으로 옳은 것은? (다툼이 있는 경우 판례에 의함)

① "법원은 필요하다고 인정할 때에는 직권으로 증거조사를 할 수 있고, 당사자가 주장하지 아니한 사실에 대하여도 판단할 수 있다."라고 규정하고 있는 행정소송법 제26조는 당사자소송에도 준용된다.

② 취소소송의 직권심리주의를 규정하고 있는 행정소송법 제26조의 규정을 고려할 때, 행정소송에 있어서 법원은 원고의 청구범위를 초월하여 그 이상의 청구를 인용할 수 있다.

③ 사실심에서 변론종결시까지 당사자가 주장하지 않던 직권조사사항에 해당하는 사항을 상고심에서 비로소 주장하는 경우 그 직권조사사항에 해당하는 사항은 상고심의 심판범위에 해당하지 않는다.

④ 행정소송에서 기록상 자료가 나타나 있다 하더라도 당사자가 주장하지 않았다면 행정소송의 특수성에 비추어 법원은 이를 판단할 수 없다.

① ○

행정소송법 제26조【직권심리】 법원은 필요하다고 인정할 때에는 직권으로 증거조사를 할 수 있고, 당사자가 주장하지 아니한 사실에 대하여도 판단할 수 있다.

제44조【준용규정】 ① 제14조 내지 제17조, 제22조, 제25조, 제26조, 제30조 제1항, 제32조 및 제33조의 규정은 당사자소송의 경우에 준용한다.

② ×

행정소송에 있어서도 원고의 청구취지, 즉 청구범위 · 액수 등은 모두 원고가 청구하는 한도를 초월하여 판결할 수 없다.

행정소송에 있어서도 (구)행정소송법 제14조에 의하여 (구)민사소송법 제188조(처분권주의)가 준용되어 법원은 당사자가 신청하지 아니한 사항에 대하여는 판결할 수 없는 것이고, 행정소송법 제26조에서 직권심리주의를 채용하고 있으나 이는 행정소송에 있어서 원고의 청구범위를 초월하여 그 이상의 청구를 인용할 수 있다는 의미가 아니라 원고의 청구범위를 유지하면서 그 범위 내에서 필요에 따라 주장 외의 사실에 관하여도 판단할 수 있다는 뜻이다(대판 1987. 11. 10, 86누491).

③ ×

사실심에서 변론종결시까지 당사자가 주장하지 않던 직권조사사항에 해당하는 사항을 상고심에서 비로소 주장하는 경우 그 직권조사사항에 해당하는 사항은 상고심의 심판범위에 해당한다(대판 2004. 12. 24, 2003두15195).

④ ×

행정소송에서 기록상 자료가 나타나 있다면 당사자가 주장하지 않더라도 판단할 수 있다.

행정소송에서 기록상 자료가 나타나 있다면 당사자가 주장하지 않았더라도 판단할 수 있고, 당사자가 제출한 소송자료에 의하여 법원이 처분의 적법 여부에 관한 합리적인 의심을 품을 수 있음에도 단지 구체적 사실에 관한 주장을 하지 아니하다는 이유만으로 당사자에게 석명을 하거나 직권으로 심리 · 판단하지 아니함으로써 구체적 타당성이 없는 판결을 하는 것은 행정소송법 제26조의 규정과 행정소송의 특수성에 반하므로 허용될 수 없다(대판 2010. 2. 11, 2009두18035).

정답 06 ①

07 ㊥ 2009 세무사

입증책임에 관한 설명으로 옳지 않은 것은?

□□□ ① 입증책임은 소송상 일정한 사실의 존부가 확정되지 아니할 경우에 불리한 법적 판단을 받게 되는 일방당사자의 불이익 내지는 위험을 말한다.

□□□ ② 입증책임은 변론주의하에서 특히 중요한 의미를 가지는 것이나, 진위불명의 사태가 예견되는 한 직권탐지주의하에서도 문제가 된다.

□□□ ③ 입증책임의 중심적 문제는 어떤 사실에 대하여 어느 당사자가 입증책임을 질 것인가의 문제로서 이를 입증책임의 분배라고 한다.

□□□ ④ 행정소송에서 당사자소송의 입증책임은 그 성질상 민사소송의 경우와 다를 것이 없다.

□□□ ⑤ 판례는 행정처분의 무효확인을 구하는 소송에서 행정청이 행정처분에 존재하는 하자가 중대하고 명백하지 않다는 것을 입증할 책임이 있다고 본다.

① ○

입증책임이란 소송심리의 최종단계에 이르러서도 소송상의 일정한 사실의 존부가 확정되지 않을 때 불리한 법적 판단을 받게 되는 일방당사자의 위험 또는 불이익을 말한다.

② ○

입증책임의 문제는 소송의 심리에 있어 직권탐지주의와 변론주의 중 어느 입장을 취하는지와 상관없이 어떤 사실의 존부가 불명확하여 사실인정을 할 수 없는 상황에서는 항상 제기되는 문제이다.

③ ○

입증책임의 분배라 함은 어떤 사실의 존부가 확정되지 않은 경우에 당사자 중 누구에게 불이익을 돌릴 것인가의 문제로서 소송상 증명이 필요한 사실이 입증되지 않은 경우 입증책임을 지는 자는 불이익을 받게 된다.

④ ○

당사자소송은 현재의 법률관계를 다투는 것으로 민사소송과 유사성이 있으므로 민사소송에서와 같이 입증책임을 분배한다.

⑤ ×

> 행정처분의 당연무효를 구하는 소송에 있어서는 그 무효를 구하는 사람(원고)에게 그 행정처분에 존재하는 하자가 중대하고 명백하다는 것을 주장 · 입증할 책임이 있다(대판 1984. 2. 28, 82누154).

정답 07 ⑤

❷ 처분사유의 추가 · 변경

08 정답률 71% 중 2024 소방직 9급

행정소송에서 처분사유의 추가 · 변경에 관한 설명으로 옳지 않은 것은? (다툼이 있는 경우 판례에 의함)

□□□ ① 추가 또는 변경된 사유가 처분 당시에 이미 존재하고 있었다거나 당사자가 그 사실을 알고 있었다면 당초의 처분사유와 동일성이 있다고 할 수 있다.

□□□ ② 소송에서 처분사유와 기본적 사실관계가 동일하여 추가 · 변경할 수 있는 다른 사유가 있었음에도 처분청이 이를 적절하게 주장 · 증명하지 못하여 법원이 그 처분을 위법하다고 판단하여 취소하는 판결이 확정되면, 처분청이 그 다른 사유를 근거로 다시 종전과 같은 내용의 처분을 하는 것은 허용되지 않는다.

□□□ ③ 어떤 처분의 당초 처분사유와 기본적 사실관계의 동일성이 인정되지 않는 다른 사유가 있다면, 그 처분에 대한 취소소송에서 처분사유 추가 · 변경은 허용되지 않지만, 처분청이 그 처분에 대한 취소판결확정 후 그 다른 사유를 근거로 별도의 처분을 하는 것은 허용된다.

□□□ ④ 처분청이 처분 당시에 적시한 구체적 사실을 변경하지 아니하는 범위 내에서 단지 그 처분의 근거법령만을 추가 · 변경하는 것에 불과한 경우에는 새로운 처분사유의 추가라고 볼 수 없으므로 행정청이 처분 당시에 적시한 구체적 사실에 대하여 처분 후에 추가 · 변경한 법령을 적용하여 그 처분의 적법 여부를 판단할 수 있다.

관련기출

①

1. 추가 또는 변경된 사유가 처분 당시 이미 존재하고 있었거나 당사자가 그 사실을 알고 있었던 경우, 이러한 사정만으로도 당초의 처분사유와 동일성이 인정된다. (○, ×) 2019 서울시 2회 7급, 2017 국가직 9급

1. ×

① 정답률 71% ×

판례는 추가 · 변경된 사유가 당초의 처분시 이미 존재하고 있었고 당사자도 그 사실을 알고 있었다는 것만으로는 당초의 처분사유와 동일성이 있는 것으로 볼 수는 없다고 한다.

> 추가 또는 변경된 사유가 당초의 처분시 그 사유를 명기하지 않았을 뿐 처분시에 이미 존재하고 있었고 당사자도 그 사실을 알고 있었다 하여 당초의 처분사유와 동일성이 있는 것으로 볼 수는 없다(대판 2003. 12. 11, 2001두8827).

② 정답률 16% ③ 정답률 5% ○

기본적 사실관계가 다른 사유를 근거로 동일한 내용의 처분을 하는 것은 허용된다.

> 어떤 처분 내용의 적법성을 뒷받침하기 위하여 당초 처분사유와 기본적 사실관계의 동일성이 인정되는 다른 사유가 있다면 처분청은 그 처분에 대한 취소소송의 사실심변론종결시까지 그 사유를 적극적으로 주장 · 증명하여 법원으로부터 그 처분이 적법하다는 판단을 받아야 한다. 만약 소송에서 추가 · 변경할 수 있는 다른 사유가 있었음에도 처분청이 이를 적절하게 주장 · 증명하지 못하여 법원이 그 처분을 위법하다고 판단하여 취소하는 판결이 확정되면, 처분청이 그 다른 사유를 근거로 다시 종전과 같은 내용의 처분을 하는 것은 허용되지 않는다(②). 어떤 처분의 당초 처분사유와 기본적 사실관계의 동일성이 인정되지 않는 다른 사유가 있다면, 그 처분에 대한 취소소송에서 처분사유 추가 · 변경은 허용되지 않지만, 처분청이 그 처분에 대한 취소판결 확정 후 그 다른 사유를 근거로 별도의 처분을 하는 것은 허용된다(③)(대판 2020. 12. 24, 2019두55675).

④ 정답률 6% ○

> 처분청이 처분 당시에 적시한 구체적 사실을 변경하지 아니하는 범위 내에서 단지 그 처분의 근거법령만을 추가 · 변경하는 것에 불과한 경우에는 새로운 처분사유의 추가라고 볼 수 없으므로 행정청이 처분 당시에 적시한 구체적 사실에 대하여 처분 후에 추가 · 변경한 법령을 적용하여 그 처분의 적법 여부를 판단할 수 있다. 그러나 처분의 근거법령을 변경하는 것이 종전처분과 동일성을 인정할 수 없는 별개의 처분을 하는 것과 다름없는 경우에는 허용될 수 없다(대판 2021. 7. 29, 2021두34756).

정답 08 ①

09 정답률 72% 상 2023 국가직 7급

다음 사례에 대한 설명으로 옳지 않은 것은? (다툼이 있는 경우 판례에 의함)

> 甲은 토지 위에 컨테이너를 설치하여 사무실로 사용하였다. 관할행정청인 乙은 甲에게 이 컨테이너는 건축법상 건축허가를 받아야 하는 건축물인데 건축허가를 받지 않고 건축하였다는 이유로 甲에게 원상복구명령을 하면서, 만약 기한 내에 원상복구를 하지 않을 경우에는 행정대집행을 통하여 컨테이너를 철거할 것임을 계고하였다. 이후 甲은 乙에게 이 컨테이너에 대하여 가설건축물 축조신고를 하였으나 乙은 이 컨테이너는 건축허가대상이라는 이유로 가설건축물 축조신고를 반려하였다.

① 건축법에 특별한 규정이 없더라도 행정절차법상 예외에 해당하지 않는 한 乙은 원상복구명령을 하면서 甲에게 원상복구명령을 사전통지하고 의견제출의 기회를 주어야 한다.

② 乙이 행한 원상복구명령과 대집행계고가 계고서라는 1장의 문서로 이루어진 경우라도 원상복구명령과 계고처분은 독립하여 있는 것으로서 각 그 요건이 충족된 것으로 볼 수 있다.

③ 乙이 대집행영장을 통지한 경우, 원상복구명령이 당연무효라면 대집행영장통지도 당연무효이다.

④ 甲이 제기한 원상복구명령 및 계고처분에 대한 취소소송에서, 乙은 처분시에 제시한 '甲의 건축물은 건축허가를 받지 않은 건축물'이라는 처분사유에 '甲의 건축물은 신고를 하지 않은 가설건축물'이라는 처분사유를 추가할 수 있다.

① 정답률 10% ○

원상복구명령은 침해적 행정처분이므로 행정절차법상 예외사유에 해당하지 않는 한 乙은 甲에게 원상복구명령을 하는 경우 사전통지를 하고 의견제출의 기회를 주어야 한다. 제21강 참조

> 행정절차법 제21조 제1항, 제4항, 제22조 제1항 내지 제4항에 의하면, 행정청이 당사자에게 의무를 과하거나 권익을 제한하는 처분을 하는 경우에는 미리 처분하고자 하는 원인이 되는 사실과 처분의 내용 및 법적 근거, 이에 대하여 의견을 제출할 수 있다는 뜻과 의견을 제출하지 아니하는 경우의 처리방법 등의 사항을 당사자 등에게 통지하여야 하고, 다른 법령 등에서 필요적으로 청문을 실시하거나 공청회를 개최하도록 규정하고 있지 아니한 경우에도 당사자 등에게 의견제출의 기회를 주어야 하되, "당해 처분의 성질상 의견청취가 현저히 곤란하거나 명백히 불필요하다고 인정될 만한 상당한 이유가 있는 경우" 등에는 처분의 사전통지나 의견청취를 하지 아니할 수 있도록 규정하고 있으므로, 행정청이 침해적 행정처분을 함에 있어서 당사자에게 위와 같은 사전통지를 하거나 의견제출의 기회를 주지 아니하였다면 사전통지를 하지 않거나 의견제출의 기회를 주지 아니하여도 되는 예외적인 경우에 해당하지 아니하는 한 그 처분은 위법하여 취소를 면할 수 없다(대판 2004. 5. 28, 2004두1254).

② 정답률 5% ○

판례에 의할 때 乙이 행한 원상복구명령과 대집행계고가 계고서라는 1장의 문서로 이루어진 경우라도 원상복구명령과 계고처분은 독립하여 있는 것으로서 각 그 요건이 충족된 것으로 볼 수 있다. 제24강 참조

> 계고서라는 명칭의 1장의 문서로써, 일정기간 내에 위법건축물의 자진철거를 명함과 동시에 그 소정 기한 내에 자진철거를 하지 아니할 때에는 대집행할 뜻을 미리 계고한 경우라도 철거명령 및 계고처분은 적법하다.
>
> 계고서라는 명칭의 1장의 문서로써 일정기간 내에 위법건축물의 자진철거를 명함과 동시에 그 소정 기한 내에 자진철거를 하지 아니할 때에는 대집행할 뜻을 미리 계고한 경우라도 위 건축법에 의한 철거명령과 행정대집행법에 의한 계고처분은 독립하여 있는 것으로서 각 그 요건이 충족되었다고 볼 것이고, 이 경우 철거명령에서 주어진 일정기간이 자진철거에 필요한 상당한 기간이라면 그 기간 속에는 계고시에 필요한 '상당한 이행기간'도 포함되어 있다고 보아야 할 것이다(대판 1992. 6. 12, 91누13564).

③ 정답률 12% ○

선행행위가 당연무효라면 후행행위도 당연히 무효가 된다. 따라서 乙이 대집행영장을 통지한 경우, 선행행위인 원상복구명령이 무효라면 후속 대집행절차인 대집행영장통지도 당연무효이다. 제16강 참조

④ 정답률 72% ×

판례에 의하면 "건축허가를 받지 않고 건축하였다."는 사유와 "가설건축물에 해당함에도 축조신고를 하지 아니하고 축조하였다."는 사유는 기본적 사실관계가 동일하다고 볼 수 없다. 따라서 乙은 처분시에 제시한 '甲의 건축물은 건축허가를 받지 않은 건축물'이라는 처분사유에 '甲의 건축물은 신고를 하지 않은 가설건축물'이라는 처분사유를 추가할 수 없다.

> 컨테이너를 설치하여 사무실 등으로 사용하는 甲 등에게 관할 시장이 건축법 제2조 제1항 제2호의 건축물에 해당함에도 같은 법 제11조의 따른 건축허가를 받지 않고 건축하였다는 이유로 원상복구명령 및 계고처분을 하였다가 이에 대한 취소소송에서 같은 법 제20조 제3항 위반(편저자 주 : 컨테이너가 가설건축물에 해당함에도 축조신고를 하지 아니하고 축조하였다)을 처분사유로 추가한 사안에서, 당초 처분사유인 '건축법 제11조 위반'과 추가한 추가사유인 '건축법 제20조 제3항 위반'은 위반행위의 내용이 다르고 위법상태를 해소하기 위하여 거쳐야 하는 절차, 건축기준 및 허용가능성이 달라지므로 그 기초인 사회적 사실관계가 동일하다고 볼 수 없어 처분사유의 추가·변경이 허용되지 않는다(대판 2021. 7. 29, 2021두34756).

정답 09 ④

10 정답률 68% 중 2017 서울시 9급

처분사유의 추가 · 변경에 대한 설명으로 가장 옳지 않은 것은? (다툼이 있는 경우 판례에 의함)

□□□ ① 추가 또는 변경된 사유가 당초의 처분시 그 사유를 명기하지 않았을 뿐 처분시에 이미 존재하고 있었고 당사자도 그 사실을 알고 있었다 하여 당초의 처분사유와 동일성이 있는 것이라 할 수 없다.

□□□ ② 취소소송에서 행정청의 처분사유의 추가 · 변경은 사실심변론종결시까지만 허용된다.

□□□ ③ 당초의 처분사유인 중기취득세의 체납과 그 후 추가된 처분사유인 자동차세의 체납은 기본적 사실관계의 동일성이 부정된다.

□□□ ④ 주류면허 지정조건 중 제6호 무자료 주류판매 및 위장거래 항목을 근거로 한 면허취소처분에 대한 항고소송에서, 지정조건 제2호 무면허판매업자에 대한 주류판매를 새로이 그 취소사유로 주장하는 것은 기본적 사실관계의 동일성이 인정된다.

관련기출

③

1. 당초의 처분사유인 중기취득세의 체납과 그 후 추가된 처분사유인 자동차세의 체납은 기본적 사실관계의 동일성이 부정된다. (○, ×) 2015 경행특채 1차

1. ○

④

1. 주류면허 지정조건 중 제6호 무자료 주류판매 및 위장거래 항목을 근거로 한 면허취소처분에 대한 항고소송에서, 지정조건 제2호 무면허판매업자에 대한 주류판매를 새로이 그 취소사유로 주장하는 것은 기본적 사실관계의 동일성이 인정된다. (○, ×) 2015 경행특채 1차

1. ×

① ○

추가 또는 변경된 사유가 당초의 처분시 그 사유를 명기하지 않았을 뿐 처분시에 이미 존재하고 있었고 당사자도 그 사실을 알고 있었다 하여 당초의 처분사유와 동일성이 있는 것으로 볼 수는 없다는 것이 판례의 입장이다(대판 2003. 12. 11, 2001두8827).

② ○

취소소송에서 행정청의 처분사유의 추가 · 변경은 사실심변론종결시까지 허용된다(대판 1999. 8. 20, 98두17043).

③ ○

처분청은 당초의 처분사유와 기본적 사실관계가 동일한 한도 내에서 새로운 처분사유를 추가하거나 변경할 수 있고 법원으로서도 당초의 처분사유와 기본적 사실관계의 동일성이 없는 사실을 처분사유로 인정할 수 없는 것인바, 이 사건에서 당초의 처분사유인 중기취득세의 체납과 그 후 추가된 처분사유인 자동차세의 체납은 각 세목, 과세연도, 납세의무자의 지위(연대납세의무자와 직접의 납세의무자) 및 체납액 등을 달리하고 있어 기본적 사실관계가 동일하다고 볼 수 없고, 중기취득세의 체납이나 자동차세의 체납이 다 같이 지방세의 체납이고 그 과세대상도 다 같은 지입중기에 대한 것이라는 점만으로는 기본적 사실관계의 동일성을 인정하기에 미흡하다(대판 1989. 6. 27, 88누6160).

④ ×

주류면허 지정조건 중 제6호 무자료 주류판매 및 위장거래 항목을 근거로 한 면허취소처분에 대한 항고소송에서, 지정조건 제2호 무면허판매업자에 대한 주류판매를 새로이 그 취소사유로 주장하는 것은 기본적 사실관계가 다른 사유를 내세우는 것으로서 허용될 수 없다(대판 1996. 9. 6, 96누7427).

정답 10 ④

11 정답률 59% 중 2017 국가직 9급

취소소송에서의 처분사유의 추가 · 변경에 대한 설명으로 옳은 것은? (다툼이 있는 경우 판례에 의함)

□□□ ① 처분청은 원고의 권리방어가 침해되지 않는 한도 내에서 당해 취소소송의 대법원 확정판결이 있기 전까지 처분사유의 추가 · 변경을 할 수 있다.

□□□ ② 처분사유의 추가 · 변경이 인정되기 위한 요건으로서의 기본적 사실관계의 동일성 유무는, 처분사유를 법률적으로 평가하기 이전의 구체적인 사실에 착안하여 그 기초적인 사회적 사실관계가 기본적인 점에서 동일한지 여부에 따라 결정된다.

□□□ ③ 추가 또는 변경된 사유가 당초의 처분시 그 사유를 명기하지 않았을 뿐 처분시에 이미 존재하고 있었고 당사자도 그 사실을 알고 있었다면 당초의 처분사유와 동일성이 인정된다.

□□□ ④ 처분사유의 추가 · 변경이 절차적 위법성을 치유하는 것인데 반해, 처분이유의 사후제시는 처분의 실체법상의 적법성을 확보하기 위한 것이다.

관련기출

②

1. 행정처분의 취소를 구하는 항고소송에서 처분청은 당초 처분의 근거로 삼은 사유와 기본적 사실관계가 동일성이 있다고 인정되는 한도 내에서만 다른 사유를 추가하거나 변경할 수 있다. (○, ×) 2017 국가직 7급
2. 피고의 방어권 보장을 위해 기본적 사실관계의 동일성이 없더라도 처분사유의 추가 · 변경을 인정한다. (○, ×) 2013 국가직 7급
3. 기본적 사실관계의 동일성을 요구하는 취지는 상대방의 방어권을 보장함으로써 실질적 법치주의를 구현하고 행정처분의 상대방에 대한 신뢰를 보호하고자 함에 둔다. (○, ×) 2009 세무사

1. ○ 2. × 3. ○

① ×

취소소송에서 행정청의 처분사유의 추가 · 변경은 사실심변론종결시까지 허용된다는 것이 판례의 입장이다(대판 1999. 8. 20, 98두17043).

② **빈출** ○

> 행정처분의 취소를 구하는 항고소송에 있어서, 처분청은 당초 처분의 근거로 삼은 사유와 기본적 사실관계가 동일성이 있다고 인정되는 한도 내에서만 다른 사유를 추가하거나 변경할 수 있고, 여기서 기본적 사실관계의 동일성 유무는 처분사유를 법률적으로 평가하기 이전의 구체적인 사실에 착안하여 그 기초인 사회적 사실관계가 기본적인 점에서 동일한지 여부에 따라 결정되며 이와 같이 기본적 사실관계와 동일성이 인정되지 않는 별개의 사실을 들어 처분사유로 주장하는 것이 허용되지 않는다고 해석하는 이유는 행정처분의 상대방의 방어권을 보장함으로써 실질적 법치주의를 구현하고 행정처분의 상대방에 대한 신뢰를 보호하고자 함에 그 취지가 있고, 추가 또는 변경된 사유가 당초의 처분시 그 사유를 명기하지 않았을 뿐 처분시에 이미 존재하고 있었고 당사자도 그 사실을 알고 있었다 하여 당초의 처분사유와 동일성이 있는 것이라 할 수 없다(대판 2003. 12. 11, 2001두8827).

③ ×

추가 또는 변경된 사유가 당초의 처분시 그 사유를 명기하지 않았을 뿐 처분시에 이미 존재하고 있었고 당사자도 그 사실을 알고 있었다 하여 당초의 처분사유와 동일성이 있는 것으로 볼 수는 없다는 것이 판례의 입장이다(대판 2003. 12. 11, 2001두8827).

④ ×

처분이유의 사후제시, 즉 이유제시의 하자의 치유란 이유제시가 아예 결여되어 있거나 이유제시가 행정절차법 제23조 제1항의 요건을 충족시키지 못하는 불충분한 이유제시가 있는 경우에 이를 사후적으로 추완하거나 보완함으로써 절차상 · 형식상의 하자를 제거하는 것을 의미한다. 반면, 처분사유의 추가 · 변경은 이유제시가 행정절차법 제23조 제1항의 요건을 충족하고 있으나 그것이 잘못된 사실인정이나 또는 법적 견해에 기초하는 경우에 다른 사유를 추가 · 변경함으로써 내용상, 즉 실체법상의 적법성을 확보하기 위한 것이다.

정답 11 ②

12 빈출 상 2015 사회복지직 9급

다음 사례에 대한 설명으로 옳지 않은 것은? (다툼이 있는 경우 판례에 의함)

> 관할행정청은 甲에게 A를 사유로 면허취소처분을 내렸다가 甲이 이를 다투자 소송계속 중에 당해 면허취소처분의 새로운 사유로 B를 주장하였다.

□□□ ① 처분사유의 추가 · 변경을 널리 허용한다면 처분의 상대방에게 예기치 못한 불이익이 발생할 가능성이 있다.

□□□ ② 처분사유를 B로 추가 · 변경한다는 관할행정청의 주장이 법원에서 받아들여진 경우, 甲은 처분변경으로 인한 소의 변경을 신청하여야 한다.

□□□ ③ 위와 같은 처분사유의 추가 · 변경은 사실심변론종결시까지만 허용된다.

□□□ ④ A 사유와 기본적 사실관계가 동일성이 있다고 인정되는 한도 내에서만 B 사유로의 추가 · 변경이 허용된다.

13 상 2010 경행특채

다음 중 처분사유의 추가 · 변경과 관련하여 판례가 기본적 사실관계의 동일성을 인정한 것은 모두 몇 개인가?

□□□ ㉠ 발행주체가 불법단체라는 사유와 소정의 첨부서류가 제출되지 아니하였다는 주장

□□□ ㉡ 허가기준에 맞지 않는다는 이유로 허가신청을 반려하였다가 소송계속 중 이격거리 기준위배를 반려사유로 주장한 경우

□□□ ㉢ 준농림지역에서의 행위제한이라는 사유와 나중에 거부처분의 근거로 추가한 자연경관 및 생태계의 교란, 국토 및 자연의 유지와 환경보전 등 중대한 공익상의 필요라는 사유

□□□ ㉣ 담합을 주도하거나 담합하여 입찰을 방해하였다는 것과 특정인의 낙찰을 위하여 담합한 자라는 주장

① 1개 ② 2개
③ 3개 ④ 4개

①④ ○

> 행정처분의 취소를 구하는 항고소송에 있어서, 처분청은 당초 처분의 근거로 삼은 사유와 기본적 사실관계가 동일성이 있다고 인정되는 한도 내에서만 다른 사유를 추가하거나 변경할 수 있다.
> 기본적 사실관계와 동일성이 인정되지 않는 별개의 사실을 들어 처분사유로 주장하는 것이 허용되지 않는다고 해석하는 이유는 행정처분의 상대방의 방어권을 보장함으로써 실질적 법치주의를 구현하고 행정처분의 상대방에 대한 신뢰를 보호하고자 함에 그 취지가 있다(대판 2003. 12. 11, 2001두8827).

② ×

처분사유의 추가 · 변경은 처분 자체는 그대로 두고 처분의 사유만 당초 처분시에 제시한 사유에서 다른 사유를 추가 또는 교체하는 것이다. 따라서 처분 그 자체가 변경되는 것은 아니므로 처분의 변경으로 인한 소변경을 신청할 필요는 없다.

> **행정소송법 제22조【처분변경으로 인한 소의 변경】** ① 법원은 행정청이 소송의 대상인 처분을 소가 제기된 후 변경한 때에는 원고의 신청에 의하여 결정으로써 청구의 취지 또는 원인의 변경을 허가할 수 있다.
> ② 제1항의 규정에 의한 신청은 처분의 변경이 있음을 안 날로부터 60일 이내에 하여야 한다.
> ③ 제1항의 규정에 의하여 변경되는 청구는 제18조 제1항 단서의 규정에 의한 요건을 갖춘 것으로 본다.

③ ○

취소소송에서 행정청의 처분사유의 추가 · 변경은 사실심변론종결시까지 허용된다는 것이 판례의 입장이다(대판 1999. 8. 20, 98두17043).

④ ㉠㉡㉢㉣ 모두 동일성이 인정된다.

㉠ ○

> 구 「정기간행물의 등록에 관한 법률」 및 그 시행령 소정의 첨부서류가 제출되지 아니하였다는 주장은 발행주체가 불법단체라는 당초의 처분사유와 비교하여 볼 때 발행주체가 단체라는 점을 공통으로 하고 있어 기본적 사실관계에 동일성이 있는 주장으로서 소송에서 처분사유로 추가 · 변경할 수 있다(대판 1998. 4. 24, 96누13286).

㉡ ○

> 주유소영업허가의 불허가사유로 처음에 내세운 "행정청의 허가기준에 맞지 않는다."는 사유를 후에 '이격거리에 관한 허가기준 위배'라는 사유로 변경한 경우 동일성이 인정된다(대판 1989. 7. 25, 88누11926).

㉢ ○

> '준농림지역의 행위제한'이라는 사유와 나중에 거부처분의 근거로 추가한 '자연경관 및 생태계의 교란, 국토 및 자연의 유지와 환경보전 등 중대한 공익상의 필요'라는 사유는 동일성이 인정된다(대판 2004. 11. 26, 2004두4482).

㉣ ○

> 「국가를 당사자로 하는 계약에 관한 법률 시행령」 제76조 제1항 제12호 소정의 "담합을 주도하거나 담합하여 입찰을 방해하였다."는 것으로부터 같은 항 제7호 소정의 '특정인의 낙찰을 위하여 담합한 자'로 이 사건 처분의 사유를 변경한 것은, 그 변경 전후에 있어서 같은 행위에 대한 법률적 평가만 달리하는 것일 뿐 기본적 사실관계를 같이하는 것이므로 허용된다(대판 2008. 2. 28, 2007두13791 · 13807).

정답 12 ② 13 ④

❸ 위법판단의 기준시점

14 정답률 73% 상 2023 국가직 7급

행정소송법상 취소소송에 대한 설명으로 옳지 않은 것은? (다툼이 있는 경우 판례에 의함)

□□□ ① 부당해고 구제신청에 관한 중앙노동위원회의 결정에 대하여 취소소송을 제기하는 경우, 법원은 중앙노동위원회의 결정 후에 생긴 사유를 들어 그 결정의 적법 여부를 판단할 수 있다.

□□□ ② 취소소송에서 쟁송의 대상이 되는 행정처분의 존부는 소송요건으로서 법원의 직권조사사항이고 자백의 대상이 될 수 없다.

□□□ ③ 이미 직위해제처분을 받아 직위해제된 공무원에 대하여 행정청이 새로운 사유에 기하여 직위해제처분을 하였다면, 이전 직위해제처분의 취소를 구하는 소송을 제기하는 것은 부적법하다.

□□□ ④ 취소소송계속 중에 처분청이 계쟁 처분을 직권으로 취소하더라도, 동일한 소송당사자 사이에서 그 처분과 동일한 사유로 위법한 처분이 반복될 위험성이 있어 그 처분에 대한 위법성의 확인이 필요한 경우에는 그 처분의 취소를 구할 소의 이익이 있다.

관련기출

②

1. 행정소송에서 쟁송의 대상이 되는 행정처분의 존재를 당사자들이 다투지 아니한다 하더라도 그 존부에 관하여 의심이 있는 경우에 법원은 이를 직권으로 밝혀야 한다. (○, ×) 2019 서울시 2회 7급
2. 행정소송의 대상이 되는 행정처분의 존부는 소송요건으로서 직권조사사항이고, 자백의 대상이 될 수 없는 것이므로, 설사 그 존재를 당사자들이 다투지 아니한다 하더라도 그 존부에 관하여 의심이 있는 경우에는 이를 직권으로 밝혀 보아야 할 것이다. (○, ×) 2015 지방직 9급
3. 행정소송에서 쟁송의 대상이 되는 행정처분의 존부는 자백의 대상이므로 그 존재를 당사자들이 다투지 아니하는 경우, 의심이 있어도 그 존부에 대해 법원이 직권으로 조사할 권한이 없다. (○, ×) 2013 서울시 7급

1. ○ 2. ○ 3. ×

③

1. 행정청이 직위해제상태에 있는 공무원에 대하여 새로운 직위해제사유에 기한 직위해제처분을 한 경우 그 이전에 한 직위해제처분의 취소를 구할 소의 이익이 없다. (○, ×) 2016 지방직 7급
2. 행정청이 공무원에 대하여 직위해제처분을 하였다가 그 후에 새로운 직위해제사유에 기하여 다시 직위해제처분을 한 경우에도, 당해 공무원이 제기한 원래의 직위해제처분의 취소를 구하는 소송은 소의 이익이 있다. (○, ×) 2014 사회복지직 9급

1. ○ 2. ×

① 정답률 73% ×

부당해고구제신청에 관한 중앙노동위원회의 명령 또는 결정의 취소를 구하는 소송에서 그 명령 또는 결정이 적법한지는 그 명령 또는 결정이 이루어진 시점을 기준으로 판단하여야 하고, 그 명령 또는 결정 후에 생긴 사유를 들어 적법 여부를 판단할 수는 없다(대판 2021. 7. 29, 2016두64876).

② **빈출** 정답률 9% ○

행정소송에서 쟁송의 대상이 되는 행정처분의 존부는 소송요건으로서 직권조사사항이고, 자백의 대상이 될 수 없는 것이므로, 설사 그 존재를 당사자들이 다투지 아니한다 하더라도 그 존부에 관하여 의심이 있는 경우에는 이를 직권으로 밝혀 보아야 한다(대판 2004. 12. 24, 2003두15195).

③ 정답률 7% 제36강 참조 ○

행정청이 공무원에 대하여 새로운 직위해제사유에 기한 직위해제처분을 한 경우, 그 이전에 한 직위해제처분의 취소를 구할 소의 이익이 없다.

행정청이 공무원에 대하여 새로운 직위해제사유에 기한 직위해제처분을 한 경우 그 이전에 한 직위해제처분은 이를 묵시적으로 철회하였다고 봄이 상당하므로, 그 이전 처분의 취소를 구하는 부분은 존재하지 않는 행정처분을 대상으로 한 것으로서 그 소의 이익이 없어 부적법하다(대판 2003. 10. 10, 2003두5945).

④ 정답률 9% 제36강 참조 ○

소송계속 중 처분청이 다툼의 대상이 되는 행정처분을 직권으로 취소하면 그 처분은 효력을 상실하여 더 이상 존재하지 않는 것이므로, 존재하지 않는 처분을 대상으로 한 항고소송은 원칙적으로 소의 이익이 소멸하여 부적법하다고 보아야 한다. 다만 처분청의 직권취소에도 완전한 원상회복이 이루어지지 않아 무효확인 또는 취소로써 회복할 수 있는 다른 권리나 이익이 남아 있거나 또는 동일한 소송당사자 사이에서 그 행정처분과 동일한 사유로 위법한 처분이 반복될 위험성이 있어 행정처분의 위법성 확인 내지 불분명한 법률문제에 대한 해명이 필요한 경우 행정의 적법성 확보와 그에 대한 사법통제, 국민의 권리구제의 확대 등의 측면에서 예외적으로 그 처분의 취소를 구할 소의 이익을 인정할 수 있다(대판 2020. 4. 9, 2019두49953).

정답 14 ①

15 빈출 중 2012 세무사

행정소송상 심리판단의 기준시에 관한 설명으로 (   ) 안에 알맞은 것을 순서대로 나열한 것은? (다툼이 있는 경우에는 판례에 의함)

> □□□ • 과세처분 무효확인소송의 위법성은 (   )를 기준으로 판단한다.
> □□□ • 사정판결을 함에 있어 처분 등을 취소함이 현저히 공공복리에 적합하지 아니한지 여부는 (   )를 기준으로 판단한다.

① 판결시, 처분시　② 판결시, 판결시
③ 판결시, 행위시　④ 처분시, 판결시
⑤ 처분시, 처분시

④ 취소소송, 무효등확인소송에서 처분의 위법성 판단기준시점은 처분시이다. 한편 사정판결의 경우 처분의 위법성 판단기준시점은 처분시이지만, 공공복리를 위한 사정판결의 필요성은 판결시를 기준으로 한다.

관련기출

④
1. 사정판결의 필요 여부에 관한 판단시점은 처분시이다. (O, ×) 2009 세무사

1. ×

정답 15 ④

02 취소소송의 판결 등

기 889~909쪽 핵 T 73

❶ 취소소송 판결의 종류

대표

16 중 2022 서울시 지적 7급

행정소송법상 사정판결에 대한 설명으로 가장 옳지 않은 것은? (다툼이 있는 경우 판례에 의함)

□□□ ① 사정판결의 필요성 판단기준시는 판결시점인 변론종결시이며, 법원은 원고의 청구를 기각하면서 그 판결의 주문에서 그 처분이 위법함을 명시하여야 한다.

□□□ ② 취소소송은 물론 당연무효의 행정처분을 소송목적물로 하는 행정소송에서도 사정판결을 할 수 있다.

□□□ ③ 사정판결은 극히 예외적인 제도이므로 위법한 행정처분을 취소하여야 할 필요와 그 취소로 발생할 수 있는 공공복리에 반하는 사태 등을 비교 · 교량하여 엄격하게 판단하여야 한다.

□□□ ④ 법원이 사정판결을 함에 있어서 미리 원고가 그로 인하여 입게 될 손해의 정도와 배상방법, 그 밖의 사정을 조사하여야 한다.

관련기출

①④

1. 법원은 사정판결을 하기 전에 원고가 그로 인하여 입게 될 손해의 정도와 배상방법, 그 밖의 사정을 조사하여야 한다. (O, ×) 2020 소방직 9급
2. 사정판결을 하는 경우 법원은 처분의 위법함을 판결의 주문에 표기할 수 없으므로 판결의 내용에서 그 처분 등이 위법함을 명시함으로써 원고에 대한 실질적 구제가 이루어지도록 하여야 한다. (O, ×) 2020 소방직 9급
3. 원고의 청구가 이유가 있다고 인정하는 경우에도 처분 등을 취소하는 것이 현저히 공공복리에 적합하지 아니하다고 인정하는 때에는 법원은 원고의 청구를 각하할 수 있다. (O, ×) 2017 경행경채
4. 사정판결을 함에 있어서는 그 판결의 주문에서 그 처분 등이 위법함을 명시하여야 한다. (O, ×) 2016 서울시 9급
5. 사정판결을 하는 경우 법원은 주문에 그 처분이 위법함을 명시하여야 하는데 그 위법성에 대하여 기판력이 발생한다. (O, ×) 2008 국회직 8급

🔒 1. O 2. × 3. × 4. O 5. O

②

1. 사정판결은 항고소송 중 취소소송 및 무효등확인소송에서 인정되는 판결의 종류이다. (O, ×) 2021 지방직 · 서울시 9급
2. 무효인 행정행위에 대해서는 사정판결을 할 수 있다. (O, ×) 2018 교육행정직 9급
3. 원고의 청구가 이유 있다고 인정하는 경우에도 처분의 무효를 확인하는 것이 현저히 공공복리에 적합하지 아니하다고 인정하는 때에는 법원은 청구를 기각할 수 있다. (O, ×) 2017 지방직 7급
4. 당연무효의 행정처분을 소송목적물로 하는 행정소송에서는 사정판결을 할 수 없다. (O, ×) 2015 서울시 7급
5. 당연무효의 행정처분을 대상으로 하는 행정소송에서도 사정판결을 할 수 있다. (O, ×) 2015 국가직 9급

🔒 1. × 2. × 3. × 4. O 5. ×

①④ **빈출** O

취소소송에서 위법성은 처분시를 기준으로 판단한다고 함이 통설 · 판례의 입장이므로, 사정판결에서도 처분의 '위법성' 판단의 기준시는 처분시가 된다. 그러나 사정판결은 처분시에는 위법하였으나 사후의 변화된 사정을 고려하는 제도이기 때문에 사정판결의 '필요성' 판단은 사정판결제도의 취지에 비추어 처분의 위법성 판단과는 달리 판결시(변론종결시)를 기준으로 하여야 한다. 그리고 사정판결을 하는 경우 법원은 판결의 주문에서 그 처분 등이 위법함을 명시하여야 하며, 그 처분 등의 위법성에 대하여 기판력이 발생한다.

> **행정소송법 제28조【사정판결】** ① 원고의 청구가 이유 있다고 인정하는 경우에도 처분 등을 취소하는 것이 현저히 공공복리에 적합하지 아니하다고 인정하는 때에는 법원은 원고의 청구를 기각할 수 있다. 이 경우 법원은 그 판결의 주문에서 그 처분 등이 위법함을 명시하여야 한다(①).
> ② 법원이 제1항의 규정에 의한 판결을 함에 있어서는 미리 원고가 그로 인하여 입게 될 손해의 정도와 배상방법 그 밖의 사정을 조사하여야 한다(④).
> ③ 원고는 피고인 행정청이 속하는 국가 또는 공공단체를 상대로 손해배상, 제해시설의 설치 그 밖에 적당한 구제방법의 청구를 당해 취소소송 등이 계속된 법원에 병합하여 제기할 수 있다.
>
> **행정소송규칙 제14조【사정판결】** 법원이 법 제28조제1항에 따른 판결을 할 때 그 처분 등을 취소하는 것이 현저히 공공복리에 적합하지 아니한지 여부는 사실심변론을 종결할 때를 기준으로 판단한다.

② **빈출** ×

무효확인소송에는 사정판결이 허용되지 않는다.

> 무효확인소송에서는 사정판결을 할 수 없다.
> 당연무효의 행정처분을 소송목적물로 하는 행정소송에서는 존치시킬 효력이 있는 행정행위가 없기 때문에 행정소송법제28조 소정의 사정판결을 할 수 없다(대판 1996. 3. 22, 95누5509).

> **행정소송법 제38조【준용규정】** ① 제9조, 제10조, 제13조 내지 제17조, 제19조, 제22조 내지 제26조, 제29조 내지 제31조 및 제33조의 규정은 무효등확인소송의 경우에 준용한다(편저자 주 : 제28조가 준용되지 않음).
> ② 제9조, 제10조, 제13조 내지 제19조, 제20조, 제25조 내지 제27조, 제29조 내지 제31조, 제33조 및 제34조의 규정은 부작위위법확인소송의 경우에 준용한다(편저자 주 : 제28조가 준용되지 않음)..
>
> **제44조【준용규정】** ① 제14조 내지 제17조, 제22조, 제25조, 제26조, 제30조 제1항, 제32조 및 제33조의 규정은 당사자소송의 경우에 준용한다(편저자 주 : 제28조가 준용되지 않음).

③ O

> 행정소송법 제28조에서 정한 사정판결은 행정처분이 위법함에도 불구하고 이를 취소 · 변경하게 되면 그것이 도리어 현저히 공공의 복리에 적합하지 않은 경우에 극히 예외적으로 할 수 있으므로, 그 요건에 해당하는지는 위법 · 부당한 행정처분을 취소 · 변경하여야 할 필요와 취소 · 변경으로 발생할 수 있는 공공복리에 반하는 사태 등을 비교 · 교량하여 엄격하게 판단하여야 한다(대판 2016. 7. 14, 2015두4167).

정답 16 ②

17 정답률 81% 중 2021 지방직 · 서울시 9급

사정판결에 대한 설명으로 옳지 않은 것은? (다툼이 있는 경우 판례에 의함)

□□□ ① 사정판결은 본안심리 결과 원고의 청구가 이유 있다고 인정됨에도 불구하고 처분을 취소하는 것이 현저히 공공복리에 적합하지 아니하다고 인정하는 때 원고의 청구를 기각하는 판결을 말한다.

□□□ ② 사정판결은 항고소송 중 취소소송 및 무효등확인소송에서 인정되는 판결의 종류이다.

□□□ ③ 법원이 사정판결을 함에 있어서는 미리 원고가 그로 인하여 입게 될 손해의 정도와 배상방법 그 밖의 사정을 조사하여야 한다.

□□□ ④ 원고는 피고인 행정청이 속하는 국가 또는 공공단체를 상대로 손해배상, 제해시설의 설치 그 밖에 적당한 구제방법의 청구를 당해 취소소송 등이 계속된 법원에 병합하여 제기할 수 있다.

①③④ ○

행정소송법 제28조 【사정판결】 ① 원고의 청구가 이유 있다고 인정하는 경우에도 처분 등을 취소하는 것이 현저히 공공복리에 적합하지 아니하다고 인정하는 때에는 법원은 원고의 청구를 기각할 수 있다. 이 경우 법원은 그 판결의 주문에서 그 처분 등이 위법함을 명시하여야 한다(①).
② 법원이 제1항의 규정에 의한 판결을 함에 있어서는 미리 원고가 그로 인하여 입게 될 손해의 정도와 배상방법 그 밖의 사정을 조사하여야 한다(③).
③ 원고는 피고인 행정청이 속하는 국가 또는 공공단체를 상대로 손해배상, 제해시설의 설치 그 밖에 적당한 구제방법의 청구를 당해 취소소송 등이 계속된 법원에 병합하여 제기할 수 있다(④).

② ×

사정판결은 항고소송 중 취소소송에만 허용되고 무효확인소송과 부작위위법확인소송에는 허용되지 않는다. 또한 당사자소송에도 사정판결이 허용되지 않는다.

정답 17 ②

18 정답률 36% 상 2019 서울시 9급

행정소송에 있어서 일부취소판결의 허용 여부에 대한 판례의 입장으로 가장 옳은 것은? (다툼이 있는 경우 판례에 따름)

□□□ ① 재량행위의 성격을 갖는 과징금 부과처분이 법이 정한 한도액을 초과하여 위법한 경우에는 법원으로서는 그 한도액을 초과한 부분만을 취소할 수 있다.

□□□ ② 「독점규제 및 공정거래에 관한 법률」을 위반한 광고행위와 표시행위를 하였다는 이유로 공정거래위원회가 사업자에 대하여 법위반사실공표명령을 행한 경우, 표시행위에 대한 법위반사실이 인정되지 아니한다면 법원으로서는 그 부분에 대한 공표명령의 효력만을 취소할 수 있을 뿐, 공표명령 전부를 취소할 수 있는 것은 아니다.

□□□ ③ 개발부담금 부과처분에 대한 취소소송에서 당사자가 제출한 자료에 의하여 정당한 부과금액을 산출할 수 없는 경우에도 법원은 증거조사를 통하여 정당한 부과금액을 산출한 후 정당한 부과금액을 초과하는 부분만을 취소하여야 한다.

□□□ ④ 「독점규제 및 공정거래에 관한 법률」을 위반한 수개의 행위에 대하여 공정거래위원회가 하나의 과징금 부과처분을 하였으나 수개의 위반행위 중 일부의 위반행위에 대한 과징금 부과만이 위법하고, 그 일부의 위반행위를 기초로 한 과징금액을 산정할 수 있는 자료가 있는 경우에도 법원은 과징금 부과처분 전부를 취소하여야 한다.

① ×

재량행위인 과징금 부과처분이 법이 정한 한도액을 초과하여 위법할 경우 법원으로서는 그 전부를 취소할 수밖에 없고, 그 한도액을 초과한 부분이나 법원이 적정하다고 인정되는 부분을 초과한 부분만을 취소할 수 없다(대판 1998. 4. 10, 98두2270).

② ○

공정거래위원회의 법위반사실공표명령이 하나의 조항으로 이루어졌으나 그 대상이 된 사업자의 **광고행위**와 **표시행위**로 인한 각 법위반사실이 별개로 특정될 수 있는 경우, 그중 하나의 법위반사실이 인정되지 않는다고 하여 법위반사실공표명령 전부를 취소할 수는 없다(일부취소를 하여야 한다).

외형상 하나의 행정처분이라 하더라도 가분성이 있거나 그 처분대상의 일부가 특정될 수 있다면 일부만의 취소도 가능하고 그 일부의 취소는 당해 취소부분에 관하여만 효력이 생기는 것인바, 공정거래위원회가 사업자에 대하여 행한 법위반사실공표명령은 비록 하나의 조항으로 이루어진 것이라고 하여도 그 대상이 된 사업자의 광고행위와 표시행위로 인한 각 법위반사실은 별개로 특정될 수 있어 위 각 법위반사실에 대한 독립적인 공표명령이 경합된 것으로 보아야 할 것이므로, 이 중 표시행위에 대한 법위반사실이 인정되지 아니하는 경우에 그 부분에 대한 공표명령의 효력만을 취소할 수 있을 뿐, 공표명령 전부를 취소할 수 있는 것은 아니다(대판 2000. 12. 12, 99두12243).

③ ×

개발부담금 부과처분 취소소송에 있어 당사자가 제출한 자료에 의하여 적법하게 부과될 정당한 부과금액이 산출할 수 없을 경우에는 부과처분 전부를 취소할 수밖에 없으나, 그렇지 않은 경우에는 그 정당한 금액을 초과하는 부분만 취소하여야 한다(대판 2004. 7. 22, 2002두868).

④ ×

1. 공정거래위원회가 부당한 공동행위에 대한 과징금을 부과함에 있어 **여러 개의 위반행위**에 대하여 하나의 과징금 납부명령을 하였으나 여러 개의 위반행위 중 일부의 위반행위에 대한 과징금 부과만이 위법하고 소송상 그 일부의 위반행위를 기초로 한 과징금액을 산정할 수 있는 자료가 있는 경우에는, 하나의 과징금 납부명령일지라도 그 일부의 위반행위에 대한 과징금액에 해당하는 부분만을 취소하여야 한다(대판 2009. 10. 29, 2009두11218).
2. 수개의 위반행위에 대하여 하나의 과징금 납부명령을 하였는데 수개의 위반행위 중 일부의 위반행위만이 위법하나 소송상 그 일부의 위반행위를 기초로 한 과징금액을 산정할 수 있는 자료가 없는 경우에는 하나의 과징금 납부명령 전부를 취소할 수밖에 없다(대판 2004. 10. 14, 2001두2881).

정답 18 ②

19 중

2017 경행경채

행정소송법상 사정판결에 대한 설명으로 가장 적절하지 않은 것은? (다툼이 있는 경우 판례에 의함)

① 법원은 당사자의 명백한 주장이 없는 경우에도 일건 기록에 나타난 사실을 기초로 하여 직권으로 사정판결을 할 수 있다.

② 법원이 사정판결을 함에 있어서는 미리 원고가 그로 인하여 입게 될 손해의 정도와 배상방법 그 밖의 사정을 조사하여야 한다.

③ 원고의 청구가 이유가 있다고 인정하는 경우에도 처분 등을 취소하는 것이 현저히 공공복리에 적합하지 아니하다고 인정하는 때에는 법원은 원고의 청구를 각하할 수 있다.

④ 사정판결시 법원은 그 판결의 주문에서 그 처분 등이 위법함을 명시하여야 한다.

관련기출

①

1. 원고의 청구가 이유 있다고 인정하는 경우에도 이를 인용하는 것이 현저히 공공복리에 적합하지 않다고 판단되면 법원은 피고 행정청의 주장이나 신청이 없더라도 사정판결을 할 수 있다. (○, ×) 2022 지방직·서울시 9급
2. 당사자의 명백한 주장이 없는 경우에도 직권으로 사정판결을 할 수 있다. (○, ×) 2015 국가직 9급
3. 판례는 직권으로 사정판결을 할 수 있다는 입장이다. (○, ×) 2014 서울시 7급
4. 당사자의 명백한 주장이 없는 경우에는 기록에 나타난 여러 사정을 기초로 법원이 직권으로 사정판결을 할 수 없다. (○, ×) 2013 지방직(하) 7급

1. ○ 2. ○ 3. ○ 4. ×

③

1. 원고의 청구가 이유가 있다고 인정하는 경우에도, 즉 처분 등이 위법한 경우에도 처분 등을 취소하는 것이 현저히 공공복리에 적합하지 아니하다고 인정하는 때에는 법원은 원고의 청구를 각하할 수 있다. (○, ×) 2014 서울시 7급

1. ×

① **빈출** ○

법원은 직권으로 사정판결을 할 수 있다.
사정판결을 할 필요가 있다고 인정하는 때에는 당사자의 명백한 주장이 없는 경우에도 일건 기록에 나타난 사실을 기초로 하여 직권으로 사정판결을 할 수 있다(대판 1995. 7. 28, 95누4629).

②④ ○

③ ×

사정판결은 원고의 청구를 기각하는 것이지 각하하는 것이 아니다(③).

행정소송법 제28조【사정판결】 ① 원고의 청구가 이유 있다고 인정하는 경우에도 처분 등을 취소하는 것이 현저히 공공복리에 적합하지 아니하다고 인정하는 때에는 법원은 원고의 청구를 **기각**할 수 있다(③). 이 경우 법원은 그 판결의 주문에서 그 처분 등이 위법함을 명시하여야 한다(④).
② 법원이 제1항의 규정에 의한 판결을 함에 있어서는 미리 원고가 그로 인하여 입게 될 손해의 정도와 배상방법 그 밖의 사정을 조사하여야 한다(②).
③ 원고는 피고인 행정청이 속하는 국가 또는 공공단체를 상대로 손해배상, 제해시설의 설치, 그 밖에 적당한 구제방법의 청구를 당해 취소소송 등이 계속된 법원에 병합하여 제기할 수 있다.

정답 19 ③

20 정답률 63% 중 2016 국가직 9급

행정소송에 대한 설명으로 옳지 않은 것은? (다툼이 있는 경우 판례에 의함)

□□□ ① 재량행위의 경우 법원은 독자의 결론을 도출함이 없이 당해 행위에 재량권의 일탈·남용이 있는지의 여부만을 심사한다.

□□□ ② 사정판결을 하는 경우 처분의 위법성은 변론종결시를 기준으로 판단하여야 한다.

□□□ ③ 조례가 집행행위의 개입 없이도 그 자체로서 직접 국민의 구체적인 권리·의무나 법적 이익에 영향을 미치는 경우에는 항고소송의 대상이 된다.

□□□ ④ 취소소송의 기각판결이 확정되면 기판력은 발생하나 기속력은 발생하지 않는다.

① ○

> 기속행위의 경우 법원이 일정한 결론을 도출한 후 그 결론에 비추어 행정청이 한 판단의 적법 여부를 독자의 입장에서 판정하는 방식에 의한다. 재량행위의 경우 법원은 독자의 결론을 도출함이 없이 당해 행위에 재량권의 일탈·남용이 있는지 여부만을 심사하게 된다(대판 2001. 2. 9, 98두17593).

② **빈출** ×

취소소송에서 위법성은 처분시를 기준으로 판단한다고 함이 통설·판례의 입장이므로, 사정판결에서도 처분의 위법성 판단의 기준시는 처분시가 된다. 그러나 사정판결의 필요성 판단은 처분의 위법성 판단과는 달리 판결시(변론종결시)를 기준으로 하여야 한다. 양자를 구별하기 바란다.

> **행정소송규칙 제14조【사정판결】** 법원이 법 제28조제1항에 따른 판결을 할 때 그 처분 등을 취소하는 것이 현저히 공공복리에 적합하지 아니한지 여부는 사실심변론을 종결할 때를 기준으로 판단한다.

③ ○

조례가 집행행위의 개입 없이도 그 자체로서 직접 국민의 구체적인 권리·의무나 법적 이익에 영향을 미치는 등의 법률상 효과를 발생하는 경우 그 조례는 항고소송의 대상이 되는 행정처분에 해당한다는 것이 판례의 입장이다(대판 1996. 9. 20, 95누8003).

④ **빈출** ○

기판력은 인용판결뿐만 아니라 청구기각의 판결에도 인정된다. 반면에 기속력은 청구인용판결의 경우에만 인정되며 청구기각판결에는 인정되지 않는다.

21 빈출 중 2013 서울시 7급

다음 중 행정소송의 판결에 대한 설명으로 옳은 것은?

□□□ ① 기각판결은 소송요건의 불비를 이유로 본안의 심리를 거부하는 판결이다.

□□□ ② 사정판결은 처분이 위법함에도 청구가 기각되는 것으로, 이로 인하여 당해 처분은 위법성이 치유되어 적법하게 된다.

□□□ ③ 사정판결은 무효등확인소송에도 적용된다.

□□□ ④ 사정판결에서의 소송비용은 패소한 원고가 부담한다.

□□□ ⑤ 사정판결의 경우 법원은 판결의 주문에 당해 처분이 위법함을 명시하여야 한다.

① ×

소송요건의 불비를 이유로 본안의 심리를 거부하는 판결은 각하판결이다. 기각판결은 소송요건을 갖추었으나 원고의 주장이 이유 없다고(위법하다는 주장이 이유 없으므로 처분은 적법하다는 의미이다) 인정하는 경우에 행하는 판결이다.

② ×

사정판결은 처분이 위법함에도 공공복리를 위해 원고의 청구를 기각하는 판결로서 사정판결이 행해진 경우에도 처분의 위법성은 치유되지 않고 여전히 존재한다. 따라서 원고는 손해배상청구를 할 수는 있다.

③ ×

무효등확인소송과 부작위위법확인소송에는 사정판결이 허용되지 않는다. 또한 당사자소송에도 사정판결이 허용되지 않는다.

④ ×

일반적인 경우와 달리 승소한 피고가 부담한다.

> **행정소송법 제32조【소송비용의 부담】** 취소청구가 제28조(편저자 주 : 사정판결)의 규정에 의하여 기각되거나 행정청이 처분 등을 취소 또는 변경함으로 인하여 청구가 각하 또는 기각된 경우에는 소송비용은 피고의 부담으로 한다.

⑤ ○

> **행정소송법 제28조【사정판결】** ① 원고의 청구가 이유 있다고 인정하는 경우에도 처분 등을 취소하는 것이 현저히 공공복리에 적합하지 아니하다고 인정하는 때에는 법원은 원고의 청구를 기각할 수 있다. 이 경우 법원은 그 판결의 주문에서 그 처분 등이 위법함을 명시하여야 한다.

정답 20 ② 21 ⑤

22 정답률 30% 중 2016 국가직 7급

사정판결에 대한 설명으로 옳지 않은 것은? (다툼이 있는 경우 판례에 의함)

□□□ ① 사정판결을 하는 경우 법원은 원고의 청구를 기각하는 판결을 하게 되나, 소송비용은 피고의 부담으로 한다.

□□□ ② 처분의 위법 여부는 처분시를 기준으로, 처분을 취소하는 것이 현저히 공공복리에 적합하지 아니한지 여부는 변론종결시를 기준으로 판단하여야 한다.

□□□ ③ 사정판결이 확정되면 사정판결의 대상이 된 행정처분이 위법하다는 점에 대하여 기판력이 발생한다.

□□□ ④ 원고는 처분을 한 행정청을 상대로 손해배상, 제해시설의 설치 그 밖에 적당한 구제방법의 청구를 당해 취소소송이 계속된 법원에 병합하여 제기할 수 있다.

① **빈출** ○

> **행정소송법 제28조【사정판결】** ① 원고의 청구가 이유 있다고 인정하는 경우에도 처분 등을 취소하는 것이 현저히 공공복리에 적합하지 아니하다고 인정하는 때에는 법원은 원고의 청구를 기각할 수 있다. 이 경우 법원은 그 판결의 주문에서 그 처분 등이 위법함을 명시하여야 한다.
>
> **제32조【소송비용의 부담】** 취소청구가 제28조(편저자주 : 사정판결)의 규정에 의하여 기각되거나 행정청이 처분 등을 취소 또는 변경함으로 인하여 청구가 각하 또는 기각된 경우에는 소송비용은 피고의 부담으로 한다.

② ○

취소소송에서 위법성은 처분시를 기준으로 판단한다고 함이 통설 · 판례의 입장이므로, 사정판결에서도 처분의 위법성 판단의 기준시는 처분시가 된다. 그러나 사정판결의 필요성 판단, 즉 처분을 취소하는 것이 현저히 공공복리에 적합하지 아니한지 여부는 사정판결제도의 취지에 비추어 처분의 위법성 판단과는 달리 판결시(변론종결시)를 기준으로 하여야 한다.

> **행정소송규칙 제14조【사정판결】** 법원이 법 제28조제1항에 따른 판결을 할 때 그 처분 등을 취소하는 것이 현저히 공공복리에 적합하지 아니한지 여부는 사실심변론을 종결할 때를 기준으로 판단한다.

③ ○

사정판결을 하는 경우 법원은 판결의 주문에서 그 처분 등이 위법함을 명시하여야 하며, 판결의 주문에는 기판력이 발생하므로 그 처분 등의 위법성에 대하여는 기판력이 발생한다.

④ ×

행정청이 아니라 행정청이 속하는 국가 또는 공공단체를 상대로 제기할 수 있다.

> **행정소송법 제28조【사정판결】** ③ 원고는 피고인 행정청이 속하는 국가 또는 공공단체를 상대로 손해배상, 제해시설의 설치 그 밖에 적당한 구제방법의 청구를 당해 취소소송 등이 계속된 법원에 병합하여 제기할 수 있다.

정답 22 ④

② 취소소송 판결의 효력

23 정답률 81% 중 2024 군무원 9급

다음 중 행정소송 판결의 형성력과 기속력에 대한 설명으로 가장 적절한 것은? (다툼이 있는 경우 판례에 의함)

□□□ ① 구 「도시 및 주거환경정비법」상 주택재개발사업조합의 조합설립인가처분이 법원의 재판에 의하여 취소된 경우 그 조합설립인가처분은 소급하여 효력을 상실하지 않는다.

□□□ ② 취소소송에서 처분 등을 취소하는 확정판결의 기속력은 주로 판결의 실효성 확보를 위하여 인정되는 효력으로서 판결의 주문 외에 그 전제가 되는 처분 등의 구체적 위법사유에 관한 이유 중의 판단에 대하여는 인정되지 않는다.

□□□ ③ 징계처분의 취소를 구하는 소에서 징계사유가 될 수 없다고 판결한 사유와 동일한 사유를 내세워 행정청이 다시 징계처분을 한 것은 확정판결에 저촉되지 않는 행정처분을 한 것으로서 허용될 수 있다.

□□□ ④ 행정처분을 취소한다는 확정판결이 있으면 그 취소판결의 형성력에 의하여 당해 행정처분의 취소나 취소통지 등의 별도의 절차를 요하지 아니하고 당연히 취소의 효과가 발생한다.

관련기출

②

1. 취소판결의 기속력은 주로 판결의 실효성 확보를 위하여 인정되는 효력으로서 판결의 주문뿐만 아니라 그 전제가 되는 처분 등의 구체적 위법사유에 관한 이유 중의 판단에 대하여도 인정된다. (○, ×) 2020 국가직 9급
2. 기속력의 객관적 범위는 판결의 주문과 판결이유 중에 설시된 개개의 위법사유 및 간접사실이다. (○, ×) 2020 국회직 8급
3. 점용허가취소처분을 취소하는 확정판결의 기속력은 판결의 주문에 미치는 것으로 그 전제가 되는 처분 등의 구체적 위법사유에 관한 이유 중의 판단에 대해서는 인정되지 않는다. (○, ×) 2018 지방직 9급

1. ○ 2. × 3. ×

③

1. 징계처분의 취소를 구하는 소에서 징계사유가 될 수 없다고 취소확정판결을 한 사유와 동일한 사유를 내세워 다시 징계처분을 하는 것은 확정판결에 저촉되는 행정처분으로 허용될 수 없다. (○, ×) 2017 국회직 8급

1. ○

④

1. 영업정지처분에 대한 취소소송에서 취소판결이 확정되면 처분청은 영업정지처분의 효력을 소멸시키기 위하여 영업정지처분을 취소하는 처분을 하여야 할 의무를 진다. (○, ×) 2022 지방직 · 서울시 9급
2. 행정처분을 취소한다는 확정판결이 있으면 그 취소판결의 형성력에 의하여 당해 행정처분의 취소나 취소통지 등의 별도의 절차를 요하지 아니하고 당연히 취소의 효과가 발생한다. (○, ×) 2015 경행특채 1차

1. × 2. ○

① 정답률 5% ×

「도시 및 주거환경정비법」(이하 '도시정비법'이라고 한다)상 주택재개발사업조합의 조합설립인가처분이 법원의 재판에 의하여 취소된 경우 그 조합설립인가처분은 소급하여 효력을 상실하고, 이에 따라 당해 주택재개발사업조합 역시 조합설립인가처분 당시로 소급하여 도시정비법상 주택재개발사업을 시행할 수 있는 행정주체인 공법인으로서의 지위를 상실하므로, 당해 주택재개발사업조합이 조합설립인가처분 취소 전에 도시정비법상 적법한 행정주체 또는 사업시행자로서 한 결의 등 처분은 달리 특별한 사정이 없는 한 소급하여 효력을 상실한다고 보아야 한다(대판 2012. 3. 29, 2008다95885).

② **빈출** 정답률 7% ×

기속력은 판결의 주문과 주문의 전제가 되는 처분 등의 구체적 위법사유에 관한 이유 중의 판단에도 미친다는 점에서, 기판력이 판결의 주문에만 미치는 것과 구별된다.

취소소송에서 처분 등을 취소하는 확정판결의 기속력은 주로 판결의 실효성 확보를 위하여 인정되는 효력으로서 판결의 주문뿐만 아니라 그 전제가 되는 처분 등의 구체적 위법사유에 관한 이유 중의 판단에 대하여도 인정된다(대판 2001. 3. 23, 99두5238).

③ 정답률 6% ×

판결의 기속력에 의해 처분의 취소확정판결이 있은 후, 행정청은 동일한 사실관계 아래에서 동일한 당사자에 대하여 동일한 내용의 처분 등을 반복해서는 안 된다(반복금지의무). 징계처분에 대한 취소소송에서 법원이 징계사유가 될 수 없다고 징계처분에 대한 취소확정판결을 하였음에도 동일한 이유를 들어 징계처분을 하는 것은 판결의 기속력에 저촉된다.

징계처분의 취소를 구하는 소에서 징계사유가 될 수 없다고 판결한 사유와 동일한 사유를 내세워 행정청이 다시 징계처분을 한 것은 확정판결에 저촉되는 행정처분을 한 것으로서, 위 취소판결의 기속력이나 확정판결의 기판력에 저촉되어 허용될 수 없다(대판 1992. 7. 14, 92누2912).

④ **빈출** 정답률 81% ○

행정처분취소 확정판결은 **형성력**이 있으므로 행정청의 별도 취소절차 없이도 처분의 효력은 소멸한다.

행정처분을 취소한다는 확정판결이 있으면 그 취소판결의 형성력에 의하여 당해 행정처분의 취소나 취소통지 등의 별도의 절차를 요하지 아니하고 당연히 취소의 효과가 발생한다고 할 것이고 별도로 취소의 절차를 취할 필요는 없을 것이다(대판 1991. 10. 11, 90누5443).

정답 23 ④

24 상

2023 서울시 지적 7급

행정소송상 간접강제에 대한 설명으로 가장 옳은 것은? (다툼이 있는 경우 판례에 따름)

① 거부처분에 대해 무효확인소송을 제기하여 무효확인판결이 확정된 경우, 행정청에 판결의 취지에 따른 재처분의무가 인정될 뿐 간접강제는 허용되지 않는다.

② 간접강제결정에서 정한 의무이행기한이 경과하였다면 그 이후 확정판결의 취지에 따른 재처분의 이행이 있더라도 처분의 상대방은 간접강제결정에 기한 배상금을 추심할 수 있다.

③ 거부처분을 취소하는 판결이 확정된 후 행정청이 일단 재처분을 하였다면 설령 그 재처분이 기속력에 위반되는 내용일지라도 재처분을 이행한 것이므로 간접강제의 대상이 되지는 않는다.

④ 주택건설사업승인신청 거부처분의 취소를 명하는 판결이 확정되었음에도 행정청이 그에 따른 재처분을 하지 않은 채 위 취소소송계속 중에 도시계획법령이 개정되었다는 이유를 들어 다시 거부처분을 한 사안에서, 개정된 법령에 종전 규정에 따른다는 경과규정이 있더라도 개정된 법령을 적용하여 다시 거부처분을 할 수 있고 그 거부처분은 종전 거부처분 취소판결의 기속력에 저촉되지 않으므로 간접강제가 허용되지 않는다.

관련기출

①

1. 취소 확정판결의 기속력에 대한 규정은 무효확인판결에도 준용되므로, 무효확인판결의 취지에 따른 처분을 하지 아니할 때에는 1심 수소법원은 간접강제결정을 할 수 있다. (○, ×) 2021 국가직 7급
2. 거부처분의 무효확인판결에 따른 재처분의무를 이행하지 않는 경우에는 법원은 간접강제결정을 할 수 있다. (○, ×) 2021 국회직 8급
3. 거부처분에 대하여 무효확인판결이 확정된 경우, 행정청에 대해 판결의 취지에 따른 재처분의무가 인정될 뿐 그에 대하여 간접강제까지 허용되는 것은 아니다. (○, ×) 2019 지방직·교육행정직 9급
4. 거부처분에 대해서 무효확인판결이 내려진 경우에는 당해 행정청에 판결의 취지에 따른 재처분의무가 인정됨은 물론 간접강제도 허용된다. (○, ×) 2017 국회직 8급

1. × 2. × 3. ○ 4. ×

②

1. 특별한 사정이 없는 한 간접강제결정에서 정한 의무이행기한이 경과한 후에라도 확정판결의 취지에 따른 재처분의 이행이 있으면 더 이상 배상금의 추심은 허용되지 않는다. (○, ×) 2021 국가직 7급
2. 간접강제결정에서 정한 의무이행기한이 경과한 후에라도 확정판결의 취지에 따른 재처분의 이행이 있으면 처분 상대방이 더 이상 배상금을 추심하는 것은 특별한 사정이 없는 한 허용되지 않는다. (○, ×) 2016 국가직 7급
3. 간접강제결정에 기한 배상금은 확정판결에 따른 재처분의 지연에 대한 제재 또는 손해배상이라는 것이 판례의 입장이다. (○, ×) 2013 국가직 7급

1. ○ 2. ○ 3. ×

① **빈출** ○

무효확인소송에서는 취소소송의 재처분의무에 관한 규정은 준용되나 간접강제에 관한 규정은 준용되지 않는다. 따라서 거부처분에 대한 무효확인판결이 내려진 경우 재처분의무는 인정되지만 간접강제는 허용되지 않는다.

> 행정소송법에는 간접강제를 준용한다는 규정이 없으므로 무효확인소송에는 간접강제가 인정되지 않는다.
>
> 행정소송법 제38조 제1항이 무효확인판결에 관해 취소판결에 관한 규정을 준용함에 있어서 같은 법 제30조 제2항을 준용한다고 규정하면서도 같은 법 제34조는 이를 준용한다는 규정을 두지 않고 있으므로, 행정처분에 대하여 무효확인판결이 내려진 경우에는 그 행정처분이 거부처분인 경우에도 행정청에 판결의 취지에 따른 재처분의무가 인정될 뿐 그에 대하여 간접강제까지 허용되는 것은 아니다(대결 1998. 12. 24, 98무37).

② **빈출** ×

> 1. 행정소송법 제34조 소정의 간접강제결정에 기한 배상금의 성질은 확정판결의 취지에 따른 재처분의 지연에 대한 제재나 손해배상이 아니고 재처분의 이행에 관한 심리적 강제수단에 불과한 것으로 보아야 한다.
> 2. 확정판결의 취지에 따른 재처분이 간접강제결정에서 정한 의무이행기한이 경과한 후에 이루어진 경우, 간접강제결정에 기한 배상금의 추심은 허용되지 않는다(대판 2004. 1. 15, 2002두2444).

③④ **빈출** ×

> 1. 거부처분에 대한 취소의 확정판결이 있음에도 행정청이 아무런 재처분을 하지 아니하거나, 재처분을 하였다 하더라도 그것이 종전 거부처분에 대한 취소의 확정판결의 기속력에 반하는 등 당연무효라면 이는 아무런 재처분을 하지 아니한 때와 마찬가지이므로, 이러한 경우에는 행정소송법 제30조 제2항, 제34조 제1항 등에 의한 간접강제신청에 필요한 요건을 갖춘 것으로 보아야 한다(③).
> 2. 주택건설사업 승인신청 거부처분의 취소를 명하는 판결이 확정되었음에도 행정청이 그에 따른 재처분을 하지 않은 채 위 취소소송계속 중에 도시계획법령이 개정되었다는 이유를 들어 다시 거부처분을 한 사안에서, 개정된 도시계획법령에 그 시행 당시 이미 개발행위허가를 신청 중인 경우에는 종전 규정에 따른다는 경과규정을 두고 있으므로 위 사업승인신청에 대하여는 종전 규정에 따른 재처분을 하여야 함에도 불구하고 개정법령을 적용하여 새로운 거부처분을 한 것은 확정된 종전 거부처분 취소판결의 기속력에 저촉되어 당연무효이다(④)(대결 2002. 12. 11, 2002무22).

정답 24 ①

25 정답률 62% 상 2023 국가직 7급

행정소송법상 취소소송의 판결의 효력에 대한 설명으로 옳지 않은 것은? (다툼이 있는 경우 판례에 의함)

□□□ ① 전소의 판결이 확정된 경우 후소의 소송물이 전소의 소송물과 동일하지 않더라도 전소의 소송물에 관한 판단이 후소의 선결문제가 되는 경우에 후소에서 전소 판결의 판단과 다른 주장을 하는 것은 기판력에 반한다.

□□□ ② 행정처분을 취소하는 확정판결이 있으면 그 취소판결 자체의 효력에 의해 그 행정처분을 기초로 하여 새로 형성된 제3자의 권리는 당연히 그 행정처분 전의 상태로 환원된다.

□□□ ③ 처분의 취소판결이 확정된 후 새로운 처분을 하는 경우, 새로운 처분의 사유가 취소된 처분의 사유와 기본적 사실관계에서 동일하지 않다면 취소된 처분과 같은 내용의 처분을 하는 것은 기속력에 반하지 않는다.

□□□ ④ 법원이 간접강제결정에서 정한 의무이행기한이 경과한 후에라도 확정판결의 취지에 따른 재처분이 행하여지면, 처분 상대방이 더 이상 배상금을 추심하는 것은 허용되지 않는다.

관련기출

②

1. 취소된 행정처분을 기초로 하여 새로 형성된 제3자의 권리가 취소판결 자체의 효력에 의해 당연히 그 행정처분 전의 상태로 환원되는 것은 아니다. (○, ×) 2020 국가직 9급

1. ○

③

1. 취소 확정판결의 기속력은 판결의 주문 및 전제가 되는 처분 등의 구체적 위법사유에 관한 판단에도 미치므로, 종전 처분이 판결에 의하여 취소되었다면 종전 처분의 처분사유와 기본적 사실관계에서 동일하지 않은 다른 사유를 들어서 새로이 동일한 내용을 처분하는 것 또한 확정판결의 기속력에 저촉된다. (○, ×) 2023 지방직 · 서울시 9급
2. 행정청은 취소판결에서 위법하다고 판단된 처분사유와 기본적 사실관계의 동일성이 없는 사유이더라도 처분시에 존재한 사유를 들어 종전의 처분과 같은 처분을 다시 할 수 없다. (○, ×) 2022 지방직 · 서울시 9급
3. 새로운 처분의 처분사유가 종전 처분의 처분사유와 기본적 사실관계에서 동일하지 않은 다른 사유에 해당하는 이상, 처분사유가 종전 처분 당시 이미 존재하고 있었고 당사자가 이를 알고 있었더라도 이를 내세워 새로이 처분을 하는 것은 확정판결의 기속력에 저촉되지 않는다. (○, ×) 2021 경행경채
4. 취소판결의 기속력은 판결의 주문 및 전제가 되는 처분 등의 구체적 위법사유에 관한 판단에도 미치나, 종전 처분이 판결에 의하여 취소되었더라도 종전 처분과 다른 사유를 들어서 새로이 처분을 하는 것은 기속력에 저촉되지 않는다. (○, ×) 2021 변호사
5. 행정처분이 판결에 의해 취소된 경우, 취소된 처분의 사유와 기본적 사실관계에서 동일성이 인정되지 않는 다른 사유를 들어 새로이 처분을 하는 것은 기속력에 반한다. (○, ×) 2020 국가직 9급

1. × 2. × 3. ○ 4. ○ 5. ×

① 정답률 26% ○

> '기판력'이란 기판력 있는 전소 판결의 소송물과 동일한 후소를 허용하지 않음과 동시에, 후소의 소송물이 전소의 소송물과 동일하지는 않더라도 **전소의 소송물에 관한 판단이 후소의 선결문제**가 되거나 모순관계에 있을 때에는 후소에서 전소 판결의 판단과 다른 주장을 하는 것을 허용하지 않는 작용을 한다(대판 2016. 3. 24, 2015두48235).

② 정답률 62% ×

취소판결은 제3자효를 가진다. 예컨대 세금을 체납한 甲에 대한 공매처분에 의해 乙이 甲의 가옥을 경매에서 낙찰받아 소유권이전등기를 마친 후에 위 공매처분을 취소하는 판결이 확정된 경우, 乙의 소유권취득의 효력은 상실되므로 甲이 乙에 대해 소유권이전등기말소청구를 하면 乙은 이를 받아들여야 한다. 그런데 취소판결이 확정되기 전 乙로부터 부동산을 매수하여 소유권이전등기까지 마친 제3자는 그 후 취소판결이 확정되면 어떻게 되는지에 관한 문제가 지문의 내용이다. 이에 대해 판례는 취소판결 자체의 효력으로써 그 행정처분을 기초로 하여 새로 형성된 제3자의 권리까지 당연히 그 행정처분 전의 상태로 환원되는 것이라고는 할 수 없고, 단지 취소판결의 존재와 취소판결에 의하여 형성되는 법률관계를 소송당사자가 아니었던 제3자라 할지라도 이를 용인하지 않으면 아니 된다는 것을 의미하는 것에 불과하다고 본다.

> 행정처분을 취소하는 확정판결이 제3자에 대하여도 효력이 있다고 하더라도 일반적으로 판결의 효력은 주문에 포함한 것에 한하여 미치는 것이니 그 취소판결 자체의 효력으로써 그 행정처분을 기초로 하여 새로 형성된 제3자의 권리까지 당연히 그 행정처분 전의 상태로 환원되는 것이라고는 할 수 없고, 단지 취소판결의 존재와 취소판결에 의하여 형성되는 법률관계를 소송당사자가 아니었던 제3자라 할지라도 이를 용인하지 않으면 아니된다는 것을 의미하는 것에 불과하다(대판 1986. 8. 19, 83다카2022).

③ **빈출** 정답률 3% ○

기속력은 판결의 주문과 이유에서 적시된 개개의 위법사유에만 미치므로 처분시에 존재한 원래의 처분과 기본적 사실관계에 동일성이 없는 다른 사유를 들어 새로운 처분을 하거나 동일한 처분을 하더라도 **기속력(반복금지의무)에 위반되지 않는다.**

> 새로운 처분의 처분사유와 종전 처분에 관하여 위법한 것으로 판결에서 판단된 사유가 기본적 사실관계에 있어 동일성이 없는 경우 새로운 처분은 종전 처분에 대한 판결의 기속력에 저촉되지 않는다.
> 종전 처분이 판결에 의하여 취소되었더라도 종전 처분과 다른 사유를 들어서 새로이 처분을 하는 것은 기속력에 저촉되지 않는다. 확정판결의 당사자인 처분 행정청은 종전 처분 후에 발생한 새로운 사유를 내세워 다시 처분을 할 수 있고, **새로운 처분의 처분사유**가 종전 처분의 처분사유와 기본적 사실관계에서 동일하지 않은 **다른 사유에 해당하는 이상**, 처분사유가 종전 처분 당시 이미 존재하고 있었고 당사자가 이를 알고 있었더라도 이를 내세워 새로이 처분을 하는 것은 확정판결의 **기속력에 저촉되지 않는다** (대판 2016. 3. 24, 2015두48235).

④ 정답률 7% ○

확정판결의 취지에 따른 재처분이 간접강제결정에서 정한 의무이행기한이 경과한 후에 이루어진 경우, 간접강제결정에 기한 배상금의 추심은 허용되지 않는다는 것이 판례의 입장이다(대판 2004. 1. 15, 2002두2444).

정답 25 ②

26 정답률 81% 중 2023 지방직 · 서울시 9급

행정소송의 판결에 대한 설명으로 옳지 않은 것은?

□□□ ① 처분 등을 취소하는 확정판결은 제3자에 대하여도 효력이 있다.

□□□ ② 취소 확정판결의 기속력은 판결의 주문 및 전제가 되는 처분 등의 구체적 위법사유에 관한 판단에도 미치므로, 종전 처분이 판결에 의하여 취소되었다면 종전 처분의 처분사유와 기본적 사실관계에서 동일하지 않은 다른 사유를 들어서 새로이 동일한 내용을 처분하는 것 또한 확정판결의 기속력에 저촉된다.

□□□ ③ 법원은 원고의 청구가 이유 있다고 인정하는 경우에도 처분 등을 취소하는 것이 현저히 공공복리에 적합하지 아니하다고 인정하는 때에는 원고의 청구를 기각할 수 있다.

□□□ ④ 과세의 절차 내지 형식에 위법이 있어 과세처분을 취소하는 판결이 확정되었을 경우 과세관청은 그 위법사유를 보완하여 다시 새로운 과세처분을 할 수 있고, 그 새로운 과세처분은 확정판결에 의하여 취소된 종전의 과세처분과는 별개의 처분이다.

관련기출

④

1. 과세의 절차 내지 형식에 위법이 있어 과세처분을 취소하는 판결이 확정되었을 때는 그 확정판결의 기판력은 거기에 적시된 절차 내지 형식의 위법사유에 한하여 미치는 것이므로 과세관청은 그 위법사유를 보완하여 다시 새로운 과세처분을 할 수 있다. (○, ×) 2024 국가직 9급

1. ○

① ○

> **행정소송법 제29조【취소판결 등의 효력】** ① 처분 등을 취소하는 확정판결은 제3자에 대하여도 효력이 있다.

② ×

기속력은 판결의 주문과 이유에서 적시된 개개의 위법사유에만 미치므로 처분시에 존재한 종전처분의 처분사유와 기본적 사실관계에 동일성이 없는 다른 사유를 들어 새로이 동일한 내용의 처분을 하더라도 기속력(반복금지의무)에 위반되지 않는다.

> 새로운 처분의 처분사유와 종전 처분에 관하여 위법한 것으로 판결에서 판단된 사유가 기본적 사실관계에 있어 동일성이 없는 경우 새로운 처분은 종전 처분에 대한 판결의 기속력에 저촉되지 않는다(대판 2016. 3. 24, 2015두48235).

③ ○

> **행정소송법 제28조【사정판결】** ① 원고의 청구가 이유있다고 인정하는 경우에도 처분 등을 취소하는 것이 현저히 공공복리에 적합하지 아니하다고 인정하는 때에는 법원은 원고의 청구를 기각할 수 있다. 이 경우 법원은 그 판결의 주문에서 그 처분 등이 위법함을 명시하여야 한다.

④ ○

> 절차상의 하자를 이유로 과세처분을 취소하는 판결이 확정된 경우, 그 위법사유를 보완하여 새로운 조세부과처분을 하는 것은 확정판결의 기속력에 위반되지 않는다.
>
> 과세의 절차 내지 형식에 위법이 있어 과세처분을 취소하는 판결이 확정되었을 때는 그 확정판결의 기판력은 거기에 적시된 절차 내지 형식의 위법사유에 한하여 미치는 것이므로 과세관청은 그 위법사유를 보완하여 다시 새로운 과세처분을 할 수 있고 그 새로운 과세처분은 확정판결에 의하여 취소된 종전의 과세 처분과는 별개의 처분이라 할 것이어서 확정판결의 기판력(편저자 주 : 기속력)에 저촉되는 것이 아니다(대판 1987. 2. 10, 86누91).

정답 26 ②

27 정답률 50% 상 2022 지방직 · 서울시 9급

다음 각 사례에 대한 설명으로 옳은 것은? (다툼이 있는 경우 판례에 의함)

- A시장으로부터 3월의 영업정지처분을 받은 숙박업자 甲은 이에 불복하여 행정쟁송을 제기하고자 한다.
- B시장으로부터 건축허가거부처분을 받은 乙은 이에 불복하여 행정쟁송을 제기하고자 한다.

□□□ ① 甲이 취소소송을 제기하면서 집행정지신청을 한 경우 법원이 집행정지결정을 하는 데 있어 甲의 본안청구의 적법 여부는 집행정지의 요건에 포함되지 않는다.

□□□ ② 甲이 2022. 1. 5. 영업정지처분을 통지받았고, 행정심판을 제기하여 2022. 3. 29. 1월의 영업정지처분으로 변경하는 재결이 있었고 그 재결서정본을 2022. 4. 2. 송달받은 경우 취소소송의 기산점은 2022. 1. 5.이다.

□□□ ③ 乙이 의무이행심판을 제기하여 처분명령재결이 있었음에도 B시장이 허가를 하지 않는 경우 행정심판위원회는 직권으로 시정을 명하고 이를 이행하지 아니하면 직접 건축허가처분을 할 수 있다.

□□□ ④ 乙이 건축허가거부처분에 대해 제기한 취소소송에서 인용판결이 확정되었으나 B시장이 기속력에 위반하여 다시 거부처분을 한 경우 乙은 간접강제신청을 할 수 있다.

관련기출

④

1. 처분청이 재처분을 하였는데 종전 거부처분에 대한 취소확정판결의 기속력에 반하는 경우에는 간접강제의 대상이 될 수 있다. (○, ×) 2021 국가직 7급
2. 주택건설사업 승인신청 거부처분에 대한 취소의 확정판결이 있은 후 행정청이 재처분을 하였다 하더라도 그 재처분이 종전 거부처분에 대한 취소의 확정판결의 기속력에 반하는 경우, 행정소송법상 간접강제신청에 필요한 요건을 갖춘 것으로 보아야 한다. (○, ×) 2018 지방직 9급
3. 거부처분에 대한 취소의 확정판결이 있음에도 행정청이 아무런 재처분을 하지 않는 경우뿐만 아니라 재처분을 하였더라도 그 재처분이 취소판결의 기속력에 반하는 경우에는 간접강제의 대상이 된다. (○, ×) 2016 국가직 7급

1. ○ 2. ○ 3. ○

① 제38강 참조 ×

본안청구의 적법성은 집행정지의 요건에 해당한다. 여기서 본안청구가 적법하다는 말은 처분이 적법하다는 말이 아니라 취소소송이 소송요건을 갖추고 있다는 것을 의미한다.

> 행정처분의 효력정지나 집행정지를 구하는 신청사건에 있어서 본안청구가 적법한 것이어야 한다는 점이 집행정지의 요건이다(대결 1999. 11. 26, 99부3).

② ×

행정심판청구가 있은 때의 취소소송의 제소기간은 재결서의 정본을 송달받은 날부터 기산한다. 따라서 재결서정본을 송달받은 2022. 4. 2.이 기산점이 된다.

> **행정소송법 제20조【제소기간】** ① 취소소송은 처분 등이 있음을 안 날부터 90일 이내에 제기하여야 한다. 다만, 제18조 제1항 단서에 규정한 경우와 그 밖에 행정심판청구를 할 수 있는 경우 또는 행정청이 행정심판청구를 할 수 있다고 잘못 알린 경우에 행정심판청구가 있은 때의 기간은 재결서의 정본을 송달받은 날부터 기산한다.

③ ×

행정심판위원회가 직접처분을 하기 위해서는 당사자의 신청이 있어야 하며 위원회의 직권으로 할 수는 없다.

> **행정심판법 제49조【재결의 기속력 등】** ③ 당사자의 신청을 거부하거나 부작위로 방치한 처분의 이행을 명하는 재결이 있으면 행정청은 지체 없이 이전의 신청에 대하여 재결의 취지에 따라 처분을 하여야 한다.
>
> **제50조【위원회의 직접처분】** ① 위원회는 피청구인이 제49조 제3항에도 불구하고 처분을 하지 아니하는 경우에는 당사자가 신청하면 기간을 정하여 서면으로 시정을 명하고 그 기간에 이행하지 아니하면 직접처분을 할 수 있다. 다만, 그 처분의 성질이나 그 밖의 불가피한 사유로 위원회가 직접처분을 할 수 없는 경우에는 그러하지 아니하다.

④ ○

판례에 따르면 거부처분에 대한 취소재결이 있었음에도 행정청이 재처분을 하지 않은 경우는 물론 재처분을 하였더라도 그 처분이 기속력에 반하여 당연무효라면 간접강제결정을 할 수 있다. 사안에서 건축허가거부처분에 대해 제기한 취소소송에서 인용판결이 확정되었으나 B시장이 기속력에 위반하여 다시 거부처분을 한 경우라면 이는 무효인 처분에 해당한다. 따라서 사안의 경우 乙은 간접강제신청을 할 수 있다.

> 거부처분에 대한 취소의 확정판결이 있음에도 행정청이 아무런 재처분을 하지 아니하거나, 재처분을 하였다 하더라도 그것이 종전 거부처분에 대한 취소의 확정판결의 기속력에 반하는 등 당연무효라면 이는 아무런 재처분을 하지 아니한 때와 마찬가지이므로, 이러한 경우에는 행정소송법 제30조 제2항, 제34조 제1항 등에 의한 간접강제신청에 필요한 요건을 갖춘 것으로 보아야 한다(대결 2002. 12. 11, 2002무22).

정답 27 ④

28

정답률 74% 중 2022 지방직 · 서울시 9급

취소소송의 판결에 대한 설명으로 옳은 것은? (다툼이 있는 경우 판례에 의함)

□□□ ① 원고의 청구가 이유 있다고 인정하는 경우에도 이를 인용하는 것이 현저히 공공복리에 적합하지 않다고 판단되면 법원은 피고 행정청의 주장이나 신청이 없더라도 사정판결을 할 수 있다.

□□□ ② 영업정지처분에 대한 취소소송에서 취소판결이 확정되면 처분청은 영업정지처분의 효력을 소멸시키기 위하여 영업정지처분을 취소하는 처분을 하여야 할 의무를 진다.

□□□ ③ 공사중지명령의 상대방이 제기한 공사중지명령 취소소송에서 기각판결이 확정된 경우 특별한 사정변경이 없더라도 그 후 상대방이 제기한 공사중지명령해제신청 거부처분취소소송에서는 그 공사중지명령의 적법성을 다시 다툴 수 있다.

□□□ ④ 행정청은 취소판결에서 위법하다고 판단된 처분사유와 기본적 사실관계의 동일성이 없는 사유이더라도 처분시에 존재한 사유를 들어 종전의 처분과 같은 처분을 다시 할 수 없다.

관련기출

④

1. 새로운 처분의 처분사유가 종전 처분의 처분사유와 기본적 사실관계에서 동일하지 않은 다른 사유에 해당하는 이상, 처분사유가 종전 처분 당시 이미 존재하고 있었고 당사자가 이를 알고 있었더라도 이를 내세워 새로이 처분을 하는 것은 확정판결의 기속력에 저촉되지 않는다. (○, ×) 2021 경행경채
2. 취소판결의 기속력은 판결의 주문 및 전제가 되는 처분 등의 구체적 위법사유에 관한 판단에도 미치나, 종전 처분이 판결에 의하여 취소되었더라도 종전 처분과 다른 사유를 들어서 새로이 처분을 하는 것은 기속력에 저촉되지 않는다. (○, ×) 2021 변호사
3. 행정처분이 판결에 의해 취소된 경우, 취소된 처분의 사유와 기본적 사실관계에서 동일성이 인정되지 않는 다른 사유를 들어 새로이 처분을 하는 것은 기속력에 반한다. (○, ×) 2020 국가직 9급

1. ○ 2. ○ 3. ×

① ○

법원은 직권으로 사정판결을 할 수 있다.

사정판결을 할 필요가 있다고 인정하는 때에는 당사자의 명백한 주장이 없는 경우에도 일건 기록에 나타난 사실을 기초로 하여 직권으로 사정판결을 할 수 있다(대판 1995. 7. 28, 95누4629).

행정소송법 제28조 【사정판결】 ① 원고의 청구가 이유 있다고 인정하는 경우에도 처분 등을 취소하는 것이 현저히 공공복리에 적합하지 아니하다고 인정하는 때에는 법원은 원고의 청구를 기각할 수 있다. 이 경우 법원은 그 판결의 주문에서 그 처분 등이 위법함을 명시하여야 한다.

② ×

행정처분취소의 확정판결은 형성력이 있으므로 행정청의 별도 취소절차 없이도 처분의 효력은 소멸한다.

행정처분을 취소한다는 확정판결이 있으면 그 취소판결의 형성력에 의하여 당해 행정처분의 취소나 취소통지 등의 별도의 절차를 요하지 아니하고 당연히 취소의 효과가 발생한다고 할 것이고 별도로 취소의 절차를 취할 필요는 없을 것이다(대판 1991. 10. 11, 90누5443).

③ ×

행정청이 관련법령에 근거하여 행한 공사중지명령의 상대방이 명령의 취소를 구한 소송에서 패소함으로써 그 명령이 적법한 것으로 이미 확정되었다면, 이후 이러한 공사중지명령의 상대방은 그 명령의 해제신청을 거부한 처분의 취소를 구하는 소송에서 그 명령의 적법성을 다툴 수 없다. 그와 같은 공사중지명령에 대하여 그 명령의 상대방이 해제를 구하기 위해서는 명령의 내용 자체로 또는 성질상으로 명령 이후에 원인사유가 해소되었음이 인정되어야 한다(대판 2014. 11. 27, 2014두37665).

④ **빈출** ×

기속력은 판결의 주문과 이유에서 적시된 개개의 위법사유에만 미치므로 처분시에 존재한 사유라고 하더라도 판결의 이유에서 적시한 사유와 기본적 사실관계에 동일성이 없는 다른 사유를 들어 새로운 처분을 하거나 동일한 처분을 하더라도 기속력(반복금지의무)에 위반되지 않는다.

새로운 처분의 처분사유와 종전 처분에 관하여 위법한 것으로 판결에서 판단된 사유가 기본적 사실관계에 있어 동일성이 없는 경우 새로운 처분은 종전 처분에 대한 판결의 기속력에 저촉되지 않는다.

종전 처분이 판결에 의하여 취소되었더라도 종전 처분과 다른 사유를 들어서 새로이 처분을 하는 것은 기속력에 저촉되지 않는다. 여기에서 동일 사유인지 다른 사유인지는 확정판결에서 위법한 것으로 판단된 종전 처분사유와 기본적 사실관계에서 동일성이 인정되는지 여부에 따라 판단되어야 하고, 기본적 사실관계의 동일성 유무는 처분사유를 법률적으로 평가하기 이전의 구체적인 사실에 착안하여 그 기초인 사회적 사실관계가 기본적인 점에서 동일한지에 따라 결정된다. 또한 행정처분의 위법 여부는 행정처분이 행하여진 때의 법령과 사실을 기준으로 판단하므로, 확정판결의 당사자인 처분행정청은 종전 처분 후에 발생한 새로운 사유를 내세워 다시 처분을 할 수 있고, 새로운 처분의 처분사유가 종전 처분의 처분사유와 기본적 사실관계에서 동일하지 않은 다른 사유에 해당하는 이상, 처분사유가 종전 처분 당시 이미 존재하고 있었고 당사자가 이를 알고 있었더라도 이를 내세워 새로이 처분을 하는 것은 확정판결의 기속력에 저촉되지 않는다(대판 2016. 3. 24, 2015두48235).

정답 28 ①

대표

29 정답률 81% 상 2021 국가직 7급

취소판결의 기속력에 대한 설명으로 옳은 것(○)과 옳지 않은 것(×)을 바르게 연결한 것은? (다툼이 있는 경우 판례에 의함)

□□□ ㉠ 취소확정판결의 기속력은 판결의 주문(主文)에 대해서만 발생하며, 처분의 구체적 위법사유에 대해서는 발생하지 않는다.

□□□ ㉡ 처분청이 재처분을 하였는데 종전 거부처분에 대한 취소확정판결의 기속력에 반하는 경우에는 간접강제의 대상이 될 수 있다.

□□□ ㉢ 취소확정판결의 기속력에 대한 규정은 무효확인판결에도 준용되므로, 무효확인판결의 취지에 따른 처분을 하지 아니할 때에는 1심 수소법원은 간접강제결정을 할 수 있다.

□□□ ㉣ 특별한 사정이 없는 한 간접강제결정에서 정한 의무이행기한이 경과한 후에라도 확정판결의 취지에 따른 재처분의 이행이 있으면 더 이상 배상금의 추심은 허용되지 않는다.

	㉠	㉡	㉢	㉣
①	○	×	○	○
②	×	○	×	○
③	×	○	×	×
④	×	×	○	○

관련기출

㉢

1. 거부처분의 무효확인판결에 따른 재처분의무를 이행하지 않는 경우에는 법원은 간접강제결정을 할 수 있다. (○, ×) 2021 국회직 8급
2. 거부처분에 대하여 무효확인판결이 확정된 경우, 행정청에 대해 판결의 취지에 따른 재처분의무가 인정될 뿐 그에 대하여 간접강제까지 허용되는 것은 아니다. (○, ×) 2019 지방직·교육행정직 9급

1. × 2. ○

② ㉠㉢ × ㉡㉣ ○

㉠ ×

취소소송에서 처분 등을 취소하는 확정판결의 기속력은 판결의 주문뿐만 아니라 그 전제가 되는 처분 등의 구체적 위법사유에 관한 이유 중의 판단에 대하여도 인정된다(대판 2001. 3. 23, 99두5238).

㉡ ○

거부처분에 대한 취소의 확정판결이 있음에도 행정청이 아무런 재처분을 하지 아니하거나, 재처분을 하였다 하더라도 그것이 종전 거부처분에 대한 취소의 확정판결의 기속력에 반하는 등 당연무효라면 이는 아무런 재처분을 하지 아니한 때와 마찬가지이므로, 이러한 경우에는 행정소송법 제30조 제2항, 제34조 제1항 등에 의한 간접강제신청에 필요한 요건을 갖춘 것으로 보아야 한다(대결 2002. 12. 11, 2002무22).

㉢ **빈출** ×

무효등확인판결에는 취소소송의 재처분의무에 관한 규정은 준용되나 간접강제에 관한 규정은 준용되지 않는다.

행정소송법에는 간접강제를 준용한다는 규정이 없으므로 무효확인소송에는 간접강제가 인정되지 않는다.

행정소송법 제38조 제1항이 무효확인판결에 관해 취소판결에 관한 규정을 준용함에 있어서 같은 법 제30조 제2항을 준용한다고 규정하면서도 같은 법 제34조는 이를 준용한다는 규정을 두지 않고 있으므로, 행정처분에 대하여 무효확인판결이 내려진 경우에는 그 행정처분이 거부처분인 경우에도 행정청에 판결의 취지에 따른 재처분의무가 인정될 뿐 그에 대하여 간접강제까지 허용되는 것은 아니다(대결 1998. 12. 24, 98무37).

㉣ ○

1. 행정소송법 제34조 소정의 간접강제결정에 기한 배상금의 성질은 확정판결의 취지에 따른 재처분의 지연에 대한 제재나 손해배상이 아니고 재처분의 이행에 관한 심리적 강제수단에 불과한 것으로 보아야 한다.
2. 확정판결의 취지에 따른 재처분이 간접강제결정에서 정한 의무이행기한이 경과한 후에 이루어진 경우, 간접강제결정에 기한 배상금의 추심은 허용되지 않는다(대판 2004. 1. 15, 2002두2444).

정답 29 ②

30 정답률 65% 상 2021 국가직 9급

甲회사는 '토석채취허가지 진입도로와 관련 우회도로 개설 등은 인근주민들과의 충분한 협의를 통해 민원발생에 따른 분쟁이 생기지 않도록 조치 후 사업을 추진할 것'이란 조건으로 토석채취허가를 받았다. 그러나 甲은 위 조건이 법령에 근거가 없다는 이유로 이행하지 아니하였고, 인근주민이 민원을 제기하자 관할행정청은 甲에게 공사중지명령을 하였다. 甲은 공사중지명령의 해제를 신청하였으나 거부되자 거부처분 취소소송을 제기하였다. 이에 대한 설명으로 옳지 않은 것은? (다툼이 있는 경우 판례에 의함)

□□□ ① 일반적으로 기속행위의 경우 법령의 근거 없이 위와 같은 조건을 부가하는 것은 위법하다.

□□□ ② 공사중지명령의 원인사유가 해소되었다면 甲은 공사중지명령의 해제를 신청할 수 있고, 이에 대한 거부는 처분성이 인정된다.

□□□ ③ 甲에게는 공사중지명령 해제신청 거부처분에 대한 집행정지를 구할 이익이 인정되지 아니한다.

□□□ ④ 甲이 앞서 공사중지명령 취소소송에서 패소하여 그 판결이 확정되었더라도, 甲은 그 후 공사중지명령의 해제를 신청한 후 해제신청 거부처분 취소소송에서 다시 그 공사중지명령의 적법성을 다툴 수 있다.

관련기출

②

1. 지방자치단체장이 공장시설을 신축하는 회사에 대하여 사업승인 당시 부가하였던 조건을 이행할 때까지 신축공사를 중지하라는 명령을 발하였고, 회사는 중지명령의 원인사유가 해소되지 않았음에도 공사중지명령의 해제를 요구하였고, 이에 대한 지방자치단체장의 해제요구의 거부에 대한 회사의 취소소송은 원고에게 법률상 이익이 인정된다. (○, ×) 2022 군무원 7급

1. ×

① 제14강 참조 ○

> **행정기본법 제17조【부관】** ① 행정청은 처분에 재량이 있는 경우에는 부관(조건, 기한, 부담, 철회권의 유보 등을 말한다. 이하 이 조에서 같다)을 붙일 수 있다.
> ② 행정청은 처분에 재량이 없는 경우에는 법률에 근거가 있는 경우에 부관을 붙일 수 있다.

> 기속행위에는 법적 근거가 없는 한 부관을 붙일 수 없다(대판 1988. 4. 27, 87누1106 ; 대판 1988. 4. 27, 87누1107).

② ○

> 국민의 신청에 대하여 한 행정청의 거부행위가 취소소송의 대상이 되기 위하여는 국민이 그 신청에 따른 행정행위를 하여 줄 것을 요구할 수 있는 법규상 또는 조리상의 권리가 있어야 하는 것인데, 지방자치단체장이 건축회사에 대하여 당해 신축공사와 관련하여 인근 주택에 공사로 인한 피해를 주지 않는 공법을 선정하고 이에 대하여 안전하다는 전문가의 검토의견서를 제출할 때까지 신축공사를 중지하라는 당해 공사중지명령에 있어서는 그 명령의 내용 자체로 또는 그 성질상으로 명령 이후에 그 원인사유가 해소되는 경우에는 잠정적으로 내린 당해 공사중지명령의 해제를 요구할 수 있는 권리를 위 명령의 상대방에게 인정하고 있다고 할 것이므로, 위 회사에게는 조리상으로 그 해제를 요구할 수 있는 권리가 인정된다(대판 1997. 12. 26, 96누17745).

③ ○

집행정지는 처분이 없었던 것과 같은 상태를 만드는 것을 의미할 뿐 그 이상으로 적극적 상태를 만드는 것은 아니므로 거부처분은 집행정지의 대상이 될 수 없다는 것이 판례의 입장이다(대결 1991. 5. 2, 91두15).

④ ×

> 행정청이 관련법령에 근거하여 행한 공사중지명령의 상대방이 그 명령의 취소를 구한 소송에서 패소함으로써 그 명령이 적법한 것으로 이미 확정되었다면, 이후 이러한 공사중지명령의 상대방은 그 명령의 해제신청을 거부한 처분의 취소를 구하는 소송에서 그 명령의 적법성을 다툴 수 없다(대판 2014. 11. 27, 2014두37665).

정답 30 ④

31 **빈출** 정답률 70% 중 2020 국가직 9급

행정소송법상 취소소송에서 확정된 청구인용판결의 효력에 대한 설명으로 옳지 않은 것은? (다툼이 있는 경우 판례에 의함)

□□□ ① 취소판결의 효력은 원칙적으로 소급적이므로, 취소판결에 의해 취소된 영업허가취소처분 이후의 영업행위는 무허가영업에 해당하지 않는다.

□□□ ② 취소된 행정처분을 기초로 하여 새로 형성된 제3자의 권리가 취소판결 자체의 효력에 의해 당연히 그 행정처분 전의 상태로 환원되는 것은 아니다.

□□□ ③ 취소판결의 기속력은 주로 판결의 실효성 확보를 위하여 인정되는 효력으로서 판결의 주문뿐만 아니라 그 전제가 되는 처분 등의 구체적 위법사유에 관한 이유 중의 판단에 대하여도 인정된다.

□□□ ④ 행정처분이 판결에 의해 취소된 경우, 취소된 처분의 사유와 기본적 사실관계에서 동일성이 인정되지 않는 다른 사유를 들어 새로이 처분을 하는 것은 기속력에 반한다.

① 제17강 참조 ○

> 영업허가취소처분이 행정쟁송절차에 의하여 취소된 경우 영업허가취소처분 이후의 영업행위를 무허가영업이라고 볼 수는 없다.
>
> 영업의 금지를 명한 영업허가취소처분 자체가 나중에 행정쟁송절차에 의하여 취소되었다면 그 영업허가취소처분은 그 처분시에 소급하여 효력을 잃게 되며, 그 영업허가취소처분에 복종할 의무가 원래부터 없었음이 확정되었다고 봄이 타당하고, 영업허가취소처분이 장래에 향하여서만 효력을 잃게 된다고 볼 것은 아니므로 그 영업허가취소처분 이후의 영업행위를 무허가영업이라고 볼 수는 없다(대판 1993. 6. 25, 93도277).

② ○

> 행정처분을 취소하는 확정판결이 제3자에 대하여도 효력이 있다고 하더라도 일반적으로 판결의 효력은 주문에 포함한 것에 한하여 미치는 것이니 취소판결 자체의 효력으로써 그 행정처분을 기초로 하여 새로 형성된 제3자의 권리까지 당연히 그 행정처분 전의 상태로 환원되는 것이라고는 할 수 없고, 단지 취소판결의 존재와 취소판결에 의하여 형성되는 법률관계를 소송당사자가 아니었던 제3자라 할지라도 이를 용인하지 않으면 아니 된다는 것을 의미하는 것에 불과하다(대판 1986. 8. 19, 83다카2022).

③ ○

> 취소소송에서 처분 등을 취소하는 확정판결의 기속력은 주로 판결의 실효성 확보를 위하여 인정되는 효력으로서 판결의 주문뿐만 아니라 그 전제가 되는 처분 등의 구체적 위법사유에 관한 이유 중의 판단에 대하여도 인정된다(대판 2001. 3. 23, 99두5238).

④ ×

기속력은 판결의 주문과 이유에서 적시된 개개의 위법사유에만 미치므로 처분시에 존재한 원래의 처분과 기본적 사실관계에 동일성이 없는 다른 사유를 들어 동일한 처분을 하더라도 기속력(반복금지의무)에 위반되지 않는다는 것이 판례의 입장이다(대판 2016. 3. 24, 2015두48235).

정답 31 ④

32 정답률 53% 중 2019 국가직 7급

갑(甲)은 개발제한구역 내의 토지에 건축물을 건축하기 위하여 건축허가를 신청하였다. 이에 대한 설명으로 옳은 것(○)과 옳지 않은 것(×)을 바르게 연결한 것은? (다툼이 있는 경우 판례에 의함)

□□□ ㉠ 갑(甲)의 허가신청이 관련법령의 요건을 모두 충족한 경우에는 관할행정청은 허가를 하여야 하며, 관련법령상 제한사유 이외의 사유를 들어 허가를 거부할 수 없다.

□□□ ㉡ 갑(甲)에게 허가를 하면서 일방적으로 부담을 부가할 수도 있지만, 부담을 부가하기 이전에 갑(甲)과 협의하여 부담의 내용을 협약의 형식으로 미리 정한 다음 허가를 하면서 이를 부가할 수도 있다.

□□□ ㉢ 갑(甲)이 허가를 신청한 이후 관계법령이 개정되어 허가기준이 변경되었다면, 허가 여부에 대해서는 신청 당시의 법령을 적용하여야 하며 허가 당시의 법령을 적용할 수 없다.

□□□ ㉣ 허가가 거부되자 갑(甲)이 이에 대해 취소소송을 제기하여 승소하였고 판결이 확정되었다면, 관할행정청은 갑(甲)에게 허가를 하여야 하며 이전 처분사유와 다른 사유를 들어 다시 허가를 거부할 수 없다.

	㉠	㉡	㉢	㉣		㉠	㉡	㉢	㉣
①	○	○	×	×	②	×	×	○	○
③	×	○	×	×	④	○	×	○	○

관련기출

㉣

1. 거부처분의 취소판결이 확정된 경우 그 판결의 당사자인 처분청은 그 소송의 사실심변론종결 이후 발생한 사유를 들어 다시 이전의 신청에 대하여 거부처분을 할 수 있다. (○, ×) 2018 국회직 8급
2. 거부처분 취소판결이 확정된 후, 사실심변론종결 이후에 발생한 새로운 사유를 근거로 다시 거부처분을 하는 것은 기속력에 위반된다. (○, ×) 2015 국가직 7급
3. 거부처분취소의 확정판결을 받은 행정청이 사실심변론종결 이후 발생한 새로운 사유를 내세워 다시 거부처분을 한 경우도 행정소송법 제30조 제2항에 규정된 재처분에 해당한다. (○, ×) 2015 국회직 8급

1. ○ 2. × 3. ○

③ ㉠㉢㉣ × ㉡ ○

㉠ 제13강 참조 ×

개발제한구역 내의 건축행위는 예외적 허가로서 재량행위에 속하므로(대판 2003. 3. 28, 2002두11905), 갑(甲)의 허가신청이 관련법령의 요건을 모두 충족한 경우에도, 관할행정청은 관련법령상 제한사유 이외의 사유를 들어 허가를 거부할 수 있다.

㉡ 제14강 참조 ○

> 수익적 행정처분에 있어서는 법령에 특별한 근거규정이 없다고 하더라도 그 부관으로서 부담을 붙일 수 있고, 그와 같은 부담은 행정청이 행정처분을 하면서 일방적으로 부가할 수도 있지만 부담을 부가하기 이전에 상대방과 협의하여 부담의 내용을 협약의 형식으로 미리 정한 다음 행정처분을 하면서 이를 부가할 수도 있다(대판 2009. 2. 12, 2005다65500).

㉢ 제13강 참조 ×

> 신청 후 허가기준이 변경된 경우에는 원칙적으로 신청시가 아닌 처분시의 법령과 기준에 의해 처리되어야 한다.
> 허가 등의 행정처분은 원칙적으로 처분시의 법령과 허가기준에 의하여 처리되어야 하고 허가신청 당시의 기준에 따라야 하는 것은 아니며, 비록 허가신청 후 허가기준이 변경되었다 하더라도 그 허가관청이 허가신청을 수리하고도 정당한 이유 없이 그 처리를 늦추어 그 사이에 허가기준이 변경된 것이 아닌 이상 변경된 허가기준에 따라서 처분을 하여야 한다(대판 1996. 8. 20, 95누10877).

㉣ **빈출** ×

판결에 의하여 취소되는 처분이 당사자의 신청을 거부하는 것을 내용으로 하는 경우에는 그 처분을 행한 행정청은 판결의 취지에 따라 이전의 신청에 대한 처분을 하여야 한다. 그런데 여기서 판결의 취지에 따른다는 의미는 반드시 원고가 신청한 대로 재처분을 하여야 하는 것을 의미하는 것은 아니므로, 거부처분을 취소하는 판결에서 적시되지 않은 다른 사유를 들어 행정청이 다시 허가를 거부할 수 있다.

> 행정소송법 제30조 제2항에 의하면, 행정청의 거부처분을 취소하는 판결이 확정된 경우에는 그 처분을 행한 행정청은 판결의 취지에 따라 이전의 신청에 대하여 재처분할 의무가 있고, 이 경우 확정판결의 당사자인 처분 행정청은 그 행정소송의 사실심변론종결 이후 발생한 새로운 사유를 내세워 다시 이전의 신청에 대하여 거부처분을 할 수 있으며, 그러한 처분도 이 조항에 규정된 재처분에 해당한다(대판 1999. 12. 28, 98두1895).

정답 32 ③

33 정답률 73% 중 2019 서울시 9급

행정소송의 판결의 효력에 관한 설명으로 가장 옳은 것은?

□□□ ① 기속력은 청구인용판결뿐만 아니라 청구기각판결에도 미친다.

□□□ ② 처분 등의 무효를 확인하는 확정판결은 소송당사자 이외의 제3자에 대하여는 효력이 미치지 않는다.

□□□ ③ 사정판결의 경우에는 처분의 적법성이 아닌 처분의 위법성에 대하여 기판력이 발생한다.

□□□ ④ 세무서장을 피고로 하는 과세처분취소소송에서 패소하여 그 판결이 확정된 자가 국가를 피고로 하여 과세처분의 무효를 주장하여 과오납금반환청구소송을 제기하더라도 취소소송의 기판력에 반하는 것은 아니다.

① ×

기속력은 청구인용판결에만 미친다. 이 점에서 기판력이 청구인용판결뿐만 아니라 청구기각판결에도 미치는 것과 구별된다.

② ×

> 행정처분의 무효확인판결은 비록 형식상은 확인판결이라 하여도 그 확인판결의 효력은 그 취소판결의 경우와 같이 소송의 당사자는 물론 제3자에게도 미친다(대판 1982. 7. 27, 82다173).

> **행정소송법 제29조【취소판결 등의 효력】** ① 처분 등을 취소하는 확정판결은 제3자에 대하여도 효력이 있다.
>
> **제38조【준용규정】** ① 제9조, 제10조, 제13조 내지 제17조, 제19조, 제22조 내지 제26조, 제29조 내지 제31조 및 제33조의 규정은 무효등확인소송의 경우에 준용한다.

③ ○

처분이 위법하여 원고의 청구가 이유 있다고 인정하는 경우에도 처분 등을 취소하는 것이 현저히 공공복리에 적합하지 아니하다고 인정하는 때에는 법원은 원고의 청구를 기각할 수 있는바, 이를 사정판결이라 한다. 사정판결을 하는 경우 법원은 판결의 주문에서 그 처분 등이 위법함을 명시하여야 하며(행정소송법 제28조 제1항 후단), 그 처분 등의 위법성에 대하여 기판력이 발생한다.

④ ×

기판력은 전소의 소송물이 후소의 선결문제로 되는 때에도 작용한다. 예컨대 조세부과처분에 따라 세금을 납부한 후 조세부과처분이 무효임을 이유로 민사소송인 부당이득반환청구소송을 제기하는 경우에는 처분의 무효 여부가 부당이득반환청구권 성립 여부의 선결문제가 된다. 그런데 이미 조세부과처분의 취소소송에서 청구기각판결이 확정된 경우라면 처분이 적법하다는 점(따라서 처분은 무효가 될 수 없음)에 기판력이 발생하므로 후소인 부당이득반환청구소송에서 처분이 무효라는 주장을 하는 것은 전소에서 확정된 판결의 효력과 모순되는 주장을 하는 것이므로 기판력에 위반된다. 따라서 이러한 경우에도 기판력이 작용하므로, 지문의 경우 세무서장을 피고로 하는 과세처분취소소송에서 패소하여 그 판결이 확정된 자가 국가를 피고로 하여 과세처분의 무효를 주장하여 과오납금반환청구소송을 제기하는 것은 취소소송의 기판력에 위반된다.

정답 33 ③

34 정답률 61% 상 2019 국가직 9급

甲은 관할 A행정청에 토지형질변경허가를 신청하였으나 A행정청은 허가를 거부하였다. 이에 甲은 거부처분취소소송을 제기하여 재량의 일탈 · 남용을 이유로 취소판결을 받았고, 그 판결은 확정되었다. 이에 대한 설명으로 옳은 것은? (다툼이 있는 경우 판례에 의함)

□□□ ① A행정청이 거부처분 이전에 이미 존재하였던 사유 중 거부처분사유와 기본적 사실관계의 동일성이 없는 사유를 근거로 다시 거부처분을 하는 것은 허용되지 않는다.

□□□ ② A행정청이 재처분을 하였더라도 취소판결의 기속력에 저촉되는 경우에는 甲은 간접강제를 신청할 수 있다.

□□□ ③ A행정청의 재처분이 취소판결의 기속력에 저촉되더라도 당연무효는 아니고 취소사유가 될 뿐이다.

□□□ ④ A행정청이 간접강제결정에서 정한 의무이행기한 내에 재처분을 이행하지 않아 배상금이 이미 발생한 경우에는 그 이후에 재처분을 이행하더라도 甲은 배상금을 추심할 수 있다.

① ×

거부처분이 취소되면 행정청은 재처분의무를 지게 된다. 이러한 행정청의 재처분의무의 내용은 판결의 취지를 존중하면 되는 것이고 반드시 원고의 신청에 따른 처분, 즉 허가를 하여야 하는 것은 아니다. 한편 판결의 기속력에 따라 행정청은 어떠한 처분이 판결에서 취소된 경우 판결에서 적시된 사유와 동일한 사유를 들어 다시 동일한 처분을 할 수는 없다. 다만, 취소된 처분의 처분사유와는 기본적 사실관계에서 동일성이 없는 사유, 즉 다른 사유를 들어 동일한 처분을 하는 것은 기속력에 저촉되지 않는다. 사안의 경우 A행정청은 재처분의무를 지는바, 다만 반드시 형질변경허가를 하여야 하는 것은 아니며 판결의 취지에 따른 처분을 하면 충분하다. 따라서 A행정청은 거부처분 이전에 이미 존재하였던 사유 중 처음에 행한 거부처분사유와 기본적 사실관계의 동일성이 없는 사유, 즉 다른 사유를 근거로 다시 거부처분을 하더라도 이는 재처분의무를 이행한 것이 된다.

② ○

A행정청이 재처분을 하였더라도 그것이 판결의 기속력에 위반되는 경우라면 그러한 처분은 무효가 되어서 행정청이 아무런 처분을 하지 아니한 것과 동일한 결과를 가져오므로 甲은 간접강제를 신청할 수 있다.

> 거부처분에 대한 취소의 확정판결이 있음에도 행정청이 아무런 재처분을 하지 아니하거나, 재처분을 하였다 하더라도 그것이 종전 거부처분에 대한 취소의 확정판결의 기속력에 반하는 등 당연무효라면 이는 아무런 재처분을 하지 아니한 때와 마찬가지이므로, 이러한 경우에는 행정소송법 제30조 제2항, 제34조 제1항 등에 의한 간접강제신청에 필요한 요건을 갖춘 것으로 보아야 한다(대결 2002. 12. 11, 2002무22).

> **행정소송법 제30조【취소판결 등의 기속력】** ② 판결에 의하여 취소되는 처분이 당사자의 신청을 거부하는 것을 내용으로 하는 경우에는 그 처분을 행한 행정청은 판결의 취지에 따라 다시 이전의 신청에 대한 처분을 하여야 한다.
>
> **제34조【거부처분취소판결의 간접강제】** ① 행정청이 제30조 제2항의 규정에 의한 처분을 하지 아니하는 때에는 제1심 수소법원은 당사자의 신청에 의하여 결정으로써 상당한 기간을 정하고 행정청이 그 기간 내에 이행하지 아니하는 때에는 그 지연기간에 따라 일정한 배상을 할 것을 명하거나 즉시 손해배상을 할 것을 명할 수 있다.

③ ×

A행정청의 재처분이 취소판결의 기속력에 저촉되는 경우라면 그러한 처분은 당연무효이다(② 해설 참조).

④ ×

비록 간접강제결정에서 정한 의무이행기한이 경과한 후에 재처분을 이행한 경우라도, 적어도 간접강제의 취지는 달성되었다고 볼 수 있으므로 甲은 배상금을 추심할 수 없다.

> 1. 행정소송법 제34조 소정의 간접강제결정에 기한 배상금의 성질은 확정판결의 취지에 따른 재처분의 지연에 대한 제재나 손해배상이 아니고 재처분의 이행에 관한 심리적 강제수단에 불과한 것으로 보아야 한다.
> 2. 확정판결의 취지에 따른 재처분이 간접강제결정에서 정한 의무이행기한이 경과한 후에 이루어진 경우, 간접강제결정에 기한 배상금의 추심은 허용되지 않는다(대판 2004. 1. 15, 2002두2444).

정답 34 ②

35 상

2017 국가직(하) 9급

다음 사례에 대한 설명으로 옳지 않은 것은? (다툼이 있는 경우 판례에 의함)

> 식품위생법에 따르면 식품접객업자가 청소년에게 주류를 제공하는 행위는 금지되고, 이를 위반할 경우 관할행정청이 영업허가 또는 등록을 취소하거나 6개월 이내의 기간을 정하여 그 영업의 전부 또는 일부를 정지할 수 있으며, 관할행정청이 영업허가 또는 등록의 취소를 하는 경우에는 청문을 실시하여야 한다. 식품접객업자인 甲은 영업장에서 청소년에게 술을 팔다 적발되었고, 관할행정청인 乙은 청문절차를 거쳐 甲에게 영업허가취소처분을 하였다.

□□□ ① 부령인 식품위생법 시행규칙에 위반행위의 종류 및 위반 횟수에 따른 행정처분의 기준을 구체적으로 정하고 있는 경우에 이 행정처분기준은 행정기관 내부의 사무처리준칙을 규정한 것에 불과하여 법적 구속력이 인정되지 않는다.

□□□ ② 甲이 청소년에게 주류를 제공한 것이 인정되더라도 영업허가취소처분으로 인하여 甲이 입게 되는 불이익이 공익상 필요보다 막대한 경우에는 영업허가취소처분이 위법하다고 인정될 수 있다.

□□□ ③ 乙이 청문을 실시할 때 청문서 도달기간을 준수하지 않았는데 甲이 이에 대하여 이의를 제기하지 않고 청문일에 출석하여 그 의견을 진술하고 변명함으로써 방어의 기회를 충분히 가졌다면 청문서 도달기간을 준수하지 아니한 영업허가취소처분의 하자는 치유되었다고 볼 수 있다.

□□□ ④ 甲이 영업허가취소처분 취소소송을 제기하여 인용판결이 확정되어도 영업허가취소처분의 효력이 바로 소멸하는 것은 아니고 그 판결의 기속력에 따라 영업허가취소처분이 乙에 의해 취소되면 비로소 영업허가취소처분의 효력이 소멸한다.

① 제11강 참조 ○

판례는 부령 형식으로 정해진 제재적 처분기준(영업허가의 취소, 정지, 과징금 부과기준)은 그 성질과 내용이 행정내부의 사무처리기준을 규정한 것에 불과하므로 행정규칙의 성질을 가지며 대외적으로 국민이나 법원을 구속하는 것은 아니라고 보고 있다.

② ○

지문은 비례의 원칙 중 상당성의 원칙에 관한 내용이다(협의의 비례의 원칙). 여기서 상당성의 원칙이란 행정조치를 취함에 따른 불이익이 그 조치에 의해 달성되는 공익보다 훨씬 더 큰 경우에는 그 행정조치를 취해서는 안 된다는 원칙을 말한다.

> 식품위생법 제58조 제1항에 의한 영업정지 등 행정처분의 적법 여부는 법 시행규칙 제53조 [별표 15]의 행정처분기준에 적합한 것인가의 여부에 따라 판단할 것이 아니라 법의 규정 및 그 취지에 적합한 것인가의 여부에 따라 판단하여야 하는 것이고, 행정처분으로 인하여 달성하려는 공익상의 필요와 이로 인하여 상대방이 받는 불이익을 비교 · 형량하여 그 처분으로 인하여 공익상 필요보다 상대방이 받게 되는 불이익 등이 막대한 경우에는 재량권의 한계를 일탈한 것으로서 위법하다(대판 1997. 11. 28, 97누12952).

③ 제16강 참조 ○

행정청이 식품위생법상의 청문절차를 이행함에 있어 청문서 도달기간을 다소 어겼지만 영업자가 이의하지 아니한 채 청문일에 출석하여 의견을 진술하고 변명하는 등 방어의 기회를 충분히 가졌다면 하자는 치유된다는 것이 판례의 입장이다(대판 1992. 10. 23, 92누2844).

④ ×

> 행정처분을 취소한다는 확정판결이 있으면 그 취소판결의 형성력에 의하여 당해 행정처분의 취소나 취소통지 등의 별도의 절차를 요하지 아니하고 당연히 취소의 효과가 발생한다고 할 것이고 별도로 취소의 절차를 취할 필요는 없을 것이다(대판 1991. 10. 11, 90누5443).

정답 35 ④

36 정답률 73% 상 2017 국가직 9급

다음 사례에 대한 설명으로 옳지 않은 것은?

> 유흥주점영업허가를 받아 주점을 운영하는 甲은 A시장으로부터 연령을 확인하지 않고 청소년을 주점에 출입시켜 청소년보호법을 위반하였다는 사실을 이유로 한 영업허가취소처분을 받았다. 甲은 이에 불복하여 취소소송을 제기하였고 취소확정판결을 받았다.

□□□ ① A시장은 甲이 청소년을 유흥접객원으로 고용하여 유흥행위를 하게 하였다는 이유로 다시 영업허가취소처분을 할 수는 있다.

□□□ ② 영업허가취소처분은 지나치게 가혹하다는 이유로 취소확정판결이 내려졌다면, A시장은 甲에게 연령을 확인하지 않고 청소년을 출입시켰다는 이유로 영업허가정지처분을 할 수는 있다.

□□□ ③ 청소년들을 주점에 출입시킨 사실이 없다는 이유로 취소확정판결이 내려졌다면, A시장은 甲에게 연령을 확인하지 않고 청소년을 출입시켰다는 이유로 영업허가취소처분을 할 수는 없다.

□□□ ④ 청문절차를 거치지 않았다는 이유로 취소확정판결이 내려졌다면, A시장은 적법한 청문절차를 거치더라도 甲에게 연령을 확인하지 않고 청소년을 출입시켰다는 이유로 영업허가취소처분을 할 수는 없다.

취소확정판결의 기속력에 관한 사례이다.

① ○

기속력은 판결의 주문과 주문의 전제가 된 판결이유에서 적시된 위법사유에만 미친다. 따라서 행정청은 취소판결이 확정된 경우 기본적 사실관계가 동일한 이유를 들어 동일한 내용의 처분을 할 수 없다. 사안의 경우 전소의 판결과 관련된 사유는 청소년을 출입시켰다는 것이고 후행 행정처분과 관련된 사유는 청소년을 유흥접객원으로 고용했다는 사유이므로 기본적 사실관계의 동일성이 없는 전혀 별개의 사유이다. 따라서 기속력에 저촉되지 않으므로 다시 영업허가취소처분을 할 수 있다.

② ○

종전 처분의 위법사유를 보완한 후 동일 내용의 처분을 하는 것은 기속력에 반하지 않는다. 따라서 영업허가취소처분이 지나치게 가혹하다는 사유(비례의 원칙 위반)로 취소판결이 내려졌다면, A시장은 비례의 원칙을 위반하지 않는 범위 내에서 영업허가정지처분을 할 수는 있다.

③ ○

청소년들을 주점에 출입시킨 사실이 없다는 이유로 취소확정판결이 내려진 경우 A시장이 甲에게 연령을 확인하지 않고 청소년을 출입시켰다는 이유로 영업허가취소처분을 하는 것은 취소된 처분과 동일한 이유를 들어 처분을 반복하는 것이므로 기속력에 반하여 허용되지 않는다.

④ ×

처분이 절차나 형식의 하자를 이유로 취소된 경우에도 처분청 스스로 판결에 적시된 위법사유를 보완한 후 동일 내용의 처분을 하는 것은 기속력에 반하지 않는다. 따라서 A시장은 적법한 청문절차를 거쳐 甲에게 동일한 이유로 영업허가취소처분을 할 수 있다.

정답 36 ④

37 정답률 57% 중 2016 서울시 9급

甲은 A행정청에 허가신청을 하였으나 거부되었고, 이에 대해 거부처분취소소송을 제기하여 인용판결이 확정되었다. 이에 대한 설명으로 가장 옳지 않은 것은? (다툼이 있는 경우 판례에 따름)

□□□ ① 위 거부처분이 절차의 위법을 이유로 취소된 경우에는 A행정청은 적법한 절차를 거쳐 다시 거부처분을 할 수 있다.

□□□ ② 위 거부처분이 실체적 위법을 이유로 취소된 경우에는 A행정청은 취소판결의 기속력에 의해 다시 거부처분을 할 수 없고, 甲에게 허가처분을 하여야 한다.

□□□ ③ A행정청이 기속력에 반하는 재처분을 한 경우, 그 처분은 당연무효이다.

□□□ ④ A행정청이 재처분을 하였더라도 기속력에 위반된 경우에는 간접강제의 대상이 된다.

관련기출

③

1. 취소판결의 기속력에 위반하여 한 행정청의 행위는 당연무효이다. (○, ×) 2014 지방직 7급
2. 취소판결의 기속력에 위반하여 행해진 행정처분은 무효인 행정처분에 해당된다. (○, ×) 2014 사회복지직 9급
3. 확정판결의 당사자인 처분행정청이 그 행정소송의 사실심변론종결 이전의 사유를 내세워 다시 확정판결과 저촉되는 행정처분을 하는 것은 허용되지 않는 것으로서 이러한 행정처분은 그 하자가 중대하고도 명백한 것이어서 당연무효이다. (○, ×) 2011 경행특채

1. ○ 2. ○ 3. ○

① ○

거부처분이 형식상(절차상)의 위법을 이유로 취소된 경우에, 거부처분의 취소판결이 확정된 경우 처분을 행한 행정청은 반드시 허가처분을 하여야 하는 것은 아니며 판결의 취지에 따라 다시 처분을 하면 된다. 따라서 거부처분이 절차의 위법을 이유로 취소판결이 확정된 경우 행정청은 절차상의 위법을 보완하여, 즉 적법한 절차를 거쳐 다시 거부처분을 할 수도 있다.

> **행정소송법 제30조【취소판결 등의 기속력】** ② 판결에 의하여 취소되는 처분이 당사자의 신청을 거부하는 것을 내용으로 하는 경우에는 그 처분을 행한 행정청은 판결의 취지에 따라 다시 이전의 신청에 대한 처분을 하여야 한다.

② ×

거부처분이 실체상의 위법을 이유로 취소된 경우에 위법판단의 기준시에 관해 통설 및 판례의 입장인 처분시설에 따르면 거부처분 이후의 새로운 사유(예 법령의 변경 또는 사실상황의 변경)를 이유로 다시 거부처분을 하는 것은 가능하다.

> 행정소송법 제30조 제2항에 의하면, 행정청의 거부처분을 취소하는 판결이 확정된 경우에는 처분을 행한 행정청이 판결의 취지에 따라 이전 신청에 대하여 재처분을 할 의무가 있다. 행정처분의 적법 여부는 행정처분이 행하여진 때의 법령과 사실을 기준으로 판단하는 것이므로 확정판결의 당사자인 처분행정청은 종전 처분 후에 발생한 새로운 사유를 내세워 다시 거부처분을 할 수 있고, 그러한 처분도 위 조항에 규정된 재처분에 해당한다(대판 2011. 10. 27, 2011두14401).

③ **빈출** ○

기속력에 위반하여 한 행정청의 행위는 당연무효가 된다.

> 확정판결을 받은 처분행정청이 사실심변론종결 이전의 사유를 내세워 다시 확정판결과 저촉되는 행정처분을 하는 것은 무효이다.
> 확정판결의 당사자인 처분행정청이 그 행정소송의 사실심변론종결 이전의 사유를 내세워 다시 확정판결과 저촉되는 행정처분을 하는 것은 허용되지 않는 것으로서 이러한 행정처분은 그 하자가 중대하고도 명백한 것이어서 당연무효라 할 것이다(대판 1990. 12. 11, 90누3560).

④ ○

거부처분에 대한 취소의 확정판결이 있은 후, 행정청이 아무런 재처분을 하지 아니하거나 재처분을 하였다 하더라도 그것이 종전 거부처분에 대한 취소의 확정판결의 기속력에 반하는 등 당연무효라면 이는 아무런 재처분을 하지 아니한 때와 마찬가지이므로, 이러한 경우에는 행정소송법 제30조 제2항, 제34조 제1항 등에 의한 간접강제신청의 대상이 된다는 것이 판례의 입장이다(대결 2002. 12. 11, 2002무22).

정답 37 ②

38 정답률 69% 중 2015 국가직 7급

취소판결의 기속력에 대한 설명으로 옳은 것은? (다툼이 있는 경우 판례에 의함)

□□□ ① 취소소송이 기각되어 처분의 적법성이 확정된 이후에도 처분청은 당해 처분이 위법함을 이유로 직권취소할 수 있다.

□□□ ② 거부처분 취소판결이 확정된 후, 사실심변론종결 이후에 발생한 새로운 사유를 근거로 다시 거부처분을 하는 것은 기속력에 위반된다.

□□□ ③ 행정청이 판결확정 이후 상대방에 대해 재처분을 하였다면 그 처분이 기속력에 위반되는 경우라도 간접강제의 대상은 되지 않는다.

□□□ ④ 기속력은 당해 취소소송의 당사자인 행정청에 대해서만 효력을 미치며, 그 밖의 다른 행정청은 기속하지 않는다.

① ○
기속력은 청구인용판결의 경우에만 인정되며 청구기각판결에는 인정되지 않는다. 따라서 법원이 처분을 적법하다고 판단하여 청구기각판결이 내린 경우에도 처분청은 이에 기속되지 않고 처분을 위법하다고 보아 직권취소할 수 있다.

② ×

> 거부처분취소의 확정판결을 받은 행정청이 사실심변론종결 이후 발생한 새로운 사유를 내세워 다시 이전의 신청에 대하여 거부처분을 한 경우 이러한 처분은 행정소송법 제30조 제2항에 규정된 재처분에 해당한다(기속력에 반하는 처분이 아니라는 의미이다)(대판 1999. 12. 28, 98두1895).

③ ×
거부처분에 대한 취소의 확정판결 후 재처분을 하였다 하더라도 그것이 종전 거부처분에 대한 취소의 확정판결의 기속력에 반하는 등 당연무효라면 이는 아무런 재처분을 하지 아니한 때와 마찬가지이므로, 이러한 경우에는 행정소송법 제30조 제2항, 제34조 제1항 등에 의한 간접강제신청에 필요한 요건을 갖춘 것으로 보아야 한다는 것이 판례의 입장이다(대결 2002. 12. 11, 2002무22).

④ ×

> **행정소송법 제30조【취소판결 등의 기속력】** ① 처분 등을 취소하는 확정판결은 그 사건에 관하여 당사자인 행정청과 그 밖의 관계행정청을 기속한다.

39 상 2013 국가직 7급

다음 설명에 해당하는 취소소송의 판결의 효력을 바르게 묶은 것은?

> □□□ A : 과세처분을 취소하는 판결이 확정되면 그 과세처분은 처분시에 소급하여 소멸하는 것이므로 과세처분을 취소하는 판결이 확정된 뒤에는 그 과세처분을 경정하는 이른바 경정처분을 할 수 없다.
>
> □□□ B : 처분을 취소하는 판결이 확정되면 당사자인 행정청과 그 밖의 관계행정청은 동일한 사실관계에 대하여 동일한 사유로 취소된 처분과 동일한 처분을 할 수 없다.

	A	B
①	자박력	기판력
②	형성력	기속력
③	불가쟁력	집행력
④	형성력	자박력

A : 형성력이란 처분을 취소하는 판결이 있으면 당해 처분은 행정청의 별도의 처분이 없더라도 처분시에 소급하여 효력이 소멸되어 처음부터 존재하지 않은 것으로 되는 효력을 의미한다. 따라서 과세처분을 취소하는 판결이 확정된 뒤에는 과세처분은 존재하지 않으므로 과세처분의 존재를 전제로 하여 이를 경정하는 처분을 하는 것은 형성력에 위반되어 무효가 된다.
B : 반복금지의무에 관한 설명으로, 반복금지의무는 기속력에 관한 내용이다.

정답 38 ① 39 ②

40 상 2011 지방직(하) 7급

甲은 공동주택 및 근린생활시설을 건축하는 내용의 주택건설사업계획승인신청을 하였으나 행정청 乙은 거부처분을 행하였고, 당해 거부처분에 대해 甲은 행정소송을 제기하여 거부처분취소판결이 확정되었다. 이에 대한 설명으로 옳지 않은 것은? (다툼이 있는 경우 판례에 의함)

□□□ ① 乙이 판결의 취지에 따른 재처분의무를 이행하지 않는 경우 甲은 제1심 수소법원에 간접강제결정을 신청할 수 있다.

□□□ ② 대법원은 확정판결의 취지에 따른 재처분이 간접강제결정에서 정한 의무이행기간이 경과한 후에 이루어진 경우에도 배상금의 추심은 허용되지 않는다고 보았다.

□□□ ③ 만약 甲이 乙의 거부처분에 대해 무효확인소송을 제기하여 무효확인판결이 행해진 경우, 취소판결에 있어 재처분의무에 관한 규정은 준용되나 간접강제에 대한 규정은 준용되지 않는다.

□□□ ④ 乙이 취소판결의 기속력에 반하는 재처분을 하여 당연무효라고 하더라도 이는 아무런 재처분을 하지 않은 경우라 볼 수 없으므로 행정소송법상 간접강제신청요건을 갖추지 않은 것으로 본다.

① ○

행정소송법 제34조에 따르면 행정청이 거부처분의 취소판결의 취지에 따라 처분을 하지 아니하는 때(재처분의무를 이행하지 않는 때)에는 제1심 수소법원은 당사자의 신청에 의하여 결정으로써 상당한 기간을 정하고 행정청이 그 기간 내에 이행하지 아니하는 때에는 그 지연기간에 따라 일정한 배상을 할 것을 명하거나 즉시 손해배상할 것을 명할 수 있다. 따라서 甲은 제1심 수소법원에 이른바 간접강제결정을 신청할 수 있다.

> **행정소송법 제34조【거부처분취소판결의 간접강제】** ① 행정청이 제30조 제2항의 규정에 의한 처분을 하지 아니하는 때에는 제1심 수소법원은 당사자의 신청에 의하여 결정으로써 상당한 기간을 정하고 행정청이 그 기간 내에 이행하지 아니하는 때에는 그 지연기간에 따라 일정한 배상을 할 것을 명하거나 즉시 손해배상을 할 것을 명할 수 있다.

② ○

> 행정소송법 제34조 소정의 간접강제결정에 기한 배상금은 심리적 강제수단에 불과하므로 확정판결의 취지에 따른 재처분이 간접강제결정에서 정한 의무이행기한이 경과한 후에 이루어졌더라도 처분이 행해진 이상 배상금을 추심할 수는 없다(대판 2004. 1. 15, 2002두2444).

③ ○

취소소송에서 거부처분이 취소된 경우 재처분의무를 규정한 행정소송법 제30조 제2항은 무효등확인소송과 부작위위법확인소송에 준용된다. 그러나 재처분의무를 이행하지 않는 경우에 이를 강제하기 위한 규정인 간접강제에 관한 행정소송법 제34조는 부작위위법확인소송에는 준용하나 무효등확인소송에는 준용규정을 두고 있지 않다. 따라서 거부처분에 대한 무효등확인판결이 내려진 경우라도 재처분의무는 인정되지만 간접강제는 허용되지 않는다.

> 행정소송법 제38조 제1항이 무효확인판결에 관해 취소판결에 관한 규정을 준용함에 있어서 같은 법 제30조 제2항을 준용한다고 규정하면서도 같은 법 제34조는 이를 준용한다는 규정을 두지 않고 있으므로, 행정처분에 대하여 무효확인판결이 내려진 경우에는 그 행정처분이 거부처분인 경우에도 행정청에 판결의 취지에 따른 재처분의무가 인정될 뿐 그에 대하여 간접강제까지 허용되는 것은 아니다(대결 1998. 12. 24, 98무37).

④ ×

> 거부처분에 대한 취소의 확정판결이 있음에도 행정청이 아무런 재처분을 하지 아니하거나, 재처분을 하였다 하더라도 그것이 종전 거부처분에 대한 취소의 확정판결의 기속력에 반하는 등 당연무효라면 이는 아무런 재처분을 하지 아니한 때와 마찬가지이므로, 이러한 경우에는 행정소송법 제30조 제2항, 제34조 제1항 등에 의한 간접강제신청에 필요한 요건을 갖춘 것으로 보아야 한다(대결 2002. 12. 11, 2002무22).

정답 40 ④

41 상

2008 국가직 9급

취소소송 판결의 효력에 관한 설명으로 옳지 않은 것은?

□□□ ① 확정된 청구기각판결의 형성력은 소송당사자인 원고와 피고행정청 사이에 발생할 뿐 아니라 제3자에게도 미친다.

□□□ ② 청구기각판결이 확정되면 처분의 적법함에 관하여 기판력이 발생하므로 무효확인청구도 할 수 없다.

□□□ ③ 판례에 의하면 처분의 위법함을 인정하는 청구인용판결이 확정된 경우에도 처분시점 이후에 생긴 새로운 사유나 사실관계를 들어 동일한 내용의 처분을 하는 것은 무방하다.

□□□ ④ 기속력에 반하는 행정청의 행위는 위법하며, 판례는 무효원인으로 본다.

① ×

형성력은 기판력과 달리 청구기각판결에는 인정되지 않고, 청구인용판결의 경우에만 인정된다. 따라서 확정된 청구기각판결의 형성력 부분이 틀린 부분이다.

② ○

취소소송에서 청구기각판결이 확정되면 처분이 적법하다는 점(처분이 위법하지 않다는 점)에 기판력이 발생한다. 따라서 기판력에 의해 원고는 후소에서 처분의 위법성을 주장할 수 없는바, 처분의 무효확인소송도 처분이 위법하다는 소송이므로 취소소송뿐만 아니라 무효확인소송도 제기할 수 없다. 과세처분취소소송에서 청구가 기각된 확정판결의 기판력은 과세처분 무효확인소송에도 미친다는 것이 판례의 입장이다(대판 1996. 6. 25, 95누1880).

③ ○

행정청이 새로운 처분을 하는 것과 관련된 효력은 기속력이다. 그런데 기속력의 내용인 반복금지의무는 동일 이유로 동일인에 대해 동일한 내용의 처분을 금지하는 효력이며 그 기준시점을 처분시로 보는 것이 통설 및 판례의 입장이므로 처분시점 이후에 생긴 새로운 사유나 사실관계를 들어 동일한 내용의 처분을 하는 것은 허용된다.

> 거부처분취소의 확정판결을 받은 행정청이 거부처분 후에 법령이 개정·시행된 경우, 이를 새로운 사유로 내세워 다시 거부처분을 한 것은 기속력에 반하는 처분이 아니다(대판 1998. 1. 7, 97두22).

④ ○

기속력을 위반한 처분은 무효라는 것이 판례의 입장이다(대판 1990. 12. 11, 90누3560).

정답 41 ①

제40강 항고소송 5 (무효등확인소송, 부작위위법확인소송)

1회독	2회독	3회독
/	/	/

✓정답률 공단기/소방단기 합격예측 풀서비스 통계 데이터 기준 기 기본서 핵 핵심집약

01 무효등확인소송 기 912~919쪽 핵 T 74

01 정답률 75% 중 2024 지방직 · 서울시 9급

무효등확인소송에 대한 설명으로 옳은 것은? (다툼이 있는 경우 판례에 의함)

□□□ ① 무효확인판결에는 취소판결의 기속력에 관한 규정이 준용되지 않는다.

□□□ ② 무효등확인소송의 제기 당시에 원고적격을 갖추었다면 상고심 계속 중에 원고적격을 상실하더라도 그 소는 적법하다.

□□□ ③ 행정처분의 무효란 행정처분이 처음부터 아무런 효력도 발생하지 아니한다는 의미이므로 무효등확인소송에 대해서는 집행정지가 인정되지 아니한다.

□□□ ④ 행정처분의 당연무효를 주장하여 그 무효확인을 구하는 행정소송에 있어서는 원고에게 그 행정처분이 무효인 사유를 주장 · 입증할 책임이 있다.

관련기출

④

1. 행정처분의 당연무효를 주장하여 그 무효확인을 구하는 행정소송에 있어서는 원고에게 그 행정처분이 무효인 사유를 주장 · 입증할 책임이 있다. (○, ×) 2017 지방직 7급, 2017 국회직 8급
2. 행정처분의 당연무효를 주장하여 그 무효확인을 구하는 행정소송에 있어서는 피고 행정청이 그 행정처분에 중대 · 명백한 하자가 없음을 주장 · 입증할 책임이 있다. (○, ×) 2016 지방직 9급
3. 행정처분의 당연무효를 주장하여 그 무효확인을 구하는 행정소송에 있어서는 행정청이 입증책임을 진다는 것이 판례의 입장이다. (○, ×) 2010 국가직 7급

1. ○ 2. × 3. ×

① 정답률 6% ③ 정답률 14% ×

무효확인판결에는 취소판결의 기속력에 관한 규정, 취소소송의 집행정지에 관한 규정이 준용된다.

> **행정소송법 제38조【준용규정】** ① 제9조, 제10조, 제13조 내지 제17조, 제19조, 제22조 내지 제26조, 제29조 내지 제31조 및 제33조의 규정은 무효등확인소송의 경우에 준용한다.
>
> **제30조【취소판결 등의 기속력】** ② 판결에 의하여 취소되는 처분이 당사자의 신청을 거부하는 것을 내용으로 하는 경우에는 그 처분을 행한 행정청은 판결의 취지에 따라 다시 이전의 신청에 대한 처분을 하여야 한다.
>
> **제23조【집행정지】** (이하 생략)

② 정답률 3% 제38강 참조 ×

> 행정처분의 직접 상대방이 아닌 제3자라 하더라도 당해 행정처분으로 인하여 법률상 보호되는 이익을 침해당한 경우에는 그 처분의 취소나 무효확인을 구하는 행정소송을 제기하여 그 당부의 판단을 받을 자격, 즉 원고적격이 있고, 여기에서 말하는 법률상 보호되는 이익은 당해 처분의 근거법규 및 관련법규에 의하여 보호되는 개별적 · 직접적 · 구체적 이익을 말하며, 원고적격은 소송요건의 하나이므로 사실심변론종결시는 물론 상고심에서도 존속하여야 하고 이를 흠결하면 부적법한 소가 된다(대판 2007. 4. 12, 2004두7924).

④ **빈출** 정답률 75% ○

> 무효확인소송에서는 원고가 처분이 무효라는 것을 입증해야 한다.
>
> 행정처분의 당연무효를 구하는 소송에 있어서는 그 무효를 구하는 사람(원고)에게 그 행정처분에 존재하는 하자가 중대하고 명백하다는 것을 주장 · 입증할 책임이 있다(대판 1984. 2. 28, 82누154).

정답 01 ④

02 정답률 78% 중 2023 국가직 7급

행정소송법상 항고소송에 대한 설명으로 옳은 것은? (다툼이 있는 경우 판례에 의함)

□□□ ① 부작위위법확인소송에서 부작위상태가 계속되는 한 그 위법의 확인을 구할 이익이 있다고 보아야 하므로 행정심판 등 전심절차를 거친 경우에도 제소기간에 관한 규정은 적용되지 않는다.

□□□ ② 외국 국적의 甲이 위명(僞名)인 乙 명의의 여권으로 대한민국에 입국한 뒤 乙 명의로 난민 신청을 하였고 법무부장관이 乙 명의를 사용한 甲을 직접 면담하여 조사한 후에 甲에 대하여 난민불인정 처분을 한 경우, 甲은 난민불인정 처분의 취소를 구할 법률상 이익이 없다.

□□□ ③ 주민 등의 도시관리계획의 입안 제안을 거부하는 처분에 대하여 이익형량의 하자를 이유로 취소판결이 확정된 후에 행정청이 다시 이익형량을 하여 주민 등이 제안한 것과는 다른 내용의 계획을 수립한다면 이는 재처분의무를 이행한 것으로 볼 수 없다.

□□□ ④ 무효확인소송에서 '무효확인을 구할 법률상 이익'을 판단함에 있어 행정처분의 무효를 전제로 한 이행소송 등과 같은 직접적인 구제수단이 있는지 여부를 따질 필요가 없다.

관련기출

④

1. 무효확인소송에서 '무효확인을 구할 법률상 이익'이 있는지를 판단할 때, 행정처분의 무효를 전제로 한 이행소송 등과 같은 직접적인 구제수단이 있는지를 먼저 따질 필요는 없다. (○, ×) 2020 국가직 7급
2. 무효인 과세처분에 근거하여 세금을 납부한 경우 부당이득반환청구의 소로써 직접 위법상태의 제거를 구할 수 있는지 여부와 관계없이 행정소송법 제35조에 규정된 '무효확인을 구할 법률상 이익'을 가진다. (○, ×) 2020 지방직 · 서울시 9급
3. 무효확인소송은 즉시확정의 이익이 있는 경우에만 보충적으로 허용된다는 것이 판례의 입장이다. (○, ×) 2015 교육행정직 9급

1. ○ 2. ○ 3. ×

① 정답률 6% ×

행정심판 등 전심절차를 거친 경우에는 행정소송법 제20조가 정한 제소기간 내에 부작위위법확인의 소를 제기하여야 한다.

부작위위법확인의 소는 부작위상태가 계속되는 한 그 위법의 확인을 구할 이익이 있다고 보아야 하므로 원칙적으로 제소기간의 제한을 받지 않는다. 그러나 행정소송법 제38조 제2항이 제소기간을 규정한 같은 법 제20조를 부작위위법확인소송에 준용하고 있는 점에 비추어 보면, 행정심판 등 전심절차를 거친 경우에는 행정소송법 제20조가 정한 제소기간 내에 부작위위법확인의 소를 제기하여야 한다(대판 2009. 7. 23, 2008두10560).

② 정답률 10% 제36강 참조 ×

〔미얀마 국적의 甲이 위명(僞名)인 '乙' 명의의 여권으로 대한민국에 입국한 뒤 乙 명의로 난민 신청을 하였으나 법무부장관이 乙 명의를 사용한 甲을 직접 면담하여 조사한 후 甲에 대하여 난민불인정 처분을 한 사안에서〕 처분의 상대방은 허무인이 아니라 '乙'이라는 위명을 사용한 甲이므로, 甲은 처분의 취소를 구할 법률상 이익이 있다(대판 2017. 3. 9, 2013두16852).

③ 정답률 4% 제39강 참조 ×

취소 확정판결의 기속력의 범위에 관한 법리 및 도시관리계획의 입안 결정에 관하여 행정청에게 부여된 재량을 고려하면, 주민 등의 도시관리계획입안 제안을 거부한 처분을 이익형량에 하자가 있어 위법하다고 판단하여 취소하는 판결이 확정되었더라도 행정청에게 그 입안 제안을 그대로 수용하는 내용의 도시관리계획을 수립할 의무가 있다고는 볼 수 없고, 행정청이 다시 새로운 이익형량을 하여 적극적으로 도시관리계획을 수립하였다면 취소판결의 기속력에 따른 재처분의무를 이행한 것이라고 보아야 한다(대판 2020. 6. 25, 2019두56135).

④ **빈출** 정답률 78% ○

1. 항고소송으로 무효확인소송을 제기하는 경우 무효확인소송의 '보충성'이 요구되는 것은 아니다.
2. 행정소송법 제35조에 규정된 '무효확인을 구할 법률상 이익'이 있는지를 판단할 때 행정처분의 무효를 전제로 한 이행소송 등과 같은 직접적인 구제수단이 있는지를 따져볼 필요가 없다.

   행정처분의 근거법률에 의하여 보호되는 직접적이고 구체적인 이익이 있는 경우에는 행정소송법 제35조에 규정된 '무효확인을 구할 법률상 이익'이 있다고 보아야 하고, 이와 별도로 무효확인소송의 보충성이 요구되는 것은 아니므로 행정처분의 무효를 전제로 한 이행소송 등과 같은 직접적인 구제수단이 있는지 여부를 따질 필요가 없다고 해석함이 상당하다(대판 2008. 3. 20, 2007두6342 전합).

정답 02 ④

03 상 2021 변호사

A행정청은 미성년자에게 주류를 판매하였다는 이유로 甲에게 영업정지처분에 갈음하는 과징금 부과처분을 하였다. 甲은 이에 대하여 행정소송을 제기할 것을 고려하고 있다. 이에 관한 설명 중 옳지 않은 것은? (다툼이 있는 경우 판례에 의함)

□□□ ① 甲이 제기하는 무효확인과 취소청구의 소는 주위적 · 예비적 청구로서만 병합이 가능하고 선택적 청구로서의 병합이나 단순병합은 허용되지 아니한다.

□□□ ② 甲이 과징금 부과처분에 대하여 무효확인의 소를 제기하였다가 그 후 취소청구의 소를 추가적으로 병합한 경우, 무효확인의 소가 적법한 제소기간 내에 제기되었다면 추가로 병합된 취소청구의 소도 적법하게 제기된 것이다.

□□□ ③ 甲이 과징금 부과처분에 대하여 무효확인의 소를 제기하면서 위 처분의 취소를 구하지 아니한다고 밝히지 아니하였다면, 무효확인의 소에는 그 처분이 당연무효가 아니라면 그 취소를 구하는 취지도 포함되어 있는 것으로 보아야 한다.

□□□ ④ 甲이 과징금 부과처분의 하자가 취소사유임에도 A행정청을 상대로 무효확인의 소를 제기하였는데 만약 취소소송의 제기요건을 구비하지 못하였다면 무효확인청구는 기각된다.

□□□ ⑤ 甲이 만일 부과된 과징금을 납부한 후 과징금 부과처분에 대하여 무효확인의 소를 제기하였다면, 甲은 부당이득반환청구의 소로써 직접 위법상태를 제거할 수 있으므로 甲이 제기한 무효확인의 소는 법률상 이익이 없다.

① ○

행정처분에 대한 무효확인과 취소청구는 서로 양립할 수 없는 청구로서 주위적 · 예비적 청구로서만 병합이 가능하고 선택적 청구의 병합이나 단순병합은 허용되지 아니한다(대판 1999. 8. 20, 97누6889).

② ○

동일한 행정처분에 대하여 무효확인의 소를 제기하였다가 그 후 그 처분의 취소를 구하는 소를 추가적으로 병합한 경우, 주된 청구인 무효확인의 소가 적법한 제소기간 내에 제기되었다면 추가로 병합된 취소청구의 소도 적법하게 제기된 것으로 볼 수 있다(편저자 주 : 한편 이러한 병합은 예비적 병합으로만 가능하다. 병합 부분 참조)(대판 2005. 12. 23, 2005두3554).

③ ○

행정처분의 무효확인을 구하는 소에는 원고가 그 처분의 취소를 구하지 아니한다고 밝히지 아니한 이상 그 처분이 만약 당연무효가 아니라면 그 취소를 구하는 취지도 포함되어 있는 것으로 보아야 한다(대판 1994. 12. 23, 94누477).

④ ○

취소소송의 제소기간이 경과한 후에 취소사유에 해당하는 처분에 대해 무효확인소송을 제기한 경우 이를 어떻게 처리할 것인지가 문제되는데, 이에 대해 판례는 청구기각판결을 하여야 한다고 본다(대판 1984. 5. 29, 84누175).

⑤ ×

무효확인소송의 경우 보충성이 요구되는 것은 아니므로 행정처분의 무효를 전제로 한 이행소송 등과 같은 직접적인 구제수단이 있는지 여부를 따질 필요가 없다는 것이 판례의 입장이다. 따라서 甲이 부당이득반환청구의 소로써 직접 위법상태를 제거할 수 있는 경우에도 甲이 제기한 무효확인의 소는 법률상 이익이 있다.

1. 항고소송으로 무효확인소송을 제기하는 경우 무효확인소송의 '보충성'이 요구되는 것은 아니다.
2. 행정소송법 제35조에 규정된 '무효확인을 구할 법률상 이익'이 있는지를 판단할 때 행정처분의 무효를 전제로 한 이행소송 등과 같은 직접적인 구제수단이 있는지를 따져볼 필요가 없다.

   행정소송법 제4조에서는 무효확인소송을 항고소송의 일종으로 규정하고 있고, 행정소송법 제38조 제1항에서는 처분 등을 취소하는 확정판결의 기속력 및 행정청의 재처분의무에 관한 행정소송법 제30조를 무효확인소송에도 준용하고 있으므로 무효확인판결 자체만으로도 실효성을 확보할 수 있다. 그리고 무효확인소송의 보충성을 규정하고 있는 외국의 일부 입법례와는 달리 우리나라 행정소송법에는 명문의 규정이 없어 이로 인한 명시적 제한이 존재하지 않는다. 이와 같은 사정을 비롯하여 행정에 대한 사법통제, 권익구제의 확대와 같은 행정소송의 기능 등을 종합하여 보면, 행정처분의 근거법률에 의하여 보호되는 직접적이고 구체적인 이익이 있는 경우에는 행정소송법 제35조에 규정된 '무효확인을 구할 법률상 이익'이 있다고 보아야 하고, 이와 별도로 무효확인소송의 보충성이 요구되는 것은 아니므로 행정처분의 무효를 전제로 한 이행소송 등과 같은 직접적인 구제수단이 있는지 여부를 따질 필요가 없다고 해석함이 상당하다. 이와 다른 취지로 판시한 종전 대법원판결들은 이 판결의 견해에 배치되는 범위 내에서 이를 변경하기로 한다(대판 2008. 3. 20, 2007두6342 전합).

정답 03 ⑤

대표

04 빈출 ⓢ

2021 국회직 8급

甲은 중대 · 명백한 하자가 있어 무효인 A처분에 대해 소송을 제기하려고 한다. 이에 대한 설명으로 옳은 것은? (다툼이 있는 경우 판례에 의함)

□□□ ① 甲은 A처분에 대한 무효확인소송과 취소소송을 선택적 청구로서 병합하여 제기할 수 있다.

□□□ ② 甲이 A처분에 대해 취소소송을 제기하는 경우 제소기간의 제한을 받지 않는다.

□□□ ③ 甲이 취소소송을 제기하였더라도 A처분에 중대 · 명백한 하자가 있다면 법원은 무효확인판결을 하여야 한다.

□□□ ④ 甲이 A처분에 대해 무효확인소송을 제기하려면 확인소송의 일반적 요건인 즉시확정의 이익이 있어야 한다.

□□□ ⑤ 甲이 A처분에 대해 무효확인소송을 제기하였다가 그 후 그 처분에 대한 취소소송을 추가적으로 병합한 경우, 주된 청구인 무효확인소송이 적법한 제소기간 내에 제기되었다면 추가로 병합된 취소소송도 제소기간을 준수한 것으로 보아야 한다.

관련기출

②

1. 무효인 행정행위에 대하여 무효의 주장을 취소소송의 형식(무효선언적 취소)으로 제기하는 경우에 있어서, 취소소송의 형식에 의하여 제기되었더라도 이러한 소송에 있어서는 취소소송의 제소요건의 제한을 받지 아니한다. (○, ×) 2022 군무원 7급

1. ×

③

1. 무효인 처분에 대하여 취소소송이 제기된 경우 소송제기요건이 구비되었다면 법원은 당해 소를 각하하여서는 아니 되며, 무효를 선언하는 의미의 취소판결을 하여야 한다. (○, ×) 2014 지방직 9급

1. ○

⑤

1. 동일한 행정처분에 대하여 무효확인소송을 제기하였다가 그 후 그 처분의 취소를 구하는 소송을 추가적으로 병합한 경우에 주된 청구인 무효확인소송이 적법한 제소기간 내에 제기되었다면 추가로 병합된 취소소송도 적법하게 제기된 것으로 보아야 한다. (○, ×) 2021 경행경채
2. 동일한 처분에 대하여 무효확인의 소를 제기하였다가 그 처분의 취소를 구하는 소를 추가적으로 병합한 경우, 주된 청구인 무효확인의 소가 적법한 제소기간 내에 제기되었다면 추가로 병합된 취소청구의 소도 적법하게 제기된 것으로 볼 수 있다. (○, ×) 2021 국가직 9급
3. 동일한 행정처분에 대하여 무효확인소송을 제기하였다가 그 후 그 처분에 대한 취소소송을 추가적으로 병합한 경우, 무효확인소송이 취소소송의 제소기간 내에 제기되었다면 제소기간 도과 후 병합된 취소소송도 적법하게 제기된 것으로 볼 수 있다. (○, ×) 2017 지방직 7급

1. ○ 2. ○ 3. ○

① **빈출** ×

무효이면서 취소사유에 해당하는 처분은 개념상 생각하기 어렵기 때문에 하나의 행정처분에 대한 무효확인과 취소청구는 서로 양립할 수 없는 청구에 해당한다. 따라서 서로 양립이 가능한 청구를 대상으로 하는 단순병합이나 선택적 병합은 불가능하고, 양립할 수 없는 청구에 대한 병합인 주위적 · 예비적 병합만이 허용된다.

> 행정처분에 대한 무효확인과 취소청구의 선택적 병합 또는 단순병합은 허용되지 않는다.
> 행정처분에 대한 무효확인과 취소청구는 서로 양립할 수 없는 청구로서 주위적 · 예비적 청구로서만 병합이 가능하고 선택적 청구의 병합이나 단순병합은 허용되지 아니한다(대판 1999. 8. 20, 97누6889).

②③ **빈출** ×

당사자가 취소소송을 제기하였으나 법원의 심리결과 그 처분이 중대 · 명백한 하자가 있어 무효사유에 해당하는 경우 법원은 어떠한 판결을 해야 하는지가 문제된다. 이 경우 통설과 판례는 이른바 무효선언적 의미의 취소판결을 할 수 있다는 입장이다(③). 다만, 이러한 경우는 형식적으로는 취소소송으로 제기되었으므로 취소소송의 소송요건, 예컨대 예외적 행정심판전치주의, 제소기간 등의 제한을 받는다는 것이 통설 · 판례의 입장이다(②).

> 무효사유에 해당하는 처분에 대해 취소소송을 제기하는 경우에도 제소기간의 준수 등 취소소송의 제소요건을 갖추어야 한다(대판 1984. 5. 29, 84누175).

④ ×

즉시확정의 이익(확인의 이익)은 확인의 소의 보충성을 의미한다. 판례는 항고소송으로 무효확인소송을 제기하는 경우 무효확인소송의 보충성을 요구하지 않는다.

> 1. 항고소송으로 무효확인소송을 제기하는 경우 무효확인소송의 '보충성'이 요구되는 것은 아니다.
> 2. 행정소송법 제35조에 규정된 '무효확인을 구할 법률상 이익'이 있는지를 판단할 때 행정처분의 무효를 전제로 한 이행소송 등과 같은 직접적인 구제수단이 있는지를 따져볼 필요가 없다(대판 2008. 3. 20, 2007두6342 전합).

⑤ **빈출** ○

> 동일한 행정처분에 대하여 무효확인의 소를 제기하였다가 그 후 그 처분의 취소를 구하는 소를 추가적으로 병합한 경우, 주된 청구인 무효확인의 소가 적법한 제소기간 내에 제기되었다면 추가로 병합된 취소청구의 소도 적법하게 제기된 것으로 볼 수 있다(편저자 주 : 한편 이러한 병합은 예비적 병합으로만 가능하다)(대판 2005. 12. 23, 2005두3554).

정답 04 ⑤

05 정답률 69% 상 2019 지방직 7급

甲은 단순위법인 취소사유가 있는 A처분에 대하여 행정소송법상 무효확인소송을 제기하였다. 이에 대한 설명으로 옳은 것은? (다툼이 있는 경우 판례에 의함)

□□□ ① 무효확인소송에 A처분의 취소를 구하는 취지도 포함되어 있고 무효확인소송이 행정소송법상 취소소송의 적법요건을 갖추었다 하더라도, 법원은 A처분에 대한 취소판결을 할 수 없다.

□□□ ② 무효확인소송이 행정소송법상 취소소송의 적법한 제소기간 안에 제기되었더라도, 적법한 제소기간 이후에는 A처분의 취소를 구하는 소를 추가적 · 예비적으로 병합하여 제기할 수 없다.

□□□ ③ 甲이 무효확인소송의 제기 전에 이미 A처분의 위법을 이유로 국가배상청구소송을 제기하였다면, 무효확인소송의 수소법원은 甲의 무효확인소송을 국가배상청구소송이 계속된 법원으로 이송 · 병합할 수 있다.

□□□ ④ 甲이 무효확인소송의 제기 당시에 원고적격을 갖추었더라도 상고심 중에 원고적격을 상실하면 그 소는 부적법한 것이 된다.

관련기출

①

1. 행정처분의 무효확인을 구하는 소에는 원고가 그 처분의 취소를 구하지 아니한다고 밝히지 아니한 이상 그 처분이 당연무효가 아니라면 그 취소를 구하는 취지도 포함되어 있는 것으로 보아야 하고, 그와 같은 경우에 취소청구를 인용하려면 먼저 취소를 구하는 항고소송으로서의 제소요건을 구비하여야 한다. (○, ×) 2023 국회직 8급
2. 행정처분의 무효확인을 구하는 소에는 특단의 사정이 없는 한 그 취소를 구하는 취지도 포함되어 있다고 보아야 한다. (○, ×) 2019 서울시 2회 7급
3. 무효확인소송을 제기하였는데 해당 사건에서의 위법이 취소사유에 불과한 때, 법원은 취소소송의 요건을 충족한 경우 취소판결을 내린다. (○, ×) 2017 국가직(하) 7급
4. (판례에 따르면) 행정처분의 무효확인을 구하는 소에는 원고가 그 처분의 취소를 구하지 아니한다고 밝히지 아니한 이상 그 처분이 만약 당연무효가 아니라면 그 취소를 구하는 취지도 포함되어 있는 것으로 보아야 한다. (○, ×) 2012 국회직 8급

1. ○ 2. ○ 3. ○ 4. ○

④

1. 무효확인소송의 제1심 판결시까지 원고적격을 구비하였는데 제2심 단계에서 원고적격을 흠결하게 된 경우, 제2심 수소법원은 각하판결을 하여야 한다. (○, ×) 2019 국가직 9급

1. ○

① **빈출** ×

무효확인을 구하는 청구에는 특별한 사정이 없는 한 그 처분의 취소를 구하는 취지까지도 포함되어 있다는 것이 판례의 입장이다. 따라서 취소사유 있는 A처분에 대한 무효확인소송이 취소소송의 적법요건을 갖추고 있다면 법원은 A처분에 대한 취소판결을 할 수 있다.

> 1. 행정처분의 무효확인을 구하는 소에는 원고가 그 처분의 취소를 구하지 아니한다고 밝히지 아니한 이상 그 처분이 만약 당연무효가 아니라면 그 취소를 구하는 취지도 포함되어 있는 것으로 보아야 한다(대판 1994. 12. 23, 94누477).
> 2. 행정처분의 무효확인을 구하는 청구에는 특별한 사정이 없는 한 그 처분의 취소를 구하는 취지까지도 포함되어 있다고 볼 수는 있으나 위와 같은 경우에 취소청구를 인용하려면 먼저 취소를 구하는 항고소송으로서의 제소요건을 구비한 경우에 한한다(대판 1986. 9. 23, 85누838).

② ×

A처분에 대한 무효확인소송이 행정소송법상 취소소송의 적법한 제소기간 안에 제기되었다면, 비록 취소소송의 제소기간이 지난 경우라도 甲은 A처분에 대한 취소소송을 추가적 · 예비적으로 병합하여 제기할 수 있다.

> 동일한 행정처분에 대하여 무효확인의 소를 제기하였다가 그 후 그 처분의 취소를 구하는 소를 추가적으로 병합한 경우, 주된 청구인 무효확인의 소가 적법한 제소기간 내에 제기되었다면 추가로 병합된 취소청구의 소도 적법하게 제기된 것으로 볼 수 있다(대판 2005. 12. 23, 2005두3554).

③ 제36강 참조 ×

처분에 대한 무효확인소송과 처분의 위법을 이유로 하는 손해배상청구소송은 이른바 관련청구소송이다. 행정소송법 제10조, 제38조에 따르면 항고소송과 관련청구소송은 이송 및 병합이 가능한데 이 경우 항고소송을 관련청구소송이 계속된 법원으로 이송 및 병합하는 것이 아니라 관련청구소송을 항고소송으로 이송 및 병합하도록 하고 있다. 따라서 무효확인소송의 수소법원이 甲의 무효확인소송을 국가배상청구소송이 계속된 법원으로 이송 · 병합하는 것이 아니라 국가배상소송의 수소법원이 국가배상청구소송을 무효확인소송이 계속된 법원으로 이송 · 병합할 수 있다.

> **행정소송법 제10조【관련청구소송의 이송 및 병합】** ① 취소소송과 다음 각 호의 1에 해당하는 소송(이하 '관련청구소송'이라 한다)이 각각 다른 법원에 계속되고 있는 경우에 관련청구소송이 계속된 법원이 상당하다고 인정하는 때에는 당사자의 신청 또는 직권에 의하여 이를 취소소송이 계속된 법원으로 이송할 수 있다.
> 1. 당해 처분 등과 관련되는 손해배상 · 부당이득반환 · 원상회복 등 청구소송
> 2. 당해 처분 등과 관련되는 취소소송
>
> ② 취소소송에는 사실심의 변론종결시까지 관련청구소송을 병합하거나 피고 외의 자를 상대로 한 관련청구소송을 취소소송이 계속된 법원에 병합하여 제기할 수 있다.
>
> **제38조【준용규정】** ① 제9조, 제10조, 제13조 내지 제17조, 제19조, 제22조 내지 제26조, 제29조 내지 제31조 및 제33조의 규정은 무효등확인소송의 경우에 준용한다.

④ 제36강 참조 ○

> 원고적격은 소송요건의 하나이므로 사실심변론종결시는 물론 상고심에서도 존속하여야 하고 이를 흠결하면 부적법한 소가 된다(대판 2007. 4. 12, 2004두7924).

정답 05 ④

06 정답률 39% 상 2019 서울시 2회 7급

행정소송법상 항고소송에 대한 설명으로 가장 옳지 않은 것은?

□□□ ① 행정처분에 대한 무효확인과 취소청구는 서로 양립할 수 없는 청구로서 선택적 청구로서의 병합만이 가능하고 단순병합은 허용되지 아니한다.

□□□ ② 행정처분의 무효확인을 구하는 소에는 특단의 사정이 없는 한 그 취소를 구하는 취지도 포함되어 있다고 보아야 한다.

□□□ ③ 행정소송에서 쟁송의 대상이 되는 행정처분의 존재를 당사자들이 다투지 아니한다 하더라도 그 존부에 관하여 의심이 있는 경우에 법원은 이를 직권으로 밝혀야 한다.

□□□ ④ 행정소송법 제2조 소정의 행정처분이라고 하더라도 그 처분의 근거법률에서 행정소송 이외의 다른 절차에 의하여 불복할 것을 예정하고 있는 처분은 항고소송의 대상이 될 수 없다.

① ×

> 행정처분에 대한 무효확인과 취소청구의 선택적 병합 또는 단순병합은 허용되지 않는다.
> 행정처분에 대한 무효확인과 취소청구는 서로 양립할 수 없는 청구로서 주위적 · 예비적 청구로서만 병합이 가능하고 선택적 청구의 병합이나 단순병합은 허용되지 아니한다(대판 1999. 8. 20, 97누6889).

② ○

> 행정처분의 무효확인을 구하는 소에는 원고가 그 처분의 취소를 구하지 아니한다고 밝히지 아니한 이상 그 처분이 만약 당연무효가 아니라면 그 취소를 구하는 취지도 포함되어 있는 것으로 보아야 한다(대판 1994. 12. 23, 94누477).

③ ○

> 행정소송에서 쟁송의 대상이 되는 행정처분의 존부는 소송요건으로서 직권조사사항이고, 자백의 대상이 될 수 없는 것이므로, 설사 그 존재를 당사자들이 다투지 아니한다 하더라도 그 존부에 관하여 의심이 있는 경우에는 이를 직권으로 밝혀 보아야 한다(대판 2004. 12. 24, 2003두15195).

④ ○

검사의 공소제기, 불기소처분 등 특별한 불복절차를 규정하고 있는 경우에는 행정소송의 대상이 되는 처분이 아니다.

> 행정소송법 제2조의 처분의 개념 정의에는 해당한다고 하더라도 그 처분의 근거법률에서 행정소송 이외의 다른 절차에 의하여 불복할 것을 예정하고 있는 처분은 항고소송의 대상이 될 수 없다. 검사의 불기소결정에 대해서는 검찰청법에 의한 항고와 재항고, 형사소송법에 의한 재정신청에 의해서만 불복할 수 있는 것이므로, 이에 대해서는 행정소송법상 항고소송을 제기할 수 없다(대판 2018. 9. 28, 2017두47465).

정답 06 ①

07 정답률 62% 상 2019 국가직 7급

갑(甲)에 대한 과세처분 이후 조세 부과의 근거가 되었던 법률에 대해 헌법재판소의 위헌결정이 있었고, 위헌결정 이후에 그 조세채권의 집행을 위해 갑(甲)의 재산에 대해 압류처분이 있었다. 이에 대한 설명으로 옳은 것은? (다툼이 있는 경우 판례에 의함)

□□□ ① 갑(甲)은 압류처분에 대해 무효확인소송을 제기하려면 무효확인심판을 거쳐야 한다.

□□□ ② 위헌결정 당시 이미 과세처분에 불가쟁력이 발생하여 조세채권이 확정된 경우에도 갑(甲)의 재산에 대한 압류처분은 무효이다.

□□□ ③ 갑(甲)이 압류처분에 대해 무효확인소송을 제기하였다가 압류처분에 대한 취소소송을 추가로 병합하는 경우, 무효확인의 소가 취소소송 제소기간 내에 제기됐더라도 취소청구의 소의 추가 병합이 제소기간을 도과했다면 병합된 취소청구의 소는 부적법하다.

□□□ ④ 갑(甲)이 압류처분에 대해 무효확인소송을 제기하였다가 취소소송으로 소의 종류를 변경하는 경우, 제소기간의 준수 여부는 취소소송으로 변경되는 때를 기준으로 한다.

① **빈출** ×

국세기본법은 예외적 행정심판전치주의를 규정하고 있으므로 국세부과처분 취소소송에는 필요적 행정심판전치주의가 적용된다. 다만 무효등확인소송의 경우에는 취소소송의 규정 중 행정심판전치에 관한 규정이 준용되지 않으므로 비록 개별법에서 예외적 행정심판전치주의를 규정하고 있는 경우에도 행정심판을 제기하지 않고 곧바로 무효등확인소송을 제기할 수 있다. 따라서 갑(甲)은 무효확인심판을 거치지 않고도 압류처분에 대해 무효확인소송을 제기할 수 있다.

> **행정소송법 제18조【행정심판과의 관계】** ① 취소소송은 법령의 규정에 의하여 당해 처분에 대한 행정심판을 제기할 수 있는 경우에도 이를 거치지 아니하고 제기할 수 있다. 다만, 다른 법률에 당해 처분에 대한 행정심판의 재결을 거치지 아니하면 취소소송을 제기할 수 없다는 규정이 있는 때에는 그러하지 아니하다.
>
> **제38조【준용규정】** ① 제9조, 제10조, 제13조 내지 제17조, 제19조, 제22조 내지 제26조, 제29조 내지 제31조 및 제33조의 규정은 무효등확인소송의 경우에 준용한다(편저자 주 : 제18조를 준용하지 않음).

② ○

조세 부과의 근거가 되었던 법률규정이 위헌으로 선언된 경우 위헌결정 이후에 조세채권의 집행을 위해 체납처분(현 강제징수)을 속행하는 것은 허용되지 않으므로, 갑(甲)의 재산에 대한 압류처분은 위헌결정의 기속력에 위반되어 그 하자가 중대하고 명백하므로 무효가 된다.

> 과세처분 이후 조세 부과의 근거가 되었던 법률규정에 대하여 위헌결정이 내려진 경우, 그 조세채권의 집행을 위한 체납처분(현 강제징수)은 당연무효가 된다(대판 2012. 2. 16, 2010두10907 전합).

③ ×

동일한 처분에 대하여 무효확인의 소를 제기하였다가 취소소송을 추가로 병합하는 경우 비록 취소소송 당시에는 처분에 대한 제소기간이 경과한 후라도 처음에 제기한 무효확인의 소가 적법한 제소기간 내에 제기된 것이라면(여기서 적법한 제소기간이라고 함은 취소소송의 제소기간을 말함) 추가로 병합된 취소소송도 제소기간을 준수한 것이라고 보는 것이 판례의 입장이다. 따라서 갑(甲)이 압류처분에 대해 무효확인소송을 제기하였다가 압류처분에 대한 취소소송을 추가로 병합하는 경우, 무효확인의 소가 취소소송 제소기간 내에 제기되었다면 취소청구의 소의 추가 병합이 제소기간을 도과한 후라도 병합된 취소청구의 소는 적법하다.

> 하자 있는 행정처분을 놓고 이를 무효로 볼 것인지 아니면 단순히 취소할 수 있는 처분으로 볼 것인지는 동일한 사실관계를 토대로 한 법률적 평가의 문제에 불과하고, 행정처분의 무효확인을 구하는 소에는 특단의 사정이 없는 한 그 취소를 구하는 취지도 포함되어 있다고 보아야 하는 점 등에 비추어 볼 때, 동일한 행정처분에 대하여 무효확인의 소를 제기하였다가 그 후 그 처분의 취소를 구하는 소를 추가적으로 병합한 경우, 주된 청구인 무효확인의 소가 적법한 제소기간 내에 제기되었다면 추가로 병합된 취소청구의 소도 적법하게 제기된 것으로 봄이 상당하다(대판 2005. 12. 23, 2005두3554).

④ ×

소 종류변경의 경우 새로운 소에 대한 **제소기간이 준수되었는지는** 처음의 소를 **제기한 때를 기준으로 판단해야 하므로,** 갑(甲)의 소 종류변경과 관련하여 제소기간 준수 여부는 처음의 소인 무효확인소송 제기시를 기준으로 판단해야 한다.

정답 07 ②

08 정답률 75% 중 2019 지방직 · 교육행정직 9급

행정소송에 대한 설명으로 옳지 않은 것은? (다툼이 있는 경우 판례에 의함)

□□□ ① 검사의 불기소결정은 행정소송법상 처분에 해당되어 항고소송을 제기할 수 있다.

□□□ ② 납세의무부존재확인의 소는 공법상의 법률관계 그 자체를 다투는 소송으로서 당사자소송이다.

□□□ ③ 행정청의 부작위에 대하여 행정심판을 거치지 않고 부작위위법확인소송을 제기하는 경우에는 제소기간의 제한을 받지 않는다.

□□□ ④ 거부처분에 대하여 무효확인판결이 확정된 경우, 행정청에 대해 판결의 취지에 따른 재처분의무가 인정될 뿐 그에 대하여 간접강제까지 허용되는 것은 아니다.

① ×

검사의 불기소결정에 대해서는 검찰청법에 의한 항고와 재항고, 형사소송법에 의한 재정신청에 의해서만 불복할 수 있는 것이므로, 이에 대해서는 행정소송법상 항고소송을 제기할 수 없다는 것이 판례의 입장이다(대판 2018. 9. 28, 2017두47465).

② ○

> 납세의무부존재확인의 소는 공법상의 법률관계 그 자체를 다투는 소송으로서 당사자소송이라 할 것이므로 그 법률관계의 한쪽 당사자인 국가 · 공공단체 그 밖의 권리주체가 피고적격을 가진다(대판 2000. 9. 8, 99두2765).

③ ○

> 부작위위법확인의 소는 부작위상태가 계속되는 한 그 위법의 확인을 구할 이익이 있다고 보아야 하므로 원칙적으로 제소기간의 제한을 받지 않는다. 그러나 행정소송법 제38조 제2항이 제소기간을 규정한 같은 법 제20조를 부작위위법확인소송에 준용하고 있는 점에 비추어 보면, 행정심판 등 전심절차를 거친 경우에는 행정소송법 제20조가 정한 제소기간 내에 부작위위법확인의 소를 제기하여야 한다(대판 2009. 7. 23, 2008두10560).

④ ○

무효등확인판결에는 취소소송의 규정 중 재처분의무에 관한 규정은 준용하나 간접강제에 관한 규정은 준용하고 있지 않다. 따라서 거부처분에 대하여 무효확인판결이 확정된 경우, 행정청에 대해 판결의 취지에 따른 재처분의무가 인정될 뿐 그에 대하여 간접강제까지 허용되는 것은 아니다.

> 행정소송법상 무효확인소송에는 취소소송에 관한 규정 중 간접강제를 준용한다는 규정이 없으므로 무효확인소송에는 간접강제가 인정되지 않는다(대결 1998. 12. 24, 98무37).

정답 08 ①

09 중 2013 국회직 8급

국민건강보험공단은 甲에게 보험료 부과처분을 하였다. 이에 甲은 그 전액을 납부하였으나 나중에 위 보험료 부과처분에 하자가 있다는 사실을 알게 되었다. 이와 관련된 설명으로 옳지 않은 것은? (다툼이 있는 경우 판례에 따름)

□□□ ① 甲이 취소소송을 제기하여 인용판결이 확정되면 甲은 부당이득반환청구권을 가지게 된다.

□□□ ② 甲이 취소소송을 제기하지 않고 부당이득반환청구소송을 제기한 경우 민사소송절차에 따라야 한다.

□□□ ③ 甲이 취소소송을 제기하지 않고 부당이득반환청구소송을 제기한 경우 보험료 부과처분이 비록 위법하더라도 당연무효의 것이 아니라면 그 공정력 또는 구성요건적 효력으로 인하여 민사법원은 그 효력을 부정할 수 없게 된다.

□□□ ④ 甲이 취소소송과 부당이득반환청구소송을 병합하여 제기한 경우 법원은 보험료 부과처분의 취소가 확정되지 않은 이상 그 효력을 부정할 수 없으므로 甲의 부당이득반환청구를 인용할 수 없게 된다.

□□□ ⑤ 甲이 보험료를 이미 납부한 경우에는 비록 부당이득반환청구소송과 같은 직접적인 구제수단이 있다 하더라도 부당이득반환청구소송을 제기하지 않고 바로 무효확인소송을 제기할 수 있다.

① ○

보험료 부과처분에 대해 취소소송을 제기하여 취소판결이 확정된 경우 보험료 부과처분은 행정청의 별도의 조치 없이도 소급하여 그 효력을 상실한다(형성력). 이 경우 보험료납부의 법률상 원인은 없는 것이 되므로 국민건강보험공단이 보험료를 받은 것은 부당이득에 해당한다. 따라서 甲은 부당이득반환청구권을 가지게 된다.

② ○

판례는 부당이득반환청구권을 사권으로 보므로 부당이득반환청구소송은 민사소송이 된다.

> 조세과오납반환청구는 민사소송이다.
>
> 조세부과처분의 당연무효를 전제로 하여 이미 납부한 세금의 반환을 청구하는 것은 민사상의 부당이득반환청구로서 민사소송절차에 따라야 한다는 것이 법원의 입장이다(대판 1995. 4. 28, 94다55019).

③ ○

이른바 공정력 내지 구성요건적 효력으로 인해 민사법원은 행정처분의 효력을 부인할 수는 없다.

> 과세처분에 단지 취소할 수 있는 위법사유가 있는 경우, 민사소송절차에서 그 과세처분의 효력을 부인할 수 없다.
>
> 과세처분이 당연무효라고 볼 수 없는 한 과세처분에 취소할 수 있는 위법사유가 있다 하더라도 그 과세처분은 행정행위의 공정력 또는 집행력에 의하여 그것이 적법하게 취소되기 전까지는 유효하다 할 것이므로, 민사소송절차에서 그 과세처분의 효력을 부인할 수 없다(대판 1999. 8. 20, 99다20179).

④ ×

> 행정처분의 취소를 구하는 취소소송에 당해 처분의 취소를 선결문제로 하는 부당이득반환청구가 병합된 경우, 그 청구의 인용을 위하여는 그 소송절차에서 판결에 의해 당해 처분이 취소되면 충분하고 그 처분의 취소가 확정되어야 할 필요는 없다(대판 2009. 4. 9, 2008두23153).

⑤ ○

항고소송 중 무효확인소송에 보충성을 인정하게 되면 다른 직접적인 구제수단이 있는 경우에는 그 구제수단을 따라야 되며, 다른 직접적인 구제수단이 없는 경우에 비로소 무효확인소송을 제기할 수 있게 된다. 그런데 판례에 따르면 항고소송으로서의 무효확인소송에는 보충성이 인정되지 않으므로 부당이득반환청구소송과 같은 직접적인 구제수단이 있다 하더라도 부당이득반환청구소송을 제기하지 않고 바로 무효확인소송을 제기할 수 있다.

> 1. 항고소송으로 무효확인소송을 제기하는 경우 무효확인소송의 '보충성'이 요구되는 것은 아니다.
> 2. 행정소송법 제35조에 규정된 '무효확인을 구할 법률상 이익'이 있는지를 판단할 때 행정처분의 무효를 전제로 한 이행소송 등과 같은 직접적인 구제수단이 있는지를 따져볼 필요가 없다(대판 2008. 3. 20, 2007두6342 전합).

정답 09 ④

10 중 2013 국가직 7급

행정소송법상 항고소송에 대한 설명으로 옳지 않은 것은?

□□□ ① 간접강제결정에 기한 배상금은 확정판결에 따른 재처분의 지연에 대한 제재 또는 손해배상이라는 것이 판례의 입장이다.

□□□ ② 행정청이 처분 등을 취소 또는 변경함으로 인하여 취소청구가 각하 또는 기각된 경우, 소송비용은 피고의 부담이 된다.

□□□ ③ 무효등확인소송에는 취소소송의 제소기간에 관한 규정이 준용되지 않는다.

□□□ ④ 판례는 무효를 선언하는 의미의 취소판결을 인정하고 있다.

① ×

1. 행정소송법 제34조 소정의 간접강제결정에 기한 배상금의 성질은 확정판결의 취지에 따른 재처분의 지연에 대한 제재나 손해배상이 아니고 재처분의 이행에 관한 심리적 강제수단에 불과한 것으로 보아야 한다.
2. 확정판결의 취지에 따른 재처분이 간접강제결정에서 정한 의무이행기한이 경과한 후에 이루어진 경우, 간접강제결정에 기한 배상금의 추심은 허용되지 않는다(대판 2004. 1. 15, 2002두2444).

② ○

행정소송법 제32조【소송비용의 부담】 취소청구가 제28조의 규정에 의하여 기각되거나 행정청이 처분 등을 취소 또는 변경함으로 인하여 청구가 각하 또는 기각된 경우에는 소송비용은 피고의 부담으로 한다.

③ ○

처분이 무효인 경우에는 불가쟁력이 발생하지 않으므로 무효등확인소송에는 취소소송의 제소기간의 제한에 관한 규정은 적용되지 않는다.

행정소송법 제20조【제소기간】 (이하 생략)

제38조【준용규정】 ① 제9조, 제10조, 제13조 내지 제17조, 제19조, 제22조 내지 제26조, 제29조 내지 제31조 및 제33조의 규정은 무효등확인소송의 경우에 준용한다.

④ ○

당사자가 취소소송을 제기하였으나 법원의 심리결과 그 처분이 중대 · 명백한 하자가 있어 무효사유에 해당하는 경우, 통설과 판례는 이른바 무효선언적 의미의 취소판결을 할 수 있다는 입장이다.

정답 10 ①

02 부작위위법확인소송 기 920~927쪽 핵 T 75

11 정답률 84% 중 2022 국가직 7급

부작위위법확인소송에 대한 설명으로 옳지 않은 것은? (다툼이 있는 경우 판례에 의함)

□□□ ① 부작위위법확인소송은 처분의 신청을 한 자로서 부작위의 위법의 확인을 구할 법률상의 이익이 있는 자만이 제기할 수 있다.

□□□ ② 당사자가 행정청에 대하여 어떠한 행정처분을 하여 줄 것을 요청할 수 있는 법규상 또는 조리상의 권리를 갖고 있지 아니한 경우에 제기한 부작위위법확인의 소는 부적법하다.

□□□ ③ 부작위위법확인소송의 경우 사실심의 구두변론종결 시점의 법적·사실적 상황을 근거로 행정청의 부작위의 위법성을 판단하여야 한다.

□□□ ④ 부작위위법확인소송은 행정심판 등 전심절차를 거친 경우라 하더라도 행정소송법 제20조가 정한 제소기간 내에 제기해야 하는 것은 아니다.

관련기출

②

1. 부작위가 성립하기 위해서는 당사자의 신청이 있어야 하며, 여기서 신청이란 법규상 또는 조리상 신청권의 행사로서의 신청을 말한다. (○, ×) 2013 국회직 8급
2. (부작위위법확인소송의 대상인 부작위의 성립요건에 관하여) 판례에 의할 때 당사자의 신청은 법규상 또는 조리상 신청권에 의한 것이어야 한다. (○, ×) 2010 세무사

1. ○ 2. ○

④

1. 부작위위법확인소송에서 부작위상태가 계속되는 한 그 위법의 확인을 구할 이익이 있다고 보아야 하므로 행정심판 등 전심절차를 거친 경우에도 제소기간에 관한 규정은 적용되지 않는다. (○, ×) 2023 국가직 7급
2. 부작위위법확인의 소는 부작위상태가 계속되는 한 그 위법의 확인을 구할 이익이 있다고 보아야 하므로 원칙적으로 제소기간의 제한을 받지 않는다. (○, ×) 2020 군무원 7급
3. 행정청의 부작위에 대하여 행정심판을 거치지 않고 부작위위법확인소송을 제기하는 경우에는 제소기간의 제한을 받지 않는다. (○, ×) 2019 지방직·교육행정직 9급
4. 부작위위법확인의 소는 부작위상태가 계속되는 한 그 위법의 확인을 구할 이익이 있다고 보아야 하므로 제소기간의 제한이 없음이 원칙이나 행정심판 등 전심절차를 거친 경우에는 제소기간의 제한이 있다. (○, ×) 2019 국회직 8급

1. × 2. ○ 3. ○ 4. ○

① ○

> 행정소송법 제36조【부작위위법확인소송의 원고적격】 부작위위법확인소송은 처분의 신청을 한 자로서 부작위의 위법의 확인을 구할 법률상 이익이 있는 자만이 제기할 수 있다.

② ○

> 부작위위법확인의 소에 있어 당사자가 행정청에 대하여 어떠한 행정행위를 하여 줄 것을 요구할 수 있는 법규상 또는 조리상 권리를 갖고 있지 아니한 경우에는 원고적격이 없거나 항고소송의 대상인 위법한 부작위가 있다고 볼 수 없어 그 부작위위법확인의 소는 부적법하다(대판 1999. 12. 7, 97누17568).

③ ○

취소소송에서 위법판단의 기준시에 대해서는 처분시설이 통설이나, 부작위위법확인소송에서는 처분이라는 것이 존재하지 않으므로 위법판단의 기준시에 대해서 판결시(사실심의 구두변론종결시)설이 통설이다.

④ **빈출** ×

취소소송의 제소기간에 관한 규정은 부작위위법확인소송에도 준용된다(행정소송법 제38조 제2항). 그런데 이 규정의 의미와 관련하여 판례는 부작위위법확인의 소는 원칙적으로 제소기간의 제한을 받지 않으나 행정심판 등 전심절차를 거친 경우에는 행정소송법 제20조가 정한 제소기간 내에 부작위위법확인의 소를 제기하여야 한다고 본다.

> 행정심판 등 전심절차를 거친 경우에는 행정소송법 제20조가 정한 제소기간 내에 부작위위법확인의 소를 제기하여야 한다.
> 부작위위법확인의 소는 부작위상태가 계속되는 한 그 위법의 확인을 구할 이익이 있다고 보아야 하므로 원칙적으로 제소기간의 제한을 받지 않는다. 그러나 행정소송법 제38조 제2항이 제소기간을 규정한 같은 법 제20조를 부작위위법확인소송에 준용하고 있는 점에 비추어 보면, 행정심판 등 전심절차를 거친 경우에는 행정소송법 제20조가 정한 제소기간 내에 부작위위법확인의 소를 제기하여야 한다(대판 2009. 7. 23, 2008두10560).

정답 11 ④

12 정답률 66% 중 2019 국가직 9급

항고소송에서 수소법원이 하여야 하는 판결에 대한 설명으로 옳지 않은 것은? (다툼이 있는 경우 판례에 의함)

① 무효확인소송의 제1심 판결시까지 원고적격을 구비하였는데 제2심 단계에서 원고적격을 흠결하게 된 경우, 제2심 수소법원은 각하판결을 하여야 한다.

② 행정처분이 있음을 안 날부터 90일을 넘겨 행정심판을 청구하였다가 각하재결을 받은 후 그 재결서를 송달받은 날부터 90일 내에 원래의 처분에 대하여 취소소송을 제기한 경우, 수소법원은 각하판결을 하여야 한다.

③ 허가처분 신청에 대한 부작위를 다투는 부작위위법확인소송을 제기하여 제1심에서 승소판결을 받았는데 제2심 단계에서 피고 행정청이 허가처분을 한 경우, 제2심 수소법원은 각하판결을 하여야 한다.

④ 행정심판을 청구하여 기각재결을 받은 후 재결 자체에 고유한 위법이 있음을 주장하며 그 기각재결에 대하여 취소소송을 제기한 경우, 수소법원은 심리 결과 재결 자체에 고유한 위법이 없다면 각하판결을 하여야 한다.

관련기출

③

1. 소제기의 전후를 통하여 판결시까지 행정청이 그 신청에 대하여 적극 또는 소극의 처분을 함으로써 부작위상태가 해소된 때에는 소의 이익을 상실하게 되어 당해 소는 각하를 면할 수가 없다. (○, ×) 2018 국회직 8급
2. 부작위위법확인소송의 변론종결시까지 행정청의 처분으로 부작위상태가 해소된 때에는 부작위위법확인소송은 소의 이익을 상실하게 된다. (○, ×) 2012 국가직 7급
3. 부작위위법확인소송을 제기한 뒤에 판결시까지 행정청이 그 신청에 대하여 적극적 또는 소극적 처분을 하였다면 소의 이익을 상실하게 되어 당해 소는 각하된다. (○, ×) 2010 국회속기직 9급

1. ○ 2. ○ 3. ○

① ○

원고적격은 소송요건으로서 1심은 물론이고 2심뿐만 아니라 상고심에서도 갖추고 있어야 한다(대판 2007. 4. 12, 2004두7924). 따라서 무효확인소송의 제1심 판결시까지 원고적격을 구비하였더라도 제2심 단계에서 원고적격을 흠결하게 된 경우라면, 제2심 수소법원은 소송요건의 흠결을 이유로 소를 각하하여야 한다.

② ○

> 행정처분이 있음을 안 날부터 90일을 넘겨 행정심판을 청구하였다가 부적법하다는 이유로 각하재결을 받은 후 재결서를 송달받은 날부터 90일 내에 원래의 처분에 대하여 취소소송을 제기한 경우, 취소소송의 제소기간을 준수한 것으로 볼 수는 없다(대판 2011. 11. 24, 2011두18786).

③ **빈출** ○

부작위위법확인소송의 계속 중 행정청이 신청에 대해서 적극 또는 소극의 처분을 하게 되어 부작위상태가 해소되면 소의 이익을 상실하게 되어 각하된다는 것이 판례의 입장이다.

> 소제기 후라도 행정청이 처분을 함으로써 부작위상태가 해소된 경우 부작위위법확인소송은 소의 이익이 상실되어 각하된다.
> 소제기의 전후를 통하여 판결시까지 행정청이 그 신청에 대하여 적극 또는 소극의 처분을 함으로써 부작위상태가 해소된 때에는 소의 이익을 상실하게 되어 당해 소는 각하를 면할 수가 없는 것이다(대판 1990. 9. 25, 89누4758).

④ ×

재결취소소송에 있어 재결 자체에 고유한 위법이 없는 경우 법원은 재결취소소송을 기각하여야 한다는 것이 판례의 입장이다(대판 1994. 1. 25, 93누16901).

정답 12 ④

대표

13 ㊤

2018 국회직 8급

부작위위법확인소송에 대한 설명으로 옳지 않은 것은? (다툼이 있는 경우 판례에 의함)

□□□ ① 부작위위법확인의 소는 부작위상태가 계속되는 한 그 위법의 확인을 구할 이익이 있다고 보아야 하므로 원칙적으로 제소기간의 제한을 받지 않으나, 행정심판 등 전심절차를 거친 경우에는 행정소송법 제20조가 정한 제소기간 내에 소를 제기해야 한다.

□□□ ② 소제기의 전후를 통하여 판결시까지 행정청이 그 신청에 대하여 적극 또는 소극의 처분을 함으로써 부작위상태가 해소된 때에는 소의 이익을 상실하게 되어 당해 소는 각하를 면할 수가 없다.

□□□ ③ 행정청에 대하여 어떠한 행정처분을 하여 줄 것을 요청할 수 있는 법규상 또는 조리상의 권리를 갖는 자만이 제기할 수 있다.

□□□ ④ 법원은 단순히 행정청의 방치행위의 적부에 관한 절차적 심리만 하는 게 아니라, 신청의 실체적 내용이 이유 있는지도 심리하며 그에 대한 적정한 처리방향에 관한 법률적 판단을 해야 한다.

□□□ ⑤ 부작위위법확인소송에는 취소판결의 사정판결규정은 준용되지 않지만 제3자효, 기속력, 간접강제에 관한 규정은 준용된다.

관련기출

④

1. 부작위위법확인소송은 부작위의 위법함을 확인함으로써 행정청의 응답을 신속하게 하여 부작위 내지 무응답이라고 하는 소극적인 위법상태를 제거하는 것을 목적으로 한다. (○, ×) 2016 서울시 7급
2. (도로법 제61조에서 "공작물 · 물건, 그 밖의 시설을 신설 · 개축 · 변경 또는 제거하거나 그 밖의 사유로 도로를 점용하려는 자는 도로관리청의 허가를 받아야 한다."고 규정하고 있다. 甲은 도로관리청 乙에게 도로점용허가를 신청하였으나, 상당한 기간이 지났음에도 아무런 응답이 없어 행정쟁송을 제기하여 권리구제를 강구하려고 한다) 甲이 부작위위법확인소송을 제기한 경우, 법원은 乙이 도로점용허가를 발급해 주어야 하는지의 여부를 심리할 수 있다. (○, ×) 2016 지방직 9급

1. ○ 2. ×

① ○

부작위위법확인의 소는 부작위상태가 계속되는 한 그 위법의 확인을 구할 이익이 있다고 보아야 하므로 원칙적으로 제소기간의 제한을 받지 않는다. 그러나 행정심판 등 전심절차를 거친 경우에는 행정소송법 제20조가 정한 제소기간 내에 부작위위법확인의 소를 제기하여야 한다(대판 2009. 7. 23, 2008두10560).

② ○

소제기 후라도 행정청이 처분을 함으로써 부작위상태가 해소된 경우 부작위위법확인소송은 소의 이익이 상실되어 각하된다는 것이 판례의 입장이다(대판 1990. 9. 25, 89누4758).

③ ○

부작위위법확인의 소에 있어 당사자가 행정청에 대하여 어떠한 행정행위를 하여 줄 것을 요구할 수 있는 법규상 또는 조리상 권리를 갖고 있지 아니한 경우에는 원고적격이 없거나 항고소송의 대상인 위법한 부작위가 있다고 볼 수 없어 그 부작위위법확인의 소는 부적법하다는 것이 판례의 입장이다(대판 1999. 12. 7, 97누17568).

④ ×

판례는 부작위위법확인소송은 부작위의 위법성을 확인하는 데 그치고 신청에 따른 특정 처분의무가 있는지 여부 등의 실체적 내용까지는 심리할 수 없다고 한다.

부작위위법확인의 소는 부작위 내지 무응답이라고 하는 소극적인 위법상태를 제거하는 것을 목적으로 하는 것이다.

부작위위법확인의 소는 행정청이 당사자의 법규상 또는 조리상의 권리에 기한 신청에 대하여 상당한 기간 내에 그 신청을 인용하는 적극적 처분을 하거나 각하 또는 기각하는 등의 소극적 처분을 하여야 할 법률상의 응답의무가 있음에도 불구하고 이를 하지 아니하는 경우, 그 부작위의 위법을 확인함으로써 행정청의 응답을 신속하게 하여 부작위 내지 무응답이라고 하는 소극적인 위법상태를 제거하는 것을 목적으로 하는 것이고, 나아가 그 인용판결의 기속력에 의하여 행정청으로 하여금 적극적이든 소극적이든 어떤 처분을 하도록 강제한 다음, 그에 대하여 불복이 있을 경우 그 처분을 다투게 함으로써 최종적으로는 당사자의 권리와 이익을 보호하려는 제도이므로 …… (대판 2002. 6. 28, 2000두4750)

⑤ ○

부작위위법확인소송의 준용규정인 행정소송법 제38조 제2항은 제28조(사정판결)를 준용하지 않으나 제29조 제1항(제3자효), 제30조(기속력), 제34조(간접강제)를 준용한다.

행정소송법 제28조【사정판결】(이하 생략)

제29조【취소판결 등의 효력】 ① 처분 등을 취소하는 확정판결은 제3자에 대하여도 효력이 있다.

제30조【취소판결 등의 기속력】 ① 처분 등을 취소하는 확정판결은 그 사건에 관하여 당사자인 행정청과 그 밖의 관계행정청을 기속한다.

제34조【거부처분취소판결의 간접강제】 ① 행정청이 제30조 제2항의 규정에 의한 처분을 하지 아니하는 때에는 제1심 수소법원은 당사자의 신청에 의하여 결정으로써 상당한 기간을 정하고 행정청이 그 기간 내에 이행하지 아니하는 때에는 그 지연기간에 따라 일정한 배상을 할 것을 명하거나 즉시 손해배상을 할 것을 명할 수 있다.

제38조【준용규정】 ② 제9조, 제10조, 제13조 내지 제19조, 제20조, 제25조 내지 제27조, 제29조 내지 제31조, 제33조 및 제34조의 규정은 부작위위법확인소송의 경우에 준용한다.

정답 13 ④

14 정답률 80% 중 2016 서울시 7급

부작위위법확인소송에 대한 설명으로 가장 옳지 않은 것은? (다툼이 있는 경우 판례에 따름)

□□□ ① 집행정지결정은 부작위위법확인소송에 준용되지 않는다.

□□□ ② 부작위위법확인소송에서 예외적으로 행정심판전치가 인정될 경우 그 전치되는 행정심판은 의무이행심판이다.

□□□ ③ 당사자의 신청에 대한 행정청의 거부처분이 있는 경우에는 행정청이 당사자의 신청에 대하여 일정한 처분을 이행하지 아니함으로써 위법상태가 야기된 것이므로 이를 제거하기 위하여 부작위위법확인소송도 허용된다.

□□□ ④ 부작위위법확인소송은 부작위의 위법함을 확인함으로써 행정청의 응답을 신속하게 하여 부작위 내지 무응답이라고 하는 소극적인 위법상태를 제거하는 것을 목적으로 한다.

① 빈출 ○

부작위위법확인소송은 항고소송의 일종으로 취소소송에 관한 대부분의 규정이 부작위위법확인소송에도 준용된다. 다만, ㉠ 처분변경으로 인한 소변경, ㉡ 집행정지결정, ㉢ 사정판결에 관한 규정 등은 그 성질상 부작위위법확인소송에 준용되지 않는다.

> **행정소송법 제23조【집행정지】** ② 취소소송이 제기된 경우에 처분 등이나 그 집행 또는 절차의 속행으로 인하여 생길 회복하기 어려운 손해를 예방하기 위하여 긴급한 필요가 있다고 인정할 때에는 본안이 계속되고 있는 법원은 당사자의 신청 또는 직권에 의하여 처분 등의 효력이나 그 집행 또는 절차의 속행의 전부 또는 일부의 정지(이하 '집행정지'라 한다)를 결정할 수 있다. 다만, 처분의 효력정지는 처분 등의 집행 또는 절차의 속행을 정지함으로써 목적을 달성할 수 있는 경우에는 허용되지 아니한다.
>
> **제38조【준용규정】** ② 제9조, 제10조, 제13조 내지 제19조, 제20조, 제25조 내지 제27조, 제29조 내지 제31조, 제33조 및 제34조의 규정은 부작위위법확인소송의 경우에 준용한다.

② ○

부작위위법확인소송에는 행정심판에 관한 규정이 준용된다. 따라서 개별법에 '예외적 행정심판전치주의'가 규정되어 있는 경우에는 행정심판을 거쳐야 한다. 행정심판법은 부작위위법확인심판을 따로 규정하고 있지 않기 때문에 부작위위법확인소송에 대해 전치되는 행정심판은 의무이행심판이다.

> **행정소송법 제18조【행정심판과의 관계】** ① 취소소송은 법령의 규정에 의하여 당해 처분에 대한 행정심판을 제기할 수 있는 경우에도 이를 거치지 아니하고 제기할 수 있다. 다만, 다른 법률에 당해 처분에 대한 행정심판의 재결을 거치지 아니하면 취소소송을 제기할 수 없다는 규정이 있는 때에는 그러하지 아니하다.
>
> **제38조【준용규정】** ② 제9조, 제10조, 제13조 내지 제19조, 제20조, 제25조 내지 제27조, 제29조 내지 제31조, 제33조 및 제34조의 규정은 부작위위법확인소송의 경우에 준용한다.

③ ×

부작위위법확인소송의 대상은 부작위이며 처분이 있는 경우에는 부작위가 아니므로 부작위위법확인소송을 제기할 수는 없다.

> 거부처분이 있는 경우 부작위위법확인소송을 제기할 수는 없다.
> 행정청이 당사자의 신청에 대하여 거부처분을 한 경우에는 항고소송의 대상인 위법한 부작위가 있다고 볼 수 없어 그 부작위위법확인의 소는 부적법하다(대판 1998. 1. 23, 96누12641).

④ ○

부작위위법확인의 소는 그 부작위의 위법을 확인함으로써 행정청의 응답을 신속하게 하여 부작위 내지 무응답이라고 하는 소극적인 위법상태를 제거하는 것을 목적으로 한다는 것이 판례의 입장이다(대판 2002. 6. 28, 2000두4750).

정답 14 ③

15 정답률 72% 중 2016 지방직 9급

도로법 제61조에서 "공작물 · 물건, 그 밖의 시설을 신설 · 개축 · 변경 또는 제거하거나 그 밖의 사유로 도로를 점용하려는 자는 도로관리청의 허가를 받아야 한다."고 규정하고 있다. 甲은 도로관리청 乙에게 도로점용허가를 신청하였으나, 상당한 기간이 지났음에도 아무런 응답이 없어 행정쟁송을 제기하여 권리구제를 강구하려고 한다. 다음 설명으로 옳은 것은? (다툼이 있는 경우 판례에 의함)

□□□ ① 甲이 의무이행심판을 제기한 경우, 도로점용허가는 기속행위이므로 의무이행심판의 인용재결이 있으면 乙은 甲에 대하여 도로점용허가를 발급해 주어야 한다.

□□□ ② 甲이 부작위위법확인소송을 제기한 경우, 법원은 乙이 도로점용허가를 발급해 주어야 하는지의 여부를 심리할 수 있다.

□□□ ③ 甲이 제기한 부작위위법확인소송에서 법원의 인용판결이 있는 경우, 乙은 甲에 대하여 도로점용허가신청을 거부하는 처분을 할 수 있다.

□□□ ④ 甲은 의무이행소송을 제기하여 권리구제가 가능하다.

① ×

도로법 제40조 제1항에 의한 도로점용허가는 설권행위(편저자 주 : 특허)로서 재량행위이다(대판 2002. 10. 25, 2002두5795).

② ×

판례는 부작위위법확인소송은 부작위의 위법성을 확인하는 데 그치고 신청에 따른 특정 처분의무가 있는지 여부 등의 실체적 내용까지는 심리할 수 없다고 한다(13 ④ 해설 참조).

③ ○

부작위위법확인소송의 인용판결이 있는 경우 행정청은 부작위가 아닌 작위, 즉 처분을 하여야 한다. 이 경우 신청에 따른 처분뿐만 아니라 거부처분을 하는 것 또한 처분을 한 것이므로 판결의 취지에 따른 것이 된다.

④ ×

행정소송법상 이행판결을 구하는 소송, 즉 의무이행소송은 허용되지 않는다(대판 1997. 9. 30, 97누3200).

정답 15 ③

박준철 교수

약 력

고려대학교 법과대학 법학과 졸업
고려대학교 법과대학원 행정법 전공
現. 공단기 행정법 대표 강사
소방단기 행정법 대표 강사
前. 남부고시학원 7·9급 행정법 대표 강사
KG패스원(웅진패스원) 7·9급 행정법 대표 강사

주요 저서

써니 행정법총론
7급 써니 행정법각론
써니 행정법총론 기출문제집
7급 써니 행정법각론 기출문제집
써니 행정법총론 행정법으로의 초대
써니 행정법총론 핵심집약
7·9급 써니 행정법총론 단원별 모의고사
써니 행정법총론 소방 단원별 모의고사
7·9급 써니 행정법총론 실전동형 모의고사
써니 행정법총론 소방 실전동형 모의고사
써니 행정법총론 오답노트
7·9급 써니 행정법총론 SOS
코드에 맞는 행정법총론
7·9급 써니 행정법총론 판례집
7·9급 써니 행정법총론 판례특강
써니 행정법총론 오답노트 하프모의고사

2025 써니 행정법총론 기출문제집 | 필수편

9판 1쇄 발행 2024년 9월 20일
9판 4쇄 발행 2024년 10월 11일

편저자 박준철
발행인 김지연

등 록 제319-2011-41호
발행처 (주)도서출판 지금(http://www.papergold.net)
주 소 06924 서울특별시 동작구 장승배기로 128, 305호(노량진동, 동창빌딩)
교재공급처 (02)814-0022 FAX (02)872-1656
유튜브 SunnyLawTV_써니로
학습문의처 cafe.naver.com/sunnylaw(써니 행정법)
ISBN 979-11-6018-399-3 14360(세트)

저자와의 협의하에 인지를 생략합니다.
정가 44,000원(전 2권)